CE QU'ILS ONT DIT DU *TRICHEUR*

LES (BONNES) CRITIQUES :

« *Meilleur que du Le Carré. Je l'ai lu en deux jours. Jean-François Lisée est non seulement un des journalistes les plus importants au Québec, mais aussi un de nos meilleurs écrivains.* »
Sylvain Lelièvre, auteur-compositeur, *En direct*, CBF

« *Très certainement le bouquin le plus important produit au Québec depuis 10 ans.* »
Daniel Latouche, *Le Devoir*

« *Un travail de moine... Un pavé où foisonnent les anecdotes... Un tableau ironique [du comité Allaire]... Lisée brosse une fresque d'une acuité quasi sidérante du congrès libéral [de 1991].* »
Denis Lessard, *La Presse*

Lisée « *est le détective politique du Québec. Il est intelligent, éveillé, implacable et rigoureux. Il construit ses démonstrations méticuleusement, interroge suspects et témoins et examine les documents. [...] Le verdict sur Le Tricheur est donc : une autre superbe intrigue politico-policière de l'inspecteur Lisée.* »
Don Macpherson, *The Gazette*

« *Je ne pouvais m'arracher à cette lecture. Au fait, l'expérience m'a rappelé l'adolescence, lorsqu'en quelques jours, j'ai dévoré tout Arsène Lupin.* »
Pierre de Bellefeuille, *L'Action Nationale*

« *Ça se lit comme un roman.* »
Gilles Lesage, *Le Devoir*
Suzanne Lévesque, *Sous la couverture*, SRC
Monique Simard, *Québec Magazine*, Radio-Québec
Don Macpherson, *The Gazette*

« *À l'écrit comme au micro, Jean-François Lisée frappe et frappe fort. Il assume. Il a le courage de ses opinions et des faits qu'il rapporte. Il donne des noms, des dates, des lieux. Juste pour ça, juste pour cette plume en quête de vérité, je lui lève mon chapeau.* »
Franco Nuovo, *Journal de Montréal*

« *À la lecture du livre, certains risquent la crise d'apoplexie. [...] Il faut être profondément blasé pour ne pas être révolté.* »
Nathalie Collard, *Voir*

« Ça deviendra un classique. Je n'ai jamais lu un livre politique au Canada qui nous montre aussi bien ce qui se passe en coulisses, pas à pas. »

William Johnson, *The Gazette*

« Tissé à l'intérieur du livre, on trouve non seulement le portrait des arnaqueurs et des arnaqués, des vertueux et des fourbes, mais Lisée y brosse un tableau très noir de comment nous avons failli en tant que nation — ou en tant que deux nations — à maîtriser les forces politiques qui poussent le Québec toujours un peu plus près de la séparation. [...] Après avoir lu Lisée, j'en viens à contrecœur à la conclusion que la séparation est encore plus inévitable. »

Peter Wheeland, *Hour*

LES SCEPTIQUES :

Une « tricherie » ? « Pas du tout. » Bourassa « a fait exactement ce qu'il fallait faire ». S'il avait joué franc jeu, « il aurait perdu sa majorité à l'Assemblée nationale et le Québec serait probablement un pays indépendant aujourd'hui ». Donc, « il a droit à tous les honneurs ».

Éditorial, *The Gazette*

« Lisée est un jeune journaliste immensément talentueux. Avec le temps, il devrait aussi devenir un journaliste plus mûr. »

William Johnson, *The Gazette*

Un « livre accrocheur, mais quelque peu exagéré ».

Normand Girard, *Journal de Montréal*

« Robert Bourassa, tricheur ? C'est en mettre gros sur le dos d'un seul homme. »

Gilles Lesage, *Le Devoir*

« Une charge dévastatrice qui accrédite le titre du livre. [...] [Mais] on ne peut blâmer l'ancien premier ministre d'avoir résisté au sentiment souverainiste qui dominait dans la population et chez les élites en feignant d'être à sa remorque. »

Marcel Adam, *La Presse*

« Ce n'est pas de la tricherie, c'est de la stratégie. »

Michel Vastel

LA RÉPLIQUE :

« Le cynisme qui règne actuellement au Québec est sans fond [...]. Qu'est-ce que ça prend, bon Dieu, pour nous faire grimper dans les rideaux ? »

Richard Martineau, *Voir*

« Ce livre constitue une charge à fond de train contre cette médiocrité envahissante à laquelle nous succombons trop facilement [...] et un plaidoyer tragique pour le retour d'une certaine moralité en politique. Ce n'est pas vrai qu'on doit mentir effrontément et s'en vanter. »

Daniel Latouche, *Le Devoir*

« Les engagements qu'il [Bourassa] a pris, les cochonneries qu'il a faites avec les autres premiers ministres [anglophones], ça, je le digère mal ! »

Jean Cournoyer, ex-ministre de Bourassa, *Télémédia*

À la question « Est-il exagéré de dire que Robert Bourassa est un tricheur ? » 1800 auditeurs ont appelé le réseau TVA. 66 % ont répondu *non*.

LES POLITICIENS :

« Des centaines de pages de bavardage. »

Source anonyme qui, en bavardant avec un journaliste du *Devoir*, dit rapporter les propos de Robert Bourassa.

Question : « Avez-vous cru, vous, à un moment donné, que M. Bourassa pouvait faire la souveraineté ? »

Daniel Johnson : *« Je vais garder ça pour mes Mémoires. »*

« J'ai agi pendant une douzaine d'années comme membre de comités de discipline du barreau du Québec. Un avocat qui aurait agi comme Robert Bourassa, qui représentait le Québec tout entier, aurait reçu les sanctions les plus sévères. »

Jean Allaire

« Donnez-moi encore deux minutes... »

Lucien Bouchard, plongé dans sa lecture, alors que ses conseillers le pressent de se rendre à la période de questions.

« M. Lisée trace de moi le portrait d'un naïf total [...]. Les allégations ne sont pas niables. Les citations, elles sont vraies. Toutes celles que j'ai entendues, celles qu'il m'a attribuées sont exactes. »

Lucien Bouchard

« Je lui ai tendu la main [À Bourassa], je ne le regrette pas. Mais c'est extrêmement dommage que le premier ministre ait préféré se replier dans l'ambiguïté et le double langage. »

Jacques Parizeau

« Il est vrai que M. Bourassa manquait parfois de clarté. [Mais le traiter de tricheur est] un raccourci historique injuste et somme toute assez grossier. »

Claude Ryan, ne niant aucune des informations le concernant dans le livre.

« Je suis très à l'aise avec le titre [...]. De la manière dont le livre est organisé, la preuve est accablante. »

Gérald Larose, CSN

« La manipulation [de Bourassa] mine la confiance que les gens ont dans le système démocratique et heurte les hommes et les femmes qui y travaillent. »

Bernard Landry

« Je m'interroge beaucoup sur les visées de ce livre de M. Lisée. Vous savez, quand il se dit un souverainiste sceptique, je me demande s'il n'est pas plutôt un souverainiste opportuniste et que son seul but c'est de vendre plusieurs copies de son livre. »

Monique Gagnon-Tremblay

« Je tente de mettre de l'ordre dans mes documents, qui couvrent huit ans de vie politique. Ensuite, je serai prêt à commenter. »

Gil Rémillard

Le Naufrageur

Robert Bourassa et les Québécois, 1991-1992

Jean-François Lisée

Le Naufrageur

Robert Bourassa et les Québécois, 1991-1992

Boréal

Cet ouvrage a été publié avec l'appui du Programme de subvention globale du Conseil des Arts du Canada.

Couverture : d'après une photographie de Ron Kocsis/© Publiphoto

Conception graphique : Gianni Caccia

Diffusion au Canada : Dimedia
Distribution en Europe : Les Éditions du Seuil

Données de catalogage avant publication (Canada)
Lisée, Jean-François

   Le Tricheur : Robert Bourassa et les Québécois, 1990-1991
   Comprend des réf. bibliogr. et un index.
   Sommaire: t. 2. Le naufrageur.

   ISBN 2- 89052-621-6 (v. 1) – ISBN 2-89052-628-3 (v. 2)

   1. Bourassa, Robert, 1933-   . 2. Québec (Province) – Politique et gouvernement – 1960-   . 3. Canada – Politique et gouvernement – 1984-1993. 4. Québec (Province) – Histoire – Autonomie et mouvements indépendantistes.   5. Canada – Droit constitutionnel – Amendements. 6. Premiers ministres – Québec (Province) - Biographies. I. Titre. II. Titre: Le naufrageur.

   FC2925.1.B68L57 1994   971.4' 04' 092   C94-940554-X
   F1053.25.B68L57 1994

À Doris,
qui aurait bien voulu connaître la suite

NAUFRAGEUR

n.m. (1874 : de *naufrage*).
1° Pillard qui, par de faux
signaux, provoquait un
naufrage pour voler la
cargaison, les épaves.
• *(Navire)* Qui provoque
un naufrage, par
abordage, collision.
Bateau naufrageur.
2° *Fig.* Celui qui provoque
la ruine de. *Les naufrageurs
de l'État.*
(Le Petit Robert I)

Troisième partie

L'Extincteur

Vous, Robert, espèce de calmant ambulant.
René Lévesque à Robert Bourassa,
pendant un débat au PLQ en octobre 1966.

8

LE BRADEUR

Il manquait de couilles.
Je lui en ai donné.

MARCEL MASSE,
revenant de voir Robert Bourassa.

J OE CLARK NE COMPREND ABSOLUMENT PAS CE QUI VIENT DE SE PASSER. C'est imprévu, incongru, déroutant. Ce 3 juin 1991, il sort de sa première rencontre en tête-à-tête avec le premier ministre du Québec. La discussion a été « valable », dit-il. Bourassa s'est montré « flexible », ajoute-t-il. Le français de Joe Clark n'est pas impeccable. À la blague, il raconte parfois l'avoir appris de John Diefenbaker, qui le massacrait au point que John F. Kennedy s'en est un jour moqué en public. Mais il maîtrise suffisamment le français pour sentir que les mots « valable » et « flexible » ne résument en rien la rencontre qu'il vient d'avoir. Cherche-t-il la traduction du mot « *weird* » ?

Depuis cinq semaines qu'il a été « conscrit » — c'est son terme — ministre responsable des Affaires constitutionnelles, donc chargé de sauver le Canada, Clark a vécu plusieurs rencontres désagréables.

Mais il avait gardé l'étape québécoise pour la fin de son tour de piste. Tous les autres, qu'il a vus et entendus, menacent de se fâcher s'ils n'obtiennent pas gain de cause : un Sénat réformé pour l'Ouest, des gouvernements autonomes pour les autochtones, une charte des droits sociaux pour l'Ontario. Mais, bon, on en a vu, des colères, et on en reverra. À Québec, ils ne parlent pas de se fâcher, ils parlent de décamper. C'est plus grave. Et leurs demandes ont la fâcheuse habitude d'aller en sens contraire de celles de leurs partenaires. En plus, ils boudent. Bourassa a promis de ne plus « jamais » revenir à une table de négociation à 11. Ça ne facilite pas la tâche.

Joe Clark ne veut pas arriver à Québec les mains vides. Officiellement, tout le monde affirme qu'il n'y a pas de négociations entre Ottawa et Québec. Mais voilà, il faut bien se parler et tester des idées entre nous, non ? Pas la peine de s'embarquer dans des batailles épuisantes pour se rendre compte ensuite qu'on a conquis la mauvaise colline, escaladé le mauvais rempart.

Qu'est-ce qu'ils veulent, ces Québécois ? La société distincte ? Bon, mais qu'est-ce que c'est ? La culture, bien sûr, mais la langue, surtout. Car Tocqueville a raison : « Le lien du langage est peut-être le plus fort et le plus durable qui puisse unir les hommes. » Les unir, et les diviser. Car la langue française pose aussi un problème dans l'ouest du pays, où on trouve qu'il y en a trop. Au Québec, on trouve qu'il n'y en a pas assez. Au centre, Ottawa est la cible des tirs croisés. Ces positions sont-elles conciliables ? Joe Clark, comme le chef de cabinet du premier ministre Brian Mulroney, Norman Spector, pense que oui.

Spector manifeste une telle ouverture d'esprit à cet égard qu'il fait tester dans l'opinion, par le sondeur du gouvernement, Allan Gregg, une hypothèse extrême voulant que le Québec soit dorénavant unilingue français et le reste du Canada, unilingue anglais. Gregg dira en entrevue, que le concept ne fut pas très populaire dans l'opinion mais reflétait combien l'échec de Meech avait complètement ébranlé Spector et la direction fédérale. Ils envisageaient toutes les solutions. Spector se replie alors sur une solution moins radicale : donner aux provinces la responsabilité en matière linguistique pour tout ce qui ne touche pas directement les institutions fédérales.

Cette hypothèse d'une « provincialisation » des pouvoirs linguistiques est présentée, le 27 mai, au comité des 18 ministres fédéraux qui cogitent, ensemble et sous la gouverne de Clark, sur l'avenir du pays. Ce n'est pas l'enthousiasme. Chez les francophones, les ministres Marcel Masse et Benoît Bouchard, pourtant réputés nationalistes, restent indifférents. Bernard Valcourt, du Nouveau-Brunswick, et Robert René de Cotret, un Franco-Ontarien devenu Québécois, protestent avec véhémence. Sans la protection d'Ottawa, disent-ils, les francophones hors Québec souffriront. « Je pense, déclare pour sa part le Québécois Gilles Loiselle, que ce serait une grosse erreur de toucher au bilinguisme. »

Chez les ministres anglophones, l'argumentation diffère. Barbara McDougall, ministre des Affaires étrangères mais surtout représentante d'une certaine élite nationaliste torontoise, rechigne. « Encore une institution nationale dont on nous reprochera la fin et la mort, soupire-t-elle sur son ton de perpétuelle déprimée. Il y a déjà Via Rail, la CBC qu'on est en train de couper en morceaux, Air Canada qu'on a vendu... » Pourquoi se tirer encore dans le pied ?

« On passe pour les démolisseurs des institutions auxquelles sont attachés les Canadiens des deux sociétés, continue-t-elle, faisant le consensus autour de la table. Pis là, vous venez nous dire que le bilinguisme qu'on a créé avec tant de douleur, et d'efforts, et d'emmerdements, on n'en parle plus ? Il faut défaire ça et le redonner aux provinces ? Non. Ne touchons pas à ça. »

La proposition de Spector tombe un peu à plat, mais pas complètement. Car dans cette salle se trouve un intellectuel québécois du nom de Michel Roy, affecté aux affaires constitutionnelles depuis février 1991. Journaliste émérite, ex-éditorialiste au *Devoir* puis éditeur adjoint de *La Presse*, Roy est un des fédéralistes les plus intelligents de la province, dans la filiation des André Laurendeau et des Claude Ryan. Surtout, il comprend le nationalisme québécois. Au soir du référendum de 1980, alors qu'il faisait partie du camp des gagnants, il avait déclaré : « Tout ce que le Québec compte de forces vives vient de perdre. » Il sera heureux de constater que le dynamisme, incarné jusque-là dans la recherche de la souveraineté, s'investira ensuite dans l'économie et la culture.

Dix ans plus tard, observant la vague de fond qui déferle sur sa province, il comprend que le Québec ne peut être retenu dans la fédération, que le Canada ne peut être sauvé qu'au prix d'une véritable réforme en profondeur. Jamais Roy n'aurait signé le rapport Allaire — un « document médiocre », pense-t-il — il le dit à Bourassa qui acquiesce. Mais il ne se serait pas trop fait tirer l'oreille pour signer le rapport Bélanger-Campeau.

Michel Roy à Ottawa, c'est une recrue hors norme. Parmi les mandarins qui gravitent autour du premier ministre Mulroney et de Joe Clark, on trouve une foule de Québécois. Excellents serviteurs de l'État canadien, ils s'y perdent, cependant, lorsqu'il s'agit de lire les humeurs du Québec, de décoder les signaux du *bunker*. Roy au contraire a passé sa vie à faire cette lecture, à offrir son déchiffrage, toujours lucide et jamais radical, dans ses éditoriaux et ses chroniques. Il le fera maintenant pour ses nouveaux patrons et souffrira beaucoup du rapetissement de son bassin de lecteurs. Devenu conseiller constitutionnel de Brian Mulroney, il ne décide de rien mais met son nez dans tout, parle à tout le monde, devient une interface vivante entre Québec et Ottawa.

Lorsqu'il a répondu à l'appel de Mulroney, en février, il a fait le tour de la situation avec le premier fonctionnaire de l'État, Paul Tellier, greffier du Conseil privé et copilote, avec Clark, de la nouvelle tentative de réforme du Canada. Roy s'est informé de l'ambition de cette initiative : « Je lui ai dit que cette fois-ci, je m'attendais qu'on ne jouerait plus sur des petites propositions mineures, parce que nous savions que ça ne donnerait aucun résultat et qu'il fallait vraiment aller au cœur de la question. »

« Et comment ! lui a répondu Tellier. Là, c'est la grande affaire ! »

« Grande affaire » ? Michel Roy en voit une passer, en mai : la proposition de Spector sur la langue. La volonté de maîtriser les pouvoirs linguistiques est au cœur de la question du Québec depuis Wolfe. On retrouve ce vœu, dit-il, « parmi les fameuses revendications traditionnelles du Québec ; c'est là en rouge, en vert, en bleu depuis 25 ans, 30 ans, 40 ans ». Pas besoin de remonter si loin. Robert Bourassa s'est toujours fait le champion de la « souveraineté culturelle* ». La langue, c'est un des pouvoirs revendiqués dans le rapport Allaire. Pas besoin même de fouiller dans les textes partisans. Le ministre québécois Claude Ryan a prononcé un discours très clair à ce sujet — il a même intégré cette revendication dans sa réponse confidentielle au brouillon du rapport Allaire, en janvier 1991**. Plus récemment encore, des signaux en ce sens ont été émis par Québec. Michel Roy prépare donc une note, marquée SECRET, à l'endroit des ministres québécois et de Joe Clark, pour les mettre au parfum. On y lit :

> Les récents contacts (préliminaires et informels) entre représentants de cette province et hauts fonctionnaires fédéraux démontrent surabondamment que celle-ci insiste toujours pour assumer en priorité la responsabilité de la politique linguistique sur son territoire.[...]
>
> M. Claude Ryan, dans un discours prononcé à Kingston le 8 décembre 1989, discours préalablement discuté et approuvé au Conseil des ministres, et qui reflète par conséquent le point de vue officiel de son gouvernement, déclarait que « le Québec tient à être le maître d'œuvre de la politique linguistique sur son territoire ».
>
> M. Ryan ajoutait que [...] « Dans ce domaine surtout, le Québec voudra toujours que son autorité soit la plus large possible ».

S'appuyant sur la proposition que Spector avait soumise aux ministres la semaine précédente, Roy va plus loin et suggère de modifier la constitution et la charte des droits dans presque tous ses articles touchant la langue, pour conférer au Québec et aux autres provinces l'entière liberté en matière linguistique, y compris « la compétence linguistique dans le domaine des entreprises réglementées à l'échelon fédéral ». En clair : le gouvernement albertain pourrait décider s'il faut ou non des employés bilingues aux bureaux de poste de Regina. Roy présente sa plaidoirie :

> L'avantage de ces modifications, pour le Québec d'abord, est évident : [...] elles auraient pour effet d'étendre notablement les pouvoirs de la province francophone

---

*   Bourassa avait lancé ce slogan en février 1971. En mars 1979, il continuait à en faire son credo : « J'ai l'air entêté, mais je suis convaincu que dans quelques années, la formule qui va exister au Canada, c'est la formule dont j'ai parlé en février 1971, c'est-à-dire une souveraineté socioculturelle interne et externe pleine [pour le Québec] avec un fédéralisme économique. Je suis convaincu que ça va être le compromis canadien. » Il a bien dit « pleine ».

**   Sur cet épisode et la réaction de Bourassa, qui trouve Ryan trop timide, voir tome I, chap. 5, « Le Dompteur ».
La constitution en vigueur en 1991 oblige le Québec à voter ses lois dans les deux langues, à autoriser les enfants de Canadiens anglais venant d'autres provinces à fréquenter l'école anglaise et, à moins d'invoquer tous les cinq ans la clause nonobstant, à permettre l'affichage bilingue. Le *statu quo* empêche aussi le Québec de légiférer en matière de langue dans toutes les institutions fédérales œuvrant au Québec et dans les champs d'activités réglementés par le gouvernement fédéral, comme les banques ou le transport interprovincial. Le Québec ne peut pas non plus réglementer la langue des marques de commerce et des raisons sociales, très fréquemment unilingues anglaises, enregistrées en vertu de la loi fédérale.

en matière de langues, celle-ci devant en retour s'engager à garantir les droits de sa minorité de langue officielle [par un Code des minorités, par exemple].

Pour les autres provinces, ensuite, de tels changements auraient pour conséquence, du moins doit-on l'espérer, de responsabiliser les gouvernements à l'égard de leur minorité tout en les soulageant des pressions d'une opinion publique contrariée par le bilinguisme « imposé d'Ottawa ».

Roy s'arrête là, car il n'a pas besoin d'expliquer aussi que cette politique ôterait du pied du gouvernement conservateur fédéral une épine de jolie taille, surtout dans l'ouest du pays. Le Reform Party propose d'ailleurs une politique assez voisine, pour des raisons diamétralement opposées.

Clark sait que cette proposition sera difficile à vendre aux francophones hors Québec. Il n'est pas certain que Brian Mulroney y sera très favorable. Le premier ministre canadien a cru en peu de dogmes pendant sa carrière, mais rien ne lui tient plus à cœur que la protection des droits linguistiques, dont il s'est fait le défenseur depuis l'adolescence, dans un Parti conservateur qui n'en était pas, à l'origine, très entiché. Tout de même, la proposition Spector-Roy permettrait de lancer la nouvelle négociation constitutionnelle avec éclat. Clark pourrait au mois montrer à Robert Bourassa qu'il considère la chose avec ouverture d'esprit. Si le gouvernement du Québec fait du français un cheval de bataille, comme l'indique Roy, des premiers ministres de l'Ouest, dont Don Getty, seront aussi du voyage. Avec un pied à l'Est et un pied à l'Ouest, la réforme pourra tenir debout, gagner peut-être ensuite les ministres conservateurs francophones et Brian Mulroney lui-même. Une première pierre aura été posée dans l'érection d'un nouveau Canada. Convaincu par Spector et Roy, Clark est donc « tout content » de s'amener à Québec avec une si jolie carotte.

Pauvre Clark ! Le 3 juin, à Québec, ce n'est pas l'érection, c'est la débandade. Robert Bourassa raconte :

> Quand j'ai rencontré M. Clark [...] on a parlé de la langue. Je lui ai dit que je ne voulais pas la prendre.
>
> Un moment donné c'était dans l'air qu'on augmente les pouvoirs des provinces sur la langue. Pour plaire à l'Ouest. Moi, j'ai dit que nous, on avait la clause nonobstant [dans la charte des droits], puis on avait les francophones hors Québec, nous, on peut pas les laisser tomber complètement. [..]
>
> J'ai opté pour le *statu quo*.
>
> Moi, je trouve qu'avec l'état actuel, la clause nonobstant et la loi 178, on a quand même suffisamment de pouvoir, la langue de travail, tout ça.

La relation qu'en fait Clark, dans un mémo écrit à son retour, puis de vive voix à Roy, est conforme à celle de Bourassa, quoique plus sentie, dans le choix des mots. Roy raconte :

> J'ai vu Clark qui m'a dit : « Bourassa n'en veut pas. » Et puis, le *bottom line* pour lui c'est « écoutez, j'ai trop de problèmes — c'est Bourassa qui parle à Clark — j'ai assez de problèmes avec la langue au Québec, je vais pas m'embarquer dans cette perspective-là, bon ». Donc, c'était pour des raisons immédiates de contexte

Le ministre fédéral des Affaires constitutionnelles revient de Québec « un peu étonné, légèrement déçu » de constater que « le premier demandeur historique refusait la balle », résume Roy. Que le chef du gouvernement québécois refuse de prendre en charge le pouvoir fédéral d'inspection des viandes bovines ou la gestion informatisée des stocks de morue au large de la Gaspésie, on veut bien. Mais la langue ? Si le premier ministre du Québec, chef du parti ayant adopté le rapport Allaire et signataire du rapport Bélanger-Campeau, ne veut pas plus de pouvoir sur la langue, fondement du caractère distinct du Québec et raison pour laquelle ni le gouvernement Lévesque ni le sien n'ont signé la constitution de 1982*, alors qu'est-ce qui reste ? Lorsqu'on lui fait part de cette curieuse décision, Claude Ryan s'en dit très malheureux, mais suppose que si son chef lâche du lest là, c'est pour mieux tirer sur la corde ailleurs.

La rencontre Clark-Bourassa est le premier contact officiel Ottawa-Québec dans la « ronde Canada » qui conduira, par étapes laborieuses, à un projet d'entente constitutionnelle. Elle donne le ton. Au printemps et à l'été de 1991, le comité ministériel de Joe Clark brasse des idées, jongle avec les théories, tente de voir grand. Son objectif est de déposer, à l'automne de 1991, un premier cahier de propositions, base de tractations encore à venir. Comme toujours, les commencements sont essentiels. « L'histoire des négociations constitutionnelles prouve qu'on n'obtient jamais rien de plus que ce qui est sur la table au début des pourparlers », affirme cet été-là Claude Castonguay, devenu sénateur, et ancien combattant constitutionnel québécois à Victoria en 1971. La formule est jolie, mais pas toujours exacte. Il est cependant certain qu'on obtient rarement plus que ce qu'on a demandé au début. La langue, affirme Roy, « ça aurait dû, ça aurait pu marcher ».

La conversation de Québec a un effet immédiat sur les discussions linguistiques au cabinet fédéral : « Après que Clark a vu Bourassa, raconte Roy qui participe à ces rencontres, ça s'est effondré, bien sûr. C'était un fait nouveau qui mettait fin au débat. » Bourassa ne dit pas autre chose : « Ça a donné un résultat ; j'ai dit : voilà la position du Québec. »

Du Québec ? Si Bourassa l'avait rendue publique ce jour-là, on pourrait le vérifier. Mais il ne l'a pas fait. Le Québec, personnifié par Bourassa, ajoute : « C'était le début du processus de négociation. »

CE N'EST QU'UN DÉBUT, CONTINUONS LE DÉGÂT...

Dans les échanges multiples, croisés et contradictoires qui mobilisent les responsables fédéraux et québécois du dossier constitutionnel, l'attitude que Robert Bourassa a adoptée face à la question cruciale de la langue n'est pas une aberration. Pendant ces préliminaires, les représentants fédéraux veulent aussi savoir ce qu'il en est des volontés québécoises dans le domaine de la santé, qui figure aussi depuis des lustres parmi « les revendications traditionnelles du

---

* Qui réduisait unilatéralement le pouvoir de l'Assemblée nationale de légiférer en matière linguistique.

Québec ». La constitution de 1867 reconnaissait aux provinces la compétence en ce domaine, mais grâce à son vorace pouvoir de taxation, Ottawa redistribue depuis les années 60 une partie de sa manne dans un programme conjoint — couvrant environ 40 % du budget québécois de la santé —, avec obligation pour les provinces de respecter certaines normes nationales. Par exemple, il leur est interdit d'imposer des tickets modérateurs aux patients.

La question est d'actualité. Les dépenses de santé ayant tendance à prendre de l'embonpoint, le ministre de la Santé du Québec, Marc-Yvan Côté, a inventé, en décembre 1990, la notion de « ticket orienteur ». Des gens raisonnables (comme, plus tard, la ministre conservatrice Kim Campbell) admettront que ce ticket de cinq dollars imposé aux patients qui se trompent de porte, en se présentant au service des urgences d'un hôpital pour des problèmes mineurs, n'est pas à proprement parler un ticket modérateur et pourrait être permis.

Telle n'est pas l'interprétation fédérale courante. Côté suggère donc au gouvernement fédéral de modifier sa loi cadre pour permettre au Québec — 25 % de la population canadienne —, d'obtenir un peu de marge de manœuvre dans ce domaine. Requête immédiatement rejetée par l'homologue fédéral, Perrin Beatty, qui, dans une splendide démonstration de la flexibilité du fédéralisme, menace d'appliquer au Québec des pénalités si le ministre Côté s'avise de mettre son ticket en vigueur. En clair, Ottawa punirait le Québec en retenant des sommes sur les chèques fédéraux qui lui sont destinés.

Gil Rémillard, ministre responsable de la constitution, voit rouge et se fend, le lendemain, d'une déclaration d'une grande clarté : Que le gouvernement fédéral « se retire de cette juridiction, en nous donnant bien sûr l'argent qui nous revient. On va arriver à ça [dans la réforme constitutionnelle], alors pourquoi le débat actuel, pourquoi avoir des pénalités, pourquoi développer ce genre de fédéralisme, pourquoi cet acharnement d'Ottawa à vouloir tout contrôler ? C'est ce genre de fédéralisme qui a créé les problèmes qu'on a présentement ! » Qu'Ottawa apprenne, dit-il encore, à « se mêler de ses affaires ».

Pendant l'été de 1991, le comité ministériel de Joe Clark se penche sur cette question. Les normes nationales de la santé constituent une vache sacrée fédérale, un symbole d'unité nationale. Le ministre Perrin Beatty, un Ontarien chargé de ce dossier jusqu'en avril, avant de prendre celui des Communications, se fait toujours le gardien de l'intérêt fédéral sur la question. Il n'est pas le seul. Roy raconte :

> Il y a eu une séance entièrement consacrée aux structures du régime canadien de santé et au danger qu'il y aurait de laisser les provinces jouer avec ça. Ça, c'était la participation des hauts fonctionnaires [du ministère fédéral] Santé et Bien-être, qui sont venus dire : « Écoutez les *boys,* faites pas les fous ! » [...]
>
> [Le ticket orienteur] n'a jamais été bien reçu au cabinet. Jamais. Beaucoup de gens se sont opposés à ça, même les francophones. Et il se manifestait à cet égard-là

un courant que j'ai observé pendant tout le temps que j'ai été là : la vieille méfiance envers les provinces. « Ce sont des administrations cantonales, pas très sérieuses, il faut pas leur laisser trop de marge, hein ? parce que, qu'est-ce qu'ils vont encore aller bousiller là ? »

Rien que de très normal, donc. Ottawa a développé une importante présence dans un domaine qui touche la vie quotidienne des Canadiens, il y joue le rôle de protecteur de la gratuité et de l'universalité des régimes de soins, c'est-à-dire le beau rôle. Les fonctionnaires fédéraux concernés défendent leur coin de pouvoir avec la considérable inertie propre au mandarinat. Au cabinet, on rechigne à accorder au Québec un accommodement qui pourrait être politiquement coûteux ailleurs au pays. La routine. On ne saurait imaginer une seule demande québécoise — ou une seule demande de décentralisation du pouvoir fédéral, quelle qu'en soit l'origine — qui ne se heurte à ce genre de résistance.

Mais le pays est en danger. Le but du jeu est de préserver son unité. Donc, la « grande réforme » du Canada qu'on mijote dans les chaudrons fédéraux, et qui doit faire saliver les palais québécois, devra bien faire bouger quelques virgules dans la constitution, donc quelques fonctionnaires et ministres à Ottawa. Le domaine de la santé est un beau cas. Pour peu que Québec insiste.

Mais voilà, il n'insiste pas.

Roy : À part Rémillard dans ses déclarations, personne n'a, de Québec, formulé une telle demande.

L'auteur [l'entrevue se déroule à la fin de 1991] : Rémillard, Côté et le rapport Allaire l'ont dit. Mais, pour vous, tant que Bourassa ne le dit pas, Québec ne l'a pas dit ?

Roy : Évidemment. Évidemment. Qu'est-ce que tu veux ? Quand Bourassa n'a pas entériné ou quand il te fait dire, même sans que tu en parles : « Surtout, messieurs, hein ? pas de folies ! » [...] « Laissez faire la santé, il y a pas de problème au Québec avec cette affaire-là. » [...] Alors, il aime mieux pas. Il a fait ses petits calculs. [...]

L'auteur : Mais, la santé, ce n'est pas un champ symbolique important ? [Un de ceux qui, si Bourassa les obtenait, lui] permettraient de faire baisser les intentions de vote souverainiste ?

Roy : Exactement. T'as parfaitement raison. [...] Alors, on met un X là-dessus. Bon, ben, je me dis, c'est parce que, dans l'espoir d'obtenir autre chose, peut-être ont-ils renoncé à ceci. Mais là, je cherchais le « autre chose » et je ne voyais toujours pas.

Il ne s'agit pas d'un oubli passager du chef libéral québécois. Benoît Bouchard, qui succède à Beatty au portefeuille de la santé et restera associé aux discussions constitutionnelles à venir, affirme qu'ensuite « Bourassa n'a jamais soulevé cette question-là ».

Tout se passe comme si Robert Bourassa était incapable de s'arrêter, de changer de vitesse. Depuis le 28 décembre 1990, il a réussi à casser l'élan revendicateur dans son parti, en dénaturant le rapport Allaire, puis en détournant la pensée du Congrès qui l'a adopté. Il a réussi à casser la coalition nationaliste en voie de formation à la commission Bélanger-Campeau en introduisant un flagrant double langage, en annonçant qu'il entendait faire le contraire de ce qu'il écrivait, signait, votait. À ce stade pourtant, « le Québec est un peu en position de force », dit-il en juillet 1991. Ayant écarté les fauteurs de souveraineté, il devrait s'atteler à la tâche de réussir sa « dernière chance » de réforme du fédéralisme, en aidant les membres de la famille politique fédérale qui ont le même intérêt que lui. Il les connaît : ce sont les ministres québécois du gouvernement Mulroney. Il en parle spontanément, en juillet 1991, lorsque l'auteur l'interroge sur la possibilité que le Canada, ayant refusé Meech, fasse des offres raisonnables au Québec :

> Il faut privilégier le sens commun. Si ça a une chance de réussir, il faut que ce soit acceptable pour moi — je suis un peu dans une position importante à cet égard-là —, et il faut que ce soit acceptable aux Gilles Loiselle, Benoît Bouchard, Marcel Masse. Il faut que ça soit acceptable aux [sénateurs conservateurs du Québec] Arthur Tremblay, Roch Bolduc, Claude Castonguay, Solange Chaput-Rolland. [...] S'il n'y a aucun des trois groupes [le Québec, les ministres fédéraux et les sénateurs] qui peut accepter ça, à ce moment-là, c'est le gouvernement d'Ottawa lui-même qui est remis en cause, plus que le mien.

Bref, Bourassa est conscient que les fédéralistes d'Ottawa sont à la fois l'avant-garde et le rempart québécois dans la négociation qui s'amorce. Et, puisque le premier ministre du Québec boude les négociations constitutionnelles, les Loiselle, Bouchard et Masse, avec Michel Roy, forment l'équipe de relève. Il est même conscient que les ministres fédéraux ont leur lettre de démission en poche et qu'en cas d'échec, leur départ pourrait « remettre en cause » le gouvernement Mulroney.

Pourquoi s'applique-t-il alors à refroidir les ardeurs de ses meilleurs alliés ? Tout le printemps et tout l'été, pour presque chaque combat mené par son équipe de relève, Bourassa interviendra pour abaisser la barre, atténuer l'impact, détourner le courant. Il donne déjà un signe avant-coureur, à la mi-mai, quand Mulroney fait annoncer dans son discours du trône qu'en matière d'éducation, le gouvernement canadien entend « voir établir, avec l'appui et la coopération des provinces, des objectifs pancanadiens pour l'an 2000 », dont il donne immédiatement la liste. Que fait le gouvernement fédéral dans ce domaine de compétence spécifiquement provinciale ? De l'économie, pardi ! « Notre degré de réussite dans l'économie planétaire sera fonction de notre performance en éducation, du perfectionnement de nos compétences de gestion et de notre attitude à l'égard du travail et du changement », explique le discours du trône. Car Ottawa, en plus, annonce une nouvelle initiative en matière de formation de la main-d'œuvre et s'avance encore plus avant dans le développement régional, deux domaines revendiqués par Québec*.

---

* La propension fédérale à investir encore plus le champ de l'éducation — Ottawa y est déjà présent par son aide à l'enseignement supérieur — est récurrente depuis les années 70 et

Au cabinet, dit Marcel Masse, « il y a eu de longues discussions où les Québécois — Loiselle, Bouchard et moi — nous sommes nettement prononcés contre ces affaires-là. On a dit que c'était inutile à ce moment-ci. Que puis-qu'on était en réforme constitutionnelle, il était inutile d'aller d'avance occuper des champs de compétence sans même avoir de discussion [avec Québec]. » Ce que confirme Roy : « Les ministres du Québec ont dit : "Mais c'est de la folie, mettez pas ça là, ça va être des querelles inutiles." Ils l'ont mis quand même. »

Les ministres québécois se heurtent à la volonté de Michael Wilson, ministre du Commerce, instigateur de la grande « stratégie de prospérité » — qui se transformera en coûteux et lamentable échec. Et à celle du ministre Bernard Valcourt, du Nouveau-Brunswick, maintenant responsable des objec-tifs nationaux en matière d'éducation et mis en charge de l'offensive fédérale sur la main-d'œuvre, un os qu'il ne lâchera pas facilement.

Cette attaque surprise met en rogne les fédéralistes du cabinet Bourassa comme Lise Bacon, qui, deux mois plus tôt, a voté de bonne foi en faveur du rapport Allaire : « Ce qui me fâche, c'est quand ils [le gouvernement fédéral] posent des gestes qui vont à l'encontre de ça. Ça m'exaspère. En éducation, en développement régional ! » « C'est intrigant », commente Jean-Claude Rivest, « c'est merdeux pour nous, ça affaiblit la position du Québec, ça donne des vapeurs à Parizeau qui peut dire : "Voyez comment le régime fédéral fonctionne en fou." » Le seul fédéraliste québécois qui ne se fâche pas est... Robert Bourassa.

Mulroney a eu la décence d'avertir à l'avance son ami Robert, au télé-phone, de l'intervention fédérale en matière d'éducation. « Là, Robert a pas trop réagi *rough* », rapporte Rivest. « Il espère que le processus fédéral va don-ner quelque chose de potable [...] C'est pour ça qu'à date, tu vois, il veut pas tirer sur le pianiste. Quand arrivent les guidis-guidis qu'ils nous font, là, tsé ? l'éducation. Il veut laisser la chance au coureur. Sauf que je le mets en garde. Je trouve qu'il est un peu *soft*, là. Mais quand va arriver le moment [de réagir aux offres], je suis pas inquiet qu'il va dire non. Si c'est pas acceptable, il va dire non. »

On verra. Mais pour l'instant, il ne dit pas non. Et si Mulroney le voit, à

répond à la tendance croissante du Canada anglais à considérer Ottawa comme son « gouvernement national ». Il est d'ailleurs frappant de constater que les provinces anglophones, pourtant chargées officiellement de l'éducation, sont peu portées à protester contre les visées fédérales qui créent un nouveau chevauchement, alors qu'il y en a pourtant déjà beaucoup. C'est un signe assez net du dépérissement, dans le ROC, de la notion de fédéralisme au sens strict — des provinces qui doivent rester souveraines dans leurs champs de compétence. Par ailleurs, un des conseillers qui ont le plus poussé Mulroney à intervenir dans le champ de l'éducation est le Québécois Marcel Côté, chargé de la « planification stratégique » du premier ministre de 1989 à 1991. Dès 1990, il avait suffisamment insisté sur ce point pour que Diane Wilhelmy doive consacrer toute une nuit, pendant le *sprint* de Meech, à faire échec à cette volonté fédérale. Avant d'être conseiller de Mulroney, Côté était conseiller de Bourassa.

la télévision, appuyer à l'Assemblée nationale une motion blâmant Ottawa pour ses « intrusions inacceptables » dans le domaine de l'éducation, il sait qu'au téléphone, Bourassa ronronne. Une information privilégiée qu'il peut transmettre à ses ministres québécois pour les calmer.

Non que les Bouchard, Loiselle et Masse soient d'indéfectibles porteurs du ballon québécois, tant s'en faut. Ils sont déchirés entre leurs deux allégeances — la québécoise et la fédérale — et entre leurs intérêts — nationalistes de cœur, fédéralistes de fonction. Le discours qui en résulte souffre de ces contradictions.

Benoît Bouchard, le lieutenant québécois de Mulroney, est la caricature ambulante de cette ambivalence. « J'ai toujours cru qu'on devait tendre le plus qu'on en était capables vers le rapport Allaire, dit-il en entrevue. Le rapport Allaire, pour un Québécois, un gars comme moi, ne pouvait pas apparaître comme étant complètement hors de sens. Il y avait des choses qui étaient trop grosses — affaires étrangères partagées, par exemple — mais j'avais une espèce de sympathie naturelle, une espèce d'affinité, beaucoup de tolérance pour le rapport. »

Tolérance dans l'ensemble, mais pas dans le détail. Pendant toute la période, et sauf sur la question de la formation de la main-d'œuvre, Bouchard ne se fera le grand promoteur d'aucune revendication québécoise spécifique. Souvent, son jeu sera défensif, opposé à de nouvelles visées interventionnistes fédérales. Toujours, il fera de grands discours sur la nécessité d'en « donner plus » au Québec, car il sent que les miettes péniblement alignées par Joe Clark ne seront pas de nature à convaincre le Québec de rester au sein du Canada. Cette incohérence, cette inconstance, contribueront à faire de Benoît Bouchard un joueur importun, mais pas important.

Gilles Loiselle a gagné ses galons de ministre compétent auprès de ses collègues anglophones grâce à son travail de président du Conseil du Trésor. Moins expansif que Bouchard, il est plus cohérent dans son propos. Ses interventions, moins fréquentes et plus brèves, ont plus de poids. Membre de la fonction publique québécoise — il a travaillé sous les ordres de Marcel Masse dans les années 60 et de Bernard Landry dans les années 80 —, Loiselle a dirigé à Londres le combat québécois contre le rapatriement unilatéral de la constitution, ce qui lui vaut une mention louangeuse dans les Mémoires de René Lévesque, une égratignure dans ceux de Pierre Trudeau. Double trophée, donc.

Devenu poids lourd du gouvernement fédéral, Loiselle est cependant séduit par la perspective de mettre toutes les provinces, de gré ou de force, au diapason de la politique économique définie par lui et ses collègues. C'est pourquoi on le verra apposer son sceau sur la plus vaste tentative de centralisation de pouvoirs jamais tentée depuis la Seconde Guerre.

Marcel Masse, finalement, est un cas. Jeune star, dans les années 60, de l'Union nationale — après un bref passage au RIN —, Masse a failli en devenir le chef en juin 1971, dans un scrutin que certains prétendent truqué. Conservateur lorsque cette race existait à peine au Québec, Masse devint, à partir de 1984, le ministre fédéral livrant le combat le plus déterminé et le plus visible pour redonner au Québec sa juste part dans chacun des ministères qu'il a brièvement dirigés : Énergie, Communications (en fait, culture), Défense. Chaque fois, ses interventions furent interprétées dans le ROC comme autant de cadeaux donnés aux Québécois, perçus par leurs voisins comme les éternels assistés sociaux du Canada. Nationaliste de la tendance Lionel Groulx (l'antisémitisme en moins), Masse pense que le Canada devrait redessiner clairement la ligne de partage de ses deux nations fondatrices, et il va le faire savoir. « On ne peut pas vivre éternellement dans un pays dans lequel on est malheureux », dit-il en privé.

À l'occasion de ses 25 ans de vie politique, le 2 juin 1991, devant un parterre de dignitaires et de vétérans, en présence du premier ministre et de plusieurs collègues, il lance deux messages. Le premier, destiné à ses collègues anglophones : « Mon engagement auprès de Brian Mulroney se situe dans une continuité que je ne romprais que si certains anglophones faisaient la sourde oreille à des revendications lourdes de conséquences et adoptaient, contre le gré des Québécois, des positions irréversibles. » Son attachement au Canada ne tiendra pas « à n'importe quel prix », avise-t-il. Il faudra au contraire que le Canada convienne qu'il doit « non plus consolider ses assises, mais reconsidérer ses fondements », notamment envers « une province qui a souffert plus souvent que d'autres de la mesquinerie de ses associés ».

Le second message est réservé à ses collègues francophones : « Mes compagnons d'armes peuvent compter sur moi. Je leur demande en retour de surmonter l'obstacle des contrariétés, de ne point s'adonner à la morosité quand la conjoncture les incite plutôt à affirmer des convictions. »

Son approche est cependant si éloignée de l'univers mental de ses collègues anglophones qu'il reste pour eux un phénomène étrange, un peu extra-terrestre, certainement inintelligible. Parfois, il lui arrivera de faire preuve d'une audace rafraîchissante, que Joe Clark trouvera presque dangereuse.

Ce qui manque à ces trois mousquetaires québécois à Ottawa, c'est un plan de match, une boussole, voire une liste d'épicerie à laquelle se référer. Si Bourassa leur disait ce qu'il veut, ils ne lui obéiraient pas aveuglément, c'est sûr. Mais ils auraient une base sur laquelle s'appuyer, un fonds dans lequel piger.

MASSE, BOUCHARD, LOISELLE : TROIS INNOCENTS EN CANADA ROUGE

Pendant l'été de 1991, les trois ministres, en plus du jeune Jean Charest et de Robert René de Cotret, forment la représentation québécoise dans le grand comité ministériel de Joe Clark, où 18 ministres du gouvernement Mulroney sont chargés de repenser le Canada. Ces ministres, qui ont chacun d'importantes responsabilités et siègent à d'innombrables comités, disposent de peu de temps pour se préparer à cette tâche supplémentaire. Toutes les deux semaines environ, on les traîne dans une ville canadienne pour les faire cogiter sur un aspect de la fédération. Des textes leur sont soumis sur place — ils ne peuvent en avoir un exemplaire à l'avance, secret oblige — par la machine mandarinale fédérale. Cette machine est chapeautée par Paul Tellier, premier fonctionnaire du pays, mais sa tête pensante est Ronald Watts, universitaire ontarien naguère embauché par le *lobby* patronal Business Council on National Issues (BCNI) pour débroussailler le terrain. Ron Watts est censé être le guide du cabinet dans sa réflexion, le porteur d'idées neuves et le fabricant de solutions.

Watts figure probablement parmi les 20 cerveaux du *Rest of Canada* (que les documents fédéraux appellent « ROC ») comprenant le mieux la problématique québécoise — quoique son français ne lui permette pas de tenir une conversation nuancée sur la question — et il est désolant de constater que cela ne suffit nullement à élaborer une synthèse satisfaisante entre les deux solitudes. Peut-être la tâche dépasse-t-elle l'entendement. Les ministres québécois, en tout cas, se plaignent que les documents présentés par Watts et son équipe largement formée d'universitaires de Queens tombent toujours à côté de la plaque, et d'assez loin, en tout cas en ce qui concerne le Québec*. Michel Roy est souvent sidéré par les graves erreurs de diagnostic qu'il entend proférer par les experts fédéraux chargés d'ausculter le mal canadien et québécois. Il raconte :

> Une des premières choses que j'ai comprises rapidement, c'est que même les « politiques » dans le Bureau des relations fédérales-provinciales ou du Conseil privé [étage supérieur du mandarinat fédéral] avaient du Québec une perception souvent étonnante à mes oreilles. En les entendant parler, je me disais : « Mais où est-ce qu'ils prennent leurs informations, ces gens-là ? Dans le *Citizen* ou quoi ? » [Le *Citizen* est le quotidien anglophone d'Ottawa, dont il serait exagéré de dire qu'il est francophobe.]

Le problème va se poser encore longtemps, mais pour l'instant, l'adjoint principal de Joe Clark, son « secrétaire général » chargé de coordonner le tout, s'appelle Gordon Smith et n'y voit que du feu. Ancien membre de l'écurie Trudeau et de son équipe de stratèges du Non pendant le référendum de 1980, il vient de passer presque une décennie en Europe comme ambassadeur et a par conséquent raté plusieurs des épisodes importants du drame de l'unité canadienne. Un jour qu'il croise Michel Roy dans un corridor, il lui demande :

---

*   La structure fédérale ne pèche pas par simplicité. Watts était chargé, au Bureau des relations fédérales-provinciales, d'injecter un peu d'audace et de cohérence dans les propositions. Mais ces textes provenaient aussi, et peut-être surtout, des travaux de comités de sous-ministres chargés pendant les mois précédents de refaire l'inventaire des réformes possibles. Surprise ! Peu de travaux de ces comités favorisaient une réduction du pouvoir fédéral dans quelque secteur que ce soit. Le président du comité de hauts fonctionnaires chargé de la culture était Marcel Massé, futur ministre de Jean Chrétien. Le ministre Marcel Masse (sans accent aigu) était suffisamment conscient du pouvoir réel de cet appareil pour exiger d'aller y témoigner et y faire valoir son point de vue décentralisateur en la matière.

« N'est-il pas vrai, finalement, que pour le Québec, si on règle le problème de la langue, on a réglé tout le problème de la constitution ? Qu'est-ce que vous en pensez ? »

« Ah ! répond Roy, déconcerté, j'aimerais bien que ce fût aussi simple. Hélas ! Il faudrait qu'on aille déjeuner. »

Armé d'une telle acuité dans l'analyse, Smith dirige des tas de spécialistes, regroupe des experts de divers ministères, qui se réunissent sans cesse dans les locaux du Bureau des relations fédérales-provinciales. Mais jamais rien ne semble sortir de ces discussions. Quand Clark investit les lieux en avril, il se trouve en présence d'une énorme guimauve en croissance, dont on ne sait ce qui va en sortir, ni s'il va en sortir quelque chose.

Clark s'avise bientôt qu'il y a eu erreur sur la personne et réclame le départ de Gordon Smith. Or, la nomination des cadres supérieurs des ministères est une prérogative du premier ministre, qui peut ainsi « contrôler » ses ministres de l'intérieur. Mulroney accepte de virer Smith, mais refuse de le remplacer par le premier choix de Clark, un de ses anciens conseillers aux Relations extérieures. Mulroney lui impose plutôt une recrue que lui a suggérée, en raison de son dynamisme, son bras droit, Paul Tellier : Jocelyne Bourgon, haut fonctionnaire du ministère de l'Énergie, sans spécialisation en droit ni en matière constitutionnelle. Née à Papineauville dans l'Outaouais, diplômée en biologie, ayant passé 20 ans dans la fonction publique fédérale où elle a appris l'anglais, devenue sous-ministre avant d'avoir 40 ans, férue d'économie, Bourgon a un air timide mais décidé derrière ses grandes lunettes, sous ses mèches déjà blanches. Son choix étonne. Elle étonnera. Michel Roy raconte :

> Quand Mme Bourgon est arrivée, elle a vu les travaux que Watts avait faits avec son équipe de rédacteurs et de professeurs, pis elle a trouvé que c'était pas très bon. [...]
>
> Elle aimait pas leur manière d'écrire, c'était *wishy washy* [mou], puis c'était « *our great country* » [notre grand pays], ça leur prenait trois chapitres avant de mentionner le nom du Québec. Tsé, y'avait un boutte ! Pas parce que Watts comprenait pas, mais parce qu'il voulait pas. « Il faut pas en mettre trop, disait-il, il faut y aller doucement. » Je te dis qu'on était loin du sentiment d'urgence, là, mon vieux ! [À lire ça, on avait l'impression] que tout va bien finalement, ce pays-là est heureux, c'est vraiment le modèle de la sérénité, du bonheur et de l'équilibre. Seulement il y a ici et là des petites choses qu'on pourrait peut-être améliorer...
>
> Elle leur a dit : « Écoutez, c'est pas sérieux. » Bon, alors les gars l'ont refait. Ils l'ont refait plusieurs fois. [...] Pis, bon, c'est un peu mieux, mais c'est pas parfait non plus. Et vient un jour où finalement elle renvoie tous ces enfants-là, elle chasse tout ce monde-là, ben poliment. Enfin, comme on peut.

Bourgon s'embauche une assistante pour remplacer « tous ces enfants-là » : Suzanne Hurtubise, 37 ans, ex-fonctionnaire au ministère des Finances et ancienne conseillère économique de Claude Ryan, lorsqu'il était leader de l'opposition. Hurtubise tiendra maintenant la plume.

Bourgon aux commandes, ce n'est ni Gérin-Lajoie ni Rémillard. Si elle se rapproche de l'épicentre politique québécois que Gordon Smith ou Ron Watts ne savent situer, elle en est encore très loin, déportée par 20 ans de vie fédérale. Son plus grand choc l'attendra à l'Île-du-Prince-Édouard, lieu où les pères de la confédération canadienne avaient conçu la constitution de 1867, entre deux passages au bar. À l'été de 1991, c'est le lieu d'une rencontre du comité ministériel de Clark.

Bourgon et compagnie ont préparé une proposition sur la formation de la main-d'œuvre, domaine dont tous les intervenants québécois, fédéralistes et souverainistes, patronaux et syndicaux, réclament le transfert à la province. La constitution de 1867 n'a rien prévu en ce qui concerne la formation de la main-d'œuvre. Mais elle stipule que l'éducation et le travail sont de responsabilité provinciale. Un amendement subséquent a décrété que l'assurance-chômage est de compétence fédérale. Chemin faisant, Ottawa a ajouté un volet de formation à sa distribution de chèques aux chômeurs. On peut penser que la formation de la main-d'œuvre étant un prolongement de l'éducation dans le domaine du travail, la chose devrait être de compétence provinciale. Ou bien que la formation étant un prolongement de la gestion de l'économie et du chômage, la chose devrait être de compétence fédérale. Sur cette question comme sur nulle autre, les ministres Bouchard, Masse et Loiselle ont raison de penser que Bourassa veut récupérer les pouvoirs. Alors ils foncent.

Ils se heurtent à l'opposition des fonctionnaires, des sous-ministres et du ministre responsable, Bernard Valcourt, du Nouveau-Brunswick. Un participant résume le ton des arguments. « C'était : "Nous, au fédéral, on sait faire ça" et "on va s'en occuper". Les provinces ? "On peut les associer ici et là, mais on s'occupe de ça. Et il faut pas donner ça au Québec." »

Des ministres anglophones prennent ce train : « Écoutez, ça n'a aucun bon sens, disent-ils. La formation, après tout, doit respecter des normes canadiennes... »

Les ministres sont réunis dans une salle immense à Charlottetown, capitale de l'île. Ils n'en occupent qu'un tout petit espace. Pourtant, ils vont se bousculer.

Benoît Bouchard, le premier, sort de ses gonds, et assène un de ses arguments favoris : « Mais qu'est-ce que vous pensez ? Si on donne pas la formation, c'est la fin, messieurs ! Et je vois d'ici ce que *Le Devoir* va écrire ! » C'est une constante : Bouchard appuie souvent son propos sur la peur des réactions, surtout celles du *Devoir*, plutôt que sur la justesse des décisions. Les ministres albertains sont peu impressionnés.

Bouchard n'est pas le seul à intervenir, et l'argument de la plume acide de Lise Bissonnette n'est pas le seul à fuser. Masse se met de la partie, expliquant qu'il faut tirer la ligne quelque part. « Écoutez, dit-il, si c'est la question des normes qui vous inquiète, nous nous entendrons, c'est tout. On n'est pas fous [au Québec], les normes vont se ressembler beaucoup, même si on se parlait pas ! »

Masse en rigole encore. « Ils nous arrivaient avec des documents, on les hachurait, mon vieux, comme ça ! Charlottetown ? *Out he goes !* Pis, recommencez-nous ça, c'est pas ça qu'on veut ! »

Bouchard se souvient que Loiselle se met aussi de la partie, au grand dam de Joe Clark. « Tous les trois, on a mis Joe complètement en furie. On a complètement démoli le document des fonctionnaires. Un en arrière de l'autre. Quand on a eu fini de parler, c'était en morceaux. Assez, je pense, que je me demande si on n'a pas ajourné sur-le-champ. Jocelyne Bourgon en avait pleuré. Ils avaient fait un travail de préparation extraordinaire », mais pas dans la bonne direction.

À la fin, se souvient Michel Roy, les ministres anglophones disaient : « Le Québec veut la formation professionnelle, qu'ils la prennent, quoi ! C'est tout ! » Si c'était si simple !

Parfois, Masse fait complètement dévier le débat, car il trouve trop timorés les documents qu'on lui soumet. S'il faut refaire le Canada, refaisons-le, dit-il, un jour que Clark veut discuter de la réforme du Sénat. D'abord, cette reine Elizabeth, en avons-nous vraiment besoin ? demande Masse, assis à la droite de Clark. On pourrait la garder comme reine du Commonwealth, et devenir, comme l'Inde, une république. Masse décrit la scène :

> Pourquoi ne pas avoir un système républicain au Canada ? Il n'y a que les pays du Commonwealth qui ont un système parlementaire. Il a certes joué un rôle important aux dix-huitième et dix-neuvième siècles, mais répond-il aujourd'hui à l'administration démocratique des peuples ? [...] Est-ce qu'on ne pourrait pas organiser notre système en ayant un président élu par l'ensemble de la population, responsable de l'exécutif, et un Parlement où les gens seraient plus libres de s'exprimer ?

> C'était pas à l'ordre du jour. Mais la question est partie là-dessus et, à la surprise générale, j'étais en train d'avoir une majorité de ministres. [...] John Crosbie [de Terre-Neuve], Bill McKnight [de la Saskatchewan] embarquaient, enfin il y avait une majorité, là, qui se dégageait après une demi-heure, trois quarts d'heure de discussion. Les gens du Conseil privé [mandarins de la fonction publique en charge de la réforme] étaient horrifiés de voir que le cabinet était en train de dégager un consensus pour discuter de l'appareil parlementaire et peut-être d'arriver avec des idées auxquelles ils n'avaient pas pensé.

> Puis, au bout d'une heure, la discussion a été arrêtée par Clark, qui a dit que ce n'était pas à l'ordre du jour, qu'on avait beaucoup de points à couvrir.

Masse n'est pas le seul à avoir conclu, de cette expérience et de bien d'autres, que la réforme du fédéralisme en gestation à Ottawa est, dit-il, « présentée par des fonctionnaires, initiée par ceux d'Ottawa qui ont comme responsabilité de préserver leur approche, largement celle de Trudeau d'ailleurs ». Pierre Trudeau, grand bâtisseur de l'État canadien moderne, a donné à Ottawa son sens du prosélytisme pancanadien, lui a légué beaucoup de son allergie aux visées provinciales quelles qu'elles soient — les visées québécoises en particulier — et a probablement laissé en héritage aux mandarins une bonne dose de son arrogance, qu'il avait débordante. (C'est particulièrement vrai chez les mandarins du ministère des Finances qui, selon Hugh Segal, conseiller de Mulroney, « ne veulent jamais rien donner » aux provinces.) Ce qui ne signifie pas que les mandarins soient malveillants. Paul Tellier, par exemple, a fait très gracieusement la transition de Trudeau à Mulroney, et celle du rapatriement unilatéral à sa tentative de réparation : Meech.

Au-delà des clivages politiques et des péripéties constitutionnelles, ils sont surtout des gardiens du temple fédéral. Michel Roy résume : « Souvent, ces mandarins-là se disent : "Bon, ben, il y a les conservateurs [au pouvoir] qui sont là. Mais ils y sont pour combien de temps ? Tout ça n'est pas très solide, ça peut tomber. On va pas, pour leurs beaux yeux, faire des concessions qui porteraient atteinte à l'équilibre même de la fédération. Nous, mandarins, on a le devoir de protéger les structures de l'État. »

Les élus, membres du cabinet, se trouvent donc dans une situation bizarre. Ils doivent rénover le Canada, mais à partir de propositions émanant de hauts fonctionnaires dont l'intérêt absolu est soit la préservation du *statu quo*, soit une plus grande centralisation des décisions entre leurs mains, à Ottawa. Les gouvernements passent, les hauts fonctionnaires restent. Puisque, de plus, l'inclination naturelle de tout élu est de penser qu'il devrait, lui, avoir encore plus de responsabilités, il est facile pour les ministres de suivre le courant et d'entériner les recommandations des mandarins. Pour aller à contre-courant, il faut disposer de réserves d'énergie et de détermination, pour ne pas dire de front, qui ne sont pas également réparties dans l'espèce humaine, ni dans l'espèce politique.

Mais la frustration prend souvent le relais de la détermination. Et les ministres francophones en ont particulièrement marre de la procédure utilisée dans ces rencontres. Les documents, on l'a dit, sont distribués au début des réunions. Ce qui oblige chacun à lire, en silence et plume à la main, le texte longuement préparé par les mandarins et l'équipe de Clark. En cas de désaccord, il faut imaginer sur-le-champ des contre-arguments, monter une défense, lancer une contre-offensive. Toujours, le combat se fait à la pièce, et en terrain hostile à la sensibilité québécoise. Les ministres du Québec interviennent, en rangs dispersés, aspergeant leurs collègues de concepts, d'arguments qui semblent sortis de nulle part, ou des pages du *Devoir*, ce qui, pour les ministres du ROC, est la même chose.

« On sentait bien parfois le dialogue de sourds, raconte Michel Roy, entre Québécois qui parlaient d'une "dimension nationale québécoise qui étouffe dans ce pays" et certains anglophones autour de la table qui ne comprenaient pas de quoi on parlait. »

Après quelques rencontres, les Québécois s'avisent que le processus est vicié. Jamais le « problème québécois » n'est présenté de front, discuté en soi, pour soi. On n'en sort pas. Masse voudrait qu'on nomme un pendant québécois à l'universitaire ontarien Watts — qui ne sera viré par Bourgon qu'à la fin de l'été. Ni fonctionnaire ni ministre, Watts pouvait butiner, rencontrer, cogiter avec une bonne marge de manœuvre. S'il y avait à ses côtés, non un Léon Dion, mais quelqu'un d'approchant, la dualité canadienne pourrait s'exprimer dans la conception même des textes. Roy rapporte cette requête à Tellier, qui trouve que c'est une chouette de mauvaise idée, et n'y donne pas suite.

Mais au gré des débats, Masse et Bouchard parlent de « la nation québécoise », évoquent des événements historiques, toutes sortes de notions totalement étrangères à leurs collègues anglophones. « Moi, j'écoutais ça, raconte Roy, et je me dis : "Qu'est-ce qu'ils vont comprendre là-dedans ? Ç'est insensé." J'entendais la traduction simultanée des interprètes. Qu'est-ce que va dire notre amie, chose, la petite Campbell [Kim, ministre de la Justice], elle va être plus mêlée que jamais ! [L'entrevue avec l'auteur a lieu en janvier 1992.] Alors j'envoie une note encore à Paul [Tellier] disant : "Il faut faire une session complète sur le Québec." »

C'est aussi l'avis d'un autre mandarin, André Burelle, « spécialiste du Québec » dans l'équipe de Clark. Venu aussi de l'écurie Trudeau mais ayant été échaudé par le rapatriement de 1981-1982, puis rééduqué par Meech, Burelle a développé des thèses que son ancien patron jugerait anathèmes. Disons le mot : il est favorable au fédéralisme asymétrique. Il tente d'insérer certains de ces concepts dans les marmites intellectuelles de Watts, mais sans succès.

Roy et Burelle, devenus de grands complices, convainquent Clark, Tellier et Norman Spector de consacrer toute une session ministérielle à la question québécoise, pour donner aux ministres anglophones un peu de perspective, un peu de profondeur dans leur compréhension du problème. Au début, Tellier rechigne : « Vaut mieux pas s'engager là-dedans parce que, sais-tu, imagine ce qui va arriver ! » dit-il à Roy. Spector, plus hardi, est toujours d'accord pour tenter des aventures. C'est d'ailleurs lui qui donne le feu vert.

LA GRANDE RÉFORME DU TRUDEAUISTE REPENTI

Au soir du 2 juillet 1991, à la terrasse d'un café de la Grande-Allée, à Québec, Roy et Burelle prennent le frais avec Joe Clark. Ils veulent lui rappeler les grandes lignes de la présentation que Burelle a préparée pour le lendemain. Le « droit à la différence » du Québec, dans un Canada vu comme un « partenariat » avec des « provinces souveraines » plutôt que « soumises à l'autorité fédérale en matière nationale ».

Inventeur, à une autre époque, de l'expression « communauté de communautés » pour décrire le Canada, Clark se montre ouvert aux schémas des deux fédéralistes québécois. « Il trouvait qu'il y avait peut-être là une voie importante pour l'avenir », rapporte Roy.

Le lendemain, au dernier étage du Hilton, dans une salle avec vue plongeante sur le parlement de Québec, la vieille ville et, un peu plus haut, les plaines d'Abraham où tout a commencé, le comité ministériel canadien vient prendre un cours d'histoire et une leçon de prospective. À l'entrée, comme d'habitude, les 18 ministres reçoivent un texte. Long de 17 pages, il est marqué du mot SECRET et intitulé : *Le Droit du Québec à la différence dans un nouveau Canada fédéral.* Il s'agit du schéma de la présentation du mandarin, qui brode sur chacun des points, à la manière d'un professeur avec ses notes de cours. Si l'auteur n'avait pas le document en main, il ne croirait pas à son existence. Pour deux raisons. D'abord, rarement autant de vérités désagréables sur la question québécoise ont été aussi crûment exprimées par un représentant fédéral. Ensuite, rarement proposition plus honnête et lucide de réforme du fédéralisme a surgi des entrailles du mandarinat fédéral.

C'est un cas d'espèce, une pièce de collection.

Burelle commence par une « Histoire du Canada vue du Québec » : parle des « entorses au Pacte confédératif de 1867 » ; traite la Cour suprême de « Tour de Pise » dont les décisions ont toujours penché en faveur des prétentions fédérales ; note qu'Ottawa « occupe des zones grises vitales pour la sécurité culturelle du Québec » notamment en radiodiffusion et télécommunications. La politique de bilinguisme et de multiculturalisme « réduit l'identité du Québec », dit-il, et « refuse l'idée d'une société d'accueil québécoise » pour les immigrants. Bref, le haut fonctionnaire déclare qu'il y a un « bris du contrat social originel, garant des droits collectifs du Québec », que la province est victime du « *nation building* unilatéral d'Ottawa ». Burelle pose deux constats contradictoires : « Au nom du droit à la différence, le Québec peut réclamer tous les pouvoirs souverains ; au nom de l'union économique, le Canada peut réclamer tous les pouvoirs souverains. » Il propose un compromis qui puisse « rééquilibrer » le Québec et le ROC.

D'une part, le Québec doit acquérir sa « sécurité culturelle » en obtenant des pouvoirs étendus sur « la langue, la radio, la télé, le câble, le film » ; il doit être « maître de sa politique familiale et de son immigration » ; il doit retrouver la plénitude de ses pouvoirs provinciaux tels que définis en 1867.

D'autre part, ce Québec plus autonome devrait définir des « normes minimales » canadiennes avec les autres provinces. Plutôt que le centralisme, le partenariat des provinces s'incarnerait dans un nouveau « Conseil de la fédération » qui gérerait l'union économique et les mises en commun librement consenties.

La présentation d'André Burelle est remarquable par sa capacité de combiner une vision avec des outils, une ambition avec des institutions, un pays avec une réforme. Côté québécois, il résume les demandes traditionnelles et actuelles, le consensus, comme jamais Bourassa n'a su le faire. L'histoire ne s'écrit pas au conditionnel, mais il ne fait pas de doute que, compte tenu de l'opinion publique québécoise, une telle approche aurait suscité l'adhésion d'une majorité de francophones. Sa mise en œuvre aurait absorbé une portion suffisamment grande de la pulsion autonomiste québécoise pour pousser tout le mouvement souverainiste dans une longue hibernation. Au Canada anglais, cependant, l'introduction de « droits collectifs » pouvant limiter des droits individuels désormais sacro-saints, la reconnaissance d'une « société distincte » assortie de pouvoirs réels et l'absence de référence au principe absolu de l'égalité des provinces en auraient probablement précipité l'échec. De plus, la limitation draconienne du pouvoir fédéral de dépenser dans les domaines provinciaux, comme la santé, la politique familiale et l'éducation, que propose Burelle sous la rubrique « qui dépense, taxe », aurait soulevé l'ire des six petites provinces du pays, économiquement tributaires des largesses fédérales. Autour de la table du Hilton, Bernard Valcourt, du Nouveau-Brunswick, s'insurge d'ailleurs contre cette proposition, affirmant que « sans le pouvoir de dépenser, le Nouveau-Brunswick n'existe plus » ! Le ministre de Terre-Neuve, John Crosbie, abonde dans le même sens.

Reste que la proposition Burelle est « du vrai fédéralisme », comme le dit Roy. Respectueuse des souverainetés provinciales et fédérales, elle a le mérite de définir non seulement ce que le Québec veut, mais ce à quoi le Québec serait prêt à consentir dans une nouvelle fédération. Le chef de cabinet du premier ministre, Norman Spector, est disposé à appuyer ce projet. Le plus haut fonctionnaire du pays, Paul Tellier — en vacances ce jour-là —, en a pris connaissance, et se dit prêt à suivre la marche. Le ministre responsable du sauvetage du Canada, Joe Clark, le voit d'un très bon œil. (Mulroney n'a pas été informé, car on en est encore au stade de « la cuisine du comité », explique Roy.) La chose est sur la plate-forme de décollage. Reste à y installer l'équipage : les politiciens. On s'attend à ce que les francophones ouvrent la marche.

Car si les fédéralistes québécois assis, ce jour-là, au dernière étage du Hilton veulent tenter l'expérience, faire la preuve qu'une « grande réforme » favorable au Québec et respectueuse du Canada anglais est encore envisageable, il leur faut saisir l'occasion et se mettre à courir aussi vite que possible. Il n'y aura pas d'autres moments comme celui-là.

WHY DON'T YOU TRUST US ? LA COMPLAINTE DE BARBARA

La présentation terminée, Burelle et Roy attendent l'ovation. Ils n'ont pu informer « leurs » ministres à l'avance, préparer le terrain, comme c'est l'usage dans les comités politiques importants. De la part de conseillers et de mandarins, c'eût été une faute. Ils regrettent de ne l'avoir pas commise. Ils s'en mordent les doigts. « On comptait un peu sur les réactions des ministres du Québec, raconte Roy. Dois-je te dire que ça n'a pas été très bon ? Ou bien ils n'ont pas très bien compris, et je peux concevoir que c'est pas simple la première fois. C'est pourtant pas sorcier, ce qu'il présentait... »

C'est ici que les fédéralistes québécois à Ottawa commettent leur bévue stratégique.

Loiselle et Bouchard interviennent positivement, mais bien superficiellement, sur le mode du : « C'est intéressant, bravo mon vieux ! Travaillez ça encore un peu, c'est la bonne direction. » Loiselle insiste un peu et parle d'un « texte remarquable ».

Jean Charest, le jeune député de Sherbrooke connu pour le rapport de dilution de Meech qui a porté son nom, en mai 1990, et qui a provoqué la démission de Lucien Bouchard, intervient aussi, et va un peu plus loin que ses collègues. « C'est un modèle à suivre », dit-il. Charest aime l'idée de réduire le pouvoir fédéral de dépenser, qui mélange tout depuis la Deuxième Guerre. Il aimerait que cette réduction « ne soit pas une fable ». Kim Campbell appuie aussi, en ce lieu ou ailleurs, cette notion de réduction du rôle fédéral. Charest et Campbell « étaient prêts à marcher dans beaucoup de choses », dit Roy, qui note que ces deux cadets du cabinet « s'entendaient et s'appuyaient » souvent. La rencontre de Québec est cependant la dernière où le député de Sherbrooke fait entendre sa voix aussi clairement. Dans les semaines qui suivent, complètement immergé dans son nouveau ministère de l'Environnement, Charest décrochera de la question constitutionnelle, se perdra dans ses dossiers pendant les réunions du comité Clark, sortant fréquemment pour discuter avec des adjoints ou prendre des appels, distribuant parfois à la ronde des photocopies d'articles sur le projet hydro-électrique québécois de Grande-Baleine, alors au centre de ses préoccupations[*].

De la part des ministres québécois, sur l'ambitieuse proposition Burelle, c'est tout. Enfin, presque. Marcel Masse n'a pas encore parlé. Il va le faire, et entraîner avec lui toute la séance vers le déraillement.

Masse n'est pas très heureux de Burelle. « Vous ne parlez pas des deux nations », lance-t-il, entre autres critiques. En effet, Burelle parle de « société distincte », mais s'en tient à la notion de provinces. « Pas un mot sur les capitales, ajoute le ministre ; il faudrait deux capitales. »

La position de Masse a le mérite de la cohérence. Il y a deux nations au Canada. Il devrait donc y avoir deux capitales. Ou plutôt, trois. Il explique :

À partir du moment où tu pars avec l'idée [des deux nations], t'es obligé d'arriver avec l'autre Parlement, autrement ça fonctionne pas.

Le Canada anglais forme une nation. Je comprends fort bien et j'accepte les différences qu'il y a entre les Maritimes et l'Ouest, tout ça, et c'est comme nous entre la Gaspésie et Hull, il y a une différence. Mais globalement les Gaspésiens et les gens de l'Outaouais ont une volonté collective de vivre ensemble, comme les

[*]   Au sujet de Charest, Benoît Bouchard raconte : « Il s'est rapidement creusé un écart entre Charest et les trois autres, c'est très clair. Il n'y avait pas la même famille [politique]. Jean est plus fédéraliste canadien. Nous, on était plus fédéralistes québécois. [...] Lui est plus attaché à la notion de pays qu'à la notion de nation. Jean n'associera pas le Québec à une nation québécoise. [...] Il ne s'est pas prononcé véritablement sur le débat sur la culture. Jean partait de sa vision du Canada vers le Québec. Alors que Marcel partait de sa vision du Québec vers le Canada. »

Canadiens anglais de leur côté. Pour eux, le Parlement national est à Ottawa. Pour les Québécois, il est à Québec.

Comment peut-on alors organiser le système avec un seul Parlement et des pouvoirs différents [pour chaque nation] ? C'est une impossibilité. Au fond, il manque un Parlement. Il manque le Parlement national à Kingston pour le Canada anglais. Idéalement, il y aurait un Parlement national à Québec pour les Québécois, celui de Kingston pour le Canada anglais, puis entre les deux un Parlement fédéral à Ottawa, gérant un certain nombre de pouvoirs. [...]

Cette théorie en vaut d'autres. Elle est proche des thèses du chanoine Groulx, que Masse cite au dernier étage du Hilton. Dans le document de Burelle, il manque les deux nations.

« Tsé, se souvient Roy, il en revenait au chanoine Groulx, toujours. Alors, les gars comme [le ministre du Commerce, Michael] Wilson et [le ministre des Finances, Don] Mazankowski, ils ont pas beaucoup de réactions émotives au chanoine Groulx. »

Kim Campbell, venant de la Colombie-Britannique, est un peu dépassée par tout ce débat. Déjà, lors d'une réunion précédente, elle avait exprimé son désarroi : « Écoutez, moi il y a un truc que je ne comprends pas : moi, depuis que j'ai l'âge de raison, j'entends parler des premiers ministres fédéraux qui ne sont que des Québécois. Et d'un certain Trudeau qui domine. Pis là, vous dites que vous, les Québécois, n'êtes pas dans le pays. Je comprends pas ça. Expliquez-moi ça. »

Masse veut bien expliquer : « C'est vrai, madame, il y a eu ça, mais c'est bientôt terminé. »

Un peu court. Kim est toujours dans le noir. Benoît Bouchard prend la relève, et explique l'antinomie entre la philosophie d'un Québécois comme Trudeau et celle de la totalité des premiers ministres de la province du Québec, depuis Duplessis jusqu'à Bourassa. Ce n'est pas simple, mais ce n'est pas si sorcier. Michel Roy, qui trouve Campbell intelligente, se fait la réflexion suivante : « Quand même, cette fille-là, il manque quelque chose à sa culture canadienne. Si elle avait une culture canadienne complète, elle saurait pourquoi les Québécois réagissent comme ça. »

Au dernier étage du Hilton, Barbara McDougall, ministre des Relations extérieures, comprend mieux ce qui se passe, mais elle trouve que les Québécois insistent un peu beaucoup. Elle semble décontenancée, comme plusieurs anglophones, de constater que le débat ne se fait pas sur la trop grande audace de Burelle, mais sur son manque de radicalisme.

Il n'y a qu'une nation au Canada, dit-elle à Masse, pas deux. « Tu nous casses les pieds avec tes trucs qui ne tiennent pas debout, lui dit-elle. Tu ne tiens pas compte du fait que c'est un seul pays, le Canada. »

Masse prend la chose en riant. Se lève, va se chercher un café dans un coin. McDougall n'a pas le cœur à rire. Elle est en présence d'un ministre fédéral de la Défense qui veut réorganiser le Canada en le scindant. « Soyez logique, soyez cohérent, dit-elle encore, faites deux pays ! »

« *Marcel, you want to destroy Canada and you know it* » (« Marcel, tu veux détruire le Canada et tu le sais »), continue-t-elle, maintenant très engagée dans le débat. Ce qui est rare car, s'il est arrivé que les ministres québécois s'emportent, à ce comité, les anglophones sont toujours restés plutôt froids. Pas maintenant.

Masse ne lâche pas. Ancien professeur d'histore, il se met à parler histoire. « Notre histoire à nous, Québécois, ne commence pas en 1867, dit-il, mais en 1534. C'est pas comme la Saskatchewan, qui a été fondée après le Canada. » Puis il dit cette chose horrible à des oreilles non québécoises : « Pour nous, la confédération est une phase de notre histoire. On était là avant que le Canada existe, on est là pendant que le Canada existe, peut-être qu'on sera là après que le Canada aura fini d'exister. »

Il y a plus de cinq ans que des nationalistes québécois sont membres du cabinet Mulroney. Jamais auparavant le débat ne s'était rendu aussi loin. McDougall est soufflée que de telles choses puissent être dites. Qu'un ministre important du gouvernement canadien les assène avec si peu de doigté, c'est un comble. « Ça a été un moment intense de discussion politique, dit Masse. Il faut, à un moment donné, déballer sur la table ce qu'on a dans le ventre, de part et d'autre, comprends-tu ? » Les entrailles de Masse sont sur la table. Celles de McDougall vont l'y rejoindre.

Le Canada, dit-elle, est un immense succès. Pour les francophones comme pour les anglophones. « Je veux dire, ça a fonctionné notre affaire [le Canada], vous existez [les francophones]. » C'est la thèse du Canada ayant préservé les francophones de l'assimilation. Elle est très populaire outre-Outaouais, où les statistiques d'assimilation, historiques et contemporaines, des minorités francophones semblent ne jamais s'imprimer dans les esprits.

Il faut voir Marcel Masse. L'homme est imposant sans être corpulent. Sous un air affable, il semble camoufler l'énergie d'un ancien boxeur. Il faut voir Barbara McDougall. Ce n'est pas non plus une poupée de porcelaine. Elle sait faire bouger les choses, même si elle semble constamment accablée par la tristesse de l'existence humaine qu'elle voit défiler devant les grandes vitres de ses lunettes. Et voilà que Masse tombe de tout son poids sur la foi canadienne de la Torontoise.

« On existe de la puissance de notre volonté, de notre action politique et non pas du désir des autres », lui dit-il.

Oui, mais, bon, vous existez, réplique McDougall. Alors : « *Trust us. Why don't you trust us ?* » (« Pourquoi ne nous faites-vous pas confiance ? ») demande-t-elle, ne sachant pas quelle immense porte elle vient d'ouvrir.

Masse raconte :

Là, tout a ressorti. « Souvenez-vous en Ontario, de l'article 17. Où est-ce que vous étiez à ce moment-là ? Où était la générosité ? Pis au Manitoba, quand ils ont aboli les droits scolaires, où est-ce qu'elle était, la générosité des principes* ?

« Alors, si ça vous fait rien, hein ? on va d'abord rédiger le texte, pis après ça on parlera de la confiance et pis de la bonne volonté. Mais moi, je veux avoir un texte [de loi], là, parce qu'on sera pas là personne dans 10, 15, 20 ans. »

Trust us ? Masse insiste et largue : « *I prefer to have it written in your blood, there in the constitution, than to rely on your word.* » (« Je préfère avoir cette garantie écrite avec votre sang dans la constitution que de me fier à votre parole. »)

L'affrontement semble avoir duré une bonne heure. McDougall est en larmes. Clark reste bouche bée. Bouchard et Loiselle ne savent s'ils doivent huer ou applaudir — « des siècles nous séparent », dira Bouchard à la sortie, résumant assez bien le dialogue des solitudes auquel il vient d'assister. Roy et Burelle comprennent que leur réforme du Canada vient de mourir. Masse a réussi à braquer tout ce beau monde. « Écoute, glisse Roy à Masse en aparté, faisant semblant de blaguer : dans le PQ, toi, tu serais pas à l'aise. » Pourquoi ? demande le ministre. « Je pense que Parizeau accepterait des mises en commun avec le Canada plus nombreuses que toi ! »

La séance matinale est enfin interrompue. Clark a prévu d'inviter tout son petit monde au chic Club de la Garnison, où les ministres, dont Masse, doivent se mêler à la foule des notables de la Vieille Capitale. « Moi, je m'excuse, annonce le trublion, j'ai un déjeuner prévu avec le premier ministre du Québec, Robert Bourassa. » Ce qui tombe comme une roche sur la table.

DEMANDEZ-NOUS-EN PLUS !

Masse sait déjà que Bourassa ne veut pas de pouvoir sur la langue. Tant pis. Mais les signaux en provenance de Québec — des ministres et hauts fonction-

---

* À part le Québec et le Nouveau-Brunswick, l'Ontario, le Manitoba et la Saskatchewan sont les provinces comptant le plus de francophones. En 1912, l'article 17 du règlement scolaire ontarien élimine l'enseignement en français au-delà de la troisième année du primaire. Depuis 1890, il avait été éliminé au secondaire. Ces droits ont été rétablis depuis, mais le Commissaire aux langues officielles rapporte qu'en 1994, 43 % des jeunes Franco-Ontariens n'ont toujours pas accès à des écoles françaises. En 1916, le Manitoba interdit l'enseignement en français et impose l'unilinguisme anglais au Parlement et dans les tribunaux, contrevenant à la constitution, ce dont la Cour suprême se rendra compte 89 ans plus tard. En 1929, la Saskatchewan abolit aussi l'enseignement du français. Profitons de cet intermède historique pour noter que les billets de banque canadiens étaient unilingues anglais jusqu'en 1936 et que la traduction simultanée à la Chambre des communes, permettant aux francophones de se faire comprendre, ne fut introduite qu'en 1959. Ce n'est qu'en 1969 que les francophones ont obtenu le droit de s'adresser dans leur langue à l'État canadien, à ses institutions et à ses tribunaux et qu'ils ont eu le droit de travailler dans leur langue dans la fonction publique fédérale. Un droit que seule une minorité de francophones disent exercer hors Québec. Les francophones ont obtenu, proportionnellement, leur part des emplois fédéraux pour la première fois en 1986. Bien qu'aujourd'hui très présents en haut de l'échelle, ils sont toujours sous-représentés, en 1994, dans la fonction publique fédérale.

naires — semblent indiquer que Bourassa est intéressé par des pouvoirs supplémentaires en matière culturelle. Ça tombe bien, Masse était ministre de la Culture jusqu'en avril dernier, lorsqu'il a demandé spécifiquement à être relevé de ses fonctions, car il s'apprêtait, explique-t-il, à devenir le champion de la décentralisation de la culture. « Là, j'ai dit, moi, il faut que je parte d'ici, parce que je suis en porte-à-faux. » Il ne pouvait pas être en même temps le gardien de but du gouvernement fédéral et le compteur étoile du Québec.

Masse a en effet une opinion toute personnelle de la façon dont le Québec et le Canada devraient se départager le domaine culturel. Il y a d'une part le contenu, dit-il, l'art, la création elle-même, qui doit absolument revenir au Québec. C'est l'expression de son caractère distinct. Puis il y a le contenant, le support, l'industrie. Pas la chanson, le disque. Pas le scénario, la caméra. Selon l'UNESCO, il faut 10 millions de citoyens pour « amortir » de façon rentable l'aspect « industriel » de la culture. Le Québec ne les a pas. Le Canada les a. Masse pense donc que la ligne devrait être tirée là : Québec prend tout le contenu, Ottawa prend tout le contenant.

Mais, bon, les Québécois ne le voient pas de cet œil. Tantôt la ministre de la Culture, Liza Frulla, réclame le contenu — maîtrise d'œuvre sur la répartition des subventions — tantôt elle réclame le contenant — l'argent fédéral pour la fondation de musées. Son collègue des Communications, Lawrence Cannon, laisse aussi écrire un Livre blanc qui réclame pour le Québec un contrôle presque complet sur les télécommunications au Québec — le contenant*.

Ces attitudes laissent Marcel Masse perplexe. Mais pas autant que son successeur au portefeuille fédéral de la Culture, le ministre torontois Perrin Beatty. Une semaine avant la rencontre de Québec, le comité ministériel avait abordé la question culturelle lors d'une séance tenue à Niagara-On-The-Lake. La chaleur, dehors, était lourde ; la discussion, à l'intérieur, était glauque. Beatty, visage d'angelot, démarche de gentil organisateur, ne connaît qu'une culture : la pancanadienne. Ne comprend nullement pourquoi une province devrait avoir un mot de plus à dire qu'une autre dans la définition du contenu ou du contenant. La culture québécoise, dit-il, n'a jamais été aussi florissante que dans une institution fédérale comme Radio-Canada. (Ce qui est vrai, mais Perrin parle au moment où Ottawa est en train de réduire l'autonomie traditionnelle du service français de la maison.)

Ottawa dépense chaque année 250 millions de dollars au Québec en matière culturelle. En termes de culture de masse, ses interventions se font surtout à trois égards : Radio-Canada, le plus gros producteur d'émissions

---

* Le Livre blanc du ministre des Communications, Lawrence Cannon, complété, signé, prêt pour l'impression et la distribution, fut désavoué par le premier ministre avant même sa publication, qui fut donc annulée. Le contenu du document fut coulé au *Devoir* qui en fit grand cas. Mais le gouvernement québécois se retrouva ainsi sans objectif dans le domaine des communications en pleine négociation constitutionnelle. Cet avortement politique est un des événements les plus bizarres du gouvernement Bourassa II.

culturelles radio et télé au Québec ; Téléfilm, principal organisme choisissant et subventionnant les films et productions télé québécoises ; le CRTC (Conseil de la Radiodiffusion et des Télécommunications Canadiennes), qui attribue les licences d'exploitation des postes de radio et de télé, leur imposant des normes et des paramètres quant au format et au contenu. Dans la mesure où un gouvernement a la capacité de modeler la culture populaire, ces trois organismes donnent à Ottawa le pouvoir de le faire, en orientant les décisions et les priorités des industries culturelles.

Masse, bien sûr, affirme que si aucun pouvoir n'est offert au Québec sur ces trois institutions canadiennes, la notion de société distincte est une coquille vide. « C'est un débat comme Masse et Perrin pouvaient en faire, se souvient Benoît Bouchard, il n'y avait absolument aucune possibilité d'entente. » Beatty, ajoute Michel Roy, est « un vrai *boy scout* auprès duquel Trudeau est un tendre ».

Après ce premier débat, Masse avait pris rendez-vous avec Bourassa pour lui demander, sinon des conseils, du moins des repères. À Québec, le midi du 3 juillet, dans une salle du *bunker*, il expose le problème à son ami Robert, qu'il connaît depuis le milieu des années 60, lorsqu'ils étaient tous les deux députés à l'Assemblée nationale :

Masse : Écoute, nous on est ben prêts — parce qu'on est plus sensibles, c'est ben normal — à défendre les thèses du Québec, mais encore faudrait-il savoir quelles sont les fameuses thèses. Entre ce que Lawrence Cannon dit, ce que Frulla dit, ce que le comité Allaire dit, ce que le rapport Bélanger-Campeau exprime... Je veux dire, nous, on voudrait t'être utile, mais on sait pas où est-ce qu'on s'en va dans cette affaire-là.

L'auteur : Qu'est-ce qu'il répond ?

Masse : Il répond pas, au fond. Je veux dire, il a jamais répondu. Moi, j'ai l'impression que Robert, il l'a jamais su, son objectif dans ce sens-là, tsé ? Parce que c'est pas un idéologue qui est parti avec une feuille de papier pour dire : voici mon affaire. Il a toujours un peu flotté là-dedans. [...]

C'est la même chose dans le dossier du téléphone [où Québec et Ottawa se livrent une guerre de pouvoir depuis des lustres]. Je dois admettre que Bourassa n'a pas beaucoup d'intérêt dans cette affaire-là, honnêtement. Moi, j'ai traité les dossiers culturels, j'ai traité avec son épouse, parce qu'à un moment donné, elle était plus présente dans les milieux culturels.

Mais Robert, que je connais très bien et que j'admire dans certains de ses aspects, n'a pas la sensibilité de cet aspect-là. Et à partir du moment où il se fait pas une idée très claire, il n'intervient pas beaucoup auprès de ses ministres. Et toute la réforme de la télécommunication a traîné, largement à cause de ça. [...]

Moi, je veux bien respecter ce qu'il est, mais ça nous rend l'ouvrage pas mal plus difficile, pour se faire, entre guillemets, porte-parole. On n'est pas prisonniers de sa pensée non plus, mais on pourrait défendre un certain nombre de ses thèses. C'est difficile pour nous quand on les a pas, les maudites thèses.

Face à ce mur mou de l'indifférence, Masse développe une autre approche. Puisque Bourassa ne s'intéresse pas à cette affaire ; puisque ses ministres sont divisés sur l'angle à adopter ; et puisque, surtout, la culture est au cœur du concept de société distincte, pourquoi ne pas proposer que, dans tout et sur tout, Québec ait le bénéfice du doute ? C'est-à-dire, pourquoi ne pas donner à l'Assemblée nationale la « prépondérance législative » en matière culturelle ? En théorie, Québec aurait le droit de s'approprier tout le champ culturel s'il le désire, contenant et contenu. En pratique, il pourrait cependant décider de s'abstenir de toucher à Radio-Canada. Dans 10 ans, il pourrait changer d'avis.

Ce pouvoir serait à géométrie variable, mais c'est Québec qui définirait la géométrie. Toute ? Toute ! « On n'est pas distinct à temps partiel », dit Masse. Le basculement du pouvoir serait symboliquement très important — donc fort utile pour une « vente » de la réforme au Québec. On pourrait dire : « Culture ? C'est aux Québécois de décider. Point final ! » Dans la pratique, sous le règne de Bourassa en tout cas, la modification serait mineure.

Entre deux bouchées, ou entre deux enjambées sur le petit sentier artificiel aménagé sur le toit du *bunker* — leur rencontre dure deux heures — Masse expose cette théorie à Bourassa :

> Masse : C'est pas à nous autres à Ottawa, en fin de compte, de décider où est la zone grise en matière culturelle. Il appartient à l'Assemblée nationale du Québec, élue démocratiquement et représentant les intérêts profonds du Québec, de décider, à tort ou à raison, où la ligne se situe.
>
> Pis, vaut mieux prendre une chance. [...] Que le ministre québécois et ses collègues proposent de fixer la ligne ici ou là, après un débat public, et la société saura que la ligne est là. Et s'il y a perte monétaire [sur le contenant], ils auront dû prouver que c'est leur intérêt culturel de le faire.
>
> L'auteur : Vous lui avez suggéré de demander ça, donc ?
>
> Masse : Ouan.
>
> L'auteur : Vous souvenez-vous d'être revenu un peu bredouille ?
>
> Masse : Oui. Ben, comme tout le monde. Je vois pas pourquoi je serais revenu différemment de tout le monde[*].

De retour au sommet du Hilton, Marcel Masse pense tout de même avoir planté les germes de la future revendication québécoise. Bourassa, comme il le fait toujours, lui a dit qu'il allait y penser, qu'il allait en parler, qu'il allait consulter. Plus tard, Masse dira de la position québécoise en matière de culture et de communications : « On l'a jamais su. On l'a jamais su. » Mais sur le coup, Masse est content de son effet et il annonce autour de lui, parlant de Bourassa : « Il manquait de couilles, je lui en ai donné ! »

---

[*]   Intéressante indication du flux de l'information autour du premier ministre Bourassa, qui aime multiplier les rencontres en tête-à-tête et ne prend jamais de notes : Rivest affirme n'avoir nullement été informé des suggestions de Masse. Il ne les a apprises, de la bouche de Masse, que le 8 juin 1992, soit un an plus tard. Et si Rivest n'en a pas été avisé, personne à Québec ne l'a été.

Québec émettra effectivement plusieurs signaux pendant l'été de 1991, en matière culturelle. À Ottawa, Michel Roy et des fonctionnaires, dont le sous-ministre Alain Gourd et le conseiller et ancien journaliste Paul Racine, tentent de trouver des formules qui, sans démanteler les institutions fédérales et sans épouser la thèse de Masse, feraient une plus grande place au Québec. Ils pensent à un contingent nommé par Québec, qui serait responsable du « contenu » francophone de Radio-Canada, aux côtés de représentants des francophones hors Québec ; à un quota québécois de membres du CRTC, décidant de l'attribution des permis sur le territoire québécois ; à la création, bref, de « zones de pouvoir » de la province du Québec au sein des organismes fédéraux qui charpentent, structurent, financent la culture francophone du pays : Téléfilm, l'Office National du Film, pourquoi pas le Conseil des Arts ? etc.

Les travaux sont assez avancés quand ils sont présentés au comité du cabinet. Réaction des ministres francophones : « C'est très, très bien. »

Beatty lève encore une fois la main : « C'est pas très, très bien », dit-il et il se lance dans de grands discours à la Trudeau. « La culture appartient à tout le monde. Ce qu'il faut, ce n'est pas donner la culture au Québec, c'est faire une gestion telle que la culture du Québec puisse s'épanouir, se développer, dans les organismes canadiens », explique-t-il. « Si on parle du Canada, on parle de dualisme, de bilinguisme, de deux cultures ? Très bien. Alors dans un organisme de régie comme le CRTC, il est normal qu'il y ait là des Québécois qui aient un droit de regard, ça va sans dire. » Or, poursuit-il, il y en a, des Québécois. Il y en a plein. Comme ce bon Gérard Veilleux, actuel président de Radio-Canada. Au CRTC aussi, il y a plein de Québécois. Nommés par Ottawa, bien sûr. Souvent formés dans le sérail, cela va sans dire. Mais, bon, ils sont là. « Alors, qu'est-ce que vous voulez que je fasse d'autre ? Qu'est-ce que vous voulez que j'ajoute ? C'est comme ça, le Canada ! » De bons Canadiens nés, qui à Québec, qui à Moose Jaw, montent en grade, arrivent à Ottawa et y gèrent ensemble la culture commune.

Au cours des mois, Beatty semble parfois fléchir dans sa croisade pour une plus grande pancanadianisation de la culture. Ses fléchissements ne sont que passagers. C'est sans doute que, de Toronto et d'ailleurs, le *lobby* culturel du ROC s'astreint à lui « donner des couilles ». Privément et publiquement. Dans son cas, ça marche.

Masse, Roy et leurs alliés en concluent que cette affaire de culture ne peut se régler qu'au sommet, entre Bourassa et Mulroney, pour évacuer l'écueil Beatty, le neutraliser par le haut. Ils organisent une séance d'explication de leur projet à Montréal ; y sont présents : un représentant québécois et un universitaire spécialiste des médias, Florian Sauvageau. Ce dernier est bien disposé envers ce compromis qui donne au principal outil d'intervention culturelle, c'est-à-dire Radio-Canada, une autonomie quasi complète. Roy, Gourd et

« On sort dehors », dit Bouchard.

« S'il y a une caméra, qu'est-ce qu'on fait ? » demande un de ses collègues.

« J'espère qu'il y en a une, dit Bouchard. J'espère qu'ils vont prendre la scène et j'espère qu'on va la voir ! »

Bouchard, Loiselle, Masse sortent de l'immeuble où se tient la réunion. Une caméra de la CBC filme la scène. de Cotret vient les rejoindre. Ils se promènent une dizaine de minutes, discutent entre eux avec des mines de conspirateurs. (Si Bouchard prend la chose au tragique, Masse, Loiselle et de Cotret participent plutôt sur le mode espiègle.)

« Écoutez, monsieur le président, je me rends compte que nos amis du Québec sont pas là. » C'est Michael Wilson lui-même qui, debout dans la salle, interrompt la péroraison de Clark. Wilson, normalement muet dans ces séances qu'il aborde comme autant de *pensum*. De la salle de réunion, on ne voit pas le petit groupe faire les cent pas à l'extérieur. Personne n'avait immédiatement noté le départ des Québécois, car il est fréquent que des ministres s'absentent de la table pour quelques minutes. Mais voilà que tous les sièges québécois sont vides (Charest ne s'est pas joint au groupe, mais il est pendu au téléphone dans une salle attenante, inconscient du minidrame qui se déroule).

« On parle de choses qui les intéressent directement, poursuit Wilson, froissé, alors qu'est-ce que c'est que ça ? Quoi ? On ne prend plus au sérieux [nos délibérations]. »

Clark, furieux, se rend à l'évidence. Il est déserté. « Il l'a pris personnel », note Roy. Clark ajourne la séance. Va voir le groupe : « Pourquoi êtes-vous sortis ? Vous pensez pas à la presse, qui est là ? » Masse, Loiselle et de Cotret jouent les gamins qui n'ont pas pensé à mal, mais qui ne sont pas fâchés de leur effet. Bouchard fulmine toujours et, des deux mains, esquisse le geste de celui qui repousse Clark, l'air de dire : « Laisse-nous tranquilles. »

De retour dans la salle de réunion, après la pause décrétée par Clark, Bouchard se souvient avoir « éclaté pour 10 minutes ».

> Je me suis vidé le cœur. [J'ai dit] qu'on ne comprend rien, que jamais des choses comme celles-là seront acceptables au Québec. Comment peuvent-ils parler de fédération quand aussitôt qu'on parle de partage de pouvoirs, on a toujours une vision strictement fédérale ? Le partage des pouvoirs à Ottawa, finalement, on est pour en autant qu'on n'en donne pas !

Iqaluit, c'est le dernier arrêt régulier du train constitutionnel estival de Joe Clark. Dix jours plus tard, dans la charmante bourgade de Kelowna, en Colombie-Britannique, le train est censé entrer en gare, accueilli par le grand conducteur lui-même, Brian Mulroney.

Comment Clark, Tellier, Bourgon et les autres font-ils la synthèse de tous ces débats épars, comment mettent-ils ces idées en forme pour les présenter dans un beau cahier dont pas une page ne dépasse ? Michel Roy observe le phénomène. Ce comité de ministres, représentant tout le pays, c'est une classe, quoi, à qui on demande de réfléchir sur l'essentiel. Au bout du compte, bon, ben, on fera un travail, on fera un rapport. Mais c'est pas eux qui vont le faire. Moi, j'ai pris un certain temps avant de comprendre ça. Quand on est à Ottawa, on pense que les 18 [ministres participants] vont être comme des étudiants. Vont passer leur examen. Vont faire des rapports. Vont faire une synthèse. Ils vont dire : voilà ce qu'on pense, et vont chercher un consensus sur l'essentiel.

Mais j'ai compris que, bon, ils avaient bien des idées, ils ont débattu de toutes sortes de choses — comme le Sénat, ils en ont débattu assez longuement, la question des autochtones, ils sont allés très loin là-dedans — mais très loin, on peut bien mettre n'importe quelle idée sur la table et en débattre tous les deux, ça veut pas dire qu'on va la retenir au bout de la discussion. C'est un peu comme ça.

Et à la fin je me suis rendu compte que, oui, il y avait quelques consensus très, très larges sur quelques questions, mais les gens qui ont eu à faire le rapport final ne se sont pas demandé si un tel [ministre] serait d'accord, ou si un tel autre serait en désaccord. Tu comprends ?

Il y a une sorte de convention qui veut qu'un comité du cabinet, ça travaille un sujet, mais à la fin, comme il doit y avoir une fin, et qu'il y a des gens qui sont payés pour faire des rapports, et qu'il y a deux ou trois courants importants qu'il y a lieu de retenir, pour toutes sortes de raisons, les meilleurs courants étant parfois exclus, eh bien ! tant pis si monsieur Un tel de Regina ou madame Une telle de Halifax n'est pas content, tsé ?

Évidemment, les « gens qui sont payés pour faire des rapports » sont les mandarins, sous la direction administrative de Bourgon et de Tellier et sous la direction politique de Clark. Puisque le document produit comprend une série de propositions touchant un grand nombre d'aspects de la vie canadienne, on lui a donné en jargon anglophone le nom de *package,* qu'on traduit vilainement en français par le mot « paquet ». Cette fois-ci, il colle assez bien à la réalité.

PAQUET SURPRISE À KELOWNA

La journée est belle. L'endroit est coquet. Un balcon surplombe le lac. Le gouvernement fédéral investit le Lake Okanagan Resort comme la cour du sultan occuperait la meilleure oasis du trajet. Les deux jours de débats coûteront 100 000 dollars au trésor canadien. Un couple en voyage de noces, se voyant privé d'accès à la salle à manger comme au Jaccuzzi (essentiel pour soigner les courbatures, le lendemain de la nuit de noces), change tout simplement d'hôtel. Encore deux électeurs de perdus pour Brian Mulroney ! Il y en aura d'autres, demain, pendant un « barbecue conservateur » organisé pour sa venue. Des manifestants le traiteront de *frog,* lui les traitera de *kooks,* de cinglés.

La journée est belle, mais le temps politique se gâte. Aujourd'hui même, dans cette magnifique province qu'est la Colombie-Britannique, au pied de la station de ski de Whistler, les premiers ministres provinciaux sont réunis, sans le Québec, qui boude, comme on sait. Dans leur communiqué — unilingue —

publié en fin de journée, les provinces se félicitent de la volonté fédérale d'intervenir en éducation. « L'éducation est peut-être notre nouvelle institution nationale », dit à ses collègues Frank McKenna, du Nouveau-Brunswick. Immigration ? Il faut une « politique nationale », donc canadienne, écrivent-ils aussi. Formation de la main-d'œuvre ? Ils veulent des « normes nationales », donc canadiennes, ajoutent-ils. L'Ontarien Bob Rae, pas en reste, dit résumer le consensus en affirmant que « l'idée d'une dévolution massive des pouvoirs fédéraux ou d'un abandon important par Ottawa de ses responsabilités n'a aucun appui au Canada ». (Il voulait dire « au Canada anglais », mais passons.) Comment réconcilier ce credo avec celui de Gil Rémillard qui, quatre jours plus tôt à Montréal, a exprimé comme suit les demandes du Québec : « Ce qui se trouve dans Meech et dans le rapport Allaire constitue notre position, qui n'a pas changé*. »

Le vent de pancanadianisme qui souffle sur Whistler se rend-il jusqu'au bord de l'Okanagan ? Contrairement aux premiers ministres provinciaux anglophones et à Rémillard, qui se parlent via la presse, des ministres fédéraux de tout le pays, francophones et anglophones, sont réunis à huis clos à Kelowna. Le cabinet Mulroney y est presque au complet. Car ce n'est plus seulement le comité de Clark qui est là, mais le « P et P », pour « Priorités et Planification ». Brian Mulroney préside, flanqué de Joe Clark et de Paul Tellier. Il est encore tôt. Ils sont de joyeuse humeur. Ça fait plaisir à voir.

Les ministres s'approvisionnent en croissants et en café, et s'installent pour leur lecture matinale. Le document présentant les propositions fédérales, fruit de leur cogitations de l'été, est déposé devant chaque chaise. Il fait 150 pages. Hasard de la disposition des places ? Les Québécois sont assis les uns à côté des autres, en bout de table. Ils tournent les pages, débouchent leurs stylos, commencent à lire. Lentement d'abord, puis avec plus de force dans le coup de crayon, les points d'exclamation et d'interrogation commencent à emplir les marges des copies françaises du document. Les francophones se mettent à se donner des coups de coude. « As-tu vu ça ? » demande l'un. « C'est bien pire

---

* Petit rappel récapitulatif. Meech comportait cinq conditions : 1) reconnaissance pour l'essentiel symbolique du caractère distinct de la société québécoise ; 2) droit de veto sur les institutions fédérales comme le Sénat ; 3) permanence d'un relatif contrôle québécois sur l'immigration ; 4) droit de retrait avec compensation des futurs programmes fédéraux empiétant sur les compétences québécoises ; 5) permanence de la présence traditionnelle de trois juges québécois sur neuf à la Cour suprême. Le rapport Allaire, adopté par une immense majorité de délégués au congrès libéral de mars 1991, réclamait au chapitre des pouvoirs : le retrait intégral du fédéral de 11 secteurs de compétence provinciale (affaires sociales, affaires urbaines, culture, éducation, habitation, loisirs et sports, politique familiale, politique de main-d'œuvre, ressources naturelles, santé, tourisme) et l'obtention d'une « pleine souveraineté » dans 11 autres secteurs non spécifiquement attribués dans la constitution (agriculture, assurance-chômage, communications, développement régional, énergie, environnement, industrie et commerce, langue, recherche et développement, sécurité publique, sécurité du revenu).

à l'autre page », répond l'autre. « On peut pas, dit le troisième, c'est pas possible ! » Même de Cotret trouve la barre bien basse. Même Valcourt (Valcourt !), assis près de ses voisins québécois, passe quelques remarques désobligeantes. Pas de veto pour le Québec, une société distincte encore plus faible qu'auparavant, recul sur l'immigration, rien de substantiel sur la culture et les communications. On n'y retrouve même pas l'ombre de Meech.

Fin de la lecture, au bout d'au moins une heure. Brian s'adresse au groupe, brièvement, félicite tout le monde pour leur beau travail et passe la parole à Paul Tellier, qui a quelque chose d'important à leur dire en ce grand jour, le premier de l'avenir du Canada. Car Paul a rencontré Robert Bourassa quelques jours plus tôt, et il va leur raconter ce qui s'est passé.

Tellier est absolument ravi de pouvoir annoncer que le « paquet » que les ministres ont devant eux survivra à son lancement dans le petit monde politique canadien. Comment le sait-il ? Lui et son ministre Clark ont consulté des gens. Même Clyde Wells a laissé entendre qu'il pourrait avaler la subtile référence à la société distincte qu'on trouve dans le texte, si symbolique qu'on pourrait la rater, si on le lisait trop rapidement. Surtout, ils ont consulté Robert Bourassa, comme vient de le dire le premier ministre. Tellier lui-même est allé le voir, il y a trois jours, à sa résidence secondaire de Tracy, près de Sorel. Il lui a montré l'ébauche de document, lui a expliqué longuement ses tenants et aboutissants. La rencontre a duré deux heures.

« Ça s'est très très bien passé, explique Tellier. Ça a été une réunion excellente. » Au total, « M. Bourassa semble apprécier beaucoup l'essence des propositions, telles que je les lui ai résumées. Tout ça, c'est bon. Bien sûr, il y a des réserves, ici et là, bien sûr. » Notamment sur l'absence de toute référence au droit de veto du Québec, une demande fondamentale. Bourassa « a rappelé sa position sur le veto, certes, mais il comprend qu'on ne puisse pas, à ce stade-ci, aller plus loin ». La proposition est structurée de manière qu'une majorité de provinces puissent l'adopter. L'introduction d'un veto nécessiterait l'unanimité. Ce sera pour plus tard, si tout va bien. Bourassa est très compréhensif, explique Tellier. « Au total, c'est passable, ça marche, ça, » et « on a le Québec, ici, avec nous », conclut-il, selon le sommaire qu'en font des témoins. Son petit rapport dure 15 à 20 minutes, après quoi Mulroney ouvre la période de questions.

Pendant que des ministres anglophones demandent à Tellier ou à Clark de préciser tel ou tel aspect du document, l'agitation est vive dans le coin québécois. « Ça se peut pas que Bourassa soit d'accord avec ça », disent Loiselle et Masse à Bouchard.

Masse se souvient d'avoir vérifié auprès de Tellier s'il était vraiment certain que Bourassa avait dit oui à ceci en particulier, à cela en plus ? Oui, oui, lui répond-il. Brian opine. Il n'y a pas de doute.

D'autres anglophones interviennent, font référence au pèlerinage à Tracy.

S'en félicitent. « Manière de dire, rapporte un témoin : "Les *boys*, là, vous avez entendu ce que le PM du Québec dit ? Alors, hein ?" » Du calme.

« Il est sûr qu'à partir de là, dit Masse, nous, ça nous coupait un peu les jambes. Et là, ça a toujours été notre problème. Est-ce qu'on doit être plus catholique que le pape ? À partir du moment où on nous dit que Bourassa, qui est le gars élu démocratiquement au Québec, qui est PM du Québec, est satisfait de cette réforme constitutionnelle, jusqu'à quel point on doit aller plus loin ? Je veux dire, il y a un problème concret et pratique dans ça. Si on veut aller plus loin, on se fait élire à Québec ! »

Michel Roy, lui, n'est pas un élu. Il a écouté l'exposé de Tellier avec effroi. « Ça m'a porté un coup, ça, mon vieux. Ça m'a porté un coup, comment te dire ? C'était tellement contraire à ce que j'avais espéré et, deuxièmement, la manœuvre était tellement grosse. On voulait, par cette intervention, neutraliser l'opposition des ministres du Québec qui étaient assis là. [...] Pour les anglophones, c'est un grand moment, ça. Tu le conçois sans peine. On vient de leur dire que *the man in Quebec*, il marche. *Imagine !* Et ça les console des désaccords de nos amis ministres du Québec. »

Neutraliser ? Minute. Masse avait choisi Québec. Bouchard, Iqaluit. Voilà que Loiselle a trouvé son lieu et son heure. Il prend la parole sans faire la moindre référence à l'existence de Robert Bourassa ou de Paul Tellier.

« Dans l'état actuel du texte, dit-il, je ne peux pas vivre avec ça. La place qui est faite au Québec, la reconnaissance qui est faite de cette société-là, ça ne va pas. » Il élabore sur plusieurs points. Souligne que le document n'a intégré aucune des notions que lui et ses collègues ont tenté d'insérer dans le débat de l'été. Il utilise le mot « inacceptable ». Il dégonfle la bonne humeur ambiante, l'optimisme suscité par Tellier. Tantôt en français, tantôt en anglais, Loiselle s'exprime avec une fermeté dans le ton, une conviction dans la voix, qu'on ne lui avait pas connues auparavant. « Gilles est allé un peu fort », dira Mulroney, tout à l'heure, en aparté. C'est que Gilles est en train de dire qu'il ne faut pas compter sur lui pour approuver ce « paquet », le défendre, le vendre. À mots couverts, en code, Gilles est en train de dire que, peut-être, il ne faudra plus compter sur lui du tout, si un virage radical n'est pas pris d'ici la publication des propositions.

Quand Loiselle a terminé, Marcel Masse prend la relève et critique le document. Quand Masse a terminé, Robert de Cotret prend la relève et critique le document. Quand de Cotret a terminé, Benoît Bouchard prend la relève, et critique le document. « Ça devient stratégique de parler tous les quatre et de parler de la même chose », explique Bouchard qui fait exprès, comme Masse, de ne parler que français, pour créer « un effet psychologique ».

Mulroney ajourne la réunion ; c'est l'heure du déjeuner. Un peu sonné par la charge de la cavalerie québécoise, il va prendre l'air sur la terrasse. Il y est rejoint par Bouchard. « Même si Robert Bourassa est d'accord, lui dit-il, nous, on sait que c'est pas possible de vendre ça au Québec. On sera pas capables de vendre ça aux Québécois, on sera même pas capables de passer ça au caucus [des députés conservateurs] du Québec. » Puis il ajoute : « Moi, je serai pas capable de vivre avec ça. » C'est un code, un euphémisme qui cache l'éventualité d'une démission.

« Laisse-moi ma marge de manœuvre, lui répond Mulroney, un peu agacé, sois patient. »

De toutes façons, reprend Bouchard, « je ne me fie pas à Robert Bourassa. Il ne nous dit pas la vérité. Ça sert à rien [avec lui], il va dire oui, pis il va nous lâcher à la dernière minute. »

Mulroney éclate de rire. « Laisse-moi faire, dit-il, j'ai confiance en lui. Je suis sûr que Robert me dit la vérité. »

Bouchard s'esquive. Michel Roy prend la relève.

« Ces gars-là, dit Roy à Mulroney, ont des problème énormes à vivre avec ça. Même si vous restez ici toute la nuit à les convaincre et à leur demander de défendre ça par amitié pour vous, une fois qu'ils vont être rendus au Québec, ça passera pas, ils réussiront pas, ça flottera pas au Québec. »

La journée est belle. Elle avait bien commencé pour Mulroney. Il pensait être près du but. Il n'aime pas ce qu'il vient de voir. Il est habitué aux frasques de Bouchard et à celles de Masse. « Il y a personne qui prend Marcel Masse au sérieux, dans la discussion constitutionnelle », dira-t-il à un confident. Ces histoires de deuxième capitale, les idées du chanoine Groulx, il les trouve risibles. Et il n'apprécie pas beaucoup « ces ministres québécois qui se désolidarisent quand ça fait leur affaire ». L'intervention de Loiselle, par contre, le turlupine. Le front commun qui se crée entre les trois — même de Cotret, un poids plume, se joint à eux — ça commence à faire beaucoup. Perdu dans ses pensées, regardant les eaux de l'Okanagan, se demande-t-il, comme tous autour de lui, ce qui s'est vraiment passé à Tracy ?

Bourassa expliquera plus tard à certains de ses conseillers qu'il n'avait pas tout saisi, tout compris, de ce que Tellier lui avait dit. Bourassa expliquera qu'il « n'a pas vu les poignées », c'est-à-dire les mécanismes par lesquels Ottawa gardait tout, en ayant l'air de donner quelque chose. Bourassa expliquera bien ce qu'il voudra, ça ne tient pas debout.

L'histoire de Tracy ne commence pas lorsque Paul Tellier franchit le seuil de la résidence d'été du premier ministre du Québec, le 24 août 1991. Elle commence à la fin de juillet, quand Michel Roy signale avec insistance à Jean-Claude Rivest que les offres en voie de préparation à Ottawa sont calamiteuses. Roy protège ses arrières et envoie le même signal, par courrier direct et confidentiel, à son vrai patron Brian Mulroney, l'avisant que les propositions concoctées « ne sont pas recevables au Québec », notant, résume-t-il, que « le navire va heurter la banquise bientôt et voici pourquoi ». Percutant, bref, direct.

Rivest est inquiet de ce qu'il entend, c'est le moins qu'on puisse dire. « Je trouve leurs propositions très peu audacieuses et très peu imaginatives compte tenu de la réalité, de la profondeur des problèmes », dit-il à l'auteur peu après sa rencontre avec Roy. Le conseiller de Bourassa voit s'écrouler tout son scénario : « Mon sentiment à ce moment-ci, c'est que ça peut créer des problèmes immenses, c'est-à-dire qu'on puisse pas passer à travers nos militants, qu'on doive fonctionner dans le cadre de la loi 150. Et ça, c'est une suite plus compliquée. » Traduction : si les offres sont aussi mauvaises que le présage Roy, les militants libéraux ne pourront être convaincus de les accepter, et le gouvernement sera obligé d'appliquer la loi 150, donc de proposer la souveraineté, ce qui est effectivement « plus compliqué » que de faire avaler une « réforme défendable » du fédéralisme comme le veut Bourassa.

Rivest relaie immédiatement l'information à son patron, qui en est fort contrarié. Bourassa ne peut pas être complètement surpris de ce qu'il entend, car il a vu, 15 jours plus tôt à Québec, Marcel Masse qui lui a donné des informations concordantes. Il réagit avec pessimisme. « Il était déçu et inquiet », rapporte Rivest. Bourassa rencontre l'auteur le 7 août et lui dit : « On peut pas se rendre au premier but avec ça. »

Encore, il compte sur ses amis les ministres conservateurs québécois : « Les gens comme Bouchard, Loiselle et Masse, ils peuvent pas se présenter à l'électorat avec juste une réforme du Sénat » — élément qui ferait partie du « paquet », selon Michel Roy.

Certes, mais que veut-il, lui ? Comment voit-il la réforme, lui ? Quels sont les pouvoirs qui l'intéressent, lui ? Au moment où il vendait le rapport Allaire, en février 1991, il disait du bien de sa liste de demandes, mais on sait que ce n'était que spectacle. En juin, il a d'ailleurs déclaré à l'émission *Le Point* qu'on a « exagéré un peu la portée du rapport Allaire ». Sa position, a-t-il dit, est celle de la loi 150[*], qui a le défaut de ne pas poser de balises sur la question des pouvoirs.

Au début de juillet 1991, il donne une grande entrevue à Michel Vastel, du *Soleil,* dans laquelle il dévoile ses batteries. L'entrevue sera publiée le 22 septembre. Bourassa parle, ici, pour publication. Il place la barre, en gros et en détail. En gros, d'abord, il explique que le Canada doit lui faire de bonnes offres pour lui permettre de s'extraire de son engagement légal de tenir un référendum sur la souveraineté.

> Bourassa : Le Canada anglais peut se dire : avec lui, si on lui donne quelque chose de raisonnable, qui satisfait fondamentalement les aspirations des Québécois, il va l'accepter et il va être capable de le faire accepter par les Québécois.
>
> Mais le corollaire de ça, c'est que s'ils ne nous offrent pas quelque chose d'important, de fondamental, comme une réforme en profondeur, je ne pourrai pas le faire accepter par le peuple québécois. Et là, c'est l'impasse.

[*] Votée en juin 1991, la loi 150 est la traduction juridique du rapport de la commission Bélanger-Campeau. Elle prévoit qu'un référendum sur la souveraineté, au sens strict, sera tenu en juin ou en octobre 1992. Dans l'intervalle, une commission parlementaire étudiera des offres de réforme de la constitution « liant les gouvernements » du Canada ; une seconde étudiera les questions afférentes à la souveraineté.

Vastel : Vous ne « pourrez » pas ou vous ne « voudrez » pas ?

Bourassa : Les deux. Vis-à-vis de l'histoire, je ne peux pas arriver et retourner avec des miettes.

Voilà. À ce stade de sa réflexion, le premier ministre se dit que la menace de souveraineté ne provient pas de ses propres actions à lui, mais de la volonté autonomiste du peuple québécois. Lui, Bourassa, peut être le vendeur d'une bonne marchandise canadienne. Mais eux, les Québécois, seront des acheteurs exigeants. On ne pourra leur balancer n'importe quelle camelote.

Comment définit-il la marchandise à livrer ? Il n'est bien sûr pas question de la liste d'Allaire qui est, dit-il, « une référence, en somme ». Mais « ça ne peut pas être marginal, ça ne peut pas être une réformette ». Puis il en donne la recette, en détail :

> Ce que je demande, c'est la gestion de nos intérêts. Si on obtient la maîtrise d'œuvre totale dans le domaine social, le développement régional, le culturel, l'environnement. Bon, en acceptant des normes [canadiennes], la main-d'œuvre. Ben là, on fait la souveraineté pourquoi ?

C'est la première fois que Bourassa est aussi précis. Voilà ce qu'il veut. Voilà une liste. Il pourra retrancher ici, ajouter là, mais il donne une idée de la masse critique qui l'intéresse. Il vaut donc la peine de noter ce critère, aussi net qu'il puisse l'être, et de l'ajouter à la liste des engagements que Robert Bourassa a pris publiquement depuis la mort de Meech[*] :

> ENGAGEMENT Nº 7 : LA RÉFORME DOIT ÊTRE « FONDAMENTALE »,
> « EN PROFONDEUR », « PAS UNE RÉFORMETTE ».

Voilà pour la position publique. Diffère-t-elle de la position privée ? À peine. Robert Bourassa est très enthousiasmé, depuis la fin de juin, par ce qu'il a lu dans le « rapport des 22 », un document produit par des membres de l'élite politique et économique du Canada qui propose une réforme constitutionnelle considérable. La beauté du texte réside dans sa liste de signataires : y figurent plusieurs complices du rapatriement unilatéral de 1982, dont les ex-premiers ministres de la Saskatchewan, Allan Blakeney ; de l'Ontario, Bill Davis ; deux anciens ministres de Trudeau : Céline Hervieux et Maurice Sauvé ; une repré-

---

[*] L'auteur tient la liste des engagements pris par le premier ministre envers l'électorat québécois depuis le 23 juin 1990. En voici la compilation à ce point du récit : nº 1 : Négocier dorénavant à 2 et « jamais » à 11 (23 juin 1990, Salon rouge, réaffirmé en mars 1991) ; nº 2 : Nécessité de redéfinir le statut politique du Québec (Loi instituant la commission Bélanger-Campeau, 4 septembre 1990) ; nº 2 bis : Obligation de résultat (présentation du rapport Allaire, 29 janvier 1991) ; nº 3 : Le *statu quo* est la pire solution pour le Québec (discours d'ouverture, congrès libéral, mars 1991) ; nº 4 : Tenue d'un référendum sur la souveraineté du Québec, au plus tard le 26 octobre 1992 (rapport Bélanger-Campeau, 29 mars 1991 ; loi 150, 15 mai 1991) ; nº 5 : Seule une offre liant formellement le gouvernement du Canada et les provinces pourra être examinée *(idem)* ; nº 6 : Réforme en profondeur, sinon, souveraineté (*addenda* Bourassa-Rémillard, rapport Bélanger-Campeau, 29 mars 1991) ; nº 6 bis : Dans ce cas, la pleine souveraineté, toutes les lois, tous les impôts (rapport Bélanger-Campeau, 29 mars 1991, loi 150, 15 mai 1991).

sentante de l'élite nationaliste canadienne : Sylvia Ostry ; et une éminence grise conservatrice, devenu conseiller de Mulroney depuis peu : Hugh Segal.

Sans jamais aborder spécifiquement le problème québécois, le rapport des 22 offre une forte provincialisation des pouvoirs. En contrepartie, les provinces accepteraient de se soumettre à des normes nationales, mais elles les définiraient elles-mêmes dans un Sénat transformé en Chambre de la fédération. L'effet net de ces mesures serait de réduire considérablement le budget fédéral, de clarifier les zones d'intervention, de « faire un grand ménage » canadien.

Autre bonus du rapport : presque toutes ces mesures peuvent être prises unilatéralement par Ottawa. Aucune n'exige l'assentiment unanime des provinces. C'est que les signataires ne prévoient ni droit de veto au Québec, ni reconnaissance de la société distincte, ni dévolution de pouvoirs significatifs en matière culturelle ou linguistique. Ça leur permet de respecter le principe sacré de l'égalité des provinces.

Bourassa semble avoir trouvé là la clé du problème canadien[*]. Dans son entrevue avec Michel Vastel, il parle en bien de ce rapport. Il le fait aussi longuement, le 7 août, avec l'auteur. Alors, Bourassa intègre les balises du rapport dans sa propre sa liste d'épicerie, en réponse à la question : « Quel est le minimum ? »

> Bourassa : Si on va chercher des pouvoirs très importants, je pense à la main-d'œuvre, à la famille, au développement régional — peut-être trouver une formule, on peut pas leur dire, là, mêlez-vous pas de ça du tout — mais qu'on ait au moins la maîtrise, la priorité législative dans d'autres secteurs. [...] Il nous faut les pouvoirs de la famille. Il me faut les pouvoirs sur les communications, il faut arrêter de se marcher sur les pieds. [...]
>
> Moi, je dis, le rapport des 22 me semble un bon *package* parce qu'il y a la sécurité [du revenu, dévolue aux provinces], il y a l'environnement, il y a la culture [hormis toutes les institutions nationales comme Radio-Canada], les communications ; il y a plus de la moitié du rapport Allaire, en tout cas, si on calcule, là, plus ou moins, là.
>
> Alors ça me prend ça. Je peux pas arriver juste avec la société distincte et la réforme du Sénat.
>
> L'auteur : Un « Meech plus » ne serait pas suffisant ?
>
> Bourassa : Non. Pas pour moi. C'est le temps de mettre de l'ordre dans la boîte. Si on le fait pas là, on le fera jamais. Si on le fait pas avec la loi 150, on va toujours être pris à se chicaner sur les programmes de sécurité sociale et de main-d'œuvre.

---

[*]   Ce qui n'est pas l'opinion des Québécois souverainistes modérés — qui forment la tranche centriste de l'opinion à l'été de 1991 — telle que testée, pour Ottawa, par la firme Créatec. Deux groupes tests totalisant 20 personnes jugent que le rapport des 22 « ne répond pas aux préoccupations du Québec ». Les groupes étaient particulièrement sensibles — en fait « étonnamment véhéments » — au fait que le rapport offre des solutions spécifiques aux autochtones (autonomie) et à l'Ouest (réforme du Sénat) mais passe sous silence le caractère distinct du Québec. Les perspectives de décentralisation de pouvoirs les laissent « sceptiques », donc d'autant plus « résistants ».

À la même époque, Jean-Claude Rivest entonne un refrain identique. « Il faut qu'il y ait un déplacement significatif et substantiel des choses, pas juste jouer sur les marges, là. » Mais son critère de succès varie. Les jours pairs, c'est Meech : « On peut dire ben, écoute, le *bottom line,* là : rien de moins que Meech. Ben ! c'est lourd ! » Les jours impairs, c'est plus que Meech : « On le dit très clairement [à Ottawa] nous autres, là, par rapport à Allaire, par rapport à 150, ça nous prend Meech, mais Meech plus. Il faut que le PM soit en mesure de dire qu'il a obtenu plus que Meech. [...] Meech plus, c'est substantiellement le rapport des 22. »

TRACY : CHRONIQUE D'UNE CATASTROPHE ANNONCÉE

Ayant cru trouver dans le rapport des 22 un signe de l'ouverture d'esprit du Canada anglais (en fait, ce n'est qu'un signe de l'ouverture d'esprit d'une partie des élites du Canada anglais, désavouée par l'opinion publique à Meech et dans tous les sondages depuis), Bourassa s'inquiète lorsque Rivest lui fait part des informations de Roy. « Je comprends pas, lui dit-il, que des gens aussi près d'une conception de Trudeau, réalisant l'ampleur des problèmes, signent un rapport des 22, puis, d'après ce que tu me dis, il semble qu'ils [les fédéraux] soient très loin des 22. C'est curieux. »

Mais Michel Roy pense que Bourassa n'est pas encore suffisamment averti des problèmes à venir. Qu'il faut lui montrer la bête en gestation :

Roy : Je pensais, très honnêtement, que c'était pas fair-play de tenir Bourassa à l'écart de l'état des travaux. Il fallait lui dire en gros ce que c'était. Pis je me suis dit, bon, ben, ils font pas ça avec tous les PM, Dieu sait ! alors faisons de ça une rencontre tout à fait intimiste [entre Tellier et Bourassa, qui se connaissent depuis 20 ans].

L'auteur : C'était pas seulement pour être fair-play, c'était parce que tu voulais que Bourassa soit informé de la piètre qualité des travaux en cours ?

Roy : *Of course.* Mais ça va plus loin que ça. Je voulais que Bourassa le soit [informé] parce que Bourassa est central dans ce dossier-là, comme le Québec, bien sûr. Je trouvais que par moments, [à Ottawa] on oubliait ça.

Michel Roy n'a pas trop de mal à en convaincre Brian Mulroney et Paul Tellier. Puis il avise Rivest de la tenue du tête-à-tête. Le conseiller de Bourassa n'est pas très heureux de la formule choisie. « Écoute, c'est pas parce que je veux écornifler, mais je te signale que Bourassa, pour les questions de constitution, j'aime mieux être là, être sa mémoire. Il y a des questions auxquelles il n'est pas sensible [Bourassa a tendance à oublier le veto, note Rivest devant l'auteur], d'autres auxquelles il n'attache pas nécessairement beaucoup d'importance, ou encore des questions qu'il ne connaît carrément pas. »

Mais Bourassa a décidé : il verra Tellier seul. Pas d'écornifleur, pas de « mémoire », pas de prise de notes. Quand Tellier se présente chez Bourassa, il a en main le texte presque final du document que Loiselle, Bouchard et Masse découvriront trois jours plus tard à Kelowna.

Paul Tellier raconte la scène :

Tellier : J'ai rencontré M. Bourassa à 3 h, rencontre qui a duré deux heures, le 24 août à Sorel, Tracy.

L'auteur : Qu'est-ce qui s'est passé ?

Tellier : [...] M. Bourassa était avec son petit-fils, son fils et sa bru, et je l'ai vu très détendu. C'est probablement une des fois où je l'ai vu le plus détendu. Il était pas pressé à parler d'affaires et il s'amusait avec son petit-fils et ainsi de suite. Et j'ai vu que l'arrivée de ce petit enfant-là avait eu un effet marquant sur lui. Il montrait un visage très humain et jouait à merveille son rôle de grand-père.

Et je me rappelle très bien qu'après la rencontre, j'avais appelé M. Mulroney pour lui donner un *debriefing* [compte rendu] de notre conversation, et je parlais de ça ; le PM avait hâte de savoir le contenu, et je disais au PM c'est important parce que le Robert Bourassa avec qui je viens de passer deux heures est un homme qui est encore un animal politique bien sûr, mais chez qui j'ai vu une dimension humaine très marquée. Et je décrivais la scène. Évidemment, M. Mulroney, lui, était intéressé à passer au contenu.

Essentiellement j'avais pris chacun des points des futures propositions et puis j'en avais discuté avec M. Bourassa, et M. Bourassa réagissait. Je me rappelle que, un moment donné, on était à l'intérieur [de la maison] et puis j'avais sorti des textes. On avait parlé. Mais M. Bourassa, comme vous le savez, est un homme trop prudent pour s'engager en disant : « Oui, oui, je peux vivre avec ça » ou : « Non je peux pas vivre avec ça ». Il disait : « Ouais, je vais penser à ça ; oui, ça a du bon sens. Ben, ça, tu devrais en discuter avec Jean-Claude, parles-en donc à Rémillard, ou parles-en donc à John [Parisella, son chef de cabinet] », ou ainsi de suite, dépendant du sujet.

Fait que, c'était essentiellement du *feedback* que j'obtenais de lui. J'ai été là pendant deux heures, on a peut-être passé une demi-heure dehors.

Tellier explique qu'après une discussion générale d'une demi-heure, autour de la piscine, la discussion sérieuse a duré une heure et demie, textes en main. C'est l'équivalent du temps qui sera alloué aux Loiselle, Bouchard et Masse pour prendre connaissance du même document, et en être outrés.

L'auteur : Est-ce qu'il l'a lu, le texte ?

Tellier : Non. Non, parce que je me rappelle que sur une des clauses, là, la phraséologie était importante, pis je lui lisais ça à haute voix, pis il écoutait, pis il me faisait répéter et ainsi de suite. [...] Le but de l'exercice était de solliciter une réaction pour s'assurer que notre tir était au moins dans la bonne jambe.

L'auteur : Et c'est l'impression que vous avez eue quand vous en êtes sorti ?

Tellier : Oui. [...] Vous connaissez suffisamment Bourassa pour savoir qu'il ne dit jamais : « Ah ! C'est bon en mosus ! », pis « je suis prêt à défendre ça ! » pis ainsi de suite. Il dit plutôt : « Ouan, c't'intéressant, parles-en donc à Jean-Claude. » [...]

L'auteur : Et vous sortez de là avec un feu vert, essentiellement, en tout cas vous êtes sur la bonne voie.

Tellier : Oui.

Bourassa répand d'ailleurs sa joie chez deux de ses conseillers : « Le chef avait l'air à trouver ça pas pire, rapporte Pierre Anctil, qui lui parle peu après. Mais il est positif, M. Bourassa, tout le temps. Il avait l'air de trouver ça assez positif. » Bourassa parle entre autres du partage des pouvoirs et de la limitation du pouvoir de dépenser (en fait, infinitésimale) qu'il dit avoir perçue dans le propos de Tellier. « Sa discussion avec Tellier lui avait donné un certain optimisme, il m'avait donné ce *feedback*-là, sur les pouvoirs », rapporte Anctil.

Bourassa en parle aussi à Jean-Claude Rivest, pressé de savoir de quoi il retourne. Son patron lui dit « que le *pattern* général était intéressant. Que d'après ce qu'il avait compris, là, de ce que Paul lui avait dit, c'était Meech, c'était un nouveau partage des pouvoirs à déterminer. »

Bref, Bourassa, informé par Roy et par Masse de la timidité des textes, donc averti des périls à venir, a eu les textes à portée de la main. Il a bénéficié d'une présentation d'une heure trente. Tellier lui a lu et relu les passages les plus difficiles. Il n'y a pas eu de malentendu à Tracy. Il n'est pas envisageable que Tellier, dont tous reconnaissent la probité, ait sciemment désinformé le chef du gouvernement québécois. La chose aurait été stupide car, dès qu'elle aurait été découverte, Tellier en aurait beaucoup souffert, subissant les foudres de son patron, Mulroney.

Pourquoi Bourassa réagit-il aussi joyeusement à une proposition aussi clairement inacceptable ? Il y a une part d'incompétence, bien sûr. Sur toutes ces questions, Bourassa est loin d'être aussi agile qu'il en donne l'impression. Tantôt il oublie le veto, tantôt il ne comprend pas ce qui se passe dans le domaine des communications. Il y a une part de désintérêt, aussi. Peu lui importe que l'offre en matière culturelle soit si faible, la chose ne fait pas vibrer chez lui la moindre fibre. La santé, ça l'embête. Il y a une part de « trouble » aussi, qu'il veut éviter à tout prix. Certains des pouvoirs qu'il pourrait réclamer sont autant de dossiers empoisonnés, de problèmes qu'il faudrait gérer, régler même, qui sait... Il ne se froisse donc pas de ne rien apercevoir, là-dessus, dans les explications de Tellier.

Par-dessus tout — et à cause de tout ce qui précède —, il y a le concilia-teur, le bon gars, celui qui veut tellement que ça marche, qui veut tellement se débarrasser du problème, qui veut tellement dire oui et qu'on en finisse, qu'il décide de voir tout un festin dans les miettes qu'on lui présente. Évidemment, comme le souligne Tellier, il ne dit jamais : « Mosus ! que c'est bon. » Il dit toujours : « On va voir, on va en parler, ça semble bien. »

Tellier : Je pense que ce sont des situations qui, en tout temps, même dans les circonstances les plus favorables, sont des situations équivoques. Donc, ce sont des pourparlers préliminaires en marge d'une négociation.

L'auteur : Ouan. Il me semble qu'en conférence de presse, le lendemain, on peut et souvent on doit être équivoque. Mais là, on est assis avec un allié. On essaie de faire quelque chose qui va marcher. C'est le temps d'être clair. Parce qu'on est juste deux, là. On discute. « Ça va-tu *flyer*, je peux-tu avancer avec ça, on peut-tu se rendre au deuxième but avec ça ? Oui ? Non ? » C'est là qu'il faut le dire.

Tellier : Oui, je ne suis pas en désaccord avec vous. Mais c'est pas la stratégie de Robert Bourassa. C'est pas la façon dont il fonctionne et c'est pas la façon dont il négocie. Et, donc, c'est pour ça qu'en particulier, plus tard, certains des collègues devenaient un peu impatients, parce que comme vous le savez, M. Bourassa peut dire quelque chose devant cinq personnes dans une salle pis les cinq personnes vont sortir de la salle avec cinq interprétations différentes.

Voilà pour l'attitude de Bourassa, qui, le 24 août à Tracy, échappe le ballon de la pire façon envisageable et complique le jeu pour tous les acteurs dans les semaines à venir. Mais comment expliquer l'attitude de Tellier, de Clark, de Bourgon et compagnie ? Comment comprendre qu'au sortir d'un été de discussions aussi rudes avec les Masse, Bouchard et Loiselle, ils produisent une proposition aussi molle envers le Québec ? Tellier explique la problématique : il fallait trouver un « équilibre » entre ce qui était acceptable dans le ROC et au Québec.

• Dans le ROC, dit-il, il fallait « prendre le pouls » : « Qu'est-ce qui pourrait rassurer par exemple un Clyde Wells ? Qu'est-ce qui pourrait rendre l'ensemble du *package* plus acceptable aux Canadiens de l'Ouest ? Et ainsi de suite. » Le principal problème, toujours, est la société distincte : « Il y avait un certain nombre d'éléments qui achalaient ou qui inquiétaient, à tort ou à raison, certains des partenaires qui devraient être parties à cette future entente-là, explique Tellier. Un de ces éléments était la société distincte. »

Comment les « partenaires » s'expriment-ils ? De vive voix, lors de rencontres bilatérales avec Clark ou Tellier, les Clyde Wells, Gary Filmon, Don Getty expriment, soit leur refus, soit la réticence de leur population envers la société distincte. Tellier note que ces rencontres étaient presque superflues : « On n'avait pas besoin d'appeler Don Getty pour savoir comment l'Alberta réagirait, parce que [le ministre fédéral des Finances, l'Albertain] Don Mazankowski était sûrement un aussi bon politicien, et lisait l'opinion publique du Canada anglais ou de l'Ouest en conséquence, et ainsi de suite. »

Ce qui est singulier, car les gens comme Mazankowsi « et ainsi de suite » étaient presque tous muets pendant les rencontres de l'été. Michel Roy fournit la pièce manquante :

L'auteur : Si les membres anglophones du comité ministériel ne menaient pas de lutte contre la société distincte, sauf pour dire : Si vous prenez ça, nous, il faut donner quelque chose à nos gens dans l'Ouest », d'où provient le recul par rapport à Meech ? [...]

Roy : Ben, ceux qui conçoivent les textes, ceux qui les inspirent, le premier c'est Tellier, Mme Bourgon, en partie aussi, pis ensuite on passe à Spector [le chef de cabinet de Mulroney]. Les gens qui ont discuté le coup, là, les artisans, les architectes, c'est eux. Ils vont en parler avec le PM. « On pourrait faire ça, on pourrait faire ci, disent-ils, qu'est-ce qu'on fait ? » Pis là ils demandent à Mazankowski, pis

lui, il dit : « Non, dans l'Ouest, parlez pas de ça, c'est pas la peine, oubliez ça. »
Mazankowski, c'est un poids très lourd.

L'auteur : C'est le PM bis ?

Roy : Oui. [Le ministre du Commerce, l'Ontarien Michael] Wilson aussi. Donc ça,
c'est les gens qui finalement décident.

L'auteur : C'est le tamisage [...].

Roy : Oui, oui, oui. Qu'est-ce qui passe, puis qu'est-ce qui passe pas. Deuziè-
mement, il y a « l'intérêt du pays ». L'intérêt du pays, c'est Tellier, c'est Spector,
c'est des gars qui se disent : « Il vaut mieux pour l'équilibre de cette fédération
qu'on n'aille pas dans tel sens. » C'est l'intérêt des mandarins [qui représentent la
permanence de l'État canadien par opposition au caractère transitoire du gouvernement...]

L'auteur : Oui, mais ce sont des gens très intelligents. Comment Tellier et même
Mazankowski, qui étaient là pendant Meech, ont-ils pu penser qu'on pouvait faire
une proposition où la société distincte était démantelée et qui pourrait avoir l'aval
des Québécois en général, sans parler de ceux du cabinet et du caucus ?

Roy : Ben, à ce moment-là, *biggest single factor* — il y en a eu plusieurs —, mais
le plus gros facteur qui les a amenés à cette extrémité-là, c'est la peur de l'opinion
publique canadienne-anglaise. Ils recevaient leurs sondages. Alors là, c'était le raz-
de-marée. « On passera jamais ». [...] Ce qu'on entendait de ces gens-là, c'était :
« Nous, on veut bien, mais le pays veut pas. »

L'auteur : Oui, mais il y a deux parties au pays.

Roy : Oui, mais le Canada anglais veut pas.

L'auteur : Si tu veux sauver le Canada...

Roy : Ouan, mais « le Québec, vous savez » ! Ils pensent toujours que c'est à
Bourassa à régler ça.

• Au Québec, justement, tous les signaux envoyés depuis le début du
processus par Bourassa ont pour effet d'abaisser la barre, de refroidir encore
les tièdes ardeurs réformistes des représentants fédéraux. De conforter Ottawa
dans l'idée que « Bourassa va régler ça ».

Les ministres québécois du cabinet s'excitent, mais pourquoi les écouter ?
Le vrai patron québécois, Bourassa, est beaucoup plus raisonnable. Lorsque
Masse, Bouchard, Loiselle se rendent compte du problème, qu'ils soupçon-
naient depuis le printemps mais qui leur tombe dessus à Kelowna, ils tentent
de rectifier le tir, explique Masse :

L'auteur : Est-ce que Mulroney pensait que les propositions de Kelowna allaient
faire du millage au Québec ?

Masse : Il se fiait beaucoup à Bourassa. Et à un moment donné, ça a été un peu
un problème là-dedans : t'avais les négociateurs du Québec, qui venaient exprimer
leur point de vue, pis quand le PM [Mulroney] parlait à Bourassa, le point de vue
était pas tout à fait le même. Et comme le point de vue de Bourassa était plus,
disons, satisfaisant pour Ottawa, les gens [comme Tellier et Mulroney] nous

disaient : « Oui, oui, mais écoute, ça c'est les négociateurs [du Québec], mais Bourassa est d'accord ! » Ça, ça a joué. Ça a effectivement joué.

L'auteur : Est-ce que vous en discutiez avec Mulroney ?

Masse : Ben, nous, à plusieurs reprises on a dit au PM de faire attention à ça. Pis Bourassa, c'est Bourassa ; le Québec, c'est le Québec. Et [les offres] et le référendum, ça va s'adresser aux Québécois dans leur ensemble. Et qu'il fallait beaucoup plus juger la position des Québécois, telle quelle, en tout cas telle qu'on croyait qu'elle était, plutôt que uniquement se fier à l'accord de Bourassa. C'est pas avec Bourassa qu'on va conclure l'affaire.

L'auteur : Qui disait ça ?

Masse : Ah ! Ça, ça s'est dit à maintes reprises au cabinet ou ailleurs. En tout cas moi, je l'ai exprimé, d'autres l'ont exprimé. [...] Ça a été largement notre position, des francophones. Quand je dis des francophones, c'est Loiselle, Bouchard et moi. Et ça a été largement, durant toute cette année-là, notre position. [...]

L'auteur : Qu'est-ce qu'il a répondu à ça, Mulroney ?

Masse : Ben, qu'est-ce que tu veux ? À partir du moment où son interlocuteur, lui, c'est Bourassa, et son interlocuteur, disons, va dans sa thèse [à lui, Mulroney], il a tendance à être d'accord avec Bourassa. Il cherche pas à compliquer son problème[*].

Le ministre Masse vise en plein dans le mille. Discutant de ce problème avec un confident, Brian Mulroney s'exclame : « On avait le spectacle de ministres fédéraux qui n'avaient jamais été premiers ministres du Québec, mais qui pensaient savoir mieux que Bourassa ce qu'il fallait au Québec ! »

Paul Tellier, psychologiquement préparé pendant tout l'été au décalage existant entre le discours des ministres québécois et celui de Bourassa, trouve tout à fait normal ce qui se passe à Tracy. « Ça s'est passé comme je m'y attendais », dit-il.

Bourassa explique lui-même très bien le phénomène :

---

[*] Cette situation va perdurer. En juin 1992, les députés conservateurs québécois, mais surtout les sénateurs venus du sérail libéral à Québec (comme les anciens ministres de Bourassa Claude Castonguay et Thérèse Lavoie-Roux et son ancien haut fonctionnaire Roch Bolduc), tentent de faire échouer le projet de loi C-13 de Jean Charest. Ce projet de loi sur l'environnement confère à Ottawa un énorme pouvoir discrétionnaire lui permettant d'intervenir dans presque tous les projets provinciaux. À Québec, le gouvernement et l'opposition sont officiellement opposés au projet, que le ministre Pierre Paradis dénonce presque quotidiennement. « J'ai été sous-ministre assez longtemps pour voir ce qu'il y a derrière ça », dit Roch Bolduc, qui tente de bloquer le projet dans son comité du Sénat. « Les fonctionnaires fédéraux ont tout simplement agi pour élargir le plus possible leur champ d'action au détriment de celui des provinces, sans se soucier du fouillis qu'ils vont créer », dit-il encore, assaisonnant son propos d'un juron. Des ministres demandent à Mulroney d'intervenir, mais il hésite à désavouer Charest, un de ses poulains. Tout le monde est avisé que Bourassa va parler à Mulroney pendant le week-end, avant une rencontre cruciale du cabinet fédéral le mardi suivant. Des signaux appropriés sont envoyés de part et d'autre. Mardi, Mulroney se présente au cabinet et annonce : « Écoutez, il m'en a pas parlé du tout ! Pas un mot de ça ! » La loi a été adoptée.

Ils [Les Canadiens anglais] savent que mon but, c'est pas de casser le pays, c'est pas d'avoir une statue sur un socle comme étant le président de la République. Ils savent que je ne suis pas ce genre de politicien-là, que je suis profondément québécois, mais très pragmatique. Donc, si j'arrive avec un bon *deal*, une bonne proposition pour le Québec, ils savent que je vais me battre pour la faire accepter et que je peux le faire.

Pour les mandarins d'Ottawa, pour les ministres anglophones, pour les premiers ministres anglophones, Meech était déjà une montagne. Pour eux, un « bon *deal* » est quelque chose d'extrêmement modeste. Une entente accordant moins que l'accord de Meech peut constituer « un bon *deal* ». Bourassa ne les détrompe pas. Même Rivest, qui parle alors occasionnellement à Bourgon et à Tellier, ne les détrompe pas. « Notre mandat, que le PM et Gil Rémillard [avaient donné] c'était de pas négocier, donc de pas demander, de rien demander. » Rivest et les experts québécois pensent suivre la logique de la loi 150, de l'attente d'offres : « La règle, c'est vraiment que le Canada fédéral et le Canada en dehors du Québec se déterminent sur des propositions d'amendement constitutionnel », explique Rivest. Mais pendant que lui ne « demande rien », Bourassa refuse tout. On ne saurait imaginer pire stratégie de négociation. (En fait, oui, on peut. On le verra dans la suite du récit.)

À la fin de l'été de 1991, tous les éléments principaux du drame à venir sont donc en place. Dans l'esprit des responsables fédéraux, la position de négociation érigée par Allaire et Bélanger-Campeau est complètement annihilée dans chacune de ses composantes : liste de demandes, menace de souveraineté. Seul subsiste l'échéancier : octobre 1992, qu'il convient de respecter car il coïncide avec la fin du mandat normal de quatre ans du gouvernement Mulroney.

Tout est clair. Il faut préparer des propositions qui ne vont pas trop déplaire à Wells et à l'Ouest. C'est relativement facile à déterminer, car les positions du ROC — pour ne pas dire les « oppositions » du ROC — en ce qui concerne la société distincte, le fédéralisme asymétrique sont nettes, exprimées de façon répétée et cohérente par les provinces, plusieurs ministres anglophones du cabinet et les sondages. Côté québécois, par contre, Bourassa, maître du jeu, se montre parlable, pragmatique, modeste. Comme il le dit lui-même, le ROC sait qu'une fois le *deal* conclu : « Je vais me battre pour le faire accepter et [...] je peux le faire. »

Bref, dans la tâche considérable de réformer le Canada, le partenaire le plus compréhensif et le moins problématique est le Québec.

Pour tous les alliés naturels de Bourassa, par contre, pour tous ceux qui désirent honnêtement une « dernière chance » pour le fédéralisme, pour tous ceux qui veulent un Québec plus autonome dans un Canada réformé, la tâche vient de se compliquer. Au lendemain de la mort de Meech, le Québec repartait peut-être à zéro. Mais au lendemain de Tracy, le Québec part à moins dix. Et avant de construire, il faut maintenant réparer le dégât causé à Tracy.

Le premier ouvrier est aussi le plus puissant : Brian Mulroney. À Kelowna, trois jours après Tracy, quand se termine la pause de midi, le premier des Canadiens rappelle ses ministres pour la suite de la conférence. Il a compris le message de ses ministres québécois. « Il a toujours été conscient qu'il y avait un danger constant avec ses ministres francophones, souligne Bouchard. Il a toujours eu un œil sur nous. » Ce jour-là, plus que jamais.

Devant l'ensemble de ses ministres, il se met à préparer le terrain pour une rectification de la réforme en cours. Il faut maintenant « en ajouter » pour le Québec. Pour ce faire, il lui faut ouvrir les esprits anglophones. Mulroney entame donc une longue tirade sur le Québec, la société distincte, la langue. Il reprend à son compte des arguments que Loiselle avait évoqués le matin. Venant de lui, ils ont plus de poids. « Il faut comprendre ce que c'est, d'être six ou sept millions de francophones, perdus dans une mer anglophone », déclare-t-il à l'adresse des Albertains et des Terre-Neuviens qui peuplent son cabinet. Cette société est distincte, de la cave au grenier, dit-il, « il faut rassurer le Québec, il faut lui donner les moyens, ça enlèvera rien à l'Ontario, ça enlèvera rien à l'Ouest ».

À ce moment de sa carrière, Mulroney est le politicien le plus détesté au Canada[*]. Pourtant, dans cette salle, son emprise sur ses ministres est totale. Normalement, quand Joe Clark préside la réunion, on entre et on sort, on discute en petit comité. Avec Mulroney, non. « Il exerce une autorité morale étonnante, note Roy. Ça m'a beaucoup impressionné. Son prestige, son autorité réelle sur ce gouvernement et ce cabinet restaient très, très grandes. »

Il sait comment les prendre, équilibrer son propos. Société distincte ? Oui, il en est, avec des trémolos dans la voix. Mais « on va pas revenir aux *two nations, of course* », leur dit-il. C'est le concept de Masse, on le sait. C'était aussi celui de l'avant-dernier chef conservateur, Robert (Bob) Stanfield. Entre bleus, il lance quelques blagues sur ce pauvre Bob et son pauvre slogan : deux beaux grands échecs du parti. Maintenant qu'il a ses auditeurs dans sa poche, il reprend sur la nécessité de faire plus, de faire mieux. L'oraison dure une heure. Loiselle, Masse et Bouchard sont rassérénés. Ils ont peut-être perdu l'appui de Bourassa, mais pas celui de Mulroney.

Michel Roy aussi est content. Jusqu'à ce qu'il soit entraîné dans une réunion des *boys*. Tellier, Bourgon, Spector, quelques sous-ministres, quelques hauts fonctionnaires trudeauistes.

« Quelles conclusions tirez-vous de l'intervention que le PM a faite aujour-

---

[*] À la réunion du G-7, où il s'est rendu plus tôt cet été-là, il a blagué avec ses homologues étrangers, en se targuant d'être le seul à jouir d'un taux de popularité inférieur au taux de chômage national. Mulroney fait souvent des blagues à ce sujet, mais ça le turlupine, évidemment. Un jour, à Sherbrooke, Mulroney fut chahuté par des manifestants qui scandaient : « 12 % ! 12 % ! » Mulroney leur dit : « C'est peut-être vrai, mais le seul sondage qui compte, c'est celui de l'élection ! » Les manifestants le reprennent : ils ne parlaient pas de sa popularité, mais du taux de chômage. Oups !

d'hui ? lui demandent-ils. Qu'est-ce que vous pensez de tout ça ? À votre avis, y a-t-il lieu de changer des choses ? »

« Bien évidemment, répond Roy. Je crois que le PM vient de dire clairement qu'il faut changer d'orientation. »

« Ah ? Vous trouvez ça, vous ? entend-il. Vous trouvez vraiment ça ? Non, j'ai pas vu ça, moi, » disent ses interlocuteurs, qui le contredisent froidement.

« Alors moi, raconte Roy, je me suis dit : "Je suis dans Kafka !" »

IL EST STRICTEMENT INTERDIT DE COMPARER À MEECH

« Jamais de la vie... c'est pas vrai... c'est pas exact... c'est exactement le contraire ! »

Jean-Claude Rivest est au bout du fil. Michel Roy vient de lui faire un compte rendu de la rencontre de Kelowna et des propos que Tellier a rapportés de Tracy. C'est le branle-bas de combat à Québec. Dans la semaine qui suit Kelowna, Rivest, la sous-ministre responsable Diane Wilhelmy (surnommée « Mme Meech » dans le ROC) et le conseiller André Tremblay débarquent à Ottawa pour serrer les ouïes de Bourgon et de Tellier.

« Là, ils en ont mis, raconte Roy. La charrette était pleine. »

Que « mettent »-ils ?

D'abord, Rivest et ses collègues se font expliquer le document en voie de préparation par Bourgon. Ils sont catastrophés. « Ça ne volera jamais au Québec », tranche Rivest. Puisqu'il leur est interdit de « négocier » ou de « demander » quoi que ce soit, le « mandat » de son escouade se limite à exprimer, ensuite, trois grands principes. Le Québec veut :

1) Meech tel quel. Donc, le respect des cinq conditions, y compris le droit de veto ;

2) Aucun recul réel ou appréhendé du pouvoir de l'Assemblée nationale. Donc, aucune initiative fédérale dans les domaines de l'éducation ou de la santé n'est acceptable ; aucune réforme des institutions fédérales réduisant le poids relatif du Québec dans la fédération n'est envisageable (recul « appréhendé » signifie toute modification de la constitution que la Cour suprême pourrait interpréter comme limitant les pouvoirs du Québec) ;

3) Un nouveau partage des pouvoirs.

Lequel ? Il n'y a pas de liste, mais « lisez Allaire », disent-ils sans rire. Rivest explique :

> Le message d'Allaire, c'est « un réel partage de pouvoirs ». Mais on n'a jamais listé à l'intérieur d'Allaire les pouvoirs qu'on voulait ou qu'on voulait pas. On a dit : « Allaire est là, vous connaissez le problème du parti, le problème du gouvernement, la volonté des Québécois qui se sont exprimés là. Ben, lisez-le pis voyez ce qu'il est possible de faire avec ça. »

Lorsque leurs interlocuteurs fédéraux insistent pour obtenir un peu plus de précisions, Rivest, Wilhelmy et Tremblay indiquent que la clé réside dans le pouvoir de dépenser du fédéral. Si Ottawa se retirait des champs de compé-

La langue ? Non, merci !

Photo : Bill Grimshaw/Canapress

Robert Bourassa en compagnie de Joe Clark et de Paul Tellier. Le ministre fédéral offre au Québec de satisfaire sa plus ancienne revendication : beaucoup plus de pouvoirs en matière linguistique. « On a parlé de la langue. Je lui ai dit que je ne voulais pas la prendre », raconte Bourassa, avant d'ajouter : « C'était le début du processus de négociation. » En effet.

« Je me suis dit : "Je suis dans Kafka !" »

Photo : Jacques Nadeau/Le Devoir

Michel Roy, ex-éditorialiste devenu conseiller de Brian Mulroney, comprend mal. Bourassa refuse la langue, la santé, les communications. « Alors on met un X là-dessus. Bon, ben, je me dis, c'est parce que dans l'espoir d'obtenir autre chose, peut-être ont-ils renoncé à ceci. Mais là, je cherchais le "autre chose" et je ne voyais toujours pas. »

Photo : Canapress

Jocelyne Bourgon, chargée de coordonner l'effort constitutionnel. Premier geste : mettre à la porte les intellectuels anglophones. « Ça leur prenait trois chapitres avant de mentionner le nom du Québec. Tsé, il y avait un boutte ! »

« Des siècles nous séparent ! »

Marcel Masse et la Torontoise Barbara McDougall. « Marcel, tu veux détruire le Canada et tu le sais, dit-elle. Faites-nous confiance. » Le Québécois rétorque : « Je préfère avoir nos garanties écrites avec votre sang dans la constitution que de me fier à votre parole. »

Au bord de la démission

Photo : Ron Poling/Canapress

Benoît Bouchard. Au comité constitutionnel, il a un argument massue :
« Messieurs, vous n'y pensez pas ! Mais qu'est-ce que *Le Devoir* va écrire ! »

Photo : Ron Poling/Canapress

Les offres fédérales de 1991 ?
« Je suis obligé de vous dire
aujourd'hui que ça remet en
cause carrément mon adhésion
à ce projet et forcément à ce
gouvernement », dit Bouchard,
secondé par Gilles Loiselle. Joe
Clark, colérique, lui lance :
« T'es un drôle de Canadien ! »

Des propositions risibles, mais utiles

Ses conseillers dépècent les 28 propositions Clark. Pour le Québec : 16 reculs, 12 sur-place. « Ça m'en fait 12 ! » dit Bourassa, content. « On était estomaqués, dit un participant. Diane [Wilhelmy] est rentrée dans le plancher. »

Le ministre Gil Rémillard s'esclaffe en lisant les propositions Clark avec le député Robert Benoît.

Gil suggère de dire : « Les offres sont inacceptables ! »
Pierre Anctil le regarde, lui dit : « Gil, teste donc ça avec le PM. »

Rest of Canada :
Le retour du complexe de supériorité

Photo : Dick Lock/Toronto Star

À la fin de 1991, l'auteur montréalais Mordecai Richler est le chouchou du Canada anglais, car il dénonce les Québécois francophones comme rétrogrades, xénophobes et antisémites. « Par un curieux virage du destin, réplique l'Anglo-Montréalais Peter Desbarats, ce rejeton excentrique de la communauté juive montréalaise est devenu le principal porte-parole de ce qui reste d'une "anglocratie" westmountaise malheureuse et désenchantée. » Autrement dit, un dinosaure.

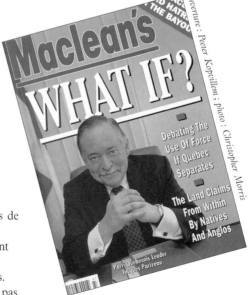

Couverture : Peeter Kopvillem ; photo : Christopher Morris

« Le débat sur l'utilisation de la force en cas de séparation du Québec. » L'hebdomadaire canadien ajoute sa voix au concert. Il devient politiquement correct, dans la presse anglophone, d'évoquer le recours aux armes. L'opinion publique canadienne n'embarque pas.

Je le jure :
On en donne moins au Québec !

Répondant à un assaut « inquiétant, tout à fait détestable et mesquin » contre une subvention faite au Québec, Gilles Loiselle, président du Conseil du Trésor, vient aux Communes faire la preuve, chiffres en mains, que les Québécois sont les parents pauvres de la fédération. Un précédent.

Dans le noir

Gil Rémillard pose à l'automne de 1991 des questions qui en disent long sur la marche des affaires : « Est-ce qu'on parle à Ottawa ? On parle pas à Ottawa, es-tu sûr ? » Quand un ministre albertain évoque les discussions qu'il vient d'avoir avec Rémillard, Clark trouve l'anecdote bien bonne : « Est-ce que Gil jouait avec toi la même partition qu'il jouait avec moi ? Étions-nous à la même page ? »

tence québécois, l'Assemblée nationale exercerait sa « pleine souveraineté » sur 11 des 22 pouvoirs réclamés par Allaire. Voilà une réforme « défendable ».

Ce mandat, essentiellement défensif, est assez ferme. Sauf qu'il est sapé par les interventions ponctuelles de Bourassa, sur la santé par exemple, et par le fait que Bourassa lui-même n'a pas affiché ces trois principes à Tracy. Tout de même, cette fois, le message semble se rendre jusqu'à Mulroney, qui donne directement à Tellier la consigne d'ajouter des éléments à la proposition fédérale et de tester la chose sur les ministres québécois.

Depuis Kelowna, Masse, Bouchard et Loiselle ont voulu aller aux nouvelles. Ils ont bien compris que les propositions étaient trop faibles. Mais ils ne sont pas constitutionnalistes et aimeraient pouvoir comparer le « paquet » avec Meech. Requête simple, non ? Non.

« On n'arrivait jamais à voir le tableau entre ce qu'il y avait dans Meech et ce qu'il y avait là [dans les nouvelles propositions], raconte Masse. Avec un tableau comparatif, tsé ? bien fait, clair et précis. On n'arrivait jamais à l'avoir. »

Ici commence une anecdote dont on penserait que seul Kafka aurait pu l'inventer. Il y a plus d'un an que l'accord de Meech, politique officielle du gouvernement Mulroney, est mort. Québec revendique publiquement et privément (sauf Robert Bourassa) le respect intégral de Meech dans les nouvelles offres. Ottawa prépare ces offres. Mais quand les ministres francophones réclament un tableau leur permettant de comparer les nouvelles offres avec Meech, les mandarins le leur refusent sous divers prétextes. La tâche n'est pas surhumaine. N'importe quel constitutionnaliste peut établir ce tableau en une heure. Mais les propositions fédérales sont confidentielles ; personne n'a le droit de se promener avec son exemplaire. Michel Roy décide donc de se livrer lui-même à ce petit exercice.

Il rédige un mémo confidentiel en 13 points comparant Meech aux nouvelles propositions. Il en envoie une copie à Marcel Masse, en voyage à Londres. Il avise Loiselle de l'existence de la note, mais le président du Conseil du Trésor, rompu aux usages de la bureaucratie et de la politique, décide qu'il ne veut pas de ce brûlot chez lui. Il envoie plutôt son chauffeur chercher Roy en douce, écoute l'exposé du conseiller, dans son bureau, sans témoin, et prend force notes pendant trois quarts d'heure.

Benoît Bouchard ne fait pas tant de chichis. Roy va lui remettre sa copie à Montréal, au Ritz où loge le ministre, vers 21 h, le mercredi 4 septembre. Dans sa confortable suite, le ministre fédéral de la Santé plonge dans sa lecture. Compare les colonnes. Découvre des trous là où il n'avait pas pensé à regarder. Sa colère monte. Il est soudainement hors de lui. Il prend le téléphone et répand sa rage à tout venant. Il appelle Tellier. Il appelle Spector. Il appelle Mulroney. « C'est comme s'il venait de découvrir la quadrature du cercle », commente Roy.

Au petit matin, Bourgon appelle Roy. « Dites donc, il paraît qu'il y a un drame, là, au cabinet, au bureau du PM ? Vous auriez envoyé une note pour démolir les propositions ? » C'est que Bourgon est « convoquée » chez Mulroney, pour faire la lumière sur cette grave affaire. Roy lui envoie copie de sa note, avec laquelle, tout compte fait, Bourgon est elle-même assez d'accord. Elle explique le tout à Mulroney, qui demande à voir cette fameuse missive.

« Non, répond Bourgon, je peux pas faire ça, c'est un texte confidentiel, secret. Je peux pas vous montrer le texte d'un expert ou d'un contractuel qui travaille ici, qui a envoyé un texte secret à un ministre et qui a bien voulu me le montrer. »

Voilà comment le premier ministre du Canada n'a pu lire une note rédigée par son propre conseiller constitutionnel, comparant Meech à ses propres nouvelles propositions. Ça ne s'invente pas ! Évidemment, Roy, qui « a l'air d'un maudit fou » et qui vient d'un milieu où on privilégie la circulation plutôt que la rétention de l'information, envoie copie de la note à Brian, avec petite lettre en sus.

Ce texte raffermit la position du trio Bouchard, Loiselle et Masse, et aggrave les tourments de Mulroney.

Le lundi 9 septembre, les trublions sont convoqués par Joe Clark et Paul Tellier au bloc Langevin, centre du gouvernement. On trouve là également les ministres de Cotret et Perrin Beatty (Masse est à Londres, Charest n'est pas convoqué). Chez les fonctionnaires et conseillers, il y a Bourgon ; son assistante : Suzanne Hurtubise ; le chef de cabinet de Mulroney : Norman Spector ; son conseiller : Hugh Segal et Michel Roy. Tout ce petit monde sait qu'il reste 13 jours avant la date annoncée de la publication des propositions de réforme.

Les participants sont assis autour d'une table ronde. Une certaine solennité règne dans la pièce. Il est 11 h et on va apporter de quoi casser la croûte pour le déjeuner. On restera dans cette salle pendant six heures.

Gilles Loiselle ouvre le bal.

« Écoutez, on n'a pas ce qu'on veut, là-dedans. On peut pas vivre avec ça. Même si nous, on était d'accord, on vous dit qu'on peut pas vivre avec ça au Québec. »

Benoît Bouchard enchaîne. Insiste sur la disparition du droit de veto, sur l'amaigrissement de la société distincte, et sur tout ce que la note de Roy lui a appris. Il pèse ses mots : « Je suis obligé de vous dire aujourd'hui que ça remet en cause carrément mon adhésion à ce projet et forcément à ce gouvernement. »

Quelques secondes passent. Règne un silence assez lourd. À côté, Loiselle semble acquiescer. Hugh Segal, assis à la droite de Bouchard, calcule mentalement le choc politique que causerait, à ce stade, la démission d'un ministre important du gouvernement Mulroney. Sur son visage poupin se lit un profond découragement. Car Bouchard est le leader du caucus québécois. S'il part, combien de députés passeront au Bloc ? Si lui et Loiselle partent ? Si lui, Loiselle et Masse partent ? « C'était le gouvernement qui était menacé », explique Roy. Sa majorité parlementaire aurait pu sombrer.

Joe Clark brise le silence avec une vivacité qu'on ne lui connaît pas. Il se tourne vers Bouchard, se met à l'engueuler. « Ça, on l'a dit au début, qu'on n'aurait pas de droit de veto pour le Québec ; du moins pas dans la première phase, parce qu'il faudrait l'unanimité [des provinces, donc l'accord de Wells] et on n'est pas rendus là. Alors je trouve que vous êtes bien tardif. Vous attendez bien longtemps avant de nous dire que vous n'adhérez plus. »

Dans cette introduction, qu'il fait en français, Clark a comme pris son élan, ouvert ses vannes. Ce Bouchard, il lui tombe sur les nerfs depuis le début de l'été avec ses grandes sorties, toujours émotives, jamais constructives. Et son obsession du *Devoir,* vraiment ! Au fil des phrases, la voix de Clark monte. Il pique une colère, rapportent les témoins de la scène. Une vraie.

Comme Segal, Clark, à quelques jours de la publication d'offres auxquelles il a travaillé tout l'été, voit Bouchard au bord d'une démission fracassante. Mais le ministre des Affaires constitutionnelles et ex-premier ministre ne songe pas uniquement à la stabilité du gouvernement Mulroney. Il sait que sa propre carrière, y compris son ambition de recouvrer un jour le fauteuil de premier ministre, est inextricablement liée au succès de son entreprise de réforme constitutionnelle. Pour l'heure, Benoît Bouchard constitue son principal obstacle.

Et il parle, ce Bouchard ! Il est reparti sur ses grands chevaux ! Clark lui lance une phrase qui glace l'assistance et dont le Québécois se souvient encore comme si on l'avait griffé. « C'est là que Clark m'est parti après et m'a presque accusé de ne pas être un Canadien ou quelque chose du genre : "T'es pas un Canadien" ou "t'es un drôle de Canadien", raconte Bouchard. »

Le ministre de la Santé, qui a l'impression, surtout depuis la mort de Meech, de gagner son ciel canadien chaque jour à Ottawa, lui répond : « J'ai pas de preuve à te donner, le fait d'être ici depuis sept ans, ça suffit ! »

Paul Tellier intervient pour faire baisser la pression. Manifestement, il faut éviter que le cabinet ne se scinde sur cette question. Il a préparé lui aussi un petit tableau synoptique comparant Meech aux nouvelles offres. Il recoupe presque en tous points celui de Roy. Il explique à Bouchard et à Loiselle que Mulroney l'a autorisé à ajouter quelques éléments au « paquet ». Il sort des documents de sa serviette.

Il remuscle un peu la société distincte, mais en limite toujours la portée. Il en redonne un peu au Québec dans le domaine culturel, mais si peu, car Beatty est là qui surveille. Il en rajoute sur la question de l'immigration, sur laquelle les offres rejoignent presque Meech. Il propose que le gouvernement fédéral renonce à son pouvoir de désavouer une loi provinciale, une prérogative tombée en désuétude depuis longtemps. Mais Tellier n'accorde pas au Québec le droit de veto. On ne peut pas, explique-t-il. En négociant, les deux ministres réussissent à lui faire insérer le veto comme « objectif » du gouvernement dans les tractations à venir. Tellier s'est donc quelque peu rapproché de Meech. C'est mieux que la veille, mieux qu'à Kelowna, mieux qu'à Tracy.

Bouchard et Loiselle écoutent attentivement. Ils annoncent qu'ils vont se retirer pour réfléchir. Ce qui, dans de telles réunions, ne se fait jamais. Ce qui, donc, agace suprêmement Joe Clark, décidément pas dans un jour affable. Les deux francophones disparaissent pendant un gros quart d'heure. Ensemble, ils jonglent avec les pièces ajoutées au paquet. Il y en a plus, c'est sûr. Mais on part de tellement loin... Loiselle est très réticent, Bouchard, plus conciliant. Ils s'entendent pour demeurer ministres, pour le moment.

Un peu à la manière de négociateurs syndicaux revenant de faire quelques appels auprès des exécutifs locaux, Loiselle et Bouchard réintègrent le groupe. On sent qu'ils sont plus sereins. Loiselle fait le point. On est contents de ceci, mécontents de cela, réticents sur l'ensemble. Ni lui ni Bouchard ne pensent qu'il y a dans ce paquet de quoi satisfaire les ministres québécois, le caucus, le Québec. Mais, bon, ce n'est plus une insulte.

La tension se relâche dans la petite salle. Le gouvernement Mulroney ne tombera pas aujourd'hui. On a rarement vu Tellier et Clark changer si rapidement de position sous la menace de démissions. Mulroney peut maintenant convoquer ses ministres à une autre réunion « finale » pour entériner les propositions, trois jours plus tard, à Sherbrooke.

Le jeudi 12 septembre, c'est « Kelowna *redux* », mais en terre québécoise. Le document a été rectifié. Il est représenté au cabinet. Les ministres anglophones découvrent que la société distincte y est réapparue. Increvable, ce machin ! Ils demandent, en compensation, quelques précisions sur le Sénat, et Harvie Andre, de Calgary, insiste pour qu'on inclue dans la charte des droits le « droit de propriété » comme inviolable. Une marotte de la droite populiste.

Bouchard continue à enquiquiner Mulroney, à lui dire que le contenu est toujours trop mou, qu'il en faut davantage. Par exemple ? Par exemple, la formation de la main-d'œuvre, il faut l'accorder au Québec et qu'on en finisse, sinon, qu'est-ce que *Le Devoir* va écrire ! Mulroney veut bien. Mulroney veut toujours, lui.

Mais plusieurs ministres anglophones résistent, au nom des normes nationales et de la compétitivité canadienne. Et puis, est-il bien nécessaire d'en donner plus au Québec ? Ils ont encore en mémoire le topo de Tellier, à Kelowna, sur l'approbation de Bourassa. Comment peut-on maintenant croire qu'il y a changement de cap ? Comment peut-on maintenant croire, tout simplement ? Et il faut compter avec Bernard Valcourt, ministre responsable de ce secteur depuis à peine une saison.

« Si on donne la main-d'œuvre au Québec, se plaint Valcourt, on est en train d'abolir le ministère de l'Emploi ! » Donc le sien...

« Absolument, répond Mulroney, excédé. Si c'est presque ça que ça prend, ça va être ça. »

Valcourt — qui est un des nombreux poulains que d'ordinaire Mulroney protège — broie du noir toute la journée. C'est comme si on lui enlevait son nouveau jouet. Il ne sait pas encore que Mulroney n'étant que le premier ministre, ce n'est pas lui qui décide. La formation de la main-d'œuvre ne déménagera pas à Québec de sitôt : plusieurs strates de mandarins veillent au grain.

Le cabinet n'arrive pas à s'entendre sur un certain nombre de questions. Qu'à cela ne tienne, on va déléguer l'étude de ces épineux problèmes à un comité parlementaire, qui sera formé dès après le dépôt des offres, avec mission d'aller consulter tout le monde pour faire apparaître de nouveaux consensus.

Le dimanche 22 septembre, avant-veille de la publication du document, le cabinet au grand complet est convoqué en fin de journée pour donner son approbation finale. Jusqu'à la dernière minute, Clark et Mulroney ajoutent au stylo dans la marge des paragraphes complets. Il s'agit parfois de précisions et d'ajouts, parfois de pure coquetterie.

Quelques heures plus tôt, question de bien se préparer à cette rencontre vraiment finale, tous les ministres québécois du cabinet sont réunis dans les locaux de Benoît Bouchard pour être mis au parfum. Tellier et Roy sont chargés de répandre la bonne nouvelle. Il y a là des gens comme Monique Vézina et Monique Landry, ministres moins importants qui n'ont participé ni au comité Clark, ni aux rencontres de Kelowna et de Sherbrooke, rencontres qui ne réunissaient que les ministres des « priorités et planification ».

Ces deux dames découvrent donc le document par ce dimanche après-midi d'automne, avec les aménagements que leurs collègues ont réussi à faire ajouter à grand-peine. Vézina lit le passage sur la culture et le trouve un peu mince. « Mais enfin, monsieur Roy, le Québec n'aura donc pas la culture ? » Roy patine, regarde Tellier. La nouvelle ligne de défense consiste à dire que le document n'est qu'une première étape et qu'on ajoutera des choses par la suite, n'est-ce pas ? Des choses comme la radio, la télévision, n'est-ce pas ? « Oui, bien sûr », explique Tellier. Encore faudrait-il que Québec les demande.

Marcel Masse, revenu de Londres, assiste à ce petit numéro, l'air de celui qui en a vu d'autres. Il est contre. Contre le document, contre sa timidité, contre tout. Sur chacun des aspects qui lui tiennent à cœur, des communications jusqu'à la création d'une seconde capitale, le document est vide. Il fait une intervention, exécute une ou deux pirouettes verbales. « Moi, j'en parlerai pas », de ces propositions-là, annonce-t-il. « Moi, j'irais plutôt en vacances pendant tout ce temps-là, si c'était possible. » Les ministres présents, surtout les moins informés, ne savent pas s'il faut rire ou prendre la chose au sérieux. Mais Masse n'annonce pas sa démission, alors on ne sait trop où on s'en va.

Dans la pièce flotte un sentiment de futilité. Voici la « grande réforme » promise aux Québécois et aux Canadiens ? Voici la réponse à Allaire et à Bélanger-Campeau ? Vivons-nous tous dans le même pays, sur la même planète ? Michel Roy n'est pas le moins désillusionné de tous. Il est seulement heureux que le cahier de propositions — 28 propositions au total — ne soit encore qu'un brouillon et soit présenté comme tel aux ministres et au public. S'il s'agissait d'une offre finale, soumise au vote, « je pourrais pas voter Oui pour ça », explique-t-il. « Sur les 28, il y en a quelques-unes sur lesquelles je pourrais voter Oui, mais pas le paquet en entier », dit-il peu après.

« Et si Bourassa était machiavélique et mettait [sur un bulletin référendaire] la case d'indépendance en dessous, est-ce que tu la coches ? » demande l'auteur.

« Ben, qu'est-ce que tu veux qu'on fasse d'autre ? répond Roy. Je veux dire, si tu fais des choix très clairs et très nets, c'est ça que ça veut dire ! »

La réunion s'achève, il faut partir rejoindre les collègues des autres provinces pour la réunion du cabinet au grand complet. Gilles Loiselle, qui a gardé de son séjour de délégué du Québec à Londres un sens très britannique de l'euphémisme et du cynisme, lance à la ronde : « Mais tout ça, c'est très bien. Bravo, bravo. On s'en va voter ça au cabinet. »

Enfin, non, il n'y a pas de vote, justement. Il y a discussion, réaction, approbation diffuse et générale, émaillée de quelques grognements. Et c'est la beauté de ce processus que jamais, depuis Meech et jusqu'à la fin, on ne demandera aux députés et ministres conservateurs à Ottawa de voter sur quoi que ce soit.

Masse : Tout ça se fait par étapes. Il y a jamais eu de moment où il y a eu une brisure fondamentale. C'est une question qui s'est souvent posée avec Loiselle et Bouchard. Et il y a jamais eu de moment, là, où on a eu à adopter ça. Ça a toujours été sur une voie parallèle par rapport aux organismes de décision. Alors il y a pas eu d'espèce de crise à un moment donné.

L'auteur : Vous vous êtes posé la question de savoir si vous sortiriez ensemble [du gouvernement] ?

Masse : C'est ça. Quel était le meilleur moyen d'aider le Québec dans cette démarche-là. Oui, on s'est posé la question, à plusieurs reprises. Mais il n'y a jamais eu d'événement qui aurait déclenché cette décision-là.

Contrairement au comité Allaire, où il fallait voter, ou à la commission Bélanger-Campeau, où il fallait signer, au cabinet Mulroney, on n'a pas à se commettre. On vous demande seulement de ne pas vous démettre.

L'auteur : Vous n'aviez nulle part où aller, non plus. Démissionner alors que Bourassa n'a pas pris position... il ne vous donnerait même pas de médaille !

Masse : Exactement. On n'avait rien à défendre. Démissionner sur quoi ? Sur le fait que les offres allaient pas assez loin ? Ben oui, mais elles étaient ratifiées par Bourassa !

Ce dimanche soir, Mulroney et Clark présentent le cahier de propositions comme une grande victoire, un grand pas en avant. Les ministres anglophones sont, pour la plupart, ravis. Le mot euphorie vient à l'esprit de deux des participants. Ils ont fait quelques concessions aux Québécois, c'est sûr. Mais c'est pour la bonne cause. Et, cette fois, on en a mis suffisamment sur la table. Mulroney le dit.

Voient-ils qu'au moins trois ministres québécois font triste mine ? Ne participent pas aux festivités ?

Masse, Loiselle et Bouchard trouvent que « ça donnait plus rien de faire des débats », raconte l'un d'eux. Ils font seulement savoir à Mulroney qu'il ne faut pas compter sur eux pour « vendre » au Québec ces propositions imbuvables. Tout au plus lui feront-ils l'amitié de ne pas faire campagne contre. Leur contribution au succès de l'entreprise, ce sera le silence.

9

LE SIMULATEUR

Si le gouvernement réalise que rien ne se produit,
qu'il perd son temps et qu'Ottawa ne bouge pas,
il pourra décider de tenir le référendum plus tôt.

GIL RÉMILLARD,
six mois avant le dépôt des propositions Clark.

Quand il va arriver le paquet, là,
ça va probablement être ridicule et totalement inacceptable.
Il [Bourassa] va dire : « Ah ! mautadit, catastrophe,
je suis pas capable ! » [...]
Je suis pas inquiet qu'il va dire non.
Si c'est pas acceptable, il va dire non
et après, il se déterminera, il fera le référendum
sur la souveraineté à la façon dont il voudra, à sa manière.

JEAN-CLAUDE RIVEST,
quatre mois avant le dépôt des propositions Clark.

Si je dis non, qu'est-ce qui va se passer ?

ROBERT BOURASSA,
réagissant aux propositions Clark
en conférence de presse.

LES PROPOSITIONS FÉDÉRALES DE JOE CLARK ? « Actuellement, bon, on peut pas dire que les offres sont satisfaisantes. C'est clair qu'il y a un consensus au Québec comme quoi ce qui est offert n'est pas acceptable. » C'est Robert Bourassa qui trucide ainsi, en toute clarté et publiquement, le travail du partenaire fédéral. Il le fait devant une caméra de télévision et en réponse aux questions de son ancien camarade de Brébeuf, le journaliste Pierre Nadeau. Mais l'entrevue n'a pas lieu dans les jours ou les semaines qui suivent le dépôt, le 24 septembre 1991, des propositions de Clark, lorsque s'impose cette évidence. L'entrevue a lieu trois mois plus tard, le 20 décembre (pour diffusion le 5 janvier 1992), lorsque le document de Clark est déjà loin. Et c'est la première fois que Bourassa emploie publiquement ce mot — « inacceptable » — pour désigner l'offrande fédérale en son entier.

Cette entrevue, passée à peu près inaperçue, marque la fin d'une opération de désinformation. La politique, c'est l'art du *timing*. Affirmer, trois mois après le fait et en pleines réjouissances des fêtes, que les offres fédérales sont nulles, ne porte pas à conséquence, car la zone des dangers est passée ; l'étape, franchie. Avoir proclamé l'exacte vérité trois mois plus tôt, dans les heures suivant le dépôt des propositions, aurait cependant enclenché une dynamique politique peut-être irrésistible.

Car voici un gouvernement ami, le gouvernement fédéral, dirigé par un complice, Brian Mulroney, qui a choisi, pour produire un document censé apaiser le courroux du Québec, un Canadien flexible et ouvert à la québécitude, Joe Clark. L'a encadré de fonctionnaires francophones québécois, Paul Tellier et Jocelyne Bourgon. L'a fait conseiller par deux intellectuels québécois de tendance Ryan, Michel Roy et André Burelle. L'a fait surveiller par un Anglo-Montréalais meechiste, Norman Spector. Lui a imposé de surcroît les admonestations nationalistes des Benoît Bouchard, Gilles Loiselle et Marcel Masse. Jamais conditions n'ont été aussi favorables pour la conception d'offres acceptables. Jamais, dans l'avenir, conditions similaires ne pourront être réunies. Et pourtant, les Clyde Wells, Gary Filmon et Ovide Mercredi n'ont même pas commencé à épicer la sauce que déjà, elle est aigre.

S'il fallait avouer publiquement, le 24, le 25 ou le 26 septembre 1991, en début de saison politique, que les offres sont insatisfaisantes et inacceptables, qu'adviendrait-il ? L'échec, ou du moins la mise en péril, de toute la stratégie bourassienne élaborée à grand-peine depuis le début de 1991.

Il est certain que, quoi que dise Bourassa, les péquistes, les bloquistes et les non-alignés de Bélanger-Campeau vont dénoncer le document. Mais ils sont spectateurs de la joute. Ils s'agitent dans les gradins, mais ils ne sont pas menaçants. Tant que leur agitation ne se propage pas aux membres de l'équipe libérale, sur le terrain, elle est presque inoffensive. Il faut donc empêcher qu'elle ne se propage.

Car au sein de l'équipe, donc du PLQ, il y a risque de réveil du monstre Allaire, à peine assoupi. Volonté d'accélérer la cadence. Puisque la preuve est maintenant faite, grâce au document Clark, qu'il n'y aura pas, qu'il ne peut y avoir, la « grande réforme » souhaitée par Bourassa, c'est-à-dire la vaste autonomie québécoise dessinée par Allaire et par la quasi-totalité des mémoires présentés à la commission Bélanger-Campeau, il faut passer directement à la « position de repli » du parti, l'article 2b2 de la résolution massivement votée au congrès libéral de mars 1991, six mois plus tôt : référendum sur la souveraineté dans un cadre confédéral. Au sein du caucus libéral, un aveu de Bourassa donnerait à l'aile nationaliste l'argument rêvé : puisque rien ne se passe au niveau fédéral, appliquons l'article de la loi 150 qui prévoit la tenue d'un référendum sur la souveraineté, non en octobre 1992, mais dès juin 1992. Donc dans neuf mois, ce qui est encore bien loin.

Bref, avouer, le 24 septembre 1991, que le Canada est nu, ce serait perdre l'avantage obtenu par le domptage du comité Allaire, le piégeage de la commission Bélanger-Campeau. Ce serait remettre la souveraineté, plutôt que « la réforme », au centre du débat, perdre « l'espace » péniblement acquis, perdre « le temps » savamment arraché à l'adversaire.

L'idée que « la réforme » est faisable doit donc absolument passer son premier test, sinon elle périra corps et biens. C'est pourquoi il faut faire semblant de croire que le Canada est habillé. On dira ne pas le trouver parfaitement à son goût, complètement à la mode, mais on ajoutera qu'il porte de bien jolis tissus, d'intéressantes couleurs. On dira qu'il ne reste qu'à rediscuter avec le tailleur pour obtenir les ajustements nécessaires. Il s'agit, donc, de berner les Québécois pour qu'ils croient le contraire de ce que l'on sait. Ce travail de simulation ne s'improvise pas.

LE RAPPORT ALLAIRE, À L'ENVERS

On s'est beaucoup réunis avant le dépôt des offres et on s'est dit : « Quoi qu'il en soit, la pire affaire qui peut arriver, c'est que ça s'effoire. Il faut qu'on évite un rejet global immédiat et une cristallisation de l'opinion publique. Il faut qu'on nourrisse une certaine réceptivité. Et il faut dire au monde : "C'est un début, ils [les Canadiens anglais] commencent à réfléchir, il y a du chemin à faire." » Il fallait qu'ils commencent un certain *momentum* dans le reste du Canada. On s'est dit : « Si, nous, on fait dérailler le train à la première station, on ne se rendra jamais à terme. » Alors on ne peut pas réagir de façon critique.

Voilà comment Pierre Anctil, directeur général du Parti libéral du Québec, ancien « pivot nationaliste » du parti et véritable père du rapport Allaire — mais repêché depuis par Bourassa — résume l'effort de contrôle du message qui va se déployer dans la semaine du 22 au 28 septembre 1991. Les réunions préparatoires à l'opération regroupent le chef de cabinet du premier ministre, John Parisella, le conseiller constitutionnel Jean-Claude Rivest et quelques autres.

Sur le contenu des offres de Clark, Rivest est la principale source d'information du groupe. Il n'a pas vu le document, mais a eu droit à un compte rendu de la part d'un des employés de Jocelyne Bourgon, Roger Tassé, ancien mandarin de Trudeau, donc peu suspect de dérive décentralisatrice. Rivest est ressorti de la session avec un sentiment mitigé, pour dire le moins. « Ça va être difficile », avise-t-il ses comparses. Il n'a encore rien vu.

Rivest résume le message prédéfini : « C'est la première manche, il faut pas faire dérailler le train, alors il faut y mettre les formes. » Qu'est-ce qui serait susceptible de faire dérailler le train ? Que Bourassa lui-même dise que les offres sont nulles, bien sûr. Il ne le fera pas. Que des ministres libéraux, des députés libéraux, des militants libéraux, disent que les offres sont nulles. Il faut s'assurer qu'ils ne le fassent pas. Il faut les faire taire. Créer l'illusion, ce faisant, que les péquistes, les bloquistes et leurs alliés sont isolés. Que les libéraux nationalistes ne sont pas mécontents, du moins pas énervés.

Il faut bien planifier la séquence des événements. On l'a déjà dit, au Parti libéral, il y a deux parcours distincts, selon qu'il s'agit de faire adopter un document nationaliste ou fédéraliste. Dans le cas du rapport Allaire, nationaliste, il était préférable de l'amener d'abord à l'exécutif du parti, où les nationalistes sont nombreux, puis au caucus, où ils comptent au moins pour la moitié, puis finalement au Conseil des ministres, où les fédéralistes, plus militants, étaient mis devant le fait accompli. Pour faire passer un message fédéraliste, cette semaine, on fera donc le contraire. Mercredi : Conseil des ministres, où les risques de dérapage sont plus faibles. Jeudi : caucus, où les ministres feront jouer leur influence. Vendredi : exécutif, mis devant le fait accompli.

Lundi matin 23 septembre, 8 h 30 : « réunion de positionnement » au quartier général du PLQ à Montréal. Les principaux conseillers de Bourassa établissent une stratégie et se divisent les tâches. Il s'agit d'appeler tous les porte-parole libéraux pour leur dire ceci :

> Les offres sortent demain [mardi] à telle heure. On veut que vous écoutiez [des émissions spéciales vont retransmettre le tout]. En soirée, on va vous contacter. Le lendemain [mercredi], il y a un Conseil des ministres ; en après-midi, le PM [Bourassa] va réagir. On veut votre *input*. On va vous consulter dans la journée de mardi pour prendre position le lendemain.
>
> En plus, ne faites pas de commentaire, immédiatement [c'est-à-dire publiquement].

Il faut admirer la technique, efficace parce que flatteuse. Pour neutraliser les voix libérales, il ne faut pas leur dire : « Taisez-vous. » Au contraire, il faut leur dire : « Parlez, mais ne parlez qu'à ceux qui comptent : nous. Puis, nous transmettrons vos vœux à notre chef. » Il faut s'en faire des complices. En faisant mine de les mettre dans le coup, on les met hors jeu.

À 10 h 30, les opérateurs libéraux se mettent au travail. Les *apparatchiks*, comme Pierre Anctil, ses deux copains Pierre Saulnier, président de la Commission politique du parti, et Michel Lalonde, directeur des communications, appellent les 40 membres de l'exécutif du parti. Puis rencontrent, en après-midi, les « porte-parole », figures plus connues.

Avec les porte-parole fédéralistes, comme Bill Cosgrove ou Thierry Vandal, la tâche est aisée. Il s'agit de donner une chance au Canada. Ils sont pour. Avec les plus nationalistes, dont Mario Dumont, président de la Commission jeunesse ; Jean Allaire, président de la Commission juridique ; et Diane Viau, vice-présidente du parti ; la tâche est plus délicate. Mais Anctil sait comment les prendre : dans le sens du poil. « La pire erreur serait de tuer le processus, leur dit-il, de vouloir brusquer les choses pis de pas faire la démonstration aux anglophones du parti pis à tout le monde que c'est pas possible [la grande réforme]. C'est pour cette raison-là qu'il faut laisser toutes les chances à la négociation. » Bref : plutôt que d'utiliser le document Clark, que personne n'a encore vu, pour dire que la preuve est faite que c'est impossible, il faut faire semblant de penser que ce n'est pas si mal. Plus tard, quand un autre document nul arrivera, on constatera publiquement que la grande réforme n'est pas possible. Allaire et Viau, quoique dubitatifs, vont obtempérer. Dumont est plus réticent. Un mois plus tôt, à Saint-Augustin, le congrès annuel des jeunes libéraux a renouvelé tous ses mandats et s'est même prononcé en faveur de la tenue d'un référendum hâtif sur la souveraineté, dès juin 1992. Dumont ne voit donc pas comment la stratégie Anctil concorde avec les vœux des jeunes. Et pour cause...

Pendant ce temps, Parisella, Rivest et un autre adjoint de Bourassa, un vieux routier et confident effacé du chef, Robert Chapdelaine, chargé du caucus, appellent un par un les députés pour leur indiquer la voie à suivre. On a laissé les cas les plus difficiles à Rivest, maître des pirouettes, qui doit convaincre quelques députés très nationalistes de se la fermer. Dans le tourbillon des événements du jour, il oublie d'en appeler un en particulier.

En soirée, vers 21 h, une copie du document de Clark arrive enfin aux bureaux du premier ministre et l'action se déplace au *bunker,* à Québec.

La première lecture, sommaire, du document, est un coup de massue. « Là, on était contre », résume Rivest. Contre à presque toutes les pages. La proposition impose au Québec des reculs sur au moins trois des cinq conditions de Meech. Elle est d'une minceur rachitique sur le partage des pouvoirs (on offre de reconnaître aux provinces certains des pouvoirs qu'elles ont déjà). Surtout, elle contient une disposition inédite et inattendue qui permettrait à une majorité de provinces et à Ottawa d'imposer leurs vues en matière économique, fiscale et budgétaire aux provinces dissidentes. Bref, Joe Clark propose de réduire unilatéralement le droit du Québec à disposer des outils économiques qu'il contrôle pour l'instant.

« Ça a pas de bon sens, ça a pas de bon sens », marmonne Gil Rémillard, ministre délégué aux Affaires constitutionnelles, comme sous l'effet du choc. Au *bunker,* le comité de lecture ressemble à un chœur de pleureuses grecques. Outre Rémillard, on y trouve son chef de cabinet, Suzanne Levesque — ex-membre très souverainiste du comité Allaire — ; la sous-ministre de Rémillard, Diane Wilhelmy ; le conseiller, André Tremblay ; et quelques autres. Ils font une première évaluation des dégâts. Rivest va ensuite résumer la chose à son patron, qui a eu le temps de lire son exemplaire des propositions.

« Y'a un gros problème, dit Rivest en insistant sur le nouveau machin économique. C'est totalement inacceptable parce que là, on met tout dans [les mains du fédéral]. »

Bourassa écoute, silencieux. « Il dit rien, résume Rivest. C'est très bizarre parce qu'il argumente pas. Il me dira pas que j'ai raison, il me dira pas que j'ai tort. » Tout au plus, se souvient le conseiller, « il était pas ben content ».

Bourassa ne perd pas le nord pour autant. Car plus l'offre fédérale est mauvaise, plus il importe que ça ne se sache pas. Il a donc Mario Dumont en ligne, ce lundi soir. Il veut l'assagir. Vaste programme ! Depuis plusieurs mois déjà, Bourassa a commencé ce travail de dressage, mais les progrès sont plutôt minces. Pendant l'été, avant le congrès des jeunes, il l'a appelé plusieurs fois : « Il va falloir que tu commences à réfléchir, tu vas pouvoir positionner tes affaires, tsé ? » lui répète-t-il, sur le ton du : « on se comprend à demi-mots ». Dumont, lui, est affairé à radicaliser son monde, à contrer avec succès l'opposition fédéraliste naissante au sein de la Commission jeunesse. Bourassa veut au contraire créer un climat de conspiration entre lui et le président des jeunes, dont les troupes comptent pour le tiers des militants du parti : « Je sais que t'es tellement brillant, tu vas t'organiser avec ça, susurre-t-il, tu vas positionner tes affaires pour atterrir à la bonne place, y'a des affaires sur le plan intellectuel, on va rehausser ton image... » Dumont est bon élève. Il commence à connaître ce jeu du : on fait semblant, et à force de faire semblant, on change la réalité. Alors il fait semblant aussi. Semblant de ne rien comprendre à ce que Bourassa dit. Il change de sujet, fait à sa tête.

Ce lundi soir, Dumont n'a pas en main le texte des propositions. Bourassa lui en fait un petit résumé. Explique que des conditions de Meech, comme la société distincte, sont présentes mais que, sur certaines autres, « c'est pas encore réglé ».

« Bon, dit Dumont, c'est-tu vraiment important d'être prudent ? » comme Anctil l'a demandé. Pourquoi prétendre qu'il fait beau quand il pleut ? « Il serait peut-être préférable que t'attendes » avant de réagir publiquement, répond Bourassa. Que tu attendes, veut-il dire, que le premier ministre ait d'abord parlé. Dumont ne s'engage à rien.

Pendant la nuit, sous la direction de Diane Wilhelmy et d'André Tremblay, les professionnels du Secrétariat aux affaires intergouvernementales canadiennes (SAIC) étudient une à une les propositions de Clark. Le SAIC est la cellule* constitutionnelle du gouvernement du Québec. C'est là qu'est concentré le travail d'analyse et de recherche. Logé dans les bureaux du

---

* On dira et écrira beaucoup, dans la suite du récit, que ces fonctionnaires sont « anonymes ». Il suffit pourtant de consulter l'annuaire téléphonique du gouvernement québécois, présent dans toutes les salles de rédaction, pour en trouver les noms. À cette époque, chapeauté par Wilhelmy et Tremblay, le SAIC a un coordonnateur, Michel Hamelin, et sept professionnels aux statuts divers : Camille Horth est cadre, Julie Gosselin, cadre conseil, puis on trouve les agents de recherche : Marc Chevrier, le grand intellect, le *bright* du SAIC, selon un de ses pairs, Pierre Christian Labeau, Louis Lecours, Marc Michaud (Français d'origine, embauché sur recommandation de Chevrier pour ses compétences en matière d'institutions européennes. « Puisque toutes les options étaient ouvertes », explique un membre du groupe, il fallait étudier le « modèle européen » cher au premier ministre) et Charles van Ver Donckt. Ces permanents, dont certains ont une formation en droit constitutionnel, font appel à plusieurs spécialistes extérieurs pour obtenir des avis. Un des plus sollicités est Yves DeMontigny, professeur de droit constitutionnel à Ottawa. Fédéraliste de tendance Ryan, DeMontigny est peu connu du public et de la presse, car il réserve ses avis pour le gouvernement du Québec. Plusieurs de ses pairs le considèrent cependant comme un des meilleurs constitutionnalistes au Canada, du niveau de Peter Hogg.

Conseil exécutif, c'est-à-dire les services du premier ministre, le SAIC relève de Gil Rémillard et de Bourassa.

Pendant la nuit du lundi 23 septembre au mardi 24 septembre, l'équipe du SAIC, une douzaine de personnes au total, est pour la première fois confrontée à un problème fondamental. Analyser les offres de Clark, c'est une chose, mais selon quel critère ? Meech, sans doute. Et ils le font, pour chaque condition du défunt accord. Clark est-il en deçà, égal ou au-delà de Meech ? Mais cela ne couvre que cinq sujets. Comment évaluer les autres ? La liste du rapport Allaire ? Pas question. « « On ne pouvait pas utiliser le Rapport Allaire. C'aurait été blasphématoire dans cette église qui avait répudié le rapport », ironise un cadre du SAIC. De fait, on ne trouve aucune trace du rapport Allaire dans les documents que le SAIC prépare ce jour-là ou au cours de l'année qui suit. (Ce qui est paradoxal car, dans des documents fédéraux internes, on utilise le rapport Allaire, avec d'autres rapports provinciaux, comme point de comparaison avec les propositions.)

Dans le rapport Bélanger-Campeau, il y a un chapitre sur le partage des pouvoirs, qui résume à grands traits les *desiderata* exprimés par les 607 mémoires de groupes ou d'individus et les témoignages des 55 experts entendus. On pourrait trouver là une balise de la volonté québécoise, puisque le chef du gouvernement a signé le rapport. Le SAIC ne touche cependant pas à ce document ; nulle part il n'en est fait mention. Les Québécois furent consultés pendant 6 mois, dans 11 villes. Ça les a tenus occupés. On n'accorde plus aucune attention à leurs opinions.

Alors, que faire ? Robert Bourassa lui-même n'a presque jamais rien dit. Presque jamais fixé de balises. (Le SAIC pourrait cependant utiliser son entre-vue au *Soleil*, dont on a parlé au chapitre précédent, et qui est publiée le dimanche 22 septembre : « Ce que je demande, y déclare Bourassa, c'est la gestion de nos intérêts. Si on obtient la maîtrise d'œuvre totale dans le domaine social, le développement régional, le culturel, l'environnement. Bon, en acceptant des normes [canadiennes], la main-d'œuvre... » Les propositions Clark échouent lamentablement selon ces critères.) À la longue, les experts du SAIC suivront à la trace les discours et déclarations de Bourassa et de Rémillard, pour dresser des « tableaux comparatifs des positions des représen-tants du gouvernement québécois ». Une tâche qui a une très forte parenté avec l'étude du comportement des gaz.

Sur la question, centrale, du partage des pouvoirs, les barèmes sont fuyants. On ne peut se fier simplement au *statu quo*, car il y a le *statu quo* légal, et le *statu quo* réel. Exemple : dans les faits, le gouvernement fédéral empiète sur le secteur provincial des mines. S'il promet de s'en retirer, c'est un gain québécois par rapport au *statu quo* réel. Mais ce n'est que le simple respect de la constitution de 1867, donc le respect du *statu quo* légal. Si, par contre, il promet de s'en retirer, tout en se disant « déterminé à assurer le maintien de la capacité canadienne actuelle de recherche et de développement », ainsi qu'on le lit dans les propositions Clark, c'est un gain fédéral partiel, car Ottawa inscrit du même coup dans la constitution son droit d'intervenir en ces matières.

Bref, pour plusieurs de ces « gains », tout le débat porte, et portera pendant un an, sur les modalités selon lesquelles Ottawa se désengage partiellement de champs provinciaux, tout en consacrant pour la première fois dans la constitution son droit de continuer à y intervenir à certains égards.

Le SAIC contourne la difficulté en comparant les offres de Clark sur les pouvoirs, non aux rapports Allaire ou Bélanger-Campeau (ce que des Québécois veulent), mais à des rapports précédents où le gouvernement fédéral exprimait ses propres désirs de réforme (la vision fédérale des choses) : commission Pépin-Robarts de 1979, commission McDonald sur l'économie de 1985. On fait même référence aux documents préliminaires que Jean Chrétien, alors ministre de la Justice, avait déposés en 1980, avant le rapatriement unilatéral, et à des documents de Trudeau datant de 1972 ou de 1978.

Ce choix n'est pas banal. Les rapports québécois réclament un changement qualitatif du rapport Québec-Ottawa ; les textes fédéraux proposent des ajustements. L'ambition n'est pas la même. Reste que les documents fédéraux antérieurs se montraient plus souples, dans les ajustements qu'ils suggéraient, que les propositions Clark. Il y a là une mesure du dépérissement graduel de la flexibilité canadienne face au Québec ou, si on observe le phénomène par l'autre bout de la lorgnette, du raffermissement de la volonté canadienne d'organiser de manière plus cohérente, plus convergente, une nation pancanadienne.

Concernant les propositions d'Ottawa sur l'union économique et le nouveau pouvoir canadien d'imposer les vues de la majorité à la minorité, le SAIC fait une comparaison avec la Communauté économique européenne et constate qu'Ottawa va beaucoup plus loin que Bruxelles en ces matières.

Le mardi matin, le SAIC a produit une quarantaine de pages d'analyses, séparées en 28 fiches sur autant de sujets. Le tout est transmis à un autre étage de hauts fonctionnaires de l'État : le COSMOS, pour Comité des sous-ministres sur la constitution. Là, les fiches sont étudiées, modifiées ou validées. On trouve à cet étage, Wilhelmy bien sûr, mais aussi le sous-ministre de la Justice, Jacques Chamberland, son collègue des Finances, Claude Séguin, et un sous-ministre du Conseil du Trésor, pour les implications pécuniaires. Comme souvent, le premier fonctionnaire de l'État, Benoît Morin, et Jean-Claude Rivest se mettent de la partie, ainsi que Parisella et Rémillard*.

---

*   Il est de bon ton au Québec de dénoncer l'influence supposée des hauts fonctionnaires sur les décisions politiques. Nul doute qu'ils forment un important pôle du pouvoir, comme c'est le cas de leurs homologues fédéraux et de toute bureaucratie au monde. Ils ont le réflexe de défendre leur territoire et leur pouvoir, comme leurs homologues fédéraux. La suite du récit établira cependant que leur influence sur les décisions politiques en ce qui concerne la constitution est exactement égale au zéro absolu. Par ailleurs, l'auteur a été frappé d'entendre assez régulièrement, de la part de diplomates français et américains, et de la part de hauts

Une fois ce travail terminé, Rémillard, Rivest, Wilhelmy, Tremblay, Benoît Morin et Parisella vont voir Bourassa. « Là, on s'assoit avec lui pendant une, deux, trois heures, raconte Rivest, pis là on lui fait part de toutes nos angoisses sur la moindre virgule. »

Il faut présenter brièvement les deux véritables experts constitutionnels du premier ministre : Wilhelmy et Tremblay. Robert Bourassa trouva Diane Wilhelmy dans les meubles du gouvernement péquiste, lorsqu'il prit le pouvoir en 1985. Attachée aux cabinets de Pierre Marc Johnson et de Pauline Marois, elle a eu comme mentors l'ancien bras droit de Bourassa, Roch Bolduc, puis Roland Arpin et Denis Vaugeois, avant d'atterrir au SAIC et d'y apprendre, en partant de zéro, la problématique constitutionnelle canadienne. « Au début, elle ne connaissait rien au dossier, se souvient un ancien du SAIC. Je me souviens d'une rencontre constitutionnelle à Halifax, on était assis sur le lit de sa chambre d'hôtel, et je lui expliquais comment fonctionne le Canada. Éventuellement, elle est devenue très bonne. Elle est brillante. » Embarquée dans les tournées de négociations préliminaires à l'accord de Meech, elle devient une des habituées du circuit canadien. « Elle connaissait très bien le Canada anglais. Elle était même invitée à des parties de chasse avec des ministres de Colombie-Britannique. » Dans son livre sur Meech, le négociateur ontarien Patrick Monahan n'utilise que deux mots pour la décrire : « brillante et élégante. »

Directe, voire parfois brutale dans ses discussions avec Rémillard et Bourassa, Wilhelmy se fait indispensable, et le premier ministre insiste pour qu'elle reste en poste au-delà des mandats prévus dans la fonction publique. « Elle a un important pouvoir de séduction, dit encore son ancien employé. Je suis certain que ça explique une partie de son emprise sur Rémillard et sur Bourassa. On a le réflexe de vouloir la protéger. Mais elle possède une grande force derrière cette apparente vulnérabilité. »

André Tremblay vient d'une tout autre filière. Confrère de classe de Brian Mulroney et de Lucien Bouchard, professeur de droit constitutionnel à l'Université de Montréal, auteur en 1982 d'un *Précis de droit constitutionnel*, il fraye dans les coulisses du Parti libéral depuis 15 ans et a pris une part active à l'élaboration de ses positions constitutionnelles, notamment le très dualiste Livre beige de Claude Ryan en 1980. Joueur central dans toute la négociation de Meech, c'est à titre de conseiller contractuel qu'il entre aussi dans la ronde suivante. Lorsque, en 1992, Wilhelmy tombera malade, il prendra la direction effective du dossier constitutionnel, mais refusera de devenir sous-ministre à son tour. Plus introverti que Wilhelmy, mais non moins direct, il porte la trace

---

fonctionnaires et ministres des autres provinces canadiennes, des évaluations admiratives de la qualité et du professionnalisme des cadres de l'État québécois. Sur le plan constitutionnel en particulier, le Québec a longtemps été considéré, après Ottawa, comme l'administration la mieux préparée et la plus organisée. C'était encore vrai à Meech. Au Canada anglais, on s'attend que ce sera encore le cas dans la négociation qui s'amorce.

de sa formation de collège classique, quoiqu'on le voie parfois, dans le parc du Mont-Tremblant, chausser des *rollerblades*. Posé et méticuleux, Tremblay ferait un piètre joueur de poker, car il est incapable de camoufler ses émotions. Il en aura beaucoup.

Si, à l'étage politique, on trouve Bourassa, puis Jean-Claude Rivest et, souvent, John Parisella (Rémillard faisant de la figuration), à l'étage technique, l'effort constitutionnel québécois est incarné par le couple Wilhelmy-Tremblay. Aujourd'hui, devant le premier ministre, ils font grise mine, car les nouvelles en provenance du fédéral sont catastrophiques.

Il y a de quoi. Sur 28 fiches, aucune ne conclut à un gain québécois propre, net, précis. Aucune « victoire » déclarée. Sur 12 sujets, les fiches sont mi-chair mi-poisson, déclarent des matchs nuls. Sur 16 sujets par contre, c'est le signal d'alarme, le constat d'un recul. On annonce même la catastrophe sur tout ce qui concerne l'union économique qui pourrait, lit-on, « faire passer dans la sphère fédérale presque toute mesure provinciale à incidence économique ». Ailleurs on lit que la proposition Clark donnerait au gouvernement fédéral « un moyen d'éliminer de nombreuses entraves aux échanges, telles les normes environnementales non harmonisées ; les normes provinciales de santé, de sécurité et d'étiquetage ; les normes régissant les professions libérales et les métiers ; ainsi que les restrictions provinciales sur les placements financiers [donc, le régime d'épargne-actions]. En outre, un débat pourrait s'engager sur les exigences de connaissances linguistiques pour l'exercice de professions comme entraves à la libre circulation des personnes. [...] Le gouvernement du Québec verrait, selon toutes probabilités, sa capacité d'orienter son développement économique sévèrement contrainte. »

Les propositions Clark, bref, c'est le rapport Allaire à l'envers.

Le gouvernement fédéral en est-il conscient ? Certains des hauts fonctionnaires de Clark le sont — Bourgon et Tellier, en tout cas — qui produisent un « cahier d'information » confidentiel de 160 pages, destiné à quelques ministres et hauts fonctionnaires, où sont colligées les objections prévisibles du Québec sur presque tous les points. Leurs commentaires recoupent les critiques formulées par le SAIC. Le lecteur doit garder en tête que, dans les paragraphes qui suivent, c'est Ottawa qui parle de sa propre proposition :

• Société distincte :

La proposition fédérale tente de définir et de limiter la portée de la société distincte [...] le Québec pourrait être obligé de reconnaître que la disposition est plus limitative que Meech [...] la mention dans Meech du rôle qu'ont l'assemblée législative et le gouvernement du Québec de « préserver et promouvoir » le caractère distinct du Québec a été supprimée [...] quant à la définition du concept de société distincte, elle fera problème aux juristes [...] [le document vise] à reconnaître le caractère distinctif du Québec sans modifier directement aucune disposition de la Charte ou de la Constitution, portant sur les droits ou les pouvoirs.

• Union économique :

Les provinces les plus grandes — l'Ontario, le Québec, l'Alberta et la Colombie-Britannique — pourraient craindre de perdre leurs pouvoirs en matière de développement économique. Elles pourraient exiger une plus grande clarté afin de s'assurer que les tribunaux ne viendront pas invalider des politiques ou pratiques établies — p. ex., les politiques de fixation des prix des services publics provinciaux, la Caisse de dépôt et placement [...]

Le Québec pourrait s'inquiéter de la possibilité qu'il s'ensuive d'importants changements dans le partage des pouvoirs (particulièrement dans les domaines de compétence provinciale) [...] les représentants francophones d'autres milieux que celui des affaires verront dans cette proposition un mouvement vers un degré indésirable d'accroissement de la centralisation.

• Culture :

Comme la proposition fédérale sur la culture n'offre à première vue, ni la maîtrise d'œuvre demandée par M. Bourassa ni, *a fortiori*, le pouvoir exclusif réclamé par les rapports Allaire et Arpin [rapport québécois sur la politique culturelle], il est clair que l'opinion nationaliste la jugera sévèrement.

[Le document indique ensuite que Bourassa lui-même pourrait agréer cette modeste proposition, mais ajoute qu'une disposition de la réforme proposée du Sénat pourrait anéantir tout gain québécois négocié de façon bilatérale :]

Par son vote à double majorité sur les questions relatives à la langue et à la culture, le Sénat pourrait toutefois bloquer les rajustements à la législation fédérale exigés par une entente Canada-Québec jugée trop asymétrique par les sénateurs anglophones. Ce veto indirect du Sénat sera très mal accepté par le Québec.

• Radiodiffusion :

Quant au gouvernement Bourassa, il n'y trouvera rien qui puisse répondre de façon minimale aux demandes traditionnelles du Québec dans un domaine intimement lié à sa sécurité linguistique et culturelle. Même pas un pouvoir restreint à la langue de diffusion et au contenu local des entreprises de radiodiffusion et de câblodiffusion opérant en territoire québécois.

• Restrictions au pouvoir de dépenser d'Ottawa dans les juridictions provinciales :

Le Québec pourrait trouver que la marge de manœuvre pour l'application des limites au pouvoir de dépenser est trop étroite. Il aurait préféré que les programmes existants de même que tous les futurs programmes soient inclus. L'indemnisation envisagée [pour la province qui se retirerait de futurs programmes fédéraux cofinancés] n'est pas définie comme devant être obligatoirement « juste » ou « raisonnable ».

Bourassa n'a pas accès à ce document. Mais ceux de ses propres analystes du SAIC ne disent pas autre chose. Le chef libéral écoute avec flegme le long exposé de son équipe d'experts et de conseillers. Ils ne lui font pas de recommandation globale, dit Rivest, mais « elle était implicite », la catastrophe s'étant produite. Rivest pense que son patron « était relativement convaincu qu'il pouvait pas accepter le document de Clark ».

Pourquoi Rivest utilise-t-il le mot « relativement » ? Parce que, selon un témoin plus fidèle, la réaction de Bourassa fut surprenante de franchise. S'avisant que le SAIC déclarait des « matches nuls » sur 12 des 28 fiches, le chef libéral rend son verdict, d'un ton satisfait : « Ça m'en fait 12 [pouvoirs] sur 22 ! » Ce dernier chiffre étant le nombre magique du rapport Allaire. « On était estomaqués, dit un participant. Diane est rentrée dans le plancher. »

Les conseillers s'attendaient à une tout autre réaction. « Les offres de Clark, c'était pire que le statu quo », dit l'un d'eux. Vétérans de Meech, naguère fédéralistes modérés, ils ont pour la plupart fait leur deuil des chances de succès de « la dernière chance ». « Il ne faut pas se tromper. La cellule était très autonomiste. Du fond du cœur, on espérait qu'il y aurait un référendum sur la souveraineté. Tous. Pour qu'on la fasse avec lui [Bourassa]. Nous n'étions pas pour l'évangélisation de cette position. Mais nous avions compris que la préparation à cette éventualité faisait partie de notre mandat. »

L'auteur a lu l'essentiel de la production du SAIC sur le dossier de la négociation constitutionnelle pendant les années 1991 et 1992. Jamais un argument souverainiste ne va poindre dans les fiches techniques, analyses, propositions de réforme, tout au long du chemin. On sentira toutefois, au fil des mois, la frustration et le dépit.

Mais on anticipe. Une fois terminée la séance d'information, que fait Bourassa ensuite ? « Là, il s'en va avec son paquet », explique Rivest en parlant des documents du SAIC. Puis il écoute ce que disent les autres Québécois. Son attachée de presse, Sylvie Godin, l'alimente toute la journée de fils de presse — « ses abominables fils », grince Rivest — et de transcriptions de ce que celui-ci ou celui-là a dit, à la radio ou à la télé. Parce qu'il s'en dit, des choses !

LA PRESSE QUÉBÉCOISE AU COMBAT

« Un pays nouveau pour un siècle nouveau. » À la Chambre des communes ce mardi matin, le discours de Brian Mulroney s'est bien déroulé. Un texte senti, plein de bonne volonté et de bons sentiments, appelant les Canadiens à s'approprier le nouveau document fédéral, à y suggérer des modifications petites et grandes, à faire preuve d'ouverture d'esprit.

L'important, pour Mulroney et son ministre Clark, est que la proposition survive au moins 48 heures. Depuis quelques jours, tous les premiers ministres du pays ont été avisés de réagir avec beaucoup de bienveillance au document, quelles que soient leurs véritables opinions. De fait, Clyde Wells est remarquablement sibyllin. Et Don Getty, de l'Alberta, ne répond pas au téléphone. Des appels à la gentillesse ont aussi été lancés au chef de l'opposition officielle, Jean Chrétien, et à la leader du NPD, Audrey McLaughlin. Chrétien joue le jeu : « Le rôle de l'opposition n'est pas de donner un chèque en blanc au gouvernement, mais ce n'est pas son rôle non plus de s'opposer seulement pour le principe. » McLaughlin est moins tendre. Les conservateurs, dit-elle, « abordent le dossier constitutionnel comme s'ils faisaient du saut de *bungee* ».

Lucien Bouchard, bien sûr, dénonce le document comme « manquant de respect pour les souverainistes » comme il s'y attendait « mais aussi pour les fédéralistes québécois qui veulent un nouveau Canada ». Il s'en prend aux dispositions de l'union économique, une « percée centralisatrice comme on n'en a jamais vue ». « Même Pierre Trudeau dans ses pires années d'arrogance n'a jamais osé faire ça au Québec, dit-il. Même les nouilles qui siégeaient autour de lui n'auraient pas appuyé une chose comme ça. »

Les nouilles qui siègent autour de Mulroney non plus. Et elles découvrent avec un certain effroi, ce mardi matin, les clauses d'union économique des propositions Clark auxquelles, jusque-là, elles n'avaient prêté aucune attention. Ce matin, les députés et les ministres conservateurs lisent comme un commandement de Dieu la phrase logée en page 56 du document :

> Le Parlement du Canada a compétence exclusive pour légiférer en toute matière qu'il déclare utile à l'efficacité du fonctionnement de l'union économique.

Qu'il juge « utile » ? Et s'il juge que les égouts municipaux de Mascouche sont « utiles » ? Bref, Ottawa peut se donner tous les pouvoirs, pour peu qu'il convainque sept provinces représentant 50 % de la population. Dans cette affaire, le rôle de Gilles Loiselle, ministre économique, est trouble. Il se solidarisera avec la proposition dans les jours à venir et évitera le sujet par la suite. Mais Benoît Bouchard, Marcel Masse et Michel Roy n'ont rien vu venir.

Pendant les mois de l'été, tout le monde encensait la notion « d'union économique » sans trop savoir ce qu'elle signifiait, sauf qu'il en fallait. Et puisque même les souverainistes québécois chantent les louanges de « l'espace économique canadien », c'est qu'il y a un consensus radieux sur cette question, non ? Non. Ce n'est pas parce que le Canada veut le libre-échange avec les États-Unis qu'il aimerait se voir imposer par Washington, à la majorité, disons, des 50 États et 10 provinces, ses politiques économiques. Le Canada préfère négocier, de capitale à capitale, des équivalences, des accommodements, des compromis pour créer cet « espace économique ». Qu'Ottawa comprenne ce principe lorsqu'il s'applique à ses rapports internationaux, mais qu'il l'ignore quand il s'agit du Québec, voilà un des symptômes du malentendu canadien.

Les clauses d'union économique faisaient partie du « paquet » depuis le début. Mais de mois en mois, le ministère des Finances de Don Mazankowski ajoutait un mot ici, une phrase là, un paragraphe complet, un nouveau concept. À la toute fin, selon Michel Roy, « c'est un fou, là, qui est passé en arrière, c'est tous les pouvoirs dans toutes les sphères ». Sur le coup cependant, l'ancien éditorialiste du *Devoir* et de *La Presse* n'a rien vu. Ni Benoît Bouchard. « On était tellement préoccupés du feu dans l'étable qu'on s'est pas occupés de la grange », dit ce dernier. Même le sénateur Claude Castonguay, homme d'affaires éminent et ex-président du groupe La Laurentienne, qui a lu le cahier le mercredi précédent, n'a rien vu.

Le grelot est accroché le mardi matin par un autre acteur du grand jeu

politique canadien : la presse québécoise. Michel Roy a pour tâche de
« briefer » quelques chroniqueurs influents, qui ont droit, c'est l'usage, à ces
petits traitements de faveur. La plèbe journalistique, qui n'y a pas droit, s'en
plaint souvent. Roy est donc attablé avec Lysiane Gagnon, de *La Presse*, et
Michel C. Auger, du *Journal de Montréal*. Les deux scribes ne partagent pas
les mêmes orientations politiques, mais ils savent lire. Et ils attirent tout de suite
l'attention de Roy sur les propositions économiques.

Roy écoute les arguments, regarde le texte et se dit intérieurement : « C'est
vrai, ils ont raison, c'est dégueulasse ! » Il va voir « les gars », donc Bouchard et
Masse, quelques autres députés et ministres québécois, qui eux-mêmes
prennent conscience de cet incroyable assaut et ne parlent que de ça. « C'est
indéfendable », disent-ils, « c'est une maudite folie, on s'est fait fourrer ! »

Joe Clark et Paul Tellier, eux, n'ont apparemment pas encore compris ce
qui se passe. Et c'est en brebis envoyées chez le boucher qu'ils se présentent
vers midi à l'édifice national de la presse pour leur première rencontre avec les
journalistes. Pour l'instant, pensent-ils, tout va assez bien.

Il faut attendre la cinquième question pour que le choc se produise. Guy
Gendron, correspondant de TVA, ouvre la marche.

> Gendron : Est-ce que les provinces du reste du Canada pourraient décider qu'elles
> n'aiment pas la Caisse de dépôt et placement du Québec ou le régime d'épargne-
> actions du Québec...
>
> Clark : Non.
>
> Gendron : ... et s'entendre en vertu de ce pouvoir-là pour réglementer ces insti-
> tutions-là ?
>
> Clark : Non, la réponse est non. Les caisses populaires ne sont pas menacées par
> les propositions, ni les coopératives ou les institutions semblables hors Québec.

Que Clark s'exprime mal en français a moins d'importance que le fait qu'il
confonde Caisse de dépôt et caisses populaires. Surtout, le lecteur ayant pris
connaissance, plus haut, des documents fédéraux internes, il sait que la menace
pesant sur la Caisse de dépôt y est spécifiquement mentionnée. Il n'y a que
deux possibilités : ou bien Clark connaît son dossier et dit le contraire de ce
qu'il sait ; ou bien il ne connaît pas son dossier et invente sur-le-champ une
réponse rassurante. Dans les deux cas, il ment.

Le principe avancé par Ottawa est pourtant simple. Tout ce qui pourrait
nuire à la libre circulation des biens, des capitaux, des personnes ou des services pourrait être aboli. Donc, toute législation visant à favoriser des produits
ou des travailleurs locaux (québécois ou ontariens, par exemple) pourrait être
la cible de ce nouveau pouvoir constitutionnel.

Une question plus tard, Michel Vastel, du *Soleil*, revient à la charge :

> Vastel : Une question très technique, monsieur le ministre. Je suppose que vous
> savez que dans la loi du groupe La Laurentienne [assurances et banque québé-
> coise] il y a une clause prévoyant que la propriété doit rester au Québec. Est-ce
> que c'est conforme à votre définition de la liberté de circulation des capitaux ?

Clark : Question technique. Mme Bourgon est ici pour les questions difficiles.

Bourgon : Ben, il va falloir qu'on regarde la loi de La Laurentienne. Mais il faut regarder attentivement le texte juridique [...] Si ce dont on parle est un traitement juste et équitable pour tous les partenaires corporatifs qui opèrent au Québec, si c'est le même traitement, à ce moment-là, il y a pas de problèmes.

Vastel : Je pense que justement c'est pas le cas.

Le journaliste a parfaitement raison, et Bourgon le sait. Castonguay se targue d'avoir fait de La Laurentienne un groupe « solide, dont la permanence est assurée et dont la propriété est ancrée ici au Québec ». La loi de la Laurentienne fait de la discrimination pure. Un « partenaire corporatif » québécois, comme le Mouvement Desjardins, peut acheter l'entreprise, mais un « partenaire corporatif » canadien, même présent au Québec, comme la Banque Royale, n'en a pas le droit. C'est très exactement le genre de choses que les propositions de Clark visent à abolir. Or, beaucoup des éléments de ce qu'on appelle « le modèle économique québécois » sont de cette eau-là. Et il est extraordinaire que Castonguay n'ait pas bondi à la lecture du document, une semaine plus tôt. Au contraire, dans une conversation avec Mulroney, il a jugé le texte comme suit : « fort intéressant et plus complet que je l'avais imaginé ».

Quand Clark se lève pour partir, il laisse derrière lui Paul Tellier, le sous-ministre des Finances, Fred Gorbet, (un des artisans de l'union économique) et John Tait, sous-ministre de la Justice. Clark a informé les journalistes que ce trio pourrait répondre aux « questions difficiles ». Elles le seront.

Dès la première, une Québécoise revient sur le sujet de la Caisse de dépôt et du régime d'épargne-actions (dont le SAIC pense qu'ils seront menacés par la proposition). Ces machins « ne vont-ils pas à l'encontre de la libre circulation du capital » telle que vous la définissez ?

Les hauts fonctionnaires ne disent pas le contraire, mais s'accrochent au mensonge du ministre, sans l'endosser : « Le ministre a dit que ça n'affecterait pas la Caisse », répètent-ils comme un mantra.

Tellier tente de déplacer le débat en demandant pourquoi le gouvernement agirait à partir de « la prémisse que la Caisse de dépôt et placement peut nuire au bon fonctionnement de l'union économique ». Gendron lui répond : « C'est ce que pensait le gouvernement [Trudeau, dont Tellier était haut fonctionnaire] avec son projet de loi S-31. » En 1982, en effet, Ottawa avait voulu limiter le droit de la Caisse d'acheter des actions de compagnies pancanadiennes de transport. La Caisse était alors considérée à Toronto et à Ottawa comme un dangereux nid de séparatistes et de socialistes[*].

---

[*] Une opération conjointe de la Caisse et de Paul Desmarais visait à donner à ce dernier le contrôle de la compagnie Canadien Pacifique (CP), château fort du grand capital anglophone. Fred Burbridge, alors président de CP, déclara publiquement que la Caisse était un agent du « nationalisme rampant » dirigé par un « gouvernement voulant la séparation ». Ce qui était généralement vrai, car la Caisse était pilotée par le couple Jacques Parizeau-Jean Campeau. Mais dans le cas qui l'occupait, il s'agissait d'une tentative d'achat capitaliste

« Les offices professionnels, est-ce que ça va à l'encontre de la liberté de circulation de la main-d'œuvre ? demande une autre journaliste du Québec. Les commissions des valeurs mobilières des provinces, qui ont des règles différentes d'une province à l'autre, vont-elles à l'encontre de ça ? » Autant d'exemples spécifiques soulignés, soit dans le document interne fédéral, soit dans les analyses du SAIC. Autant le dire tout de suite : toutes les questions posées sur-le-champ par les membres de la presse québécoise, qui n'ont le document en main que depuis deux heures au plus, visent les nerfs les plus sensibles de l'organisme fédéral. Elles font mouche à tout coup. C'est une beauté de voir ça, surtout avec le recul. (Étrangement, les journalistes anglophones présents ne se sentent absolument pas concernés par le sujet. Pourtant, plusieurs de leurs gouvernements dénonceront bientôt la proposition d'union économique.)

Les hauts fonctionnaires ne nient pas, patientent, tentent de noyer le poisson dans des explications de processus. En désespoir de cause, Paul Tellier doit même appeler le chef péquiste à la rescousse : « C'est sûr que c'est des pouvoirs considérables pour renforcer l'union économique. Tout le monde, incluant Jacques Parizeau, préconise une union économique renforcée au Canada pour éliminer les barrières qui existent afin de devenir plus compétitif dans le contexte global. »

De très mauvaise humeur, Tellier s'esquive ensuite.

Témoin de ce décollage mouvementé, Michel Roy se voit confier la tâche d'écrire le discours que Joe Clark doit prononcer le lendemain à Valleyfield, près de Montréal. Il voudrait donner l'heure juste sur toute cette affaire de rouleau compresseur économique.

> Je me dis, il faut pas que je lui fasse dire [à Clark] dans son discours que les propositions sur l'union économique ne menacent pas le Mouvement Desjardins ou ne menacent pas la Caisse de dépôt ou les habitudes qu'ont les Québécois de commercer comme ils commercent ou de faire leurs affaires financières comme ils les font. Parce que je ne le sais point. Et j'avais demandé l'avis d'un gars [du ministère des] Finances, d'un gars [du ministère de la] Justice pour en être sûr.
>
> Les gars ont dit : « Écoute, on travaille ça, on le sait pas, on va voir, sois prudent. »
>
> Alors je me disais, c'est quand même inouï ! « On travaille ça ! » « On le sait pas ! » Après tout ce temps !
>
> Alors effectivement, je fais mon *speech*, dans lequel je réussis à glisser des phrases comme : « Je tiens à vous dire que si jamais il pouvait être démontré quelque part que ces propositions portent atteinte ou risqueraient de porter atteinte à des mouvements comme le Mouvement Desjardins, la Caisse de dépôt, jamais nous ne tolérerons ça, ça sera changé. »

Roy donne donc le bénéfice du doute aux mandarins et à Clark. Il juge que la proposition sur l'union économique est une gaffe. Il s'agit de corriger le tir

---

classique, au profit d'un des plus grands fédéralistes québécois : Paul Desmarais. Près de 10 ans plus tard, le dénigrement de la Caisse de dépôt est toujours un des sujets de conversation préférés à Bay Street et à Ottawa.

et tout rentrera dans l'ordre. C'est peut-être ce que pensent aussi les experts du SAIC, qui vont rencontrer deux semaines plus tard à Ottawa les mandarins de Clark et du ministère des Finances. Las ! Dans les mémos qu'ils écrivent au retour, ils constatent qu'il n'y a pas de gaffe, mais une ferme volonté d'aller de l'avant, quoi qu'en ait dit Clark dans son discours écrit par Roy. Le principe avancé est « fondamental », leur dit-on :

> Le fédéral veut appliquer ce principe [d'union économique] à un test de la réalité afin d'établir le plus exhaustivement possible quelles lois québécoises peuvent être affectées. [...] Toutefois, sur l'impact sur les lois québécoises, ils ont affirmé être au tout début de leur analyse.

> Ils [les mandarins] ont reconnu que ce nouveau pouvoir était nécessaire pour l'adoption de lois fédérales dans les domaines de compétence provinciale.

On ne saurait mieux dire. Mais pendant ce temps, Clark dénonce « la campagne de peur » menée selon lui par Lucien Bouchard et Jacques Parizeau, qui énumèrent avec effroi en public les impacts de la proposition que les mandarins fédéraux expliquent avec gourmandise, en privé, aux hauts fonctionnaires québécois[*].

---

[*] Il est intéressant, lorsqu'on possède ces informations, de juger ensuite de la bonne ou de la mauvaise foi des politiciens en Chambre. Le lendemain du dépôt des offres, on assiste à un échange Lucien Bouchard – Brian Mulroney – Joe Clark.
Lucien Bouchard : Ma question s'adresse au premier ministre. Le document qui a été déposé hier [...] propose, et je cite : « Que soit donnée au Parlement fédéral la compétence exclusive pour légiférer en toute matière qu'il déclare utile à l'efficacité de fonctionnement de l'union économique. » Pourtant, le gouvernement prétend aujourd'hui, comme hier, qu'il n'a pas l'intention d'entraver en aucune façon les activités d'institutions financières fondamentales au Québec, comme la Caisse de dépôt et le Mouvement Desjardins. Mais au-delà des bonnes intentions, est-ce que le premier ministre n'est pas obligé de reconnaître que la formulation extrêmement large du texte donne ce pouvoir au Parlement fédéral et qu'il pourrait ainsi obliger le Québec à supporter l'odieux de recourir à une clause dérogatoire ?
Brian Mulroney : Monsieur le Président [de la Chambre], le député a lu le premier paragraphe de l'article. Il a négligé de lire les deux autres qui se lisent comme suit : « Une loi fédérale édictée au titre du présent article n'a d'effet que si elle est agréée par les gouvernements d'au moins deux tiers des provinces » [...]
Une voix : Comme en 1982 !
Brian Mulroney : Bien, il y a un autre article, il y en a trois. Le troisième article dit que si le Québec, par exemple, n'est pas satisfait, il peut se retirer complètement [mais seulement pour trois ans].
Lucien Bouchard : Monsieur le Président, la vérité éclate au grand jour. Le Parlement fédéral — on me contredira si on le peut — le Parlement fédéral se verrait ainsi confier le pouvoir d'adopter une législation qui couperait les ailes des institutions financières du Québec et qui obligerait chaque fois le gouvernement du Québec à gérer son économie par une clause dérogatoire. Monsieur le Président je voudrais dire au premier ministre, comme il le sait bien, qu'un ministre en remplace un autre, qu'un gouvernement en remplace un autre et que nous avons vu en cette Chambre un gouvernement libéral tenter d'adopter la loi S-31 qui aurait eu cet effet. Quelles garanties peut-on nous donner maintenant qu'il n'y aura pas un jour, assis sur ces bancs, un gouvernement qui va utiliser les pouvoirs à cette fin ?
Joe Clark : Monsieur le Président, je ne veux pas utiliser les mots que je dois utiliser. Ce que le député a dit, c'est d'une malhonnêteté totale !

Le « piège à cons »

Pendant que le chahut se déroule ainsi en public à Ottawa, l'opération de contrôle du message libéral se déploie, en coulisses, au Québec. Anctil recueille les commentaires des responsables régionaux car, il l'a dit, il veut leur *input* pour le premier ministre qui doit parler le lendemain. « Les comtés de l'est du Québec [donc francophones] étaient assez catégoriques, assez négatifs sur les offres, rapporte Anctil. Dans l'Ouest [anglophones et Outaouais] c'était plus mitigé. Mais la grande majorité était d'accord avec notre stratégie, qui était de ne pas discréditer le processus. »

Au sein de la députation libérale, Parisella, Rivest et Chapdelaine ont assez bien transmis la consigne du silence. Mais cet après-midi-là, les photographes saisissent une scène dans laquelle Gil Rémillard montre le document de Clark à un collègue, et les deux s'esclaffent. Interrogé, Rémillard dit la vérité, mais pas entière : « c'est un document complexe », « nous voulons être sûrs d'avoir une bonne compréhension ». Sûrs, pourrait-il ajouter, que nous n'avons pas la berlue.

Non loin, un autre député libéral, ancien membre de la commission Bélanger-Campeau, le nationaliste Guy Bélanger, manque de s'étouffer à la lecture du document. Rivest a oublié de l'appeler. Mais même s'il l'avait fait, il n'aurait probablement pas réussi à faire taire le bouillant député, dont le sang n'a fait qu'un tour.

Devant des journalistes qui, jusqu'à ce qu'ils le rencontrent, n'avaient absolument rien à se mettre sous la plume, Bélanger explose : « C'est un marché de dupes, un piège à cons ! » Il cherche des mots encore plus durs. « Non, mais l'as-tu lu ? » lance-t-il à l'adresse d'un scribe. « Il faudra examiner maintenant beaucoup plus sérieusement la souveraineté », dit-il encore, exprimant exactement ce que la direction libérale voulait gommer du débat. Bélanger est aussi président de la commission d'étude de la souveraineté créée par la loi 150. C'est un cadeau que Bourassa lui a fait, pour le consoler d'être tenu à l'écart du Conseil des ministres. Bélanger prend la chose au sérieux et affirme maintenant que « c'est important de faire sortir l'information et de montrer que le Québec peut vivre sans le Canada, du moins sans le Canada proposé dans ce document ».

Une fois le verrou du silence brisé par Bélanger, d'autres députés nationalistes ouvrent un peu leur jeu — mais assez peu — se disant, comme Jean-Guy Lemieux, de Québec, « très très insatisfait ». D'une folle audace, Georges

---

Des voix : Bravo !

Le Président : Le très honorable ministre doit sûrement savoir que ses paroles dépassent les bornes ; je lui demanderais de les retirer et de poursuivre sa réponse.

Joe Clark : Monsieur le Président, si les mots ne sont pas acceptables au Parlement, naturellement je vais suivre les règlements du Parlement. Mais je dois dire que le comportement du député qui a peur des faits, qui cherche à décevoir les citoyens du Québec, cela aussi, c'est inacceptable dans une démocratie comme la nôtre.

Farrah, des Îles-de-la-Madeleine, affirme même que les offres contiennent « un peu moins que Meech ».

Dans le caucus des députés libéraux, il y a cependant des fiers-à-bras, qui viennent spontanément à la rescousse. C'est le cas de Ghislain Maltais, député de Saguenay, qui fait de l'intimidation verbale sa principale contribution au processus démocratique québécois. « Si des députés n'aiment pas ce que le premier ministre Bourassa a à dire, ils n'ont qu'à s'en aller », tonne-t-il. Ce qui est curieux, car Bourassa n'a encore rien dit.

Mario Dumont, lui, brave la consigne d'Anctil et de Bourassa, mais décide de rester « factuel » avec les journalistes. « Si on fait un parallèle » entre les propositions Clark et Allaire, dit-il, « et même avec l'entente du lac Meech, il n'y a aucune commune mesure, ce n'est pas du tout la même étoffe ». Jean Allaire, lui, reste coi. Il ne parlera que le lendemain, après Bourassa, et sans fougue.

Ces réactions suffisent pour que le lendemain, *La Presse* titre, à la une et sur six colonnes : « L'aile nationaliste du PLQ dénonce le document fédéral ». Les déclarations de Bélanger et de Dumont sont rapportées partout. Il est cependant clair que, laissée à elle-même, « l'aile nationaliste » serait allée beaucoup plus loin qu'elle ne l'a fait. Dumont, conscient de son manquement à la discipline, s'est retenu dans ses réactions. Ignorant l'existence de l'interdit, Bélanger a été le seul à tirer ses conclusions sans inhibition : puisqu'il n'y a pas de réforme, faisons la souveraineté.

En ce sens, l'opération de musellement est un très raisonnable succès. Surtout que personne n'avait prévu la nature catastrophique des offres. Il faut maintenant gérer la suite. Et sortir le gros canon, ou faut-il dire le gros soporifique : Bourassa.

Mercredi, c'est la journée chaude. En matinée, Gil Rémillard et Pierre Anctil agissent de concert. Ne pas faire dérailler le train, c'est une chose, mais la locomotive est partie dans une si mauvaise direction qu'il ne faut pas lui donner de supplément de vapeur. « Il faut maintenir notre fermeté », recommande Rémillard, au cours d'un des nombreux conciliabules où l'on tente de trouver le « positionnement » à suggérer à Robert Bourassa pour sa conférence de presse. Premier constat : personne ne propose de dire la vérité.

Que reste-t-il ? Le mutisme. Le surplace. « Il ne faut absolument rien dire sur la substance [des offres], dit Anctil. Il ne faut pas se commettre, il ne faut pas avoir l'air d'être trop positif. »

Mais, objectent Rivest et Parisella, « il faut qu'il dise quelque chose, au moins sur certaines affaires... »

Bourassa « a déjà tenu des conférences de presse pour ne rien dire, rétorque Anctil, pourquoi ça le dérangerait d'en faire une autre ? »

Mais avant la conférence de presse, il y a réunion du Conseil des ministres. Là, Bourassa va prendre la température, tester le vent. D'entrée de jeu, il dit franchement à ses ministres que le document n'est pas acceptable, mais que ce n'est qu'un début. Parmi les ministres souverainistes, Liza Frulla n'aime pas les dispositions sur la culture ; André Bourbeau se plaint de ne pas retrouver tous les pouvoirs dans le domaine de la main-d'œuvre (le fédéral refuse toujours de confier au Québec le placement et la gestion des fonds de l'assurance-chômage, assurant ainsi la permanence du dédoublement) ; Marc-Yvan Côté rouspète devant l'absence de flexibilité pour la santé. Mais voici qui étonne : des ministres fédéralistes se plaignent aussi. Pierre Paradis (!) peste contre la volonté de centralisation économique d'Ottawa. Tout arrive : même Louise Robic, Canadienne de choc, fait une sortie contre la volonté fédérale d'enlever aux provinces la gestion des valeurs mobilières, dont elle est responsable au gouvernement.

« Aye ! commente Rivest à l'adresse d'un collègue, on vient même de convertir Louise Robic ! »

Bourassa trouve qu'il fait trop chaud et qu'il vente trop fort. S'il fallait que cette agressivité sorte, toute crue, à l'extérieur, on risquerait le déraillement. Il décide de refroidir les ardeurs. Plaide qu'il ne faut pas exagérer. Qu'Ottawa a quand même réinséré la société distincte dans ses propositions, parlé de la main-d'œuvre, suggéré un mécanisme par lequel le fédéral pourrait, s'il le décidait dans l'avenir, déléguer des pouvoirs supplémentaires au Québec, selon son bon vouloir. Alors, du calme ! Le chef du gouvernement n'est pas très convaincant quant au fond et plusieurs ministres, dans les jours qui suivent, égrèneront leurs doléances en public. Mais il convainc même les plus nationalistes d'entre eux qu'il faut surtout garder le cap et « laisser sa chance au processus » de négociation. « On était tous très très sceptiques, tous tant que nous sommes, raconte Yvon Picotte*. Moi, je me rappelle, on s'était regardés pis on avait dit : "Bon, ben, tant mieux si il [Bourassa] prétend qu'il peut faire un miracle." Mais on avait presque tous en arrière de la tête l'idée que : "Il va se casser la gueule." »

Gil Rémillard fait alors une intervention typique du personnage. Il prend la parole après Bourassa, abonde dans son sens et en rajoute. C'est une bonne base de discussion, dit-il, parlant du document de Clark. La société distincte, c'est presque positif. Les offres ? Un peu plus, il les aimerait.

À la sortie, Anctil le harponne : « Il me semble que c'est pas ça le discours que tu tenais hier. Cou'donc, c'est-tu bon ou c'est pas bon, c't'affaire-là ? »

« Là, raconte Anctil, Rémillard était vraiment déstabilisé et il ne savait pas quoi faire. »

La discussion reprend entre les conseillers de Bourassa. Si le premier ministre répète en conférence de presse son numéro « positif » du Conseil des

---

* Yvon Picotte est un des personnages les plus savoureux de l'équipe libérale. Entre autres déclarations mémorables, il a fait celle-ci, en 1989, au sujet du premier ministre péquiste de l'époque : « Pierre Marc Johnson est tellement hypocrite, il te donne une tape dans le dos en pleine face, et il te crache dans la face quand t'as le dos tourné ! »

ministres, que se passera-t-il ? Ottawa interprétera ces signaux comme autant d'acquiescements, non ? Il faut rectifier le tir. Rivest va trouver son patron : « Tout le monde pense que tu devrais en mettre plus. »

Tout le monde ? Rémillard, surtout. Il doit s'asseoir aux côtés de Bourassa pendant la conférence de presse. Si quelqu'un devait lui poser une question, que dirait-il ? « Ça n'a pas de bon sens », comme la veille, ou « c'est positif », comme au Conseil ?

Dans un corridor, il est en grand conciliabule avec sa chef de cabinet, Suzanne Levesque, quand Anctil passe par là.

« Pierre, viens ici. Regarde ce que je vais dire, j'ai pensé à ça. »

Le ministre sort une petite feuille sur laquelle il a inscrit une phrase. « Je pourrais dire : "Les offres sont inacceptables !" »

Anctil le regarde. « Gil, teste donc ça avec le PM, lui conseille-t-il. Je ne prendrais pas la liberté de le dire moi-même sans lui en avoir parlé. »

« Ben, répond le ministre, sachant qu'il n'aura jamais l'aval de Bourassa pour une telle audace, qu'est-ce que je vais dire ? »

« Inquiète-toi pas. De toutes façons, ils ne vont poser des questions qu'à lui. »

Anctil a raison. Il n'y en aura que pour Bourassa.

Le premier ministre a décidé d'« en mettre plus », mais en sens inverse de ce que lui suggéraient ses conseillers. Il a trouvé des mots passe-partout. Le document Clark, dit-il, est « utile mais certainement incomplet ». Il y a décelé plusieurs aspects positifs. La limitation proposée du pouvoir de dépenser — que les documents fédéraux avouent « trop étroite » pour les goûts du Québec — est déclarée par Bourassa : « gain important pour le Québec ». La double majorité en matière culturelle dans un Sénat réformé — formule qui, selon les documents fédéraux, donne un « veto indirect » aux anglophones et devrait donc être « très mal acceptée par le Québec » — reçoit au contraire la bénédiction bourassienne. Voilà « une protection additionnelle sur le plan culturel pour le Québec », dit-il.

Bien sûr, il n'aime guère l'union économique, qui introduit « des risques très importants ». Cependant, il faudra « examiner avec intérêt » cet aspect des choses, car « nous sommes d'accord avec le principe ». Bourassa déclare trouver dans l'ensemble des « gains ou des progrès » pour sa province.

Puis il y a la question du droit de veto. Là, Bourassa est un peu piégé. Il a tellement dénoncé le PQ pour avoir « perdu » le veto en 1982, il s'est tellement vanté de l'avoir « récupéré » à Meech, qu'il ne peut maintenant en minimiser l'importance. « Vous allez vous faire poser la question [du veto] directement, veut, veut pas, l'a averti Anctil la veille. Qu'est-ce que vous allez dire ? »

« Je vais me battre jusqu'au bout pour aller chercher le droit de veto ! » a-t-il répondu. C'est une phrase qui ne dit pas ce qu'il fera si, « au bout », il ne l'a toujours pas. Ce n'est pas une condition *sine qua non*. Tout de même, on y lit une détermination certaine.

En conférence de presse, tellement heureux de trouver des attraits au document de Clark, Bourassa fait volte-face. *Exit* le résistant, voici le résigné. « Nous aurions souhaité garder le droit de veto », dit-il. « Ça fait partie de nos objectifs. » Cependant, les temps sont si durs. « En attendant, nous croyons que la formule 7/50 [7 provinces avec 50 % de la population] peut nous donner un minimum de protection. »

Voilà une des « conditions minimales » de Meech jetée au panier. « Il a dit que c'était un objectif fondamental, commente Rivest, alors que c'est une condition essentielle [...]. Je trouvais que sa phrase était pas assez forte. Quand t'as un paquet de monde au Canada qui te disent : "Jamais le droit de veto", tsé ? Wells, etc. [...] ben, il faut que tu dises : "J'y tiens." »

Le lendemain, *Le Soleil* titrera : « Bourassa lâche le droit de veto ».

Mais y a-t-il une seule des 28 propositions de Clark qui soit inacceptable, veut savoir un journaliste ?

« Je ne peux pas porter de jugement définitif avant que nous puissions les examiner », répond Bourassa qui, depuis la veille, a dans ses dossiers 40 pages d'analyses serrées sur les propositions.

Bourassa procède ensuite, question par question, à une séance de patinage. Mais on n'atteint le clou de la session que pendant la période de questions anglophones, vers la fin. Les conférences de presse de Bourassa se déroulent à deux niveaux. Le chef libéral parle d'abord au public, par delà les journalistes présents. Ce sont les électeurs, non aguerris au décodage, qu'il veut désinformer. Quand il dit que le droit de veto est un « objectif fondamental » plutôt qu'une « condition », Clyde Wells comprend qu'il lâche le morceau, pas Mme Tremblay de la rue Panet. Sur place, cependant, les journalistes saisissent ces nuances, et Bourassa sent bien qu'il ne les a pas entubés, il sent même une agressivité larvée. Ce jour-là, pendant la discussion en anglais, donc pendant la partie de la conférence de presse qui ne sera pas diffusée par la presse électronique québécoise, il se permet de parler directement aux journalistes :

> Bourassa : Si je dis non, qu'est-ce qui va se passer ? Posons l'hypothèse que je dise non aujourd'hui. Que je dise : « Pas question, je n'accepte pas ça. »
>
> Normand Girard, du *Journal de Montréal* : *Good !*
>
> Bourassa : *Good ?* Vous le pensez, monsieur Girard. Vous le pensez. Mais, dans mon cas, je dois être responsable.

Pierre Anctil décide de quitter la conférence de presse avant la fin. « Je voulais pas être là quand il allait chanter le *Ô Canada*. »

La journée du directeur général du parti n'est d'ailleurs pas terminée. Il faut continuer à contrôler le message. D'autant plus que le gouffre maintenant béant entre la nullité des offres et la réaction positive du chef pourrait susciter de nouveaux craquements dans les rangs.

La « ligne de presse » communiquée aux porte-parole du PLQ pendant l'après-midi intègre le nouveau slogan du chef — des offres « utiles mais incomplètes » — mais reste en retrait de son enthousiasme. On y lit d'emblée ces quatre « balises » :

1. Il ne faut pas accréditer les propositions ;
   Il ne faut pas discréditer le processus.
2. Il faut éviter un verdict formel et global.
3. Le gouvernement et le Parti libéral du Québec ne doivent pas donner l'impression d'adoucir leurs positions (pas de mouvement).
4. Il faut projeter fermeté, calme, avoir l'air « in control ».

La « ligne de presse », c'est l'usage, comprend une section qui énumère les questions qui seront probablement posées et les réponses qu'il faudra leur donner. Le document évacue joliment celle-ci : « Que pensez-vous de la clause de la société distincte ? » en préconisant la réponse suivante : « Il faut attendre les avis juridiques. » Ce qui deviendra un refrain très populaire pendant toute la saison. Plus loin, la question clé est aussi abordée :

17. Considérant que l'offre fédérale ne respecte pas le projet de réforme présenté dans le rapport Allaire, seriez-vous prêt maintenant à recommander au gouvernement de passer à la prochaine étape, c'est-à-dire le référendum sur la souveraineté proposé dans le rapport Allaire ?

[Réponse proposée :] Les offres présentées sont préliminaires. Le PLQ souhaite se livrer jusqu'au bout à l'exercice constitutionnel actuel, et donc tentera de faire améliorer les offres fédérales. On réserve notre jugement définitif jusqu'au dépôt des offres finales au printemps.

Munis de ces balises, Anctil et son équipe procèdent à une seconde tournée téléphonique des représentants régionaux du parti. C'est la même technique que la veille : Parlez, mais ne parlez qu'à nous. Plaignez-vous, mais seulement aux membres de la famille. « La réaction était mitigée parce qu'il [Bourassa] avait fait une performance moyenne, se souvient Anctil. Il y en a qui trouvaient qu'il avait été trop positif. » Pas tous : « Certains comtés étaient très contents, comme Westmount. » Mais dans les circonscriptions francophones, la technique de la pré et de la postconsultation donne des résultats : « Probablement que s'ils n'avaient pas été préconditionnés, on aurait eu des réactions plus vives », juge Anctil.

UN PROBLÈME DE DISCIPLINE

Un groupe plus turbulent doit encore être « conditionné » : le caucus des députés. Si la tendance Guy Bélanger devait se propager parmi les nationalistes, les ministres fédéralistes étant eux-mêmes fort mécontents, tout peut encore déraper. Le caucus, c'est « un tigre repu qui dort », dit un de ses membres, Henri-François Gautrin. Va-t-il se réveiller à sa réunion du lendemain, le jeudi ?

Et d'abord, de qui a-t-on peur ? L'« aile nationaliste » du caucus du PLQ a servi de troupe de soutien, au congrès du PLQ de mars 1991, à l'offensive des allairiens* et de la Commission jeunesse. Trois figures sont considérées comme son « noyau dur » : Jean-Guy Lemieux (Vanier), Guy Bélanger (Laval-des-Rapides) et Georges Farrah (Îles-de-la-Madeleine, bon ami de Jean Lapierre du Bloc québécois)**. En tout, ils sont une quinzaine, sans compter quelques ministres sympathisants (Côté, Cannon, Frulla, Picotte) avec lesquels ils ne se coordonnent nullement. C'est un groupe déstructuré, qui tient des gueuletons plutôt que des réunions. Ses membres ont davantage d'états d'âme que de stratégie, d'inquiétudes que de coups de colère. C'est pourquoi le *bunker* les gère plus qu'il ne les craint.

« On prend pas de chances dans un truc comme ça », avertit cependant un conseiller de Bourassa. « Un caucus à 90, si ça part dans une direction, ça peut être fatigant. » Le mercredi soir, Parisella, Chapdelaine et Anctil rencontrent les 16 présidents de caucus régionaux pour préparer le terrain. Parisella leur fait un pitch de *winner* : Tout va bien. Chapdelaine leur recommande d'appliquer la recette soporifique du chef. (Il faut dire que les présidents de caucus régionaux sont plus malléables que les autres députés, car ils aspirent tous à un strapontin ministériel. Chapdelaine est celui qui prend des notes sur leur bonne conduite et les transmet au premier ministre au besoin. Son pouvoir, additionné à leur désir de plaire, fait l'essentiel du boulot.) Il leur demande d'intervenir de leur propre initiative auprès des députés de leurs régions respectives, de les appeler pendant la soirée et d'encadrer ce qui va se passer dans les 48 heures.

Aguerri par l'accueil reçu au Conseil des ministres, Bourassa utilise devant le caucus du jeudi matin la tactique du « oui mais ». Sans trop se faire prier, il admet que les propositions de Clark sont « complètement inacceptables ». Soit dit entre nous, bien sûr. Ce qui coupe un peu les effets du député Jean-Guy Lemieux. Il avait demandé à un constitutionnaliste de l'université Laval, Henri Brun, de lui fournir un avis juridique sur les offres, histoire d'obtenir un « son de cloche extragouvernemental ». Car les avis du SAIC ne sont accessibles qu'au premier ministre. L'analyse de Brun est, à l'évidence, dévastatrice pour les offres. Mais Lemieux plaide dans le vide, puisque Bourassa convient de leur nullité, dans ce huis clos. Le chef du parti affirme cependant que le document fédéral est « une proposition parmi tant d'autres, il y en aura d'autres, c'est une

---

* Le vocable « allairiens » désigne ici les anciens membres du comité Allaire ; celui d'« allairistes », les partisans du rapport Allaire.

** Invité à faire l'inventaire de cette mouvance allairiste dans le caucus, Jean-Guy Lemieux place dans un « deuxième cercle », au-delà du « noyau dur » : Benoît Fradet (de Vimont, proche de la Commission jeunesse), Serge Marcil (Salaberry-Soulanges, paradoxalement proche de Daniel Johnson), Rémi Poulin (Chauveau), Jean-Guy Saint-Roch (Drummond). Dans un « troisième cercle », Lemieux désigne notamment Jean-Guy Bergeron (Deux-Montagnes), Lewis Camden (Lotbinière), Michel Després (Limoilou), Paul-André Forget (Prévost), Yvon Lemire (Saint-Maurice), Jean Leclerc (Taschereau) et Roger Lefebvre (Frontenac).

étape, on vient de monter une autre marche, on s'en va dans la bonne direction ». La discussion sur le fond dure 20 minutes (pour 90 participants) tout au plus.

Le débat qui s'imposerait alors — va-t-on vraiment dans la bonne direction, ou ne perd-on pas notre temps et celui des Québécois ? — n'a pas lieu. C'est peut-être parce que celui qui pose la question, Guy Bélanger, est immédiatement la cible de plusieurs députés fédéralistes qui l'accusent d'avoir rompu la solidarité du parti en disant ce qu'il pensait aux journalistes. « C'est parti là-dessus, se souvient un député. "T'avais pas d'affaires à employer un langage comme ça, nous autres on passait pour une gang de stupides !" » Marc-Yvan Côté, ministre nationaliste pro-Allaire qui aurait pu contribuer au débat de fond, est embrigadé dans ce règlement de comptes. Côté est le préfet de discipline naturel du caucus. Des fédéralistes réclament une sanction quelconque contre Bélanger. Des députés nationalistes rétorquent que rien n'a été fait lorsqu'un député fédéraliste, Russ Williams, a refusé de voter pour la loi 150. Alors pourquoi faire tout un plat, aujourd'hui, des déclarations de Bélanger ?

Voilà de quoi discutent, pour l'essentiel, les 90 députés libéraux du Québec à une étape cruciale du débat constitutionnel, ou plutôt du débat sur l'avenir du Québec. Ils discutent de discipline interne. Les directions du parti et du gouvernement sont satisfaites. Résultat des courses : le parti, « préconditionné », reste calme ; le Conseil des ministres est neutralisé ; le caucus est occupé à de futiles querelles. Tout baigne.

À la sortie du caucus, assailli par les journalistes, Bourassa doit réparer un peu les dégâts causés la veille par la question du veto. C'est le journaliste Normand Girard, du *Journal de Montréal*, des trémolos dans la voix, qui le relance : « En tant que Québécois, je vous demande si vous avez laissé tomber notre droit de veto ! » Bourassa répète que c'est un « objectif fondamental », mais comme il le dit avec plus de fermeté que la veille, certains y voient un raffermissement de position. Le mot « condition » ne franchit cependant jamais ses lèvres. Au contraire, sur un autre front constitutionnel, il est en retraite rapide. De Duplessis à Allaire (au rapport des 22 ainsi qu'à l'entrevue que Bourassa accordait au *Soleil* et qui fut publiée quatre jours plus tôt), le Québec a réclamé que le gouvernement fédéral se retire complètement du champ des affaires sociales, ce qui inclut, bien sûr, les empiétements futurs et actuels. Ce n'est plus le cas aujourd'hui. « Le Québec », incarné par Robert Bourassa et lui seul, a changé d'avis : « Si nous demandons que ce soit rétroactif, comment pouvons-nous évaluer les coûts ? dit Bourassa. L'assistance sociale, par exemple : il n'y a pas d'évidence que nous payons plus que nous recevons d'Ottawa. Soyons responsables. » C'est nouveau. En privé, il avait dit non à la langue, à la santé, à la culture, aux communications. Aujourd'hui, en public, il dit non aux affaires sociales, une des revendications les moins contestées de l'histoire du Québec et qu'il avait lui même défendue avec son ministre Claude Castonguay à Victoria en 1971.

Ne reste, le jeudi soir, que l'exécutif du parti, qui se transforme en répétition du caucus. Dans le rôle de Bélanger : Mario Dumont, qui s'est lui aussi permis d'ouvrir la bouche avant que le premier ministre ait émis son avis. Plusieurs membres fédéralistes de l'exécutif veulent tancer le jeune indiscipliné, mais c'est Bourassa qui, d'un trait, en entrant, met les points sur les *i* tout en détendant l'atmosphère. Premier à prendre la parole, il interpelle Dumont, dans un sourire : « Tu vas pas me devancer aujourd'hui ! » À l'exécutif de 40 membres siègent une dizaine de « conseillers régionaux ». Ils se sont réunis avant le groupe et ont décidé de présenter une motion de félicitations au chef, pour sa réaction aux offres. Lorsque le conseiller investi de cette mission en fait part à l'exécutif au grand complet, les membres applaudissent leur chef adoré sans se faire prier. « C'est la coutume : automatiquement, on applaudit », explique un membre pro-Bourassa du comité. Mais le conseiller régional poursuit sa péroraison et parle maintenant d'une « motion d'appui au contenu de l'intervention du chef ». Voilà qui est plus délicat. Certains conseillers disent qu'il n'est pas question d'adopter ça, d'autres membres, dont Dumont et Allaire, ne pourraient évidemment voter un tel machin. C'est encore Bourassa qui tire le groupe du pétrin en demandant que la motion soit retirée sans être votée. « J'enregistre votre appui », dit-il, modeste.

Puis il leur expose combien les choses vont bien. Sur le fond, les offres sont décevantes, c'est sûr. Mais sur la forme, « ce qui se passe, c'est prévu, c'est exactement ce qu'on voulait, dit Bourassa. En déposant des propositions, le gouvernement fédéral se trouve à accepter le processus que le Québec a mis en place. »

Anctil explique aussi que tout va « *according to plan* » et annonce qu'une tournée sera maintenant faite dans les associations locales pour comparer les offres de Clark au rapport Allaire, programme du parti. Bourassa, préalablement avisé de cette initiative, s'en était inquiété. « Tu crains pas qu'en mettant ça côte à côte, ça ressorte de façon évidente que ça tient pas debout, que les offres fédérales aient l'air ridicules ? » Mais Anctil a fait produire un diaporama très technique, très juridique, comparant Clark à Allaire. Un exposé qui, dans une première version, avait « une qualité soporifique exceptionnelle », dira-t-il. Dans une seconde version, il l'était à peine moins. Bourassa en avait approuvé le texte.

Mario Dumont a assisté à quelques-unes des séances. « Il a tellement voulu que la présentation soit pas biaisée qu'elle n'était pas politique. Elle était quelque part entre la philosophie politique pis la science, là, tsé ? Fait que le monde comprenait absolument rien. Juste des avocats pouvaient comprendre. [...] Fait que, c'est un peu de même qu'ils ont perdu le monde. Aussi, le fait que c'était préliminaire. Les gens disaient : "Il faut pas se garrocher, M. Bourassa l'a dit, c'est préliminaire !" »

Anctil voit la chose autrement, bien sûr : « Il y avait un effet de volume avec les propositions fédérales. Les gens disaient : "Y'en a du stock là-dedans !" » Les explications se rejoignent. Si, plutôt que le diaporama d'Anctil, les militants avaient eu droit au *briefing* de Rivest, aux fiches du SAIC, à l'aveu de Bourassa fait à huis clos au Conseil des ministres, ils auraient pu débattre du fond. C'est nul, donc, qu'est-ce qu'on fait ? Mais ils ont droit à un « effet de volume » soporifique et à un slogan : Faut pas s'énerver.

Les offres de Clark auraient pu être le signal du réveil. Grâce à Bourassa et à Anctil, elles offrent au contraire l'occasion d'enclencher un engourdissement essentiel à la suite des choses.

À Ottawa, on fait sonner le carillon

On ne peut que saluer en Bourassa le virtuose du double langage et de l'anesthésie. Incapable, devant le consensus contre les offres qui se crée au Québec, de faire encore semblant de les croire utiles, Bourassa se découvre une autre porte de sortie, à la fin d'octobre. En conférence de presse aux Îles-de-la-Madeleine, pressé de questions sur la marche des affaires constitutionnelles, il entame un refrain qui deviendra par la suite un important leitmotiv, une raison essentielle de ne pas se prononcer. Il faut attendre de voir, dit Bourassa, « comment sont rédigés les textes juridiques » des propositions, avant de prendre une décision à leur sujet. Le thème est récurrent au point de devenir une règle de conduite du premier ministre et, pour tout dire, un engagement. On note :

> ENGAGEMENT N° 8 : NE RIEN DÉCIDER AVANT D'AVOIR VU LES TEXTES JURIDIQUES.

D'autres sont moins habiles à ce petit jeu de patinage. Le 5 novembre, dans un moment d'inattention, Gil Rémillard, toujours gaffeur, dit publiquement que les offres sont « inacceptables » et que le fédéral doit se « remettre à sa table de travail ». Car « si on nous disait : "Vous prenez ça ou c'est rien", ce serait rien, ce serait non, déclare-t-il ». Devant ce grave impair — quelqu'un en position d'autorité a dit la vérité — il a fallu tout de suite démentir et aviser Ottawa que le pauvre Gil avait été cité hors contexte.

À la toute fin de décembre, devant Pierre Nadeau, quand Bourassa sait que son soporifique a fait effet, il peut se laisser aller à dire le vrai : les offres sont inacceptables. C'est sans danger, car le Québec roupille désormais relativement sagement.

Encore une fois, le chef libéral a franchi une étape difficile sur l'échiquier québécois. Il a fallu tricher. Il a l'habitude. Mais la partie se joue maintenant aussi sur l'échiquier fédéral. Et la dose de somnifère qu'il a administrée en septembre est telle que même à Ottawa, on a maintenant le sommeil paisible.

Il faut se mettre un instant dans la peau des responsables fédéraux : Mulroney, Clark, Tellier. Pour eux, le tintamarre fait contre les offres par le PQ, le Bloc ou les bélanger-campésistes n'a aucune valeur. Ces gens sont des

« séparatistes », il ne faut pas les écouter. Le seul son qu'ils perçoivent est celui qui vient de chez Bourassa. Or, pendant l'automne, il est toute douceur.

« À Ottawa, raconte Michel Roy, ils étaient ravis. Ils ont fait carillonner les cloches », après la conférence de presse de Bourassa. Quelques jours plus tard, Tellier donne une petite réception pour célébrer la publication du document de Clark, en remercier les artisans. Le plus important fonctionnaire du pays répand sa satisfaction. « L'accueil était pas si mauvais, dit-il. Au Québec, ils parlent d'économie, c'est très bien », pense-t-il, car pendant ce temps il n'y a pas de polémique sur la société distincte. « À mon avis, ça nous mène loin, ça », dit-il encore. Tous les feux sont au vert. Bourassa — donc « le Québec » — s'est montré raisonnable, comme prévu. C'est un grand pas en avant.

Lorsqu'il raconte cet épisode, Michel Roy, conseiller constitutionnel de Mulroney, voit encore les choses d'un œil neuf, un œil de journaliste et d'analyste. Il se surprend encore du gouffre d'incompréhension qui sépare Ottawa du Québec.

> Roy : Ce dont je me suis souvent rendu compte à Ottawa pendant les quelque huit mois et demi où j'ai été là maintenant, c'est que malgré tout, c'est très facile de vivre dans un milieu si près de Montréal, si près du Québec, et de ne pas comprendre ce qui se passe vraiment. Même quand on a toutes les antennes nécessaires pour capter les messages, les signaux, les indices. [...]
>
> Finalement, beaucoup de ces gars-là, de ces femmes-là, vivent un peu en vase clos, tsé ? J'ai l'air de dire des choses banales et classiques, là, mais je me suis rendu compte de ça assez souvent. D'où l'immense — je cherche le mot, là, — soulagement, ou bien-être quasi physique, que j'éprouvais toujours le jeudi soir quand je rentrais à Montréal en voiture. Et je voyais le grand pont par-dessus le lac des Deux-Montagnes et je me disais : « Si j'avais pas ça, ça serait comme vivre en exil, quoi ! »
>
> Il faut être dans ce milieu, vivre ici [à Montréal], parler aux gens, écouter la télé d'ici, la radio d'ici, parler à ses amis, voir un peu comment les gens réagissent et perçoivent les choses. Si on fait pas ça, alors on n'est pas dans le coup. [...]
>
> L'auteur : En ce sens-là, quand Bourassa rencontre Clark au printemps pour lui dire : « Laissez tomber la langue » ; lorsqu'il fait savoir de laisser tomber la santé ; lorsque, à Tracy, il a pas l'air d'être mécontent ; lorsque, au lendemain des offres de Clark, il trouve que tout va bien, est-ce qu'il n'échappe pas à chaque fois la balle ? Est-ce qu'à chaque fois il ne faudrait pas au contraire qu'il dise : « Ça ne va pas, c'est pas possible, qu'est-ce que vous pensez ? » Est-ce qu'il nuit finalement à la résolution du problème canadien en refusant constamment de dire à Ottawa que le rapport de force est autre ?
>
> Roy : Oui, c'est une question fondamentale que tu poses là. C'est une question fondamentale. Moi, je me suis posé cette question-là. Au fond, ça touche fondamentalement toute sa stratégie et la capacité qu'il aurait d'en soutenir une autre.
>
> L'auteur : C'est-à-dire ?
>
> Roy : Ben, d'en adopter une qui l'amènerait à se montrer beaucoup plus ferme

dans ses rapports avec Ottawa, par exemple. À indiquer davantage les limites de ce qui est possible et ce qui ne l'est pas. Il se comporte comme un être qui veut sauver quelque chose et qui craint que tout s'écroule s'il se montrait trop intransigeant.

À Québec, au-delà de l'exercice de désinformation du public et d'obnubilation du parti, il reste le fait, têtu, que les propositions mitonnées par le gouvernement fédéral ne pourraient en aucun cas passer la rampe de l'électorat. Jean-Claude Rivest tient le compte de la « probabilité de succès » de l'entreprise de réforme du fédéralisme. En avril 1991, il avait dit à l'auteur que la probabilité d'obtenir une réforme proche du rapport Allaire était de 0 %, mais qu'il y avait 60 % de probabilité d'obtenir une proposition fédérale « présentable ». En août 1991, Rivest affirmait que cette probabilité avait chuté à 30 %. Et c'était avant de recevoir le document de Clark.

À moins d'un changement de cap, donc, on court au désastre. Bourassa et ses conseillers peuvent repousser le moment de vérité, mais un jour ce moment arrivera.

L'auteur : Là, vous êtes à un an du référendum prévu par la loi 150, pis vous avez pas beaucoup bougé par rapport à Meech. Est-ce que vous faites le point ? Est-ce qu'il y a un moment où vous vous demandez, là, « est-ce la bonne stratégie » ?

Jean-Claude Rivest : Non.

L'auteur : Non, il n'y a pas de remise en question ?

Rivest : Non.

Grand Angle

LA LUCARNE

*Il n'y a pas de problème
que l'absence de solution
ne finira un jour par résoudre.*

HENRI QUEUILLE
Homme politique français
Citation probablement apocryphe

*Les faits n'arrêtent pas d'exister
simplement parce qu'on fait semblant
de ne pas les voir.*

ALDOUS HUXLEY

LE 8 OCTOBRE 1991, À MONTRÉAL, 18 électeurs francophones québécois de tout âge et de toutes professions sont assemblés par la firme de sondage Créatec, compagnie favorite du Parti libéral du Québec, mais employée ce jour-là par le gouvernement fédéral. Les Québécois choisis constituent ce qu'on appelle un « groupe test » — en anglais, *focus group* — dont on veut évaluer « qualitativement » plutôt que quantitativement, la réaction à un événement, comme on le fait dans un grand sondage téléphonique auprès de centaines de personnes. Créatec a d'ailleurs son propre nom de code pour ces petites rencontres : « Sigmund Québec ». Elle en tient régulièrement depuis le début de l'année et envoie ses rapports chez Joe Clark.

Répartis en deux groupes de neuf personnes, les Québécois conviés ce 8 octobre sont représentatifs du centre du spectre de l'opinion au Québec à l'automne de 1991. Compte tenu de la force continue de l'option souverainiste, les gens qui, comme eux, sont « favorables à la souveraineté, mais pas à tout prix » sont au centre du jeu. En cas de référendum, c'est eux qu'il faut convaincre de la qualité des offres fédérales, sinon, c'est foutu.

Il s'agit aujourd'hui de tester les propositions de Clark. Le rapport de 10 pages envoyé par Créatec à Ottawa 48 heures plus tard est morose : « En général, l'initiative constitutionnelle est perçue comme un autre échec de la part du gouvernement fédéral », lit-on. Les nouvelles idées d'Ottawa en matière d'union économique font jaser, c'est sûr. Les animateurs de Créatec lisent d'ailleurs tout haut une des propositions aux groupes tests : celle qui donnerait au « Parlement du Canada compétence exclusive pour légiférer en toute matière qu'il déclare utile à l'efficacité de fonctionnement de l'union économique ». Réaction, selon le rapport des sondeurs : « Après avoir été informés de la teneur de ces articles, même les plus fédéralistes des participants optent abruptement pour l'indépendance. »

Ça va mal[*].

Heureusement, donc, que peu de francophones se sont donné la peine de lire le petit cahier de Clark. Las ! Créatec poursuit : « Même avant d'être informés du contenu des propositions [...] la majorité des participants étaient incapables d'avancer un seul argument clair qui justifierait le maintien d'une union économique entre le Québec et le reste du Canada. » En fait, Créatec rapporte que le facteur économique joue dorénavant en faveur de l'option indépendantiste dans l'opinion.

À notre avis, il s'agit d'un changement majeur dans la perception des Québécois. Alors que l'économie était naguère la raison la plus nettement évoquée pour rester dans le Canada — sans trop se poser de questions — il apparaît maintenant que les participants sont de plus en plus enclins — et avec plus de rationalité — à minimiser les avantages de cette union. Cette nouvelle attitude pourrait avoir des conséquences très lourdes pour toute nouvelle initiative de la part du fédéral[**].

Bref, « il n'y a actuellement aucune ouverture envers quelque initiative fédérale que ce soit ».

----

[*]   Ce chapitre n'est pas tout à fait comme le précédent ou le suivant. En voici donc le mode d'emploi : les chapitres numérotés permettent de suivre le récit à la loupe ; par contraste, ceux intitulés « Grand Angle » visent à fournir une vision d'ensemble de la réalité politique, en évoquant des éléments de contexte et en intégrant l'analyse pendant que le récit se déroule. Le lecteur est donc équipé pour mieux juger de la qualité des propositions et des stratégies avancées par les uns et les autres, pour mieux comprendre leurs comportements ou la portée de leurs gestes. Ces chapitres contiennent des éléments de récit indispensables à la compréhension du livre. Cependant, on y trouve aussi plusieurs passages analytiques qui se veulent assez exhaustifs. Le lecteur pressé de reprendre le fil du récit pourra être tenté d'en sauter des bouts. C'est son droit, en vertu des articles n° 2 (« Le droit de sauter des pages ») et n° 8 (« Le droit de grappiller ») de la charte des « Droits imprescriptibles du lecteur » dressée par Daniel Pennac dans son livre *Comme un roman*. Pour ne rien manquer, tout en accélérant sa marche, ce lecteur pourra feuilleter les chapitres « Grand Angle » et juger, à chaque intertitre, du caractère analytique ou narratif de la section qui s'ouvre.

[**] Cette vision des choses, déjà perceptible en 1990, est très présente dès le printemps de 1991. Les Québécois voient l'indépendance comme une visite chez le dentiste : douleur à court terme, amélioration à long terme. Un grand sondage Angus Reid de mai 1991 montre que 64 % de tous les Québécois prévoient une baisse de leur niveau de vie pendant les 10 premières années de l'indépendance, mais que 60 % prévoient une hausse de leur niveau de vie pendant les 20 premières années de l'indépendance. Après avoir réuni deux nouveaux groupes tests en février 1992, Créatec notera que « l'intérêt économique de demeurer au sein du Canada est en voie de décomposition avancée ».

Le bureau de Clark a-t-il un doute ? Il demande à Créatec de réunir deux autres « groupes tests » deux semaines plus tard, après que Brian Mulroney eut prononcé à Montréal un discours « important » sur l'unité canadienne. Les arguments antisouverainistes invoqués par le premier ministre, que les sondeurs lisent tout haut aux groupes tests, semblent braquer encore plus les cobayes réunis.

Le seul extrait de discours qui leur plaît est celui où Mulroney déclare : « On a entendu parler bien suffisamment de ce qui nous divise, de ce qui nous irrite, nous agace. [...] Regardons ensemble vers l'avenir, avec réalisme et résolution, mais branchons-nous ! » Créatec rapporte que la majorité des participants se sont dits « parfaitement d'accord », parce que cette invitation à « se brancher » « peut être interprétée comme une invitation à agir en direction de la souveraineté ».

Dans leur rapport, les sondeurs ajoutent deux découvertes : 1) Puisque, dans l'intervalle, Clyde Wells s'est dit favorable au nouveau libellé de la société distincte inscrit dans les offres Clark, les participants affirment que « c'est une raison de plus pour rejeter les propositions Clark en entier ». 2) Les participants « expriment un niveau de scepticisme et de cynisme croissant ».

Pour le reste, Créatec conclut encore plus fermement qu'avant : « Compte tenu de la progression des attitudes et des opinions que nous avons observées pendant cette exploration continue [24 groupes tests et trois sondages effectués depuis cinq mois], il devient évident que l'approche constitutionnelle est bloquée. Par conséquent, il devient de plus en plus difficile d'envisager une proposition d'Ottawa qui pourrait satisfaire les Québécois. »

Mille regrets.

LE DOUBLE DURCISSEMENT

À l'automne de 1991, la récession commence à saper le moral des Québécois. Normalement, elle devrait les rendre plus timides, plus prudents. Mais on observe un double phénomène : d'une part, un certain nombre de souverainistes « mous », sur la crête de la vague, disparaissent et redeviennent indécis ; d'autre part, les souverainistes qui restent, toujours majoritaires, sont plus déterminés qu'auparavant. Les propositions de Clark ont d'ailleurs donné un coup de pouce : CROP a mesuré que la proportion de Québécois favorables à la souveraineté est passée de 52 % trois jours avant la publication des offres à 55 % le surlendemain (de 57 % à 60 %, en répartissant les indécis).

A *Les yeux rivés sur le Pacte*

Globalement, les Québécois tiennent toujours à mettre en œuvre le Pacte conclu avec le premier ministre Bourassa au printemps de 1991. Dans la saison de l'après-Meech, une grosse majorité de Québécois avaient d'abord voulu faire la souveraineté, sans attendre. Robert Bourassa les a convaincus de donner au Canada une « dernière chance » de consentir au Québec une large mesure d'autonomie dans le cadre canadien. Majoritairement incrédules quant à la possibilité de réaliser un tel exploit, les Québécois ont quand même dit : « D'accord. » Et le Pacte, inscrit dans Allaire, Bélanger-Campeau et la loi 150, se résume ainsi : « Une réforme en profondeur, sinon, on part ! »

C'est ce que Robert Bourassa avait lui-même clairement indiqué dans l'*addenda* au rapport Bélanger-Campeau qui n'engageait que lui et son ministre Gil Rémillard :

> Deux avenues doivent être considérées parallèlement dans les discussions et les décisions qui seront prises touchant l'avenir politique et constitutionnel du Québec : un réaménagement en profondeur du système fédéral actuel ou la souveraineté du Québec. Les autres solutions ne sauraient répondre aux besoins et aux aspirations de la société québécoise.

À l'automne de 1991, les Québécois ignorent que Bourassa n'a aucune intention de respecter cet engagement. Ils croient toujours au Pacte. Ils le redisent aux sondeurs régulièrement et de toutes sortes de façons. D'abord, ils continuent d'aimer l'idée d'autonomie québécoise, dans ses deux parfums traditionnels : le fédéralisme renouvelé — la dernière chance — et la souveraineté-association. Testés séparément, ils emportent des majorités concurrentes :

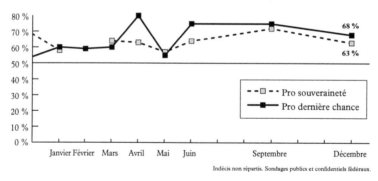

**Cohabitation de la volonté de réforme
et de la volonté de rupture au Québec 1991**

Indécis non répartis. Sondages publics et confidentiels fédéraux.

Il est bien entendu, surtout après les épisodes Allaire et Bélanger-Campeau, que la « réforme » désirée doit être « en profondeur ». Juste avant le dépôt des offres de Clark, à la mi-septembre, 70 % des Québécois ont dit à un sondeur que « le gouvernement du Québec a besoin de pouvoirs supplémentaires pour protéger son caractère unique[*] ». Pas étonnant qu'ils soient

---

[*] Dans ce dernier cas, le sondeur testait l'appui à « un système fédéral renouvelé avec une distribution complètement nouvelle des pouvoirs », que certains répondants ont pu assimiler à la souveraineté-association. Dans les autres cas, la question posée portait soit sur l'orientation du rapport Allaire, soit sur « plus de pouvoirs pour le Québec dans une nouvelle structure » fédérale.

déçus par le ministre Clark et qu'ils rejettent d'emblée ses propositions. Voici le résultat : (sans répartition des indécis)

	[28 sept.]			[28 oct.]	[4 déc.]
	CROP	Léger & Léger	IQOP (région de Québec)	Canadian Facts	Créatec
Contre les propositions :	48 %	54 %	45 %	52 %	49 %
Pour les propositions :	16 %	21 %	7 %	28 %	29 %

Tel qu'inscrit dans le rapport Bélanger-Campeau, le Pacte consiste aussi à donner à Ottawa et au reste du Canada un délai de grâce avant d'enclencher le processus de souveraineté, au plus tôt en juin 1992, au plus tard en octobre 1992. Mais les offres de Clark sont à ce point décevantes que 41 % des Québécois (contre 39 %) voudraient qu'on accélère la marche et qu'on pose la question de la souveraineté dès juin. Ce chiffre n'est pas concluant, mais il donne une idée de la solidité de la volonté populaire.

Le bon peuple commence à avoir des doutes, par contre, sur la détermination du premier ministre Bourassa. Ce qui peut expliquer qu'il réponde « non » moins massivement qu'avant — quoique toujours majoritairement — à la question : « Pensez-vous que la menace du Québec de quitter le Canada est un bluff* ? »

	Ce n'est pas un bluff	C'est un bluff	
Québec/Mai 1991 :	82 %	15 %	(Angus Reid)
Québec/Sept. 1991 :	76 %	22 %	(Créatec)
Québec/Nov. 1991 :	64 %	33 %	(Decima)

Deux Québécois sur trois prennent encore le Pacte au sérieux. C'est sans doute qu'ils pensent être les dépositaires de la décision finale, car ils attendent de pied ferme le référendum où ils pourront enfin trancher. Surtout qu'ils sont plus sceptiques que jamais quant au succès de la « dernière chance ».

---

* La question est formulée autrement en septembre et en novembre, mais revient au même : « S'il n'y a pas d'accord constitutionnel, pensez-vous qu'une majorité de Québécois vont voter pour se séparer du Canada ? »

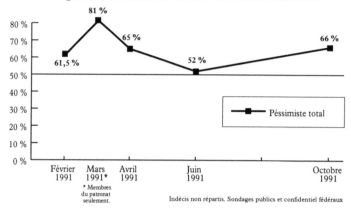

Les propositions de Clark ne constituent évidemment pas le dernier mot dans cette affaire*. Mais imaginons, comme c'est probable, que les offres finales seront dans le même registre. « S'il faut choisir entre accepter une entente fondée sur la base des propositions Clark ou l'indépendance du Québec, que choisiriez-vous ? »

	L'entente	L'indépendance
Septembre 1991	41 %	47 %
Octobre 1991	43 %	46 %
Novembre 1991	46 %	45 %
Décembre 1991	42 %	46 %

La question précédente pose cependant deux balises : elle suppose qu'il y aura finalement une entente, et elle lui oppose un mot « dur » : l'indépendance. Presque partout, l'indépendance l'emporte. Que se passe-t-il lorsqu'on pose deux autres balises : Advenant l'échec que les Québécois prédisent avec constance, comment voteraient-ils à un référendum « sur la souveraineté » ?

En cas d'échec :	Oui [à la souveraineté]	Non	Indécis	
Avril 1991 :	58 %	31 %	11 %	(Canadian facts)
Octobre 1991 :	51 %	38 %	11 %	(Canadian facts)

---

*   Lorsque Créatec, sondeur en question, a voulu forcer les répondants québécois à choisir l'un ou l'autre des pouvoirs d'une liste — sans doute pour juger du niveau d'importance relative de chacun — 29 % des Québécois se sont rebellés et ont répondu « tous », alors que le questionnaire n'offrait pas cette possibilité de réponse. Un pour cent seulement ont répondu « aucun ».

Bref, malgré le fléchissement depuis avril, si le Pacte était respecté, et même si tous les indécis se rangeaient dans le camp du Non, une petite majorité de Québécois diraient Oui à la souveraineté.

Chaque fois, en cette fin de 1991, le « on part ! » l'emporte, avant même qu'une campagne ait réparti les indécis. Chaque fois que le sondeur insère dans sa question l'idée de l'échec de la dernière chance ou un choix entre le *statu quo* et le départ, la logique du Pacte œuvre en faveur de l'option souverainiste. C'est pourquoi l'indépendance ou la souveraineté ressortent plus fortement dans ces hypothèses que lorsqu'on les teste seules.

Cependant, les majorités sont plus faibles qu'en 1990. Après les pointes historiques observées à la fin de 1990, les indicateurs de la souveraineté se replient de 5 à 15 %, et atteignent une vitesse de croisière. Cela dit, jamais, pendant sa carrière, René Lévesque n'avait vu ces indices aussi élevés qu'ils le sont en 1991.

Voici, en page suivante, la synthèse des courbes d'indices des « décidés » de la souveraineté, à partir des sondages publics et des sondages confidentiels réalisés par le gouvernement fédéral pendant cette période.

Un peu moins nombreux, les souverainistes québécois s'endurcissent. Les Québécois qui forment la section centrale de l'électorat sont de plus en plus cyniques envers le gouvernement fédéral, les groupes tests de Créatec l'ont montré en octobre. Ils sont aussi de plus en plus blindés face aux arguments antisouverainistes, ce que Créatec vérifie au début de février 1992 auprès de quatre groupes tests, formés d'électeurs allant des « plutôt indécis » aux « fortement favorables à l'indépendance ». Les participants sont appelés à juger de la qualité d'arguments pro et anti-indépendantistes.

Résultat : « Aucun des 12 arguments contre l'indépendance n'a été considéré comme très convaincant par plus du tiers des participants », rapporte Créatec dans un mémo envoyé à Joe Clark. Ils ne pourront donc pas être employés, dans une campagne, comme « des contre-arguments sérieux ». Cependant, des 15 arguments pro-indépendantistes présentés, 5 furent considérés comme « très convaincants » par la majorité des participants*.

Il n'y a évidemment ni élection générale ni référendum dans la boîte pour tester la solidité de toutes ces données au cours d'un véritable scrutin. Mais à l'été de 1990, les Québécois résidant dans la circonscription de Laurier-Sainte-Marie ont envoyé un premier signal, partiel mais clair. Pour la première fois de l'histoire du Québec, ils ont élu au Parlement fédéral un député indépendantiste : Gilles Duceppe, du Bloc québécois. Avec 66 % des voix. En août 1991, un autre groupe de Québécois est appelé aux urnes pour une élection partielle provinciale dans le comté de Montmorency, à Québec. On assiste à

---

* En excluant du calcul les réponses du groupe test formé d'indépendantistes, on obtient les résultats suivants chez les indécis et les souverainistes mous. Les arguments *contre* l'indépendance considérés comme très convaincants parmi les 27 participants restants sont : « Négocier les conditions d'une indépendance sera long et laid ; pendant ce temps, l'économie

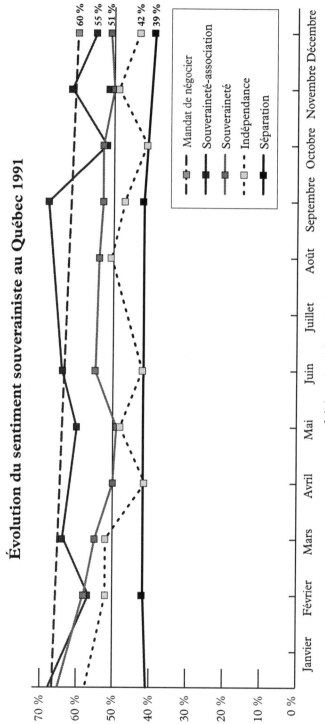

Évolution du sentiment souverainiste au Québec 1991

Légende :
- Mandat de négocier — 60 %
- Souveraineté-association — 55 %
- Souveraineté — 51 %
- Indépendance — 42 %
- Séparation — 39 %

Axe horizontal : Janvier, Février, Mars, Avril, Mai, Juin, Juillet, Août, Septembre, Octobre, Novembre, Décembre

Axe vertical : 0 %, 10 %, 20 %, 30 %, 40 %, 50 %, 60 %, 70 %

Indécis non répartis. Sources: Sondages publics et confidentiels fédéraux, Maurice Pinard, *Le Virage*, Données brutes de Crop, Environics, Léger et Léger, Gallup et Multi-réso. 38 mesures utilisées, des moyennes ont été faites pour les mois pendant lesquels plus d'un sondage a été effectué.

une autre première : le Parti québécois remporte une élection partielle avec 54 % des voix. En janvier 1992, même scénario dans le comté montréalais d'Anjou. Le PQ remporte la seconde partielle de son histoire, avec 52 % des voix.

Ce sont des escarmouches dont les résultats sont teintés de conjoncture locale et de mécontentement général envers le pouvoir, les taxes, le chômage. Reste que les tendances enregistrées par les sondeurs se confirment dans l'isoloir. Reste que depuis la mort de Meech, sur le terrain électoral québécois, les indépendantistes mènent 3 à 0 sur les fédéralistes*.

B ROC : *l'effet Bourassa*

Après tout ce qui précède, on pourrait penser qu'au Canada anglais, la situation s'améliore. Car moins on en donne au Québec, plus le ROC devrait être satisfait. Or le contraire se produit. Plus encore que dans la période d'avant-Meech, les Canadiens anglais jugent qu'Ottawa s'occupe trop du Québec, lui fait un traitement de faveur, le chouchoute. Le fait même que Clark parle de société distincte dans son document les met en rogne. Qu'il affecte de décentraliser quelques pouvoirs maigrichons les rend furieux.

« La clause de société distincte agit comme un paratonnerre », écrit la firme Decima dans un long mémo-synthèse envoyé au bureau de Joe Clark la veille de Noël 1991. « Nos données indiquent que nous avons accompli bien peu de choses pour réduire ou démanteler dans l'opinion publique les obstacles bloquant la route d'une réforme constitutionnelle. »

À certains égards, la situation empire. Une majorité de citoyens du ROC (62 % en décembre 1991) pensent qu'une région du pays bénéficie d'un « traitement de faveur » de la part du gouvernement fédéral. « Quelle région ? » demande le sondeur.

---

continuera à se détériorer », 9/27 ; « Un Québec indépendant devra assumer sa part de la dette nationale, donc plus de 100 milliards » , 9/27 ; « Un Québec indépendant perdrait tous les paiements de péréquation », 9/27. Voyons maintenant les résultats obtenus par les arguments *pour* l'indépendance : « Voilà des années qu'on nous a promis le renouvellement du fédéralisme, on ne peut plus leur faire confiance », 21/27 ; « Le reste du Canada n'acceptera jamais que le Québec ait plus de pouvoirs, ce qui fait que nous n'aurons le choix que de nous séparer », 20/27 ; « Tôt ou tard le Québec sera indépendant. Mieux vaut dire oui à l'indépendance aujourd'hui pour nous éviter de recommencer ce débat dans cinq ans », 14/27.

* Peu de commentateurs ont voulu lire dans ces résultats des auspices politiques sérieux. Au *bunker*, pourtant, on se préoccupe vivement de ce début de série noire. Après la défaite d'Anjou, le mot d'ordre est donné : « Plus de partielle ! » Ce qui tombe mal pour le député Guy Bélanger, de Laval-des-Rapides, circonscription francophone. Devenu très souverainiste, Bélanger décide en début d'année de quitter son poste et il se trouve un emploi de cadre supérieur dans une entreprise. Quatre jours avant l'annonce de son embauche, selon le récit qu'il en fait à l'auteur, un membre du Conseil des ministres intervient auprès de l'entreprise en question pour que l'embauche ne se fasse pas, évitant ainsi la tenue de l'élection partielle.

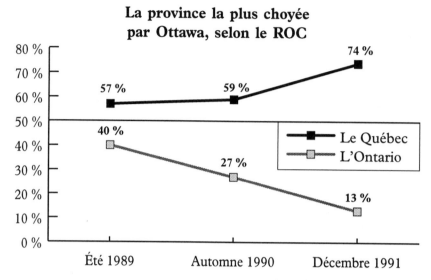

**La province la plus choyée
par Ottawa, selon le ROC**

Source: Sondages confidentiels fédéraux.

Déjà en août, Decima mettait Ottawa en garde : « Il semble que les Canadiens vivant à l'extérieur du Québec considèrent que la notion même de différence ou de caractère unique est inacceptable lorsqu'on l'applique à la constitution, et semblent croire que cette notion mine le principe de l'égalité des provinces et des individus. »

Pendant l'automne de 1991, les sondeurs d'Ottawa se lancent à la recherche d'une lueur d'espoir. En décembre, ils pensent l'avoir trouvée. Dans quelques sondages, de faibles majorités de Canadiens anglais se disent *favorables* à la clause de société distincte. Mais pour arriver à cet exploit, les sondeurs ont dû jurer que la clause, soit n'était que symbolique, soit n'affectait que la culture québécoise. Bref, qu'elle ne conférait aucun pouvoir « spécial » au Québec.

La clause telle qu'inscrite par Clark et Tellier dans leurs propositions est effectivement vide de sens, c'est-à-dire plus symbolique encore que dans son incarnation de Meech. Mais lorsque les sondeurs négligent d'insister sur ce point, une majorité de citoyens du ROC s'imaginent que la clause confère de vrais pouvoirs au Québec. En ce cas, les taux d'opposition à la société distincte vont de 82 % en juin 1991 à 69 % en décembre, ce qui est déjà mieux. Mais puisque, en septembre, 88 % des Canadiens du ROC ont indiqué que le Québec n'avait pas besoin de nouveaux pouvoirs quels qu'ils soient, on est loin du compte.

Le ROC est d'autant moins enclin à changer d'opinion, en cette fin d'année 1991, que son niveau d'inquiétude quant à l'unité canadienne baisse à vue d'œil. C'est l'effet Bourassa. Entre la fin de la commission Bélanger-Campeau et la réaction du premier ministre québécois aux offres de Clark, le

ROC se convainc d'une chose : le Québec est un chien qui jappe mais ne mord pas, pour reprendre l'expression d'un membre du comité Allaire, Fernand Lalonde. Les Canadiens hors Québec voient aux informations télévisées et lisent dans les journaux les propos rassurants tenus par le chef des Québécois. Ils tirent leur conclusion :

« Pensez-vous que la menace du Québec de quitter le Canada est un bluff ? »

	Ce n'est pas un bluff	C'est un bluff
ROC/Mai 1991	64 %	31 %
ROC/Novembre 1991	33 %	65 %

Ce glissement est extrêmement fâcheux pour les tenants de la réforme du fédéralisme, car la peur de la « destruction du Canada » est un des outils privilégiés pour convaincre les Canadiens anglais d'accepter des compromis. En fait, c'est un des rares outils disponibles. Déjà, en 1990, lorsqu'ils tenaient le départ du Québec pour probable, les habitants du ROC refusaient, à trois contre un, de modifier leur attitude. Maintenant qu'ils n'ont même plus cette crainte...

À mi-chemin entre la mort de Meech et le référendum québécois promis pour octobre 1992, le dilemme canadien reste entier. En novembre 1990, résumant les travaux de sommités intellectuelles et constitutionnelles réunies par l'institut C. D.-Howe, un politologue de Toronto, Richard Simeon, le décrivait ainsi :

> La plupart des Québécois abordent les options disponibles dans un sens opposé à celui des non-Québécois. Les options favorisées par le Québec semblent se situer quelque part entre le fédéralisme asymétrique et la souveraineté — avec ou sans association. L'opinion prédominante dans le reste du Canada est hostile à ces deux options. Au contraire, le reste du Canada se concentre surtout sur un *statu quo* légèrement modifié ou sur une dose limitée de décentralisation ou de redéploiement des compétences.

Entre ce constat d'intellectuels et les offres de Clark, il y a eu la commission fédérale de Keith Spicer, le « Forum des citoyens ». Instrument de consultation populaire hors normes, le Forum a sillonné le pays, multiplié les lignes ouvertes, écouté les jeunes et les vieux, dépensé beaucoup d'argent. Sa conclusion, remise à la fin de juin 1991, était limpide :

> Pour la plupart des participants, ailleurs qu'au Québec, il ne faut pas acheter le maintien de la province dans la Confédération au prix de la destruction ou de l'atteinte à ce qu'ils chérissent le plus, et surtout pas au prix du sacrifice de l'égalité individuelle ou provinciale.

Au moment de rendre ses propositions publiques à la fin de septembre, Joe Clark dit croire que « la commission Spicer a permis aux Canadiens anglais de décharger un peu de leur colère, mais il en reste ». L'automne le lui prouve.

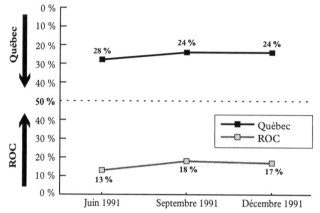

Seriez-vous personnellement prêts à faire des compromis significatifs quant à votre approche de la situation pour faire en sorte que le Québec reste dans le Canada?

Indécis non répartis. Sondages confidentiels fédéraux.

Pour en arriver à une solution, il faudrait donc qu'assez de Québécois et assez de non-Québécois soient disposés à faire un grand compromis. Grand au point d'abandonner, au Québec, le rêve d'une autonomie considérable ou, dans le ROC, le principe de l'égalité des provinces. Les sondeurs fédéraux tiennent un relevé périodique de cette disposition au sacrifice.

Tant que ces deux courbes ne se touchent pas au centre du graphique, il sera impossible de réunir une majorité de Canadiens flexibles. Il sera donc impossible de conclure une entente entre les deux Canadas.

C Le temps se gâte

Il s'en passe des choses dans le ROC. L'an dernier, en 1990, le deuil de Meech et le sentiment d'échec contribuaient à éroder l'animosité contre le Québec au sein des élites et de l'opinion canadienne hors Québec. Cette année, elle s'est ravivée comme rarement auparavant.

Pourquoi ? Le pourrissement du climat, l'étirement d'un conflit que chacun sent insoluble, la prise de conscience que le Québec bluffe, la présomption que les Québécois n'ont donc pas le courage de leurs convictions, qu'ils ne sont que des emmerdeurs, tout se conjugue pour dévaluer la cote du Québec dans l'opinion. C'est toujours l'effet Bourassa au Canada anglais. Il sera durable.

Plusieurs événements ponctuent cette radicalisation.

Au début d'octobre 1991, Pierre Trudeau donne quasi involontairement le signal du début des hostilités. S'adressant à huis clos à un groupe de quelques centaines de « jeunes leaders » à Montréal, il se demande tout haut si la clause de société distincte pourrait permettre au gouvernement québécois de « déporter » des anglophones du Québec, s'ils devenaient un jour trop nombreux. Dans la salle, l'éditeur de la *Gazette* de Montréal, Norman Webster, prend des notes et décide d'enfreindre le huis clos, car l'accusation est trop grosse. Elle fait tout de suite le tour du pays et donne le ton : lorsqu'on parle des Québécois, il faut toujours présumer le pire*.

Pendant que Trudeau parlait, s'élevait au Québec et au Canada une tornade ayant pour nom Mordecai Richler. Auteur de romans à succès, Richler est un fabuliste décapant, parce qu'il sait parfois être grossier. Mais c'est un commentateur grossier, parce que c'est souvent un fabulateur.

Dans un long article publié à la fin de septembre par le mensuel américain *The New Yorker*, Richler ridiculise à loisir la loi québécoise sur l'affichage, ce qui est de bonne guerre. Il donne du Québec l'image d'une société paroissiale, xénophobe et rétrograde, ce qui est son opinion. Cependant, Richler est aussi paranoïaque. Déjà, en 1977, il avait écrit dans le magazine américain *The Atlantic* que le Parti québécois avait adopté comme chanson thème un hymne nazi. Une fausseté dont il ne s'est jamais excusé et qui a beaucoup contribué à convaincre des Américains, notamment du monde universitaire, que René Lévesque était antisémite. En 1981, toujours dans *The Atlantic,* il tournait en dérision la loi 101. En septembre 1991, Richler va plus loin, et écrit que 70 % des Québécois sont « hautement antisémites ». Ce chiffre, il va le chercher dans un sondage alors très critiqué par le Congrès juif canadien, sondage qui affirme aussi que 50 % des Canadiens anglais sont « hautement antisémites ». Par manque de place, ou par peur du ridicule, Richler n'utilise pas ce second résultat.

L'auteur rappelle ces détails pour souligner deux choses. Tout observateur de la société québécoise mis en présence d'un individu qui croit que le PQ entonne des chants nazis et que 7 Québécois sur 10 sont hautement antisémites cesserait immédiatement de prêter foi à ses propos. Cet individu ne pourrait se trouver du travail comme coursier dans un quotidien de province, après avoir fourni une telle preuve de son manque total de discernement.

Le nouveau texte de Richler soulève deux controverses. Une au Québec, où l'on est horrifié que Richler, pour une troisième fois en 15 ans, signe un des rarissimes articles de fond sur le Québec publiés dans un grand magazine américain. Une autre au Canada anglais, où on est horrifié que Richler soit critiqué par les Québécois.

Grâce à son article du *New Yorker,* puis à un livre, *Oh Canada, oh Québec,* où il reprend et développe ses thèses en avril 1992, Mordecai Richler devient au Canada anglais la coqueluche de l'heure, celui qui a eu le courage de démasquer l'intolérance québécoise et en est devenu aussitôt la victime. Il a

---

* Le fait que la seule « déportation » de l'histoire canadienne ait été organisée par des Britanniques contre les Acadiens, le fait que les seules détentions en masse aient été pratiquées, il y a 50 ans, par le gouvernement d'Ottawa contre les Canadiens d'origine japonaise ; le fait que les seules arrestations en série aient été décidées sous l'autorité de Trudeau — quoiqu'à la demande de Bourassa — en octobre 1970 contre des indépendantistes québécois portent plutôt à penser que ce genre de péril ne vient pas du Québec.

droit notamment à une entrevue au *Journal* de la CBC, où personne ne lui donnera jamais la réplique. À l'émission phare *Morningside,* à la radio de la CBC, l'animateur Peter Gzowski, grand ami de Richler, demande au micro pourquoi les intellectuels québécois ne prennent pas sa défense : « *Where is Jacques Godbout ?* » s'émeut Gzowski, sur un ton de douloureuse indignation.

L'hebdomadaire canadien *Maclean's,* très lu dans les campagnes, ouvre ses pages à Richler, dans un grand dossier où la minorité anglophone du Québec est décrite comme assiégée, traquée. Personne n'est invité à lui donner la réplique.

Le magazine de l'*intelligentsia* anglophone, *Saturday Night,* permet à Richler de noircir encore quelques colonnes pour « répondre » à ses détracteurs québécois, que les lecteurs du mensuel torontois n'ont cependant pas eu le loisir de lire.

Dans cette mer de bienveillance envers Richler, on trouve quelques îlots de résistance. Dans le *Toronto Star,* l'historien Ramsay Cook critique l'obsession de Richler voulant que feu le chanoine Lionel Groulx ait une influence détermi-nante sur la société québécoise contemporaine — elle est infime, rectifie Cook. Dans le *Globe and Mail,* la recension de l'auteur Ron Graham réduit la crédi-bilité de Richler en charpie*. Le livre de Richler n'en devient pas moins un des principaux *best-sellers* de l'année ; sa description des Québécois, une des plus biaisées que l'on puisse imaginer, est achetée par plus de 85 000 Canadiens. Autant dire que ce bouquin est, de loin, le livre sur le Québec le plus lu au Canada anglais au cours de la dernière décennie. Il y a, au Canada, une demande pour ce genre de littérature**. Le livre de Richler sera remplacé en 1993 sur les listes de *best-sellers* anglophones par celui d'Esther Delisle, *The Traitor and the Jew,* qui décrit aussi le Québec comme une société raciste.

---

*   Dans son livre *The French Quarter,* publié en 1992, Graham donne cependant des lettres de noblesse au sentiment antiquébécois ambiant. Partant de prémisses complètement différentes de celles de Richler, il arrive au même résultat. Avec la seule loi 178 comme pièce à conviction, il déclare trouver au Québec des pulsions autoritaires dangereuses pour l'avenir.
** Les médias anglophones ont réagi vivement lorsqu'une députée du Bloc québécois, Pierrette Venne, a déclaré en Chambre que le livre de Richler pouvait être considéré comme de la littérature haineuse. Venne n'avait pas lu le livre. Les commentateurs, immédiatement convaincus du contraire, non plus. Le livre ne contient pas d'appel à la haine raciale. Cepen-dant, la question de savoir s'il s'agit d'un écrit raciste envers les Québécois francophones mérite réflexion. L'auteur, qui a dû lire le document deux fois pour son travail, n'a pas de réponse arrêtée. Au-delà des faussetés et des grossièretés dont son livre est farci, Richler applique un critère moral différent selon qu'il parle des francophones ou des non-francophones. Ces derniers, qu'ils soient anglophones ou Mohawks, bénéficient de la compassion de Richler pour chaque atteinte réelle ou présumée à leurs droits anciens ou actuels. Les francophones n'ont pas droit à cette faveur. Lorsque Richler parle de la crise d'octobre, pendant quelques pages, il n'a pas un mot, pas un seul, pour dénoncer l'atteinte aux libertés commise contre les milliers de nationalistes francophones perquisitionnés ou, pour 450 d'entre eux, emprisonnés pour délit d'opinion. Aussi, les anglophones contem-porains ne sont pas tenus, par Richler, responsables des actes de discrimination commis par leurs aïeuls ; mais les francophones le sont.

Au-delà des passages sur l'antisémitisme qui équivalent à calomnier tout un peuple, le principal tort causé par Richler à la connaissance que les habitants du ROC peuvent avoir du Québec porte sur la nature, selon lui « ethnique », du nationalisme québécois. Une accusation qui fait maintenant partie de la pensée canadienne-anglaise concernant le Québec.

Parlant des immigrants qui ne veulent pas, selon lui, emménager au Québec, Richler écrit :

> Ils redoutent aussi la longue tradition de xénophobie de la province, exprimée dans le slogan fréquemment scandé : « Le Québec aux Québécois ! » Les chances d'un nouvel arrivant d'Italie, de Grèce ou du Portugal, pour ne pas parler de l'Écosse ou du Pays de Galles, ne semblent donc pas très grandes aux yeux des immigrants. Voyons la chose comme ceci : alors que les francophones du Québec se plaignent depuis des années qu'ils ont été victimes de discrimination au Canada, la vérité est que deux de nos premiers ministres les plus éminents (Laurier et Trudeau) sont venus du Québec. Cependant, il n'y a jamais eu de premier ministre non francophone au Québec et, compte tenu du tribalisme qui sévit dans la province, il n'y en aura jamais, sauf en cas de changement radical de la composition ethnique de la population.

D'abord, les erreurs de fait : il y a eu deux premiers ministres anglophones au Québec, John Jones Ross et Edmund Flynn. Mais puisque l'argument de Richler est ethnique, il faut ajouter les noms d'un petit-fils et d'un arrière-petit-fils d'anglophones, Daniel Johnson père et son fils, Pierre Marc Johnson. Richler et la plupart des commentateurs du ROC ignorent tout simplement que le nationalisme québécois est linguistique et non ethnique. Que la majorité québécoise francophone est un *melting-pot* efficace qui se soucie peu d'ethnicité, pour peu qu'on possède son ticket d'entrée, identique à celui de toutes les autres nations du globe : la connaissance de la langue de la majorité. C'est pourquoi l'Italien qui débarque sera surpris, certes, mais ce sera de constater qu'une certaine Marina Orsini est choisie pour représenter la Québécoise traditionnelle dans une série télévisée à succès sans que personne soulève la moindre objection. Surtout pas la ministre de la culture québécoise, Liza Frulla, ni son collègue qui représente le Québec à l'étranger, John Ciaccia, ni le ministre responsable de l'éducation et de la langue, d'ascendance irlandaise, Claude Ryan, ni celui qui supervise le domaine des communications, venant d'une famille anglaise, Lawrence Cannon. (Notons qu'à une époque, toutes les responsabilités culturelles au gouvernement Bourassa étaient assumées par des ministres qui ne passeraient pas le test de « l'ethnie francophone » selon Richler. De même, le lecteur apprendra sans doute ici qu'en 1988, les trois plus hauts postes de responsabilité québécois en matière de justice étaient occupés par des membres de la communauté juive : le ministre Herbert Marx, le juge en chef de la Cour supérieure Allan B. Gold, et le juge en chef (par interim) de la cour d'appel, Fred Kaufman, sans parler du bâtonnier du Barreau de Montréal, Manuel Schacter. L'opinion québécoise ne fut jamais troublée par cette coïncidence.) Nul reproche non plus à propos de trois des chroniqueurs les plus populaires chez les « Québécois de souche » : Pierre Foglia, Nathalie Petrowski, Franco Nuovo, ni chez un des commentateurs radiophoniques les plus écoutés, Pierre Pascau, presque tous Québécois d'adoption, ni encore chez les trois animateurs de télévision francophone les plus populaires quand Richler publie son livre : Normand Brathwaite, Sonia Benezra et Julie Snyder*. Et on n'a encore rien dit de la vogue de l'adoption internationale, chez les francophones québécois.

Confronté à des exemples semblables dans un débat télévisé avec l'auteur sur les ondes de la station anglophone d'information continue *Newsworld*, Mordecai Richler ne sut quoi répondre. (L'auteur lui a fait la liste des nombreuses personnalités du PQ de filiation « ethnique » non francophone, de Robert Burns, pionnier du parti et ex-ministre, à Pierre Marc Johnson, ex-chef et premier ministre péquiste, en passant par Nadia Assimopoulos, ex-présidente du parti.)

Richler est cependant loin d'être le seul à propager cette idée. En 1991, un historien torontois respecté, Kenneth McNaught, écrit que « les Québécois radicaux ont fondé leur nationalisme sur le concept de race, sur une idée qui est l'antithèse du fédéralisme canadien. René Lévesque a présenté la chose succinctement comme suit : pour être Québécois, il ne suffit pas de parler le français, il faut *être* français. » Cette pseudo-citation de Lévesque n'existe évidemment pas, sauf dans l'imaginaire canadien-anglais.

Le rejet, par les Québécois, du concept de pureté ethnique sera particulièrement patent en février 1992, quand Ovide Mercredi, chef des Premières Nations, viendra dire à l'Assemblée nationale que le Québec ne forme pas un peuple et n'a donc pas droit à l'autodétermination, justement parce qu'il n'est pas ethniquement pur** ! Mais puisque les Canadiens anglais tiennent pour acquis qu'aucun non-francophone ne s'assimilerait à la majorité québécoise, ils aiment et veulent croire que les francophones sont xénophobes***.

---

* L'affaire est plus qu'anecdotique : des statistiques de 1990 sur les mariages civils démontrent que 12 % des francophones épousent des non-francophones. Or il n'y a au Québec que 17 % de non-francophones. Ces statistiques sont fragmentaires, mais indiquent combien les transferts se font facilement d'un groupe à l'autre.

** Une position qu'il continue de soutenir, dans un livre cosigné par Mary Ellen Turpel et publié en 1993, *Into the Rapids*.

*** Richler veut faire passer les Québécois pour des enragés. En fait, ils sont souvent bonasses, ce que Richler prouve. Après la publication de son article et de son livre, il est embauché par la BBC pour tourner un « documentaire » tout aussi objectif sur le nationalisme québécois. Alain Dubuc, au jugement d'ordinaire plus sûr, accepte d'y être interviewé, puis est fort marri de constater que Richler n'a gardé de l'entrevue que les phrases où lui, Dubuc, critique le Québec ! (L'éditorialiste de *La Presse* y dit que les lois linguistiques « ont provoqué de grands bouleversements, ont coûté très cher, mais n'ont rien donné ».) Jacques Godbout et Daniel Latouche acceptent aussi de se prêter au jeu. Selon la journaliste Josée Boileau, du *Devoir*, qui a vu le documentaire lors de sa diffusion à Londres, les deux hommes « sont mis en perspective de façon que tout Britannique normalement constitué a dû les trouver bien

C'est ainsi que les membres de l'Association des journalistes de la ville de Windsor, en Ontario, décernent ensuite leur prix annuel de journalisme à Richler. Le mensuel anglophone *Chatelaine* place Richler parmi ses « Canadiens de l'année ».

La réaction des grands médias canadiens à l'affaire Richler est lourde de sens. Elle marque la disparition totale de l'élément proquébécois naguère présent dans les cercles journalistiques hors Québec. Il était de bon ton à Toronto, jusqu'aux années 80, de défendre l'affirmation nationale québécoise, sans jamais cependant embrasser le projet souverainiste. Le Québec faisait figure d'*underdog*. Mais l'engagement des élites intellectuelles québécoises en faveur du libre-échange, pendant les années 80, a rompu le charme, déjà bien diffus depuis l'adoption de la loi 101 en 1977.

Pendant le combat de Meech, il subsistait une école de pensée, dans l'*intelligentsia* canadienne-anglaise, pour défendre avec enthousiasme le concept de société distincte. En 1991, cependant, il n'en reste plus guère que quelques individus qui semblent égarés dans la mauvaise décennie — notamment un petit groupe de nationalistes canadiens favorables à l'asymétrie, dont on parlera plus loin, et dont l'influence sera égale à zéro. De victimes, dans les années 60 et 70, les Québécois francophones deviennent définitivement bourreaux. D'*underdog*, le Québec est devenu bouledogue.

Le débat canadien-anglais ignore désormais les arguments avancés par des porte-parole québécois. Que tous les faiseurs d'opinions québécois, d'Alain Dubuc à Lise Bissonnette en passant par la *Gazette* et la section québécoise du Congrès juif canadien, dénoncent Richler n'est pas à mettre dans la balance au moment d'écrire un éditorial à ce sujet à Toronto ou à Winnipeg. Les voix québécoises, parfois écoutées, rarement entendues, sont pour l'essentiel sorties du cadre de référence.

Pire, elles sont considérées comme des complices, voire des architectes, de l'intolérance québécoise. À l'hiver de 1992, le *Globe and Mail* ouvrira ses pages à un long article de Laurier Lapierre où la presse québécoise en son entier est accusée de « trahir ses responsabilités ». Lapierre est auteur, journaliste, commentateur respecté et ancien animateur du Forum des citoyens de Keith Spicer. Il stipule dans un premier temps que les citoyens québécois aiment leur pays, le Canada, et veulent une entente dès que possible. Il enchaîne :

---

naïfs ». Étonnant que Godbout, documentariste connaissant ces ficelles, ne se soit pas méfié. Ce n'est rien à côté de la présence des journalistes Benoît Aubin et Francine Pelletier à la table d'honneur d'un « bien cuit » offert en l'honneur de Richler à Montréal en 1993. Aubin, alors directeur de l'information du *Devoir,* que Richler a comparé à une feuille nazie, lui a certes décoché quelques flèches dans son discours. Mais un « bien cuit » est un hommage, par définition caustique et amusant, qu'on rend à l'invité d'honneur, considéré comme un ami par les participants. La *Gazette* et la station de télé anglophone CFCF, qui couvraient l'événement, ont conclu que tous ces gens sont bons amis malgré tout, et qu'il n'y avait donc pas de quoi fouetter un Richler. Les profits récoltés furent versés à une bonne cause. Mais imagine-t-on Joan Fraser ou Don Macpherson, de la *Gazette,* participer à un « bien cuit » de Claude Jasmin, de Jean Dorion ou même d'Yves Beauchemin ?

Désireux d'atteindre ces objectifs, le peuple du Québec se heurte malheureusement à un mur inexpugnable construit et maintenu par ceux qui contrôlent le contenu et le flot d'information dont les Canadiens ont besoin pour prendre une décision sage quant à son avenir, dans ou à l'extérieur du Canada. Les constructeurs et les gardiens de ce mur sont une élite de 3000 à 5000 personnes des deux sexes, mais surtout des hommes. La moitié d'entre eux sont élus d'une façon ou d'une autre, tous sont des Québécois pure laine. Ce sont les Notables du Québec, dont les médias font partie.

Lapierre, qui vient pourtant d'écrire un livre sur la bataille des plaines d'Abraham, accuse les Notables d'avoir « inventé » le concept de nation québécoise et de l'imposer à un peuple ainsi emprisonné par ses élites[*]. L'image d'un Québec formant une société fermée, rétrograde et antidémocratique devient au Canada anglais en 1991 une donnée acquise, intégrée, certaine. Quand Jeffrey Simpson, dans le *Globe and Mail*, écrit de Prague un texte sur la scission entre les Tchèques et les Slovaques, il met naturellement en parallèle les Tchèques, urbains et modernes, avec le ROC et compare les Slovaques, sujets d'un ancien « État fasciste » et dotés d'une « économie vacillante », au Québec. Quand, dans un article de *Saturday Night*, la journaliste politique Charlotte Gray — une des meilleures au pays — brosse un portrait de Lucien Bouchard, elle écrit avoir rencontré pour sa recherche des journalistes québécois « qui jouent le rôle de régulateurs de l'information, essentiel dans une société fermée comme le Québec ». C'est placé comme ça, entre deux virgules. Une évidence parmi d'autres[**]. Bref, à la fin de 1991, au Canada anglais, il devient politiquement correct d'être antiquébécois ou, plus précisément, d'afficher son complexe de supériorité envers les Québécois.

Complexe qui mène parfois à l'aveuglement. Un exemple cocasse fut observé lorsqu'une chroniqueuse du *Financial Post*, Diane Francis, fut conviée en avril 1992 à un colloque de journalistes québécois sur les deux solitudes et la constitution, thème suscité notamment par la publication du texte de Laurier Lapierre dans le *Globe and Mail*. Francis, elle, avait mérité son invitation en écrivant que Jacques Parizeau et ses futurs ministres devraient être arrêtés et emprisonnés « comme des bandits de grand chemin » si, après un référendum victorieux, ils décidaient de proclamer la souveraineté du Québec sans avoir obtenu au préalable la permission individuelle de chacun des 20 millions de

---

[*] Il est toujours désolant de constater qu'un quotidien sérieux se permet de publier d'aussi évidentes inepties. Par exemple, Lapierre écrit que « les Notables font beaucoup d'efforts pour rappeler aux Indiens leur place inférieure dans la hiérarchie et ils émettent des avertissements féroces et menacent de se venger si les Indiens ne se comportent pas en conséquence ».

[**] Il aurait été plus compliqué pour Gray d'expliquer que, vivant dans une société « ouverte », elle ne possédait malheureusement pas les aptitudes linguistiques requises pour enquêter elle-même sur le terrain. C'est pourquoi elle a surtout parlé à des confrères québécois francophone bilingues.

Canadiens vivant hors Québec*. Arrivée au colloque tenu à Montréal, Francis mit ses écouteurs pour entendre la traduction simultanée de la présentation que faisait d'elle, en français, l'animateur de la table ronde. Avant de commencer son allocution, elle déclara en anglais aux journalistes réunis : « C'est dommage que vous deviez entendre mes propos à l'aide d'un traducteur, je préférerais pouvoir vous parler directement. » Francis ne se rendit jamais compte qu'hormis elle-même et quelques autres invités du Canada anglais, aucun participant n'avait recours aux écouteurs, les journalistes québécois étant pour la plupart bilingues**.

À la fin de 1991, la jonction est faite entre l'élite intellectuelle canadienne et l'opinion de la population, elle-même en transition vers une position plus ouvertement agressive. Le sondeur conservateur Allan Gregg pense que l'adoption de la loi 178 par le Québec en décembre 1988 a servi de point de départ à cette « libération » du sentiment antiquébécois dans l'opinion. « Le *bill* 178 a empoisonné les attitudes face au Québec et a permis aux Canadiens anglais de croire qu'ils étaient maintenant plus tolérants que les Québécois en matière linguistique, explique-t-il. Ils pouvaient croire qu'ils étaient moralement plus purs, ce qui les dédouanait, leur permettait de "chier" sur la province de Québec. On pouvait l'entendre encore et encore dans les groupes tests. [...] Les réactionnaires *[rednecks]* qui s'étaient tus pendant des années parce qu'il n'était pas socialement acceptable de parler [contre les francophones] constataient tout à coup que leur opinion gagnait du terrain chez les gens plus modérés, et ils avaient eux-mêmes l'impression d'être plus tolérants que le Québec. »

Le nouveau complexe de supériorité anglophone face au Québec réveille (ou intègre) de vieilles convictions orangistes : nous, du ROC, sommes modernes ; eux, du Québec, sont arriérés — comme au temps du catholicisme dominant. Nous, du ROC, sommes tolérants, démocrates ; eux, du Québec, sont intolérants, comme au temps de Duplessis et de la loi du cadenas, et ont des tendances fascisantes (l'uniforme des SS est parfois utilisé par les caricaturistes de grands quotidiens anglophones pour représenter les autorités québécoises, et des comparaisons entre le nationalisme québécois et le nazisme surgissent dans les têtes anglophones les mieux faites).

C'est ainsi qu'en novembre 1991, 61 % des citoyens du ROC décrivent les Québécois comme ayant « l'esprit fermé*** ». (Une majorité de Québécois,

---

* Francis fut aussi nommée « femme de l'année » par le mensuel anglophone *Chatelaine,* dont les critères de sélection n'incluaient manifestement pas le respect du droit du Québec à l'autodétermination ni le sens de la nuance.

** Soit dit en passant, le niveau de bilinguisme chez les adultes atteint 63 % au Québec, contre 20 % en moyenne dans le ROC. Ce qui fait du Québec la région la plus bilingue d'Amérique du Nord (sondage Decima/Maclean's, 1/92).

*** Ce sera malheureusement toujours vrai en novembre 1993. Dans un grand sondage Decima, les trois épithètes principalement employées par les citoyens du ROC pour décrire les Québécois sont : rouspéteurs (60 %), étroits d'esprit (42 %), intolérants en matière raciale (32 %). Ces pourcentages sont nettement plus élevés chez les jeunes Canadiens.

54 %, pensent au contraire que les autres Canadiens ont « l'esprit ouvert ».)
Seule évolution positive entre le vieux sentiment antiquébécois et le nouveau :
la disparition du stéréotype voulant que les Québécois soient paresseux. En
novembre 1991, une grande majorité de citoyens du ROC (72 %) percevaient
au contraire leurs voisins francophones comme de « gros travailleurs ».

D *Journée rocambolesque pour le fédéralisme*

Dans ce terreau, un autre stéréotype antiquébécois fait une remarquable
apparition, en novembre 1991 : les Québécois sont les enfants chéris du
Canada. Le jeudi 28 novembre est une des journées les plus rocambolesques
du fédéralisme canadien. Au départ, elle devait démontrer que le système fonctionne. Que Québec et Ottawa peuvent s'entendre sur une question essentielle :
la création d'emplois. Que le fédéralisme est rentable pour le Québec.

Dans la capitale québécoise, Benoît Bouchard et Gil Rémillard annoncent
ensemble une entente sur le développement régional qui va débloquer
300 millions de dollars pour des projets québécois. Présent, le ministre Gérald
Tremblay dit qu'il s'agit d'un exemple de « qualité totale » dans les rapports
fédéraux-provinciaux — en fait, ces sommes étaient bloquées depuis des mois
par la discorde, enfin surmontée.

Mais la conférence de presse n'est pas terminée que Bouchard et Rémillard
— qui n'ont aucun atome crochu — commencent à s'engueuler sur la volonté
d'Ottawa de se donner le pouvoir d'organiser un référendum pancanadien sur
la constitution. Bouchard affirme qu'Ottawa a le droit de consulter tous ses
citoyens, y compris ceux du Québec. Rémillard rétorque que seul le Québec
peut déterminer son propre avenir, sans ingérence fédérale. Tremblay tente
vainement d'interrompre le débat, fort acide.

Ce couac est cependant dérisoire en regard des accusations aussitôt lancées
d'Ottawa et du reste du pays contre la manne fédérale qui vient de tomber au
Québec. Les politiciens ont voulu impressionner, avec le chiffre de 300 millions. En fait, Ottawa versera 160 millions répartis sur cinq ans, donc 32 millions par an en moyenne, Québec assumant le reste. En comparaison, depuis
deux mois, Ottawa a annoncé des aides de 39 millions aux pêcheurs de
l'Atlantique, de 800 millions aux agriculteurs de l'Ouest et de 236 millions à
un projet scientifique en Colombie-Britannique. Aucune de ces largesses n'a
soulevé la moindre controverse.

Pourtant, Bouchard et Rémillard n'ont pas fini de parler que les premiers
ministres de la Saskatchewan, Roy Romanow, et de la Colombie-Britannique,
Mike Harcourt, (deux néo-démocrates élus en octobre) critiquent immédiatement la subvention échue au Québec et réclament plus d'équité dans la
distribution des chèques fédéraux. À Ottawa, au cours de la période de
questions à la Chambre des communes, puis dans des entrevues données par
des députés dans le hall de la Chambre, c'est la tempête.

Nelson Riis, leader parlementaire du NPD, député de la Colombie-

Britannique s'adresse ainsi au gouvernement : « Je vous félicite d'avoir trouvé de l'argent pour le Québec et surtout pour Montréal, mais vous avez dit qu'il n'y avait plus d'argent pour les fermiers, vous avez dit qu'il n'y en avait plus pour les enfants pauvres du Canada. De quelle façon choisissez-vous les régions qui bénéficient de vos programmes ? »

Howard McCurdy, député NPD de Windsor : « Les Montréalais votent conservateur mais pas les gens de Windsor, et ça semble être une partie du problème. »

Roger Simmons, député libéral de Terre-Neuve : l'aide annoncée au Québec est « une sinistre farce » qui montre que « le Québec a priorité sur l'Atlantique et les autres à la table du Conseil des ministres ».

Deborah Grey, unique député du Reform Party, de l'Alberta : « Certains sont plus égaux que d'autres. »

Seule Sheila Copps, pour le Parti libéral, dénonce ces propos comme « destructeurs ». Gilles Loiselle, lui, est renversé par le jaillissement de colère. Généralement placide, il déclare avoir trouvé le tout « inquiétant, tout à fait détestable et mesquin ». Il se rend à ses bureaux du Conseil du Trésor et fait ce qu'aucun de ses prédécesseurs n'a dû faire avant lui : demander des chiffres qui prouvent que le Québec ne reçoit pas sa juste part des subventions fédérales. Armé de ce tableau destiné à apaiser l'ire des représentants du ROC, le ministre fédéral Loiselle retourne en Chambre faire la preuve que, pour le Québec, le fédéralisme n'est pas rentable*.

Mauvaise humeur, hargne, à l'automne de 1991, le climat canadien-anglais se dégrade rapidement et atteint parfois le stade de la menace. Jacques Parizeau a beau dire que la chroniqueuse Diane Francis, qui rêve de l'arrestation du chef péquiste et de ses « bandits », ne « représente pas l'opinion canadienne-anglaise », la journaliste du *Financial Post* est bien au diapason d'un esprit revanchard qui s'exprime maintenant sans inhibition de Toronto à Vancouver.

Le plus gros pavé est lancé par deux professeurs de Calgary, David Bercuson et Barry Cooper, dans leur livre *Deconfederation,* publié en août. Ces deux auteurs, proches du Reform Party, accueillent chaleureusement l'idée de l'indépendance du Québec et souhaitent aux Québécois : « Bon voyage et bonne chance ! » Cependant, ils proposent de ne laisser le Québec partir qu'après lui avoir retiré tout le Nouveau-Québec, donc la moitié nord du territoire, où se situe la baie James, car ce territoire a été acquis par la province après la Confédération de 1867. Confisquées aussi au Québec souverain : toutes les régions habitées par la minorité anglophone, de l'Outaouais jusqu'à la basse Côte-Nord, en passant par le West Island et les Cantons de l'Est.

---

* Parlant des « principaux transferts aux provinces et du taux de croissance de ces transferts », Loiselle affirme qu'entre 1985 et 1990, ils ont augmenté de 7 à 10 % pour les provinces anglophones, mais de seulement 4 % pour le Québec.

Ce thème voulant que le Québec ne puisse quitter le Canada avec ses frontières actuelles fait fureur au Canada anglais pendant tout l'automne*. Plusieurs journaux, dont le *Globe and Mail,* publient des cartes d'un Québec amputé, réduit au bassin du Saint-Laurent. Personne ne « chauffe » plus l'opinion que l'hebdomadaire *Maclean's,* qui revient plus d'une fois sur la question, présentant comme indubitables et d'égale valeur toutes les prétentions à la partition du Québec et omettant tout argument en sens inverse. Ovide Mercredi met aussi son poids dans la balance, affirmant lors d'une assemblée autochtone à Maniwaki qu'en cas de souveraineté, le Québec doit dire adieu à « au moins les deux tiers de la province, sur lesquels notre peuple revendique droit et juridiction ».

E *Aux armes, Canadiens !*

Les arguments s'enchaînent logiquement. Puisque le Québec peut être dépecé, il est probable que les Québécois s'y opposeront. Que se passera-t-il alors ? « La violence », répondent un nombre considérable d'intellectuels canadiens éminents (l'auteur ne citera pas ici les excités, mais des gens reconnus dans le milieu universitaire comme compétents et posés). Ils forment deux groupes : d'abord ceux de Calgary, proches du Reform Party, comme Barry Cooper qui affirme en octobre que « les nations doivent naître dans le sang ». Roger Gibbins, aussi de l'Université de Calgary et qui fut un des conseillers de Ron Watts dans l'élaboration des propositions Clark, écrit en novembre que « des appels à l'aide de la part de communautés anglophones tentant de se séparer du Québec trouveraient au Canada une oreille compréhensive », surtout dans l'hypothèse d'un gouvernement du Reform.

Puis il y a le groupe de Toronto, dont fait partie l'historien réputé Desmond Morton, proche du NPD. Il prévoit que la sécession du Québec provoquera inévitablement des conflits armés semblables à ceux du Pakistan, du Biafra ou de la Yougoslavie. Pas seulement parce que certains groupes

---

* En ces matières, il y a peu de réponses définitives et absolues. La commission d'étude des questions afférentes à l'accession du Québec à la souveraineté, créée par la loi 150, a soumis ces problèmes territoriaux à cinq juristes internationaux de New York, de Londres, de Leicester, de Bonn (ce dernier, Christian Tomuschat, étant aussi président de la Commission du droit international des Nations unies dont est également membre le cinquième juriste, Alain Pellet, de l'Institut d'études politiques de Paris). Ils concluent unanimement que « dans l'hypothèse de l'accession du Québec à la souveraineté, les frontières du Québec souverain seraient les frontières actuelles ». Dans leur rapport conjoint, ils réfutent spécifiquement les prétentions territoriales anglophones et autochtones, en regard du droit international. Leur théorie est confirmée, au début de 1992, par la décision de la Commission d'arbitrage pour la paix en Yougoslavie présidée par le juriste français Robert Badinter qui, se fondant sur le droit international, affirme qu'« à moins d'un accord allant dans le sens contraire, les limites antérieures des États acquièrent le caractère de frontières protégées par le droit international ». La Commission, saisie par l'Angleterre, déclare aussi que les minorités au sein des États, comme la minorité serbe en Croatie, pays nouvellement indépendant, ne bénéficient pas du droit à l'autodétermination. Reste toujours le recours aux armes, bien sûr.

voudront quitter le Québec, mais parce que le Québec « ne résistera pas à la tentation d'imposer sa volonté sur la voie maritime du Saint-Laurent, l'espace aérien et la minorité anglophone. [...] C'est le grabuge garanti. » Morton prédit que la violence surgira même en cas d'échec de la souveraineté. « Qui dit que les indépendantistes ne seront pas violents s'ils perdent leur référendum ? » demande-t-il pendant une entrevue à l'émission radiophonique *As it happens* de la CBC. Malheureusement, l'animateur n'a pas la disposition d'esprit pour signaler que les indépendantistes ont perdu un référendum en 1980, puis se sont vengés en plantant rageusement des tomates, en achetant violemment des RÉA, et en faisant du *jogging* à tout casser.

Citons encore les historiens torontois J. L. Granatstein et Kenneth McNaught, qui pensent que le Canada pourrait garder le Nouveau-Québec par la force ou que les Américains interviendraient pour maintenir la stabilité. D'autres font un pas de plus et affirment que le Québec n'a tout simplement pas le droit de quitter le pays. C'est le cas du constitutionnaliste de l'université McGill, Stephen Scott, qui juge que l'armée canadienne aurait raison de venir réprimer dans le sang « l'acte révolutionnaire » que constituerait une déclaration de souveraineté. Scott n'a cependant pas l'aura de respectabilité de l'historien torontois Michael Bliss, une des vedettes de la lutte contre Meech. Bliss, qui a toujours une longueur intellectuelle d'avance sur ses pairs, fait une jolie synthèse du thème de la menace et du complexe de supériorité du ROC dès janvier 1991 dans le *Globe and Mail* :

> Si le Québec songe sérieusement à quitter le Canada, je pense qu'il y aura une montée du sentiment national dans les neuf autres provinces telle qu'on n'en a jamais vue depuis la Seconde Guerre mondiale. Ce ne sera pas un mouvement facile à contourner. Le Canada existe depuis trop longtemps pour être tenu pour perdu seulement parce qu'il y a quelques xénophobes à Toronto ou parce que les libéraux ou le NPD n'arrivent pas à imposer leurs vues. Le Canada est trop riche et trop peuplé pour être tenu pour perdu, seulement parce que la population d'une province [le Québec] se referme sur elle-même et se coupe du monde.

Le thème de l'utilisation de la force pour garder le Québec, partiellement ou entièrement, dans la fédération se répand si largement que les hommes politiques doivent l'aborder. Jean Chrétien possède la solution au problème : « La meilleure façon d'éviter le recours à l'armée, c'est de ne pas faire la séparation », dit-il, reconnaissant à des groupes ou à des régions, comme l'Outaouais, le droit de se séparer d'un Québec souverain, ce qui était aussi la position de Pierre Trudeau.

Dans une entrevue accordée à *L'actualité,* Bob Rae renchérit : le droit des Québécois à l'autodétermination « n'est pas absolu ». En cas de souveraineté, « les négociations avec le Canada seront très très dures, particulièrement sur la question du droit des gens, au Québec, qui ne veulent pas l'indépendance et qui veulent garder un lien permanent ou un lien important avec le reste du Canada, notamment les autochtones ».

À la mi-décembre, devant une assemblée autochtone, Joe Clark est interpellé par un Mohawk qui lui demande si le Canada enverra l'armée pour empêcher le Québec de se séparer. « Il n'est pas dans la tradition canadienne » de résoudre des conflits par la force, répond Clark, immédiatement chahuté par la foule.

Brian Mulroney assiste au déferlement avec dégoût. « Ça, c'est la terreur et c'est la menace bête et terrible, déplore-t-il devant des ministres. Ça touche l'âme d'un pays. C'est pas comme dire que les taux d'intérêts vont grimper de 2 % après la séparation ! » Il qualifie publiquement toutes ces hypothèses de « conneries totales, des stupidités et des bêtises ». À l'été de 1991, le Parti conservateur réuni en congrès avait adopté presque unanimement le principe du droit du Québec à l'autodétermination, sans toutefois préciser quelles seraient les frontières du nouvel État. Mais Mulroney n'a aucune sympathie pour les thèses des universitaires anglophones, qu'il assimile à des trudeauistes et qu'il qualifie, devant témoins, de « mange-Canayens ! ».

Craignant peut-être que quelques-uns de ses ministres ne reprennent à leur compte ces propos désormais politiquement corrects, il leur donne des directives claires au cours d'un Conseil des ministres à l'automne : « Je ne veux pas qu'on pense que c'est une alternative plausible pour le gouvernement canadien. » À Tellier qui lui dit qu'il a été assez raide, Mulroney suggère d'informer le commandant en chef des armées canadiennes, Jean de Chastelain, « pour qu'il sache que c'est la position du gouvernement canadien. Et s'il veut reprendre ma pensée, dit Mulroney, je serai content. »

Le ministre de la Défense, Marcel Masse, n'est pas si discret. Les commentaires des « mange-Canayens » l'enragent d'autant plus que plusieurs des propos de ces universitaires sont prononcés lors d'une conférence subventionnée par... le ministère de la Défense. « Qu'est-ce que c'est que ces problèmes artificiels créés dans les médias ? Il faut arrêter ça ! » Dès qu'il voit son chef des armées, de Chastelain, il lui fait part de son point de vue et l'invite à intervenir pour calmer le jeu quand l'occasion s'en présentera. Sans hésiter, de Chastelain accepte. Dans les jours qui suivent, à la mi-novembre, il émet une mise au point :

> Je juge inconcevable qu'un gouvernement canadien dûment élu ait recours à la force dans une dispute intérieure, si ce n'est pour assurer le respect de la loi et de l'ordre. [...]
>
> Si l'on peut convaincre les Canadiens que l'armée ne jouera aucun rôle dans toute décision que nos représentants élus pourraient prendre, sauf pour préserver la loi et l'ordre, le débat constitutionnel pourra alors se dérouler dans une atmosphère raisonnable, non perturbée par des craintes inutiles.

Dans cette missive de cinq pages distribuée à toutes les bases canadiennes, De Chastelain explique que l'armée est au service d'Ottawa, ou des gouvernements provinciaux lorsqu'ils en font la demande, comme ce fut le cas pendant la crise d'Oka de 1990. Le général répète ensuite ces propos, en public et dans des entrevues, au début de décembre*.

Toutes ces excitations médiatiques n'ont guère d'impact sur l'opinion publique canadienne, sondée sur ces sujets en novembre et décembre 1991. La proportion de ceux qui préfèrent « laisser partir » (*Let them go*) les Québécois s'ils décident de devenir souverains, plutôt que de « tout faire pour les convaincre de rester », demeure stable :

Let them go

Novembre 1989	48 %	(Decima)
Novembre 1990	50 %	(Decima)
Novembre 1991	50 %	(Decima)

Certes, une pluralité de Canadiens (46 %) croient maintenant qu'un Québec souverain ne devrait pas avoir droit au Nouveau-Québec. Mais le Canadien moyen veut-il que l'armée s'en mêle ? Là-dessus, on note une infime évolution.

Faut-il envoyer l'armée pour empêcher l'indépendance du Québec ?

	Non	Oui	
ROC/Janvier 1991	85 %	2 %	(CROP)
ROC/Novembre 1991	92 %	7 %	(Décima)

Tout se joue ici dans l'opinion minoritaire, et il est intéressant de signaler que 8 % des citoyens du ROC pensent aussi que le Québec pourrait légitimement utiliser « les forces armées québécoises » pour quitter le Canada par la force. D'ailleurs, les Canadiens anglais sont plus nombreux que les Québécois à trouver préférable qu'un Québec souverain ait sa propre armée (66 % contre 34 % au Québec) et à trouver normal que, le cas échéant, les forces armées québécoises aient à défendre les intérêts du Québec (26 % contre 16 % !).

Bref, il y a cassure entre les appels aux armes de segments importants de l'*intelligentsia* canadienne et l'attitude résolument pacifiste d'écrasantes majorités de Canadiens. Les universitaires et journalistes canadiens font du bruit. Mais il n'y a pas de soldat dans leur armée, seulement des stratèges de salon.

---

* Ottawa continuera à être sensible à cette question. Pendant le printemps de 1992, les troupes canadiennes basées à Valcartier doivent effectuer, dans le cadre de leur entraînement normal, des manœuvres. « Ça aurait signifié que des troupes et du matériel de transport blindé se seraient promenés sur les routes environnantes, raconte Hugh Segal, alors bras droit du premier ministre. Ça n'avait rien à voir avec la constitution, mais dès que le gouvernement est devenu conscient que ces manœuvres allaient avoir lieu, on les a annulées, parce que l'effet aurait pu être fort néfaste. »

La voie de sortie

Tout revient toujours à Robert Bourassa. Le seul à pouvoir changer la dynamique. Le seul à pouvoir débloquer la machine. « Je dois être responsable », dit-il. « Si je dis non, qu'est-ce qui va se passer ? » Et s'il dit oui ? Et s'il dit peut-être ?

À la fin de 1991, il sait qu'il ne peut pas dire oui : les Québécois ne veulent pas de la mini-réforme (ou de la contre-réforme) de Clark. Rien ne lui permet de penser que les Québécois modifieront leur objectif : ils veulent une grande réforme, ou la souveraineté.

Reste sa réponse préférée : peut-être. Il la répète en public depuis maintenant plus d'un an. Avec quel résultat ? Un durcissement des positions, tant chez les souverainistes québécois, un peu moins nombreux mais un peu plus déterminés, que dans l'opinion canadienne-anglaise, qui devient hargneuse.

À l'évidence, il n'y aura pas de « grande réforme ». À l'auteur, Bourassa disait en juin 1991 vouloir « obtenir la rénovation du fédéralisme la plus importante qu'on ait connue depuis 123 ans ». Elle n'apparaît pas à l'horizon. S'il continue dans cette voie, il sollicitera inutilement les bonnes volontés restantes au Canada anglais, qui ne sauraient être assez bonnes pour exaucer les vœux québécois. Quand bien même Bourassa réussirait à convaincre des leaders du Canada anglais de consentir une considérable autonomie au Québec — labeur auquel le premier ministre ne s'astreint nullement — ceux-ci ne réussiraient pas à vendre ce concept à leur propre opinion publique, fermement décidée depuis maintenant plus de deux ans à ne pas reconnaître la « différence » québécoise.

Rien de bon ne peut plus sortir de cette dynamique, ni pour le Québec ni pour le Canada. Continuer dans cette voie, c'est gaspiller du temps, de l'énergie, prolonger le malaise, creuser les désaccords.

A *L'heure de la responsabilité*

En naviguant bien, peut-être Bourassa pense-t-il pouvoir arracher une mini-réforme. Mais même un Meech bis serait conspué, une nouvelle fois, par l'opinion canadienne. Et à supposer même que cette résurrection soit possible, Bourassa pense-t-il qu'elle suffirait à renvoyer le sentiment souverainiste québécois à ses niveaux minoritaires d'antan ? Évidemment non. À la fin de 1990, il souhaitait que la vague souverainiste soit éphémère. En avril 1991, il était surpris de la voir encore si forte. En décembre 1991, il ne peut plus douter : les indices pourront varier, faire à l'avenir quelques séjours sous la barre des 50 %, mais un Québécois sur deux a maintenant franchi la Ligne de la souveraineté. Cette nouvelle donnée est capitale.

On n'a pas cité ici les sondages mesurant les intentions de vote et les taux de satisfaction envers le gouvernement Bourassa, mais à l'automne de 1991 et à l'hiver de 1992, ils indiquent qu'en cas d'élection, le Parti québécois est assuré d'une victoire.

Lorsqu'il regarde l'avenir, Bourassa doit donc tenir pour probable l'élection du PQ, puis un référendum sur la souveraineté où les libéraux auront repris, grâce à lui, leur rôle traditionnel de défenseurs du fédéralisme. Résultat : une majorité référendaire très faible, d'un côté ou de l'autre. Si le PQ gagne ainsi de peu le référendum, il devra réaliser la souveraineté avec une légitimité limitée, une coalition fragile ; des risques d'échec qui aggraveront les coûts de transition, multiplieront les problèmes de reconnaissance internationale, et hypothéqueront ses chances d'obtenir une conclusion satisfaisante des négociations sur la dette et les actifs. Si le PQ perd de peu le référendum, le Québec sera politiquement affaibli dans l'ensemble canadien, comme en 1980. Les tensions entre groupes linguistiques québécois se raviveront — car il ne fait aucun doute, cette fois, qu'une majorité de francophones auront dit Oui, mais pas en assez grand nombre pour compenser le vote monolithique des non-francophones. Des forces vives seront démoralisées, démobilisées pour plusieurs années, sapant le dynamisme de la société québécoise. Minant, pour reprendre un terme cher au premier ministres, sa « compétitivité ».

Plus encore qu'en décembre 1990, le « sens des responsabilités » de Robert Bourassa est sollicité en décembre 1991. Lui seul peut éviter le pire. On sait qu'il se fout du Pacte conclu avec les Québécois, des rapports qu'il a défendus ou signés, de la loi qu'il a fait voter, des promesses solennelles qu'il a faites. Ce sont des artifices, construits strictement pour faire glisser le corps politique vers un retour au *statu quo*. Bourassa veut « le Canada à tout prix ». Réformé de préférence, mais pas nécessairement. On connaît son mobile : il a une sainte peur de « l'insécurité économique » que provoquerait à coup sûr une démarche souverainiste.

Il le dit à nouveau, dans un débat parlementaire avec Jacques Parizeau, le 8 novembre 1991 :

> Durant les années 80, la fierté du Québec a été blessée à deux reprises — en 1982 et en 1990. Par ailleurs, à l'intérieur de la structure fédérale ou canadienne, au niveau de la paix, de la justice, de la prospérité, le Canada et le Québec ont réussi à obtenir l'un des meilleurs niveaux au monde.

> Comment concilier l'honneur et le bien-être du peuple ?

> C'est un combat, un combat très dur comme tous les vrais combats. Mais nous [du gouvernement] sommes prêts à l'assumer.

Bourassa, on le sait, a fait son choix : mieux vaut le bien-être dans le déshonneur que l'honneur dans l'insécurité économique.

C'est pourtant ce mobile du « bien-être du peuple » qui, en décembre 1991, devrait le convaincre de bouger. La crise entourant l'accession, ratée ou victorieuse, à la souveraineté est inévitable : on ne peut imaginer quel miracle viendrait bousculer les tendances qui la préparent. Les Américains ont une expression pour ce genre de situation : « *the best way out is through* » (impossible de contourner, il faut traverser).

Un leader responsable et prudent devrait conclure à cet instant que, puisque le courant emporte le Québec, il faut cesser le futile et à certains égards dangereux freinage. Pointer plutôt l'embarcation vers l'avant, la gréer pour passer dès que possible la zone de tempêtes grâce à la collaboration d'un maximum de membres d'équipage et, avec les meilleures chances de réussite disponibles, minimiser ainsi « l'insécurité ».

Seul Robert Bourassa peut diriger la manœuvre, car lui seul peut « additionner » les forces de cette coalition, attirer fédéralistes fatigués et souverainistes mous. Lui seul est dans la position politique requise. Parizeau serait politiquement incapable de réaliser cet exploit. S'il s'y décidait, Bourassa respecterait aussi les paroles données, les promesses faites, les documents signés et votés.

S'agit-il là des élucubrations d'un scribe nationaliste ? Il est en bonne compagnie. On a vu, au premier tome, que l'organisateur vétéran du parti, Pierre Bibeau, est de cet avis, de même que le directeur général du parti, Pierre Anctil, et celui qui a présidé plusieurs campagnes libérales, Fernand Lalonde. C'est aussi l'avis du principal organisateur de Bourassa, Marc-Yvan Côté, ministre de la Santé :

> Il est bien évident que Bourassa aurait été celui qui aurait facilement rallié autour d'une thèse comme celle-là 75 à 80 % de la population du Québec. Ça aurait été une accession tranquille, en minimisant les dommages et il est clair qu'une très bonne majorité des militants libéraux auraient suivi aussi. Ça aurait créé plus de problèmes au niveau des anglophones, mais la majorité aurait suivi.

Parlant du sentiment ambiant au PLQ dans l'année qui suit la mort de Meech et l'adoption du rapport Allaire, il dit :

> C'était comme un retour aux années Lesage. C'était à ce moment-là aussi fort que le « Maîtres chez nous ».

> Disons que plusieurs y ont rêvé, y compris à l'intérieur du Parti libéral. J'aurais été un de ceux qui auraient suivi.

On savait que Côté aurait été du voyage, mais combien, au Conseil des ministres, lui auraient emboîté le pas ? Au premier tome, on a reproduit à peu de choses près le « pointage » des ministres prosouverainistes ou profédéralistes qu'avaient fait Pierre Anctil et Jean Allaire, en décembre 1990. En entrevue, Marc-Yvan Côté affirme que la liste est globalement bien faite. Il y apporte quelques corrections.

Selon lui, en décembre 1990, le groupe des « amis de la souveraineté » comptait, par ordre de ferveur : Yvon Picotte, Marc-Yvan Côté, Gil Rémillard, Michel Pagé, Liza Frulla, Albert Côté, Yvon Vallières, André Vallerand, Lucienne Robillard, Lawrence Cannon, Gaston Blackburn et André Bourbeau.

Parmi les « adversaires de la souveraineté », il place : Claude Ryan, Daniel Johnson, Pierre Paradis, John Ciaccia, Christos Sirros, Sam Elkas, Louise Robic, Normand Cherry, Robert Dutil, Guy Rivard et Gérard D. Levesque.

Chez les « suiveux », « mous » ou autres indécis : Lise Bacon, Gérald Tremblay, Monique Gagnon-Tremblay, Robert Middlemiss, Violette Trépanier, Raymond Savoie.

Le pointage allairiste donnait les souverainistes à 15 contre 12 et 3 indécis. Le pointage Côté les donne à 12 contre 11 et 6 indécis.

Il existe un troisième décompte, fait d'un point de vue fédéraliste, celui de John Parisella : « C'est pas ça, dit-il lorsqu'on lui présente certains de ces chiffres. Ils devraient plutôt dire : 10 fédéralistes, pis 20 qui vont suivre, là où le *boss* va les amener. » Une évaluation qui sous-estime, comme toujours de la part de Parisella, la force du sentiment souverainiste chez certains libéraux — pour lui ces deux termes sont antinomiques — mais qui n'en indique pas moins la grande liberté de manœuvre que Bourassa possède s'il veut bouger dans cette direction.

À tout prendre, la situation de décembre 1991 est toutefois moins bonne que celle de décembre 1990, quand Bourassa a décidé d'écarter la souveraineté comme « premier choix » et de peser de tout son poids pour freiner l'élan des allairiens, puis des bélanger-campésistes, puis des Québécois pris dans leur ensemble.

Alors, les majorités souverainistes frisaient les 70 %, le fatalisme minait l'opposition fédéraliste sous toutes ses formes, au Canada comme au Québec. Déjà, l'impasse canadienne était patente. Il y a un an, la fenêtre était grande ouverte. Maintenant, l'ouverture est toujours là, moins béante, mais encore de bonnes dimensions. De fenêtre, elle est devenue lucarne. Hier, on aurait pu y sauter. Aujourd'hui, il faudrait un peu mieux viser.

Déclencher à la fin de 1991 le mouvement vers la souveraineté, ce serait bâtir sur un socle déjà majoritaire de « partants » pour la souveraineté-association (55 %) et sur un socle pluralitaire pour l'indépendance (44 %). Le défi serait de retrouver les majorités de plus de 60 % de décembre 1990, en puisant chez les indécis et les découragés.

Le premier ministre a un mécanisme légal à sa disposition. La loi 150 prévoit qu'un référendum sur la souveraineté peut être organisé dès juin 1992, donc dans six mois. Il ne fait aucun doute qu'une déclaration de Bourassa constatant l'impossibilité de réussir « la dernière chance » et se déclarant partisan de la souveraineté (proposition confédérale à la clé) attirerait au bas mot 10 % d'indécis dans le camp du changement, ferait grimper d'autant chacun des indices et réveillerait une population qui ne demande qu'à « se brancher ».

C'est jouable, d'autant que la coalition politique virtuelle de décembre 1990 — majorité du PLQ, ministres conservateurs francophones, non-alignés, Bloc québécois et Parti québécois — est toujours là. (Parlant de Bourassa, Parizeau répète dans une entrevue à *L'actualité* en novembre 1991 : « S'il décidait un jour de faire la souveraineté, ma première réaction serait de dire : "Bravo, faisons-la ensemble !" ») Un élément nouveau : cette fois-ci, même des ministres fédéralistes comme Pierre Paradis digèrent mal la vision canadienne présentée par Clark, et seraient par conséquent de piètres combattants pour le Non, s'ils se décidaient à fausser compagnie à leur chef. Depuis la belle « Fenêtre » de décembre 1990, des choses ont changé aussi dans trois groupes importants : les médias, les gens d'affaires québécois et le ROC. Dans l'appareil médiatique, les signaux de Bourassa ont convaincu plusieurs plumes, notamment à *La Presse,* qu'il fallait contribuer au freinage et feindre de trouver bonnes les offres de Clark. Un changement de cap du premier ministre nécessiterait là quelques réalignements.

Dans les milieux d'affaires, une coalition s'est formée à grand-peine en 1991 pour porter la bonne nouvelle fédéraliste : le Regroupement Économie et Constitution. Claude Beauchamp, ancien journaliste, a pris la tête après que plusieurs autres grandes figures, notamment Laurent Beaudoin de Bombardier, très sollicité, eurent fait faux bond*.

Mais Brian Mulroney est attristé par la faiblesse de ces appuis. D'une voix plaintive, il déclare à la fin d'octobre dans un discours devant la chambre de commerce de Montréal — donc devant un parterre de tous ses anciens copains du temps où il était avocat puis homme d'affaires montréalais — qu'il craint « davantage la tiédeur de ceux qui espèrent discrètement que le Canada continue de se développer que l'aveuglement de ceux qui souhaitent tout haut l'échec de l'expérience canadienne ». Il ajoute : « Il est essentiel que vous participiez à ce processus [...] vous devez venir à la table, on ne peut pas le faire tout seuls. » C'est un signe, encore, de la faiblesse persistante des forces fédéralistes québécoises.

Dans le ROC, on l'a vu, Bourassa ne peut plus compter sur le fatalisme des Canadiens anglais face à l'indépendance, pourtant dominant un an plus tôt. Au moins, un départ annoncé maintenant les détromperait sur le caractère poltron et timide des Québécois.

Voici donc le moment où Bourassa est personnellement interpellé par l'histoire. À la fin de décembre 1990, l'occasion était belle. À la fin de décembre 1991, elle est jolie, mais elle est empreinte d'un certain caractère d'urgence, car la gangrène politique commence à s'étendre.

C'est la thèse de l'auteur, et il faudra attendre la fin de la décennie pour juger de sa valeur. Si, en l'an 1999, le Québec est toujours une province canadienne et que la pulsion souverainiste y est redevenue minoritaire même chez les francophones, Bourassa aura peut-être eu raison de laisser passer l'occasion (raison sur le fond, pas sur la forme). Si, au contraire, le Québec est devenu en 1999 un pays souverain, mais en a payé dans l'intervalle le prix fort, à cause d'un consensus de départ fragile et du freinage continu de groupes

* Bombardier doit beaucoup aux largesses du gouvernement Mulroney, notamment le « don » de Canadair, mais le PQ a fait savoir au président de Bombardier que l'avenir dure longtemps et qu'il valait mieux ne point trop s'avancer. Beaudoin devint donc un acteur fédéraliste, mais mineur, dans cette affaire. À la tête du groupe, il aurait eu plus de poids que Beauchamp, mais moins de charisme.

sociaux et politiques hors de la sphère d'influence du PQ, alors il faudra mettre ce coût supplémentaire — en termes de dette, d'emplois et de récriminations — au débit du Robert Bourassa de 1990-1992. De même, si en 1999, le Québec panse encore dans la rancœur et le pessimisme les plaies d'une tentative ratée de sortie du fédéralisme, parce qu'à un ou deux pour cent près la majorité globale ne fut pas atteinte — malgré l'appui de 60 % de francophones — on devra demander des comptes à celui qui aurait pu éviter tout ça, s'il avait seulement respecté la parole donnée, écouté son peuple et son parti.

C'est la thèse de l'auteur, ce n'est pas celle de Bourassa. Dans une conversation tenue pendant l'été de 1991, il avait même « oublié » que la loi 150 comportait une date référendaire rapprochée, juin 1992. C'était un os laissé là pour les souverainistes, une décoration sans importance, confirme Jean-Claude Rivest.

Bourassa pourrait choisir une autre voie, noble : l'appel électoral immédiat au peuple, le choc des idées. Puisque le premier ministre pense que les Québécois courent à leur perte en souhaitant la souveraineté, puisqu'il voit comme chacun que la menace du départ est maintenant émoussée au Canada anglais et qu'aucune réforme en profondeur n'est possible, qu'il mène enfin son combat à visage découvert. Qu'il déclenche une élection, sur ce thème : « Je suis pour le Canada uni, mais donnez-moi le mandat d'aller chercher Meech et le plus de pouvoir possible. Finie la menace de souveraineté, car je n'y crois pas et tout le monde, maintenant, le sait. » Qu'il tente de se faire donner ce mandat, d'aligner la volonté de l'électorat avec la sienne. S'il gagne, ce qui est fort peu probable, il aura réussi un retournement au moins partiel et temporaire de la tendance, mais sur une base saine, honnête, légitime. S'il perd, il laissera à d'autres le soin et le mandat de profiter de la fenêtre historique dont lui ne veut pas user.

Malheureusement pour les Québécois, Robert Bourassa ne se sent pas d'obligation envers la volonté populaire. Cynique, il n'a jamais fait de la transparence et de l'honnêteté des boussoles politiques. Autocrate, il se pense investi personnellement de la mission de décider de l'avenir du Québec, envers et contre tous s'il le faut. Il l'a déclaré à l'auteur, dès avril 1991 : « C'est moi qui suis le seul responsable. »

Il compte toujours sur son arme favorite : le temps. Le soir du 20 décembre 1990, il participe à la radio de Radio-Canada à une intéressante émission des *Affaires et la vie*, où il est invité à poser des questions d'ordre économique à des représentants de Québec Inc. Il leur demande : « L'incertitude constitutionnelle qu'on connaît, est-ce qu'elle nuit au climat économique du Québec ? »

Le président de la Banque Nationale, André Bérard, lui dit qu'il n'en voit pas d'effet sur les marchés internationaux, où tous les investisseurs sont frileux par les temps qui courent. Il ne l'implore pas moins : « Monsieur le premier ministre, faut pas jouer avec l'incertitude. »

Claude Béland, du Mouvement Desjardins, n'en voit pas d'effet direct non plus, quoiqu'il juge que l'incertitude engendre « d'autres urgences, sur la question de l'emploi », entre autres effets. Gérald Larose, de la CSN, parle du climat « d'écœurement » qui prévaut tant au Canada qu'au Québec. Les gens, dit-il, ont hâte de « construire quelque chose et dans ce sens-là, moi je pense que ça nous est très pénible que de sentir cette question-là ne pas se régler ». Richard Le Hir, de l'Association des manufacturiers canadiens, pense que le Québec perd tout simplement des investisseurs. Ce qui donne un singulier dialogue entre Le Hir — nationaliste en mal de stabilité — et Bourassa — fédéraliste serein dans l'incertitude :

> Le Hir : Ce qui est vraiment un problème pour les industriels qui veulent développer des affaires, c'est l'indécision. Et ça, ça coûte beaucoup plus cher, à l'heure actuelle, au Québec que n'importe quel choix qu'il pourra jamais faire.
>
> Bourassa : Donc vous êtes en contradiction avec M. Béland et M. Bérard qui disent qu'ils ne sentent pas dans leurs milieux de conséquence négative sur la prise de décision à cause de l'incertitude constitutionnelle ?
>
> Le Hir : Ce n'est pas au niveau financier que le problème se pose, c'est au niveau industriel.
>
> Bourassa : Est-ce que vous avez des cas à l'esprit d'investisseurs qui à cause de l'incertitude constitutionnelle...
>
> Le Hir : Bien sûr. Il y a des entreprises à l'heure actuelle, ayant des perspectives d'investissement à long terme, qui sont des investissements de plusieurs centaines de millions, qui se demandent dans quelle espèce de monde ils vont vivre.
>
> Bourassa : Ils vont où alors ?
>
> Le Hir : Ils vont ailleurs.
>
> Bourassa : À quel endroit ?
>
> Le Hir : Il y en a qui nous ont passé sous le nez comme ça !
>
> Bourassa : À quel endroit ?
>
> Le Hir : Ils sont allés aux États-Unis, ils sont allés ailleurs. Il y a même des Québécois qui sont allés aux États-Unis à l'heure actuelle.

Bourassa n'est pas convaincu. Ce n'est pas la réponse qu'il cherche. Il ne semble pas croire Le Hir*. Surtout, il feint de ne pas entendre Larose et Béland. Il préfère tirer sa propre conclusion, en forme de gag : « Donc, il n'y a pas d'urgence à régler ! »

---

* Sur l'investissement privé global, l'impact de l'incertitude semble faible, comme l'avance Bourassa. Une analyse produite en septembre 1991 par la firme Standard & Poor's conclut : « Il est difficile d'établir quel impact les discussions constitutionnelles peuvent avoir, et si un tel impact existe. La baisse des investissements privés au Québec ne semble pas excessive, en regard de la situation économique nord-américaine actuelle, et un certain nombre d'importants projets d'investissements étrangers se déroulent comme prévu. » Ici, l'argument sert Bourassa, mais il est à double tranchant. Si le fait de débattre de souveraineté ne freine pas l'investissement, on ne peut prédire que l'accession à la souveraineté aura un effet catastrophique.

B *La pensée magique*

À partir de l'automne de 1991, Robert Bourassa mélange deux approches. Une première dont il est un vieil adepte : le double langage. Une seconde qu'on lui connaissait peu : la pensée magique.

Le double langage consiste à tenir un discours en public, un autre en privé.

En public, quand la chose le tente, il lui arrive de jongler avec divers scénarios, y compris celui de poser une seconde question au référendum prévu pour octobre, quoi qu'en disent le rapport Bélanger-Campeau et la loi 150. Interrogé plus avant, il feint de ne pas vouloir déroger à ses engagements passés, comme dans son entrevue avec Pierre Nadeau le 20 décembre 1990 : « Je ne pense pas que ce serait approprié pour moi d'élaborer avec différents scénarios qui ne concordent pas avec la lettre de la loi 150. La loi telle qu'elle est adoptée dit : il y aura à l'automne de 1992 un référendum sur la souveraineté. » S'avisant sans doute qu'il vient d'exprimer une vérité trop proche de la « lettre » de la loi, il enchaîne : « Et, par ailleurs il est bien dit, et ça a été mentionné dans les débats de Bélanger-Campeau, que s'il y avait des offres fédérales, le gouvernement pourrait légitimement faire un référendum sur les offres fédérales, mais, à ce moment-là, la condition c'est qu'il amende la loi. »

Ce fut « mentionné » en effet, mais ni dans la recommandation du rapport ni dans le texte de loi. Passons. L'essentiel est qu'en public, Bourassa garde le cap sur le référendum réclamé par la population et promis par son gouvernement.

Au même moment, en privé, il dit le contraire. Avec Jean-Claude Rivest, il imagine toutes sortes de scénarios : élections, élections référendaires. Avec des amis fédéralistes du milieu d'affaires, il va plus loin. Dans une rencontre tenue à Québec à la fin de novembre, il devise en présence d'André Bisson, ex-banquier, représentant canadien de l'empire de Robert Maxwell, pilier du Conseil du patronat et un jour pressenti par Bourassa pour devenir son ministre des Finances. Bourassa explique devant lui qu'il pourrait tout simplement changer le sujet du débat politique et faire en octobre 1992, au lieu d'un référendum sur l'avenir du Québec, une élection sur un thème économique.

Car Bourassa déteste l'idée de déclencher un référendum, quel qu'il soit. Il le dit en privé depuis la mort de Meech, notamment au cours de conversations téléphoniques avec ses partenaires canadiens-anglais. Bob Rae, par exemple, déclare à l'auteur en novembre 1991 : « Je ne sais pas s'il y aura un référendum, et vous ne le savez pas non plus ! » (Ce qui tranche avec la déclaration de Robert Bourassa de l'été de 1991, selon laquelle « l'adoption de la loi 150 est optimale au niveau de l'efficacité ». Maintenant que plus personne n'y croit...)

Pensée magique, ensuite. La notion de « changer le sujet » du débat, alors que le gouvernement fédéral et bientôt les capitales provinciales seront plongés dans la formulation de nouvelles propositions constitutionnelles, tient davantage du rêve que de la stratégie. Robert Bourassa est un animal politique piégé. Son propos, sa tactique, depuis sa rencontre de juin 1991 avec Joe Clark où il refuse le pouvoir dans le domaine linguistique, ne répondent à aucune cohérence réelle. Au contraire, il avance à tâtons, dans le vain espoir que les choses vont miraculeusement s'arranger.

L'idée d'éviter tout référendum, un souhait qui resurgira en privé sous plusieurs formes en 1992, est un symptôme de ce désarroi. Il y en a d'autres. En entrevue, Bob Rae résume l'état d'esprit de son ami Bourassa, dans la saison 1991-1992 :

> Il était fort sceptique quant aux chances de succès de la nouvelle négociation. Et il n'avait pas une très bonne idée de comment il en arriverait à une solution.
>
> Parfois, il disait : « Pourquoi ne pourrions-nous pas tout simplement revenir à Meech ? » Il disait ça quand on s'est mis à introduire de nouveaux sujets de discussion comme les autochtones et d'autres choses auxquelles on tenait [la charte sociale pour l'Ontario, le Sénat pour l'Ouest], et qu'on croyait essentielles pour en arriver à une entente.
>
> Mais il revenait souvent avec ça en disant avec vraiment beaucoup de fermeté et aussi presque avec tristesse : « Pourquoi est-ce impossible de simplement revenir à Meech ? »
>
> La réponse à cette question était que Meech n'avait pas réussi et qu'on ne pouvait pas réécrire l'histoire.

Le dialogue est pathétique. Empêtré, dépassé par les événements, apeuré par l'échec qui se profile devant lui, Bourassa rêve de rebrousser chemin, pour revenir à un moment qui était déjà un échec. Si par miracle il était possible de signer à nouveau l'entente de Meech (pour une quatrième fois), l'opinion québécoise la rejetterait avec plus de force encore que l'opinion canadienne, pour des raisons diamétralement opposées.

Préparant déjà ce livre pendant que ces événements se déroulaient, l'auteur a longtemps cherché à découvrir la stratégie cachée derrière les déclarations contradictoires et les faux-fuyants de Robert Bourassa pendant cette période. Une explication plausible fut proposée par un premier ministre canadien (autre que Bob Rae) : « Le mythe du Parti libéral du Québec, c'est qu'ils avaient toutes ces grandes stratégies. En réalité, c'était pas stratégique pour deux cennes ! Bourassa faisait ça au pif avec Rivest à 2 h du matin. »

Certes, mais il en a toujours été ainsi et, un temps, ça a marché. On a vu dans le premier tome de cet ouvrage comment Bourassa a su dans un premier temps profiter des occasions qui se sont offertes, des hommes qui ont bien voulu le servir. Il n'avait pas de grande stratégie, sauf celle de gagner du temps. Il a construit sa tactique pas à pas, avec succès. À la fin de la première grande étape, en juin 1991, il avait gagné, disait-il, « le temps et l'espace ».

Dans la seconde étape, par contre, les événements ne lui ouvrent guère d'occasions, et lui-même contribue à ce que le bébé se présente mal. Ça ne fonctionne plus. Pourquoi ? Parce que, fondamentalement, le problème est insoluble, bien sûr. On peut gagner un peu de temps, un peu d'espace, mais ce ne sont que des répits, des sursis. À hauteur d'homme, les choses vont cependant plus mal qu'elles ne devraient. C'est que Bourassa est beaucoup plus seul, en première ligne, dans ses rapports avec le reste du Canada. Anctil et Rivest, véritables maîtres d'œuvre, habiles et agiles dans les détournements d'Allaire et de Bélanger-Campeau, sont presque complètement absents.

L'élément nouveau, seul à pouvoir expliquer le gâchis, est l'incompétence.

10

LE ZIGZAGUEUR

Personne n'a accès à la vision d'ensemble.
Alors personne ne sait qu'il n'y en a pas.

JOHN LE CARRÉ
The Night Manager

L'E MINISTRE QUÉBÉCOIS délégué aux Affaires intergouvernementales canadiennes, donc normalement chargé de la négociation constitution-nelle, est inquiet. Pour tout dire, il est dans le noir le plus complet. À un des proches collaborateurs de Robert Bourassa, Gil Rémillard pose à l'automne de 1991 des questions qui en disent long sur la marche des affaires : « Est-ce qu'on parle à Ottawa ? On parle pas à Ottawa, es-tu sûr ? Y a-tu des contacts significatifs qui ont eu lieu sans que je sois au courant ? »

Oui, Gil. Quelqu'un, au sommet de l'État québécois, « parle à Ottawa ». Parle beaucoup, régulièrement, en toute franchise et presque avec abandon. C'est une conversation qui a débuté il y a longtemps et qui se poursuit maintenant presque totalement à l'insu des Québécois et des Canadiens. Une conversation tantôt politique, tantôt stratégique, tantôt amicale. Elle est souvent cynique, parfois agressive, rarement ennuyeuse.

« Robert, ça a pas de crisse de bon sens ! »

Au bout du fil, répétant cette phrase comme un leitmotiv à chaque étape du récit, il y a Brian.

LA VIE DE BRIAN ET DE ROBERT
C'est peu dire que Brian Mulroney et Robert Bourassa se sont vraiment connus en 1974. Il faut comprendre plutôt qu'ils se sont reconnus. La vie publique façonne son lot de bons tacticiens et d'opérateurs, de « bêtes politiques » et d'éminences grises. Mais il n'arrive qu'une fois ou deux par génération que des individus soient l'incarnation de la politique pure, vivant

pour le pouvoir, mobilisant toutes leurs ressources pour en faire la conquête puis le conserver jalousement. La plupart du temps, le politicien est aussi réformiste ou profiteur. C'est le cas d'exception qui n'est pas un politicien surtout, mais un politicien seulement.

« Il y a toute une dimension personnelle entre Bourassa et Mulroney que lui seul pourra dévoiler s'il le juge à propos un de ces bons jours, affirme Marc-Yvan Côté, lorsqu'il réfléchit à toute cette période. Je suis convaincu qu'il y a des choses qu'on ne sait pas et que même les plus intimes ne savent pas. Et d'après moi, ça a joué beaucoup dans les décisions que M. Bourassa a prises et qu'il a fait endosser par le caucus, par le Conseil des ministres et par le parti. Ça, c'est majeur. On l'a senti depuis 1984, surtout sur les questions constitutionnelles. »

Comme Robert Bourassa, Brian Mulroney avait préparé depuis l'enfance son entrée au bureau du premier ministre. Il n'avait pas, contrairement à Bourassa, bénéficié d'une riche belle-famille, d'un protecteur puissant au sein d'un parti, d'un concours de circonstances faisant de lui l'inconnu qu'il fallait propulser au sommet. Mulroney avait bâti son ascension d'abord sur un travail acharné et réel dans les soubassements de l'appareil politique conservateur (le choix du parti était un pur hasard ; Mulroney aurait aussi bien pu être libéral) ; ensuite, sur l'accumulation d'amitiés, de relations personnelles, devenues réseau, puis base politique pancanadienne. Mulroney avait l'audace et le charme voulus pour se faufiler toujours au bon endroit, au bon moment.

Avant de se reconnaître, Bourassa et Mulroney s'étaient croisés dès 1964. Bourassa était secrétaire de la commission Bélanger sur la fiscalité, qui tenait parfois ses audiences au Palais de justice de Québec. Brian Mulroney, étudiant en droit à l'université Laval, allait y faire des excursions, histoire d'ajouter quelques noms à sa liste de relations. Il y serra la main de Bourassa. À la fin des années 60 et au début des années 70, le monde québécois des affaires, du droit et de la politique étant assez facile à circonscrire, Bourassa et Mulroney se rencontrent encore ici et là.

Avocat d'affaires embauché par Paul Desmarais pour régler à tout prix la grève de *La Presse* en 1972, Mulroney est remarqué par le ministre du travail de Bourassa, Jean Cournoyer, qui cherche un représentant patronal crédible pour une nouvelle commission d'enquête sur les pratiques syndicales dans l'industrie de la construction. Il soumet le nom à Bourassa, qui lui donne sa bénédiction. Voilà le vrai point de départ. Dirigée par le juge Robert Cliche, flanqué d'un syndicaliste du nom de Guy Chevrette et de Mulroney, la bientôt célèbre « commission Cliche » a aussi comme procureur un membre du « réseau Mulroney » : Lucien Bouchard.

On a déjà raconté dans le premier tome comment Mulroney sauve la peau de Robert Bourassa en empêchant Bouchard d'assigner le premier ministre à comparaître. La technique de la commission est si proche des épisodes de

Perry Mason que la distinction est parfois difficile à faire entre témoins et accusés. Le procureur Bouchard voulait découvrir ce que Bourassa savait, et depuis quand, sur les négociations louches entre son bras droit, Paul Desrochers, et le l'homme fort de la FTQ-Construction, André « Dédé » Desjardins*.

Bourassa doit donc une fière chandelle à Mulroney, peut-être même sa survie politique. Mulroney, lui, doit à Bourassa de lui avoir offert cet extra-ordinaire tremplin. « C'est la commission Cliche qui l'a mis sur la *map* », dit Bourassa, conscient de la valeur des choses. Les membres de la commission sont des vedettes ; chaque soir au petit écran, ils font figures d'incorruptibles traquant les malfrats. Mulroney se sert de cette vitrine pour percer aussi dans l'univers médiatique canadien, car ses acolytes, bien au fait de ses ambitions, lui laissent le monopole des entrevues en anglais.

La commission Cliche est un point de départ essentiel de la relation Bourassa-Mulroney. Robert a alors 40 ans, Brian 35. À partir de là, on ne comptera plus le nombre d'ascenseurs envoyés et retournés. Mulroney et Bourassa ont compris qu'ils pouvaient se faire la courte échelle, et c'est d'autant plus vrai qu'ils trébuchent bientôt tous les deux. Galvanisé par la commission Cliche, Mulroney s'engage dans la course au leadership conservateur. D'abord candidat dans le but de se faire connaître et de préparer ainsi une campagne subséquente, Mulroney se prend au jeu et pense gagner la partie. Puisque son principal adversaire est Claude Wagner — candidat défait en 1970 par Bourassa — Brian bénéficie du soutien discret de Robert. Entre autres, l'homme qui a « fait » le premier ministre québécois, Paul Desrochers, appuie officiellement Mulroney et donne quelques précieux coups de main à ses organisateurs. Au premier tour de scrutin, au congrès de février 1976, il arrive bon deuxième, derrière Wagner ; aux deux tours suivants, il est troisième ; au dernier tour, c'est Joe Clark, parti troisième, qui finit en tête. Mulroney est dévasté. Bourassa est de ceux qui le consolent, lui disant, au téléphone, qu'un jour, il aura une seconde chance. En mars, lorsque Mila Mulroney donne naissance à un fils, Ben, la première corbeille de fleurs livrée à l'hôpital est celle des Bourassa.

Huit mois plus tard, en novembre 1976, la scène de la consolation est encore une fois jouée, mais les rôles sont inversés. Bourassa vient d'être expulsé du pouvoir par les deux tiers des Québécois. Il a même perdu sa circonscription aux mains d'un poète séparatiste !

Dans un salon privé du restaurant Chez son père, avenue du Parc, entre favori de Bourassa, Brian lui remonte le moral. Événement rare : Robert a quelques verres de vin dans le corps et fulmine contre les amis d'hier qui feignent maintenant de ne pas le connaître. Les deux perdants s'accrochent

---

* Quatre des 23 syndicats de la FTQ-Construction étaient infiltrés par des éléments criminels qui y avaient implanté les mœurs et les méthodes de la pègre.

l'un à l'autre comme des naufragés dépourvus de bouée. Ils se promettent des jours meilleurs, des victoires à venir. « Il faut du temps, dit Brian. Dans quelques années, en comparaison avec ces gars-là [le PQ], tu auras l'air pas mal bon. »

Dans l'existence d'un homme, il y a deux moments où peuvent se nouer des « amitiés de toute une vie » : pendant l'adolescence et dans l'adversité. Le lien entre Robert et Brian est de cette deuxième étoffe.

Les deux hommes continuent de se fréquenter pendant leurs traversées du désert. Ils partagent un rêve commun : celui du retour. Le couple est mal assorti. Mulroney est expansif, direct, parfois grossier. Toutes ses opinions sont tranchées au couteau, définitives, même s'il peut en changer comme de cravate. (On lui connaît un seul attachement précoce et constant à un grand principe : celui du bilinguisme canadien.) À tout interlocuteur disposé à l'entendre, il énumère volontiers sa liste des « idiots » et des « médiocres », liste fort bien fournie et constamment mise à jour. Il aime le faste, le clinquant ; il a l'admiration du petit garçon pour le gigantisme américain. Il est de la race des grimpeurs qui ont voulu devenir nouveaux riches, sans prétendre se fondre aux anciens ni adopter leurs rites.

Bourassa est calme, introverti, allergique aux lignes droites comme aux jurons. Ses opinions ne paraissent jamais arrêtées et il se fait un point d'honneur de ne dire du mal de personne, bien qu'il n'en pense pas moins. Il déteste le faste, les assemblées mondaines, les grandes cérémonies. Heureux d'avoir eu accès, par alliance, à un vaste compte en banque, il se désintéresse de l'accumulation du capital.

Pourtant, Bourassa et Mulroney forment le couple de la décennie. Ils ont en commun le *wire disease*, la maladie du téléphone. Constamment en ligne pour colliger des informations, tester des idées, recueillir des potins. Brian pose ses questions directement, allant droit au but. Robert feint de s'intéresser au temps qu'il fait chez son interlocuteur, le laissant soulever un problème ou donner une information. Ensemble, Brian et Robert ne perdent pas de temps à parler cinéma ou sport — quoiqu'ils aiment tous les deux le base-ball —, ils parlent politique pure : Qui a de l'influence ? Qui est sur le déclin ? D'où vient l'argent ? Où sont les organisateurs ? Que dit le dernier sondage privé ? Quand deviendrons-nous chefs ?

Surtout, Robert et Brian ont en commun des ego de bon volume. Robert dissimule le sien sous des airs de bon naïf. Brian le porte à sa boutonnière. Mais ils sont convaincus d'être chacun bien meilleur que ceux qui occupent à leur place le fauteuil du chef ou du premier ministre. Brian n'a que mépris pour Joe Clark. À la fin de 1976, Bourassa pense que le gouvernement québécois ne pourra tout simplement pas fonctionner sans lui. Il prédit le chaos à court terme. Il ne faut pas juger trop sévèrement ces outrecuidances. L'ambition est une aptitude indispensable dans la vie politique. Et la confiance en soi, souvent démesurée, est le seul carburant qui subsiste lorsque tout va mal.

En 1980, au moment de la campagne référendaire, Robert brûle de revenir au Parti libéral, de sauter quelques étapes. Mulroney tempère ses ardeurs : « Une des pires fautes en politique est l'impatience. »

Mulroney, lui, avait péché par opulence, au moment de sa candidature au leadership conservateur en 1976, faisant étalage des sommes folles que ses amis banquiers et chefs d'entreprises avaient versées à sa caisse électorale. Cette ostentation lui avait probablement coûté la victoire. Après la défaite de Joe Clark à l'élection fédérale de 1980, au terme de seulement neuf mois de pouvoir, Mulroney prend le chemin du retour, rebâtissant son organisation, mais cette fois avec plus de modestie, sinon dans les moyens, du moins dans le style. Pendant les mois précédant le congrès au leadership conservateur de 1983, il va dans les villes et les villages rencontrer les délégués sans ameuter la presse. En 1976, il avait voulu être gazelle. En 1983, il se fait taupe. En juin, il devient chef.

Simultanément, Robert prend la même voie, quoiqu'en territoire québécois seulement. Il dira avoir fait une campagne « à la Brian ». (Bourassa doit se battre contre les libéraux fédéraux, dont le premier ministre Trudeau, qui ne veulent pas de son retour. Par l'intermédiaire d'un ami commun, Mulroney intervient auprès de Trudeau pour le prier de rester neutre, lui faisant valoir que ses interventions seront vaines car Bourassa va l'emporter de toutes façons. Et si Trudeau persiste, Mulroney, maintenant chef de l'opposition, l'avertit qu'il va donner un coup de main à Bourassa.) En octobre 1983, Bourassa devient chef. Au téléphone, ce soir-là, Brian et Robert se congratulent. Ils sont revenus, presque arrivés.

Mulroney, le premier, affronte l'électorat en septembre 1984. Au Québec, il a besoin d'aide. L'appareil conservateur y est encore embryonnaire, malgré l'assez bon travail de recrutement accompli pendant sept ans par Clark, auquel s'ajoute maintenant le contingent du « réseau Mulroney ». Mais les libéraux fédéraux sont ici en terrain quasi familial, ayant emporté 74 circonscriptions sur 75 en 1980. Les Québécois sont-ils disposés à rompre un long *flirt* avec le parti de Pierre Trudeau, dirigé maintenant par John Turner ? Il y a un élément nouveau : le Parti québécois veut se venger des libéraux et de leur constitution de 1982 et est prêt à aider un fédéraliste conservateur pour s'en débarrasser. Mulroney a d'ailleurs un copain au sein de la direction péquiste : Guy Chevrette, ex-membre du trio de la commission Cliche devenu ministre. Brian, pour qui l'amitié transcende souvent la politique, avait d'ailleurs donné un petit coup de pouce financier au candidat Chevrette, pendant la campagne de 1976. La machine péquiste se met donc au service de Mulroney. Mais en 1984, elle est bien toussotante et pourrait ne pas suffire à la tâche.

Il y a l'appareil libéral provincial, aussi, maintenant contrôlé par Robert. Ce dernier ne demande pas mieux que d'aider Mulroney à devenir premier ministre. Il y a des raisons personnelles : Bourassa en veut aux libéraux fédéraux d'avoir tenté de lui barrer la route du retour, en moussant la candidature de Raymond Garneau et en faisant des déclarations contre lui. De plus, il a des raisons stratégiques : si Mulroney incarnait le changement à Ottawa, les électeurs québécois seraient tentés de suivre le mouvement et de changer l'équipe dirigeante au Québec. Mais il y a un hic : au niveau local, les deux tiers des libéraux provinciaux sont aussi libéraux fédéraux. Bourassa affecte donc une neutralité totale, mais il fait tout ce qu'il peut pour soutenir Brian. L'organisateur en chef de Bourassa, Pierre Bibeau, partage ses secrets tactiques et politiques avec le bras droit de Mulroney au Québec, Bernard Roy. Les bons signaux ayant été envoyés à la machine, presque la moitié de l'organisation libérale se met au service des candidats de Mulroney, opérant une coalition péquistes/libéraux inédite dans l'histoire politique québécoise. (Les libéraux aident surtout Mulroney dans l'ouest de la province, les péquistes, dans l'est. Bourassa a personnellement demandé à ses organisateurs d'aider Mulroney dans sa circonscription de Manicouagan, et en a informé le leader libéral John Turner.)

Deux semaines avant le vote, Bibeau dresse la liste des circonscriptions que les conservateurs vont emporter : il prédit un balayage. Il a raison : le Parti conservateur emporte 58 sièges sur 75 au Québec, et la plus forte majorité pancanadienne de l'histoire.

Brian, premier ministre, doit maintenant aider Robert à le devenir aussi. La tâche est encore plus délicate. Mulroney ayant obtenu l'appui de la machine péquiste, ne doit-il pas au PQ au moins la neutralité ? En décembre 1984, Mulroney et René Lévesque, toujours premier ministre, se rencontrent et parlent beaucoup de « réconciliation nationale ». Après avoir entendu le « discours de Sept-Îles », dans lequel Mulroney promettait que le Québec réintégrerait le giron canadien « dans l'honneur et l'enthousiasme », et après avoir lu les sondages mettant son parti et son gouvernement à la cave dans l'opinion, Lévesque a pris à l'été le virage du « beau risque » fédéraliste, perdant ainsi plusieurs de ses ministres, dont Jacques Parizeau. Au printemps de 1985, il présente à Mulroney une liste de demandes constitutionnelles, dont la reconnaissance de « l'existence d'un peuple québécois ». Mais ce document, livré personnellement par Louis Bernard, secrétaire général du gouvernement Lévesque, atterrit directement sur une tablette. Mulroney n'y touche jamais plus : pas question de commencer à négocier avec un gouvernement péquiste en fin de mandat. Il attend son ami Bourassa.

À la fin de 1985, une élection québécoise est déclenchée. Pierre Marc Johnson, qui a remplacé Lévesque à la tête du PQ en octobre, a même enterré la hache de guerre séparatiste. C'est sa seule chance, pense-t-il, de survivre à l'élection. Encore qu'il en existe peut-être une autre : les organisateurs péquistes observent d'un air attendri la montée d'un Parti conservateur provincial québécois. Si cette nouvelle formation présentait des candidats à l'élection provinciale, elle diviserait le vote antipéquiste. Mulroney fait le même calcul et estime que ce nouveau parti pourrait voler à Bourassa 25 % du vote libéral québécois, assurant ainsi sa défaite.

Il vole donc à la rescousse. Le nouveau et très populaire premier ministre canadien — à l'époque, il brise des records de popularité — vient bruncher au Ritz avec Bourassa. Les journalistes attendent à la sortie, dans un ballet planifié. Pourquoi cette rencontre, politiquement assez inusitée entre un premier ministre fédéral et un chef de l'opposition d'une province, se demandent-ils ? M. Bourassa est un économiste de bonne réputation, répond Mulroney. Et qu'en est-il de cette histoire de Parti conservateur provincial, interroge un autre journaliste, sous l'œil attentif de Bourassa ? « Je puis vous dire, annonce Mulroney, qu'il n'y aura pas de Parti conservateur au Québec sans l'approbation de la direction [canadienne] du parti. Nous n'avons pas été consultés et nous ne connaissons pas ces gens-là. » Pierre Bibeau, qui assiste à la petite scène, commente : « Nous n'aurions pas pu en demander davantage. »

Il y en aura pourtant davantage. La compagnie coréenne Hyundai ayant résolu d'ouvrir une usine au Canada, Mulroney insiste pour qu'elle s'installe au Québec, dont les habitants sont les principaux consommateurs canadiens de voitures coréennes. Les Coréens acceptent. Un investissement de cette ampleur — 300 millions de dollars — est toujours annoncé en présence des chefs de gouvernement, qui en tirent toute la publicité possible. (Le folklore politique veut que les grandes usines soient bonnes pour « trois élections » : une fois pour l'annonce du projet, une fois pour le début des travaux, une fois pour l'inauguration de l'usine.) La direction de Hyundai et le gouvernement péquiste, qui fournit une partie de l'investissement public, sont prêts à déballer cette bonne surprise. Mais nous sommes à la mi-novembre, à quelques semaines de l'élection provinciale, et cette annonce pourrait faire grand bien à la cote du gouvernement péquiste. Bien qu'Ottawa finance une partie de l'aide publique de 100 millions de dollars, Mulroney refuse donc de se présenter à la cérémonie de lancement du projet et ordonne à ses ministres de se faire aussi invisibles que lui. Il fallait beaucoup aimer Bourassa pour s'interdire ainsi la joie d'annoncer une bonne nouvelle économique.

Mais en décembre 1985, enfin, le tandem est au pouvoir.

ANNUS HORRIBILIS

L'hélicoptère du gouvernement fédéral s'est posé non loin de la résidence d'été du premier ministre canadien. Le chalet cossu surplombe un lac que les anglophones appellent Harrington, que les francophones appellent Mousseau. Robert Bourassa a quitté l'engin et vient saluer son hôte. Ou devrait-on dire son vieux complice ? En ce jour de juin 1991, Brian et Robert se rencontrent incognito. Ce n'est ni la première ni la dernière fois.

C'est une visite de courtoisie entre vacanciers. Pendant quelques heures, ils discutent de tout et de rien, mais surtout de l'année qui vient de s'écouler. Une année terrible. Ils ont l'air de deux guerriers qui comparent leurs cicatrices avant de retourner au front.

Mulroney est maintenant le premier ministre le plus détesté de l'histoire du Canada. Des rumeurs annoncent sa démission. « Écoute, lui dit Robert, si t'es pas là, rien ne va fonctionner ! » Mulroney est au courant. Sa coalition souffre des divisions qui déchirent le pays. Les membres québécois de son caucus lui doivent leur élection et lui gardent leur estime, mais rien ne garantit qu'ils seraient encore du voyage avec un nouveau leader. Le sénateur et ancien ministre Lowell Murray a d'ailleurs avisé Mulroney que s'il part, « la désintégration de ce parti et de ce gouvernement ne sera pas une question de mois ou de jours, mais d'heures ».

La question québécoise n'est pas seule en cause, mais elle cause une douleur lancinante, qui s'ajoute aux autres, plus ponctuelles. En juin 1990, la mort de Meech a mis Mulroney dans une humeur massacrante. Cet échec ne finira jamais de le ronger. Pendant l'été de 1990, surtout, il lui est arrivé de pester, de maudire entre autres Clyde Wells, au détour de conversations portant sur tout autre chose. « Ça le travaillait », se souvient Paul Tellier. Puis il y a eu Oka, l'envoi de l'armée canadienne. L'introduction de la taxe sur les produits et services (TPS), le tollé dans le pays, l'obstruction du Sénat qu'il a donc fallu « paqueter » de nouveaux sénateurs conservateurs, sous un nouveau tollé. La participation canadienne à la guerre du Golfe, la récession qui débute, les sondages qui tombent comme une grêle incessante.

Beaucoup de soucis, donc. Mais aucun, en cette horrible année, ne l'a tourmenté autant que le cancer de Robert Bourassa. Mulroney en a été informé pendant la crise d'Oka, de façon fortuite. C'est qu'il vient de parler à Jean-Claude Rivest et de lui offrir un poste de sénateur. Rivest a accepté. Très bien, dit Mulroney, je dois simplement demander la permission à Robert. Mais Robert ne la donne pas, et il est contraint de dire pourquoi : il doit aller se faire opérer à Washington pour un cancer, et compte sur Rivest pour gérer les affaires politiques, notamment la commission Bélanger-Campeau. Il ne peut donc s'en passer.

Alarmé par la nouvelle de sa maladie, Brian presse Robert de partir se faire soigner au plus vite et de le laisser s'occuper de la crise d'Oka, mais en vain. Brian a peur de perdre un ami, c'est sûr. Il a aussi peur de perdre le contrôle de la situation politique.

Mulroney figure parmi « ceux qui savent » que Robert Bourassa est un fédéraliste qui ne remettra jamais en cause le lien canadien. Les deux hommes se connaissent suffisamment et se parlent assez régulièrement pour que ce soit indubitable. Brian et Robert ne se parlent pas tous les jours. Mais il n'est pas inhabituel qu'ils se parlent quatre fois dans une journée. Tous les deux mois, environ, quand Mulroney doit se rendre à Montréal, il s'arrange pour arriver la veille de son engagement officiel et va souper avec Robert. Le plus souvent, ils cassent la croûte en tête-à-tête. Ni vu ni connu. Aucun autre premier ministre provincial n'a droit à ce traitement de faveur. Aucun autre premier ministre provincial n'a traversé le désert avec Brian.

Parfois, des membres de son entourage ou des politiciens anglophones s'interrogent devant Mulroney sur les vraies intentions de Bourassa. Et si c'était un souverainiste de cœur ? Et s'il décidait, contraint et forcé, de suivre le courant ? « Jamais, jamais », leur répond Mulroney, sans nuance. On lui demande un jour de chiffrer, de 0 à 10, les chances que le Québec quitte le Canada après l'échec de Meech. Mulroney répond : « *None*, zéro. »

« Je ne savais pas toujours où Bourassa s'en allait, dira-t-il encore, mais je savais toujours où ça allait se terminer », c'est-à-dire dans la fédération canadienne.

Mulroney a une motivation personnelle à vouloir intégrer le Québec dans le giron canadien. Bien sûr, il veut que l'histoire dise qu'il a su, mieux que Trudeau, réformer le pays. Mais en Québécois ayant choisi le Canada comme pays, il veut s'assurer de bien refermer la porte derrière lui, pour mieux préserver, à l'avenir, l'unité canadienne. « La phrase la plus importante de toute cette histoire, a-t-il un jour confié, c'est celle prononcée par Bourassa le 9 juin 1990 : "Le Canada est un vrai pays pour les Québécois." » Malheureusement, le 22 juin, comme on sait...

Pour Mulroney, le fait que le Québec n'ait pas adhéré à la constitution de 1982 est un argument majeur pour les souverainistes sur les plans intérieur et international. « C'est beaucoup plus facile de dire : *"We were never in, so we are out."* ["Nous n'avons jamais été dedans, alors nous sommes dehors."] Mais si le Québec a librement consenti à adhérer à la constitution, c'est extrêmement lourd de conséquence. On ne peut pas dire, le lendemain : on change d'idée. »

Pour Mulroney, même si les souverainistes tiennent un référendum et le gagnent, le vote ne sera pas nécessairement concluant si le Québec a signé préalablement la constitution. « Moralement, disons qu'ils vont voir les Français après et disent : "J'ai un référendum." Bon, s'ils ont 97 %, c'est une chose. Mais s'ils ont seulement 53 %, les Français vont dire [à Parizeau] : "Va-t-en chez vous !" »

Il sait cependant que la réintégration du Québec dans la constitution, son maintien même dans le Canada, dépendent de la bonne santé, physique autant que politique, de son copain Robert. Pendant l'automne de 1990, il entrevoit le pire. À un confident, il dira plus tard que c'était là sa « préoccupation principale » : « Le perdre à ce moment-là, c'était une espèce de catastrophe personnelle et d'État. »

Heureusement, après avoir frôlé la mort — bien plus à cause de complications opératoires que du cancer lui-même — Bourassa recouvre la santé au début de 1991*. Il en a besoin, ne serait-ce que pour répondre aux appels de

---

* Pour mémoire, rappelons que Bourassa fut hors circuit, cumulativement et en comptant large, pendant huit semaines réparties entre septembre 1990 et janvier 1991. Son cancer ne

Brian qui, de compatissants, deviennent de plus en plus pressants à mesure qu'avance l'année politique québécoise.

« Robert, ça a pas de crisse de bon sens ! »

Janvier 1991. Brian vient de parcourir sa copie du rapport Allaire, qui réclame 22 pouvoirs exclusifs pour le Québec dans un Canada redéfini, sinon c'est la souveraineté. Le premier ministre canadien est intarissable : « C'est un document profondément médiocre ! Complètement inacceptable ! Aucun premier ministre du Canada ne peut accepter ça ! Ça a été écrit par un fonctionnaire de Laval qui a perdu le nord* ! »

« Oui, mais, répond Robert, c'est mieux que c'était ! » Essentiellement d'accord avec l'évaluation qu'en fait Mulroney, Bourassa tente tout de même de lui expliquer que la version d'origine du rapport était encore plus radicale. C'était : souveraineté d'abord, négociation ensuite.

« Robert, oublie ça, *it is never going to happen !* [ça ne se réalisera jamais] », reprend Mulroney qui, en privé, passe souvent du français à l'anglais, choisissant dans les deux langues l'expression qui porte le plus. « Je préfère de beaucoup, poursuit-il, que les Québécois soient appelés à voter pour l'indépendance que de négocier ça. »

Avant de se calmer, il a encore le temps de dire : « C'est une sottise » et « *this is not worth talking about, forget it !* » (« Ça ne vaut pas la peine d'en parler, oublie ça**. »)

Mulroney pense l'affaire enterrée jusqu'à ce qu'il suive au petit écran le déroulement du congrès libéral québécois de mars 1991. Le vendredi soir, il entend le discours d'ouverture où Bourassa affirme que « la modération a été rejetée, le moment est historique » et déclare que « le *statu quo* est la pire solution pour le Québec ». « Qu'est-ce que c'est que cette folie, est-ce que tu as entendu ça ? » tonne Mulroney à l'adresse de son conseiller québécois, Michel Roy. « Ce n'est que la deuxième période, attends la fin de la partie », répond Roy pour le calmer. Le lendemain, Mulroney écoute les débats télévisés du congrès. Il voit le rapport Allaire adopté dans l'enthousiasme et les amendements fédéralistes de Claude Ryan écrasés avec la délicatesse du rouleau compresseur. Fulminant, il assiste au départ de Claude Ryan du congrès et à sa menace de démission. Il empoigne le téléphone.

« Robert, ça a pas de crisse de bon sens ! »

Mulroney a rarement été d'aussi mauvais poil.

---

reviendra le hanter qu'en décembre 1992, donc après le référendum. Son état de santé ne constitue pas un facteur politique dans l'intervalle.

* Jean Allaire, président du comité, dirige le service du contentieux de la Ville de Laval. Il n'a cependant pas rédigé lui-même le rapport Allaire, hormis une brève introduction.

** Les échanges Mulroney/Bourassa et les propos de Mulroney rapportés ici et dans la suite du livre sont reconstruits à partir de quelques sources, mais notamment grâce au récit que le premier ministre fédéral en a fait à un confident qui avait la bonne idée de prendre des notes. Avis aux chercheurs de sources, le confident en question n'est pas Michel Roy, qui aurait pourtant fait un bon suspect.

« C'est une disgrâce, dit-il encore, maniant l'anglicisme. C'est un des moments de plus grande disgrâce politique de l'histoire du Québec ! C'est disgracieux que ce grand homme [Ryan] du Québec et du Canada soit rabroué par des jeunes hors de contrôle », s'indigne-t-il, parlant de la Commission jeunesse et de son nouveau président, Mario Dumont.

« Il faut absolument qu'il y ait des interventions immédiates, non seulement pour M. Ryan, mais pour votre parti ! »

« Je vais m'en occuper », l'assure Robert, qui s'y astreint effectivement mais qui avait rarement entendu, par le passé, Mulroney dire du bien de Claude Ryan. Aujourd'hui, il l'encense et l'appelle directement pour partager avec lui son courroux et sa répulsion.

Le lendemain, le premier ministre canadien est soulagé d'entendre le discours fédéraliste avec lequel Bourassa clôt le congrès et reprend le contrôle du parti. Mais deux semaines ne se sont pas écoulées que la soupe déborde encore, cette fois dans les chaudrons de la commission Bélanger-Campeau.

« Robert... »

Brian ne comprend absolument pas la stratégie « consensuelle » menée par Robert à la commission. Consensus ? Avec qui ? Les séparatistes ? « C'est la chose la plus bête et la plus politiquement stupide que j'aie vue de ma vie ! lui dit-il. Vous présumez de la bonne foi des séparatistes. Moi, je présume qu'ils veulent la destruction du Canada. »

Mulroney vitupère contre le projet de résolution qui parle « d'appels d'offres » de réforme constitutionnelle de la part du Canada. Une expression qu'il juge « répugnante et quétaine ». Elle sera retirée. Il est encore plus inquiet quand, dans le huis clos de la commission où le premier ministre du Canada a ses informateurs, la souveraineté est mise aux voix. Il craint que les séparatistes ne l'emportent.

À un confident, il dit penser que les membres libéraux de la commission ont été victimes « du syndrome de Stockholm » selon lequel les otages finissent par adopter les vues de leurs kidnappeurs. Il juge la commission « paquetée pas mal, *off the rails* ». Quant au nom de « non-alignés », attribué aux souverainistes non péquistes, il lui rappelle toujours Fidel Castro, prosoviétique et membre du Mouvement des non-alignés.

Ce danger une fois écarté — la souveraineté est battue à 17 contre 15 —, Mulroney ne prise guère le rapport final de la commission. Et moins encore la loi 150 qui en découle et qui prévoit un référendum sur la souveraineté avant octobre 1992, même si Bourassa et Rivest expliquent qu'ils vont passer outre. Quand le Parti québécois refuse finalement de voter la loi 150, pour cause de double langage gouvernemental, Brian comprend encore moins.

« Pourquoi vous passez ça ? Le PQ vote contre ! »

De ces conversations, il faut retenir deux choses. D'abord, malgré les sommes folles que le gouvernement fédéral dépense pour sonder l'opinion québécoise, malgré les dizaines de coups de téléphone que donne chaque jour le premier ministre pour rester, comme il le dit, « un gars plogué sur la réalité », Brian Mulroney sous-estime gravement la force de la vague souverainiste en 1990-1991, à l'extérieur comme à l'intérieur du Parti libéral du Québec. Il ne saisit donc pas la complexité des manœuvres que Robert Bourassa doit accomplir pour dire une chose et faire son contraire, pour entraver le courant prédominant dans l'opinion publique tout en feignant de l'accompagner.

Mais il y a plus. Mulroney est devenu impopulaire en menant ses batailles de front, en terrain découvert : libre-échange, TPS, Meech. Le cynisme dont Bourassa fait preuve dans son combat antisouverainiste le laisse donc perplexe. À sa place, Brian aurait multiplié les professions de foi fédéraliste, déclaré la guerre aux séparatistes, expulsé de son parti les fauteurs de troubles. Mulroney ressemble en cela à Jacques Parizeau, qui parle à cette époque du « terrible désir de revenir aux choses claires ».

Au bord du lac Harrington, en juin 1991, le premier ministre canadien déverse encore son incompréhension sur son convive.

« Robert, lui dit-il, comment se fait-il que tu laisses quelqu'un comme Mario Dumont prendre tellement d'ampleur dans ton parti, alors que de toute évidence il est indépendantiste ? Moi, je ne permettrais jamais une chose pareille ! »

Bourassa tente de faire son éducation quant aux rapports de force existant au sein du PLQ, reflets des courants de la société québécoise. Il lui explique que, s'il s'y prend mal, une majorité du parti pourrait — hypothèse noire — opter pour la souveraineté. Mulroney ne veut rien entendre : « Si le PLQ faisait ça, affirme-t-il, il y aurait un autre Parti libéral fédéraliste qui serait créé. Car tant que le fleuve Saint-Laurent coulera dans le même sens au Québec, il y aura des Québécois qui veulent être Canadiens. »

Mulroney fait même devant son copain le calcul électoral : si le PLQ de Bourassa devenait souverainiste, il se partagerait le vote souverainiste avec le PQ aux prochaines élections. Le « nouveau » Parti libéral fédéraliste serait donc triomphant. CQFD. Il n'y a pas de menace dans ces propos, seulement une sereine certitude. Mulroney enfonce le clou : « Si le Parti libéral est en train d'être manipulé par un étudiant [Mario Dumont] et un fonctionnaire de la Ville de Laval, il va y avoir un autre Parti libéral fédéraliste. »

Juin 1991, c'est aussi le moment où Joe Clark et son comité ministériel mitonnent les premières offres fédérales. Brian et Robert discutent ensemble de ce qu'il faudrait y mettre. Mulroney sort de cette conversation avec l'impression que l'appétit de Bourassa est fort modeste : retrouver Meech, certes, quelques pouvoirs dans les domaines de la culture et de la main-d'œuvre. Rien de révolutionnaire. Rien qui ressemble de près ou de loin au rapport Allaire. C'est pourquoi Mulroney n'est nullement surpris d'entendre Paul Tellier, de retour de Tracy, rapporter que tous les feux québécois sont au vert.

Entre amis, on se dit tout ? On s'en dit beaucoup. Jean-Claude Rivest a parfois constaté le phénomène :

Mettons que Bourassa va s'asseoir avec Brian Mulroney. Des fois, ça arrive que je suis là. Il va être beaucoup plus prudent quand je suis là. Il y a des affaires qu'il dira pas quand je suis là. Parce que je vais l'engueuler. Je vais dire : « Robert, ça a pas de bon sens, ce que tu lui as dit, c'est pas vrai ! »

Robert et Brian ont donc un niveau de conversation qui effraie même certains de leurs proches collaborateurs. Mais il y a un important non-dit à cette étape de leur relation. Il y a une ombre, celle de Lucien Bouchard. Jamais Mulroney ne pardonnera à Bouchard d'avoir remis sa démission pendant la dernière étape de Meech, de l'avoir lâché après 30 ans d'amitié. À son panthéon personnel des mécréants, où figurent notamment beaucoup de journalistes et, bien en évidence, Pierre Trudeau, Mulroney place Clyde Wells et Lucien Bouchard au sommet et semble ne jamais se décider à décerner la palme au premier ou au second.

Lorsqu'il était revenu pour la première fois au parlement fédéral après la rupture, à l'automne de 1990, Lucien Bouchard avait dû traverser presque toute la Chambre, et passer dans l'allée centrale, près du pupitre de Mulroney. Les deux hommes avaient pris soin de ne pas croiser leurs regards. Bouchard avait même esquissé un petit mouvement, à la hauteur de Mulroney, comme pour s'en distancier un peu plus. Un observateur de la scène, le journaliste de la radio de la CBC, Jason Moskovitz, avait conclu son reportage en disant : « On savait que Lucien Bouchard et Brian Mulroney ne se parlaient plus. On sait maintenant qu'ils ne se regardent plus. »

Non, mais ils s'observent de loin. Mulroney est au courant des mamours que se font Bouchard et les libéraux du Québec. On lui rapporte que Rivest et Bouchard ont été vus, s'esclaffant, dans un corridor du parlement fédéral. Il sait que Bourassa ne freine pas ces ardeurs. Il ne comprend pas pourquoi son copain a donné à Bouchard un siège à la commission Bélanger-Campeau où, dira un Mulroney mal informé, « il ne pouvait l'aider sur rien du tout ». Il sait surtout que le Bloc québécois, qui tire sa légitimité de son statut de coalition de souverainistes venus à la fois du PQ et du PLQ, peut lui coûter sa réélection. Se doute-t-il seulement que Robert Bourassa avise des *apparatchiks* libéraux, dès 1990, que l'irruption du Bloc québécois permettra aux électeurs de « se défouler » de l'échec de Meech aux élections fédérales, préservant ainsi les chances du PLQ aux élections provinciales qui suivront ? Et tant pis pour Brian !

« Les politiciens ont besoin d'une marge de manœuvre, il faut respecter ça », observera un Mulroney rarement aussi posé lorsqu'il s'agit de Bouchard. « Il fallait qu'il [Robert] regarde les intérêts de son parti et seulement de son parti. »

Mais contrairement à Mulroney qui avait proprement fait avorter le petit Parti conservateur provincial en 1985, Bourassa, loin de nuire à la naissance du Bloc, est en train de concourir à la création d'un monstre. Il lui fournit incubateur (Bélanger-Campeau) et vitamines (les ministres libéraux québécois abreuvent Bouchard de munitions pour les questions à poser en Chambre).

Plusieurs députés libéraux, dont Guy Bélanger, de Laval ; Jean-Guy Lemieux, de Québec ; et Georges Farrah, des Îles-de-la-Madeleine ; songent à se porter candidats du Bloc aux prochaines élections fédérales, concrétisant ainsi l'alliance sacrée entre libéraux et bloquistes. Parfois de passage à l'Assemblée nationale, Lucien Bouchard distribue les poignées de main aux députés libéraux nationalistes, souvent regroupés à une même table au restaurant Le Parlementaire. Des députés libéraux plus fédéralistes, comme Jean-Claude Gobé, Sam Elkas ou Louise Robic, apostrophent leurs collègues sur le ton de la rigolade grinçante, en lançant : « Votre *boss* était ici hier ? » Dans plusieurs associations locales naissantes du Bloc, libéraux et péquistes jouent du coude pour décider qui contrôlera la machine. Certains libéraux, comme Guy Bélanger, se croient même déjà aux commandes : « C'était Lapierre [Jean, un libéral] qui contrôlait le Bloc, c'était pas Lucien. En contrôlant Lapierre, on était corrects. » Évaluation erronée du rapport de force au sein du Bloc, mais révélatrice du stade avancé du flirt entre libéraux et bloquistes. Des membres fédéralistes, au sein du PLQ, s'en émeuvent. À une réunion du comité exécutif du parti, le 20 juin à Québec, Robert Bourassa est interrogé sur « le rapprochement des membres de l'aile parlementaire au Bloc québécois ».

Pierre Anctil, directeur général du parti, confirme en entrevue qu'en haut lieu, « on ne voyait pas d'un mauvais œil que certaines personnes dans les comtés, dans les régions, aient des contacts avec le Bloc ». La réaction très positive de Jean Lapierre à la publication du rapport Allaire, par exemple, « ça aidait » les libéraux à damer le pion au PQ, dit-il.

Depuis sa création, le Bloc se place loin devant le parti de Mulroney dans les intentions de vote au Québec. Brian peut d'ailleurs lire dans la presse cette confidence d'un proche de Bourassa qui, parlant de l'attitude de ce dernier face aux chances électorales du Bloc, affirme : « S'il y a un train qui part, il ne se mettra pas devant. »

L'affaire du Bloc et l'incompréhension croissante des stratégies de Bourassa par Mulroney introduisent une première distance dans la relation entre les deux amis. « Il me disait des choses, mais il ne me disait pas tout, expliquera Mulroney. Vu nos relations, il y a des choses qu'il aurait eu beaucoup de difficulté à m'expliquer. » Dans l'année qui vient, ils ne se parleront pas moins, mais ils agiront comme un vieux couple qui n'ose pas discuter d'une dispute naissante, de crainte qu'elle ne soit trop profonde.

Michel Roy, qui tente dans de savants mémos d'expliquer à Mulroney les tenants et aboutissants de la stratégie bourassienne, est parfois témoin de ce drôle de pas de deux.

Il est arrivé, quand Bourassa faisait des déclarations ou faisait des choses, que le PM [Mulroney] m'appelle pour me dire : « Mais enfin, où va-t-il ? Qu'est-ce qu'il veut dire ? Robert m'a dit l'autre jour une chose, et ce n'est pas ce qu'il fait. Qu'est-ce qu'on peut y comprendre ? »

Alors je me suis dit : Bon, c'est intéressant. Ça confirme ce que d'autres personnes m'avaient dit par ailleurs. Que ces deux hommes-là quand ils se parlent, finalement escamotent parfois l'essentiel. [...]

On dirait qu'ils jouent au chat et à la souris, sur certains points. Bourassa préfère ne pas trop expliquer pourquoi il fait les choses, et Mulroney n'ose pas trop l'interroger, de crainte de passer pour le gars qui va à la chasse, qui est trop curieux. C'est bizarre, ces rapports. Ils veulent bien s'appuyer l'un l'autre, mais ils se devinent plus qu'ils ne se confient.

Mulroney devine en tout cas qu'il ne peut pas compter sur Bourassa pour assurer ses arrières au Québec. Le chef conservateur doit trouver le moyen, non de freiner le train du Bloc québécois qui risque de l'aplatir, mais de le priver de rails. Pendant la saison 1990-1991, Brian craignait pour la vie de Robert. Pendant la saison 1991-1992, Brian craint pour sa propre survie politique.

LES VALISES PERDUES DE M. CLARK

« Je ne savais pas toujours où Bourassa s'en allait, mais je savais où ça allait se terminer. » Cette phrase de Mulroney aurait pu être gravée dans la pierre, à l'entrée des bureaux de Joe Clark. Elle pourrait également servir d'épitaphe à la carrière du chef de cabinet de Mulroney, Norman Spector, bientôt victime de l'effet Bourassa.

À Ottawa, en décembre 1991, on joue à « Que va faire Bourassa ? ». Le plan de match fédéral consiste à utiliser les propositions de Clark comme base de règlement, à les « bonifier » ensuite grâce aux consultations publiques d'une nouvelle commission parlementaire composée de conservateurs, de libéraux et de néo-démocrates, qui doit rendre son rapport à la fin de février 1992. Adoptées par la Chambre des communes, ces recommandations pourraient alors être vendues aux provinces et formalisées en avril, puis passer le test de la ratification, soit par vote des parlements provinciaux, soit par voie de référendums provinciaux ou d'un seul vote pancanadien. Rien n'est encore décidé. Au départ, Bourassa semblait satisfait de ce processus. Il avait bien réagi aux propositions de Clark, mais il faut maintenant constater avec lui que l'opinion publique québécoise ne partage pas ses bonnes dispositions.

Face à Bourassa, Norman Spector ne souffre pas, comme d'autres, d'un déficit de cynisme. Devant l'auteur, le premier a dit du second : « Il nous a tellement menti, pendant Meech, qu'on ne peut plus le croire. » Lors de la négociation de Meech, Spector était responsable des relations fédérales-provinciales (poste maintenant occupé par Jocelyne Bourgon). Depuis, il a été promu chef de cabinet de Mulroney, donc coordonnateur de toute l'action gouvernementale. Montréalais anglophone issu de la communauté juive et parfaitement bilingue, Spector ne souffre pas, non plus, d'un déficit d'intelligence. Or, au début de décembre 1991, Spector pense avoir compris ce que Bourassa, politiquement piégé au Québec, va faire.

Selon le scénario établi par Spector à partir d'informations glanées çà et là, Bourassa attendra que l'offre fédérale trouve sa forme définitive, en avril 1992. Puisque la proposition sera probablement en deçà des désirs de l'opinion québécoise — dont Spector est un meilleur lecteur que Mulroney — Bourassa ne pourra la présenter sans garniture. Donc, pense Spector, Robert Bourassa posera aux Québécois la question référendaire suivante : « Donnez-vous au gouvernement du Québec le mandat de bonifier les dernières offres fédérales et d'y ajouter les éléments A, B et C, pour renouveler la fédération, ou préférez-vous que le Québec devienne un pays indépendant ? » Une question dont le premier terme a de bonnes chances de susciter une majorité, pense Spector, et qui permettra à Bourassa de se donner encore le beau rôle du revendicateur. Une question qui a cependant l'inconvénient de relancer la balle dans le camp fédéral, de continuer à canaliser la colère québécoise en direction d'Ottawa, alors que l'élection fédérale s'en vient. Une question qui risque donc de sacrifier Brian sur l'autel de Robert. Or Spector a pour fonction principale de protéger son patron, Mulroney, contre de telles avanies politiques. Il est donc inquiet. (Spector n'est pas loin de la vérité. À l'hiver de 1992, Jean-Claude Rivest jonglera en effet avec un scénario de ce genre. Il n'aurait cependant pas été question de donner aussi le choix de l'indépendance sur le bulletin référendaire.)

Il ne faut d'ailleurs pas être devin pour voir se dérouler le calendrier : 1) dépôt d'offres canadiennes au printemps ; 2) référendum de Bourassa sur un mandat de négocier ; 3) totale incapacité de Mulroney et du ROC de bonifier les offres ; 4) élections fédérales où Mulroney sera puni de cet échec par les Québécois, qui voteront pour le Bloc auquel Bourassa donne toujours un peu de crédibilité ; et dans l'Ouest, par le Reform, qui profitera de la polarisation ; 5) fin de la carrière politique de Mulroney ; 6) Bourassa, comptant que les Québécois se sont bien défoulés, d'abord grâce au référendum, puis à l'élection fédérale, espère les trouver plus calmes et remporter l'élection québécoise. On voit pourquoi Spector veut éviter cette séquence d'événements à tout prix.

En un sens, Spector admire ce qu'il croit être la volonté du premier ministre québécois. « Bourassa, il est assez fort, commente-t-il, il sait où il va, il a une stratégie, un sens de ces choses-là qui est peu commun. » Spector a un côté gamin, narquois et rebelle. Il aime penser qu'il aurait pu faire, politiquement, les 400 coups avec Bourassa. Il ne peut en dire autant des stratégies élaborées par Joe Clark et son assistante, Jocelyne Bourgon. Si Spector et Bourassa se nourrissent de cynisme, Clark et Bourgon carburent à l'idéalisme.

Clark a entendu les Canadiens vilipender Meech en accusant l'Accord d'avoir été réalisé sans consultation populaire[*]. Il a donc résolu de faire participer les Canadiens ordinaires à chaque étape du nouveau processus. Au printemps de 1990, Mulroney avait d'ailleurs promis que s'il devait y avoir une nouvelle négociation, les Canadiens seraient « consultés à mort ».

Le Forum des citoyens de Keith Spicer avait d'abord rempli cette fonction, en multipliant les débats de ville en bourg à l'hiver de 1990-1991. Après le dépôt des propositions de Clark, une commission parlementaire a été formée pour en étudier le contenu. Mais l'étudier comment, et avec qui ? Lorsque Mulroney a demandé à Claude Castonguay, en septembre 1991, de devenir coprésident de la nouvelle commission, il était entendu « sans aucune équivoque », affirme Castonguay, que ce nouveau groupe « ne reprendrait pas l'expérience de Spicer ».

Mais laissons Castonguay, homme posé, à la voix grave et à l'air constamment renfrogné, prendre la direction du récit :

> Castonguay : Il était entendu qu'on se réunissait comme ces comités-là le font généralement à Ottawa, qu'on recevrait des mémoires, qu'on écouterait des gens, qu'on ferait certains travaux au besoin pour compléter notre documentation et que l'on rencontrerait les comités de même nature mis sur pied par les provinces, si ces comités-là voulaient bien nous recevoir. [...]
>
> M. Clark nous convoque à son bureau le lendemain de la création du comité, avant même qu'on ait pu se réunir avec les députés et sénateurs libéraux et néo-démocrates. Et je me rends compte que les députés qui avaient été nommés par le Parti conservateur étaient des députés qui étaient très près de Joe Clark. Et je me rends compte également que Mme Dorothy Dobbie, la coprésidente, également partageait les vues de Joe Clark.
>
> Et Clark voulait qu'on se mette au travail dès la semaine suivante. Non pas, là, à faire une étude des propositions au sein du comité, inviter des témoins experts pour en prendre connaissance. Il voulait qu'on se mette en marche tout de suite, et même, il voulait qu'on invite dès la semaine suivante des pasteurs. Il disait que ça donnerait un certain... ça situerait le débat à un certain niveau.
>
> L'auteur : Des pasteurs ? Des évêques ?
>
> Castonguay : Il y avait un groupe de pasteurs, là, protestants de l'Ontario qui avaient manifesté de l'intérêt et il croyait qu'on devrait les recevoir pour discuter d'éthique. Et puis que dès que possible on devrait partir en tournée. [...]
>
> Deux, trois semaines après on était déjà rendus à l'Île-du-Prince-Édouard. Moi, en arrivant à l'île, je ne savais même pas quel était le programme précis de nos visites. [...] On est allés d'abord se promener dans des écoles secondaires, entendre des enfants qui n'avaient même pas l'âge de voter, qui pouvaient sortir à peu près

---

[*]   C'est une manifestation de la montée d'une volonté participationniste au Canada anglais qui a vu le jour pendant le débat de Meech. Notons que Meech et la constitution de 1982 ont été soumis à un processus de consultation parlementaire identique, sauf pour une différence rarement évoquée : à l'élection de 1979, Trudeau avait promis de tenir un référendum sur sa future constitution, mais ne l'a pas fait. Pour Meech, Mulroney n'avait jamais fait une telle promesse.

n'importe quoi sans trop être conscients des implications de ce qu'ils pouvaient dire.

Dans l'équipe Clark, on reproche à Castonguay d'avoir été absent, d'avoir peu participé à la prise de décision, d'avoir passé le plus clair de son temps à Montréal pour s'occuper de la corporation du groupe La Laurentienne alors que la direction de la commission s'enlisait dans d'interminables querelles sur son mandat et son programme. Il faut dire que plus Castonguay assistait aux travaux de la commission, moins il voulait y participer. L'ancien ministre québécois devenu banquier est un homme de conseils d'administration disciplinés, de rapports savants, léchés et un peu ennuyeux. Le voici mis en charge d'un groupe turbulent de députés combatifs, lancé dans les campagnes canadiennes pour recueillir l'opinion, et le plus souvent l'ire, des bonnes gens, selon le projet d'un grand timonier albertain, Joe Clark, qui rêve d'un débat maoïste, d'un mouvement des cent fleurs. La collision était inévitable.

Après avoir entendu les insultes antifrancophones de gardes rouges prépubères de l'Île-du-Prince-Édouard, Castonguay et sa troupe partent vers l'Ouest écouter des adultes dire tout le mal qu'ils pensent de la TPS et de Brian Mulroney. Parmi les plus éloquents, il y a, à Winnipeg, les porte-parole provinciaux du Reform Party qui affirment au micro « se rebeller parce qu'on nous rentre le français dans la gorge avec notre propre argent », ou que le gouvernement a « arraché toutes les entreprises de cette province [le Manitoba] pour les relocaliser à Montréal ». Castonguay lève les yeux au ciel : « Les séances à Winnipeg, ça n'avait aucun bon sens. C'était interminable. C'était des défoulements. »

La caravane de deux douzaines de parlementaires fait un arrêt complet à Saint-Pierre Jolys, Manitoba, où seulement trois personnes viennent se faire entendre. Pour dire le vrai, une des trois était chargée des rafraîchissements. « C'est là que ça a été la vraie catastrophe », se souvient Castonguay qui, à bout de forces selon des témoins et son médecin, donne sa démission, après quelques prises de bec désagréables avec Clark. Il pense même quitter immédiatement le Sénat, mais Michel Roy l'en dissuade.

Le sentiment de désarroi qui règne alors est illustré, en Chambre, par les mots de Joe Clark qui, arrivé en retard pour la période de questions, lance : « Excusez-moi, j'ai perdu mes valises. »

Revenu de son escapade canadienne, Castonguay fait un constat pessimiste. « Les Canadiens anglais veulent un gouvernement central fort, on a entendu ça dans tout le pays », soupire ce nationaliste québécois modéré. Il ne voit pas comment concilier le Québec et le ROC : « Le pays est divisé. On retrouve ça à tous les niveaux : au niveau de la classe politique, au niveau du fonctionnarisme. » La réforme du fédéralisme lui semble donc « presque une mission impossible », à moins que le Québec ne soit prêt à accepter « des choses plus ou moins valables ».

Castonguay parti, Clark remplace les tournées de la commission par de grandes « rencontres thématiques », plus intellectuelles et mieux gérées, devant conduire aux recommandations finales de la fin de février.

Mulroney et Spector ont assisté, rageurs, à la farce. Dans des rencontres privées avec des premiers ministres provinciaux, surtout conservateurs, Mulroney médit de Clark, hier sauveur, aujourd'hui naufrageur des espoirs constitutionnels. « Il est dans son *trip* de capitaine Canada ! crache Mulroney. Il pense qu'il va sauver le pays. Pas que le gouvernement va le faire, mais lui tout seul ! » Mulroney et Clark se parlent donc peu. Spector et Clark ne se parlent plus. « Spector pensait que c'était un naïf », dit un de ses collègues. Le chef de cabinet a conclu que Clark n'a tout simplement pas de stratégie. « Les gens croient qu'on en a, mais on n'en a pas, *that's it* ! » déplore-t-il pendant un déjeuner. « On s'en va comme ça, on ne sait pas très bien. »

Au début de décembre, Spector prend sur lui d'élaborer une stratégie qui permet de contrer la manœuvre québécoise appréhendée (faire un référendum sur le mandat d'en demander davantage sur A, B et C), de sauver politiquement Brian et, en prime, Robert. Puisque Bourassa va jouer au plus fin avec les offres fédérales, jouons avec lui, propose Spector. Affirmons que les propositions Clark de septembre constituent l'offre finale d'Ottawa. Entendons-nous à l'avance avec Bourassa sur la nature des « éléments A, B et C » qu'il voudrait voir bonifier. Laissons-le tenir son référendum et obtenir son mandat de négocier A, B et C. Après sa victoire, ces éléments lui seront offerts comme par magie. Brian et Robert pourront alors signer dans l'honneur et l'enthousiasme, évacuer la question constitutionnelle sous le tapis, changer le sujet des élections fédérales à venir et déboulonner ainsi les rails sans lesquels le Bloc québécois ne peut lancer son train. (Le scénario suppose que les propositions Clark soient modifiées de façon à plaire au ROC et que la seule pièce manquante soit le Québec. La « bonification » proquébécoise peut se contenter d'être modeste, puisque les Québécois n'auraient pas à se prononcer sur le texte final, seulement sur le « mandat de négocier ».)

Jocelyne Bourgon a pour tâche de protéger son patron Joe Clark et elle s'entend de moins en moins avec Spector, dont elle ne partage ni les vues ni surtout l'angle de vue sur la politique. (Spector ne se gêne d'ailleurs pas pour déplorer, devant témoins, le peu de « sens politique » de Bourgon.) Quand Spector expose sa stratégie devant Paul Tellier et Bourgon, cette dernière déclenche l'alerte rouge et en informe immédiatement Clark. Le gouvernement fédéral a promis de bonnes offres au Québec, pas question de manquer à cette parole donnée, pas question de jouer au plus fin. Bourgon, raconte un collègue de travail, « est *straight* ». Au moment où Spector a dévoilé sa théorie, « on en paniquait un coup » dans ses bureaux. On rédige des notes, on conçoit des arguments pour tuer cette histoire dans l'œuf. Clark embarque sans se faire prier dans la contre-offensive. « On se disait : Ça n'a pas de bon sens, raconte un membre de l'équipe Clark. Quand tu connais l'intelligence de Spector, tu sais qu'il serait bien capable de tout manigancer pour arriver à ses buts, pendant que tout le monde reste à travailler sur autre chose. » Il faut donc le neutraliser.

Bientôt, Mulroney est informé que le torchon brûle entre son ministre et son chef de cabinet. Ces deux-là ne peuvent plus travailler ensemble. Mulroney est placé devant un dilemme politique classique. Il doit choisir : Joe Clark, homme politique respecté et, dans un récent sondage, plus populaire que lui (c'est facile, mais tout de même), homme qu'il a de surcroît prié, au printemps, de prendre la direction des affaires constitutionnelles ; ou Norman Spector, figure peu connue et déconsidérée dans la classe politique — surtout chez les premiers ministres provinciaux — pour son style abrasif, mais en lequel il a infiniment plus confiance.

L'affaire est vite entendue. Norman Spector en fait un bilan, peu après : sur le fond, « je crois que le PM me donne raison. Je crois que j'ai pas de mal à le convaincre que c'est moi qui ai raison. Mais je ne peux quand même pas aller à l'encontre de tout ce monde-là. Je suis en minorité. » Et comme il n'aime pas être en minorité, comme il ne peut supporter d'assister en silence à la préparation d'un échec, Spector donne sa démission à Mulroney. Le mois suivant, il devient ambassadeur en Israël[*].

Clark a une épine de moins au pied, mais il lui en reste beaucoup. Au moins, il a le sens de l'humour : à Noël, il rend publique la carte de vœux que lui et son épouse ont reçue de Robert Stanfield, l'ancien chef conservateur. « Nous revenons d'un voyage de trois semaines en Angleterre, écrit Stanfield. Et nous sommes très déçus de constater que Joe n'a pas résolu le problème constitutionnel en notre absence. Peut-être aura-t-il plus de succès en 1992. »

LE RETOUR DU JUMEAU DE BRITANNY

L'année 1992 s'ouvre sur une embellie, à Halifax. À la première des « conférences thématiques » de Joe Clark, la discussion prend un tour bizarre. Ici, pas de membre du Reform Party. Pas d'adolescent allergique au français. Seulement des représentants de l'élite politique, économique, ou intellectuelle du Canada, et une centaine de « Canadiens ordinaires », « tirés au sort », et plus conciliants que la moyenne. Dans les ateliers, un groupe de Canadiens de gauche, dirigé par la féministe Judy Rebick, répand la bonne nouvelle : pour sauver le Canada, pourquoi ne pas donner des pouvoirs spéciaux au Québec, sans accorder de pouvoirs aux autres provinces ? Pourquoi pas un Canada à deux vitesses (trois même, en comptant les autochtones), un statut particulier, un « fédéralisme asymétrique[**] » ?

---

[*]   Avec Spector disparaît la tentation de ne pas produire d'offres. Mais le scénario d'un Bourassa jouant au plus fin survit au départ du chef de cabinet.

[**]   Judy Rebick est présidente du Comité d'action nationale pour le statut de la femme, sorte de centrale féministe canadienne. Elle avait été très active dans le combat anti-Meech, affirmant

Bon sang mais c'est bien sûr, répondent nombre de participants ! Pourquoi personne n'y avait-il pensé avant ? (Sauf peut-être Lester Pearson, Jean Lesage, Robert Stanfield, Daniel Johnson père, Paul Gérin-Lajoie, la commission Pépin-Robarts et *tutti quanti*.) Robert Bourassa commente l'événement, affirme que « peu de gens pensaient qu'à Halifax nous aurions des résultats encourageants ». Il est du nombre des étonnés et parle de « déblocage ».

Le vent de Halifax souffle dans des recoins imprévus. Un petit groupe d'intellectuels torontois, dont quelques trudeauistes, signent une lettre ouverte dans les journaux, réclamant un « statut spécial » pour le Québec, incluant des pouvoirs « économiques* ». Même Bill Johnson, chroniqueur de la *Gazette*, sans doute le Québécois le plus antinationaliste — avec Mordecai Richler —, écrit dans le quotidien anglophone que le statut particulier pour le Québec est peut-être finalement le prix à payer pour garder le Canada uni. Cet égarement sera de courte durée.

Joe Clark sait que l'assemblée de Halifax a été « paquetée » par Rebick et ses alliés. Tout de même, si cette illusion devenait réalité ? « J'ai vraiment pensé qu'on avait trouvé quelque chose », confiera-t-il à la journaliste Susan Delacourt. Dès la conférence terminée, il se met à téléphoner dans les capitales provinciales, pour tester la réaction des premiers ministres. Ce serait si simple... « J'ai parlé même aux chefs de l'opposition des provinces, chefs du NPD, chefs libéraux, chefs conservateurs. »

« Que pensez-vous de l'asymétrie ? leur demande-t-il. Pourriez-vous l'acheter ? »

« Je ne peux pas acheter ça », lui répond-on.

« J'ai appelé et appelé, raconte Clark, et je n'ai pas pu trouver un seul élu où que ce soit, même un chef de l'opposition, même un leader d'un tiers parti, qui pense sérieusement que l'asymétrie puisse être acceptée par une seule assemblée législative provinciale au pays. » Le Canada à deux vitesses, conclut-il, « n'est pas viable ». Fin de l'embellie. Elle aura duré une semaine.

Clark a au moins le plaisir d'entendre Bourassa livrer publiquement sa stratégie. Ce n'est pas celle, secrète, imaginée par Spector et que plusieurs craignent toujours à Ottawa. C'est celle proposée par Clark. À la fin de janvier, Bourassa donne son entrevue annuelle à Peter Gzowski, de l'émission *Morningside*. Il est toujours plus net à cette occasion que dans des entrevues en français.

---

que la clause de société distincte pourrait permettre au Québec d'empiéter sur les droits des femmes. Une position que récusaient pourtant les associations féministes québécoises membres du comité. Depuis, Rebick et son organisation ont changé de position sur la société distincte. Cet engouement tardif pour le statut particulier n'empêchera pas Rebick de faire pression avec succès sur les négociateurs canadiens pour qu'ils refusent au Québec le droit de rapatrier la compétence fédérale sur le divorce.

* Il s'agit de Pat Armstrong, Frank Cunningham, Daniel Drache, Kenneth McRoberts, Leo Panitch, Roberto Perin, Abraham Rotstein, Mel Watkins, Reg Whitaker et des deux hagiographes de Trudeau : Christina McCall et Stephen Clarkson.

Il révèle le calendrier : à la fin de février, après les « conférences thématiques »,
la commission parlementaire fédérale rendra son rapport, signé par les trois
grands partis. Les provinces seront consultées pour y apporter quelques amendements. Mulroney et Clark les intégreront à la recommandation de la
commission et feront voter le tout, en avril, par la Chambre des communes,
sous les applaudissements des trois grands partis. « Quatre ou cinq provinces
peuvent s'entendre relativement vite », juge Bourassa, pensant surtout aux provinces maritimes, très dépendantes d'Ottawa, qui adopteraient rapidement à
leur tour la proposition. « Alors, ça crée un *momentum* qui peut nous conduire
à une solution. » Avant l'été, si six provinces canadiennes ont entériné la chose,
le Québec pourrait devenir la septième, et la proposition deviendrait loi. Le
scénario évite l'écueil de l'unanimité des provinces mais, ce faisant, empêche
le Québec d'obtenir le droit de veto et la garantie de ses trois juges à la Cour
suprême, deux conditions de Meech qui requièrent l'unanimité. Mais si la
proposition est généreuse par ailleurs, notamment sur les pouvoirs, l'ensemble
du « paquet » sera peut-être bon à prendre, qui sait ?

Mais si Bourassa se montre optimiste sur les ondes de la CBC, il broie du
noir, un soir de janvier, lors d'un souper avec le président de la CSN, Gérald
Larose. « Ils vont sentir qu'il va falloir qu'ils fassent quelque chose », dit le
premier ministre, parlant du Canada anglais. Larose, surpris de rencontrer un
Bourassa morose, lui indique une direction : la souveraineté. Et il la lui présente
à la sauce bourassienne : économique. « Plus rapidement on va clarifier cette
affaire, dit le syndicaliste, plus on va se donner une chance de clarifier nos
affaires au plan économique. » « Il commence à être tard, lui dit encore Larose.
Ce sont des choses qui se préparent ; il y a un certain nombre d'activités qu'il
faut faire si on veut faire le consensus et que nos affaires se fassent. » Mais
Bourassa n'est pas pessimiste au point de renoncer au fédéralisme. « Lui, visiblement, il est pas prêt, se souvient Larose, il n'avale pas ça pantoute. Lui, c'est
la cote, la dette. Il devient vulgairement comptable et il t'enterre de chiffres. Il
y en a des colonnes et des colonnes. »

Sur ce, Bourassa s'envole pour l'Europe, faire son pèlerinage maintenant
rituel à Davos, en Suisse. Là, au début de février de chaque année, une congré-
gation d'hommes politiques et de représentants de l'industrie assistent à des
conférences de haut vol sur les tendances nouvelles de l'économie et de la
géopolitique ou, plus prosaïquement, se rencontrent au lunch et au souper
pour discuter affaires et politique. Bourassa était naguère un des seuls politiciens canadiens présents. Mais au cours des ans, ils se multiplient. En février
1992, le nouveau premier ministre néo-démocrate de la Colombie-Britannique,
Michael Harcourt, est à Davos. Et c'est là, en terre helvétique, qu'il fait
connaissance avec son homologue québécois. C'est là que, sans le savoir et par
totale inadvertance, il contribue à provoquer une rare sortie publique du
jumeau de Britanny.

Depuis 1967, Robert Bourassa rêve parfois d'un Québec présent dans le Canada « un peu comme la France dans la Communauté économique européenne ». Jamais il ne fera de ce rêve un programme, jamais il ne se mettra à la tâche pour en faire une réalité. C'est une construction mentale, issue des débats qu'il avait, dans son sous-sol de la rue Britanny, à Ville Mont-Royal, avec son ami le député libéral René Lévesque. Avant la rupture. C'est, en quelque sorte, un jumeau de Bourassa, que plusieurs rencontrent en privé et qui apparaît parfois, en public, pour de brèves et déroutantes performances. De loin en loin, Bourassa évoque ce rêve, l'appelant tantôt « superstructure », tantôt « union économique et politique ». Il entrevoit deux États, le Québec et le ROC, unis dans un Parlement commun.

Professeur invité à l'université Laval, en 1979, il traduit même ce rêve en question référendaire, qu'il oppose à celle du PQ. Un de ses étudiants réalise une entrevue du professeur Bourassa, qu'il vend au magazine *L'actualité* en... septembre 1990. À l'été de 1991, il laisse publier, dans le bulletin de la Société de droit international économique, sous sa signature, un article reprenant et développant cette thèse*. Le 20 décembre 1991, dans une entrevue télévisée de fin d'année avec Bourassa, Pierre Nadeau fait référence à la question de 1979, publiée dans *L'actualité*. Le premier ministre la récite immédiatement, par cœur et sans hésitation. Mais il ajoute : « Ce n'est pas la question que l'on pose dans la loi 150. » En effet, la loi 150, comme le rapport Bélanger-Campeau, décrit la souveraineté comme donnant au Québec la capacité « exclusive » de faire ses lois, pas une capacité partagée avec un second Parlement.

En janvier de 1992, dans des conversations privées avec le syndicaliste souverainiste Gérald Larose, puis avec le bloquiste Jean Lapierre, il évoque à nouveau sa solution à l'européenne.

Mais lorsqu'il jongle avec le concept, pour le plaisir de la conversation, Bourassa est fort pessimiste quant à ses chances de réalisation. Pour que le Québec soit semi-souverain dans une union économique, encore faut-il que cette union survive. Il craint justement que le ROC ne s'effondre.

« Il y a une province qui pourrait peut-être se détacher du Canada sans trop de problèmes, pense Bourassa. C'est la Colombie-Britannique. À cause de son économie, de ses frontières naturelles — entre l'océan et les Rocheuses — de son commerce vers l'ouest et le sud. » La Colombie rechignerait aussi à financer les lointaines provinces maritimes, éternelles assistées canadiennes. À la tête de cette province, explique Bourassa, « on pourrait avoir quelqu'un qui dise : "Bah ! le Canada !" »

Le premier ministre de la Colombie-Britannique ne serait peut-être pas le seul qui songerait à partir. Don Getty, premier ministre de l'Alberta voisine, se souvient d'avoir discuté de la chose avec Bourassa :

---

* On y lit notamment : « C'est seulement lorsqu'un État, qu'il soit fédéral ou unitaire, tend à nier sa dimension régionale et pluricommunautaire qui le fonde, que prend corps la menace de scission. »

Je lui ai dit que si le Québec partait, cela pousserait toutes les provinces à revoir leurs options et la pression serait très forte, particulièrement sur l'Alberta et la Colombie-Britannique. Si le Canada comme on le connaît n'existait plus, cela voudrait dire qu'il faudrait étudier sérieusement d'autres options. Ce qui pourrait signifier une option nord-sud [donc avec les États-Unis] ou une option où la Colombie et l'Alberta pourraient s'unir pour contrebalancer le poids de l'Ontario.

La clé de l'union économique canadienne se trouve donc en Colombie-Britannique qui, demeurant au Canada, doit retenir l'Alberta. Or jusqu'en octobre 1991, elle est gouvernée par le créditiste Bill Vander Zalm. « Le séparatisme dans une région pourrait conduire à du séparatisme dans une autre région », dit Vander Zalm à Bourassa. « Cette possibilité existe, absolument, que l'indépendance du Québec pousse la Colombie-Britannique dans une voie similaire », précise-t-il. Vander Zalm affirme que ce serait un processus graduel, dont il ne serait pas l'instigateur. Mais Bourassa sait Vander Zalm imprévisible à cet égard, comme à plusieurs autres. Le créditiste a même demandé que chaque province soit déclarée « distincte ». Que ferait-il en cas de détachement du Québec ?

À Davos, Bourassa rencontre le successeur de Vander Zalm : Michael Harcourt. « On s'est vraiment très bien entendus », se souvient le Colombien, évoquant leurs discussions sur le commerce, l'Asie et l'Europe. Bourassa, lui, capte d'autres signaux, dont il rend compte à l'auteur peu après :

J'ai vu le premier ministre [Harcourt] à Davos ; il m'a donné l'impression de croire très fermement dans le Canada, pour sa province. Il est là pour quatre ans. C'est un chef de gouvernement néo-démocrate qui n'est pas enclin à se tourner vers le sud. Les décisions qu'on a à prendre, ça va être d'ici quatre ans.

Harcourt, garant de l'unité du Canada à deux, provoque deux ou trois connections synaptiques dans le cerveau de Bourassa. Le jumeau, mis en état de veille par l'entrevue avec Pierre Nadeau, peut maintenant s'aventurer en public. Ne manque que l'occasion.

Le lendemain, Bourassa est à Bruxelles, où il rencontre son ami Jacques Delors, président de la Commission européenne, alors plein d'enthousiasme quant au succès prochain du traité de Maastricht. Les journalistes québécois qui sont du voyage attendent cependant le clou de la visite : une confrontation entre Bourassa et des députés européens écologistes qui vont, pense-t-on, assaillir le premier ministre québécois de questions agressives sur le projet hydro-électrique Grande-Baleine. Mais les députés européens se dégonflent et reçoivent Bourassa presque aussi gentiment que s'il s'agissait de Brigitte Bardot. Pour la suite, Bourassa raconte :

C'était pas prémédité totalement. Il devait y avoir un affrontement, si on peut dire, avec les Verts. Or, la guerre de Troie n'a pas eu lieu. Donc les médias d'information, les journalistes se sont dit : « Bon, pas de nouvelles aujourd'hui, on va le questionner sur la constitution. »

Puisque Bourassa avait évoqué publiquement, avant Noël, la possibilité de poser deux questions au futur référendum, les journalistes tentent de lui faire préciser sa pensée. « Ça a duré une demi-heure et finalement, se souvient Bourassa, j'ai dit : "J'en ai une, question !" » Et voilà qu'il balance sa question de 1979 :

> « Voulez-vous remplacer l'ordre constitutionnel existant par deux États souverains associés dans une union économique, laquelle union serait responsable à un Parlement élu au suffrage universel ? »

La « question de Bruxelles » est née. La pose-t-il seulement pour dépanner les journalistes en mal de copie ? « C'était surtout que j'étais dans la capitale de la supranationalité », répond-il avec un sourire.

Mais puisqu'il en parle, il donne l'impression d'en parler sérieusement. Avec Pierre Nadeau, à la fin de décembre, c'était un vestige historique, non pertinent dans le débat courant. Mais à Bruxelles, au début de février, la question devient d'actualité. « Juridiquement, il s'agit de voir si ce genre de question respecte la loi 150 », hasarde Bourassa, qui avait pourtant précisé à Nadeau qu'elle ne la respectait pas. C'est une hypothèse parmi d'autres, dit-il encore aux journalistes. Évidemment, il ne s'agit pas de renier son « premier choix » : la réforme du fédéralisme. Mais en cas d'échec, dit-il, « on examinera le deuxième choix », qui pourrait être celui-là. Ou pas. Puis il a cette phrase : « C'est le peuple qui va décider. Vous connaissez ma fidélité à la souveraineté du peuple ? »

Bientôt, le téléphone sonne.

« Robert... »

Brian ne sait pas s'il faut prendre la dernière initiative de Bourassa au pied de la lettre. Il pense que c'est une stratégie qui vise les premiers ministres anglophones. Mais il ne prend pas de risque. « Je suppose que si le premier ministre du Canada avait dit au premier ministre du Québec : "Ça se discute", il aurait continué dans ce sens, expliquera-t-il. C'est pour ça que je lui disais tout de suite : *"Forget it !"* ["Oublie ça !"] »

« Ça fait pas sérieux, c'est inacceptable ! Faut pas continuer dans une voie qui ne donne rien, lui dit-il. Je sais ce que tu veux dire, mais ça ne peut pas marcher, ça sera jamais accepté. »

Non seulement Mulroney ne prévoit pas que ça puisse fonctionner, mais il ne veut pas que ça fonctionne. Il se sent investi de la mission de « tirer la ligne immédiatement sur toute question qui pouvait miner la force de la fédération ». Même lorsque Don Getty objecte qu'il ne faudrait pas « rejeter ça du revers de la main, M. Bourassa est un homme intelligent », Mulroney lui coupe l'oxygène : *« Don't waste your time ! »* (« Ne perds pas ton temps ! »)

L'Albertain se rendra d'ailleurs compte que Bourassa lui-même ne perd pas son temps avec ça, dans ses conversations téléphoniques ou ses rencontres avec ses homologues.

L'auteur : A-t-il essayé de vous vendre cette option d'une façon ou d'une autre ?

Getty : Non. Et ça n'a jamais été considéré comme une option sérieuse par un des gouvernements. Pas un instant.

Personnellement, Getty voit dans la question de Bruxelles une bouée de sauvetage que pourrait utiliser Bourassa s'il n'arrivait pas à convaincre les Québécois de rester dans le Canada. Un rempart extérieur, un obstacle supplémentaire, qu'il érigerait sur la route de la souveraineté. Don Getty fait une interprétation charitable des intentions du Québécois. D'autres sont plus durs, comme Frank McKenna, du Nouveau-Brunswick : «Je me souviens de sa question, dit-il. Mais ce n'était qu'une autre de ses déclarations énigmatiques. Aucun d'entre nous ne savait ce que ça pouvait bien vouloir dire[*]. »

Joe Clark est de cette école. Car il trouve que la « question de Bruxelles » tombe singulièrement mal, alors qu'il reprend à grand-peine la maîtrise des opérations constitutionnelles. « Ce sont des choses qu'il a dites en passant », se contente-t-il de dire, sur l'air de : ne faites pas attention à ce que raconte ce trouble-fête. Il parle pour ne rien dire.

Clark a raison. À Bruxelles, les Québécois et les Canadiens sont en présence du jumeau de Britanny. L'homme est charmant et paraît audacieux, mais son existence est fugace, intermittente, sans prise sur la réalité. «Je n'en ai pas parlé à mes collègues, je n'en ai pas parlé au parti », confie d'ailleurs Bourassa à l'auteur à propos de sa déclaration de Bruxelles. Ni à son chef de cabinet, le très fédéraliste John Parisella qui, n'étant pas du voyage bruxellois, est atterré par la nouvelle déclaration de son chef. Ni à ses homologues des autres provinces, précise encore Bourassa, qui dit n'avoir pas eu de conversation spécifique à ce sujet et avoir simplement constaté que « bon, c'est pas acceptable ». Sept jours après Bruxelles, le vrai Bourassa reprend d'ailleurs le dessus et déclare à la sortie d'un caucus : «La meilleure voie pour atteindre la souveraineté, c'est le fédéralisme. »

Le jumeau de Britanny rentre dans sa tanière. Son apparition a été éclatante, plus précise que les précédentes — la vision européenne était explicitement formulée, contrairement à la « superstructure » évoquée en 1990 — et elle n'en a en que plus de retentissement médiatique. Mais comme si cet effort l'avait épuisé, le jumeau disparaît ensuite du monde du spectacle politique. La question de Bruxelles, c'était son récital d'adieu.

---

[*] Michel Roy explique que l'idée des « États associés » ou de confédération véritable ou d'association à l'européenne exprimée dans la question de Bruxelles est tellement éloignée de la vision politique canadienne-anglaise qu'elle se heurte à un mur d'incompréhension. « La question de Bruxelles, c'est comme si tu leur demandais de résoudre une équation en grec ancien ! Ils comprennent pas ce que c'est. [...] C'est pas dans les mœurs. Comme je dis souvent là-bas [à Ottawa], c'est pas dans la culture fédérale. [..] Ils trouvent ça invraisemblable. À l'extrême rigueur, si tout était perdu et qu'il ne restât que cela, bon, peut-être qu'on pourrait le regarder, en disant : "Vous savez, tout est fini, mais notre ami Bourassa, sous les cendres, nous dit que peut-être..." il reste cette solution. »

LA VOLTE-FACE DU PATINEUR

L'hôtel Hilton de Dorval a droit a deux invités de marque, à 19 h 30 le lundi 24 février 1992 : le premier ministre du Canada et le premier ministre du Québec. C'est une rencontre de travail, voilà pourquoi elle est secrète. Les autres premiers ministres canadiens, notamment l'Ontarien Bob Rae, qui dénoncent les « négociations secrètes » entre Ottawa et Québec, seraient considérablement irrités s'ils étaient mis au courant.

Au Hilton de Dorval, on rejoue la scène de Tracy. Mais la pièce a été réécrite. Plus question de laisser Bourassa seul à seul avec quelqu'un. Pas question non plus de laisser Mulroney seul avec lui, car ces deux-là en arrivent de plus en plus à converser sans se parler vraiment. « Nous sommes toujours inquiets quand ils sont tous les deux seuls », confie Michel Roy. Alors on les encadre : Paul Tellier d'un côté, Jean-Claude Rivest de l'autre.

Comme à Tracy, le but de la rencontre est d'aviser Bourassa, à l'avance, du contenu des propositions fédérales à venir. Dans cinq jours, la commission parlementaire fédérale doit remettre son rapport. En théorie, elle est indépendante du pouvoir. En pratique, Joe Clark et Paul Tellier supervisent de près ses travaux, les conservateurs ayant bien entendu la majorité au sein de la commission. Nominalement, elle est dirigée par un constitutionnaliste, le sénateur Gérald Beaudoin (qui a remplacé Castonguay), un bon bougre, un peu jovial, qui déteste la chicane et qui rêve de Cour suprême. À ses côtés, on trouve toujours Dorothy Dobbie, dont on peut dire qu'elle ne sera jamais taxée d'intellectualisme.

Mulroney et Tellier présentent à Bourassa « leur » version des recommandations du comité. D'abord, l'impérialisme économique fédéral des propositions Clark a disparu. Fini, éliminé, on n'en parle (presque) plus. Ensuite, question partage des pouvoirs, Ottawa est prêt à jeter plus de lest qu'en septembre dans six champs de compétence, bientôt appelés « les six sœurs » : affaires municipales, tourisme, loisirs, logement, mines et forêts, auxquels on a ajouté l'énergie, parce que Québec insistait. Ce sont des domaines de compétence provinciale, mais dans lesquels Ottawa fait d'insistantes incursions. Il propose maintenant de s'en (presque) retirer.

Puis il y a la culture, la main-d'œuvre et le développement régional. Mulroney et Tellier font valoir qu'Ottawa ne peut donner à Québec tous les pouvoirs à ces égards. Mais ils sont disposés à montrer une flexibilité nouvelle.

Ce n'est pas la proposition la plus audacieuse de l'histoire du fédéralisme. Rien qui puisse assouvir durablement la pulsion autonomiste québécoise. Rien qui « renouvelle le fédéralisme en profondeur », comme l'a encore demandé publiquement Bourassa quelques jours plus tôt. Seulement un bon petit coup de balai dans quelques recoins poussiéreux. Il n'est pas utile de comparer avec le rapport Allaire, mais disons encore que la proposition n'a pas beaucoup en commun avec le « rapport des 22 » que le premier ministre québécois trouvait fort valable, à l'été de 1991. Mais Bourassa écoute. Sans être ravi, il est rassasié. Il est vrai qu'il a un petit appétit. Le fait qu'Ottawa ne se retire totalement d'aucun champ jugé provincial ne le frustre pas. Il a dit récemment que les pouvoirs « exclusifs » étaient de toutes façons illusoires, et pas nécessairement bons pour le Québec. Vive le chevauchement et l'interpénétration.

« Alors, on trouvait ça très bon », résume Rivest, parlant de la présentation de Mulroney et de Tellier. Bourassa « dit qu'effectivement ça serait une hypothèse de règlement qu'il rejetterait pas si elle était livrée », ajoute-t-il. Bourassa et Rivest insistent sur deux ou trois points, font en sorte qu'il n'y ait pas de nouvelles « normes pancanadiennes » sur la santé, par exemple, insistent pour que les « objectifs communs » inscrits en leur lieu et place soient acceptés « librement » par les provinces. En un mot, ils négocient. Tellier et Mulroney disent : « Oui, oui, c'est ça. » Il est même question de reconnaître le pouvoir québécois dans le domaine de l'éducation. Diantre !

Il y a un hic, bien sûr. La présentation faite par les amis d'Ottawa porte sur ce que le gouvernement conservateur *voudrait* inscrire dans la recommandation finale. Or le succès de l'opération repose sur la production d'un rapport signé par les trois partis fédéraux donc par Jean Chrétien et Audrey McLaughlin. Il faut maintenant en six jours négocier le rapport avec eux.

Tous, au Hilton de Dorval, sont conscients de la dynamique que Rivest résume comme suit. « Question : Est-il possible, dans un processus d'arbitrage avec le Parti libéral du Canada et avec le NPD, de rehausser au sens des intérêts du Québec et des perceptions du Québec, le document du gouvernement et du Parti conservateur ? Réponse : Non. »

Tellier et Mulroney avisent leurs copains que des contacts ont bien sûr déjà été établis avec les chefs des deux autres grands partis canadiens, mais que ceux-ci insistent pour diluer le contenu des recommandations. Ils demandent à Bourassa et Rivest de faire leur part, de faire monter la pression sur les libéraux et les néo-démocrates pour que le document survive aux négociations finales. C'est ainsi que Robert Bourassa fait une chose qui lui coûte beaucoup, il parle à Jean Chrétien*. Le contenu de cette conversation n'est pas connu. En entrevue, Bourassa dit ne pas se souvenir de l'échange, sauf d'avoir souligné « l'importance d'arriver à une solution ». Ce qui est perdu pour l'histoire, c'est le ton des échanges, la civilité feinte.

Jean-Claude Rivest et le chef de cabinet de Bourassa, John Parisella, vont

---

*   La rivalité entre les deux hommes est vieille et profonde, alimentée récemment — mais pas seulement — par leur désaccord sur Meech. En 1988, quand des partisans de Chrétien ont voulu renverser le chef, John Turner, Bourassa a favorisé en sous-main Turner, adversaire plus faible pour son ami Mulroney. Pendant la course au leadership de 1990, Bourassa a permis à un de ses principaux organisateurs, Marc-Yvan Côté, de travailler pour la candidate Sheila Copps qui se présentait contre Chrétien. Bourassa prétend qu'entre lui et Chrétien, par la suite, « il n'y a pas eu de relents de ce qui s'était passé avant ».

deux fois à Ottawa faire leur *lobbying* auprès des partis d'opposition et voient Chrétien. Rivest travaille au corps l'ancien bélanger-campésiste devenu commissaire de Beaudoin-Dobbie, André Ouellet — « il fait le maximum », commente Rivest, qui l'apprécie depuis « son cours d'immersion à Bélanger-Campeau ». Il va aussi voir l'ancien maire de Québec devenu chef de cabinet de Chrétien, Jean Pelletier. Parisella se charge des anglophones de l'entourage de Chrétien. Il connaît bien le négociateur de Chrétien à la commission, Éric Malduff, car il vient du même sérail que lui : Alliance Québec, le *lobby* anglo-québécois. Les deux émissaires québécois rencontrent aussi le chef de cabinet d'Audrey McLaughlin et l'intégralité de son caucus québécois, c'est-à-dire Phil Edmunston, aussi membre de la commission, qui a cette particularité de tenir toujours sa lettre de démission à portée de la main. Le coprésident Gérald Beaudoin appelle aussi Rivest à quelques reprises pour lui demander des avis et des précisions.

Chose rare, Bourassa permet même à son ministre, Gil Rémillard, de brandir publiquement la menace de la loi 150. En visite à Whistler cette semaine-là, le ministre affirme que le référendum sur la souveraineté prévu par la loi « n'est pas un bluff » et signale qu'à défaut d'offres acceptables, « la souveraineté est légitime et faisable ». Il y avait longtemps[*]! Au passage, Rémillard dit aussi combien il fonde d'espoir sur le concept du « fédéralisme asymétrique ». Passons.

Mais les Québécois ne sont pas les seuls à faire leur *lobbying*. Et parce que les trois partis doivent s'engager en signant le document, les courants politiques canadiens s'incarnent, comme il se doit, dans les travaux de la commission. Des libéraux trudeauistes (on chuchote même que Trudeau les guide en secret) s'opposent aux largesses décentralisatrices, comme le font les députés néo-démocrates, partisans de normes, de standards et d'uniformité pancanadienne. L'Alberta conservatrice a dépêché sur place son ministre de la Justice, Jim Horsman, qui répète que sa province rejettera toute tentative d'asymétrie pro-québécoise. Dans le caucus conservateur québécois, par contre, des nationalistes comme Jean-Pierre Blackburn, de Jonquière, et Gabriel Desjardins, de Témiscamingue, trouvent l'offrande trop maigre et tentent d'introduire une liste supplémentaire de pouvoirs pour le Québec, soulevant l'ire des autres députés. Blackburn claque la porte pendant une nuit de discussion. Dobbie va le repêcher alors qu'il est déjà dans la rue.

De compromis en compromis, d'ajouts en *addenda,* de notes de bas de page dissidentes en introduction d'options alternatives, le rapport de la commission s'épaissit, les travaux se prolongent et passent près de rater leur échéance, le vendredi 28 février à minuit.

---

[*] En fait, dans un discours prononcé à Anjou le 15 janvier 1992, et présenté comme la position gouvernementale officielle, Gil Rémillard vient de réaffirmer les « engagements » passés de Bourassa ainsi que les conclusions de Bélanger-Campeau, et de déclarer là aussi la souveraineté « légitime ».

À Québec, les signaux ont déjà été lancés et on avise les *apparatchiks* libéraux que la réaction gouvernementale sera plutôt positive. « Ils étaient optimistes avant de voir le texte », rapporte Pierre Anctil, qui se trouve dans les parages en ces moments importants. Le directeur général du PLQ a d'ailleurs réédité l'opération de septembre : ne dites rien avant que le patron ait parlé. La confusion règne cependant chez les conseillers de Bourassa quant au contenu ultime du rapport, car plusieurs brouillons circulent sans que l'on sache lequel est le bon. Il faut donc attendre le samedi 29 pour ouvrir le paquet.

Consternation ! La belle sauce du Hilton s'est gâtée. Il y a bien une liste de pouvoirs, mais partout la main d'Ottawa les retient de cent façons, par le haut, par le bas, par le côté. Les spécialistes du SAIC se remettent à l'œuvre et pondent rapidement 27 fiches où autant de propositions sont analysées, comparées à Meech et à d'autres offres fédérales passées. Globalement, les experts québécois semblent assez heureux d'une des 27 propositions : l'abolition du pouvoir fédéral qui permet de désavouer une loi provinciale, un pouvoir tombé en désuétude mais toujours inscrit dans la constitution. Ils sont indifférents à l'égard de 11 des propositions qui, du point de vue québécois, changent des choses sans les améliorer ou les détériorer. Ils sont cependant mécontents d'une majorité de changements, 15 pour être exact. Ils identifient cinq reculs portant sur les conditions de Meech, allant de la société distincte au droit de veto. Pour le reste, ils sont particulièrement atterrés par les propositions en matière de pouvoirs. Ils résument leur pensée en quelques lignes :

Caractéristiques du partage des pouvoirs prévu dans Beaudoin-Dobbie

1. Présence fédérale confirmée dans tous les secteurs visés, même ceux de compétence provinciale exclusive telle que la culture et la formation.

2. Précision plus claire et plus légitime de son rôle [du fédéral] dans ces secteurs par le biais d'accords intergouvernementaux.

3. Tout réaménagement du rôle ou du financement fédéral dans ces secteurs est essentiellement fonction de la volonté fédérale de « bouger », car la technique des accords est facultative.

4. Les accords intergouvernementaux conclus obtiennent un statut les mettant à l'abri de dénonciation unilatérale.

Et encore, c'est l'hypothèse haute. Car à propos de plusieurs des pouvoirs, les députés libéraux ont inscrit leur dissidence et réclamé une présence fédérale encore plus nette. Les analystes québécois trouvent un peu forte l'utilisation du mot « pouvoir exclusif » pour désigner un transfert de responsabilité de la formation de la main-d'œuvre au Québec, car la technique proposée fait en sorte que « l'exercice de cette compétence exclusive sera illusoire ». En matière de culture, ajoutent-ils, le rapport ne fait que « confirmer le *statu quo* », car sur le budget fédéral culturel de 213 millions affectés au Québec, seulement 33 millions passeraient sous le contrôle de la province.

Le SAIC fait le total, tout de même, de ce que les propositions Beaudoin-Dobbie pourraient transférer au Québec, en comptant large et « en prenant le scénario optimal » : 1,5 milliard par an et 600 fonctionnaires. Ce qui ferait passer le budget provincial de 50 à 51,5 milliards. Toute une révolution !

Rivest explique que les travaux du SAIC suivent à cette étape le même chemin que son analyse des propositions fédérales de septembre. Robert Bourassa a droit à un long *briefing*, fiche par fiche, et il quitte la pièce sans émettre un seul commentaire, emportant avec lui ses exemplaires des documents, soit une cinquantaine de pages.

Jean-Claude Rivest, lui, broie du noir. Il entre dans une période de solide pessimisme. Car les tractations internes de la commission fédérale sont beaucoup plus proches de la réalité canadienne que les discussions amicales du Hilton de Dorval.

Il fait le bilan du chemin non parcouru : « On a la juridiction en matière d'éducation depuis l'acte de Québec de 1774, puis ça a été confirmé en 1867, et là, dans les propositions Beaudoin-Dobbie, ils sortent les trompettes pour les "juridictions exclusives" en affaires municipales, qui sont des matières provinciales au sens de la constitution de 1867, et ils osent même pas mettre l'éducation. Drôle de revirement ! » Il se console à peine en se disant que, sans l'effort de *lobbying*, « ça aurait pu être ben pire ».

Bourassa doit réagir en conférence de presse le mardi 3 mars. Anctil, Rémillard et Rivest n'osent pas, cette fois, baliser l'itinéraire du chef. « Je dois dire que, rendu là, dit Anctil, je me rappelais de l'intervention des propositions Clark, je me rappelais comment ça s'était passé, pis je me suis dit : "On va le laisser aller." »

Le lundi soir 2 mars, Pierre Anctil demande à Bourassa quelle sera sa réaction à la conférence de presse du lendemain. « Ça va être équilibré, comme d'habitude. » En un sens, le rapport Beaudoin-Dobbie est moins catastrophique que les propositions Clark. Le problème est que le temps passe. Anctil tente de prévenir l'impatience qui se manifeste au sein de l'aile nationaliste du PLQ. Il contacte Jean Allaire, Mario Dumont, Diane Viau et compagnie pour « préparer les esprits » à la conférence de presse de Bourassa qui, craint-il, sera positive.

« Vous savez, leur dit-il, on a nos balises, il faut maintenir la pression c'est vrai, mais il faut aussi générer un *momentum* positif pour une entente et pour maintenir l'unité du parti. Alors il faut garder la balle au jeu. Ça ne va pas trop bien du côté de la réforme du fédéralisme. Alors le chef est obligé de contribuer à relancer le *momentum*. » Voilà pourquoi moins on aime ce qu'on nous offre, moins on peut dire non. Vous me suivez ?

Le lundi soir, à l'émission *Le Point*, Simon Durivage invite José Woehrling, un constitutionnaliste de tendance nationaliste, à « expliquer » les propositions. Celui-ci dit à l'écran précisément ce que le SAIC a écrit au premier ministre : nombreux reculs sur Meech, aucun gain réel sur le partage des pouvoirs. La prestation, brève, est dévastatrice. Brian Mulroney écoute, furieux. « *Le Point* charrie pas mal », lance-t-il le lendemain à Paul Tellier. « Oui, il faudra que j'appelle Gérard », répond le haut fonctionnaire, parlant de Gérard Veilleux, ancien mandarin fédéral devenu président de Radio-Canada. Veilleux affirmera ne pas avoir reçu d'instruction d'Ottawa à ce propos, mais se plaindra personnellement à Durivage de son choix d'invités. Au *Point,* Woehrling n'est pas le seul à faire un constat d'échec. Lorsque l'universitaire a fini de mettre le rapport en pièces, Durivage se tourne vers ses commentateurs : Lucien Bouchard, souverainiste, et Ghislain Dufour, le fédéraliste président du Conseil du patronat. Dufour a le mérite d'avoir participé aux « conférences thématiques » ayant précédé la rédaction du rapport Beaudoin-Dobbie. On le voyait parfois, au cours des débats, se retenir de bondir sur Ovide Mercredi qui, l'appelant « Ghislain », lui demandait pourquoi la clause de société distincte ne devait pas aussi s'appliquer aux autochtones, en plus du droit inhérent à l'auto-gouvernement*. Dans son bref débat avec Bouchard, ce sont les silences de Dufour qui parlent le plus fort. Les fédéralistes québécois sont, à l'évidence, moroses.

Le lendemain matin, avant la conférence de presse, Parisella montre à Anctil les « thèmes » que Bourassa compte aborder. Contrairement au SAIC, il a trouvé, lui, des « bons points » (notamment le veto, alors que rien n'est acquis) à mettre en regard des « mauvais points ». Parisella et Anctil se demandent comment les journalistes pourront tirer une phrase choc, un *lead,* une manchette, de ce magma. « *No news* », pense Anctil.

Les deux compères vont ensuite écouter la conférence de presse de Bourassa, qui pérore sur le ton qu'on lui connaît bien, celui de la résignation. Alors qu'il patine d'une généralité à une exagération, se gardant à droite, se gardant à gauche, alors même qu'il chante les louanges d'une « autorité centrale » qui doit avoir des « pouvoirs de coordination », ce qui est « de sens commun » surtout dans le contexte moderne de globalisation de vous-savez-quoi, il fait soudain volte-face et fonce vers le filet adverse. De résignation, le propos se mue en exaspération. Parisella et Anctil l'entendent dire :

Mais, ce que nous trouvons un peu dans le rapport Beaudoin-Dobbie, c'est un peu un réflexe de dominateur. De fédéralisme dominateur.

C'est-à-dire qu'eux considèrent qu'ils doivent être présents dans tous les secteurs et qu'à toutes fins utiles, ils pourraient avoir le dernier mot. Et ceci n'est pas une approche qui, d'après nous, respecte la constitution canadienne.

Il poursuit :

---

* Le gouvernement du Québec, fidèle à son engagement de ne négocier qu'avec Ottawa et d'attendre des offres, n'avait délégué personne à ces six conférences. Mais Jean-Claude Rivest parle des « envoyés du Québec » lorsqu'il fait référence à Dufour, à Claude Beauchamp, à Fernand Lalonde et à quelques autres. Dufour dit avoir été régulièrement « briefé » par des représentants du gouvernement québécois, notamment Rivest et André Tremblay, au cours de ce processus.

Ce que j'ai noté, c'est qu'il n'y a pas de résultat concret. Et quand on voit le calendrier, on se pose des questions sur l'urgence d'agir.

Parisella et Anctil se regardent, un peu sonnés.

« Tiens, le v'là ton *lead* », dit Anctil.

« Non, non, j'pense pas », répond Parisella, consultant les notes sur les « thèmes » prédéfinis, y cherchant en vain les mots « fédéralisme dominateur ». Où Bourassa a-t-il pu pêcher ça ? « Non, Pierre, reprend Parisella, pour moi, ça a passé inaperçu. »

L'expression devient immédiatement célèbre : elle fait la une de tous les journaux. Elle provoque aussi le courroux de Brian. À un confident, il dit : « La réaction du Québec était inconsidérée, trop rapide, irréfléchie. » Pour Mulroney, pour Tellier et les mandarins fédéraux, peu habitués à un Bourassa combatif, la conférence de presse est, dit Michel Roy, « un tas de briques qui leur tombe sur la tête ».

La politique, c'est la gestion des perceptions. Elles sont mauvaises, il faut les améliorer. Mulroney résume sa technique à un conseiller : « Les gens ne savent pas, dit-il, les gens ne lisent pas le rapport. Alors, tout ce qu'ils ont, c'est la réaction du premier ministre. Tout ce qu'ils ont, c'est un homme qui leur dit que c'est pas bon. Alors moi, je leur dis que c'est bon. » Mulroney se fend donc d'une déclaration, quelques minutes après la conférence de presse de Bourassa. Les propositions de Beaudoin-Dobbie, affirme-t-il, sont « les plus compréhensives, les plus globales et les plus généreuses en faveur des provinces en 125 ans. Ceux qui disent qu'il n'y a rien là-dedans ne l'ont pas lu. »

Sur ce, il se fait repasser la bande vidéo de la conférence de presse de Bourassa, puis fait irruption dans le bureau de son conseiller, Michel Roy. « Maudit ! Je m'attendais à mieux ! »

« C'est déjà pas si mal », répond Roy qui, comme d'habitude, explique Robert à Brian, deux hommes qui se connaissent pourtant mieux qu'il ne connaît chacun d'eux. Et pour une fois, Roy est plutôt content de la réaction de Robert, qui a dit la vérité. « Relisez les recommandations sur les pouvoirs », dit le conseiller. « Les pouvoirs, ou on les a, ou on ne les a pas, faudrait savoir. »

Mulroney n'est pas calmé. Il n'apprécie pas, mais alors là, pas du tout, la réaction de Robert. Car le voilà à court de stratégie constitutionnelle. Si le rapport Beaudoin-Dobbie s'écrase, il ne sait plus sur quoi tabler. Surtout que le 11 mars, puis le 18, l'Assemblée nationale, libéraux et péquistes réunis, vote coup sur coup deux résolutions, une pour « désapprouver » le rapport Beaudoin-Dobbie, l'autre pour maintenir le boycottage québécois des pourparlers constitutionnels. Il se crée un froid entre Brian et Robert. Pendant quelques semaines, ils ne se téléphonent presque plus. Chose rarissime, à deux reprises, quand Brian s'arrête à Québec à la fin de mars, il critique publiquement Robert. Comme s'il devait se défouler de la frustration accumulée.

Bourassa a laissé les députés libéraux voter avec le PQ ? Mulroney trouve « cocasse » que le PLQ « marche dans un *stunt* de Jacques Parizeau ».

L'Assemblée nationale, dans un troisième vote quasi unanime, a condamné la nouvelle loi fédérale sur l'environnement, loi que le très fédéraliste ministre québécois Pierre Paradis dénonce furieusement comme un « bel exemple de fédéralisme dominateur ». Mulroney trouve la chose amusante : « M. Bourassa ne m'a jamais dit en deux ans qu'il voyait là une invasion de la juridiction québécoise. »

Robert a sa « question de Bruxelles » ? Brian offre sa « question de Québec » : Les Québécois ont « droit à une question directe », dit-il, en proposant celle-ci : « Voulez-vous la séparation du Québec ou un Canada renouvelé ? » Il fait déjà preuve de souplesse, car la vraie question, dit-il, devrait être : « Voulez-vous démolir le Canada, un des plus grands pays au monde ? » (En une autre occasion, il proposera : « Voulez-vous déchirer votre passeport canadien ? »)

Puis il critique la loi 150, que Bourassa a adoptée en juin 1991 même si le PQ, flairant l'arnaque, a refusé d'en faire autant. « Moi, je n'aurais jamais accepté de passer cette loi sans l'appui de l'opposition », affirme-t-il.

Désormais, Brian et Robert sont à égalité. Chacun sait où l'autre veut aller : dans un Canada uni. Chacun est mécontent de la façon dont l'autre mène ses affaires. Chacun, surtout, ignore comment l'autre va les conduire à bon port.

Grand Angle

LES DUPES

*L'universalité des hommes se repaît
de l'apparence comme de la réalité ;
souvent même l'apparence les frappe
et les satisfait plus que la réalité.*

MACHIAVEL

LUCIEN BOUCHARD ET BERNARD LANDRY SONT ATTABLÉS au restaurant le Saint-Malo, rue Saint-Denis à Montréal, le 6 février 1992, lorsqu'ils prennent connaissance de la « question de Bruxelles ». Bouchard et Landry font partie du club de ceux qui rêvent. Qui rêvent que Robert Bourassa « chemine vers la souveraineté ». Immédiatement, ils réagissent positivement à la nouvelle venue d'Europe. Immédiatement, ils conviennent de contacter leurs bureaux respectifs pour donner la consigne : il faut traiter la déclaration de Bourassa comme un cadeau, pas comme un colis piégé.

C'est « l'effet Bruxelles ». L'effet ou, faudrait-il dire, « la dose » ?

Car Bouchard, Landry, les nationalistes au sein du Parti libéral du Québec et tous les membres du club de ceux qui rêvent sont « en manque ». Depuis plus d'un an et demi, ils se dopent, en toute bonne foi et malgré eux, avec une bien douce drogue : celle qui promet un voyage — sinueux, déroutant, semé d'embûches, certes —, mais un voyage qui conduit inexorablement, en octobre 1992, à un référendum sur la souveraineté, avec Robert Bourassa présidant le camp du Oui.

Lucien Bouchard résume cet état politique second : « On n'a jamais cru que Bourassa était devenu souverainiste dans les tripes. Mais on a cru qu'avec la bonne pression, puis l'occasion et l'herbe tendre et tout, que Bourassa pourrait faire à peu près n'importe quoi. C'est ça qu'on croyait. »

« Souverainiste, poursuit le chef du Bloc québécois, c'est pas s'ouvrir les veines dans une cérémonie sacrée à la vie, là, tsé ? Il y a pas une date, là. C'est pas écrit dans le registre. Un souverainiste, c'est tout à coup avoir une attitude qui nous détache de la structure fédérale, qui nous fait penser qu'un changement est souhaitable. »

DE LA BELLE OUVRAGE !

Comme tous les autres fils de ce récit, celui-ci prend son origine les 22 et 23 juin 1990, jours des funérailles de l'accord du Lac Meech. Quand Bourassa a donné une surdose à tous ses patients.

A *La surdose*

« Avec sa déclaration : "Je ne négocierai plus que d'égal à égal", commente Bouchard à propos de Bourassa, il venait de nier la constitution actuelle et il venait de créer vraiment une nouvelle agora politique. Parce que c'est pas vrai qu'un premier ministre du Québec, c'est égal, en statut politique constitutionnel, avec le premier ministre du Canada, à Ottawa. Il venait de rompre des lances, là. Je me disais "il a fait un pas, là, lui. Il a fait un pas." »

Landry, vice-président du Parti québécois, a le même réflexe : « En disant que le Québec est une société distincte pour toujours et ainsi de suite, moi, j'ai pensé, là, sérieusement, que Robert Bourassa venait, après 25 ans d'hésitation, de se rendre à nos arguments et qu'il allait maintenant tranquillement s'orienter vers la souveraineté du Québec en se ménageant de l'espace de virage. »

Bouchard et Landry étaient, à la fin de juin 1990, au diapason de l'opinion québécoise, composée essentiellement, pour au moins un an, de rêveurs. Ils forment pourtant un couple mal assorti. Il furent rivaux lors de la constitution du Bloc québécois. Ils restent rivaux potentiels pour le siège de Jacques Parizeau s'il venait jamais à se libérer. Ils représentent deux partis qui se sont affrontés, en coulisses, à la commission Bélanger-Campeau, et qui continuent, d'étape en étape, à marcher dans la même direction, mais rarement d'un même pas. Justement parce qu'ils sont si différents, Bouchard et Landry consituent de bons baromètres de l'efficacité du trompe-l'œil bourassien.

Pendant l'hiver de 1991, Bouchard avait, plus que Landry, cru que Bourassa faisait toujours le voyage avec eux, malgré ses faux-fuyants pendant les négociations menant au « consensus » de la commission Bélanger-Campeau.

> L'auteur : En acceptant un rapport qui était un petit peu dilué, vous lui permettiez de le signer et donc de faire un pas de plus vers la souveraineté ?
>
> Lucien Bouchard : Oui. C'est évident. C'est sûr qu'il y avait ça aussi. Créer une situation où théoriquement on pouvait l'amener à la souveraineté.

C'est pourquoi la décision du PQ de voter contre la loi 150, traduction juridique du rapport de la commission, avait jeté un froid entre Bouchard et Parizeau. Pour expliquer son refus, le chef péquiste avait invoqué les nombreux machiavélismes introduits par Bourassa dans le texte de loi — notamment un contrôle complet et extraordinaire du premier ministre sur les deux commissions parlementaires, créées par la loi pour étudier, l'une les offres, l'autre la

peut être libérale, il faut s'assurer que les libéraux soient bien représentés au sein du Bloc, pour l'élection fédérale de 1992 ou de 1993. « On avait demandé au PLQ de s'impliquer et d'essayer de mettre certains de leurs éléments dans différents comtés », explique Lapierre, qui avait même dressé une liste de circonscriptions où des militants libéraux devraient agir. « Les absents ont toujours tort », plaide Lapierre. Mais les autorités du parti, en particulier Marc-Yvan Côté, préfèrent ne pas s'engager aussi franchement. Dans plusieurs circonscriptions francophones, notamment de la région de Québec, des députés libéraux prennent tout de même soin de se faire représenter au sein des associations bloquistes naissantes, soit pour se ménager la possibilité de se présenter eux-mêmes candidats du Bloc, soit pour y limiter l'influence péquiste. Mais Lapierre est un brin déçu du peu d'empressement de la machine libérale à faire échec aux efforts péquistes au sein du Bloc. Pendant l'automne de 1991, il tente de convaincre Bourassa de recevoir Bouchard en tête-à-tête, pour conforter les bloquistes d'origine libérale. Le projet n'aboutit pas...

« Comme de raison, il y avait des hauts et des bas, rappelle encore Lapierre. Parfois on partait dans un sens, on était convaincus, pis là tout d'un coup M. Bourassa ramenait les cordeaux, faisait une déclaration pis te ramenait ça. Pis ensuite il y avait des moments de quasi-euphorie. »

Parfois j'appelais Lucien pis je disais : « Écoute, je suis allé voir Pierre [Bibeau], pis d'après moi, ça y est ! On y va ! »

L'auteur : Tu disais « On y va ! », c'est-à-dire qu'ils faisaient un référendum sur la souveraineté ?

Jean Lapierre : Oui, « il va se rendre... »

L'auteur : Bourassa allait appeler à voter Oui ?

Lapierre : C'est ça. Pis moi, j'étais convaincu, et je le demeure, que la seule manière de gagner un vote positif sur la souveraineté au Québec, c'est que ce soit initié par le Parti libéral. [...] Même quand Bourassa faisait des nuances, à chaque fois on disait : « De toutes façons, il aura pas le choix, parce qu'ils lui donneront rien, à Ottawa. » On se disait : « La dynamique va faire qu'il aura pas le choix. »

L'auteur : Mais Bibeau, il disait que [faire la souveraineté] c'était une façon de sauver le parti ?

Lapierre : En même temps, oui. Et qu'en fait, le chef passerait à l'histoire. Et moi, je pense que lui-même a cru que ça pouvait être possible.

L'auteur : Lui-même, Bourassa ?

Lapierre : Bourassa. Il y a eu des moments, moi, j'ai eu l'impression qu'il se rendrait au bout. Mais, tsé ? c'était toujours tellement ambigu. Moi, je croyais à ce que je voulais croire.

Au cours de l'automne de 1991 et à l'hiver de 1992, Lapierre partage ces doses de rêve avec son chef et ami Lucien Bouchard, qui a son propre *pusher* : Jean-Claude Rivest.

Lucien Bouchard : On parlait à Rivest. Il sacrait après les fédéralistes : « Les baptêmes, ils nous prennent pour acquis, ils nous prennent pour des mous. Tu vas voir, ils vont en manger une maudite. » Il nous disait ça. « Pis Robert, ils vont comprendre que Robert va surprendre ben du monde. »

En décembre 1991, Bouchard et Rivest participent à Lyon aux « Entretiens Jacques-Cartier », genre de foire aux idées de la francophonie, très courue par les élites québécoises.

« La loi 150, il faut la respecter », dit Bouchard à son grand complice de la commission Bélanger-Campeau.

« Ottawa croit pas qu'on va la respecter, répond Rivest. Mais ils se rendent pas compte qu'on a un caucus qui a une aile nationaliste très forte, pis qu'il y a une trentaine de députés qui deviennent de plus en plus souverainistes, pis Robert commence à avoir de la pression. Ottawa est mieux de faire attention. »

Rivest campe toujours sur sa position : une réforme en profondeur comme premier choix, mais « s'il faut faire [la souveraineté], on va la faire », rapporte Bouchard. « Sans lier Bourassa, on sentait qu'il reflétait quelque chose de Bourassa dans ça. »

Donc, dit Bouchard, Rivest « accréditait la thèse qu'il était encore vrai-semblable que la loi soit appliquée ». Dans son entrevue avec l'auteur, Bouchard interrompt ici son récit, pense à ce qu'il vient de dire, puis ajoute en hochant la tête : « C'est pas drôle, hein ? On est dans un pays où on se contente de considérer comme vraisemblable l'application des lois. »

Soupirs.

Mais bon, en décembre 1991, Bouchard a sa dose. Ce n'est qu'un échan-tillon. Le mois suivant, Bourassa reçoit, une nouvelle fois en privé, le leader parlementaire du Bloc québécois, Jean Lapierre.

Comme d'habitude, Lapierre veut savoir où s'en va le chef libéral.

« Jean, voici ma question », lui dit Bourassa, répétant par cœur sa question inventée à l'université Laval en 1979 : deux États souverains, union écono-mique, Parlement commun élu au suffrage universel. Le premier ministre donne même la référence : « Tu veux le texte ? Va voir le numéro de *L'actualité* de septembre 1990. Tu la veux ma question ? La v'là. Jean, tu vas voir où je m'enligne. »

Lapierre ne peut retenir sa joie : « Ah ! Ça, ce serait formidable ! »

De retour à Ottawa, il informe Bouchard : « Aye ! Regarde, M. Bourassa s'enligne là-dessus. On est en *business* ! » lui-dit-il, « c'est la souveraineté-association », à quelques ajustements (majeurs) près. Lucien Bouchard opine : « Aye ! Là, christie, ça se place ! » Ce n'est encore qu'une information privée. Si seulement Bourassa pouvait l'annoncer publiquement...

Également en janvier 1992, Bourassa évoque aussi cette question avec un autre souverainiste : Gérald Larose, de la CSN. Mais ce dernier n'en tire pas la même joie que Lapierre, car le premier ministre lui a fait par ailleurs le procès de la souveraineté. Larose en déduit que « pour lui, ce serait peut-être une façon de bien se positionner par rapport aux partenaires, ça répondrait aussi aux préoccupations des jeunes dans le parti ». Mais le syndicaliste comprend qu'il ne s'agit que de ça : un positionnement. Bourassa ne veut pas faire la souveraineté, il ne veut qu'en parler : « Il essaie de se trouver une manière de se redonner un *swing* pour se regagner du temps. »

Un *swing* ? Un coup de circuit, en fait.

Bernard Landry, lui, n'a pas un accès aussi, disons, libéral aux marchands de rêve. Depuis la surdose de juin 1990, il partage ses seringues avec Louis Bernard, ex-conseiller de René Lévesque, puis de Bourassa. Louis Bernard est bien branché dans les cercles des conseillers constitutionnels de Bourassa, comme André Tremblay et Diane Wilhelmy, avec lesquels il a travaillé pendant le sprint de Meech. À l'été de 1990, puis en mars 1991, Louis Bernard avise Landry que Bourassa « chemine vers la souveraineté ». À l'automne de 1991, c'est moins net. Mais les catastrophiques offres de Clark transportent de joie Landry et les péquistes. « Avec ces offres-là, dit par exemple Guy Chevrette, on est en Cadillac ! » Landry juge qu'il s'agit « d'une monstruosité en termes politiques, que personne n'acceptera et qui nous mène où on veut aller ». Donc, sur le chemin de la souveraineté. Bourassa, pense-t-il, « descend d'heure en heure ».

Landry croise aussi un des *pushers* les plus prodigues en ville, Jean-Claude Rivest, au hasard des tables rondes dans les émissions de télé ou de radio. « Jean-Claude nous consolidait aussi dans cette direction-là, rapporte Landry. Il nous disait : "Inquiétez-vous pas, ce que les Québécois veulent vraiment finit toujours par arriver et s'ils veulent la souveraineté, nous autres, ça nous empêche pas de dormir. Si c'est ça, on est des démocrates." »

Alors, conclut Landry, « il faisait rien pour nous détromper ».

B *L'effet Bruxelles*

Au début de février, le vice-président du Parti québécois et le chef du Bloc québécois, partageant un rare déjeuner en tête-à-tête, devisent, comme tous les politiciens québécois, de l'incompréhensible stratégie du premier ministre, lorsqu'un coup de fil du PQ informe Landry de la question de Bruxelles. Ils accueillent la nouvelle comme des pécheurs repentis reçoivent l'absolution. Elle confirme leur foi, lave leurs doutes, recharge leurs batteries.

« Avec la question de Bruxelles, raconte Landry, Bourassa a tout à fait reconsolidé nos attentes. Il parlait de deux États souverains avec des structures [supranationales]. Mais, "des structures"... Cause toujours ! On était prêts à parler de structures tant qu'il voulait ! »

« Landry pensait comme moi que, stratégiquement, il était pas sûr qu'il fallait dire non à la question », enchaîne Bouchard. « Beaucoup de gens dans le milieu souverainiste pensent qu'on aurait du dire oui. » Certes, Bouchard et plus encore Landry contestent la superstructure évoquée par Bourassa. « L'union économique créée par un Parlement, ça, évidemment, c'est fou raide ! » dit Bouchard. Mais « sachant que jamais le Canada anglais n'aurait pu l'accepter, par conséquent, ce serait la souveraineté ».

Bouchard reprend donc contact avec Lapierre, alors à Ottawa, et ils conviennent, comme prévu, de se montrer heureux de l'initiative de Bourassa. Lapierre se met immédiatement à la recherche de journalistes et leur déclare que « pour ceux et celles qui croient dans le processus de la loi 150, c'est un petit pas positif ».

Puis, son téléphone sonne. Au bout du fil, l'ire péquiste.

Entre-temps, Landry a aussi appelé l'état-major du PQ, pour dire qu'il ne faut pas rejeter cette question, qu'on pourrait au contraire l'utiliser pour mieux encadrer Bourassa sur le chemin. Landry répète depuis des mois que si Bourassa offrait de refaire le Canada à la sauce de Maastricht, le PQ signerait *illico*. Car dans l'Europe de Maastricht, les États membres sont mille fois plus souverains que ne l'est la province de Québec. « Sa structure confédérale, ça dépend de ce qu'il y a dedans, explique Landry. Si c'est élu comme le Parlement européen, avec aucun pouvoir et aucun pouvoir de taxation, on aurait pu... »

Mais le vice-président du PQ n'a pas été assez rapide. Lorsqu'il joint les conseillers du chef, Jacques Parizeau a déjà sorti son bazooka. Il vise. Il tire. « On pourrait se fâcher, tranche-t-il devant les journalistes, mais c'est surtout ridicule. » La question de Bruxelles est « absurde », ajoute-t-il, notamment parce que le Canada n'en voudra pas. « Le Canada anglais ferait ça parce que ça a été décidé par un référendum au Québec ? ironise-t-il. La réponse sera non et elle viendra très rapidement. »

« Les mécanismes de consultation n'ont pas joué », explique Landry. « Parizeau a parlé dans un *scrum* [point de presse improvisé]. Il n'a pas mis assez de mou. » En effet. Parizeau infléchira un peu sa position le lendemain, mais si peu...

La famille souverainiste réagit maintenant en rangs dispersés à la nouvelle initiative de Bourassa. Lapierre et Parizeau sont mis en opposition très nette dans un montage sur le réseau TVA : à Parizeau qui dit que la question est « ridicule », Lapierre répond : « C'est certainement pas une question ridicule. À ce moment-là, on voudrait aussi ridiculiser M. Lévesque, j'imagine ! » Il importe donc de sonner la fin de la récréation et de mettre tout le monde au pas. Les conseillers de Parizeau, notamment Jean Royer, inondent le bureau de Lapierre et des autres députés bloquistes d'appels outrés, exigeant une rectification. « C'était une crise nationale », se souvient Lapierre, froissé de ce « comportement de *head office* [le PQ] pour une succursale [le Bloc] ». Lapierre ne voulant pas reculer, le bureau de Parizeau réclame que Lucien Bouchard désavoue publiquement son lieutenant.

Trois jours plus tard, devant un Conseil général de son parti, Bourassa récidive. Mais il prend d'abord un engagement générique, s'appliquant à toutes les situations : « Je ne serais pas responsable vis-à-vis l'histoire si je m'orientais vers un référendum qui affaiblirait le Québec. Si ce référendum est perdu, c'est un recul pour le Québec. » Il le dit de plusieurs autres façons*. Il reproche à René Lévesque, comme il l'a fait plusieurs fois dans le passé, d'avoir organisé un référendum sans s'être assuré de la victoire. C'est un thème fort, qui mérite d'être ajouté à la liste que l'on dresse depuis le début du récit.

ENGAGEMENT N° 9 : NE PAS ORGANISER DE RÉFÉRENDUM SANS ÊTRE SÛR DE LE GAGNER.

Puis il se fait encore plus clair dans sa défense du fédéralisme que pendant le discours du trône. « La désintégration d'une fédération, dit-il, c'est long, complexe et coûteux. Tout le monde, sauf Jacques Parizeau, admet que ça ne sera pas facile. La formule du fédéralisme est suffisamment flexible pour nous permettre des changements en profondeur. » Interrogé ensuite sur l'éventualité d'un référendum, il affirme que si les offres fédérales sont bonnes « c'est évident qu'on est autorisés à les soumettre [au vote] en vertu de *l'esprit* de la loi 150 » — qui ne prévoit rien de tel. Mais si elles ne sont pas bonnes ? La *lettre* de la loi 150 s'appliquera-t-elle ? Au contraire. « Je devrai communiquer les faits à la population, dit-il, expliquer qu'un référendum sur la souveraineté pourrait affaiblir l'économie canadienne. »

Le dimanche 22 mars 1992, on assiste à la mort publique de la loi 150.

Et à celles du rapport Bélanger-Campeau et du rapport Allaire.

Exactement un an plus tôt, au congrès qui a adopté le rapport Allaire, Bourassa refusait de dire s'il était souverainiste ou fédéraliste. « Une question académique », prétendait-il. Jamais il n'a été aussi ferme qu'aujourd'hui. Pourquoi ? Un de ses conseillers explique que la séquence Bruxelles/Beaudoin-Dobbie/résolutions de l'Assemblée nationale a créé un tel ressac dans la machine fédérale que Bourassa craint maintenant que le processus ne chavire. La tourmente créée entre lui et Mulroney est telle qu'il faut jeter l'ancre. Mulroney, alors à New York, s'extasie d'ailleurs à profusion sur « l'excellent discours » de son ami Robert. La presse canadienne-anglaise célèbre la joie revenue dans le village canadien. Voici comment Pierre Anctil explique alors le virage :

> Dans une négociation, il y a toujours un petit peu de bâton et un petit peu de carotte. Là [Bourassa] a peut-être décidé de mettre un petit peu plus de carotte, un peu moins de bâton pendant quelque temps pour voir ce que ça va donner. Le bâton avait pas beaucoup marché, mais il est pas serré, là, il est pas cassé. Il existe toujours, sauf que là, on l'a mis en-dessous du bureau pour quelque temps. Et dans l'entourage du chef y'en a beaucoup, dont John [Parisella], qui disent depuis longtemps que la menace ne nous amènera jamais à faire bouger le reste du Canada.

---

*   Comme il l'avait dit en entrevue à Michel Vastel en juin 1991 : « C'est une lourde responsabilité de déclencher un référendum sans être sûr de le gagner. »

Robert Bourassa est plus net, dans son propre récit de ces événements :

Je me suis rendu compte que les concessions ou les aménagements qu'on voulait obtenir, de l'ordre de Bélanger-Campeau, ça marchait pas dans l'Ouest. [...] Finalement, on peut continuer à progresser dans le cadre [canadien] sans complètement restructurer le cadre.

Donc le choix c'était, ou bien tomber dans l'inconnu avec un risque énorme d'isolement du Québec, ou bien aller chercher le maximum.

Il fallait que les offres soient acceptables, donc il fallait qu'elles soient acceptables par les partenaires [dans le ROC], parce qu'autrement, ça donne quoi de les faire accepter au Québec si les partenaires disent non ?

Donc, j'avais besoin d'un peu d'espace politique pour arriver à une solution qui soit acceptable à Vancouver et à Halifax.

Bref, puisque le ROC refuse les demandes du Québec, il faut abaisser les demandes québécoises — en code : « l'espace » — à un niveau que les capitales anglophones trouveront acceptable. Voilà le nouveau critère : il faut se définir en fonction de ce que les voisins veulent. Le critère ne changera plus.

La disparition du « bâton » au profit de la carotte a des conséquences à l'intérieur du PLQ, comme on le verra plus loin. Elle en a, par ricochet, à l'extérieur, notamment chez le bloquiste Jean Lapierre. Habitué aux zigzags de Bourassa, il se demande s'il s'agit là d'un virage vrai ou d'un virage faux. Comme quoi même les spécialistes s'y perdent. En février, entre Bruxelles et Beaudoin-Dobbie, Bourassa l'avait appelé à Ottawa, pour l'encourager dans son beau travail de bloquiste.

Mais ces nouvelles déclarations épuisent d'un coup les réserves de Lapierre. Plus en manque qu'à l'habitude, il prend rendez-vous chez Gil Rémillard, nominalement responsable du dossier constitutionnel, pour se « faire rassurer », dit-il. Le ministre doit bien savoir quelque chose. « Voyons donc ! dit Rémillard à ce bloquiste de peu de foi. Tant que je serai là, la loi 150 sera respectée ! »

« Il était très frondeur, se souvient Lapierre. Il disait, parlant du Canada anglais : "S'ils pensent qu'on va se contenter de si peu..." »

Lapierre repart à demi réconforté, car il entend la secrétaire de Rémillard confirmer au téléphone le rendez-vous du ministre avec Claude Beauchamp, le fédéraliste du Regroupement Économie et Constitution, sur un court de tennis. « J'avais le fou rire, dit Lapierre. Je me disais : "Il mange à tous les râteliers." »

Pendant les semaines qui suivent, tous les habituels *pushers* de rêve des bloquistes sont en rupture de stock. Pierre Bibeau et Jean-Claude Rivest semblent perdre la foi. Quand Lucien Bouchard parle à Rivest, il n'arrive plus à lui tirer l'ombre d'un songe. « Vers la fin, il est redevenu cynique, dit Bouchard. Il faisait des farces avec tout, tsé ? »

Quand Lapierre tente, au cours du mois d'avril, de se faire expliquer ce qui se trame, ses sources deviennent évasives. Personne ne comprend vraiment ce qui se passe. À Ottawa, le processus de confection des offres est englué dans un bourbier encore pire qu'auparavant, et pourtant Bourassa semble écarter non seulement la souveraineté elle-même, mais aussi la menace de la souveraineté.

À la mi-avril, vient le coup de grâce. Dans une entrevue accordée au quotidien français *Le Monde,* Bourassa fait une prédiction qui semble assez ferme :

> Au moment où je vous parle, je crois qu'il y aura des offres du gouvernement d'Ottawa, proposant un renouvellement du fédéralisme canadien. Le référendum portera sur ces offres.

Mais s'il n'y a pas d'offres ? demandent les deux journalistes, Dominique Dhombres et Catherine Leconte, reçus en fin de soirée, le 18 avril, rue Maplewood. Bourassa, dans son petit salon, sous le Marc Aurèle Fortin, vide son sac :

> S'il n'y a pas d'offres du gouvernement fédéral, on verra comment rédiger la question référendaire.

Où est l'élément nouveau ? Déjà, au Conseil général de son parti, il avait abandonné la théorie des deux voies : des offres, on vote ; pas d'offres, on verra. Cette fois-ci il va un peu plus loin. Alors qu'il n'existe aucun élément public annonçant de bonnes offres — au contraire —, Bourassa dit « croire » qu'il y en aura. On est passé du « si » au « lorsque ».

Pour Jean Lapierre, c'est la fin du voyage. Jusque-là, la dynamique canadienne elle-même, la certitude que jamais de bonnes offres ne pourraient être présentées, avait servi de filet de sauvetage : quoi que dise Bourassa, à la fin, il sera coincé, pensait Lapierre. Mais avec sa déclaration au *Monde,* le chef libéral indique jusqu'où il est prêt à abaisser la barre des revendications québécoises : très bas.

> Parmi ces offres figurent trois points très importants. Il faut d'abord que soit reprise la substance de l'accord du Lac Meech. Il faut ensuite un nouveau partage du pouvoir qui permette un fédéralisme plus efficace. Il faut enfin que, sur les autres objectifs de la réforme constitutionnelle — l'adoption d'une charte sociale, le renforcement de l'union économique canadienne et la réforme du Sénat —, les pouvoirs du Québec ne soient pas réduits.

Aucun de ces éléments n'est tout nouveau. Mais résumé succinctement, inscrit ainsi dans le quotidien de référence de la diplomatie européenne, le propos acquiert un caractère officiel. Et point n'est besoin de décodeur spécialisé pour constater que les courants d'air peuvent s'engouffrer dans la position de négociation de Bourassa.

Il n'est plus question de Meech mais de « sa substance », ce qui peut vouloir dire n'importe quoi. Il n'est plus question de « réforme en profondeur », de recherche de « l'autonomie québécoise », de 22 pouvoirs exclusifs, ou de 14, ou 11, ou 5 ; il n'est question que de « fédéralisme plus efficace », terme vague

à souhait. Pour le reste, les revendications des Canadiens anglais sont bien-
venues, pour peu qu'elles n'imposent pas de recul au Québec. Bref, aux journalistes du *Monde*, Bourassa dit ce qu'il répète en privé à l'Ontarien Bob Rae :
« Pourquoi ne pourrions-nous pas tout simplement revenir à Meech ? » À
Meech, ou à « sa substance », c'est à dire un peu moins.

Pour Lapierre, c'est le signal. « Ça a été le moment où j'ai commencé à
poser des questions. C'est là que c'est devenu très évident qu'il était pas question qu'il aille avec un référendum sur la souveraineté. » Il appelle Bibeau et
Rivest, qui lui donnent finalement l'heure juste : « Les signaux que j'ai eus,
c'était : "Oublie ça, il n'en est pas question !" »

Lapierre est le prototype du souverainiste-libéral. Avec le trait d'union. Il
ne peut se résoudre, personnellement, à aider le PQ à faire la souveraineté. Et
il doute qu'il soit possible de la réaliser si le Parti libéral ne se lance pas dans
le projet. En mai ou en juin, il annonce à Bouchard qu'il va partir. « Moi, c'est
fini. J'ai pas le goût de devenir un créditiste de la souveraineté, expliquera-t-
il en entrevue. Si mes amis libéraux me laissent tomber — parce qu'au fond
c'était ça — il n'en était pas question. » Il ne veut pas pour autant renier sa
conversion à la souveraineté et dit à ses « amis libéraux » qu'il ne va pas les
suivre dans « une démarche sur les rotules ». Il se met donc à chercher un
emploi et reçoit bientôt une offre de CKAC pour un poste de commentateur
qu'il accepte. Il annoncera publiquement sa démission du Bloc et de la
Chambre des communes en juillet, période creuse de l'activité parlementaire,
ce qui minimisera le tort causé à son ami Bouchard.

Le cas Lapierre est intéressant à trois niveaux.

Celui, d'abord, de l'homme qui doit concilier carrière et conviction.

Au point de départ, Lapierre est un député libéral de Pierre Trudeau qui
a fait la campagne référendaire de 1980 dans le camp du Non à titre de
membre du comité fédéral de stratégie et qui a ensuite voté pour le rapatriement unilatéral de 1982. Il considère André Ouellet, dont il fut l'assistant,
comme son « parrain politique ». Il fut brièvement ministre en 1984. C'est
l'échec de Meech qui l'a converti à la cause souverainiste, comme beaucoup de
ses amis du PLQ. Au congrès libéral tenu le lendemain de la mort de Meech,
il démissionne lorsque Jean Chrétien est propulsé à la direction du parti, et
abandonne du même coup tout espoir de revenir au Conseil des ministres à
Ottawa, objectif normal de tout jeune politicien ambitieux. Il fait le saut, sans
parachute, pour des raisons de conviction politique.

C'est curieux, car Lapierre est le contraire d'un idéaliste. Voilà un animal
politique qui connaît toutes les combines, qui se frotte à tous les cyniques, qui
ne se sent bien qu'en compagnie de libéraux. On verra, dans la suite du récit,
bien des libéraux aux prises avec ce dilemme : carrière ou conviction. Le
cheminement de Lapierre prouve qu'il est possible de connaître le cynisme, de
le pratiquer souvent, de le reconnaître chez les autres, sans en être pourri
jusqu'à la moelle.

Deux ans plus tard, au printemps de 1992, lorsque Robert Bourassa amorce son virage public vers le « Canada à tout prix », Lapierre refuse de le suivre. Une fois de plus, c'est par conviction qu'il débarque. Pour protéger ses arrières chez les libéraux, pour, qui sait ? se réserver la possibilité d'une future carrière provinciale, il ne fait pas d'éclat, il ne dénonce personne. Il fait le mort. Au téléphone, il dit à Bourassa être déçu de sa nouvelle trajectoire. En privé, il dira du premier ministre : « Il nous a tous fourrés quand même, il nous a tous menés en bateau ! » Sur les ondes de CKAC, il ne cache pas ses allégeances souverainistes.

Le choix de Lapierre présente un degré de difficulté moindre que celui auquel seront confrontés, plus tard, les libéraux allairistes. Lapierre ne renie pas le parti qu'il quitte, le Bloc québécois. Il ne fait que se mettre au neutre. Les libéraux allairistes, eux, devront sortir du rang, s'opposer à leur ancienne famille politique, en devenir des ennemis. Difficulté de conviction, difficulté de carrière aussi. En quittant Jean Chrétien, Lapierre a fait son deuil d'un porte-feuille de ministre fédéral. En quittant le Bloc, il ne risque rien. Les libéraux allairistes, surtout les députés, devront au contraire évaluer, au moment de faire le saut, le poids de cette décision sur leur carrière à venir. Hors du PLQ, y a-t-il un avenir politique, pour les ministres, députés, *apparatchiks* en rupture de ban ?

Ce qui conduit au second niveau illustré par le cheminement de Lapierre : la difficulté qu'ont les libéraux nationalistes à passer complètement de l'autre côté. Lapierre aurait pu, bien sûr, rester dans un Bloc québécois ayant largué ses amarres avec le PLQ et de plus en plus, sinon inféodé, du moins associé au PQ. D'autres anciens libéraux, comme Gilles Rocheleau, accepteront de faire cette transition. Pas Lapierre. Pourquoi ? Lapierre résume ici un senti-ment très fort, que l'auteur a rencontré fréquemment au cours de cette enquête, tant chez les libéraux nationalistes que chez les non-alignés de la commission Bélanger-Campeau et autres « alliés naturels » du Parti québécois. Les péquistes, dit Lapierre,

> n'ont jamais cru à la conversion des libéraux pour la souveraineté et ils se pensent propriétaires de la souveraineté. C'est ce qui fait leur perte, d'ailleurs. Moi, j'ai subi toutes les insultes possibles et impossibles chaque fois que j'allais dans des réunions avec eux. Je rencontrais toujours ceux que j'appelle les « ceintures flé-chées » qui me disaient : « Ben, il était temps que tu comprennes ! Mieux vaut tard que jamais ! » Et ils me reparlaient du référendum de 1980, du rapatriement, malgré ce que j'avais fait depuis, malgré le fait que j'étais aux barricades pour la souveraineté tous les jours à Ottawa. À chaque fois, il fallait que je refasse une profession de foi. Dans ce sens, j'aurais jamais pu communier avec cette famille politique-là dans l'action. Ce sont les gens les moins accueillants que j'aie vus dans ma carrière politique.

Au troisième niveau, il est intéressant de voir comment deux fédéralistes réagissent à la démission du bloquiste. Lapierre appelle d'abord Brian

Mulroney pour l'aviser qu'il faudra déclencher une partielle dans sa circonscription de Shefford. Les deux hommes jasent un peu ; Lapierre parle de ses projets d'avenir. Ensuite, le démissionnaire laisse un message chez Bourassa. Lorsque le chef libéral le rappelle, il a eu le temps, dans l'intervalle, de parler de la chose avec Brian ! Ensemble, Brian et Robert ont supputé la nouvelle situation financière de Lapierre : sa pension de député, additionnée à son contrat à CKAC. Au bout du fil, Bourassa glisse à Lapierre : « J'en parlais avec Brian, on a fait le calcul, on trouve que tu t'en tires bien, finalement. » C'est gentil, mais ça donne surtout une idée du type de préoccupation des chefs de gouvernement.

Revenons à avril-mai 1992. Lucien Bouchard est conscient que les affaires dérapent. Mais comme les autres politiciens et analystes, il ne comprend toujours pas comment Bourassa pourra se tirer de son guêpier politique. S'il organise un référendum sur les offres, il le perdra, car les offres seront trop maigres pour les appétits québécois. Or il a annoncé qu'il ne veut pas déclencher un référendum qu'il n'est pas certain de gagner. À la fin, il va être coincé. À la fin, il devra se ranger et faire le seul référendum « gagnable », donc sur la souveraineté, probablement à la sauce bruxelloise. Lorsqu'on a tout dit et tout analysé, voilà ce qui reste. C'est le sol politique québécois de 1992.

Ce raisonnement, que tiennent aussi Bernard Landry et plusieurs nationalistes libéraux, suppose que Bourassa va déclencher un référendum. Or, c'est la donnée alors la plus secrète du jeu : malgré ce qu'il dit au Conseil général du PLQ en mars, au *Monde* en avril et à tous les autres, et en dépit de sa promesse de consulter le peuple « à moins d'un tremblement de terre », Robert Bourassa veut purement et simplement annuler la consultation. Il envisage cette éventualité, on l'a vu, depuis la mort de Meech. Il en parle en privé à des hommes d'affaires en novembre 1991. En mars 1992, il est presque totalement convaincu que c'est la solution. C'est pourquoi il contemple de plus en plus sereinement l'évolution par ailleurs chaotique de la situation. « Y'en aura pas, de référendum », confie-t-il alors à son ami Mario Bertrand, ainsi qu'aux premiers ministres Bob Rae et Frank McKenna.

Voilà l'information qui manque à Bouchard, Landry, Larose, Béland et tous les autres. Bouchard et Landry pensent que le sol existe. L'histoire finira par leur donner raison, mais pour l'heure, Bourassa a décidé que le sol n'existait pas.

Et voilà pourquoi Bouchard prend encore quelques semaines, après la démission de Lapierre, avant d'entamer sa cure de désintoxication. Depuis la question de Bruxelles le 6 février et jusqu'en mai, Bouchard a subi le supplice de la goutte d'eau. Il faudra encore que le vase déborde. Ce qui survient le 20 mai.

Bouchard vient de prononcer un discours à Anjou, dans l'est de Montréal. Dans la voiture, il écoute le bulletin de nouvelles de Radio-Canada. Il y est question d'une déclaration faite ce jour-là par Bourassa à l'Assemblée nationale. En réponse à des questions de Parizeau, le chef libéral vante le merveilleux climat des négociations qui se déroulent entre Ottawa et les provinces anglophones. En fait, dit-il, « il y a une convergence ou des chances très, très bonnes d'avoir une convergence. Il reste la question du Sénat qui, pour l'instant, paraît la pierre d'achoppement à une entente rapide. »

Bouchard sursaute. Comment, le Sénat ? Le ministre fédéral Benoît Bouchard, qui participe à ces pourparlers, disait encore il y a quelques jours que le Québec n'avait encore presque rien obtenu sur les pouvoirs !

« Là, j'ai compris que c'était fini. C'était très clair. Là, je me dis : "Écoute, si les pouvoirs sont pas importants... y'a plus rien d'important !" » Par la suite, Bouchard entend d'autres sons de cloche provenant de relations qu'il entretient dans le petit réseau de Québec Inc. « Aussitôt après, mes amis qui le rencontraient [Bourassa] ou qui avaient des échos disaient : "Non, il a cassé. Il est à quatre pattes. Il va signer n'importe quoi." »

Finalement désintoxiqué à son tour, Bouchard tire cette conclusion : « On se trompe tout le temps quand on évalue Bourassa ; quand on pense qu'il va se sentir lié par ce qu'il dit, par ce qu'il fait. Il se sent lié par rien, lui. Pis c'est rare, ça. C'est très, très rare des gens comme ça. J'en connais pas, moi. Il n'y a que lui. Là, il est allé loin avec la loi et tout. »

Quant à Landry, qui est un des derniers péquistes, au printemps de 1990, à se laisser convaincre que le PLQ pourrait faire un virage souverainiste, il sera aussi parmi les derniers, en 1992, à émerger du rêve. Comme si, très éloigné du noyau libéral, insensible aux hauts et aux bas du marché de la drogue douce, il n'avait besoin que d'une toute petite dose pour faire tout le voyage. Il pense que Bourassa va aller jusqu'au bout de son « premier choix », jusqu'au bout des négociations et, ne au mur, n'aura d'autre choix que de faire demi-tour. Landry ne le sait pas, mais il est en fort bonne compagnie. Cette analyse, cet espoir, nourrit tout le débat interne chez les nationalistes du Parti libéral.

LA CARTE DANS LA MANCHE

Pendant la première moitié de 1992, au PLQ, c'est le temps des nouveaux comités. Il y en a trois : 1) le Comité qui ne sait pas où il va ; 2) le Comité qui n'existe pas ; 3) le Comité qui n'embarque pas.

Ces trois instances vont travailler dans un climat de méfiance croissante, de crise latente. La mauvaise foi n'aura d'égale que la mauvaise volonté. Outre Robert Bourassa, les figures majeures de la tragi-comédie sont déjà en place depuis un bon moment : Mario Dumont, président de la Commission jeunesse ; Jean Allaire, président de la Commission juridique qui a donné son nom à un rapport devenu programme du parti ; Pierre Anctil, directeur général.

Il y a fort à parier que, sans Anctil, il n'y aurait pas de crise latente au parti.

Il y aurait une crise ouverte. « Quand les gens cherchent une explication au fait que le parti se soit pas cassé en deux comme une brique, explique Michel Lalonde, alors directeur des communications du Parti libéral, je te dirais que la première raison, c'est le fait que le pivot nationaliste, dans le *day to day*, il s'est rallié au chef. » Parce qu'il fut, en ses vertes années, un président trouble-fête de la Commission jeunesse ; parce qu'il fut la force souverainiste motrice au comité Allaire ; parce qu'il n'a pas renié tout son cathéchisme nationaliste ; parce qu'il en connaît le vocabulaire, Pierre Anctil garde un capital de crédibilité. Il peut faire le pont, amortir les chocs entre Bourassa et les allairistes. « On se redisait entre nous, des fois, qu'Anctil sur le fond est plutôt de notre bord », raconte Mario Dumont.

Après l'épisode du rapport Allaire et la rectification imposée en janvier 1991, Robert Bourassa a pris connaissance des rares compétences du directeur général. Le chef libéral n'en revient pas que ce virage puisse avoir été négocié sans qu'un seul passager ait quitté le véhicule. Il sait qu'il y a d'autres virages à venir, encore plus périlleux. Il ne veut surtout pas se séparer d'un conducteur aussi habile.

Pierre Anctil est-il fatigué ou pris d'un certain malaise après cet épisode, puis celui du congrès libéral de mars 1991 ? Peu après, il annonce son imminent départ de la direction générale. Dans le calendrier politique, il y a peu de moments où on peut tirer adroitement sa révérence. Après un congrès, après une élection, le moment est idéal. Anctil compte annoncer la chose à John Parisella, chef de cabinet du premier ministre, au printemps de 1991, pendant un souper. Mais voilà que Bourassa s'invite à ce petit gueuleton et lui joue un air de violon comme on en entend rarement. Il lui dit qu'il a un sens politique exceptionnel. Il lui dit combien il a apprécié ses talents au cours de l'épisode Allaire. Il lui dit qu'il veut entendre ses conseils. Il lui dit, bref, qu'il a besoin de lui. Anctil reste.

« À partir de là, résume Michel Lalonde, ami et bras droit d'Anctil, l'approche de Bourassa a été vraiment de cultiver son rapport avec Pierre Anctil. C'est pas difficile. Bourassa lui téléphone : "Salut, Pierre, qu'est-ce que tu penses de telle chose ? Ouan, ouan. Mais tsé, un tel, il comprend pas ça. Tu t'en occupes ?" Il développe une familiarité, une proximité, puis à un moment donné, ça devient son allié objectif. » Sur le fond du problème québécois, Bourassa « continue à maintenir chez Anctil la perception que, s'il y avait rien d'acceptable, il pourrait arriver à l'option préférée d'Anctil », donc une souveraineté à l'européenne.

À l'été de 1991, Anctil prépare pour son chef un mémo sur la « stratégie à long terme » 1991-1993. Il l'avise que l'unité actuelle du parti est « artificielle » et ne pourra survivre à « la période de transition » si les offres fédérales sont trop mitigées. Dans ce cas, Anctil prévoit une poussée souverainiste encore plus forte qu'en 1990, que le PLQ ne pourrait affronter en vainqueur.

Il propose donc qu'en cas d'absence d'offres ou en cas d'offres clairement inacceptables, le PLQ adopte une politique d'« union sacrée » avec le PQ en route vers la souveraineté, tout en se démarquant des péquistes sur un autre terrain, par exemple en proposant une union politique avec le Canada. Lorsqu'il présente ces scénarios à Bourassa, au début de juillet, le premier ministre s'y montre réceptif, comme toujours.

Anctil ne vogue plus, comme naguère, avec enthousiasme vers son premier choix : la souveraineté. Mais à l'été de 1991, tout est possible, tout est permis. « J'ai confiance, dit Anctil à l'auteur à cette époque. Robert Bourassa est un démocrate, son intention de venir dans le parti pour soumettre les offres au test du rapport Allaire, dans mon esprit, est claire. »

« L'année va être pleine de rebondissements, annonce-t-il alors. Si on réussit, on aura donné une nouvelle place au Québec. Si on échoue, on l'aura mérité. »

A Le Comité qui ne sait pas où il va

Le premier à broyer du noir, à l'automne de 1991, est Jean Allaire. « Écoutez, on perd notre temps », dit-il à Mario Dumont et à Pierre Anctil peu après l'annonce des propositions Clark. « Le Canada ne voudra pas lâcher le morceau et Bourassa ne voudra pas faire la souveraineté. Alors il va accepter n'importe quoi. » Ses collègues nationalistes le trouvent bien aigre. Anctil lui reproche de semer le défaitisme autour de lui. « Maître Allaire, lui dit-il, vous allez faire fuir vos propres supporteurs. Dites pas ça. Quand on veut gagner en politique, il faut avoir l'air d'un gagnant. »

Devant l'auteur, Anctil expliquera un jour pourquoi, entre le congrès de 1991 et l'été de 1992, les forces allairistes au sein du parti ont stagné — sauf à la Commission jeunesse — alors que les forces favorables à Bourassa et au compromis, qu'Anctil représentait, ont gagné du terrain :

> Jean Allaire, ça faisait plus longtemps que moi qu'il était dans le parti, mais ça faisait pas aussi longtemps que moi qu'il gérait des processus comme ça. Des congrès, j'en ai organisé pas mal plus que lui, avant d'être ici [au poste de directeur général ; Anctil était auparavant président de la Commission jeunesse, puis de la Commission politique]. Faire passer des orientations, des résolutions, tout ça. Lui, il était toujours assis en avant en train de gérer un code de procédures [Allaire était généralement président d'assemblée], alors que moi, j'étais dans la salle en train de faire passer des propositions, en train d'obtenir des adhésions, en train de circonscrire l'opposition. Tsé, j'ai toujours fait ça. Pis j'ai une idée un petit peu de ce qui fait que les gens accrochent ou décrochent, au-delà des arguments de fait invoqués. [...]

> L'espèce de dynamique de groupe qui intervient dans un parti politique, les tendances, la capacité de bâtir du *momentum* ou de nuire au *momentum* d'une idée, d'un concept, d'un projet, ça a pas trait exclusivement aux arguments objectifs. Ça a beaucoup trait à l'attitude. Quand pendant un an et demi tu te promènes en disant que ça marchera pas, ça a un effet psychologique. Les gens décrochent.

Surtout que survient, pour contredire Allaire, la question de Bruxelles.

« Ça faisait un bout de temps qu'il y avait pas grand-chose qui allait bien pour nous autres, raconte Dumont. Alors t'as eu la question de Bruxelles. Tout de suite après, Bourassa a parlé de "fédéralisme dominateur". Alors les nationalistes dans le parti commençaient à dire : "Bon, Bourassa a vu qu'il y avait rien à faire, pis il se remet sur la bonne *track*." »

Les choses vont d'autant mieux qu'un sondage publié le 9 mars montre que sans même répartir les indécis, 58 % des Québécois affirment qu'ils voteraient Oui à la question référendaire de 1980 si on la leur posait aujourd'hui. Chez les électeurs libéraux, 48 % en feraient autant (et 54 % des francophones), contre 46 % qui voteraient Non.

C'est dans ces bonnes dispositions que les nationalistes se rendent au Conseil général du 20 mars, où Bourassa leur assène une douche froide et les noie sous une pluie d'arguments antisouverainistes. Après son discours, Bourassa rencontre une trentaine de jeunes, membres du Conseil des représentants de la Commission jeunesse.

Il passe six mauvais quarts d'heures d'affilée. Les jeunes objectent : Oui, mais la question de Bruxelles ? Bourassa leur fait le grand jeu de l'incertitude, de l'insécurité, du risque non calculé. « C'était abrutissant parce que c'était sa propre idée, qu'il avait lancée, et il était en train de la démolir devant nous », se souvient Dumont.

Un représentant régional intervient : « Si c'est si imprudent, si ça représente tellement de risque, pourquoi vous êtes-vous permis de la sortir ? »

« Il faut mettre de la pression », répond Bourassa.

« Cette fin de semaine-là, raconte Dumont, son nouvel argument, sa nouvelle chanson, c'était : "la carte dans la manche." Les Québécois ont une carte dans leur manche, disait-il, la carte de la souveraineté, qu'ils ne sont pas prêts à jouer. Il disait avoir senti ça dans les sondages. »

Bourassa appuie sa démonstration d'un geste complice : il place le pouce et l'index dans sa manche, comme s'il sortait une carte, mais il ne fait que l'agiter un petit peu, pour montrer qu'elle y est, au besoin. Un clin d'œil en plus et le portrait serait complet.

La question de Bruxelles, reprend le premier ministre, « est une façon de rappeler au Canada anglais qu'on a la carte dans la manche ».

« Les jeunes achetaient pas ça, la carte dans la manche, ils achetaient pas ça pour une cenne, là », poursuit Dumont. Sous l'inspiration du moment, Bourassa ajoute que la souveraineté « est toujours une possibilité, un dernier retranchement, "c'est pas exclu" ».

Nous sommes à la fin de mars 1992. Le référendum doit avoir lieu en octobre. Si ce n'est pas exclu, rétorquent des jeunes, « ça tombera pas du ciel ! Il faut se préparer. Alors qu'est-ce qu'on fait, qu'est-ce qu'on attend ? »

Après une heure et demie de ce ping-pong, Bourassa lance le mot de la fin : « En tout cas, moi, je vous fais confiance, pis j'ose espérer que c'est réciproque. » Une fois qu'il a quitté la pièce, le mot « démission » commence à circuler...

Le lendemain de cette rencontre, Mario Dumont est convié à la première réunion du comité référendaire libéral. Le PLQ fonctionne un peu comme un ordinateur. Puisque le programme du parti et la loi 150 prévoient un référendum pour octobre 1992, dans moins de sept mois, il faut commencer à préparer les structures, à former les militants, à distribuer les tâches. C'est automatique.

Bourassa n'en est pas à un comité près. Mais il ne prend pas de risque. À la tête de celui-ci, il nomme Jean Masson, vieux complice des années 70 — il était président des jeunes libéraux quand Bourassa est devenu chef —, avec lequel il partage aussi un lien de parenté. Un peu nationaliste, nullement réfractaire au rapport Allaire, Masson est surtout bourassien à 100 %. De par leurs fonctions, plusieurs ex-membres du comité Allaire sont nommés au nouveau comité : Pierre Anctil, évidemment ; Mario Dumont, président des jeunes ; Jean Allaire, président de la Commission juridique ; Pierre Saulnier, président de la Commission politique ; Denis Therrien, vice-président du parti. Michel Lalonde, directeur des communications, assiste aux réunions. Une autre nationaliste, vice-présidente du parti, Diane Viau en est aussi.

On y trouve de plus Bill Cosgrove, représentant de la communauté anglophone, qui a approuvé le rapport Allaire dans sa forme finale après avoir lutté bec et ongles contre sa version initiale, souverainiste. Cosgrove pense avoir bien saisi les nouveaux signaux de son chef. « Jusqu'ici, il [Bourassa] conduisait sur les deux côtés de la route, explique-t-il à un journaliste. Maintenant, il a décidé de ne conduire que sur un côté. » Cosgrove n'a plus de doute : son chef l'a rejoint, sur le bon côté[*].

Les autres allairiens arrivent dubitatifs à cette première réunion référendaire. Comment peut-on organiser un référendum dont on ne connaît pas le sujet ? Le comité se réunit à huis clos. Bourassa fait la première allocution. Il explique sans détour qu'il s'agit de préparer le référendum sur des offres, qui sont toujours à venir.

Quelqu'un pose la question : « Qui seront nos alliés ? »

---

[*] Voici la composition intégrale du comité présidé par Jean Masson : Robert Bourassa, chef du parti ; Jean-Pierre Roy, président du parti ; Pierre Anctil, directeur général ; Jean Masson, président du comité ; Marc-Yvan Côté, organisateur pour l'est du Québec ; Clément Patenaude, organisateur pour l'ouest ; Pierre Saulnier, président de la commission politique ; Yves Gougoux, publicitaire de la firme BPC ; Jean Allaire, président de la Commission juridique ; Mario Dumont, président de la Commission jeunesse ; William Cosgrove et Rita de Santis, représentants de la Commission des minorités ethniques ; Denis Therrien et Diane Viau, vice-présidents du parti ; Nathalie Bernier, responsable du budget ; Serge Marcil, représentant du caucus ; Bernard Bougie, responsable de l'agenda et des tournées et Gilles Trahan, représentant régional.

Bourassa répond : « Il faut commencer à songer à mettre les conservateurs et les libéraux fédéraux de notre côté. »

« Là, Pierre Anctil est devenu jaune », se souvient Michel Lalonde.

« Tabarnak ! » marmone Jean Allaire qui s'agite sur son siège.

Mario Dumont intervient : « Il y a une chose qui est claire pour moi. Et qu'il faudrait juste vous mettre dans la tête. S'il y a des gens ici qui pensent qu'ils vont me faire faire une campagne référendaire sur les mêmes tribunes que Jean Chrétien, ben ces gens-là prennent de la drogue ! »

Bourassa, sentant qu'il a peut-être été trop précis, effectue une tardive retraite : « Non, non. On n'est pas rendus là ! »

Mais chacun comprend qu'il n'y a pas de second scénario. Personne n'évoque la possibilité, comme Anctil l'avait fait en juillet 1991, qu'en cas d'échec de la dernière chance, c'est avec Lucien Bouchard (et les libéraux Jean Lapierre et Gilles Rocheleau) et Jacques Parizeau qu'on devra faire campagne.

« À partir de là, moi, explique Dumont, j'ai plus jamais été optimiste, à aucun moment. »

Bourassa parti, la réunion terminée, Dumont, Saulnier, Viau, Therrien restent pour faire le bilan des dégâts. « On était déjà en train de parler de notre départ de ce comité-là, on se disait qu'on ferait pas long feu là-dessus », raconte Dumont. Quitter le comité, ou quitter le parti ? « Ça allait pas mal tout ensemble. » À peine moins catastrophé qu'eux, Anctil les pousse à faire leur propre *lobbying* auprès du chef. « C'est son ultime recours, à Anctil, rapporte Dumont. Il dit : "Parlez-lui, vous lui parlez pas assez, il faut que vous le convainquiez !" »

Le lendemain, dimanche, dernier jour du Conseil général, Bourassa lance dans son discours de clôture une dernière volée d'arguments fédéralistes. Traitant les souverainistes de « marchands d'illusion », il annonce que l'avènement d'un Québec souverain pourrait provoquer une chute du dollar canadien à... 75 cents (niveau que le dollar canadien atteindra de lui-même dans l'année qui suit).

Mais puisque Bourassa s'adresse à des partisans qui, en majorité, ont voté pour le rapport Allaire, il leur chante un couplet qu'il faut décoder à mesure :

« La tradition de l'affirmation du Québec est solidement ancrée dans l'histoire du parti. Il est normal que la compréhension des enjeux au sein du PLQ ne soit pas identique... » Traduction : il ne faut pas se froisser qu'il y ait au PLQ des fédéralistes et des souverainistes.

« ... Ce n'est pas un parti dogmatique et c'est ce qui lui permet d'avoir cette capacité de rassembler toutes les forces vives du Québec... » Traduction : les souverainistes ne doivent pas être « dogmatiques » en insistant pour que le programme du parti — le rapport Allaire, dont c'est le premier anniversaire — soit appliqué, ou même que le premier ministre y fasse référence.

« ... Il faut savoir concilier l'honneur avec le bien-être du peuple. »

Traduction : L'honneur, oui, mais jamais au prix de l'instabilité économique. Invité à réagir, Dumont maugrée : « Pas de commentaire. »

À la fin de ces conseils généraux, il y a toujours une petite réception pour les bénévoles, où le premier ministre vient faire son tour. Anctil l'aborde et l'informe des remous causés par son abrupt virage du week-end. Il lui dit combien les jeunes sont déçus de l'abandon de la question de Bruxelles.

« La question de Bruxelles, rétorque Bourassa, ça va rien régler, quand on y pense. Le lendemain, qu'est-ce qu'on fait ? »

« Ben, répond Anctil, ça dépend comment vous la positionnez. Si vous dites : "On veut deux États souverains avec union économique pis un Parlement commun, mais si nos partenaires disent non, on reste au *statu quo*", évidemment, ça règle rien. Mais si vous dites : "Écoutez, nous autres on va faire la souveraineté, pis on va proposer aussi une union économique et un Parlement commun, et s'ils la veulent pas, tant pis, on va être souverains", donc le référendum est exécutoire, là vous pouvez pas dire que ça règle rien. Ça règle quelque chose, définitivement. »

« Oui mais, le lendemain, avec qui on négocie ? Le gouvernement du Canada va tomber, on n'aura pas d'interlocuteur. »

« C'est un faux problème, dit Anctil. La nature craint le vide. Le Canada peut pas se permettre d'arrêter d'exister, même au niveau international, il leur faut un interlocuteur. »

Cette conversation, Bourassa et Anctil vont la poursuivre pendant plusieurs mois. Tantôt, c'est Robert Bourassa qui donne la réplique. Tantôt, le jumeau de Britanny refait surface. Dans une discussion à la fin d'avril, John Parisella, présent, demande à son tour : « Mais qui seraient nos interlocuteurs ? » C'est le jumeau de Britanny qui répond : « La nature a horreur du vide. Il y aura toujours un interlocuteur pour nous répondre. » Anctil, ravi, en déduit que son travail de persuasion n'est pas complètement perdu.

Jean-Claude Rivest, qui assiste à certaines de ces conversations, est plus lucide. Certain, au printemps, que son patron a abandonné toute velléité souverainisante ou même européanisante, il le décrypte comme suit : Bourassa « en parlait sans doute de nouveau parce qu'il y avait des gens dans le parti qui étaient très, très favorables à ça et pour qui, au fond, la question de Bruxelles devenait un objectif, puisqu'elle était implicitement au cœur du rapport Allaire ». Autrement dit, c'est de la poudre aux yeux.

Cette conversation privée entre Bourassa et Anctil, contredisant les gestes et propos publics du chef libéral, a pourtant un très réel impact. Elle contribue à entretenir l'espoir chez Anctil, qui peut donc mieux gérer les mauvaises humeurs des nationalistes. Ici encore, on assiste à une désinformation en cascade.

L'aile nationaliste sent cependant sa marge de manœuvre rétrécir. La question des démissions est posée. Bourassa est conscient que le passage est délicat.

Il décide de garder le contact avec Dumont, qu'il appelle dorénavant au moins une fois par semaine, ne serait-ce que pour prendre sa température.

« Comment t'as trouvé le Conseil général ? » demande le premier ministre au président des jeunes, peu après celui de mars 1992.

— J'ai trouvé ça épouvantable ! » répond Dumont.

— Et les jeunes ? »

— Ils ont trouvé ça épouvantable. Ils pensent à démissionner. »

Ils ne le feront pas. Dumont résume la problématique :

Ultimement, on s'est dit : « On va aller jusqu'au bout. » Si on avait démissionné tout à coup, sans raison, à cause de conversations tenues pendant des rencontres à huis clos au mois de mars, le monde aurait dit qu'on n'avait pas de couilles, pis pas de persévérance. [À cette époque, Alain Dubuc signe dans *La Presse* un éditorial pro-Bourassa intitulé « Le charme discret de la persévérance », très apprécié au PLQ.] Toutes ces grandes qualités qu'on n'aurait pas eues. En fait, on se disait qu'on sent bien que l'affaire glisse, pis qu'il fera pas grand-chose. Mais partir, c'est s'assurer que ça va arriver. Rester, c'est mettre toutes les chances pour que quelque chose se passe.

Alors ils restent. Et ils sont convoqués de plus en plus souvent aux réunions du comité référendaire. Depuis la discussion un peu rude de la première rencontre, personne ne parle plus jamais de l'identité des « alliés » ou des « adversaires ». Personne ne parle plus du sujet du référendum. Ici, on fait de l'organisation pure. Désincarnée.

Jean Allaire a ce commentaire en début de réunion : « On ne sait pas où on s'en va, mais on y va vite ! »

Dans ce comité, Dumont est à la fois indispensable et insupportable. Indispensable, parce que « les jeunes » forment une main-d'œuvre efficace et dévouée sur le terrain politique. On ne peut envisager de mener une lutte référendaire sans ces troupes, qui comptent pour, *grosso modo,* le tiers des militants vraiment actifs. Insupportable, parce qu'il mène un boycottage sournois des travaux et qu'il pose toujours la même question : Où va-t-on ?

J'ai jamais dit officiellement que je boycottais. J'ai toujours dit qu'on manquait de temps. Que les jeunes étaient pas intéressés à travailler pour l'instant. Je me laissais la porte ouverte pour dire que si ça n'a plus d'allure, on n'aura rien fait là-dessus. Finalement, on a écrit un petit plan d'action. Une douzaines de lignes, tsé ? [...]

Pendant ce temps là, tous les autres ont leurs sous-comités, dessinent des organigrammes, les organisations sont faites, ils mobilisent sur le terrain, ça travaille, ça produit des plans. On était rendus avec des plans de communication de 28 pages, pis personne demandait : communiquer quoi ? Tsé, à la fin, tu deviens tellement désabusé, tu deviens cynique. J'arrêtais pas de faire des *jokes*, là. On avait le matériau des panneaux publicitaires, on avait les attaches pour coller les panneaux, mais on savait pas si on faisait ça sur la souveraineté ou sur les offres. [...]

Quand je soulevais ça autour de la table — je l'ai fait deux ou trois fois — ça mettait pas le monde de bonne humeur. Marc-Yvan Côté et les autres, ils me regardaient, l'air insulté, l'air de dire : quel p'tit crisse d'insolent* !

Quand, en avril, l'interview du *Monde* vient mettre du sel sur leurs plaies, les nationalistes libéraux mènent une autre bataille : pour la défense publique du programme du parti. Dans la presse et dans le monde politique, le rapport Allaire est en train de se transformer en paillasson. Pourtant, le parti ne réagit pas.

D'abord, dans *La Presse,* l'influente chroniqueuse Lysiane Gagnon produit à la mi-mars une série d'articles où elle accomplit le tour de force d'affirmer que 1) le Québec n'est pas distinct du reste du Canada ; 2) les Québécois n'ont jamais voulu plus d'autonomie ou plus de pouvoirs au sein du Canada ; 3) et s'ils en réclamaient, ils auraient tort. Dans sa ligne de mire, Gagnon place le rapport Allaire, « cette inepte concoction que des ténors libéraux continuent de défendre au mépris du réalisme politique le plus élémentaire ». Évidemment, plusieurs allairiens sont d'accord avec cette dernière assertion, car le texte du rapport a perdu sa logique grâce à l'intervention tardive de Bourassa. Tout de même, ils le prennent un peu personnel lorsqu'ils se font ensuite traiter de « militants semi-souverainistes » qui, « par manque d'esprit critique ou de culture politique, ont fait leur bible de ce document ridicule ».

Deux jours plus tard, Norman Webster, éditeur de la *Gazette,* reprend dans son canard les propos de Gagnon et attaque personnellement Allaire, « un obscur avocat de Laval » qui « aurait dû être nommé consul à Bora Bora » après avoir produit son document.

Six jours plus tard, c'est au tour de Brian Mulroney, alors en froid avec Bourassa, d'attaquer le rapport Allaire, avec des arguments proches de ceux de Gagnon. Comme elle, il décrète qu'il n'y a pas de continuité entre les « revendications traditionnelles du Québec » et ce rapport écrit, qui date de six, huit ou neuf mois, ce qui lui semble beaucoup.

Jean Allaire, Denis Therrien et d'autres allairiens veulent savoir si quelqu'un, au Parti libéral, va émettre un quelconque commentaire. Michel Lalonde commence à travailler à une « mise au point » écrite, rappelant que le rapport, fruit d'une consultation, a été dûment adopté en congrès. Lalonde présente la chose à Anctil, qui s'oppose catégoriquement à la publication de la mise au point.

---

* Le député allairiste Jean-Guy Saint-Roch raconte que, peu après le Conseil général de mars, il est convoqué avec d'autres députés par Clément Patenaude au *bunker* pour structurer l'organisation référendaire dans les circonscriptions. Patenaude annonce que le référendum aura lieu sur les offres. « Mais, s'exclame Saint-Roch, je veux d'abord voir les offres ! Qui dit qu'elles vont être acceptables ? C'est complètement stupide ! » Patenaude enchaîne et explique qu'il faut tout de suite se coordonner avec les associations conservatrices et libérales fédérales sur le terrain, mais s'assurer que les députés libéraux provinciaux garderont la maîtrise de l'opération. Saint-Roch objecte : « Si les offres nous plaisent pas, on va peut-être avoir des gens de tous les partis, on va peut-être ramasser des péquistes. L'idéal serait de nommer une personne bien vue dans sa communauté et qui a de la crédibilité, au-dessus des partis. » Il ne fut jamais réinvité à d'autres réunions de ce genre.

Sept jours plus tard, Mulroney, à nouveau de passage à Québec, reprend son refrain anti-Allaire. Cette fois, Jean Allaire appelle directement son vieil ami Jean-Pierre Roy, président du parti et ancien allairien. Il lui demande de faire quelque chose, de ne pas le laisser recevoir seul les critiques et défendre le document*. Michel Lalonde rédige un second projet de lettre, approuvé par Jean-Pierre Roy, Pierre Saulnier, Denis Therrien et Jean Allaire. Anctil est en vacances et la copie du projet de lettre envoyée sur son télécopieur personnel ne lui parviendra pas.

Publiée dans plusieurs quotidiens le 11 avril, la lettre, signée par Jean-Pierre Roy et adressée à Brian Mulroney, affirme :

> En propageant l'idée que le rapport Allaire n'est pas le reflet des aspirations du Québec, nous observons qu'en cela, vous vous faites l'écho d'une certaine presse qui se plaît à évoquer que le rapport Allaire ne serait que le fruit de la cogitation d'un avocat de Laval. Or, rien n'est plus faux.

La lettre rappelle le processus d'écriture, de consultation (5000 militants) et d'adoption du rapport, et souligne que les 17 membres du comité ont unanimement adopté le document, « contrairement aux rapports fédéraux Spicer et Beaudoin-Dobbie », pour lesquels plusieurs membres ont enregistré des dissidences. Elle rappelle que le Congrès de 1991 l'a ensuite ratifié à plus de 80 % des voix.

L'évocation de ces souvenirs ne pourrait tomber plus mal pour Robert Bourassa, qui s'est astreint pendant tout l'hiver et le printemps à se distancier du rapport Allaire et à faire baisser les enchères sur la question de la revendication de pouvoirs. Lorsque Anctil revient de vacances, il est à la fois furieux et abattu, et il accable Lalonde de reproches.

« Le président [du parti, Roy] était pour » l'envoi de la lettre, plaide Lalonde.

« Sérieusement, réplique Anctil, sérieusement, penses-tu que Bourassa a mis Jean-Pierre Roy là pour la qualité de son jugement politique ? »

B Le Comité qui n'existe pas

Les ficelles qui retiennent les allairistes au PLQ sont bien fragiles. On en compte trois : 1) Bourassa, mis au pied du mur par les jeunes, laisse entendre que la souveraineté, « c'est pas exclu » ; 2) Anctil croit et répète de bonne foi que la question de Bruxelles est toujours dans le portrait ; 3) on espère que les offres fédérales ne seront jamais acceptables.

Il en existe une autre. On laisse les allairistes jouer dans leur coin avec un projet de texte. On leur a créé un comité secret. On les laisse rêver à la souveraineté.

---

*   Cependant il n'est pas absolument seul. Mulroney s'exprimant à l'émission de radio *Face à Face*, animée par l'ancien ministre péquiste, Jean-François Bertrand, un ministre québécois lui donne la réplique : Lawrence Cannon. « Je m'excuse, mais c'est la position officielle du Parti libéral du Québec », dit-il, affirmant que le rapport Allaire reflète la volonté de la population.

Car au fameux congrès de mars 1991, les membres ne s'étaient pas contentés de faire du rapport Allaire le programme officiel du parti. Ils avaient aussi voté la création de deux comités, un pour chaque branche de la résolution constitutionnelle : 2b1 et 2b2. Dans le premier cas (2b1), « dans l'hypothèse où un accord sur la réforme proposée par le Québec [le rapport Allaire] interviendrait avec le reste du Canada », un comité du parti devrait comparer cet accord au programme, pour noter les convergences et les divergences entre les deux. Cette tâche fut dévolue au « comité de suivi » du parti. Dans le second cas (2b2), il fut résolu qu'à défaut d'entente, « le gouvernement issu du Parti libéral du Québec propose l'accès du Québec au statut d'État souverain » et « offre, au reste du Canada, l'aménagement d'une union économique gérée par des institutions de nature confédérale ». Il faut préparer cette éventualité. Le Congrès a donné au parti le mandat d'assigner cette tâche à un second comité*.

À la fin de 1991, ce groupe n'est toujours pas formé. Jean Allaire se renseigne, s'inquiète, puis s'insurge. Il menace de demander solennellement soit à l'exécutif, soit à un Conseil général, pourquoi la volonté du Congrès n'est pas respectée. Au tout début de 1992, Anctil s'ouvre de ce problème à Bourassa et l'avise qu'il faudra faire quelque chose. Si vraiment il n'y a pas d'offres, il faut se préparer, non ?

« En gros, se souvient Anctil, il m'a dit que c'est correct de se préparer, mais qu'il faut pas être trop prêts. »

John Parisella, au *bunker,* offre la même explication : « C'était à cause de la pression de Jean Allaire. Comment est-ce que tu gardes un gars *on side* [expression signifiant « à bord »] si t'as pas le moindre respect pour son [point de vue] ? [...] On s'est dit : "Ben écoute, à la limite, il insiste, il insiste, pis c'est la deuxième partie du rapport Allaire." » Cela dit, ajoute Parisella, ce comité, « on l'a jamais pris au sérieux ».

Anctil informe Bourassa qu'un mandat très discret sera donné directement à Pierre Saulnier, de la Commission politique, qui s'en occupera « informellement ».

Pourquoi discret ? À l'Assemblée nationale, où le rapport Bélanger-Campeau puis la loi 150 prévoient deux commissions, une sur les offres, une sur la souveraineté, on ne fait pas de secret. Ces commissions, dirigées par des députés libéraux, siègent au vu et au su des journalistes. Au sein du PLQ, par

---

* Le 9 mars 1991, le Congrès libéral a voté ce qui suit : « Que parallèlement à la négociation proposée dans le projet de résolution du Comité constitutionnel, le Parti libéral du Québec forme un comité chargé d'analyser, de la façon la plus approfondie possible, les conséquences et impacts tant politiques qu'économiques et sociaux de l'accession du Québec au statut d'État souverain ; que ladite étude précise et détaille la forme et le contenu de la structure proposée au paragraphe 2b2 du projet de résolution, soit l'aménagement d'une union économique gérée par des institutions de type confédéral ; que les membres du Parti libéral du Québec et la population québécoise soient tenus informés des conclusions de cette étude. » (Cette dernière volonté ne sera jamais respectée.)

contre, on joue à ne pas effaroucher les fédéralistes. « Bill Cosgrove, par exemple, qui est membre de l'exécutif, disait qu'il y a eu rupture du lien de confiance entre nous et certains interlocuteurs dans le reste du Canada, qui trouvent que là, on a présenté des demandes déraisonnables. Alors il faut qu'on recrée un contexte propice à la discussion, sinon on n'ira nulle part », résume Anctil. « Il était entendu qu'il fallait garder ça le plus discret possible quand même, pour pas créer de mauvais impacts sur les négociations constitutionnelles. »

En fait, l'existence du comité est surtout un secret pour les membres fédéralistes du parti. « Ça ne me dérangeait pas tant que ça n'était pas connu des instances comme la Commission politique formelle ou l'exécutif », dit Anctil. Ainsi, Henri-François Gautrin, par exemple, pourtant ex-président de la Commission politique, n'en est pas informé*.

Anctil charge personnellement Pierre Saulnier du comité. Mais sa consigne est claire : « Ben écoute, là, t'es pas obligé d'aller trop vite là-dedans non plus. On est loin du moment. »

Mais Saulnier prend la tâche très à cœur. Libéral avant tout, il est aussi allairiste et nationaliste, en plus d'être pointilleux et un peu bourreau de travail. Loin d'« écrire ça chez lui », comme le suggère Anctil, il convoque de vraies réunions, pour abattre du vrai boulot. Anctil et Jean Allaire sont bien sûr convoqués. Saulnier fait aussi appel à Michel Bissonnette, ex-président de la Commission jeunesse — désolé comme chacun des discours fédéralistes de Bourassa —, et à Jacques Gauthier, avocat et ancien membre du comité Allaire. Saulnier appelle aussi Ghislain Fortin à donner un coup de main. Fortin est un des plus hauts fonctionnaires de l'État québécois. Au *bunker,* il est, depuis 1988, le mandarin, qui supervise l'action de l'ensemble des ministères économiques depuis 1988. À titre de vieux militant du parti, il assistera à plusieurs réunions. « Ghislain était un des participants assidus, se souvient Jacques Gauthier. Et ce n'était pas le moins décidé. »

Également du voyage et tenant parfois le crayon : Michel Lalonde ; Daniel Denis, conseiller technique et scribe venu de Secor ; François Roberge, autre porte-plume ; et, caution fédéralisante, Thierry Vandal, membre de la Commission politique. Le président du parti, Jean-Pierre Roy, est parfois présent.

À l'hiver et au printemps de 1992, le comité se réunit une douzaine de fois, entre deux et quatre heures chaque fois, pour discuter des orientations et du contenu du document à venir. Ses membres se rencontrent parfois à la permanence du parti, mais doivent faire alors semblant d'y être pour tout autre chose. « On disait : "On ne se réunit pas, on se rencontre par hasard. Nous sommes le comité fortuit" », dit Gauthier.

---

* Il existe peu de secrets absolus au Québec. Il est fait brièvement mais clairement allusion à l'existence de ce comité à mi-chemin d'un article du journaliste Denis Lessard, dans *La Presse* du 21 mai 1992.

« On se plaisait à dire, se souvient Allaire : "Nous sommes un comité qui n'existe pas et qui pourtant va produire quelque chose." Ce serait un miracle. On faisait des blagues. On disait que c'était comme Duplessis qui avait dit à son ministre de la Justice : "Onésime, j'ai fait un miracle ; je t'ai fait ministre, j'ai donc fait quelque chose à partir de rien." »

Gauthier s'inquiète de cette mécanique auprès de Saulnier : « Comment va-t-on expliquer qu'on a généré *overnight* un document qu'on estime quand même être d'une bonne qualité ? » Mystère.

Anctil est pris à rebrousse-poil par ce miraculeux assemblage, car tout de suite, des divergences profondes sur la nature de la « structure confédérale » à proposer au Canada anglais l'opposent à Allaire. Suivant en cela Bourassa, Anctil propose un Parlement commun élu au suffrage universel. Comme pendant la rédaction du rapport qui porte son nom, Jean Allaire refuse d'accorder une telle légitimité au supra-Parlement. Bref, la position d'Allaire est plus souverainiste que celle illustrée par la question de Bruxelles. Anctil gagne.

Un second débat porte sur le coût économique de la souveraineté. Ghislain Fortin insiste pour que la question soit abordée de front. « On se veut le parti de l'économie, le parti de la crédibilité financière, dit-il. S'il y a une chose sur laquelle on offre une alternative au PQ, c'est d'être des gens sérieux à cet égard. On ne peut pas proposer une voie sans au moins dire qu'on a fait l'analyse et qu'on est prêts. » Fortin propose un chiffre : la transition vers la souveraineté provoquerait une baisse temporaire de 1,5 % du PIB. L'évaluation est faible en regard des autres études portant sur ce sujet, mais la source — le plus haut fonctionnaire québécois en matière économique — a du poids. Pas assez au goût d'Anctil, qui s'oppose à ce qu'on soit si précis. « Comment on va défendre ce chiffre-là ? » demande-t-il. Anctil perd.

Dans le texte, on lira :

Globalement, nous estimons que les coûts de transition directs et indirects inhérents à la proposition du gouvernement du Québec [souveraineté et union économique] peuvent s'élever à environ 1,5 % du PIB durant une période de transition que nous entendons réduire au strict minimum. Ces coûts seront compensés progressivement par l'élimination du dédoublement de certaines fonctions gouvernementales ainsi que par les gains nés d'une reprise en main de certains leviers politiques et économiques par le Québec.

Anctil trouve l'exercice particulièrement ardu, peut-être parce qu'il le sait futile. « Moi, j'ai travaillé sur le rapport Allaire avec Jean Allaire, alors je sais ce que c'est que de changer une virgule. Travailler avec Jean Allaire sur des textes, disons que c'est une forme d'accouchement qui n'est pas de la médecine douce. »

Il est vrai que les rapports entre Anctil et Allaire ne sont plus ce qu'ils étaient du temps où ils poussaient, de concert, le comité Allaire en direction de la souveraineté. Ni Allaire ni Anctil n'ont vraiment changé d'avis. Allaire n'a, en plus, pas changé d'attitude. Anctil, si. Un jour de juin, alors que les travaux du Comité qui n'existe pas touchent à leur fin, les deux hommes ont une discussion de fond pendant laquelle l'aîné tenta de convaincre le cadet d'agir selon sa conscience. « C'est une affaire tellement importante pour le Québec, lui dit Allaire, que ça dépasse les hommes. Ça te dépasse toi, ça me dépasse moi. » Anctil se souvient d'avoir répondu qu'en « toutes circonstances, il faut qu'on travaille avec lui [Bourassa] et qu'on solidarise en cours de route le Parti libéral ». C'est net. « On n'est tout de même pas un parti de girouettes », se rebiffe Allaire. Mais Anctil évoque la futilité de l'exercice : « Si le chef décide dans une direction... » à quoi bon résister. « Il va perdre des plumes, réplique Allaire, il va perdre des plumes. » Mais Anctil, résume Allaire, « était pour la fidélité au chef. Après, c'était la fin du monde. »

Anctil et Allaire sont cependant présents aux toutes dernières réunions du Comité qui n'existe pas, au cours desquelles Saulnier présente les versions finales du texte. Produit en juin, le document de 39 pages, intitulé *Trame et scénario d'un discours référendaire*, a beaucoup de parenté avec le rapport Allaire première version. Le Comité qui n'existe pas a mis beaucoup de chair sur la « structure confédérale » ou la « question de Bruxelles » et on sent dans ces pages une double volonté : coller à la pensée de Bourassa (ou du jumeau) et vider sérieusement la question.

Le texte prévoit notamment que « le gouvernement de l'Union aura les pouvoirs de taxation liés à l'exercice de ses compétences exclusives ou parta-gées », une condition bourassienne par excellence. Les pouvoirs dévolus à la superstructure ne se limitent pas à la monnaie et aux Postes. On y trouve : réglementation des banques à charte ; commerce international et commerce intra-Union ; droit criminel et son application ; établissement de normes envi-ronnementales en vertu d'ententes négociées.

De tout temps, la proposition d'un « Parlement supranational » s'est heurtée à la critique suivante : jamais le Canada ne voudra ériger un autre Parlement au-dessus des Communes. Dans le passé, Bourassa a déjà suggéré que les Communes, réaménagées, pourraient servir de parlement suprana-tional. Les membres du Comité qui n'existe pas empruntent cette hypothèse et admettent qu'au sein du futur Parlement commun, « le Québec acceptera de bonne grâce que ses représentants y remplissent un rôle limité aux secteurs mis en commun ». Une formule qui laisse en plan le problème de la formation du gouvernement canadien. (Les députés du Québec souverain sont-ils pris en compte dans la majorité gouvernementale ? Si oui, le ROC ne pourrait élire sans interférence son propre gouvernement national. Sinon, comment le gou-vernement de l'Union serait-il équitable envers le Québec ?)

Autant les auteurs, respectent les contours de la pensée économique et politique du jumeau de Britanny, autant, par contre, ils substituent la clarté au flou stratégique entretenu par Bourassa :

> L'appui d'une majorité de Québécois à la proposition référendaire du gouverne-ment du Québec amènera le Québec à proclamer immédiatement sa souveraineté.

Par la suite, un délai d'un an est prévu pour la mise en place des structures politiques que commande la nouvelle Union économique canadienne.

Bref, le Québec est souverain quoi qu'il arrive ; l'union est postérieure à la déclaration de souveraineté et n'est donc pas une condition posée sur son chemin.

Il est indubitable que le comité ne fut formé que pour « occuper » Allaire et les siens. Michel Bissonnette n'y participe d'ailleurs qu'à reculons : « Moi, j'y croyais de moins en moins parce que je me disais : "Si c'est vraiment vers ça qu'on s'en va, comment se fait-il que les déclarations gouvernementales vont pas dans ce sens-là ? Et que les fameuses représentations internationales [le *footwork*] ne se font pas ? Comment ça se fait que la démarche est pas entamée au niveau des ministères et que tout se résume juste au niveau du *thinking* d'un parti politique ?" Il y avait un non-sens, là. »

Bourassa n'a jamais vu le résultat du travail du comité secret. Son existence n'est cependant pas ignorée du *bunker,* où on en fait au contraire une efficace utilisation. Lorsque, au printemps de 1992, des députés allairistes, comme Jean-Guy Saint-Roch, s'inquiètent d'une suspecte inactivité pour le cas où les offres seraient nulles, on leur répond qu'un comité travaille sur l'hypothèse de la souveraineté : « Fais confiance au PM, si on a à partir, on aura un programme bien détaillé à offrir. » Saint-Roch dit avoir entendu ce refrain de la part de Jean-Claude Rivest (« *dont worry,* on a une alternative »), et de deux autres conseillers de Bourassa : Jean Chapdelaine, chargé de la députation et Claude Lemieux, chargé des orientations.

Rasséréné en février par la question de Bruxelles — « T'as l'impression que c'est les quatre as qu'il a mis dans sa manche, l'air de dire : "Fais-toi-z-en pas, on l'a, la solution" » —, conforté en mars par la dénonciation du « fédéralisme dominateur », Saint-Roch est bercé, au printemps, par le comité secret.

« Je savais pas quelle était la composition, dit le député, je savais que c'était au parti, que le PM avait formé un comité confidentiel avec des personnes très sûres. » La ficelle tient.

C Le Comité qui n'embarque pas

Presque tous les mercredis matin, dans le restaurant de l'hôtel Concorde à Québec, on pouvait assister à un bien triste petit déjeuner. À table, une dizaine de députés, parfois des ministres. « C'était un groupe qui avait besoin de se parler et de tisser des liens, un groupe qui se sentait très minorisé », raconte l'animateur de ces rencontres, Henri-François Gautrin. On aurait pu appeler ces rencontres : « les petits déjeuners des Fédéralistes anonymes. » Un peu plus et les convives se levaient pour dire : « Je suis fédéraliste et je suis fier de l'être ! » Profession de foi qui ne va pas de soi à la fin de 1990, au moment ou débutent ces rencontres, en pleine montée nationaliste dans le parti[*].

---

[*] Selon Gautrin, au gré des semaines, une vingtaine de membres du caucus et du cabinet ont participé aux petits déjeuners. Des figures fédéralistes du cabinet, comme Claude Ryan et

Défait au congrès de 1991, le groupe se refait dans la bataille pour le contrôle des commissions parlementaires issues de la loi 150. Ainsi Gautrin, avec l'appui de Parisella et de Bourassa, réussit à faire en sorte que la délégation libérale à la commission sur la souveraineté soit formée d'une majorité d'inébranlables fédéralistes. Sur les 10 libéraux qui y siègent (outre Rémillard), sept sont membres du groupe du Concorde. Toute possibilité que le rapport de la commission soit favorable à la souveraineté est donc annihilée. « Ça faisait une bonne équipe, on était corrects, on était à l'aise », dit Gautrin dans un rire gêné. Seule ombre au tableau : Gautrin aurait voulu que Louise Bégin soit nommée présidente de la commission, ce qui équivaudrait à demander à Pierre Bourgault de diriger des débats sur les bienfaits du fédéralisme. Gil Rémillard impose plutôt Guy Bélanger comme président. C'est un ami et, qui sait, son futur organisateur dans une campagne au leadership. Mais Bélanger est nationaliste et dérive rapidement vers la souveraineté. On assiste bientôt à une guerre de tranchées entre lui et les autres députés libéraux.

À la fin de 1991 et au début de 1992, les signaux fédéralistes en provenance du *bunker* sont de plus en plus nombreux. Plus besoin de se cacher pour se dire fédéraliste à tout crin. « Le groupe ne se sent plus minoritaire, mais devient majoritaire », évalue Gautrin. Bientôt, les Fédéralistes anonymes redeviennent des Fédéralistes épanouis. Le groupe du Concorde ne se réunit plus, car tout baigne.

Presque tous les mois, dans des restaurants de Montréal ou dans des résidences privées, on peut assister à de bien tristes soupers. À table, une demi-douzaine de cadres supérieurs du Parti libéral du Québec. « On était tous relativement inquiets du déroulement des négociations. Bourassa faisait des déclarations achalantes, il diluait l'impact du rapport Allaire », raconte l'un d'eux. Ces rencontres auraient pu porter le nom de « soupers des Allairistes anonymes » ; les convives s'y levant pour faire leur profesion de foi : « Je suis allairiste et je suis fier de l'être ! » Au début de 1992, en pleine rectification fédéraliste dans le parti, cette position n'a rien de confortable.

Certains affirment que Jean Allaire fut le premier à convoquer ces réunions, car « il voulait s'assurer de la solidarité de tout le monde », se souvient Bissonnette, un participant. Allaire pense que c'est Diane Viau, vice-présidente du parti, qui en a pris l'initiative, et les réunions, secrètes, se tiennent parfois chez elle, à Saint-Bruno. Mario Dumont pense plutôt qu'elles ont pris forme parce que chaque mois, après la réunion de l'exécutif du parti, ses éléments les

---

Pierre Paradis, étaient informées de la tenue et de la teneur des rencontres, mais sans y participer. De même, John Parisella était avisé. Parmi le « noyau dur » des participants, Gautrin nomme : Louise Bégin, Robert LeSage, Jean-Claude Gobé, Cosmo Maciocia et lui-même. Autour de la table, on voyait sporadiquement les ministres John Ciaccia, Sam Elkas, Louise Robic et les députés Huguette Boucher Bacon, Jacques Chagnon, André Chenail, Jean Joly, Norman McMillan, Michel Tremblay, Russel Williams, entre autres. D'autres y ont aussi vu Robert Benoît, Yves Bordeleau et Pierrette Cardinal.

plus nationalistes se réunissaient pour un repas où se faisait un repérage collectif du brouillard de plus en plus épais qui s'installait à l'horizon politique.

Reste qu'à l'hiver, surtout après le conseil général de mars, le pli est pris. Mario Dumont et Jean Allaire, Viau et Therrien, deux vice-présidents du parti, Pierre Saulnier, président de la Commission politique ; Philippe Garceau, président de la Commission d'organisation ; et l'ancien allairien, Jacques Gauthier, forment le « groupe des sept ». Parfois se joint à eux un huitième larron, Michel Bissonnette.

« Notre objectif, explique Gauthier, était essentiellement de nous préparer. On s'est identifiés comme ayant une communauté de pensée sur la question constitutionnelle. On constate qu'il y aura peut-être une bataille à livrer dans le parti. Il y aura peut-être un congrès des membres. Et si le chef n'arrive pas avec quelque chose [du Canada], on soupçonne que des gens ne voudront pas s'en tenir à la lettre de la résolution Allaire. Alors on commence à se parler, à voir comment ça se déroule dans les instances. On est un petit peu partout dans le parti. On échange de l'information. »

Dans le groupe des sept, il y a des déterminés, comme Dumont et Allaire, qui ont fait leur deuil de toute réforme du Canada et qui attendent simplement l'échec pour embrayer sur la souveraineté. Il y a des modérés, comme Jacques Gauthier et Pierre Saulnier, qui entretiennent encore quelque espoir que les négociations débouchent sur une véritable réforme, notamment si Bourassa utilise « un gros gourdin ».

Tous, cependant, pensent qu'en cas d'échec de ces négociations, en l'absence de « réforme en profondeur », il faudra appliquer le programme du parti, donc proposer la souveraineté. Et comme plusieurs d'entre eux participent aussi au Comité qui n'existe pas, ils savent précisément vers quoi ils veulent aller.

« Ensemble, on a pris des engagements assez fermes, raconte Dumont. Le monde se sont commis plusieurs fois : si [Bourassa] était pour accepter une entente qui correspondait pas à ce qu'ils attendaient, ils joueraient pas longtemps là-dedans, ils allaient quitter. C'est une des choses qu'on a clarifiées dès le départ, dans le groupe des sept. Un jour, j'ai dit : "Moi, ma position est claire, pis je voudrais savoir si le monde sont d'accord." » Ils l'étaient. Ce qui explique pourquoi l'existence même de ce regroupement est un secret mieux gardé encore que celui du Comité qui n'existe pas[*]. Ses membres ne la mentionnent pas à Pierre Anctil, et c'est parce que Michel Lalonde est considéré comme trop proche d'Anctil qu'il n'est ni convié ni informé.

Les sept sentent qu'une épreuve de force se dessine. « C'était un peu une espèce de comité de stratégie, dit Allaire, qui aurait pu être la base d'un retournement du congrès » à venir. Jean Allaire est celui qui parle le plus de la crise qui sourd et qui en parle depuis le plus longtemps. « Ça a peut-être été le

---

[*] Il en est question publiquement ici pour la première fois.

premier qui a vu clair dans ce qui s'en venait, se souvient Gauthier. On le trouvait peut-être un peu trop alerté, on dirait pas "parano", mais... »

Mario Dumont, lui, trouve Allaire « parano », car le vieux militant est une véritable Cassandre. D'abord il prévoit qu'avec ou sans offres, Bourassa ne fera jamais la souveraineté, même de Bruxelles, ce que ni Bissonnette ni Gauthier n'acceptent de croire. Puis, devisant sur le pouvoir du chef libéral, Allaire répète que « Bourassa peut swinguer l'exécutif, il peut swinguer le Conseil des ministres, il peut swinguer le caucus, il peut swinguer le Congrès ». Ce n'est pas tout. Lorsqu'il est seul avec Mario Dumont, Allaire lui conseille de ne pas se fier aux membres du groupe des sept. « Fie-toi sur tes jeunes, dit-il, fie-toi à ceux qui n'ont pas d'attache. » Les membres du groupe peuvent être swingués eux aussi, dit-il, « fie-toi pas là-dessus ».

« Moi, dit Dumont, je me disais : Crisse, quelque part il est paranoïaque, lui, tsé ? Y'a une limite à toute. On est en réunion, on est sept autour de la table. Untel est assis à côté de moi, il dit : "Si ça marche pas, on va démissionner." Alors tu dis : "Voyons, ça doit valoir quelque chose, la parole de quelqu'un, devant témoins." »

Pierre Saulnier, selon Dumont, « a été le plus clair. Lui, c'était tranchant. Il avait dit, au sujet de l'acceptation éventuelle d'une entente : "S'ils veulent aller faire les dindes, perdre un référendum pis une élection, ils vont le faire sans moi." »

Pendant le printemps, le Parti libéral, sur pilote automatique, commence aussi à préparer un futur congrès des membres, dont la date n'est pas fixée. Diane Viau, sur proposition de Jean Allaire à l'exécutif, est désignée présidente de ce futur congrès. Chacun de son côté, Allaire et Dumont disent se souvenir de sa réaction : elle n'accepte ce poste que pour mieux démissionner avec fracas.

« Mon petit garçon, dit-elle à Dumont, quand ils me donnent des postes, tu peux être sûr d'une chose, si je décide que ça marche pas, je vais utiliser ce poste-là pour le dire, pis ils vont m'entendre, pis je resterai pas là à niaiser. »

« Moi, commente Dumont, j'étais gras dur avec ça. »

Au sein des instances du parti, l'impact de la démission collective des membres du groupe des sept pourrait envoyer une onde de choc et provoquer un effet d'entraînement considérable. Il n'y a donc pas que des ficelles qui retiennent les allairistes dans le Parti libéral, à l'hiver et au printemps de 1992. Il y a aussi la conscience de constituer une force, de pouvoir encore peser sur le cours des événements, de détenir une arme secrète : la force de conviction ; une méthode : la solidarité ; une qualité : la persévérance.

11

LE BAFOUILLEUR

Alors que j'exposais mon programme,
alors que tout le monde était d'accord avec mes idées,
je me suis aperçu qu'à côté de moi,
il y avait un monsieur qui ne disait rien.
Vous savez que c'est redoutable, un monsieur qui ne dit rien.
Quand tout le monde parle et que quelqu'un ne dit rien,
on n'entend plus que lui !
Je n'en continuais pas moins mon exposé, mais je commençais
à faire attention à ce que je disais. De temps en temps, je me tournais
vers celui qui ne disait rien, pour voir ce qu'il en pensait.
Mais allez savoir ce que pense celui qui ne dit rien !
Et qui, en plus, écoute. Parce qu'en plus, il écoutait !
Je me dis : « Mais il est en train de me saper ma réunion ! »

RAYMOND DEVOS
Minorités agissantes

« MESSIEURS, LE DÉSASTRE EST ARRIVÉ. » Paul Tellier fait le bilan d'une journée éprouvante. « Les chances de réussite pour atteindre des résultats concrets et pratiques dans un avenir prévisible sont de l'ordre, en termes de pourcentage, de zéro virgule zéro, zéro, zéro. »

Ce 12 mars 1992, un genre de *putsch* a eu lieu dans l'industrie constitutionnelle canadienne. Le ministre fédéral Joe Clark avait décidé, une fois terminée l'étape Beaudoin-Dobbie, de tenir des rencontres informelles avec les premiers ministres et les ministres provinciaux pour faire un tour d'horizon des discussions encore à venir. « Après le mois de février, avait avoué un de ses adjoints, notre calendrier est plutôt nébuleux. »

Depuis des mois, les provinces grognaient contre le monopole que s'arrogeait Ottawa dans ce débat. L'Ontarien Bob Rae, surtout, avertissait le tout-venant qu'il ne fallait pas compter sur lui pour ingurgiter les yeux fermés une potion fédérale concoctée pour un seul goûteur : Robert Bourassa. Puis il y avait les autochtones, visibles, bruyants et turbulents, qui comptaient bien défoncer les portes du conclave constitutionnel.

Tout ce beau monde a bravé la tempête de neige, le 12 mars 1992, pour assister à Ottawa au premier tête-à-tête fédéral-provincial depuis le 9 juin 1990, jour de la troisième et futile signature de l'accord du Lac Meech. Stoïque, Clark assiste à « la révolte des provinces ». Et s'il a eu du mal à encaisser la remarque de Bourassa sur le « fédéralisme dominateur », il doit, ce matin, compter ses ecchymoses : Le ministre albertain Jim Horsman juge le rapport Beaudoin-Dobbie « offensant ». Le Terre-Neuvien Clyde Wells le déclare « insultant ». Le Manitobain n'est guère plus tendre, non plus que le Néo-Écossais. Leur principale frustration : le refus de Clark de proposer un Sénat dans lequel toutes les provinces seraient égales.

Clark n'est aucunement surpris de la charge de la cavalerie provinciale. Mais voici que l'Ontarien Rae, débarqué à Ottawa avec un bataillon de conseillers et clairement de mèche avec plusieurs de ses homologues, dépose une proposition pour la suite des choses. Jusqu'à ce matin, le fédéral avait rêvé de « consulter » les provinces, puis d'écrire son propre projet de réforme constitutionnelle, de le déposer aux Communes à la mi-avril, puis de s'occuper du processus de ratification.

Rae ne veut rien entendre de cette démarche unilatérale. « Vous n'avez pas le mandat de parler au nom des provinces », affirme-t-il d'entrée de jeu*. Il propose au contraire un processus d'une dizaine de semaines de discussions au cours desquelles quatre groupes de fonctionnaires d'une part, et les ministres et premiers ministres d'autre part, négocieraient, article par article, une nouvelle constitution, avant la fin de mai. Autour de la table, les ministres et premiers ministres approuvent la manœuvre.

« Je dois admettre que nous avons fait preuve aujourd'hui d'une détermination qui m'a surpris », dit Clark, maniant la litote. Il n'a encore rien vu. Le chef de l'Assemblée des premières nations, Ovide Mercredi, invité par Clark à cette rencontre informelle, intervient dans la discussion pour qu'on lui confirme qu'il sera invité à chacune des instances de cette nouvelle ronde de négociation. Il veut y être en tant que représentant des autochtones vivant dans les réserves, mais il faut aussi inclure sa collègue représentant les Inuit ainsi que le représentant des Métis et celui des Indiens hors réserve.

Ces derniers mois, Clark a passé des dizaines d'heures à discuter avec Mercredi, en privé et en public. « Si j'avais cru tout ce qu'il m'a dit, a-t-il confié à un proche, je serais devenu fou ! » Il n'est donc pas certain que c'est là la

---

*   Ce n'est pas seulement de la rhétorique. Le 5 mars, Rae a écrit à Mulroney pour « souligner qu'aucune inititative ou offre fédérale unilatérale ne peut engager l'Ontario ». Dans une autre lettre envoyée le même jour au même destinataire, Clyde Wells « souligne qu'il ne sera pas acceptable que le gouvernement fédéral fasse, seul, une offre constitutionnelle au gouvernement du Québec ».

thérapie dont le pays a besoin. À la table, Clark se dit prêt à convier les représentants autochtones aux discussions, chaque fois qu'on parlera d'eux. Pour le reste, dit-il à Mercredi, les rencontres que propose Rae concernent les gouvernements « et vous n'êtes pas encore un gouvernement ».

Bob Rae, toujours lui, contredit franchement Clark : « Rien dans la constitution n'exclut de telles innovations. » En voulant écarter les autochtones, « vous ne parlez pas en mon nom », dit-il. Joe Ghiz, de l'Île-du-Prince-Édouard, appuie Rae et Mercredi. Don Cameron, de la Nouvelle-Écosse, fait chorus. Seul Clyde Wells vient en aide à Clark, qui, mis en minorité, tente de s'en sortir par une porte latérale. Soupçonnant que les provinces, notamment l'Alberta, craignent de s'opposer publiquement à l'inclusion des autochtones, mais le feraient derrière des portes closes, Clark propose que les représentants « des gouvernements » seulement aillent discuter entre eux pendant un bref déjeuner. (Dans l'histoire constitutionnelle, les déjeuners ont toujours tendance à se prolonger et à devenir le lieu des véritables négociations.)

L'Ontarien, encore une fois, veille au grain. Depuis longtemps, il a décidé qu'une des grandes réalisations de sa carrière politique sera l'enchâssement des droits autochtones dans la constitution. Puisqu'il est question de casser la croûte, demande Rae, pourquoi ne pas inviter nos amis autochtones à se joindre à nous. Dépassé par ces initiatives que même son *briefing book* n'avait pas prévues, Clark cède, puis cède, puis cède.

Car puisque les quatre organisations autochtones seront représentées, il va sans dire que les deux territoires canadiens, le Yukon et les Territoires-du-Nord-Ouest, qui rêvent de devenir des provinces malgré leur infime population, doivent être conviés eux aussi. Ils sont présents au déjeuner, ils demandent leur billet de saison, ils l'obtiennent.

La grande caravane constitutionnelle est donc assemblée. Elle n'a plus, comme au lac Meech, 11 wagons (le fédéral et les provinces), mais 16 (le fédéral, les neuf provinces anglophones, les deux territoires et les quatre autochtones). Elle a un nom : la « multilatérale ».

Et lorsqu'ils s'enquièrent du détail de cet attelage, les Québécois apprennent que celle des quatre « tables » d'experts qui est chargée du « partage des pouvoirs » œuvrera sous la direction de Roger Tassé, un des mandarins favoris de Pierre Trudeau. « On connaît son penchant pour ça ! [partager les pouvoirs] », commente Jean-Claude Rivest. Selon un pointage provincial, à l'une des rencontres encore à venir, sur l'ensemble des 240 inscrits — ministres, fonctionnaires et experts —, 106 proviennent des groupes autochtones, qui embauchent, un temps, l'avocat le mieux payé au Canada, Peter Hogg, et un ancien négociateur ontarien, Patrick Monahan.

LE DÎNEUR RASSASIÉ

Ce 12 mars, Rivest est à Ottawa où il supervise l'action — ou plutôt l'inaction — des deux « observateurs » que Québec a daigné déléguer à ce rendez-vous.

La sous-ministre Diane Wilhelmy et le conseiller André Tremblay sont là pour répondre aux questions techniques qui pourraient leur être adressées. Mais puisque Québec ne participe pas, depuis Meech, à des « négociations à 11 », et *a fortiori* à 17, il n'est pas question que Wilhelmy et Tremblay occupent les sièges réservés au Québec autour de la grande table. Rivest raconte :

> Tout ça a été une discussion incroyable. D'abord, il a fallu décider : est-ce qu'on va y aller ? Ils [le fédéral] ont dû demander au départ que le PM [Bourassa] y aille. Ça a été non. Puis ils voulaient qu'un ministre soit là, Gil Rémillard. Gil, c'était non. Alors là, c'étaient les fonctionnaires. Mais, est-ce qu'ils vont être assis à la table du Québec [section de la grande table réservée au Québec, avec drapeau fleurdelisé et plaque] ? Sur la chaise ? Non. On dit : « Enlevez la chaise. » Est-ce que les fonctionnaires vont aller s'asseoir derrière la chaise vide ? Non. Est-ce que la table du Québec pour la conférence télévisée va être vide ? On dit : « Enlevez la table. » Vraiment, on était dans les ti'guidis des relations internationales, ça a été absolument superbe. Vraiment, là, je faisais appel à mon ami Claude Morin [ex-ministre péquiste] pour avoir des conseils. Finalement on est partis pour Ottawa et on a décidé de pas aller à la séance publique, mais d'aller à la séance privée. Tous les principes ont été sauvés et ce fut une grande journée. Et nous avons bien ri.

Pendant la séance à huis clos qui débute par un déjeuner, Wilhelmy et Tremblay prennent leur repas à une petite table à l'écart, avec Paul Tellier et Jocelyne Bourgon. Un peu comme des enfants turbulents, qu'on fait manger ensemble, pendant qu'à la grande table les adultes discutent à loisir. Wilhelmy et Tremblay n'en écoutent pas moins les conversations qu'ils rapportent ensuite, catastrophés, à Rivest et à Bourassa. Car s'il y a rire, il est jaune.

Dans le rapport de mission qu'ils rédigent à leur retour d'Ottawa, Wilhelmy et Tremblay racontent que Bob Rae « dominait la conférence, ne laissait rien passer et imposait ses vues ». Ce qui fait que « la capacité du gouvernement fédéral d'exercer le leadership attendu est apparue très faible ». Ils notent que « la pression pour que le Québec retourne à la table était on ne peut plus forte ». Ils signalent même qu'il y a « de l'intransigeance, voire de l'hostilité envers le Québec. L'Alberta, le Manitoba, Terre-Neuve, la Saskatchewan, et à un degré moindre la Colombie, se retrouvent dans l'orbite de l'influence ontarienne et ne feront pas facilement de concessions au Québec. »

Rivest met ensuite Bourassa au courant, par téléphone, du *putsch* provincial. La réaction de Bourassa, à Québec, est filmée par une équipe de la CBC tournant un documentaire. On voit le premier ministre, flegmatique, mais contrarié, faire non de la tête. Avec Rivest, il compte le nouveau nombre de joueurs : « O.K., ça fait 10... 13... c'est 17, là ! Je sais pas quelle est la stratégie de multiplier les interlocuteurs ! »

Une fois le *cameraman* parti, le premier ministre reçoit un coup de fil de Gérald Larose, qui doit l'entretenir d'un autre sujet. Avec lui, Bourassa est plus explicite. « Là, on ne s'en sortira jamais, c'est encore plus compliqué », soupire le premier ministre. « Il déprime profondément », se souvient le syndicaliste.

Au cours des semaines qui suivront, de son discours du trône jusqu'à son entrevue au *Monde*, Bourassa, on l'a vu, jettera aux orties toute menace de départ du Québec de la fédération. Ce qui change peu la dynamique de la négociation, car ses partenaires canadiens ont toujours su — parce qu'il le leur a toujours dit — que cette voie lui répugnait.

Il y a deux attitudes possibles. 1) On peut dire : on refuse de négocier, mais faites-nous une offre et, si on ne l'aime pas, on part ! C'est ce qu'on a appelé : « le Pacte ». Il n'a de sens que si le départ est une véritable possibilité. On sait que Bourassa n'y croit pas. 2) On peut dire : puisqu'on reste, on joue le traditionnel jeu canadien de la négociation.

Car voilà que les partenaires canadiens se mettent à table pour négocier, mot par mot, la nouvelle loi fondamentale. Les négociateurs présents vont aligner leurs arguments, imposer leurs approches, leurs schèmes de références, leurs interprétations mais surtout, faire progresser leurs propres revendications. Les absents auront tort. Rae, Clark et les autres implorent Bourassa de venir les rejoindre ou de déléguer quelqu'un. Un récent sondage montre les Québécois également divisés sur l'opportunité de délier Bourassa de son engagement du 23 juin 1990 de ne « jamais » retourner à une telle table. Comme s'ils avaient compris que Bourassa ne joue plus à quitte ou double, ils lui disent : « Tant qu'à y être, vas-y donc ! »

Il n'y va pas.

L'auteur : Là, le temps passe. On est rendus en mars. On est dans l'année où il y aura le référendum. Pis, pour l'essentiel, on piétine. On a regagné ce qu'on avait perdu avec Clark — l'histoire d'union économique — etc. Mais on est toujours proche de Meech. Est-ce que vous réévaluez la stratégie ? Vous décidez pas, soit d'être plus présents [dans la négociation], soit de modifier l'approche ?

Rivest : Non.

Pourquoi ? difficile de départager entre le pessimisme : la certitude que la négociation du nouveau tandem Joe Clark/Bob Rae va s'écraser sous le poids de sa propre lourdeur et qu'il ne faut pas participer à cet échec, car on pourrait en devenir le bouc émissaire ; l'inertie : retourner à table, ce serait rendre encore plus explicite le reniement des engagements publics pris par Bourassa depuis bientôt deux ans (étant entendu que les rapports Allaire et Bélanger-Campeau n'ont aucune importance[*]). Pour envoyer une délégation québécoise

---

[*] Le document le plus proche d'une « liste d'épicerie » québécoise est le discours prononcé par Gil Rémillard à Anjou le 15 janvier 1992. Il y réclame : 1) Les cinq conditions de Meech, « incontournables dans leur substance » ; 2) Aucune diminution des pouvoirs de l'Assemblée nationale, sans son consentement. Absolue nécessité de retrouver le veto ; 3) Le concept de société distincte qui « ne saurait être une coquille vide. Il doit comporter des conséquences politiques et juridiques significatives » ; 4) Pas d'union économique à la Joe Clark et pas de rôle des juges dans son application ; 5) Un nouveau partage des pouvoirs. À ce sujet, Rémillard ne donne pas de détails mais fait référence au rapport ultra-autonomiste remis par la Chambre de commerce du Québec à la commission Bélanger-Campeau. Le partage doit

aux négociations, il faudrait dresser un « mandat de négociation », sortir du flou entretenu par Bourassa. Réclamer, peut-être, des choses dont Bourassa a déjà dit, en privé, qu'il ne voulait pas. On note, comme toujours chez Bourassa, une part de paresse. Si le Québec délègue un représentant, il faudrait que ce soit Gil Rémillard. Or, note un conseiller, « la confiance de Robert Bourassa en Gil Rémillard n'était pas démesurée ».

Ce sont de vraies raisons, ce ne sont pas les principales. Manque encore le triptyque essentiel : la pensée magique, le dîneur rassasié et la main de Dieu.

• La pensée magique consiste à croire qu'au sein du conclave des négociateurs, des gens parleront au nom du Québec, à la place du Québec. Bourassa, Rémillard et Rivest resteront régulièrement en contact avec les « gouvernements amis » comme le fédéral, l'Ontario, l'Alberta et la Nouvelle-Écosse. Les messages passeront. Jocelyne Bourgon faisant régulièrement un compte rendu, verbal et écrit, du déroulement des négociations à Rivest et à son équipe et tous les documents leur étant transmis, les Québécois pourront tirer sur une ficelle, appuyer sur un bouton, passer un coup de fil, pour infléchir le cours des choses. (Bourgon viendra régulièrement à Montréal faire des exposés durant parfois quatre heures. Ils auront souvent lieu à l'hôtel Quatre-Saisons plutôt que dans des bureaux gouvernementaux.) Si les négociations réussissent, il est certain que chaque pouvoir supplémentaire arraché au ROC rendra plus facile l'adoption de l'entente au Québec, quel que soit le mode de ratification retenu par Bourassa. (Personne ne semble s'aviser que cette stratégie a aussi été appliquée avant les offres de Clark de septembre et le rapport Beaudoin-Dobbie de février avec un succès, disons, relatif.)

• Le dîneur rassasié, c'est Bourassa. Depuis le printemps de 1991, son appétit décroît à mesure que les portions s'amenuisent. L'été suivant, parlant des offres fédérales à venir, il déclarait vouloir « quelque chose d'important, de fondamental ». Il parle de « maîtrise d'œuvre totale dans le domaine social, le développement régional, la culture, l'environnement ».

En octobre 1991, il reculait sur cette notion de « maîtrise d'œuvre totale ». « Sur papier, on peut réclamer l'exclusivité des pouvoirs dans un domaine, déclare-t-il aux Îles-de-la-Madeleine, mais quand on examine l'application, il peut y avoir des zones grises. » Et de citer... le développement régional. Après avoir accueilli le rapport Beaudoin-Dobbie comme un réflexe de « fédéralisme dominateur », il s'y rallie quelques semaines plus tard dans son discours du trône et applaudit l'audace du rapport au chapitre des pouvoirs proposés, sinon la façon byzantine d'en effectuer les transferts. Ce qui tombe bien, car

---

être de nature constitutionnelle, ajoute le ministre. Des arrangements administratifs « ne sauront suffire » ; 6) Pas question de laisser les tribunaux définir l'autogouvernement autochtone. Ce discours constitue la seule balise publique émise par le gouvernement du Québec.

en matière de partage des pouvoirs, Beaudoin-Dobbie sera la base et le canevas de la négociation multilatérale qui s'ouvre.

Interrogé sur les raisons du virage fédéraliste de Bourassa en mars 1992, Jean-Claude Rivest donne cette réponse toute simple : « C'est qu'on pense que les offres — enfin, les propositions constitutionnelles — présentent un intérêt certain pour le Québec. » Rivest chante les vertus des « six sœurs* », qui « vont plus loin que Meech », et qui ont même « produit un certain nombre de clarifications au niveau des pouvoirs** ». Rivest souhaite encore obtenir quelques améliorations sur la main-d'œuvre, la culture, l'éducation, la santé. Mais à la façon d'un glaçage sur le gâteau. Car à peu de choses près, explique-t-il, le Québec est rendu à bon port :

> On risque, au moment où on se parle, d'avoir substantiellement, et pas mal proche, Meech. Si on règle le problème du veto, pis si on réussit à relever un peu l'aspect juridique de la notion de société distincte — ben, tsé, après s'être fait rejeter Meech, si on réussit à avoir Meech, c'est pas pire !

Les signaux sont d'ailleurs concordants. Au cours du printemps, le chef de cabinet de Bourassa, John Parisella, rencontre Michèle Tisseyre, la fille de l'animatrice bien connue, devenue la représentante québécoise d'Ovide Mercredi. Dans le rapport sur la rencontre qu'elle écrit ensuite pour son patron, elle résume l'exposé que lui a fait Parisella :

> M. Bourassa ne peut pas se permettre de se mettre à dos l'aile nationaliste du Parti libéral. Le rapport Allaire a permis d'empêcher que le Parti ne se scinde et maintenant, M. Bourassa a la tâche délicate de s'en distancier lentement. Cependant, il y a un seuil minimal de transfert de pouvoirs en deçà duquel il ne peut pas aller. Cela dit, M. Parisella a indiqué que l'entente de base de Meech serait acceptable pour le Québec, en autant que le veto soit obtenu.

De même, dans son livre sur cette négociation vue du Canada anglais, la journaliste Susan Delacourt raconte un petit déjeuner qui réunit au printemps Jeff Rose, le vieux copain et conseiller constitutionnel de Bob Rae, et Diane Wilhelmy, la sous-ministre québécoise. Cette dernière, à bout d'arguments, lui demande : « Ne pourrions-nous pas simplement avoir Meech ? »

---

*   Domaines dont le gouvernement fédéral doit se retirer, les six sœurs sont : affaires municipales, tourisme, loisirs, logement, mines et forêts. Ils sont par nature de compétence provinciale, mais le fédéral y intervient depuis des décennies. Les sommes en jeu sont cependant dérisoires, comme on l'a vu au chapitre 10.

**   Cet argument, fort valable, interviendra tout au long du débat à venir. Puisque, depuis 1867, le Québec n'a obtenu aucun pouvoir constitutionnel, chaque concession, si minime soit-elle, est supérieure au *statu quo*. Toute proposition sur les pouvoirs est aussi supérieure à Meech, car à l'exception de l'immigration, un autre conseiller de Bourassa affirme toutefois que Rivest tenait un tout autre discours, à l'interne, que celui qu'il offre ici. Meech n'abordait pas le sujet, cette discussion étant repoussée à une date ultérieure.

On savait qu'en privé, Bourassa disait a Bob Rae qu'il voulait en revenir là : à Meech. On constate maintenant que son conseiller constitutionnel, son chef de cabinet et sa sous-ministre se sont alignés sur cet objectif. Bref, pourquoi se donner tout le mal de négocier avec 16 partenaires quand ce qu'on veut est simple, connu de tous et modeste ? La vraie négociation débute à peine, qu'on n'ose même plus rêver à une « réforme en profondeur », à « quelque chose de fondamental ». Bientôt, quand Bourassa précisera publiquement qu'il se contenterait de la « substance de Meech », passant ainsi de « Meech plus » à « Meech moins », on conviendra que sa présence n'est pas requise à la table des grands. Pourquoi s'astreindre à cuisiner un plat compliqué quand on peut se faire livrer une pizza ?

• La main de Dieu, c'est Brian Mulroney. Pas plus que Tellier ou Bourassa, il ne croit à la possibilité d'une entente à la nouvelle grande table, dont la première rencontre est fixée au 8 avril, à Halifax. La veille, Mulroney et Bourassa, accompagnés de Tellier et de Rivest, renouvellent leurs vœux dans une suite du Hilton de Dorval. La bouderie débutée au début de mars est terminée. La température se réchauffe. On peut recommencer à travailler de concert.

Brian Mulroney explique son approche : pendant la négociation, le gouvernement fédéral va prendre des notes. Si, comme on le prévoit, la négociation échoue, Ottawa fabriquera sa propre offre, en intégrant ce qui aura été convenu à cette table (ce qui rend d'autant plus important d'y faire de petits progrès sur Meech et les pouvoirs). Puis, en juin ou en juillet, la Chambre des communes adoptera cette offre unilatérale et on passera à la ratification. (Dans les semaines suivantes, Mulroney fixera la date du 15 juillet pour le dépôt de son offre unilatérale. À Québec, comme au PLQ, c'est ce qui s'appellera « le scénario du 15 juillet ».)

Évidemment, Brian assure Robert que tout sera mis en œuvre pour que le Québec soit satisfait du contenu de l'offre unilatérale. Et puisque Brian est favorable aux éléments de Meech et qu'il connaît le petit appétit de Robert en ce qui concerne les pouvoirs, il pense que ce ne sera pas trop difficile à réaliser.

Robert Bourassa peut donc dormir tranquille. Il dispose d'un filet de sûreté : son ami Brian. Une seule chose peut maintenant contrarier ce plan de match : que le travail de la caravane constitutionnelle de Clark et de Rae soit couronné de succès.

LE FANTÔME DU QUÉBEC

La caravane fait son premier arrêt, le mercredi 8 avril, à Halifax. Mais elle aurait aussi bien pu s'arrêter au lac Meech, car elle retombe immédiatement dans les mêmes eaux. Alors qu'on discute encore du calendrier des discussions à venir et qu'il est question de prévoir un arrêt à Montréal, le ministre albertain Jim Horsman explique une ou deux choses à Joe Clark :

Je suis très inquiet de la perception voulant que le gouvernement fédéral puisse faire des offres au Québec au nom du Canada. En ce qui nous concerne, il n'en est pas question[*].

Cela étant dit, et cela ayant obtenu un assentiment assez large autour de la table, Paul Tellier introduit maintenant le premier sujet à l'ordre du jour : la « clause Canada » qui devrait refléter la philosophie générale du pays. Elle comprend deux éléments qui peuvent paraître contradictoires : l'égalité des provinces et le caractère distinct de la société québécoise.

Bob Rae affiche une grande souplesse de principe.

Rae : Je ne veux pas que le mot « égalité » soit interprété comme voulant dire « similitude » [...]. Je vais mettre une de mes cartes sur la table. Je pense qu'il nous faudra faire preuve d'un peu de flexibilité quant au partage des pouvoirs pour le Québec. Je pense qu'il faut accepter ce fait. Et je ne veux pas que le libellé sur l'égalité des provinces soit interprété de façon à empêcher ça.

L'Ontarien se heurte, d'abord, à... Clyde Wells.

Wells : Quelqu'un pourra-t-il me dire, s'il vous plaît, pour que je puisse en informer les citoyens de ma province, à quelle classe de provinces nous appartenons ? Somme-nous égales, ou non ? Et si nous sommes égales, nous le sommes sans réserve. Nous sommes égales ou nous ne le sommes pas. [...] Je fonde mon argumentation sur la rationalité intellectuelle.

Rae : On peut être en désaccord avec vous sans être intellectuellement déficient !

Ce débat devient presque futile lorsque l'Albertain Jim Horsman, dont chacun sait qu'il s'entretient régulièrement avec le ministre québécois Gil Rémillard, tente de mettre les pendules à l'heure :

Horsman : J'ai reçu l'assurance, dans toutes mes conversations avec des représentants du gouvernement du Québec, qu'ils ne désirent pas obtenir des droits additionnels, des pouvoirs législatifs ou des privilèges particuliers pour la province elle-même ou pour le peuple québécois. Ils ne veulent rien qui ne serait pas aussi disponible aux autres Canadiens et à leurs gouvernements. [...]

Fondamentalement, nous avons reçu l'assurance que le gouvernement du Québec ne désire pas l'obtention d'un statut particulier. Ces deux mots restent en travers de la gorge de beaucoup de gens.

Aucun participant ne conteste ensuite cette version des faits qui ne survivrait pas une minute à l'air libre, sur la Grande-Allée. (S'il est vrai que le gouvernement du Québec n'a aucune objection à ce que les autres provinces

---

[*] Les extraits de débats qui suivent sont tirés de milliers de pages de transcription officielle et confidentielle des débats, dont l'auteur a obtenu copie. Les relations de discussions qui se déroulent lors de repas ou dans des rencontres informelles proviennent d'entrevues avec les participants ou de sources documentaires.
Au cours de ces débats, les premiers ministres sont parfois présents, mais souvent représentés par leurs ministres de la Justice ou des Affaires constitutionnelles.

aient accès aux pouvoirs qu'il désire obtenir, il est faux de prétendre qu'il n'accepterait pas une asymétrie formelle. Comme il serait surprenant que Rémillard se soit déclaré hostile, même en privé, au statut particulier.)

Mais le message est très apaisant. Horsman, comme beaucoup de gens dans la pièce, est donc certain que le Québec ne veut ni l'autonomie politique réclamée par Allaire, ni la souveraineté brandie par Bélanger-Campeau et la loi 150. Comment le sait-il ? Bourassa l'a dit à son patron Don Getty, bien sûr. Mais Horsman le sait aussi grâce à ses conversations avec le ministre « nationaliste » de Bourassa : Gil Rémillard.

> L'auteur : Dans vos conversations avec lui, est-ce que Rémillard vous a parlé de la possibilité que le Québec déclenche un référendum sur la souveraineté ?
>
> Horsman : Non.
>
> L'auteur : Il ne vous en a jamais parlé ?
>
> Horsman : Non.
>
> L'auteur : Est-ce que vous croyiez à la menace qu'en cas d'échec, ils le fassent ?
>
> Horsman : Non.
>
> L'auteur : Jamais ?
>
> Horsman : Non. Pas le Parti libéral. Je ne m'attendais pas à ce que le Parti libéral du Québec organise un référendum sur la souveraineté.
>
> L'auteur : Et le fait que Gil ne vous en ait jamais parlé confirmait que votre analyse était juste ?
>
> Horsman : Ouais.

Il n'est donc pas question de « statut particulier » ou d'asymétrie pour le Québec, ni de principe ni *de facto*. Il y aurait pourtant des moyens détournés, ratoureux, de créer une asymétrie qui ne dirait pas son nom. Mais il faut s'interdire de les utiliser, explique Clark à ses vis-à-vis provinciaux :

> Il ne faut pas sous-estimer l'intelligence des gens. Si nous concevons un mécanisme compliqué qui n'a qu'un résultat, celui de donner un statut particulier à l'Assemblée nationale du Québec, nous ne tromperons personne. Nous allons nous heurter à deux questions : 1) Pourquoi faites-vous ça ? Pourquoi leur donnez-vous un statut particulier ? 2) Pourquoi tentez-vous de nous entuber ? Ce ne sont pas là des questions très utiles à affronter, dans une campagne référendaire ou autre, lorsque nous avons bien d'autres controverses à gérer.

Un personnage mineur de la négociation, Mark Stevenson, de la Colombie-Britannique, ajoute *illico* cet argument régional :

> Je peux vous dire qu'en Colombie, il y a tellement d'opposition à ce qu'on donne, asymétriquement, un pouvoir quel qu'il soit au Québec, que même si les Québécois se retrouvaient avec la compétence exclusive sur les déchets toxiques, il y aurait un vaste mouvement d'opposition à ça.

Voilà tout ce qu'on ne peut pas — et que de toutes façons on ne veut pas — faire. Mais la question de savoir ce que le Québec, lui, veut, ce que le

Québec dit, ce que le Québec est prêt à accepter, hantera les salles de réunions d'un océan à l'autre pendant des semaines, comme un fantôme insaisissable.

Dès le premier jour de la multilatérale, Joe Clark annonce par exemple que « le gouvernement du Québec trouve acceptable » le libellé de la clause de la société distincte qu'il soumet maintenant aux gens réunis. Un libellé proche de celui du rapport Beaudoin-Dobbie et nettement en retrait de celui de Meech. Plusieurs semaines plus tard, Clark doit intervenir de nouveau pour annoncer que « le gouvernement du Québec » n'est en fait pas du tout d'accord avec le libellé adopté entre-temps par la multilatérale, il propose donc de revenir à une formulation plus proche de celle de Meech. Le ministre terre-neuvien Ed Roberts le prend très mal :

> J'ai assisté aux réunions, j'ai participé aux débats là-dessus pendant trois ou quatre jours. Pis, qu'est-ce qui se passe ? [...] À la toute fin, vous revenez avec ces changements importants. Je dois te dire, Joe, que j'ai rarement été aussi près de claquer la porte d'une réunion !

Clark, apaisant, lui dit qu'il est « aussi surpris » que lui du changement réclamé par Québec. D'autant que l'utilisation des mots maléfiques « société distincte » continue à susciter en soi de la résistance. Notamment de la part de l'Albertain Horsman, qui tentera de minimiser encore la portée de cette clause en la reléguant dans le préambule de la constitution. L'ombre de Trudeau rôde :

> Horsman : Je ne veux pas exaspérer le gouvernement du Québec, mais je ne veux pas exaspérer les Albertains non plus. [...] La réintroduction de ces deux mots — « société distincte » — dans la proposition peut avoir un effet politiquement incendiaire. [...] Dans les mains de M. Trudeau ou de quelqu'un comme lui, ça pourrait dévaster tout le processus.

En levant la première séance, le 8 avril, Clark annonce qu'il a deux invités spéciaux pour le repas du soir. Puisque Robert Bourassa refuse de déléguer qui que ce soit, Clark a invité ses propres Québécois à venir, incognito, donner un cours de québécitude aux Canadiens anglais.

« J'ai eu l'impression à notre dernière rencontre [le 12 mars] que plusieurs ministres souhaitaient discuter franchement et privément avec des Québécois sur les attitudes et l'atmosphère qui prévalent dans la province. »

Clark a choisi comme tuteurs Yves Fortier, qui revient tout juste de l'ONU où il a terminé son mandat d'ambassadeur canadien et Claude Beauchamp, du Regroupement Économie et Constitution, groupe d'hommes d'affaires fédéraliste.

Le choix de Clark est intéressant. Deux hommes connus, intelligents, bons communicateurs. Mais pour cette unique leçon de choses québécoises qu'auront les représentants du ROC, Clark choisit deux fédéralistes inconditionnels, beaucoup plus « canadiens » que la moyenne des Québécois.

Beauchamp les en avertit : « J'ai fait porter mon intervention sur ce qu'on veut, nous, les fédéralistes québécois. Un pays mieux géré. C'est ça qu'on veut. On a un problème dans les finances publiques, un problème économique d'ajustement [à la concurrence internationale]. » Lorsqu'il aborde le terrain du partage des pouvoirs, c'est strictement en termes d'efficacité gouvernementale et non de volonté autonomiste ou nationale.

Beauchamp refuse aussi de faire devant ses interlocuteurs une évaluation du sentiment souverainiste dans la province parce que, dit-il, « j'ai toujours eu comme principe que le linge sale, ça se lave en famille ». Fortier est moins timide. Aux yeux de ses auditeurs, il apparaît nettement plus nationaliste que prévu. Connu comme étant un grand ami de Mulroney, il était resté coi lors-qu'il présidait les conférences constitutionnelles ayant précédé la multilatérale. Voilà qu'aujourd'hui, il estime que les négociations doivent déboucher sur de vraies réformes : donner au Québec plus de pouvoirs sur la langue, sur la main-d'œuvre, limiter le pouvoir fédéral de dépenser. Et Fortier ajoute : « Si vous pensez que j'exagère, allez voir ce que pensent la majorité des Québécois. »

L'ex-ambassadeur parle aussi des jeunes libéraux et du rapport Allaire, avec lesquels il est en désaccord, de la force des souverainistes et du pouvoir d'attraction qu'ils exercent sur les fédéralistes mous.

Un des premiers ministres présents pense opiner dans le même sens que les invités de Clark en disant qu'il « est temps de reconnaître que le Québec est une société distincte ».

Las ! « Moi et Claude, raconte Fortier, on a dit qu'on avait dépassé au Québec l'ère de la société distincte. » Ils précisent : « Vous devez poser des gestes importants, plus que symboliques, pour aller chercher l'appui des Québécois. » Fortier se souvient qu'il y avait « beaucoup de surprise dans l'air ».

Même l'exposé d'un fédéraliste bon teint comme Beauchamp ne passe pas facilement la rampe devant un tel public. « Mon intervention a déplu à certains PM qui ont réagi. Le Canada anglais aime pas se faire dire que le pays est mal géré. »

Ovide Mercredi, assis à côté de Beauchamp, prend aussi la parole : « Le Québec a tout ! Qu'est-ce que vous voulez de plus ? Nous autres, on n'a rien. Vous autres, les francophones du Canada, vous pouvez faire tout ce que vous voulez. Vous contrôlez même la direction du pays, vous avez vos premiers ministres. »

Vient, bien sûr, la question du fichu référendum québécois sur la souve-raineté. Beauchamp, lui, a toujours pensé que Bourassa ne le déclencherait jamais. Son opinion est donc au diapason de celle des Rae et McKenna, autour de la table. Étrangement, Fortier n'est pas de cet avis. Il est, un peu comme Michel Bélanger et Fernand Lalonde, membre du club des fédéralistes qui rêvent. Au moment de prendre la parole à Halifax, il est surtout victime de « l'effet Bruxelles ». Il déclare donc aux représentants du ROC que la position québécoise « n'est pas un bluff », que Bourassa pourrait très bien, « s'il n'y avait pas de bonnes offres, poser une question louvoyante, comme celle de Bruxelles, à sa façon[*] ».

Compte tenu des sondages, Beauchamp et Fortier représentent la minorité québécoise. Ils sont les plus faciles à convaincre des bienfaits du fédéralisme. Il aurait bien sûr été inutile d'inviter Pierre Bourgault ou Jacques Brassard. Mais si Clark avait invité un Jean Lambert, président de la chambre de commerce du Québec, sans parler d'un Claude Béland ou d'un Roger Nicolet, plus en phase avec l'opinion centriste, les représentants du ROC auraient encore mieux mesuré la difficulté de leur tâche. Et aurait pu découvrir un élément qui leur manquera cruellement dans leurs travaux : Robert Bourassa n'est pas représentatif des aspirations du Québécois moyen, même du québécois nationaliste modéré. Le contenter lui, ce n'est pas contenter le Québec.

Le grand retour de Benoît Bouchard

On ne l'a pas encore dit, mais il y a un Québécois dans la pièce, lorsque se réunit la « multilatérale » : le ministre Benoît Bouchard. Mulroney lui a demandé de participer à cette opération à titre de « coprésident ». Mais il est difficile de dire, en lisant les retranscriptions des discussions, si Bouchard est un participant, un témoin ou un commentateur. Plusieurs attendent de lui qu'il serve d'avertisseur, de *reality check,* en ce qui concerne le Québec : Allons-nous assez loin ? Pas assez ? Sommes-nous sur le bon chemin ? Que veulent-ils vraiment ? Or Bouchard est mal placé pour jouer ce rôle, car Clark, Horsman, Rae et quelques autres ont plus de contacts avec Bourassa et Rémillard que n'en a le ministre et député de Roberval.

Benoît Bouchard raconte qu'à une occasion :

> Ils étaient pas sûrs de ce que la position du Québec allait être. Bob Rae disait une chose, Joe Clark, une autre. Clark appelle Robert Bourassa ou Gil Rémillard sur l'heure du midi. On lui répond : « Oui, le Québec est d'accord avec ça. » Joe revient l'après-midi et dit à Rae : « Je m'excuse, on a communiqué avec le Québec et tu n'as pas raison. »

> Rae nous a fait une crise ! « Si vous pensez que vous aller appeler le Québec chaque fois qu'il y a un problème ! Ils ont pas voulu venir, ils sont pas là ! »

Mais Clark assure un jour la multilatérale qu'il est loin d'avoir transmis tous les messages dont Québec a voulu le charger :

> Nous avons reçu un bon nombre de suggestions de la part du gouvernement du Québec. Dans la plupart des cas, nous leur avons indiqué que nous ne pensions pas que leurs suggestions puissent être reçues favorablement ici, dans un processus dont ils ne font pas partie.

---

[*] Fortier, quoique toujours fédéraliste, affirme qu'il aurait pu voter Oui à une question de Bruxelles : « Ça dépend de la question posée », dit-il. Il précise avoir cru à la possibilité d'un tel référendum « jusqu'en mai-juin » 1992.

Il faut faire un tri, voilà tout. Il faut surtout savoir à qui parler. Car « le Québec », c'est grand. Même au « gouvernement du Québec », beaucoup de gens prétendent savoir ce que le Québec veut. Un jour, le ministre Bob Mitchell, de la Saskatchewan, plaide en faveur d'une plus grande présence provinciale en matière de communications. « Nous savons que ça intéresse aussi le Québec, dit-il, et nous le savons grâce à nos contacts directs avec eux. » L'Albertain Jim Horsman, aussi intéressé que son collègue à obtenir plus de pouvoirs en ce domaine, renchérit : « C'est une position qui a été exprimée vigoureusement par [le ministre québécois des Communications] Lawrence Cannon dans une lettre à [son homologue fédéral] Perrin Beatty, lettre dont j'ai copie. » Joe Clark répond qu'il est parfaitement conscient de l'existence de ladite lettre, mais il le prend de haut :

> Nous aussi, nous avons reçu les doléances de fonctionnaires sur cette question des communications. Mais les autorités politiques de la province de Québec nous ont dit explicitement qu'elles ne sont pas intéressées par cette question, même si leurs fonctionnaires le sont.

Un jour que l'Albertain Horsman évoque une conversation qu'il vient tout juste d'avoir avec son copain Gil Rémillard, Clark trouve l'anecdote bien bonne, car lui aussi a parlé à Rémillard dans les jours précédents : « Est-ce que Gil jouait avec toi la même partition qu'il jouait avec moi ? Étions-nous sur la même page ? »

Il arrive que Joe Clark fasse comme si le Québec était là. Pour faire progresser la discussion, Clark « prend des votes » plusieurs fois par jour pour retenir certaines propositions, en rejeter d'autres. Son critère est la règle 7/50 : il déclare une résolution adoptée si les porte-parole de sept provinces représentant 50 % de la population et lui-même sont d'accord (les représentants des autochtones et des territoires ne votent pas, ce qui est très frustrant pour eux). À la première rencontre, le 8 avril, quand sont établies les règles du jeu, Clark prévient qu'il « ne vote pas pour le Québec ». Il ajoute même, en français, « je suis un député de l'Alberta ». Il lui faut donc trouver chaque fois la combinaison 7/50 parmi neuf provinces représentant 75 % des habitants du pays. Le degré de difficulté est assez grand. Trop, car le 26 mai, à Toronto, Clark inclut un imaginaire vote du Québec dans son calcul, pour bloquer une proposition qui aurait imposé la « participation pleine et entière » de futurs gouvernements autochtones à toute future rencontre des premiers ministres. Pensait-il s'en tirer à si bon compte ? « Vous votez à la place du Québec ? » lui demande la représentante inuit, Rosemarie Kuptana. « Non », répond Clark, battant précipitamment en retraite.

Dans tous ces débats et tous ces va-et-vient, Benoît Bouchard se sent un peu coincé.

> J'intervenais au nom de qui, quand je le faisais ? Ça a été un exercice que j'ai

trouvé extrêmement difficile. J'étais apatride. J'étais québécois et j'avais pas le droit de l'être, parce que le gouvernement du Québec était pas là. Le gouvernement fédéral était représenté par Joe. Et avec Joe, on a beau dire, il n'y en a pas, de « coprésident ».

Le jeu des relations entre Clark et Bouchard s'apparente aux mouvements des marées. Leur altercation de septembre 1991, au moment de la préparation des propositions de Clark, leur reste toujours en mémoire. Ce qui explique peut-être pourquoi, lors de cette première rencontre à Halifax, Clark commet un intéressant lapsus en appelant Benoît : « Lucien ».

Les sessions sont studieuses. Rae, Wells, Clark, les ministres Horsman de l'Alberta et Bob Mitchell du Manitoba débattent comme de doctes juristes de la portée de chacune des clauses. Les considérations politiques, la grandeur de vue, la force de conviction s'enchevêtrent avec les avocasseries et les arides discussions de libellés. Lorsque Benoît Bouchard prend la parole, par contre, c'est souvent pour débiter de longs monologues où les tenants n'ont pas toujours une parenté avec les aboutissants. Ses interventions ressemblent en cela à celles d'Ovide Mercredi. À cette différence près que Mercredi n'a qu'un thème — « toujours plus » — alors que Bouchard en a plusieurs, contradictoires. Il épand ses états d'âmes de Québécois fédéraliste angoissé par le passé comme par le futur. Un extrait, parmi d'autres (Bouchard intervient au milieu d'un débat sur la constitutionnalisation d'ententes administratives) :

> Je n'étais pas un bon Canadien il y a 10 ans. J'étais comme beaucoup de Québécois : ignorant, avec des sentiments de rejet, pas nécessairement envers le Canada, mais une volonté d'être plus français, plus Québécois. Aujourd'hui, je ne suis toujours pas un très bon Canadien, mais je suis meilleur. J'essaie de comprendre. Quand je suis en Saskatchewan, je ne suis pas à l'Île-du-Prince-Édouard. Je sais ça. Quand je suis à Terre-Neuve, en particulier, je ne suis pas en Colombie-Britannique. Vous voyez ce que je veux dire.

Ce qui lui vaut de Joe Clark ce compliment : « Benoît, tu es devenu la parabole vivante de ce qu'on espère pouvoir réaliser dans le reste du pays. »

Plus terre à terre, Bouchard explique en entrevue que le Canada anglais « n'en mettait pas assez » sur la table. Des « six sœurs », il dit : « Moi, j'ai toujours pensé que c'était un amuse-gueule pour le Québec. » Et qu'aurait dû être le plat de résistance ? « Le Québec voulait l'exclusivité en éducation ou tout ce qu'il pouvait aller chercher. En fait, il disait : "On veut tout et dites-nous ce que vous ne nous donnez pas." Le problème qu'on avait, c'est que ça n'intéressait personne. »

Cependant, la lecture de la transcription des débats montre que Bouchard a volontiers mis le frein, plutôt que l'accélérateur, dans ses conseils aux Canadiens anglophones. À une occasion, le député de Roberval dit par exemple ceci, sur la société distincte :

> De plus en plus, à mesure que je vis dans ce pays, je m'aperçois que quand on

parle du caractère distinct du Québec, c'est un euphémisme. Parce que ça s'applique à peu près partout au pays dans d'autres circonstances.

Quant au débat sur « les pouvoirs », il se déroule essentiellement en deux temps. D'abord, du 20 au 22 mai à Montréal, la multilatérale réadopte les « six sœurs ». Puis, les 27 et 29 mai, à Toronto, on passe en revue quelques demandes supplémentaires. C'est là que Bouchard met ses collègues en garde :

> Il n'y a aucun doute dans mon esprit que le Québec s'attend à obtenir la compétence exclusive sur le développement régional. [...]
>
> Personnellement, je ne pense pas que ce soit une bonne position à prendre. Et je dis « personnellement » parce que c'est vraiment personnel — je suis ministre du Développement régional pour le Québec. Et depuis deux ans nous faisons, je pense, aussi bien que la province elle-même en termes de développement régional. [...]
>
> Ils vont beaucoup insister. Mais j'ai un problème, Joe, avec mes propres députés, les 55 membres [conservateurs] du Parlement qui viennent du Québec. Je ne pense pas qu'ils veuillent aller jusqu'à donner la prédominance législative au Québec là-dessus.

De fait, les largesses fédérales que les députés conservateurs peuvent distribuer au Québec pour le développement régional tiennent lieu, à plusieurs égards, de « colle » qui garde uni le caucus québécois. S'ils n'avaient plus la possibilité de distribuer ainsi des enveloppes, les députés auraient bien moins de peine à passer au Bloc québécois.

Clark abonde dans le sens de Bouchard et ajoute que les libéraux fédéraux sont eux aussi d'avis qu'il ne faut pas donner au Québec le développement régional. Voilà un consensus des partis fédéraux qui est « très important », dit Clark. Il ne se trouve évidemment personne pour donner la réplique à ces arguments.

Mais Benoît Bouchard n'a pas terminé sa liste de conseils :

> Je peux aller encore plus loin. Le ministre québécois de la Santé, Marc-Yvan Côté, m'a dit qu'ils s'attendent [à Québec] à voir la compétence de la santé et des affaires sociales transférées au Québec, ce avec quoi je suis en désaccord complet, particulièrement en ce qui concerne les programmes nationaux. [...] Il n'est pas question que nous donnions ça au Québec.

Bouchard suggère qu'on accepte tout au plus de « signer une entente bilatérale » avec le Québec, qui assurerait la permanence du chevauchement de compétences à cet égard. Il prescrit le même remède pour les pouvoirs fédéraux en matière de divorce et de mariage, qui posent « un problème encore plus net » car le code civil — un des trois éléments définissant dorénavant la société distincte — couvre déjà une partie du droit familial et le Québec peut ainsi arguer de la continuité juridique pour réclamer les pleins pouvoirs en ces matières. Mais Bouchard suggère de tenir bon car, en fin de course :

> j'irais jusqu'à dire que sur le plan de la division des pouvoirs, nous devrions

n'avoir aucun problème avec la province, même si elle n'obtient pas ce qu'elle veut[*].

Clark intervient : « le gouvernement fédéral ne voit pas d'objection, dit-il, à ce que le droit de la famille et du divorce soit dévolu au Québec, bien qu'il avoue ne pas comprendre les intérêts du Québec à cet égard ».

Mais Bob Rae monte au front : si des provinces, comme le Québec, veulent se mêler de droit du divorce, ce ne peut être que « pour rendre les conditions plus restrictives qu'elles ne le sont », dit-il. « Je pense que les réactions à cette mesure de la part de très, très nombreuses organisations nationales seraient fatales » pour l'entente constitutionnelle. De fait, le Regroupement national des femmes de Judy Rebick, favorable en principe à l'asymétrie pour le Québec, s'opposera, en pratique, à l'asymétrie en matière de divorce. Personne n'évoque la possibilité que le Québec veuille légiférer de façon plus libérale que le reste du Canada ou atteindre des résultats similaires en utilisant des moyens différents. Ce dossier meurt et, compte tenu du silence des autorités québécoises, ne sera jamais ressuscité. (« Le Québec ne s'est jamais battu pour ça », diront Benoît Bouchard et Michel Roy.)

Tout va donc pour le mieux, et Joe Clark recommande maintenant à ses partenaires de faire sentir à Bourassa que leur générosité a désormais atteint ses limites :

> Si certains d'entre vous ont des conversations privées avec le gouvernement du Québec d'ici peu, vous devriez leur faire comprendre clairement que nous estimons avoir fait beaucoup de chemin. Je parle confidentiellement. Ce ne sont pas des choses qu'il faut dire devant des micros. [...]
>
> Il faut établir les paramètres qui encadreront les discussions inévitables à venir sur le chemin restant à parcourir. Benoît a raison. Ils seront très insistants sur le développement régional et sur d'autres choses. [...] Mais nous ne devrions pas les encourager à penser que nous avons collectivement plus de marge de manœuvre que nous n'en avons.

Le gouvernement fédéral a inséré dans ses propositions un mécanisme qui doit servir de prix de consolation pour le Québec. Il s'agit de la capacité qu'auraient les gouvernements de se déléguer des pouvoirs les uns aux autres par accord bilatéral renouvelable. Ainsi, un gouvernement fédéral ami, comme celui de Mulroney, pourrait décider, seul, de « déléguer » la main-d'œuvre au Québec. Évidemment, si un gouvernement inamical venait à lui succéder à

---

[*] Ironie ou télépathie politique ? Au moment où Bouchard prononce ces paroles à huis clos à Toronto, les députés du Parti québécois à l'Assemblée nationale se lèvent tour à tour pour « tester », pendant la période de questions, plusieurs ministres et voir s'ils réclament toujours, dans leurs secteurs respectifs, « les pouvoirs exclusifs » énumérés dans le rapport Allaire. Les péquistes obtiennent des réponses positives de chacun des ministres en matière d'éducation, de santé et d'affaires sociales, de formation de la main-d'œuvre, d'agriculture, de développement régional et d'affaires culturelles. Le PQ ne se donne pas la peine de « tester » les six sœurs, qu'il juge dérisoires.

Ottawa, cet accord pourrait être rompu. Clark continue à proposer cette soupape d'échappement. C'est Bob Rae qui sort le premier son bazooka. « Joe, je vais être très dur sur cette question. [...] Je dois avouer que ceci n'est pas ma conception du fédéralisme. J'ai une conception flexible, mais pas si flexible. »

Autour de la table, l'Alberta, la Colombie-Britannique et plusieurs autres se disent au contraire favorables — avec certaines réserves — à ce que l'on appelle « l'interdélégation ». Mais Joe Clark doit faire son calcul. L'Ontario et Terre-Neuve s'y opposent. « Dans cette pièce, dit-il, j'ai sept provinces favorables, mais pas 50 % de la population, même s'il n'y a aucun doute sur la position du Québec. Il appuierait l'interdélégation. Mais ici, je n'ai pas de consensus. »

Mort d'un concept. Mort d'un argument, faible mais réel, qui aurait pu servir, plus tard, à la « vente » d'une entente.

Mais Bob Rae reprend place sur le banc pro-Québec juste à temps pour le débat qui suit immédiatement : la main-d'œuvre. Les positions sont tranchées au couteau. Joe Clark annonce que le fédéral ne lâchera pas le morceau :

> J'ai déjà entendu quelqu'un dire que personne n'a jamais été élu à Ottawa pour dépouiller le gouvernement fédéral de ses pouvoirs. Ces sages paroles me reviennent en mémoire lorsque j'aborde ce dossier. [...]
>
> Premièrement, nous allons créer un nouveau « pouvoir » dans la constitution, la formation de la main-d'œuvre, et nous allons le donner exclusivement aux provinces. Deuxièmement, le gouvernement canadien va garder l'assurance-chômage.

Mais puisque l'assurance-chômage et ses services connexes de perfectionnement et de placement constituent un des principaux outils de formation de la main-d'œuvre au pays, autant dire que presque rien ne changera et que le « guichet unique » réclamé par le Québec patronal, syndical et gouvernemental ne verra jamais le jour. Rae n'est pas content. « Nous sommes inquiets de la perpétuation des chevauchements et nous croyons qu'ils resteront source d'inefficacité et de problèmes. »

Moe Sihota, ministre de la Colombie-Britannique, se retient, mais à peine :

> Sihota : Je dois vous dire que c'est très décevant. Je serai bref et moins virulent que je pourrais l'être. Mais voici un dossier sur lequel on pourrait se débarrasser du gaspillage et des chevauchements. [...] Votre proposition va clairement perpétuer le problème et en fait va le constitutionnaliser, ce qui sera encore pire !

Le représentant albertain intervient dans le même sens. Les trois « grosses provinces » ont parlé. Mais voici qu'arrive la contre-offensive des « petites provinces » : « L'offre fédérale va plus loin que ce que nous voulons », proteste le Manitoba, bientôt appuyé par le Nouveau-Brunswick puis par la Nouvelle-Écosse. Finalement, en l'absence de Clyde Wells, le ministre terre-neuvien Ed Roberts livre l'épitaphe de la revendication québécoise :

> Voici un des sujets où les intérêts des grosses provinces et les intérêts des petites provinces ne sont pas seulement opposés, mais complètement séparés et contradictoires.

Mort d'une revendication.

C'est la fin de la journée et il faut se préparer à affronter les micros. Les participants veulent aligner leurs flûtes. Sur la main-d'œuvre, dit Rae : « Je pense qu'il serait juste de dire [aux journalistes] que la question n'a pas été résolue. » Bob Mitchell, de la Saskatchewan, s'exclame : « Quelle façon intéressante de présenter les choses ! »

Clark fouille dans ses papiers. « Je ne sais pas où j'ai mis mes "remarques spontanées" à livrer à la presse, dit-il. Je les cherche. [Une pause puis] Ah ! On me dit que quelqu'un est en train de me les dactylographier. »

Mais le premier à se jeter sur les micros des journalistes est Benoît Bouchard, qu'on entend affirmer : « Quand on va voir arriver le paquet, vous allez réaliser qu'il n'en manque pas beaucoup par rapport à Allaire* ! »

« BIG FUCKING DEAL ! »

L'importance qu'accorde la multilatérale au partage des pouvoirs doit être mise en perspective. Des quatre grands sujets de préoccupation — Sénat, autochtones, clause Canada, pouvoirs — c'est celui auquel les négociateurs consacrent le moins de temps. Leur attitude est symbolisée par le mot d'Ovide Mercredi, qui, arrivé en retard à une rencontre demande à un adjoint quel est le sujet des discussions en cours. « Les pouvoirs », lui répond-on. Mercredi mime ensuite des gestes que les initiés décodent en riant : *« Big fucking deal ! »* L'expression, ironique, signifie que la chose est dérisoire.

Puisque Bourassa est prêt à se contenter de « la substance » de Meech et de quelques poussières de pouvoir, Mercredi n'est pas loin du compte.

Il y a, par contre, un *« big deal »* dans les débats. Deux, en fait.

Car il y a des gens, dans cette pièce, qui sont venus faire l'histoire. Des gens qui veulent une « réforme en profondeur », un changement « fondamental ». Il y a même des gens qui disent : « Sinon, on part ! »

---

*   Au-delà des décisions prises à la multilatérale, les « gains » québécois doivent franchir un second tamis : celui des hauts fonctionnaires fédéraux qui écrivent les libellés de ces décisions, sous la direction de Roger Tassé. Le conseiller Michel Roy suit les progrès de ces écritures et résume comme suit la dynamique : « Les plombiers fédéraux qui travaillent làdedans ont toujours tendance à dire que les transferts aux provinces ne doivent pas être inscrits dans la constitution. Ils disent : "Écoutez, on va faire une négociation parallèle, administrative, ce serait beaucoup plus pratique, voyez-vous ?" C'est le reflet de ce que j'appelle la culture fédérale. Ça va un peu comme ceci : "Donnez le moins possible les 'meubles' [pouvoirs] de la *shop* [Ottawa]. Prêtez plutôt les coussins. Et si vous donnez une chaise, dites que vous restez propriétaire de la chaise, mais que vous êtes heureux de permettre que quelqu'un de l'autre camp s'asseoie dessus." C'est pourquoi il arrive souvent qu'on s'entende sur quelque chose mais, quand le libellé nous revient, le mot "pouvoir" n'est plus là. C'est un autre mot. On s'objecte, mais les gars disent : "Pourquoi vous chialez ? C'est ça la vie aujourd'hui. Tout s'interpénètre, tout se touche." Mais on s'interpénètre toujours dans le même sens. »

Ils sont répartis en deux groupes : les autochtones et la *triple-E gang*. Leur objectif : changer durablement la façon dont le Canada est gouverné.

L'Albertain Don Getty, par exemple, dans un discours télévisé en janvier 1992, est catégorique : « Aucune entente constitutionnelle ne serait acceptable en l'absence d'un Sénat triple E. » Il exige une réforme du Sénat canadien pour que les provinces y soient Également représentées, que les sénateurs y soient Élus, et dotés de suffisamment de pouvoirs pour être Efficaces.

La revendication n'est pas nouvelle. Venue des Prairies mais adoptée aussi par Terre-Neuve, elle vise à contrebalancer l'influence jugée disproportionnée du « centre » du pays — l'Ontario et le Québec — dans les affaires de l'État. Dans un Sénat égal, l'Ouest aurait plus de poids que le centre, les six petites provinces auraient la majorité sur les grosses, l'Alberta aurait autant de poids que l'Ontario. Si ce Sénat était, de plus, élu et efficace, il pourrait contrecarrer les projets du gouvernement et de la Chambre des communes, vus comme biaisés en faveur du « centre ».

La revendication s'est toujours heurtée à un mur, aussi dur que celui qui emprisonne les concepts de statut particulier ou d'asymétrie. L'Ontario et le Québec ont toujours dit non à cette proposition qui réduirait considérablement leur pouvoir. « Disons-le carrément, un Sénat triple E n'est pas acceptable pour l'Ontario », tonne par exemple Bob Rae quelques jours après la déclaration de Getty. Au cours des négociations de Meech, Bourassa s'était même opposé à ce qu'on inscrive le Sénat triple E comme simple objectif à négocier dans le futur. Et toujours, Ottawa bloque cette revendication, craignant que cette réforme bouleverse, alourdisse, voire immobilise l'adoption des lois. La probabilité que le Sénat triple E se réalise, dit Joe Clark au début de 1992, est aussi grande que celle de voir se produire une « immaculée conception ».

Brian Mulroney aussi répugne à donner autant de poids à l'Île-du-Prince-Édouard (130 000 habitants) qu'à l'Ontario (9,6 millions). Dans un des débats à venir, Mulroney citera les pères fondateurs du pays, dont John A. Macdonald, pour expliquer combien le changement réclamé par Getty est contraire à l'histoire du Canada, à ses fondements politiques, à ses traditions. L'Albertain répondra : « C'est exactement ça. Ça fait 125 ans que ça ne marche pas, et nous voulons que ça change. »

Position de départ ? Getty la maintiendra tout au long du débat, en privé comme en public. « J'ai fait en sorte que tout le monde sache que je n'allais pas bouger, que ça n'allait pas changer », explique-t-il après le fait. « Nous étions tout à fait prêts à vivre avec un échec. Mentalement, je m'étais préparé, j'avais préparé mon caucus et mon cabinet à cette idée. Il n'était pas question de bouger. » Tous les témoignages et les documents confirment cette assertion. Joe Clark, par exemple, expliquera que Getty « était très sincère lorsqu'il disait : "C'est le triple E ou rien !" »

L'auteur : En fait, vous étiez plus disposé que Bourassa à claquer la porte ?

Getty : Oui. Et nous avons pris tous les moyens pour faire en sorte que tous nos partenaires soient absolument conscients que c'est ce que nous allions faire.

Getty et Bourassa sont pourtant dans une situation similaire. Ni l'un ni l'autre ne veut rendre sa province souveraine en cas d'échec. Getty, comme Bourassa, fonde sa revendication sur un mouvement populaire qui, dans sa province, réclame un « changement fondamental ». Getty, comme Bourassa s'il réclamait vraiment l'asymétrie, l'autonomie ou le statut particulier, rencontre une très forte résistance ; tout le monde lui dit que c'est impossible.

Pourtant Getty fonce, se fâche, s'entête. Dans les discussions bilatérales, alors que Bourassa fait ses demandes en se plaignant des difficultés qu'il vit dans son parti, dans son caucus, dans son électorat, Getty présente ses revendications parce qu'il y croit, parce qu'il les veut, parce qu'elles se défendent en soi. Il les défendra même, on va le voir tout à l'heure, quand ses électeurs ne le suivront plus tout à fait. Alors que Bourassa demande des changements au nom de l'« efficacité » du fédéralisme, plutôt qu'au nom du sentiment national des Québécois, Getty se contrefout que son Sénat réformé aggrave l'inefficacité du gouvernement. Le fondement de son action est entièrement politique : le sentiment d'aliénation de l'Ouest face à Ottawa.

Il y a bien un « effet Bourassa » dans la revendication de Getty et il explique en partie sa sérénité devant l'éventualité de l'échec. Si Getty croyait au Pacte que Bourassa a conclu avec les Québécois, s'il pensait que l'échec de la « dernière chance » du Canada allait automatiquement faire de Bourassa un souverainiste, comme il l'a écrit dans le rapport Bélanger-Campeau, l'Albertain serait-il aussi casse-cou ? Le Sénat triple E vaut-il la rupture du pays ? Getty n'a pas à se poser cette question car depuis Meech, Bourassa l'a rassuré : dans aucun scénario le premier ministre québécois ne proposera la souveraineté aux siens. Getty a donc beau jeu de faire la forte tête, d'insister, de menacer. Puisque le Canada ne risque rien...

Le cas des autochtones est encore plus intéressant. Ils ne possèdent pas le poids de Getty et de ses alliés à la multilatérale. Ils en ont forcé la porte grâce surtout à la complicité de Bob Rae et un peu à celle de Joe Ghiz, premier ministre de l'Île-du-Prince-Édouard. Rae, comme Getty, a décidé de « faire l'histoire ». Sa cause à lui, c'est la réparation de siècles d'injustice envers les autochtones.

La revendication principale des autochtones est de même nature que le Sénat triple E ou l'asymétrie pour le Québec : elle a été jugée irréalisable, impraticable, ingérable, inacceptable. Mercredi et les siens veulent « le droit inhérent à l'autogouvernement ». Voici comment Mercredi définit ce droit, à l'automne de 1991 : « L'autogouvernement peut signifier aujourd'hui l'autonomie au niveau de la communauté de base. Dans 30 ans, cela pourrait signifier une institution nationale comme un Parlement ou un gouvernement indien. Dans 100 ans, qui sait ? cela pourrait signifier nos propres relations extérieures. »

La clé est dans le mot « inhérent », qui signifie que les autochtones possèdent déjà et de toute éternité, le droit d'être pleinement souverains dans tous les champs de compétence qu'ils désirent. Ils veulent se faire reconnaître ce droit. Chacune des 600 unités de base autochtones, dans les 2250 réserves, aurait le droit de constituer un gouvernement qui pourrait remplacer les lois et règlements de l'État canadien par les siens. Mercredi propose un archipel interne de microgouvernements à responsabilités variables, dont la mise sur pied devra être négociée à la pièce et jamais une fois pour toutes*.

Ce concept, qui dépasse dans son principe, sa complexité et sa lourdeur tout ce que Getty ou Allaire ont pu demander, s'est heurté à un mur pendant toutes les discussions et les conférences fédérales-provinciales des années 70 et 80. À l'automne de 1991, Clark réactualise ce refus : « L'utilisation du mot "inhérent" aurait des conséquences peut-être alarmantes et, franchement, je ne pense pas que les provinces seraient d'accord. »

Chargé de défendre une revendication titanesque, Mercredi est totalement dépourvu de pouvoir politique. Contrairement aux premiers ministres provinciaux, sa signature n'est pas requise pour que des amendements à la loi fondamentale du pays entrent en vigueur. Qu'il menace de ne pas signer et les autres répondront : « *Big fucking deal !* » Il a cependant un poids moral. Au Canada anglais, la cause autochtone est très populaire à cette étape du débat. Mercredi a aussi une grande capacité de nuire. Tout le monde a en tête la crise d'Oka, vieille de moins de deux ans, et des barricades sont régulièrement érigées, de la Colombie-Britannique au Nouveau-Brunswick, dès que la température monte.

Mercredi est de plus un négociateur extraordinaire. Pas seulement parce qu'il est tacticien habile ou juriste retors. Pas seulement qu'il est absolument convaincu du bien-fondé de sa revendication, comme Getty et Wells pour le Sénat triple E. Pas seulement parce qu'il jouit du soutien de son peuple. Mais surtout parce qu'il est, partout et toujours, totalement insupportable. Mercredi, c'est un hérisson ambulant. Les arguments comme des enclumes. Les tambours à portée de la main. Le volume au maximum. Il ne lâche sur rien, il n'admet rien, il est inusable.

Benoît Bouchard en est gravement atteint :

Ça a été le spectacle autochtone pendant les trois ou quatre premières réunions. Un matin, ils [les délégués autochtones] sont sortis sous prétexte qu'on ne les

---

*   Des penseurs canadiens, comme Thomas Courchene, proposaient au contraire la constitution d'une « province autochtone » dont le territoire aurait été constitué d'un archipel de réserves, mais dont l'administration aurait été unique. En termes de territoire et de population, elle aurait été deux fois plus importante que l'Île-du-Prince-Édouard. Naturellement, elle aurait bénéficié de tous les pouvoirs provinciaux normaux. Libre ensuite à cette province d'organiser ses subdivisions comme elle l'entendrait, et l'autonomie locale plus ou moins grande de chaque bande ou réserve. Cette proposition n'a pas été retenue.

écoutait pas. Comme chaque midi on avait un déjeuner entre nous, je me suis engueulé avec Ovide. Je lui ai dit : « Mon pauvre Ovide, s'il faut qu'à chaque fois qu'on te contrarie tu t'en ailles, sacrament tu vas passer ton temps sorti ! » Il est sorti de la salle et il est pas revenu en après-midi. Il a dit que je l'avais insulté.

Ovide fait flèche de tout bois. Il invoque l'histoire, les humiliations, la loi des Indiens, le droit des ancêtres, l'inviolabilité des traditions, les sondages, et même Robert Bourassa : « Je n'ai aucun problème avec la province de Québec, dit-il pendant un débat. Je ne sais pas si, lorsqu'ils reviendront à la table à la onzième heure, ils accepteront le paquet tel quel. Mais je sais une chose : s'ils viennent à la table , ils y viendront avec un cœur généreux, et c'est ce qui fait défaut à plusieurs gouvernements représentés ici. »

Chaque fois qu'il accepte d'infléchir un mot, une phrase, une revendication, c'est comme si on lui arrachait le cœur. Et il tient un compte serré de chaque concession : « Nous avons fait des compromis. Nous avons montré notre flexibilité à six reprises. Nous demander de céder plus de terrain encore, c'est nous demander de nous humilier. C'est aussi simple que ça. Ça équivaudrait à une reddition. »

L'indignation de Mercredi est la plupart du temps réelle. Mais il en joue en virtuose. Plusieurs l'ont vu faire une envolée colérique, tourner les talons, puis arborer un sourire complice. « Cet homme ne nous a jamais rien donné », tonne-t-il un jour, à pleins poumons, à quelques pouces de Clyde Wells, qui est de fait son principal adversaire. « Rien, il n'a fait aucun compromis, aucune proposition constructive, il n'a pas bougé d'un poil, il n'a rien donné ! Zéro ! » Mercredi fout le camp, manifestement en colère. Un instant plus tard, devant une conseillère, il rigole : « Je viens de faire une performance digne d'un Oscar ! »

Sa revendication est maximaliste et multiforme, et elle se répand à chaque point de l'ordre du jour. Nomination des juges à la Cour suprême ? Il veut que les autochtones soient consultés. Réforme du Sénat ? Combien de sièges seront-ils réservés aux autochtones ? Formule d'amendement de la constitution ? La voix autochtone doit être prise en compte. Transfert de pouvoirs aux provinces ? Il faut une clause qui stipule que rien dans ces transferts n'affecte les droits autochtones[*].

Société distincte ? J'en veux !

Tel un dentiste sadique, Ovide Mercredi vrille le nerf de la société distincte sans interruption depuis un an, déclarant que les autochtones doivent se voir reconnaître à la fois un droit inhérent et un caractère distinct. Dans les grandes

---

[*] Cette attitude est exprimée dans la multilatérale de façon étonnamment crue par un représentant inuit, John Amagoalik : « *We have spent too much time on the Senate stuff. The Inuit position on the Senate is : we don't give a shit about the Senate, although we would like four seats on it.* » (« Nous avons passé beaucoup trop de temps sur cette affaire de Sénat. La position des Inuit est qu'on se câlisse du Sénat, quoiqu'on voudrait quatre sièges de sénateurs. »)

conférences publiques du début de 1992, on l'a vu, assis aux côtés du Québécois Ghislain Dufour, répéter ce refrain, sur l'air du « pourquoi pas nous ? ».

Ce débat est absurde. Les autochtones sont à l'évidence les plus distincts des Canadiens — une résolution de l'Assemblée nationale, que Mercredi cite à la multilatérale, les désigne d'ailleurs comme des « nations distinctes ». Mais tandis que le Québec réclame en vain ce hochet symbolique depuis maintenant cinq ans, Mercredi veut et est sur le point d'obtenir pour les siens la totalité des pouvoirs de l'État. L'immodération du chef des Premières nations est pour le moins irritante*.

C'est précisément sur le thème du droit de propriété de la société distincte que se produit le 27 mai à Toronto l'affrontement Mercredi-Clark. Mécontents du déroulement des affaires, les autochtones ont déployé, à l'entrée de l'hôtel York où se tient la rencontre, une de leurs équipes de choc : tambours et chants indiens créent une ambiance tendue. « Ça, c'était magnifique, se souvient le ministre Bob Mitchell, de la Saskatchewan. Ça signifiait qu'ils ne blaguaient pas. C'était un rappel assez lugubre du fait que nous n'étions pas qu'un groupe de professionnels, de conseillers et de membres de l'élite. Nous étions en face de représentants d'autochtones qui jouent du tambour, qui écoutent des tambours et qui croient que les tambours jouent un rôle essentiel dans leur vie. »

Une fois dans la salle, Clark tente de glisser le problème du caractère distinct sous la table, en ce qui concerne les autochtones.

Clark : Je n'ai pas besoin de faire la liste des problèmes que nous avons avec le mot « distinct ». Il est indubitablement vrai que les autochtones le sont, mais c'est indubitablement controversé. La question est, avons-nous vraiment besoin de l'inscrire ? [...] On s'épargnerait énormément d'ennuis inutiles si on utilisait simplement le mot « autochtones ». Sommes-nous d'accord ? Est-ce acceptable autour de la table ? Ovide veut parler.

Mercredi : Pourriez-vous m'expliquer, monsieur le président, de quels ennuis il s'agit ? Parce que je ne sais pas pourquoi le mot « distinct » devrait nous causer des ennuis. Parce que c'est ce que nous sommes : distincts.

Clark : Oui, je peux te l'expliquer, Ovide, brièvement.[...] Pour le meilleur ou pour le pire, ce mot a acquis une signification particulière. Dans cette négociation très délicate, insister sur un mot peut accroître notre difficulté à nous entendre. [...] Alors je vois que nous sommes d'accord en général, que nous devons adopter des termes précis, comme « autochtone ». Nous sommes d'accord ? Ovide, tu dis non ?

Peut-être peux-tu m'expliquer, brièvement, pourquoi il est si important que tu utilises un mot qui va nous compliquer la vie ?

---

* Le Québec aurait cependant pu suivre l'exemple de Mercredi et réclamer, à son tour, le « droit inhérent des Québécois à l'autogouvernement », puisque les Québécois étaient en Amérique avant les Britanniques et qu'il peut être plaidé qu'il n'y a jamais eu d'adhésion libre et consentie des Québécois au Canada. Avec un tel droit, Bourassa aurait pu appliquer le rapport Allaire à loisir.

Mercredi : Premièrement, je ne suis pas convaincu que la province de Québec a un problème, comme tu le penses, avec le mot « distinct ». J'ai rencontré le premier ministre de cette province. Je ne peux pas parler pour lui, mais j'ai obtenu une indication très ferme qu'il ne va pas chipoter pour un mot. [...]

Clark : [...] Oui, mais tu n'as pas, je présume, discuté du mot avec M. Parizeau. Mais je peux te dire ce que M. Parizeau va faire avec ce mot. Tu n'en as pas discuté avec mon ancien collègue, Lucien Bouchard. Mais je peux te dire ce que M. Bouchard va faire avec ce mot. Ils vont faire tout ce qu'ils peuvent pour que l'entente s'écrase. [...] S'il y a un référendum, je peux te dire, en tant que politicien qui aura à faire campagne dans la province de Québec pour vendre cette entente, que chaque fois qu'on utilisera le mot « distinct » dans ce paquet pour désigner quelqu'un d'autre que la société québécoise, ça va nous coûter des votes. Peut-être seulement des milliers, peut-être plus, mais ça met en péril l'approbation de tout ce que nous tentons de faire ici.

À cet instant, Ovide Mercredi sort une copie de la résolution de l'Assemblée nationale de 1985 adoptée par le gouvernement de René Lévesque, et qui parle des « nations distinctes ». Il en lit un extrait, puis enchaîne :

Mercredi : Donc, Parizeau, qui est le successeur de René Lévesque, qui a proposé cette résolution, est lié par la résolution. Pourquoi chipoterait-il sur le mot « distinct », alors que nous avons beaucoup d'appuis au Canada et au Québec pour qu'on nous reconnaisse, nous, comme distincts ?

Ce n'est pas ce qui va éreinter le Canada. Le mot ne va pas détruire l'unité du Canada. La pièce de résistance pour la province de Québec n'est pas la société distincte. C'est le partage des pouvoirs et la protection de leurs propres pouvoirs spéciaux qu'ils ont réussi à acquérir en 1867 en ce qui concerne le Sénat. [? !] [...]

Clark : Ovide, je te remercie pour ton cours sur la réalité politique du Québec.

Le débat est complètement bloqué. Bob Rae tente de modérer les protagonistes, sans succès. Un Joe Clark sibyllin annonce que « ce débat ne porte pas seulement sur les mots. Entre autres, les attitudes de certains négociateurs ici présents seront conditionnées par la façon dont nous réglerons ce problème. » La menace d'un durcissement de la position fédérale envers les autochtones est bien légèrement voilée. Le sénateur inuit Charlie Watt — qui a participé à une réunion de stratégie avec Mercredi le matin même — lance une suggestion qui, avec le recul, ne semble pas complètement spontanée :

Watt : Si l'Assemblée des premières nations est d'accord, on pourrait enlever le mot « distinct » et le mot « autochtone » pour les remplacer par le mot « peuple ».

Mercredi consulte ses conseillers, notamment l'avocate Mary Ellen Turpel, unanimement reconnue comme réussissant un rare mariage d'intelligence et de détermination. Puis il demande la parole.

Mercredi : Monsieur le président, nous serions disposés à laisser tomber le mot « distinct » et, tant qu'à y être, le mot « autochtone », et à nous contenter du mot « peuple ».

Trop content, Clark accélère et questionne l'assemblée :

Clark : Nous sommes d'accord ? Nous sommes d'accord ! Je veux remercier tous ceux qui nous ont aidés à nous dépêtrer. J'apprécie beaucoup.

Voilà comment les nations autochtones du Canada ont réussi à se faire reconnaître comme « peuples » dans l'entente constitutionnelle, un critère bien plus important que celui de « société ». « Peuple », c'est ainsi que René Lévesque voulait aussi que les Québécois soient désignés dans une future constitution, lorsqu'il a pris le virage du beau risque en 1984.

D'ailleurs, à la pause, l'équipe autochtone, aux anges, se regroupe dans sa salle de stratégie. Une caméra de la CBC filme la scène. Turpel explique, pour ceux qui n'auraient pas compris la manœuvre : « Nous avions demandé le terme "sociétés distinctes", mais obtenir le mot "peuples" dans la constitution est probablement plus fort, car en droit international, seuls les "peuples" ont le droit à l'autodétermination. Ils ne s'en rendent peut-être pas compte autour de la table, mais nous avons remporté un élément très, très important. »

Dans une négociation normale, les compromis sont faits au prix d'un assouplissement des positions. Ovide Mercredi n'est pas un négociateur normal. Le compromis s'est réalisé grâce à un durcissement de sa position. Il voulait un dollar, il s'est contenté de deux. « Nous avons gagné sur plusieurs fronts aujourd'hui », dit Turpel.

Aujourd'hui, la veille, le lendemain et le surlendemain. Car ils obtiennent, de fait, le « droit inhérent », encadré de balises minimales. Ils seront officiellement reconnus comme un « troisième ordre de gouvernement » en plus du fédéral et des provinces. Chacun des gouvernements autochtones devra négocier sa mise au monde avec les autres gouvernements. Mais à défaut d'entente au cours des trois années qui suivront l'ouverture des négociations (bande par bande), les tribunaux seront appelés à trancher et à définir par décision judiciaire, en s'appuyant sur le généreux texte constitutionnel, les prérogatives de chaque nouveau gouvernement autochtone. Les responsables politiques canadiens seraient bien en peine de citer un seul cas où une négociation majeure avec une bande indienne s'est réglée en moins de trois ans. Autant dire que les juges seront demain les maîtres d'une réorganisation du pays.

Ovide Mercredi obtient une autre importante victoire en matière de financement de ces futurs gouvernements. Il fait inscrire dans un « accord politique » qui accompagne l'entente que les citoyens de ces futurs États autochtones auront droit à des « services publics essentiels de niveau raisonnablement comparable à ceux offerts aux autres Canadiens dans les environs ». Pour atteindre cet objectif, le gouvernement canadien et les provinces devront « fournir aux gouvernements autochtones les ressources financières et autres, telles que fonds de terre, pour les aider à diriger leurs propres affaires et à respecter les engagements énumérés ci-dessus ».

Bref, dans un seul mouvement, les autochtones gagnent le droit de vivre et de gérer leurs affaires à leur guise, en pleine autonomie, ce qui est fort louable. Mais si leur mode de vie et d'organisation sociale ne génère pas la richesse nécessaire pour maintenir les niveaux de services essentiels que leurs voisins blancs détiennent, ces voisins paieront, pour l'éternité, la différence. Et puisque, dans cette entente historique, les Indiens ne renoncent pas à l'exemption qui leur est faite de payer taxes et impôts aux gouvernements blancs, ils gagnent sur tous les tableaux. Il est difficile d'imaginer un cas plus net où une partie garde le beurre et l'argent du beurre. (Les Inuit, par contre, paient des impôts.) Dans la multilatérale, seule Terre-Neuve inscrit sa dissidence sur ce point*.

À la table de la multilatérale, on est conscient de l'importance de cet extraordinaire saut dans l'inconnu. Un des plus grands alliés des autochtones, avec Rae et Ghiz, est Bob Mitchell, ministre de la Justice de la Saskatchewan, qui a un peu de sang sioux dans les veines. Lorsque le gros du travail a été accompli, le 10 juin, il émet ce commentaire :

> Mitchell : Nous sommes au point où il faut faire des compromis et bouger. Nous sommes au point où il faut « courir le risque », comme on l'a dit si souvent dans ce processus. Et je pense immédiatement à toutes les questions autochtones, où nous avons rentré le ventre et avons dit : « Lançons-nous (*Let's go for it*). On ne sait pas comment ça va marcher. Ça n'a jamais été tenté avant. Nous n'avons aucune façon de prévoir où ça va aboutir, mais donnons-leur la chance, et prenons le risque. »

Lorsque Jean-Claude Rivest prend connaissance des rapports d'étape de la négociation — il existe un brouillon continuellement mis à jour de l'entente en gestation, qu'on appelle le *rolling draft* — le tiers des pages est occupé par le volet autochtone et le quart, par la réforme du Sénat. Reste un cinquième pour le partage des pouvoirs, essentiellement les six sœurs et leur complexe mécanisme de mise en œuvre. Réaction de Rivest à propos des autochtones : « Ils ont gagné le gros lot. »

UN EXERCICE DE POUVOIR CRU

Comme si toutes les lignes de fracture du pays avaient choisi ce point d'intersection, la véritable épreuve de force portera sur le Sénat. D'abord, Brian Mulroney, en tant que Canadien et en tant que Québécois, est personnellement opposé à la requête de Don Getty.

Canadien, il ne veut pas doubler d'un coup la lourdeur de l'appareil législatif, lui qui a déjà goûté à la cuisine sénatoriale dans le dossier de la taxe sur les produits et services (TPS). Les sénateurs, ni élus, ni égaux, ni efficaces

---

* Il faut souligner aussi que si les autochtones remportent le droit de s'autogouverner, en marge et potentiellement en contradiction des lois et usages des Blancs, ils ne se retirent pas pour autant des institutions politiques blanches. Au contraire, l'entente prévoit qu'à maints égards, la volonté des 500 000 autochtones du pays sera largement surreprésentée dans le gouvernement blanc — alors que les droits des Blancs vivant dans les futures zones autochtones ne sont nullement protégés.

selon la définition de Getty, lui ont opposé une farouche résistance. Sur ce point, il a l'essentiel du cabinet conservateur avec lui.

Québécois, il ne voit pas comment un des « peuples fondateurs » accepterait que sa représentation à la Chambre haute soit réduite à ce point, passant de l'actuel 25 % à 10 %. Une entente réduisant ainsi l'importance du Québec dans le Canada ne pourrait pas être acceptée par des Québécois qui au contraire réclament plus de place. C'est pourquoi lui et Joe Clark ont la même certitude : jamais le Québec ne voudra d'une telle réforme. Mais puisque, dans la multilatérale, Bob Rae monte la garde, il peut dormir tranquille.

Enfin, pas tout à fait. Car tant que Getty reste de marbre, il n'y a pas d'entente. Pas d'entente, pas d'offres. Pas d'offres, quoi ? Le sourire de Jacques Parizeau.

Il convient donc de contourner Getty. Il existe deux façons de le faire. On peut simplement attendre — ou provoquer, au besoin — l'écrasement de la négociation multilatérale. Ottawa ramasserait alors les morceaux et présenterait, comme prévu, son « offre unilatérale » comprenant, pour le Québec, « la substance de Meech » et quelques pouvoirs. C'est le « scénario du 15 juillet ». C'est de loin le scénario favori de Brian Mulroney, qui voit le temps filer. Michel Roy, qui assiste aux réunions matinales de stratégie, résume ainsi le débat : « À partir du début de mai, le PM dit : "Ça marche pas ton affaire, Joe. Arrête ça là pis on va faire autre chose." Joe disait : "Écoute, oui, très bien, mais laisse-moi quand même essayer, allons jusqu'au bout de l'expérience, je crois qu'il y a peut-être de l'espoir." »

Clark offre une seconde solution. Dans la multilatérale, il est possible d'isoler Getty, puis de menacer de faire adopter l'entente dans le reste du pays à son corps défendant (avec l'accord de sept provinces, on peut adopter beaucoup de changements, dont le partage des pouvoirs et trois des cinq conditions de Meech, mais pas donner au Québec son droit de veto). Bourassa, ayant ainsi obtenu « la substance de Meech », serait rassasié. Brian donne son feu vert. Mais, dit Roy, en mai, « chaque matin au Langevin [bureaux de Mulroney], il est dit et répété qu'on attend que la multilatérale se termine cet après-midi-là ! »

Mais pour que l'un ou l'autre de ces scénarios réussisse, il faut que quatre acteurs restent cohérents : les fédéraux Mulroney et Clark, l'Ontarien Rae, le Québécois Bourassa.

L'offensive de Clark a lieu les 9 et 10 juin, dates de la fin annoncée de la négociation multilatérale. La position fédérale est claire. Celle de l'Ontario aussi. À la multilatérale, le mardi 9 juin, Clark se fait solennel :

> La question est : qui parle pour le Québec ici ? Qui lit les pensées du Québec sur le type de Sénat qui lui serait acceptable ? [...] Je pense qu'il serait extrêmement dangereux de présumer que le Québec pourrait appuyer un Sénat égal.

Nous sommes à l'heure de vérité, annonce encore le ministre :

Notre rencontre de cette semaine dira si nous allons réussir ou échouer. Il n'y aura pas d'autre occasion de résoudre ces questions difficiles. Nous sommes à la dernière étape. C'est notre dernière chance.

Je ne veux pas prendre l'habitude de m'attarder aux anniversaires, mais dans 13 jours on arrivera à la date où Meech est mort, il y a deux ans. Le lendemain, ce sera la fête de la Saint-Jean-Baptiste. Vous vous souvenez des centaines de milliers de personnes qui ont défilé après l'écrasement de Meech. Voulons-nous voir, encore une fois, les Québécois dans la rue, motivés par un nouvel échec ?

Ce monologue sert de bruit de fond pour l'opération d'isolement de Getty. En clair, cela signifie le laisser seul avec deux petites provinces : Terre-Neuve et le Manitoba. Ce trio forme le « noyau dur » de la *triple-E gang*. Mais il s'est fait deux alliés : la Nouvelle-Écosse et la Saskatchewan. Le premier ministre de la Nouvelle-Écosse, Don Cameron, est conservateur, comme Mulroney. Le chef conservateur fédéral sait être persuasif. Il sait aussi être généreux. Sur quel registre a-t-il joué ? On ne le sait pas. Mais entre le 9 et le 10 juin, Don Cameron a décroché de la *triple-E gang*. À la multilatérale, il annonce :

> Monsieur le président, la Nouvelle-Écosse est grandement préoccupée par notre incapacité à trouver une solution. Le Sénat est devenu le symbole canadien de notre impuissance, et je suis très troublé par les signaux que nous envoyons au Québec. Si nous échouons, je pense qu'une fraction de la population en tirerait la conclusion que ce troisième échec [après 1982 et Meech] serait une « troisième prise ». Bien sûr, vous savez ce que signifie la troisième prise. [...] En conséquence, c'est avec beaucoup de regret, bien franchement, que la Nouvelle-Écosse doit indiquer aujourd'hui qu'elle quitte le groupe du triple E.

« Je pensais qu'il était solidement de notre côté », expliquera Clyde Wells en entrevue. « C'était très soudain. Il a pris la décision dans la nuit. Je lui ai parlé le lendemain, j'ai tenté de le convaincre, mais il avait déjà changé de camp. Je ne peux que croire que c'était le résultat de discussions qu'il a eues avec le premier ministre [Mulroney]. Il s'était rendu à Ottawa pour des rencontres à cette époque[*]. »

Il n'y a plus que quatre membres dans la *triple-E gang*. Il faut encore en enlever un. En un sens, c'est encore plus facile. Le premier ministre de la Saskatchewan, Roy Romanow, ne donne son appui à son voisin Getty que du bout des lèvres, par solidarité régionale. Ce n'est pas un mordu. En outre, Romanow était l'un des artisans du rapatriement unilatéral de 1982 (il était alors ministre de la Justice de sa province), et il a depuis des remords sur l'impact, au Québec, de son action de jadis[**].

---

[*]   Ceci n'explique peut-être pas cela, mais, battu aux élections du printemps de 1993, Cameron sera nommé consul général canadien à Boston par Brian Mulroney.

[**] Quoiqu'il ait été un critique de l'accord du Lac Meech. Membre de la législature de la Saskatchewan lorsque la résolution de ratification de l'Accord fut proposée par son parti et ratifiée par ses pairs, Romanow était malheureusement à l'extérieur de la ville, incapable de participer au vote.

Le 10 juin, Romanow est en visite d'affaires à New York. Clark, qui le joint aux bureaux de la firme Goldman Sachs, lui annonce que les négociations sont dans une impasse et qu'on a donc un urgent besoin de le rencontrer. Même si on est premier ministre d'une province et politicien de carrière, ce genre d'appel flatterait un ego en béton. Surtout qu'on envoie un avion Challenger du gouvernement fédéral le chercher, pour faire bonne mesure.

Romanow arrive à temps pour participer à un souper. Clark n'a convié que trois premiers ministres, outre celui de la Saskatchewan : Bob Rae, contre le triple E ; Joe Ghiz, non seulement contre le triple E mais aussi considéré comme le messager du fédéral dans ces négociations ; Don Cameron, qui vient de virer capot.

Clark explique comment toute l'entreprise constitutionnelle est sur le point d'échouer sur le seul écueil du Sénat triple E, qui n'a plus que quatre partisans. Clark, Rae, comme le Québec, sont tout à fait disposés à réformer le Sénat pour le rendre plus « équitable » et pour que les Prairies y pèsent aussi lourd que l'Ontario ou le Québec. Mais pas plus que les deux réunis ! Plusieurs formules sont envisagées, pour peu qu'on laisse tomber le dogme de l'égalité.

Joe Ghiz fait une grande sortie, alignant tous ses arguments. « C'est son *speech* de Capitaine Canada », ironise un témoin. Don Cameron raconte ensuite comme il fait bon se convertir à l'autre camp, tant est impossible le rêve du triple E. Bob Rae, quoique moins insistant que ses collègues, tire dans la même direction.

Ce sont de vieilles munitions. Clark en a de nouvelles : des sondages tout frais. Ils sont éloquents. Et la discussion passe ici du débat politique à la confrontation politique pure. À ce que John F. Kennedy appelait : « un exercice de pouvoir cru » *(« an exercise in raw power »)*.

Les services de Clark ont fait réaliser, l'avant-veille, des sondages dans chaque province membre du groupe du triple E. Les résultats sont partout semblables. Les chiffres qui suivent concernent la province de Romanow.

Question : Comme vous le savez, plusieurs premiers ministres provinciaux insistent sur le fait qu'une entente constitutionnelle doit inclure un Sénat triple E. Si l'insistance continue de votre premier ministre provincial à réclamer le Sénat triple E devait conduire à un échec des négociations constitutionnelles et à la fragmentation possible du Canada, que voudriez-vous que votre premier ministre fasse ?

Réponses suggérées :

Qu'il modère ses demandes pour un Sénat triple E : 61 %

Qu'il continue à insister sur le Sénat triple E malgré les conséquences possibles : 30 %

Question : Seriez-vous plus ou moins enclin à voter pour un premier ministre qui serait resté ferme sur le Sénat triple E, même au prix de la fragmentation possible du Canada ?

Réponse :   Moins enclin : 65 %   Plus enclin : 21 %

Rarement sondage a été plus dévastateur. Mais Clark ne laisse pas aux chiffres le monopole de la parole : « Écoute, Roy, personne ne veut envisager cette possibilité, mais si on en vient à ça, il y aura un combat politique là-bas [dans l'Ouest], et je vais être d'un côté et tu vas être de l'autre, et j'aurais quelques alliés avec moi. » Entre autres, Clark, député albertain, nomme Peter Lougheed, ex-premier ministre de la province, comme faisant partie de ses « munitions » politiques.

Romanow ne voit pas la feuille sur laquelle ces chiffres sont inscrits. Mais il raconte ne pas avoir douté de leur véracité. « C'est un élément extrêmement fort », dit-il. Comme le nom de Lougheed. « C'est un élément extrêmement fort... »

Mais quand Pierre Trudeau était à Ottawa, Roy Romanow était ministre de la Saskatchewan et se battait contre le Programme énergétique national — vu comme une spoliation de l'Ouest par Ottawa. Pendant les batailles constitution-nelles de 1980-1981, Romanow s'opposa à Trudeau jusqu'au dernier soir. Il n'en est pas à son premier exercice de pouvoir cru.

« Bon, répond-il à Clark, imagine ce scénario : Sur une tribune, à Priestville, en Saskatchewan, il y aurait Clark et Lougheed. J'ai beaucoup de respect pour Lougheed, mais il n'est plus un élu. Disons qu'il y aurait aussi le premier ministre Mulroney [sous-entendu : l'homme le plus détesté de l'Ouest]. Cinq milles plus loin, à Sturgess, en Saskatchewan, sur une autre tribune, il y aurait Romanow, Preston Manning [chef du Reform Party, non élu mais véritable force politique] — et Don Getty, premier ministre de l'Alberta. Les deux assemblées auraient lieu le même soir, sur le même sujet. Qui, penses-tu, gagnerait cette bataille dans l'Ouest canadien ? Surtout si les politi-ciens de l'Ouest ressortaient toutes les belles histoires du Programme énergé-tique national, et toute l'émotion qui peut surgir des histoires de langue, de race et de culture. [Sous-entendu : si on se met à faire campagne contre, plutôt que pour, la société distincte et le volet autochtone.] Je connais assez bien les Prairies. Et quoi que disent tes sondages et tes personnalités de marque, je ne suis pas certain de l'identité du vainqueur de ce débat. »

Clark reste un moment silencieux. L'impasse est totale. Clark a l'avantage de représenter une majorité de joueurs — six provinces plus le gouvernement fédéral — et de proposer une réforme : le Sénat équitable. Romanow et ses amis ne sont plus que quatre. Et même des petites provinces comme l'Île-du-Prince-Édouard ne veulent pas être « égales ». Alors...

Alors Roy Romanow sort sa carte. Celle qui sauve, ce soir-là et pour la suite, la *triple-E gang*. Celle qui permet de relancer le débat et de faire échec à la tentative d'isolement de Clark.

« Ça faisait déjà un bon bout de temps que j'étais l'objet de ces pressions intenses, raconte Romanow. On me questionnait et on me poussait à faire le saut. J'ai senti que c'était un bon moment pour sortir de ma poche cette nouvelle idée. »

C'est Robert Bourassa qui la lui a donnée. Bourassa qui veut être constructif. Bourassa qui ne dit jamais non. Bourassa qui ne ferme jamais de porte. Avant de se rendre à New York, Romanow s'était arrêté, l'avant-veille, chez Robert. Sur la question du Sénat, la position de Bourassa est connue. Ou plutôt non. Sa préférence est connue : le Sénat équitable. À Romanow, Bourassa parle d'une autre option : l'abolition du Sénat, qui serait remplacé par des rencontres formelles régulières des premiers ministres provinciaux. Romanow ne mordant pas à cet hameçon, Bourassa continue à jongler avec les concepts et parle de la « formule Beauchamp » : un Sénat égal, oui, mais pas des sénateurs égaux. Il s'agirait de faire en sorte que chaque province ait 10 sénateurs. Mais, comme dans la Communauté européenne, les votes seraient *pondérés*. C'est-à-dire qu'un sénateur d'une grosse province aurait droit, sur certaines questions, à deux, trois ou quatre voix. Le sénateur d'une petite province n'aurait droit qu'à une voix. Vous me suivez[*] ?

Romanow le suit très bien. Surtout qu'il y a à peine deux semaines, Gil Rémillard, mine de rien, a déjà évoqué la formule devant son ministre Bob Mitchell. Bourassa ne la défend pas avec enthousiasme, mais il signale qu'elle existe, qu'elle est là. Et puisqu'elle a été mise de l'avant par Claude Beauchamp, que Mitchell soupçonne d'être « juste un agent de Rémillard », ce rappel semble ne rien devoir à la coïncidence.

« Parfois, il est difficile de tirer des conclusions précises des discussions qu'on a avec le premier ministre Bourassa, parce qu'il choisit ses mots soigneusement, dit Romanow. Mais mon impression était que, pour lui, la solution Beauchamp était une possibilité. » « La discussion avec le premier ministre Bourassa, ajoute-t-il, fut très utile pour la suite des choses[**]. »

---

[*] Au sein de la multilatérale, une formule semblable avait déjà été discutée, sous le nom de « formule Nicholson ». Le concept de sénateurs à votes pondérés avait d'abord été conçu par Peter Nicholson, vice-président de la Banque de Nouvelle-Écosse. Beauchamp affirme — et il n'y a pas de raison de douter de sa version des faits — qu'il est venu de ses propres moyens à une solution semblable, fondée sur le mode de scrutin des pays membres de la CEE. Il l'a exposée à Frank McKenna lors d'un voyage à Fredericton. C'est ainsi que la « proposition Beauchamp » est entrée dans le circuit, reprise et modifiée par Romanow. On l'appellera parfois la « proposition de Saskatchewan ».

[**] Il existe un document résumant la « position québécoise » au 29 mai 1992. Il sert d'aide-mémoire à Bourassa pendant ses conversations téléphoniques. Brian Mulroney aurait été stupéfait d'y lire : « 1. En principe, le Québec n'est pas opposé à la notion d'un Sénat élu et efficace ; 2. Le Québec croit aussi qu'il est souhaitable d'augmenter la légitimité des Sénateurs ; 3. Mais la première question devrait-être : quel est le rôle, que devraient être les responsabilités d'un Sénat réformé ? ; 4. Bien sûr, il faut aussi considérer qu'on vit dans un régime parlementaire et qu'il est de la plus grande importance que le gouvernement fédéral puisse fonctionner efficacement. » C'est tout. Il n'y a pas d'épine dorsale à cette position. Pas d'objectif, pas de refus, quel qu'il soit. Seulement quelques inquiétudes.

Au souper, devant Clark, Romanow relate cette fascinante conversation. La *triple-E gang* a peut-être perdu Cameron. Mais si Bourassa se joint au groupe, c'est une autre affaire.

Clark semble avoir des glaçons dans les yeux, rapporte Mitchell, témoin de la scène. Il articule pour toute réponse : « Je vois ! »

« Il fixait Romanow du regard, l'air de dire : "Ce n'est pas pour ça que je t'ai fait venir, andouille !" »

LA GRANDE SORTIE DE BENOÎT BOUCHARD

La stratégie de l'isolement a donc échoué. Reste la stratégie de l'échec de la multilatérale. Mulroney le veut. Benoît Bouchard en rêve. Au début du processus, le 12 mars, on avait annoncé que tout serait fini le 31 mai. Puis, il a été entendu qu'une ultime rencontre se déroulerait le 9 juin. Clark, Tellier, Bouchard, Bourgon s'y présentent avec instructions de Mulroney de fermer boutique.

Mais une autre dynamique politique est en jeu. La multilatérale, c'est l'affaire de Joe Clark. Si elle s'écroule, on le retrouvera, lui, dans les gravats. Il ne veut donc pas lui donner le coup de grâce. Si au contraire elle réussit, c'est lui qu'on félicitera. D'autres membres du groupe, notamment Bob Rae, font le même raisonnement : fermer boutique, c'est donner le ballon à Brian Mulroney. Or, ni Rae ni Clark ne mettent Mulroney en tête de liste de leurs personnalités préférées.

À la fin de l'après-midi du 9 juin, Clark décide de prolonger la rencontre d'un jour, car c'est le 10 qu'il compte faire le grand jeu à Romanow. Alors que l'impasse sur le Sénat semble bloquer toute possibilité d'entente, Rae et Clark se mettent à évoquer tout haut la possibilité de rester encore un jour. Pour voir. Pour finir quelques trucs qui pendouillent.

Benoît Bouchard est assis à côté de Clark. Paul Tellier est assis derrière. Selon Bouchard, lorsque Clark se met à parler d'un nouveau prolongement, Tellier lui chuchote : « Non, monsieur Clark. » Clark poursuit. Tellier répète, plus fort : « Non, monsieur Clark. »

Mais le ministre a le dernier mot.

« Demain, je ne suis pas là », annonce Bouchard à Clark. (« Je ne suis pas sûr que ça lui a fait de la peine », commente Bouchard.) Le Québécois se tourne vers Tellier qui est selon lui « blanc de rage. On enrage tous les deux. Je dis : "J'en ai jusque-là." »

Ce que Bouchard craint par-dessus tout c'est : « [que] Joe fasse des concessions qu'il n'a pas le mandat de faire, qui me dérangent et m'énervent. Le Québec est pas là et moi, je suis un des agneaux qui vont être obligés d'aller vendre ça après. Alors je me dis : je me retire, je n'endosse rien et je garde ma marge de manœuvre. » L'attitude de Bouchard rejoint celle de Tellier et de Mulroney. Il redoute plus une réaction négative du Québec sur la réforme du

Sénat et le volet autochtone que sur les pouvoirs ou sur Meech, sujets sur lesquels les objectifs de Bourassa semblent atteints.

Benoît Bouchard se dirige droit vers les micros de la presse assemblée et répand sa mauvaise humeur.

Sur le contenu provisoire de l'entente :

Ce que je vois n'est pas, à mon avis, ce qui représente un contenu proposable, si vous me permettez, au Québec. [...] Je suis plus inquiet que je ne l'étais il y a deux mois.

Sur la stratégie de Bourassa :

Il y a eu de réels efforts pour voir comment le Québec se situerait par rapport aux différentes propositions. Il est excessivement difficile de tenir compte de signaux qui, on doit l'admettre, sont parfois, sinon contradictoires, du moins difficiles à interpréter quand ça vient du Québec.

Sur son attitude à venir :

Personnellement, pour moi, c'est terminé. Je dois rencontrer dans une minute mes collègues du Québec [il est le lieutenant du caucus conservateur québécois]. C'est bien évident qu'on aura une discussion à ce niveau-là pour savoir quelle orientation nous allons prendre.

Aux bureaux du premier ministre canadien, à quelques rues de là, quelqu'un sursaute en entendant cette dernière remarque, retransmise en direct par *Newsworld*. Quoi ? Bouchard se rend au caucus québécois, le groupe le plus inflammable au Canada ? Il s'y rend allumé comme jamais ? Ils vont discuter d'une « orientation » à prendre ?

« *Damn fool !* » s'écrie Hugh Segal, chef de cabinet du premier ministre. « Il est imprévisible », ce Bouchard. Et s'il s'en allait faire une gaffe, devant les nationalistes québécois du caucus ? Et s'il s'en allait faire un *putsch* ? Déclencher des démissions en série ? Surtout que Mulroney vient de décoller pour se rendre au Sommet de l'environnement à Rio. Déjà, le *boss* parti, Clark fait des siennes en prolongeant la multilatérale. Segal met Michel Roy sur la piste. Il faut parler à Bouchard avant qu'il ne commette l'irréparable.

L'ancien éditorialiste devenu conseiller se transforme, pendant 20 minutes, au bout du fil, en confesseur : « La raison profonde de son mouvement d'humeur — il ne me l'a pas dite ce jour-là, mais je l'ai comprise — c'est l'humiliation profonde qu'on lui faisait subir dans la multilatérale, raconte Roy. Surtout de la part de l'équipe fédérale. Clark ne le mettait pas dans le coup. On ne lui expliquait pas ce qui se passait. Parfois il n'avait pas les documents qu'il fallait. Bourgon lui jetait un regard un peu méprisant. » Bouchard se plaint aussi d'être le « Québécois de service » autour de cette table. Mais enfin, il est un peu calmé par cette séance de défoulement téléphonique. Il ne fera pas de vagues au caucus.

Le lendemain à la multilatérale, la proposition Beauchamp, reprise et modifiée par Romanow, est discutée sans toutefois faire l'unanimité. Mais elle agit comme un diachylon. Elle empêche la plaie de s'ouvrir complètement. Plusieurs participants sont perplexes face à la position réelle du Québec. Bourassa va-t-il vraiment appuyer ce machin ?

L'Albertain Jim Horsman annonce que son premier ministre, Don Getty, en a discuté *la veille* avec Bourassa. « Je vous fais part de cet élément avec un peu de réserve, compte tenu de notre expérience passée, dit Horsman, mais le premier ministre du Québec a dit à notre premier ministre qu'il était intéressé à étudier cette hypothèse plus avant. » Ce qu'il ne dit pas, c'est que Getty est furieusement opposé à la proposition Beauchamp, qui viderait de son sens la revendication d'égalité. Mais la rejeter, à ce stade, ce serait fermer boutique, passer le ballon à Mulroney et dire adieu au triple E. La proposition est peut-être inacceptable, mais elle met le pied du Québec dans la porte du triple E. Reste maintenant à lui faire traverser le cadre.

L'Ontarien Bob Rae prend ensuite la parole : « Sur la base des conversations que j'ai eues *hier* avec le premier ministre Bourassa, je peux confirmer tout ce que Jim Horsman vient de dire. »

Résumons-nous : le 10 juin 1992, alors que Joe Clark, à la demande de Brian Mulroney, tentait de briser la coalition pour le triple E de façon à produire une entente acceptable aux objectifs du Québec, le premier ministre du Québec était au téléphone avec Don Getty et Bob Rae, leur disant tout le bien qu'il pensait d'une formule triple E, dont il avait aussi parlé à Roy Romanow l'avant-veille.

« Il faut se rendre à l'évidence, les gars, dit encore Rae, nous sommes en train de constater qu'on ne peut pas régler cette affaire de Sénat sans le Québec. Alors il faut trouver un moyen de négocier avec eux et de les faire participer, que ce soit par téléphone, par télécopie, par téléconférence, par n'importe quel maudit moyen. Il ne faut pas les laisser hors du jeu ou les mettre devant le fait accompli. »

Les participants se laissent là-dessus, le jeudi 11 juin, sans savoir ce qui se passera ensuite, mais certains qu'ils ont réussi, grâce à Bourassa, à relancer la balle.

Joe Clark veut en avoir le cœur net. Le samedi 13, il va incognito à Montréal rencontrer Bourassa, en présence de Tellier et de Bourgon. Cette dernière commence à s'impatienter. « Bourassa, on saura jamais rien avec lui. Vous savez, c'est toujours la nuit totale. Il dit une chose, puis, le lendemain, c'est le contraire. » Elle avait développé, raconte Michel Roy, « une sorte de phobie de Bourassa. Il était difficile à lire. Nous-mêmes, à Ottawa on passait notre temps à interpréter le Québec pour les *chums* anglophones qui venaient de Winnipeg ou simplement de l'Ontario. Imagine ! Expliquer certains comportements de Bourassa. C'était la croix et la bannière ! » Paul Tellier, le rescapé de Tracy, n'est pas loin de poser le même diagnostic.

Bourassa et Clark font le tour des questions qui turlupinent le Québécois. Sur le volet autochtone, les conseillers de Bourassa — Rivest, Tremblay,

Wilhelmy — étaient venus le 2 juin dire à Bourgon tout le mal qu'ils en pensaient, dans une rencontre dite « incendiaire » par une participante. Mais Bourassa n'est pas un pyromane. Il insiste seulement auprès de Clark pour faire allonger de trois à cinq ans le délai requis avant que les tribunaux puissent se mêler des négociations sur l'autogouvernement. Pour le reste, rapporte Rivest, le premier ministre québécois indique « qu'il peut vivre avec le consensus canadien » sur la question autochtone.

Clark veut savoir où loge exactement Bourassa à propos de cette histoire de Sénat. À tout prendre, Clark veut bien se convertir lui-même à la solution Beauchamp, l'assouplir un peu au gré de Getty, devenir un des pères de la nouvelle confédération. Mais il faut que Bourassa dise oui.

Interrogé sur ces conversations, et sur cette rencontre, alors même que la controverse faisait rage sur sa propre position, Robert Bourassa explique ce qui suit :

> Évidemment, je recevais des appels et je répondais au téléphone et j'écoutais les arguments venant d'ici et là. Mais ma position — bon, mes réponses pouvaient être interprétées de différentes manières — mais lorsque j'ai eu une rencontre officielle le 13 juin, avec Joe Clark, mon ministre [Rémillard] et Paul Tellier, j'ai dit clairement que la politique de mon gouvernement était d'obtenir un Sénat équitable.

Oui, bien sûr, le Sénat équitable. C'est « la politique de mon gouvernement ». C'est son premier choix. C'est sa préférence. C'est aussi la politique de Joe Clark. Mais Bourassa ne dit pas non au Sénat égal. Il ne dit jamais non. Tout au plus dit-il : « Ça va me poser des problèmes. » Mais encore ? Mais encore, rien. « Ça va me poser des problèmes. » À la longue, ses interlocuteurs ont cette réaction : Tu les régleras, Robert, tes problèmes.

Brian Mulroney, lui, veut qu'on passe au second scénario : l'écrasement de la multilatérale, pavant la voie à l'offre unilatérale. Et puisqu'il est personnellement oposé au Sénat triple E, il va tenter de lui assener le coup de grâce. Le dimanche 28 juin, il convoque les leaders autochtones au 24 Sussex. « Vous avez beaucoup à perdre, votre intérêt est de nous appuyer », leur dit-il, insistant sur le fait que leurs propres gains pourraient s'envoler en fumée si tout achoppe sur l'obsession du triple E. Qu'il faut donc s'unir pour mettre fin à ce non-sens. Mulroney fait du bon travail puisqu'à la sortie, les leaders autochtones répètent exactement ce refrain. « S'il y a un échec des pourparlers constitutionnels, ce ne sera pas à cause des autochtones mais à cause de l'impasse sur le Sénat », lance Rosemarie Kuptana, la représentante inuit. Le représentant des Indiens hors réserve, Ron George, renchérit : « Je ne vais pas tolérer que nos gains disparaissent seulement à cause du triple E, qui ne semble pas acceptable de toutes façons. » Ovide Mercredi a la solution toute trouvée : « Le question du Sénat pourrait être reportée à une étape ultérieure si nous sommes dans l'impasse. Elle ne revêt pas un caractère d'urgence. »

La table est ainsi mise, au 24 Sussex, pour les invités du lendemain, lundi 29 juin : les premiers ministres anglophones. C'est la première fois depuis le 9 juin 1990 que Mulroney et ses homologues se rencontrent pour parler de constitution. On sent encore des tiraillements dans les cicatrices. On sent encore le nuage au-dessus des têtes.

Bob Rae n'a pas négocié Meech, mais il sent la tension dans le salon, puis dans la salle à manger de Mulroney. Car deux des fossoyeurs de Meech sont là : Clyde Wells et le Manitobain Gary Filmon. « Il y a beaucoup de sentiments de trahison dans la pièce, dit Rae. Un de nos problèmes, autour de cette table, c'est qu'il n'y a pas beaucoup de confiance ni d'affection mutuelles. » Le degré de méfiance envers Mulroney est palpable même chez des non-participants aux pourparlers de Meech comme Roy Romanow. Avant d'arriver à la résidence, il déclare à la CBC : « Les membres de la *triple-E gang*, comme moi, abordons cette rencontre avec suspicion. Mulroney essaie de nous donner le mauvais rôle, de faire de nous les méchants dans cette affaire. Il nous dit qu'on ne peut pas faire éclater le Canada sur cette question du Sénat. »

Une fois à l'intérieur, Romanow, Wells, Getty et Filmon ont effectivement droit au sermon de Mulroney sur le Canada qu'il faut sauver. Mais plusieurs d'entre eux ne pensent pas qu'il soit vraiment en danger. Ce n'est quand même pas Robert qui nous menace, n'est-ce pas ? Surtout qu'entre-temps, il y a eu *Le Monde*, dont il fut question à la multilatérale, et qui a éteint les derniers doutes qui auraient pu encore exister dans les capitales comme à Ottawa où « mon vieux, ça pavoisait, ça pavoisait », résume Michel Roy.

Mulroney se doit donc d'être plus subtil. Robert n'est pas le problème, c'est sûr. Mais Robert a des problèmes. Ce n'est pas tant Jacques Parizeau qu'il faut craindre, que l'aile nationaliste du Parti libéral. L'aile jeunesse, pour être plus précis : Mario Dumont et compagnie. Pendant que sortaient dans la presse, goutte à goutte, les résultats de la négociation de la multilatérale, Dumont en a fait une constante critique. Sans le soutien des jeunes libéraux, dit Mulroney, Bourassa pourrait perdre 12 membres de son caucus.

Clyde Wells, qui rapporte cet échange, n'en croit pas ses oreilles. Il apostrophe Mulroney :

> Vous êtes en train de nous dire, monsieur le premier ministre, que nous ne sommes pas ici pour sauver le pays, mais que nous sommes ici pour sauver le Parti libéral du Québec !

Le spectre de Mario Dumont ne suffit cependant pas à apeurer les belligérants dans la guerre du Sénat. Joe Ghiz, toujours prompt à servir la cause fédérale, et Frank McKenna, du Nouveau-Brunswick, insistent sur l'impossibilité d'en venir à une entente, quoique la proposition Beauchamp reste sur la table comme un fruit pas tout à fait mûr.

Plusieurs soulignent la volonté de compromis qui semble émerger de part et d'autre et plaident l'imbécillité de laisser tomber, alors qu'on est si près du but. Jusqu'à maintenant, la multilatérale s'est déroulée en présence de quelques premiers ministres (comme Rae, toujours présent) et de plusieurs ministres. Elle a fait le maximum. Il faut maintenant passer à l'étape supérieure et réunir tous les premiers ministres provinciaux anglophones pour une ultime tentative. Mulroney, contemplant la discorde étalée à sa table, décide de tenter le coup, pour qu'ils se cassent le cou.

« En nous écoutant parler, s'il en est venu à la conclusion qu'il était hautement improbable qu'on s'entende entre nous, il a été un bon juge, car c'était aussi ma conclusion », dit Wells.

C'est donc décidé. Les premiers ministres provinciaux — sauf celui du Québec — se réuniront le vendredi 3 juillet à Toronto pour une ultime tentative de compromis. Sinon, avertit Mulroney privément et publiquement, il déposera son offre unilatérale aux Communes le 15 juillet.

La stratégie de l'écrasement est en marche. Tout s'annonce bien.

Surtout que le soir même à Ottawa, Bob Rae, Roy Romanow et Frank McKenna vont casser la croûte au restaurant français Le Jardin. Romanow essaie de convaincre Rae de faire le saut de son côté. Ils sont tous les deux néo-démocrates, ils devraient pouvoir s'entendre. Mais ce soir-là, le fantôme du Québec ne rôde pas. Le fantôme de David Peterson l'a remplacé. Peterson, le premier ministre ontarien qui avait défendu Meech et qui s'était dit prêt à « donner » des sièges de sénateurs ontariens aux provinces de l'Ouest pour briser l'impasse. Peterson est mort au combat électoral, en septembre 1990, pour avoir été si généreux, explique Rae, qui ne veut pas vivre le même sort. Mais voilà que Romanow offre sa propre analyse des raisons de la défaite de Peterson. Ça n'avait rien à voir avec Meech, soutient Romanow : il a été battu pour des raisons économiques !

On a beau être entre camarades socialistes, le débat s'échauffe. « Quelle autorité a le premier ministre de la Saskatchewan pour enseigner les rudiments de la politique ontarienne au premier ministre de l'Ontario ? » réplique Rae, cinglant. Bientôt, l'Ontarien quitte le restaurant, laissant les deux autres convives se débrouiller avec l'addition. « L'addition était assez salée, se souvient McKenna. Et Roy et moi avions un peu l'impression que, puisque nous étions en Ontario, Bob allait payer. »

Pour Mulroney, tout baigne.

L'AXE BRIAN-ROBERT EN ACTION

Le mercredi 1er juillet, fête du Canada et 125e anniversaire de la confédération, même la reine Elizabeth s'en mêle. Dans son discours, écrit avec la collaboration intéressée du bureau du premier ministre, elle implore les négociateurs de trouver « un compromis honorable ». « Je leur demande de penser d'abord et avant tout à l'intérêt national », dit-elle. Même la chanteuse québécoise Céline Dion, dans un aparté fait au cours de son spectacle sur lequel Mulroney ne touche pourtant aucun droit d'auteur, se met de la partie : elle se dit opposée

« au séparatisme », car il faut garder notre « beau grand pays uni ». Elle le répète en anglais, mais ne parle pas du Sénat.

À Ottawa, utilisant le *rolling draft* de la multilatérale comme point de départ, Paul Tellier, Bourgon et son équipe se mettent à rédiger l'offre unilatérale qui sera déposée le 15 juillet aux Communes. La Chambre ayant ajourné ses travaux, les députés sont officiellement convoqués pour une session exceptionnelle le 15.

« Pour nous, les Québécois à Ottawa, raconte Marcel Masse, ça a été une lueur d'espoir. On était convaincus qu'en bout de ligne Mulroney irait, dans notre esprit en tout cas, assez loin dans la satisfaction des exigences du Québec. »

Le 7 juillet, quelques ministres et sénateurs conservateurs québécois — Marcel Masse, Gilles Loiselle, Claude Castonguay, Roch Bolduc — rencontrent incognito Jean-Claude Rivest et André Tremblay à Montréal. Le but de la rencontre : découvrir quels sont les *desiderata* du Québec, car il faut transmettre les messages et faire pression, pendant la phase critique de rédaction de l'offre unilatérale. Après, il sera trop tard. « Ça nous faisait des interlocuteurs drôlement privilégiés dans la machine fédérale », commente Rivest. Puisqu'à cette rencontre, Rivest et Tremblay représentent « le Québec », l'appétit est un peu plus grand que s'il s'agissait de Bourassa. À partir de sa copie des documents de la multilatérale, Rivest établit le menu.

> Rivest : On reprenait ça mot à mot : société distincte, immigration, droit de veto, partage des pouvoirs, on disait qu'on voulait que ce soit significatif. On disait que c'était pas satisfaisant sur le plan du partage des pouvoirs. Parce que, on a pris les bouts concernant la main-d'œuvre, la communication, la culture, où il n'y avait pas grand-chose. [...] On critiquait l'état du consensus comme étant nettement insuffisant.

Marcel Masse, comme toujours, veut savoir quelle est la réelle volonté du Québec en matière culturelle. Une semaine plus tôt, la ministre Liza Frulla a publié en grande pompe la « politique culturelle » du Québec, dans laquelle elle a demandé la maîtrise d'œuvre complète sur les interventions fédérales au Québec. Est-ce bien ce que Bourassa veut ? Rivest promet de se renseigner. Il doit rappeler Castonguay. Il ne le fera pas. On ne le saura jamais.

Mais les messages passent clairement entre Brian et Robert, pendant cette semaine-là. Et Robert, comme d'habitude, tient son copain et ancien chef de cabinet, Mario Bertrand, au courant.

> Bertrand : À ce moment-là, je me rappelle très bien que Robert disait : « Ne t'inquiète pas, de toutes façons Brian me l'a dit, les propositions vont être acceptables. » [...] Bourassa est en tout cas fermement convaincu de la bonne foi et de la capacité de Mulroney de réunir une proposition acceptable. Ça, je suis sûr de ça. Je te dis, je me rappelle, il me disait — il sentait que j'étais un peu agressif — il disait : « Fais-toi-z-en pas, je te le dis, [...] on va avoir des propositions totalement acceptables. »

Jean-Claude Rivest confirme : « On attendait fébrilement que les conférences de Clark échouent. Ottawa nous disait, Tellier et d'autres, que c'était une question de jours. Alors on attendait patiemment ça. »

Après une rencontre avec Bourassa, au début de juillet, son ministre et principal organisateur Marc-Yvan Côté comprend aussi que l'affaire est ketchup. Il part en vacances, à la pêche, à un endroit où il n'y a même pas de téléphone. De même, Gil Rémillard prend avec son fils un avion pour... l'Alberta. Grand amateur de chevaux — il a baptisé un de ses étalons « Nonobstant » — il part pour deux semaines assister aux rodéos du fameux Stampede de Calgary et marcher dans les Rocheuses. John Parisella va se reposer une semaine dans le Maine. Rendez-vous est pris autour du 15 juillet pour le vrai départ.

La rumeur de l'offre unilatérale court depuis maintenant plus d'un mois, dans le parti et dans le caucus. Elle sert de baume aux nationalistes, abasourdis de la tournure que prennent les négociations multilatérales. Jean-Guy Lemieux, par exemple, compare le volet autochtone aux six sœurs et n'a guère besoin de commander au constitutionnaliste Henri Brun une étude comparative pour découvrir où est « le gros lot ». Il s'en plaint publiquement.

« Les rumeurs de couloirs étaient que Bourassa et Mulroney étaient en communication, qu'à la fin il y aurait une offre, raconte pour sa part le député Jean-Guy Saint-Roch. Il a même circulé comme rumeur que Mulroney était prêt à aller en élection là-dessus s'il le fallait. On s'est dit : "Cou'donc, on va attendre le texte final !" »

Quant au contenu « absolument acceptable » de cette offre mythique unilatérale, Rivest voit la chose de cette façon : « On n'a jamais eu de *commitment* réel disant : "Ben voici, on va prendre ce paquet-là, puis on va ajouter tel ou tel élément qui intéressent le Québec même si les autres refusent." Mais on supposait que, si on avait eu à le faire, avant de les déposer au parlement canadien il y aurait eu des séances de négociations ou en tout cas d'information, et on aurait exigé d'avoir certaines choses. » Rivest et Tellier sont d'accord : il aurait fallu que Bourassa donne son aval *a priori*. Sinon, à quoi bon ? Mais quelle était la réelle marge de manœuvre, puisque l'offre devait être acceptable, non seulement au Québec, mais aussi dans le ROC ?

« Est-ce que ça aurait été mieux que [la future entente de] Charlottetown pour le Québec ? » demande l'auteur.

« Je ne pense pas. Non, je ne pense pas. Je ne pense pas », répète Paul Tellier.

C'est une question de nuances, mais Brian Mulroney dira à un confident que l'offre aurait été un peu supérieure, quoique assez semblable à l'entente de Charlottetown : « Non moins substantielle », dit-il, car le chef conservateur trouvera le résultat de Charlottetown fort substantiel. L'offre unilatérale « aurait été plus étanche et on aurait eu moins de problèmes avec les autochtones », dira-t-il. Il en aurait mis « peut-être davantage sur la culture, les télécommunications, la main-d'œuvre, le développement régional ». Ce qui est curieux, car ce sont là quatre secteurs où le gouvernement fédéral, autant sinon plus que le ROC, a refusé de céder du terrain pendant la multilatérale, comme il continuera de le faire par la suite.

Mais ces indications sont précieuses pour comprendre le raisonnement de Bourassa. Rassasié par ce qu'il voit dans la multilatérale en termes de pouvoirs, il pense que Brian pourra y ajouter un tout petit peu de gras — Bourassa veut toujours la « maîtrise d'œuvre » sur la main-d'œuvre — et que le tour sera joué. Ce n'est certes pas le critère à partir duquel son aile nationaliste pourrait trouver l'offre « totalement acceptable ». Mais il y a longtemps que Bourassa n'utilise plus ces balises.

Le jeudi 2 juillet, en après-midi, quelques voitures convergent vers le 24 Sussex. Il y a celle de Joe Clark. Celle de Benoît Bouchard. Celle de Hugh Segal. Et il y a celle de Paul Tellier. Aussi du voyage : Jocelyne Bourgon, une ou deux autres.

Selon trois témoins, dont Tellier, il s'y déroule, entre Mulroney et Clark, une conversation d'une grande clarté. Le lendemain, vendredi 3, Clark doit se rendre à Toronto pour la rencontre des premiers ministres du ROC. Mulroney l'avertit que la stratégie de l'offre unilatérale est maintenant sur les rails et que, sauf improbable abandon par la *triple-E gang* de son idée fixe, il faudra fermer boutique. *« Close the goddam file ! »* (« Ferme le maudit dossier ! ») lui ordonne-t-il.

Clark tente de modérer un peu cette directive. Nous faisons des progrès, il y a des ficelles à attacher ici et là. Avec un peu plus de temps... On n'est pas à un jours près, plaide-t-il.

Benoît Bouchard intervient : « On n'aura jamais d'entente tant que le Québec sera pas là », dit-il, alors ça ne vaut pas la peine. Mulroney insiste : « Ferme le dossier », qu'on procède à l'offre unilatérale. Mulroney veut même que Bouchard assiste à la rencontre, mais le Québécois refuse : « J'ai pas le goût, et j'ai déjà dit que je n'y retournerais plus. »

Sur ce, Mulroney va faire ses valises. Car il entame, dès le lendemain, une tournée européenne qui le conduira à Munich le 7 juillet, au sommet des sept pays les plus industrialisés. Il peut partir le cœur léger. Il a remis l'avenir dans le droit chemin, maîtrisé la situation, repris l'initiative. C'est Robert qui va être content.

Brian n'a oublié qu'un détail avant de partir : couper la ligne téléphonique de Robert Bourassa.

BOURASSA ET LA LIGNE EN FÊTE

Roy Romanow : J'ai parlé au premier ministre Bourassa un jour ou deux avant la réunion [du 3 juillet] au Hilton Airport de Toronto. Mon objectif premier était de demander à Robert si oui ou non il pouvait accepter la proposition Beauchamp.

Si cette proposition, donc « avait des jambes », si elle pouvait marcher. Parce que, vous savez, si elle n'a pas de jambes, à quoi bon ? [...]

On a examiné un certain nombre d'autres options pendant cette conversation. Je n'ai pas obtenu de réponse définitive. Je n'ai pas senti qu'il était très chaud pour la proposition Beauchamp ou pour le triple E. Pour être honnête, le premier ministre Bourassa n'a jamais écarté [*never shot down*] le triple E. Ça ne veut pas dire qu'il l'a approuvé, mais il ne l'a jamais écarté. Il m'a toujours dit en privé ce qu'il disait en public : que ça lui causerait des problèmes.

Frank McKenna : Je lui ai parlé personnellement. Je lui ai demandé : « Est-ce que vous dites que vous êtes opposé au triple E en toutes circonstances ? » Il a répondu : « Ben, vous savez, je ne peux pas dire ça avec certitude, mais je ne suis pas offensé par le principe de l'égalité. » Alors je pense que la vérité vraie, c'est que le premier ministre Bourassa ne nous a jamais donné un mandat clair.

Don Getty : Lors d'une de nos conversations, il m'a dit qu'il avait demandé à son ministre Gil Rémillard d'étudier très sérieusement la proposition Beauchamp et il m'a dit qu'ils y décelaient des éléments intéressants.

Ce que les premiers ministres provinciaux retirent de ces conversations, c'est essentiellement un chèque en blanc. Un permis d'agir. C'est pourquoi, avant même le début des travaux le 3 juillet, ils se concentrent sur l'autre adversaire important du Sénat égal : Bob Rae. Devant les micros des journalistes, l'un après l'autre, les membres de la *triple-E gang* serinent que c'est à l'Ontario de faire un geste pour dénouer l'impasse. « Bob Rae dit toujours non, non, non » affirme par exemple Getty. Tellement que, une fois dans le huis clos, Rae se plaint d'être victime d'une embuscade.

Puisqu'il s'agit d'une réunion des premiers ministres du ROC, c'est un premier ministre qui préside : le Colombien Michael Harcourt. Une fois à l'intérieur, un à un, les premiers ministres pour le triple E se mettent à critiquer le trop grand pouvoir du centre du pays par rapport à l'Est et à l'Ouest. Wells affirme par exemple que l'Ontario et le Québec sont surreprésentés à la Chambre des communes, au Sénat et à la Cour suprême. On entend Clark geindre : « *Bullshit, bullshit !* »

Lorsque c'est son tour de parler — chose inhabituelle, puisque normalement il préside —, Clark demande si « l'iniquité dont parle le camp du triple E est aussi extrême qu'il le dit. » Mais Getty, un conservateur albertain comme Clark, répond qu'on ne peut faire confiance aux politiciens fédéraux, même conservateurs, même albertains. Ce qui n'est pas un compliment.

Joe Clark tente de tester la solidité du groupe pour le triple E, en demandant à Romanow quelle sera sa position de repli si la proposition Beauchamp s'effondre : avec nous, ou avec eux ? « J'ai dit que nous resterions avec le triple E, raconte Romanow, ce qui a immédiatement bloqué toute possibilité de réunir sept provinces sur une autre proposition », puisque avec lui, la *gang* comptait toujours quatre membres.

Bob Rae est parfois rouge de colère pendant les échanges. « Vous ne pouvez pas mettre tous les problèmes sur le dos de l'Ontario. Nous avons tous une responsabilité. Nous sommes tous égaux, en un sens. Nous n'aurons rien si l'Ontario cède aujourd'hui et qu'en conséquence l'entente échoue. »

Un peu avant le lunch, Harcourt décide de soumettre au vote chacune des positions médianes discutées jusqu'alors : le Sénat équitable de Clark, la proposition Beauchamp, quelques autres. Aucune ne réunit sept provinces représentant 50 % de la population. Rien n'y fait : c'est le *statu quo* ou le triple E.

Clyde Wells doit partir. Car à Terre-Neuve, une nouvelle crise au sujet du moratoire sur la pêche à la morue est sur le point d'éclater. Mais Bob Rae lui fait signe de s'arrêter : « Attends un peu, je veux savoir quelque chose avant que tu partes. Si on en vient à une réforme acceptable du Sénat ici aujourd'hui, serais-tu d'accord avec la formule d'amendement de Meech ? » Formule qui donnait à chaque province, dont le Québec, un droit de veto. Wells a souvent envisagé ce troc, il l'a évoqué publiquement. Si on réforme le Sénat avant de donner au Québec son droit de veto, la province francophone ne pourra pas s'en servir pour s'opposer au triple E. Qu'est-ce qu'on risque ? Wells répond : « Oui, je suis prêt à l'envisager. » Il part.

La réponse de Wells est importante, mais pas autant que la question de Rae. S'il la pose, c'est qu'il envisage la possibilité de bouger. Don Getty sait pourquoi : « Rae était profondément convaincu que la question de l'autogouvernement autochtone devait être réglée. Or, elle ne pouvait l'être si on n'avançait pas aussi sur la question du Sénat. En un sens, par leur simple présence, les groupes autochtones exerçaient une forte pression sur lui, car il était un de leurs héros. C'était son dilemme. » Mulroney pensait avoir braqué les autochtones contre le triple E. C'est le contraire qui se produit.

« Les politiciens vont et viennent, confie Rae en privé à cette période, mais moi, je veux laisser derrière une importante contribution pour les peuples autochtones. » Pour avoir sa place dans l'histoire, Rae doit payer le prix : dire oui au triple E. Mais il ne sert à rien de le payer s'il ne peut convaincre Bourassa d'en faire autant. Si le Québec achète, même tardivement, son veto à ce prix, c'est jouable.

« C'était essentiel, dit McKenna, parce qu'on avait la conviction que le veto était une revendication cruciale du Québec. »

La séance est levée pour le lunch, où les premiers ministres massacrent allègrement la proposition Beauchamp. Puisqu'elle prévoit que des sénateurs en vaudraient six dans certaines conditions, puis un seul dans d'autres, l'expression « sénateurs gonflables » circule déjà depuis quelques semaines. Gary Filmon, du Manitoba, cite aussi la phrase de George Orwell dans *La Ferme des animaux*, selon laquelle « tous sont égaux, mais certains sont plus égaux que d'autres ». « Il faut avouer, dit Getty, que certains de ces gags étaient assez drôles. »

Les membres de la *triple-E gang* ont beau jeu de couper les jambes à la proposition Beauchamp. Elle les a menés jusqu'ici, c'est parfait. Mais maintenant qu'ils raidissent leurs positions, ils n'ont plus besoin de cet ersatz.

Rien n'est encore dans la poche, cependant. Ils sont quatre contre six. Rae tressaille, mais ne bouge pas. « Pendant le lunch, raconte Getty, on en vient à la conclusion que tout est fini et que c'est l'échec. On se dit : "Rendons-nous à l'évidence et repartons chacun chez soi." Mais on savait que ça signifiait que le fédéral allait agir unilatéralement. » Peu des premiers ministres présents autour de la table trouvent que c'est une bonne idée. Surtout pas Rae et Filmon, qui accumulent les désaccords avec Mulroney comme d'autres collectionnent des timbres. Lui refiler le bébé à ce stade... Soupirs.

Getty se met à dessiner un portrait aussi lugubre que menaçant : « Une offre unilatérale, dit-il, signifie que le fédéral va offrir quelque chose au Québec qui pourrait sûrement être accepté par six autres premiers ministres, mais il monterait les provinces les unes contre les autres, des provinces contre le fédéral, des provinces anglophones contre le Québec. Ce serait laid et potentiellement, ça pourrait déchirer le pays et faire sortir toute la méchanceté tapie dans le système. »

Comme tout le monde autour de la la table, Clark est surtout conscient de l'abyssale impopularité de Mulroney dans le pays. Plus que quiconque autour de la table, il comprend que sa propre carrière dépend du succès de l'entreprise multilatérale et qu'un accord entre les premiers ministres réunis aujourd'hui vaudrait cent fois mieux qu'un geste unilatéral à la Mulroney. Rae se montre un tout petit peu flexible. Une idée, qui circule depuis plusieurs semaines en coulisses, refait surface. En échange du triple E, l'Ontario, déjà sous-représenté aux Communes, verrait son nombre de députés augmenter. « C'est honnête », dit la *triple-E gang*. Si Bourassa ouvrait un peu son jeu, allait dans le même sens, on pourrait tenter encore un effort. Le ministre Clark se lève et va appeler Bourassa. Il résume ainsi la conversation :

> J'en ai certainement tiré l'impression que le gouvernement du Québec pensait qu'il pourrait accepter et rendre acceptable une proposition de Sénat triple E, si on prenait en compte certaines des inquiétudes du Québec, notamment sa volonté de maintenir, en contrepartie, son niveau de représentation aux Communes. Et ma conversation avec M. Bourassa a porté sur des hypothèses de garanties de protection pour le Québec. Il m'a dit qu'il devrait naturellement consulter ses collègues.

Le journaliste Jack Aubry, du *Ottawa Citizen*, a raconté ce qui s'est produit ensuite lorsque Clark a repris place à table :

> Clark annonce au groupe que Bourassa trouve que l'idée « mérite d'être étudiée ». Les premiers ministres, tous habitués au langage ambigu de Bourassa, éclatent de rire. Harcourt dit que dans le dialecte particulier de Bourassa, les mots « mérite d'être étudiée » signifient que le groupe est en terrain sûr. Si le Québécois avait déclaré l'idée « intéressante », c'eût été le baiser de la mort.

La réaction de Bourassa donne aux premiers ministres assemblés le carburant qui leur manquait. Elle a aussi pour effet de tirer l'échelle sous les pieds de Bob Rae, déjà chancelant. Les négociateurs repartent pour un tour. En après-midi, ils étudient diverses formules, comparant les représentations provinciales aux Communes. Getty et ses alliés acceptent aussi un compromis quant au futur pouvoir de blocage du Sénat égal. En cas d'impasse entre la Chambre et le Sénat, on réunirait ensemble députés et sénateurs, et c'est la majorité combinée qui l'emporterait.

Un document d'une page portant la mention « entente intérimaire » circule ce vendredi après-midi. La mayonnaise prend. Mais Bob Rae, craignant toujours la « maladie de Peterson », est très clair envers ses collègues. « Il nous disait : "Je ne vous dis pas que je suis d'accord, je vous dis que je veux bien en discuter" », se souvient Mitchell, de la Saskatchewan. Il réclame d'ailleurs le silence complet sur les discussions du jour, car si ça se savait, « je me ferais crucifier », dit-il.

Sur ce, les premiers ministres et Clark conviennent de se revoir le mardi 7 juillet à Ottawa. Clark annonce aux journalistes qu'il va immédiatement envoyer une copie de l'entente de principe à Bourassa et à Rémillard, à Calgary.

Peu après 18 h, Clark appelle Tellier, resté à Ottawa. Tellier raconte :

Ma mémoire des faits, c'est qu'il y a eu une entente de principe ou un embryon d'entente de principe, sur un Sénat égal. M. Clark me demande ce que j'en pense. Ma première réaction, c'est : « Est-ce que vous avez parlé à Bourassa ? » Il dit : « Oui, et Bourassa peut vivre avec ça. »

Lorsque la conversation a lieu, je suis en transit entre le bureau et la maison. J'arrive à la maison, et j'ai une première conversation avec M. Mulroney, qui est à Londres.

M. Mulroney est très sceptique que M. Bourassa puisse accepter un Sénat égal. Il me dit : « Vérifie, parle à Robert, vérifie exactement où il en est. » J'ai ensuite une conversation avec M. Bourassa.

M. Bourassa — et là, je résume de mémoire l'essence de son argument — dit : « Écoute, essentiellement, [dans un Sénat égal] le nombre de représentants du Québec tombe de 24 à, disons, 10, pis en plus les pouvoirs de ce Sénat-là deviennent des pouvoirs véritables plutôt qu'un simple pouvoir de suspension [qui ne fait que retarder l'adoption d'une loi, comme actuellement]. C'est deux maudites grosses pilules à avaler et je ne pense pas que ce soit vendable. »

Tellier en conclut que si Bourassa « encore une fois ne dit pas non à un Sénat égal », il ne peut avaler d'un coup les « deux pilules », telles qu'elles lui sont présentées au soir du 3 juillet. Il faudrait encore beaucoup de sucre. Tellier rappelle Mulroney, lui fait rapport :

Tellier : M. Mulroney est toujours sceptique que, à toutes fins pratiques, là, le triple E tel que les gars de l'Ouest le veulent puisse être acceptable à M. Bourassa.

L'auteur : Donc, là, vous concluez que Clark a mal compris quand il a parlé à Bourassa ?

Tellier : Moi, je reparle à M. Clark et je fais essentiellement les points que je viens de faire. Maintenant, il y a aussi le problème — enfin, pas le problème, mais la réalité — que l'interprétation que M. Clark peut faire de M. Bourassa va peut-être au-delà de mon interprétation de M. Bourassa.

Le premier appel de Tellier à Mulroney a enclenché une autre dynamique. Selon un témoin présent à Londres, Mulroney trouve Tellier « horrifié » de l'entente sur le Sénat égal dont Clark vient de l'informer. Le premier ministre ne l'est pas moins. Il déclare que « le *deal* n'est pas possible, il ne respecte pas les consignes du cabinet fédéral ». Mulroney ne dit pas seulement à Tellier de vérifier auprès de Bourassa, il lui dit de demander à Clark de le rappeler, lui, à Londres. Clark rappellera, mais pas avant de faire une conférence de presse où il déclare aux journalistes : « J'avais le choix de venir vous parler ou d'attendre que le contact téléphonique soit établi avec Londres où se trouve le premier ministre. Bien naturellement, j'ai choisi de venir vous parler pour que vous puissiez partir en week-end. » Quand Mulroney lira la transcription de cette remarque, il en deviendra rouge de rage. « Il vous met devant le fait accompli ? » demande un témoin. « C'est exactement ça », fulmine Mulroney.

Clark finit par retourner l'appel. Il se souvient d'avoir présenté à Mulroney « un *briefing* assez rapide de ce qui s'était passé et, puisqu'il aurait à répondre à des questions, je lui ai conseillé d'être très prudent dans ses réponses. La conversation n'a pas duré longtemps ! »

Mais puisque Tellier sème des doutes dans l'esprit de Clark sur la position réelle de Bourassa, Clark profite du week-end pour contacter encore une fois le premier ministre du Québec. Clark a donné sa version de ces événements à la journaliste Susan Delacourt, qui écrit : « Après sa conversation du week-end, Clark a conclu qu'il n'y avait aucune raison de croire que Bourassa allait changer d'avis. » Le vendredi midi, Bourassa lui a dit que l'entente pourrait être vendue aux Québécois. Le samedi ou le dimanche, il ne dit pas autre chose. Bourassa « faisait cette évaluation de la situation », dit Clark : c'était vendable.

Mais, pendant le week-end, Bourassa parle aussi avec Mulroney. Brian lui dit tout le mal qu'il pense du Sénat égal. Brian constate aussi que Bob Rae déclare, le samedi, qu'en aucun cas l'Ontario ne sera l'égale de l'Île-du-Prince-Édouard. Rae évoque des « éléments que nous n'acceptons pas » dans la proposition, et trouve les pouvoirs du Sénat proposé trop importants. Mulroney en tire la conclusion que l'opposition de Rae reste ferme. Bourassa fait-il le même calcul ?

En vacances en Alberta, Gil Rémillard est informé des progrès de la négociation du vendredi. Il appelle Bourassa : « Est-ce que je devrais revenir ? Va-t-il y avoir une entente ? » Son chef le rassure : « Relaxe. Je ne pense pas qu'il va en sortir quoi que ce soit. »

Rémillard n'est donc pas disponible, pendant la fin de semaine, pour donner son avis. Jean-Claude Rivest, qui a plus d'influence que Rémillard en ces matières, est présent. En s'amaigrissant ainsi au Sénat, juge-t-il, le Québec

« perdrait sa masse critique, deviendrait assez mineur ». « Je trouvais ça compliqué et pas ben brillant, dit-il encore. Je trouvais que dans une institution, quelle qu'elle soit, il fallait garder notre poids. C'est pour ça que la constitution est là. »

Pendant le week-end et pendant la journée du 7 juillet, Rivest dit résumer les choses comme suit à Bourassa : « Lumière rouge sur le principe d'égalité, lumière jaune sur la nature des pouvoirs du Sénat, lumière verte sur la garantie de 25 % », si tant est qu'elle se matérialise.

Que comprendre des signaux contradictoires émis par Bourassa dans cette semaine cruciale ?

1) D'abord, il y a le « Bourassa classique » : il ne dit jamais non à personne, ne ferme jamais de porte, ne veut pas se faire d'ennemis. Il n'a pas de « conviction personnelle » sur le Sénat. Il ne fait que des calculs politiques.

2) Il compte, il le dit autour de lui, sur l'échec de la multilatérale et sur les offres que Brian va lui faire. Mais il ne veut surtout pas être la cause de cet échec. Il préfère que soient considérés comme les naufrageurs ou Bob Rae, ou Don Getty, ou Clyde Wells, ou Brian Mulroney. Au téléphone avec lui, Brian est tellement véhément contre le Sénat égal qu'il n'y a aucune possibilité, pense-t-il, que son représentant, Clark, accepte une telle formule. Il peut s'y fier. Alors il donne de la corde à tout le monde.

3) Si jamais la multilatérale s'entendait malgré tout, il pense avoir suffisamment éteint la pulsion nationaliste québécoise, suffisamment amolli l'aile nationaliste, suffisamment épuisé la détermination de ses députés radicaux, pour pouvoir leur « vendre » un Sénat réformé dans lequel le Québec serait banalisé, s'il fallait se rendre à cette extrémité. Il juge les Québécois aussi rassasiés que lui.

4) Quand les membres de la *triple-E gang* l'appellent pour le courtiser, il ne leur fait jamais de contre-proposition importante. Or, depuis qu'il a lui-même fait disparaître la menace de la souveraineté, il n'a presque plus de pouvoir de négociation. Voici qu'on lui en donne un : le Sénat égal ! Il pourrait s'en saisir et dire : Oui, mais seulement si vous nous donnez tous les pouvoirs dans le domaine de la main-d'œuvre, de l'éducation, de la santé, de la culture ; Oui, mais seulement si vous reconnaissez le principe d'asymétrie ; Oui, mais seulement si vous adoptez une demie, un quart, un tiers d'Allaire.

Il ne le fait pas. Il ne négocie qu'à la marge, pour émousser le Sénat triple E, plutôt que de faire un grand échange : Vous voulez une réforme en profondeur ? Nous voulons une réforme en profondeur ! Et parce qu'il ne le fait pas maintenant, il ne pourra plus le faire tout à l'heure.

LA MACULÉE CONCEPTION

« On rapporte à la table des négociations que M. Bourassa peut vivre avec un Sénat égal. » Ça recommence, pense Paul Tellier, qui raconte la scène. Qui ouvre le bal ? Bob Rae ? Don Getty ? Joe Clark ? On s'y perd. Tellement de gens disent avoir parlé à Bourassa ces derniers jours, qu'on se demande comment il a encore de la voix. Un peu avant midi, le mardi 7 juillet 1992, dans une salle de l'édifice Pearson à Ottawa, Joe Clark préside, neuf premiers ministres du Canada anglais discutent, quatre représentants autochtones écoutent. La veille, ces derniers ont fait une concession, acceptant de porter de trois à cinq ans le délai minimal pour faire intervenir les tribunaux dans la définition des gouvernements autochtones. C'était une des conditions du Québec, fortement appuyée par le fédéral.

Clark rapporte de ses conversations du week-end que « le premier ministre Bourassa est plus favorable que ses conseillers [il parle entre autres de Rivest] à un Sénat égal ». Mais la proposition actuellement envisagée ferait en sorte que le Québec serait sous-représenté à la fois au Sénat et à la Chambre des communes. Bourassa veut qu'on corrige cette iniquité. Bob Rae abonde dans le même sens, car la sous-représentation de l'Ontario serait plus criante encore.

Ce n'est pas tout. Clark et Rae trouvent le Sénat proposé trop puissant. À bien des égards, il a encore un droit de veto sur les lois votées par la Chambre. Ce qui peut rendre le pays ingouvernable. « Ils voulaient rendre le Sénat moins efficace, se souvient Wells. On reculait, et il semblait que l'entente du vendredi pouvait encore s'écraser. »

On ajourne pour le lunch.

Bob Rae tente de savoir ce que pense réellement Bourassa. En fin de matinée, son agent de liaison avec le Québec, Steven Brownstein, parle à Benoît Morin, secrétaire général du gouvernement. Le nom de Morin apparaît peu dans les rapports de presse, mais les négociateurs savent qu'il parle vraiment, et uniquement, au nom de son patron. Le message rapporté par Brownstein à sa délégation est le suivant : « Au fond, c'est vrai, le Québec n'est pas favorable à un Sénat triple E, mais il n'est pas disposé à le dire ouvertement. »

Un des conseillers constitutionnels de Bob Rae, David Cameron, décrit comme suit la réaction de la délégation : « Nous avions le sentiment que ni Ottawa ni le Québec n'était favorable au triple E, mais que ni l'un ni l'autre ne voulait le dire et qu'ils allaient laisser à Bob Rae le soin de faire leurs basses œuvres. C'était très nettement notre impression. » Et ça ne les met pas de très charmante humeur. Bourassa conteste cette version : « Le message était qu'on était contre », dit-il.

Vers 11 h, Rae lui-même appelle Bourassa, qui se repose sur son patio de la rue Maplewood, à l'ombre d'un parasol. Rae racontera que la position de Bourassa n'est ni un feu vert ni un feu rouge. « Il ne m'a jamais dit : "On peut faire ça" ou "On ne peut pas faire ça". Ce n'est pas notre mode de conversation. On se demande : "Est-ce que ceci est acceptable, est-ce que ça a du sens, est-ce que ça peut fonctionner ? " »

La teneur des messages de Morin à Brownstein et de Bourassa à Rae est

Le couple politique de la décennie

Photo : Bill Grimshaw/Canapress

Ayant tous deux mordu la poussière en 1976, ils se tiennent compagnie dans leur traversée du désert. Ici, en 1982.

Photo : Jacques Grenier/Le Devoir

« Quand deviendrons-nous chefs ? » se demandaient-ils, se faisant la courte échelle réciproquement. En 1986, le tandem est assis dans les fauteuils du pouvoir.

Photo : Le Devoir

La fameuse commission Cliche. À l'extrême gauche, Brian Mulroney. Suivez le regard. À l'extrême droite, Lucien Bouchard. À 22 ans de distance, ce « troisième homme » jette un froid sur la relation Mulroney-Bourassa.

Les chevaliers du bénéfice du doute

Lucien Bouchard avec Jean Lapierre : « On parlait à Jean-Claude Rivest. Il sacrait après les fédéralistes : "Les baptêmes, ils nous prennent pour acquis, ils nous prennent pour des mous. Tu vas voir, ils vont en manger une maudite ! Robert va surprendre ben du monde." »

Bernard Landry : « Avec la question de Bruxelles, Bourassa a tout à fait reconsolidé nos attentes. Il parlait de deux États souverains avec des structures [supranationales]. Mais, "des structures"... Cause toujours ! On était prêt à parler de structures tant qu'il voulait ! Alors, là, on a cru ça encore davantage. » Parizeau, lui, trouve la chose « ridicule ».

Photo : PLQ

Mario Dumont au « congrès-jeunes » de l'été de 1991. Jean Allaire lui dit que « le Canada ne voudra pas lâcher le morceau et [que] Bourassa ne voudra pas faire la souveraineté. Alors il va accepter n'importe quoi. » Dumont trouve son aîné « paranoïaque ».

Photo : Clément Allard/Canapress

Puisque les offres fédérales sont nulles, Dumont propose de tenir le référendum sur la souveraineté dès juin 1992, comme prévu dans la loi 150. Bourassa ne se souvenait pas que c'était dans la loi.

Deuxième proposition, deuxième prise

Fruit d'une consultation chaotique, les propositions du sénateur Gérald Beaudoin
et de la députée albertaine Dorothy Dobbie sont froidement accueillies par Bourassa :
« du fédéralisme dominateur », dit-il, à la surprise générale.

Le putsch

Bob Rae double Joe Clark dans le tournant.
Le 12 mars 1992, le premier ministre
ontarien et ses alliés prennent le contrôle
de la caravane constitutionnelle.

Joe Clark est dépassé par les événements. Il
doit laisser quatre représentants autochtones et
ceux des deux territoires devenir négociateurs à
part entière. « Les chances de réussite sont de
zéro virgule zéro, zéro, zéro. »

La chaise vide la plus bavarde au pays

Pendant un arrêt de la caravane, en mai 1992. À l'extrême droite, la chaise vide du Québec,
mais tout le monde a constamment Bourassa au téléphone. Derrière Clark, à droite,
Paul Tellier et Jocelyne Bourgon, dont l'impatience croît avec les semaines :
« Bourassa, on saura jamais rien avec lui. Vous savez, c'est toujours la nuit totale.
Il dit une chose, puis, le lendemain, c'est le contraire. »

Les impatients

Photo : Jacques Nadeau

Ulcéré par le prolongement des discussions, pressé de reprendre le contrôle des opérations, Mulroney, appuyé par son fidèle Benoît Bouchard, donne une consigne claire à Joe Clark, le 2 juillet 1992 : « Joe, ferme le maudit dossier ! »

Tout baigne !

L'entente « historique » du Canada anglais, le 7 juillet, avec Sénat égal et moins que Meech.
« Toutes les conditions du Québec ont été satisfaites », annonce Clark. À sa droite,
Michael Harcourt, premier ministre de la Colombie-Britannique. Au fond,
son ministre Moe Sihota. À l'extérieur du cadre, Bob Rae chuchote à l'oreille d'un collègue :
on vient de parler à Québec et « ils ne sont pas aussi choqués qu'on aurait pu le penser ».

dévoilée au lunch. Les interprétations sont aussi variées que les messages. Tellier s'en souvient comme suit :

> Tellier : Ça disait que, essentiellement, on devrait pas prendre pour acquis que toute forme de Sénat égal serait acceptable au Québec.
>
> L'auteur : Ça ne vous avance pas beaucoup.
>
> Tellier : Pas beaucoup. Et c'est là que ça crée de la frustration.

McKenna se souvient d'un message du Québec plus dur, selon lequel « le triple E ne serait acceptable sous aucune considération, et ça a donné une tournure très négative au lunch ».

Plusieurs premiers ministres songent alors à filer à l'anglaise. À quoi bon rester ? Mâchouillant leurs sandwiches, certains parlent de prendre l'avion de 16 h 30. Roy Romanow affirme qu'il faut absolument convoquer une rencontre de tous les premiers ministres, dont Mulroney et Bourassa, pour boucler le tout.

Clark, d'abord, s'interpose : « Il n'est pas question de monter à l'étage supérieur. Nous avons eu le mandat, depuis trois mois, de faire le travail nous-mêmes. »

Romanow poursuit néanmoins son argumentation et, raconte-t-il, « tout à coup, comme sortie de nulle part, une voix forte dit : "Et pourquoi aurions-nous une rencontre de tous les premiers ministres ?" Ça m'a sonné. »

Cette voix forte, c'est celle de Paul Tellier, assis derrière Romanow. Il semble vouloir mettre toutes les pendules à l'heure : celle de Clark, qui voudrait « faire le travail » et celle de Romanow, qui veut convoquer Brian et Robert. Tellier parle de la « très étroite marge de manœuvre que Joe Clark a obtenue du cabinet fédéral ; il n'a qu'un choix limité d'options ». Voilà Clark remis à sa place. « Pourquoi convoquerions-nous une rencontre des premiers ministres qui échouerait ? demande ensuite Tellier. Pourquoi monter les enchères ? Le premier ministre québécois, le premier ministre fédéral viendraient, et ce serait l'échec. Il y aurait, au Québec, un sentiment de rejet massif qui provoquerait une crise canadienne terrible. Peut-être même la séparation. »

« Tout le monde a pensé, dit McKenna, que Tellier était la voix de Mulroney dans la pièce. » Mais il n'est pas de bon ton pour un fonctionnaire, même s'il est le premier du pays, d'intervenir sans invitation dans une conversation entre premiers ministres. Surtout, rapporte McKenna, que « Tellier accusait Romanow de ne pas comprendre la dynamique politique au Québec ».

Romanow, sans se retourner, répond : « Nous courons tous des risques. Je cours un risque en venant ici. » Getty met son grain de sel : Roy, « ne discute pas avec des laquais ! »

La discussion ne pourrait guère tomber plus bas. Frank McKenna prend alors la parole et remonte la pente. Se tournant vers Clark, il dit : « Joe, écoute. On va redescendre à la salle de réunion. On va redescendre et on va faire un dernier effort. On va donner le maximum. S'il n'y a qu'une chance de sortir d'ici avec une entente, il faut la tenter. »

Puis il revient sur quelques pistes de solution : modification de la représentation à la Chambre, modification du droit de blocage du Sénat ; on peut jouer là-dessus.

Les négociations, comme les individus, connaissent la cyclothymie. Lorsqu'ils laissent derrière eux leurs restes de sandwiches, les premiers ministres ont passé le creux de la vague.

« On voyait le travail de plusieurs mois mis en péril, dit Clark. Nous étions tous déprimés par les discussions du matin, mais nous pensions qu'on ne pouvait pas tout laisser tomber. Il y avait là des gens de bonne volonté qui ne devaient pas succomber à la mauvaise humeur, alors que le pays était en jeu. » On repart.

Le « laquais » fait un arrêt avant de rejoindre les négociateurs. Il appelle Robert Bourassa.

> Tellier : Essentiellement, je dis : « C'est bien important qu'il y ait pas d'équivoque. Et là, on est vraiment dans le dernier mille. Et s'il y a des conditions ou des modalités qui vous sont importantes, qui sont essentielles, il faut vraiment que ça soit mis sur la table. Parce qu'autrement, ça va créer une frustration énorme parce que les gens sentent, ils ont peut-être un projet d'entente au bout des doigts, et si vous revenez par la suite avec quelque chose, ça va créer beaucoup, beaucoup de frustration. »

Cet appel plante-t-il un peu d'inquiétude dans l'esprit de Bourassa ? En entrevue, il dit « avoir été informé que, dans la matinée, il y avait impasse ». « Mon information était qu'il n'y avait aucune chance qu'ils puissent s'entendre. » En route pour les offres de Brian, donc. Mais voilà que Tellier lui annonce un « projet d'entente au bout des doigts ». Que faire ? Bourassa applique ici la maxime de l'auteur américain de romans policiers Sara Paretsky : « Dans le doute : hésitez ! »

> Ils appelaient à toutes les heures. [La réponse] dépend de la question qu'ils posent. Les gens appellent : « Ça, on peut peut-être organiser ça » ; « Telle chose va s'arranger » ; « Telle autre, il reste juste Untel à convaincre. »

Tellier fait rapport à Clark, qui annonce la bonne nouvelle : Bourassa fait maintenant savoir qu'il n'est pas opposé au principe du Sénat triple E, mais seulement aux modalités de la proposition spécifiquement à l'étude.

> McKenna : Lorsqu'on est revenus du lunch et que les choses avaient l'air plutôt sinistres, le déblocage est survenu quand on a eu le rapport de la conversation entre Paul Tellier et Bourassa. [...] Ça nous a fourni l'ouverture nécessaire pour un déblocage. Parce que plusieurs d'entre nous avons pensé qu'il était donc possible de modifier les modalités et de les rendre acceptables. Et c'est peu après que le premier ministre Rae a indiqué qu'il était prêt à bouger et que les choses ont vraiment déboulé.

Sur le chemin du 7 juillet et du Sénat égal, les représentants du ROC ont trébuché trois fois. D'abord, le 10 juin, quand Clark a voulu briser la *triple-E gang*. Bourassa les a sauvés, avec les sénateurs gonflables de Beauchamp.

Ensuite le vendredi 3 juillet, à midi, quand tous semblaient déboussolés, Bourassa les a remis sur la bonne voie en disant à Clark qu'il serait possible de vendre la marchandise aux Québécois. Finalement, le mardi 7 juillet, il lève le dernier obstacle, défaisant avec Tellier ce que son bras droit Morin avait fait avec l'émissaire ontarien Brownstein.

Robert Bourassa : saint patron du Sénat égal, donneur d'espoir, éclaireur de bout de tunnel.

Certains premiers ministres accueillent toutefois ce dernier revirement avec scepticisme. On les comprend. « On peut dire qu'il y avait indéniablement de l'exaspération dans la pièce », se souvient Clark. Quelqu'un grogne : « Arrêtons d'essayer de lire dans les pensées. » Clark suggère de désigner un « intermédiaire identifié » dont le rôle serait de négocier avec le Québec pendant que les autres discutent. Personne n'achète la proposition. « Peu importe qu'il s'agisse du premier ministre fédéral ou du cabinet fédéral ou du Québec, dit Don Getty, on ne peut pas négocier avec des fantômes. Ces gens-là ne sont pas là, nous pouvons conclure une entente, alors entendons-nous. » Bob Rae est d'accord.

Tellier résume le sentiment de l'Ontarien :

> Il y avait beaucoup, là-dessus, de frustration de la part de Bob Rae. Beaucoup de frustration parce que lui, il trouvait ça très difficile à accepter, politiquement [le triple E]. Pis finalement, ben, Bourassa est jamais venu à sa rescousse pour lui dire : « Tsé, moi non plus, j'aime pas ça. Je suis d'accord avec Rae pis l'Ontario. Le Québec, comme l'Ontario, ne peut pas vivre avec ça. » Rae a été laissé en plan.

Dans les heures qui suivent, pendant que la négociation progresse, Clark, Tellier, Bourgon et compagnie entrent et sortent de la pièce, si bien que plusieurs premiers ministres, dont Romanow et Getty, pensent que Bourassa et ses conseillers sont tenus au courant des discussions presque minute par minute. Getty pense qu'il y a « une ligne téléphonique ouverte en continu » avec Québec. Wells a « plus qu'une impression, une compréhension, qu'il y avait une ligne directe avec Québec et qu'ils étaient parfaitement informés. Que donc Clark et les autres n'accepteraient rien sans une indication de Québec disant : "C'est acceptable". »

Car les choses bougent. On calcule de combien il faudrait agrandir la Chambre des communes pour que les Ontariens y retrouvent un nombre de sièges suffisant pour refléter leur pourcentage dans la population canadienne (+10), ce qui oblige à ajouter des sièges pour que le Québec garde ses 25 %, représentation proportionnelle à sa population. Surtout, le pouvoir réel du nouveau Sénat, où la place du Québec chute de 23 % à 9,5 % des sièges, n'est pas remis en cause. La *triple-E gang* veut que toute loi venant de la Chambre des communes puisse être tuée au Sénat par une majorité de 66 % (tout le monde fait le calcul : les six petites provinces auront au total 60 % des votes sénatoriaux). Rae veut placer la barre à 75 %. Ils règlent pour 70 %. Autre avantage obtenu par la *gang* : si le gouvernement ne détient qu'une petite majorité à la Chambre, ses lois pourront être invalidées par des sessions conjointes Sénat-Chambre des communes. Il s'agira que les six petites provinces en expriment le désir pour que le mécanisme soit enclenché.

Le Sénat sera le second centre du pouvoir canadien. Élu, donc légitime. Où toutes les provinces seront égales. Où les « deux nations », si elles existent, seront à 9 contre 1.

Pendant que tombe en place chaque élément de ce compromis, en début d'après-midi, Robert Bourassa est informé que les signaux envoyés du Québec dans la matinée ont été diversement interprétés par les négociateurs. « Ça nous revenait que j'aurais dit à Clark ou à Tellier que je dirais oui si telle ou telle modification était apportée. [...] Quand j'ai vu que c'était pas clair, j'ai dit : "C'est trop important, il y a pas de 'peut-être que'." J'ai dit à Benoît [Morin] : "On n'est pas pour rester dans l'ambiguïté, on va dire que c'est non !" »

Benoît Morin envoie donc une note écrite à l'Ontarien Brownstein. Selon un membre de la délégation ontarienne, la note dit en substance ceci : « Nous serions maintenant prêts à faire une déclaration publique indiquant que nous sommes opposés au Sénat triple E. »

Trop tard. Le sort en est jeté. À trop bafouiller, on perd ses auditeurs.

Puis arrive une inexplicable et peu importante erreur de communication. Alors que les discussions se prolongent au-delà de 19 h, un membre du bureau de Bourassa appelle un membre de l'équipe de Clark : Michèle Bazin. Car voyez-vous, le temps file. Robert, maintenant arrivé à ses bureaux de Québec, voudrait aller à la piscine, Jean-Claude voudrait aller jouer au tennis. D'autres voudraient aller manger. Faut-il attendre encore ? Bazin répond : pas d'inquiétude, il ne se passera rien. « Mon information, dira Bourassa, était qu'il n'y avait aucune chance qu'il y ait entente. » Tout baigne. Bourassa aussi.

Dans la salle de réunion de l'édifice Pearson, on met au contraire les dernières virgules à l'accord. L'atmosphère est proche de l'euphorie.

> Roy Romanow : Je pense qu'on a été victimes d'une sorte de syndrome de Stockholm. Quand le déblocage est survenu, quand on a vu la lumière au bout du tunnel, on a tous été un peu emportés par le mouvement. [...] Moi, j'avais un mauvais sentiment. On ne savait simplement pas comment ça allait être accepté. J'avais l'impression qu'on jouait un peu à la roulette russe.

Joe Clark, en tout cas, garde la tête froide. Alors que les discussions progressent, il s'assure de mettre le veto du Québec dans le paquet et fait en sorte que Clyde Wells répète pour la postérité ce qu'il a dit à Bob Rae le vendredi précédent. Le ministre fédéral introduit même un changement désiré par Québec à la clause de société distincte, qui lui fait faire un petit pas de plus vers son libellé de Meech.

Après une pause à 19 h — que plusieurs interprètent comme une ultime vérification avec Québec, Ottawa, le cabinet, Mulroney, le pape ? — Clark revient, met une dernière touche au tableau. Une nouvelle communication avec Bourassa a-t-elle eu lieu ? Bourassa dit qu'il n'a pas reparlé à Clark avant 21 h, quand ce dernier lui a annoncé qu'une entente était intervenue. Clark affirmera ce qui suit : « Nous n'avons rien fait à l'aveuglette dans ces négociations. Le Québec était absent, mais nous avons pris des précautions extraordinaires, comme vous pouvez l'imaginer, pour nous assurer que nous nous dirigions vers quelque chose que les Québécois pensaient être acceptable. Y compris sur le Sénat. »

Au cours des négociations, Clark annonce qu'il recommandera à Mulroney de convoquer une conférence des premiers ministres pour la grande signature finale, d'ici quatre ou cinq jours tout au plus. Il donne l'impression que la participation de Bourassa à cette cérémonie ne pose aucun problème.

Bob Rae prend la parole, félicite les deux présidents des assemblées des derniers jours, Michael Harcourt et Joe Clark. « La résolution fut alors adoptée, raconte Ovide Mercredi. Évidemment, ça a provoqué une ovation debout spontanée pour Joe Clark. Tous les premiers ministres et nous, les représentants autochtones, on a applaudi. »

Clark leur annonce que, dans cette pièce, vient d'être accomplie « la plus grande réforme constitutionnelle de l'histoire du Canada. Nous pouvons être heureux et nous tenir la tête haute. »

Il est 22 h 30 lorsqu'ils se dirigent vers les micros des journalistes, dans le grand hall de l'édifice. Pendant le temps qu'il leur a fallu pour ramasser leurs affaires et descendre, Bob Rae ou un membre de son équipe a appelé Robert Bourassa (revenu de la piscine ?) pour l'informer des tout derniers événements.

Rae est maintenant dans le groupe de premiers ministres, attendant son tour de pavoiser devant le micro. Clark est en train de déclarer que « c'est une journée historique. Je ne peux me rappeler d'un autre moment, vraiment, depuis la confédération, où il y a eu un tel accord sur un aussi grand nombre de sujets. »

« Nous avons répondu aujourd'hui à la question posée il y a deux ans par Robert Bourassa à l'Assemblée nationale : *What does Canada want ?* Aujourd'hui, le Canada a répondu. Et la réponse est très claire. Le Canada veut des changements en profondeur sur plusieurs questions qui affectent notre vie. »

Un journaliste lui pose la question :

« Pensez-vous que M. Bourassa va accepter ce paquet, alors qu'il a dit plusieurs fois récemment que le Sénat triple E est inacceptable pour le Québec ? »

Clark répond :

« Je ne sais pas à qui il aurait dit ça. »

À côté, Roy Romanow chuchote à l'oreille de Bob Rae :

« Comment penses-tu que ça va réagir, à Québec ? »

Rae lui répond : on vient de parler à Robert. « Ils ne sont pas aussi choqués qu'on aurait pu le penser. »

Pas aussi choqués. En effet. La place du Québec dans le Canada vient d'être réduite. En échange, on offre « Meech moins » et quelques micro-pouvoirs. La portion s'amenuise encore. L'appétit aussi. Le lendemain, à Québec, quand ses conseillers lui demandent ce qui s'est produit — Parisella et Rivest affirment avoir été « complètement surpris » qu'une entente soit survenue — et ce qui va se produire, Robert Bourassa leur répond :

« Je ne peux pas toujours dire non. »

LE CARREAU

*« Si on s'est peinturés dans le coin,
ben on marchera sur la peinture ! »*

JEAN CHRÉTIEN

DANS LE TINTAMARRE QUI ACCUEILLE, au Québec, l'accord du 7 juillet, il y a le bruit de fond souverainiste — Lucien Bouchard, Jacques Parizeau —, il y a la lancinante complainte des « ceintures fléchées » — SSJB, MNQ —, il y a la stupeur rauque des allairistes — Dumont, Allaire, Lemieux. Mais dans l'orchestre de l'indignation, aux tambours et aux cymbales, dans la semaine qui suit la « journée historique », on entend des musiciens d'ordinaire plus doux, à présent déchaînés.

À la une de *La Presse*, on ne sait s'il faut lire dépit ou colère dans les mots : « Ce qu'il fallait craindre s'est produit ». La citation est de Claude Castonguay. L'ancien ministre provincial déclare trouver dans l'entente du ROC « une vision qui est celle du Canada anglophone, fondée sur l'égalité des provinces ; un contrôle accru des petites provinces sur le pouvoir central et, malgré les apparences, un raffermissement du pouvoir central ». Et puisque le partage des pouvoirs reste, pour l'essentiel, « inchangé » et que le pouvoir de dépenser du fédéral est « consacré », le ministre-devenu-banquier-devenu sénateur conclut : « À mon avis, on a régressé. »

Le sénateur Gérald Beaudoin, qu'on peut généralement classer dans la catégorie des fédéralistes jovialistes, a perdu tout sourire. Le Sénat égal, il n'en revient pas : « C'est comme si on n'existait pas », dit-il, parlant du Québec. Ses collègues Solange Chaput-Rolland et Roch Bolduc sont du même avis. « C'est aberrant ! » affirme la première. « Je crois profondément que le Québec doit être relié au Canada, mais pas dans un Canada qui nous apparaît n'avoir aucune compréhension de la vitalité, de l'essence même de ce Québec profond, dont on oublie de parler. » Bolduc opine : « Ça n'a aucun bon sens. »

Dans la mouvance libérale québécoise, il y a aussi le comptable Serge

Saucier qui, sortant de son long mutisme, va dire à l'émission *Le Point* que Robert Bourassa devrait tenir un référendum sur l'entente, pour s'assurer que les Québécois y « disent Non à 90 % ».

Il y a aussi Léon Dion, un temps conseiller de Bourassa et de Rémillard, qui déclare l'entente « clairement irrecevable pour les Québécois ». En fait, il l'estime tellement mal orientée qu'il juge futile de vouloir en corriger la copie. Il suggère de se tourner plutôt vers un modèle de « véritable confédération ».

Même des collègue de Joe Clark s'y mettent : Benoît Bouchard, le premier, fait une déclaration qui ne pèche pas par excès d'enthousiasme. « Êtes-vous véritablement surpris de la réaction des Québécois depuis quelques jours ? Je ne pense pas. Je pense que ça vient de partout. Il y a donc un malaise. » En privé, il est furieux. Pour Marcel Masse, l'entente est à juste titre « rejetée par la société québécoise ». Et plusieurs membres du caucus conservateur québécois émettent en privé et en public des critiques assez acerbes. Les mots « malsain » et « inacceptable » sont prononcés.

Les élites québécoises, fédéralistes et nationalistes, se trouvent soudain miraculeusement soudées dans une sorte d'union sacré contre le document canadien. Dans *Le Devoir*, Lise Bissonnette frappe très fort en consacrant tout l'espace de son éditorial du 9 juillet à un seul et énorme mot : NON. (Le lendemain, le *Globe and Mail* répond en plus petits caractères à « *Ms Bissonnette* » : *NONsense*.) Plus significatif des progrès de l'exaspération : dans *La Presse*, l'éditeur adjoint Claude Masson, un modèle de modération fédéraliste, dénigre ces propositions « incomplètes et insuffisantes ». Il s'interroge : « Le Québec s'est fait avoir en 1982 en se faisant imposer une nouvelle constitution. Il s'est fait avoir en 1990 par le refus de l'entente du Lac Meech. Jamais deux sans trois[*] ? »

Même dans *L'actualité*, l'éditeur et rédacteur en chef Jean Paré, qui a pourtant signé un éditorial de deux pages, le 1er juillet, proclamant son atta-

---

[*] L'éditorialiste en chef, Alain Dubuc, est en vacances au lendemain du 7 juillet. Pendant la saison 1991-1992, il fut presque uniformément optimiste quant à l'obtention d'une réforme modérée mais satisfaisante. Mais alors que les éléments de l'entente se sont mis en place, notamment sur la question des autochtones et sur le Sénat, il a écrit ce qui suit, le 6 juin 1992 : « Les Québécois ne peuvent pas ne pas remarquer l'absence de générosité à leur égard. En comparant le chèque en blanc pour les autochtones aux incroyables tiraillements encore nécessaires pour faire accepter une société distincte édulcorée. Ou encore en comparant la prudence des demandes de Meech [...] aux chocs que sont prêts à provoquer les partisans du triple E. Cet amour de trop de Canadiens pour un Canada ingouvernable risque également d'amener bien des Québécois à revoir les critères sur lesquels ils basent leurs choix. Jusqu'ici, la victoire du projet de fédéralisme renouvelé est la victoire du moindre mal. Un grand nombre de Québécois préfèrent une entente avec le reste du Canada, même imparfaite, parce qu'elle sera moins pire que la souveraineté, avec ses risques et ses coûts importants. Mais si la ronde Canada produit un Canada absurde et ingouvernable, certains en viendront à conclure que la souveraineté est somme toute préférable, malgré ses coûts, à un fédéralisme dégénéré. » Heureusement, ajoutait-il, que « jamais l'Ontario et le Québec, avec l'appui du gouvernement Mulroney, ne céderont aux demandes d'un Sénat triple E ».

chement fondamental au Canada et appelant les Québécois à abandonner le rêve indépendantiste, enjoint maintenant Bourassa d'opposer à l'entente du ROC un non direct et massif : « Assez de précautions oratoires, écrit-il, elles n'ont été qu'une source de malentendus. Ce que le Québec doit dire avec franchise, c'est que ce projet est pourri. »

Gil Rémillard, qui croise son collègue albertain Jim Horsman à Calgary, le lendemain de « l'entente historique », n'est guère de meilleure humeur que son ex-mentor, Léon Dion. « De toutes façons, lui lance Horsman, vous avez votre veto, votre grande revendication ! » Rémillard réplique : « À quoi sert d'avoir un gardien de but après que tous les buts ont été comptés ? »

Rémillard arrive à Québec trop tard, le 8 juillet, pour participer à la rencontre du cabinet. C'est le Bourassa-somnifère qui se présente devant son Conseil des ministres ce jour-là. Plusieurs gros canons sont absents (Daniel Johnson, Gérald Tremblay, Pierre Paradis et Liza Frulla n'y participent pas). Les ministres n'ont pas le texte de l'entente en main, ils doivent s'en remettre au résumé qu'en fait Bourassa. Un résumé dont il ne ressort pas clairement s'il faut huer ou applaudir « l'entente historique ».

John Parisella décrit ainsi la réaction des ministres : « C'était une des performances de Bourassa qui a fait que le monde a dit : "Ouais. Wo ! Attends une minute là, tsé ?" Ça se grattait la tête après. » Mais puisque Bourassa est indéchiffrable, des ministres y vont assez franchement de leurs indignations : « Au bout de la ligne, résume Parisella, c'était pas terriblement favorable à l'entente. Surtout en ce qui concerne les pouvoirs pis la question des autochtones. »

Lise Bacon, ministre de l'Énergie, s'inquiète vivement de l'impact du volet autochtone sur la capacité qu'aura le Québec de développer ses ressources naturelles, notamment hydro-électriques[*]. Dans les jours qui suivent, le ministre André Bourbeau exprime publiquement son trouble : « Le Québec a toujours dit que le Canada avait été construit sur le concept de deux nations, deux peuples fondateurs, sur le bilinguisme. Maintenant, il semble que nous avons 10 provinces et que tout le reste s'est échappé par la fenêtre. »

Dans un gouvernement libéral, la frontière entre la conviction et les impératifs de mise en marché n'est jamais complètement claire, car l'exemple vient de haut. Rapidement, la discussion au sein du Conseil des ministres s'oriente vers l'attrait commercial de la chose, plutôt que sur ses qualités intrinsèques. Marc-Yvan Côté déclare l'entente « invendable » aux électeurs. Son interven-

---

[*] Une analyse confidentielle du volet autochtone de l'entente du 7 juillet, produite par la direction des Affaires autochtones du ministère de l'Énergie, informe la ministre que « d'une part, pratiquement tout nouvel aménagement de territoire sera soumis à l'approbation des gouvernements autochtones, ce qui pourrait avoir des répercussions considérables sur le financement de tout projet entrepris par le Québec et, corrélativement, sur le développement économique de la province. D'autre part, compte tenu des pouvoirs dont pourraient bénéficier les gouvernements autochtones, il est prévisible que certaines parties du territoire québécois échapperont au contrôle du gouvernement du Québec dans plusieurs domaines. »

tion « reflétait probablement l'humeur générale, dit Parisella, et j'aurais moi-même exprimé ce sentiment-là si j'avais pris la parole. C'était surtout sur la vente, là. Il y avait un problème de vente important. »

Comme les offres de Clark de septembre, puis le rapport Beaudoin-Dobbie, la nouvelle entente est vue comme « n'en donnant pas assez » au Québec. Mais contrairement aux deux textes précédents, l'entente du 7 juillet donne nettement l'impression que si le Québec « a régressé », comme le dit Castonguay, d'autres partenaires ont, au contraire, progressé : les petites provinces et les autochtones. Et ce sentiment que le système est flexible, mais pas pour tout le monde, rend « la vente » d'autant plus hasardeuse.

Les ministres n'ont pas le texte de l'entente en main, on l'a dit. Ils n'ont pas accès non plus aux analyses des experts du SAIC*, qui produisent leurs « fiches » à plein régime dès qu'ils mettent la main sur le texte de l'accord. De tous les documents que les experts constitutionnalistes du gouvernement québécois rédigent dans les jours qui suivent, une phrase résume le malaise. Parlant de la nouvelle « clause Canada » proposée le 7 juillet, et qui doit coiffer la nouvelle constitution en énumérant les caractéristiques fondamentales du pays, les experts écrivent :

> Dans la clause Canada, la manifestation de l'égalité des provinces se traduit par un Sénat égal ; la reconnaissance d'un troisième ordre de gouvernement autochtone, par le droit inhérent à l'autonomie gouvernementale ; mais la reconnaissance de la société distincte ne s'exprime pas aussi concrètement.

> Le Sénat « égal » répudie de manière concrète la théorie dualiste voulant que le Canada soit un État fondé par deux peuples. [...] En raison de son caractère distinct, le Québec peut difficilement accepter une réforme du Sénat où sa représentation serait sensiblement amoindrie. Seule l'obtention d'un statut particulier — réformant au gré du Québec le partage des pouvoirs — pourrait hypothétiquement justifier une diminution sensible de sa représentation au Sénat.

L'écart est encore plus net lorsque le SAIC compare la « réforme fondamentale » obtenue par les autochtones à la « réforme fondamentale » obtenue par le Québec.

> Les autochtones [...] ont obtenu des gains qu'eux-mêmes estimaient inespérés il y a quelques mois à peine. Lorsqu'on les compare aux offres faites au Québec, on constate encore plus l'ampleur de ces gains :

> 1) les autochtones, en tant que peuples, obtiennent un droit inhérent à l'autonomie gouvernementale, alors que le Québec acquiert un statut de société distincte qui aura sans doute peu d'impact sur la structure fédérale du pays ;

> 2) les gouvernements autochtones constitueront un troisième ordre de gouvernement, distinct des ordres fédéral et provinciaux, alors que le Québec se voit refuser l'asymétrie pour être soumis au principe de l'égalité des provinces ;

---

* Petit rappel : SAIC, Secrétariat aux affaires intergouvernementales canadiennes, la cellule d'analyse constitutionnelle du premier ministre, dirigée par Diane Wilhelmy et André Tremblay.

3) les peuples autochtones et leurs gouvernements obtiennent un droit de veto sur les modifications constitutionnelles qui les touchent directement, tandis que le Québec, sur cette question, est traité comme les autres provinces.

Le Conseil des ministres n'est pas une réunion de stratégie, c'est plutôt, explique Parisella, « un lieu où les gens obtiennent de l'information ». Même si les ministres s'inquiètent de la difficulté de vendre le texte, ils ne sont nullement appelés à définir l'étape suivante. Quelqu'un suggère-t-il de ressusciter la question de Bruxelles ? Les mémoires s'embrouillent. « Peut-être Marc-Yvan Côté ou Yvon Picotte ou Michel Pagé, risque Jean-Claude Rivest. Mais pas d'une façon agressive. Les gens savent que le PM va prendre sa décision. » Bourassa les informe qu'il réagira en conférence de presse, de façon sibylline, comme à son habitude. Pour la suite, il avisera, il les informera, il les sondera au besoin.

★   ★   ★

Ironie du calendrier : ce mercredi 8 juillet, un « plan de communication » confidentiel, produit par le comité référendaire libéral — qui fonctionne sur pilote automatique —, est envoyé à plusieurs dirigeants libéraux. En général, un « plan de communication » sert à définir les *thèmes* d'une campagne. Le plan du 8 juillet a une particularité : il a été écrit avant que soit connu le *sujet* de la campagne, il a été conçu avant que ses rédacteurs connaissent même le contenu de l'accord.

Comment est-ce possible ? Un membre du comité explique la philosophie ambiante : « Si vous voulez vendre du Tide, vous demandez aux gens ce qu'ils veulent que le détergent fasse. Puis vous leur dites que le détergent fait exactement ce qu'ils voulaient qu'il fasse. » Que ce soit vrai ou faux importe peu. Pour vendre la réforme du fédéralisme, c'est pareil : puisqu'on sait ce que les Québécois veulent, il n'est pas nécessaire d'analyser le produit avant d'en faire la publicité. On dira de toutes façons que l'entente fait ce que les Québécois voulaient qu'elle fasse.

Au cœur du « plan » de communication libérale, il y a « l'axe » et « le positionnement ». « L'axe » se lit ainsi, en majuscules, dans le mémo :

LE QUÉBEC DE ROBERT BOURASSA A IMPOSÉ AU RESTE DU CANADA UNE VISION ÉCLAIRÉE DE L'AVENIR.

Le « positionnement » met un peu de chair sur cette notion :

> Grâce à la vision et à la détermination de son chef, appuyé par la grande majorité des Québécois, le Québec a fait en sorte qu'un Canada réformé satisfasse ses demandes fondamentales pour ainsi assurer aux Québécois, de façon irréversible, l'autonomie dont ils avaient besoin pour assumer la pleine responsabilité de leur destin et de leur développement ici et sur la scène internationale.

Voilà très précisément, en effet, ce que les Québécois, conformément au Pacte, attendaient de Bourassa.

Finalement il y a les « objectifs de communication », plus ciblés, qui précisent que « l'image positive de Robert Bourassa doit sous-tendre » le reste du travail de persuasion. Il faut donc bien mettre l'accent sur la donnée capitale suivante :

> La réforme du Canada n'est pas le fruit du hasard ; on la doit à un leader, un gestionnaire avisé, un homme d'une grande vision, c'est l'aboutissement du travail de l'architecte et du maître d'œuvre, cette réforme, on la doit à Robert Bourassa*.

MARCHER SUR LA PEINTURE

Quelles sont les options de Robert Bourassa, le 8 juillet 1992 ?

Elles sont de deux ordres : celles du chef du gouvernement québécois, celles de Robert Bourassa. On sait que le second a participé activement à la conception d'une entente qui sidère la plupart des membres de sa propre famille politique, ce qui limite singulièrement sa marge de manœuvre. Mais si le premier a à cœur, comme il s'en gargarise, « les intérêts supérieurs du Québec », il peut revenir aux termes du Pacte qu'il a conclu avec les Québécois et voir dans quelle mesure il peut les respecter. Et s'il faut pour rappeler ce Pacte citer un seul document, qui n'engage que le premier ministre et son ministre Rémillard, il faut citer l'*addenda* au rapport de la commission Bélanger-Campeau dans lequel Bourassa écrivait :

> Deux avenues doivent être considérées parallèlement dans les discussions et les décisions qui seront prises touchant l'avenir politique et constitutionnel du Québec : un réaménagement en profondeur du système fédéral actuel ou la souveraineté du Québec. Les autres solutions ne sauraient répondre aux besoins et aux aspirations de la société québécoise.

Cette alternative a été reprise et réaffirmée à la mi-janvier 1992 par Gil Rémillard, dans un discours prononcé à Anjou et présenté comme la position officielle du gouvernement sur la question.

A *Quelle profondeur, la réforme ?*

Y a-t-il encore une chance de réaliser « la réforme en profondeur », l'option préférée de Bourassa ? Pour faire ce test, il doit briser son premier engagement, selon lequel il ne négociera plus « jamais » à 11 mais seulement à 2 avec Ottawa. Depuis le printemps, Bourassa s'ingénie à entrouvrir cette porte. Dans un de ses plus beaux glissements sémantiques, il fait même semblant de ne l'avoir jamais fermée complètement. À l'Assemblée nationale, à la fin de mai, il parle comme suit de sa déclaration définitive du « 23 juin 1990, quand le gouvernement a dit : nous ne participerons pas aux tables de négociation, à moins qu'il n'y ait des chances très importantes de succès ». Devant cette falsification

---

* Ce mémo impayable est l'œuvre de Yves Gougoux, publicitaire de la firme BPC travaillant beaucoup pour le PLQ, et de Michel Lalonde, Luc Mérineau, Pierre Saulnier et Jacques Sauvé. On y lit aussi ce conseil utile : « Les messages doivent être d'une crédibilité à toute épreuve. »

éhontée, on ne sait s'il faut invoquer George Orwell et son livre *1984,* dans lequel les politiciens changeaient le nom de l'ennemi de la nation au milieu d'un discours ; ou s'il faut plutôt comparer la méthode Bourassa avec la pratique des pays communistes, où les livres d'histoire étaient constamment réécrits pour mettre le passé au goût des puissants du jour. Au moins, Bourassa n'a pas fait incinérer les transcriptions de sa véritable déclaration du 23 juin 1990. Il faudrait brûler aussi toutes les copies du discours d'Anjou du 15 janvier 1992, dans lequel Rémillard déclarait que « le Québec ne négociera plus avec 10 gouvernements mais avec le gouvernement fédéral seulement ».

Mais si cette infraction à son premier engagement solennel permettait à Bourassa de donner au Québec l'autonomie souhaitée, qui la lui reprocherait ? Quelques-uns de ses députés nationalistes l'assurent d'ailleurs qu'il peut, s'il le désire, se rendre à la table des négociations pour un ultime effort, pour autant qu'il soit prêt à s'en retirer et à en déclarer éventuellement l'échec.

Lors d'une des rencontres du cabinet, tenue en juillet, Yvon Picotte, ministre de l'Agriculture, fait une recommandation : « Faut que vous retourniez à la négociation en disant : "Voici, nous on a voté le rapport Allaire, pis c'est ça que ça veut dire, il faut éliminer les dédoublements !" Essayez d'aller chercher le maximum pour revenir avec quelque chose, parce que le référendum s'en vient, là ! » Jean-Guy Saint-Roch résume l'opinion ambiante chez les députés nationalistes lorsqu'il fait savoir au *bunker* que Bourassa devrait aller « jeter son gant » sur la table et en quelque sorte réclamer qu'on broche le rapport Allaire à l'entente, pour équilibrer le tout.

À l'exécutif du PLQ, il y a des résistances. « Monsieur Bourassa, on devait pas discuter à 11 », objecte Jean Allaire, selon le souvenir qu'en garde Pierre Anctil. « Il le disait comme s'il voulait protéger le PM d'un mauvais coup, se souvient le directeur général du parti. C'était : "Monsieur Bourassa, allez pas là !" ».

D'autres nationalistes, comme Philippe Garceau, sont plus à cheval sur la parole donnée : « On a dit qu'on n'y allait pas, on n'y va pas. »

Mais Bourassa insiste, sur le thème : « On ne peut pas se permettre de ne pas aller au bout du processus. [...] Mon obligation vis-à-vis le Québec d'aller au bout de la possibilité d'entente est plus forte que l'impératif de maintenir la bonne apparence, là, quand j'ai dit : "Bon, il n'y aura plus de discussions à 11." »

Mario Dumont se contente de noter que c'est un compromis de plus à ajouter à une longue liste, et Jean Allaire se laisse amadouer : « Si vous pensez que le fédéral cache des lapins à grandes oreilles dans son chapeau, vous pouvez aller voir », ricane-t-il. Dans l'opinion publique, depuis plusieurs mois, les Québécois sont également divisés sur l'opportunité de retourner ou non à la table de négociation.

Mais cette permission s'accompagne d'un pessimisme marqué. Nous n'en sommes plus aux préliminaires. Maintenant que neuf premiers ministres

provinciaux ont accepté une entente, maintenant qu'ils répètent avoir été
« généreux » envers le Québec, on sent bien que seules des manœuvres « sur les
marges » peuvent être entreprises avec succès. Rien de fondamental ne peut
plus être réalisé en ce qui concerne l'autonomie québécoise.

Ce que les analystes et les libéraux ne savent pas, c'est à quel point l'ambiguïté constructive de Bourassa a marqué chaque étape de la confection de cette
entente. Et qu'elle n'existerait tout simplement pas sans lui. Que s'il devait virer
capot à cette heure tardive, il provoquerait l'ire justifiée de ses partenaires. Il
deviendrait le Clyde Wells du Canada anglais.

Et même si les négociateurs du ROC étaient encore personnellement
ouverts à la discussion, l'opinion publique canadienne-anglaise leur interdirait
toute magnanimité. On l'a vue, au tout début de ce récit, réfractaire à toute
idée de « réforme en profondeur » à la québécoise. À l'été de 1992, la tendance
est toujours aussi lourde. Les sondeurs fédéraux mesurent toujours l'inclinai-
son des uns et des autres à accepter un « grand compromis ».

« Seriez-vous personnellement prêt à faire des compromis significatifs
quant à votre approche de la situation pour faire en sorte que le Québec reste
dans le Canada ? »

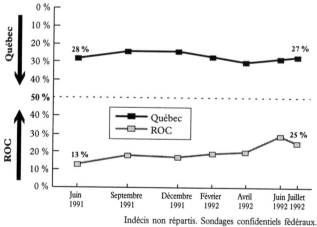

**Seriez-vous personnellement prêts à faire
des compromis significatifs quant à votre
approche de la situation pour faire en sorte que
le Québec reste dans le Canada?**

Indécis non répartis. Sondages confidentiels fédéraux.

Pour que ça marche, il faudrait que les pourcentages atteignent 50 % soit
au Québec, soit dans le ROC. En fait, pendant l'hiver et le printemps de 1992,
le tiers des citoyens du ROC affirment qu'ils « préfèrent voir le Québec quitter
le Canada plutôt que de faire quelque concession que ce soit ».

C'était avant que leurs représentants signent l'entente du 7 juillet. S'il
fallait rouvrir ce texte canadien-anglais pour y introduire une réforme en profondeur à la québécoise, toutes les indications colligées depuis maintenant plus

de deux ans prédisent que le résultat ne résisterait pas au test de l'opinion publique.

Bref, en juillet 1992, la voie de la « réforme en profondeur » est définitivement fermée, mais fut-elle jamais entrouverte ? Si Bourassa consent à respecter la parole donnée, à respecter le Pacte, il est autorisé à tenter un baroud d'honneur auprès de ses collègues du Canada, à risquer une dernière tentative. Mais il s'agit plus de protocole que de négociation. Sa « dernière chance », son « premier choix » ont échoué.

B *Prêts, pas prêts ?*

Dans les déclarations des membres éminents de la famille fédéraliste québécoise, au lendemain du 7 juillet, on trouve des traces d'exaspération et une volonté de décision, comme aux lendemains de l'échec de Meech, puis de la commission Bélanger-Campeau. On l'a vu, Alain Dubuc et Léon Dion (ainsi que les allairistes) abordent, de biais, l'hypothèse de la rupture. On ne sait pas très bien ce que Serge Saucier aurait en tête, après le « non à 90 % » du Québec au Canada.

Claude Castonguay, qui a passé sa vie à refuser la souveraineté et qui ne change pas d'avis, déclare cependant qu'il « va falloir finir par trancher » et qu'à moins d'un retournement de dernière heure « on va laisser les choses suivre leurs cours, on est en démocratie ». De sa part, c'est beaucoup. Jean Paré, dans *L'actualité*, abonde en ce sens : « Maintenant que les nouveaux choix du Canada anglais sont connus », écrit-il, il faut que le Québec « propose un contre-projet et un référendum. Un référendum portant non plus sur quelque mandat de négocier, mais sur la substance : pouvoirs, modèle constitutionnel, ou même la fameuse "question de Bruxelles" de Robert Bourassa. »

Au sein du PLQ, Jean Allaire, Mario Dumont et leur entourage s'activent évidemment en faveur de cette hypothèse. Mais ils ne sont pas les seuls. Pierre Anctil raconte que trois semaines après l'entente, à la fin d'une réunion de l'exécutif du PLQ, Bourassa lui demande quelle serait la réaction des gens selon lui, si on annonçait un report du référendum. « Une des seules hypothèses à retenir, répond Anctil, c'est que vous arriviez avec un plan d'action précis, dans lequel vous vous commettriez assez rapidement, en disant : "J'ai l'intention de proposer à la population l'alternative suivante, disons, la question de Bruxelles, et j'ai l'intention de le faire dans un délai assez rapide à l'intérieur du mandat." » Le directeur général ajoute : « Une fois que vous auriez dit ça : "J'y vais, je vais poser la question de Bruxelles", ben là, les gens vous reprocheraient pas de le faire au mois de novembre ou en février 1993 plutôt que le 26 octobre. »

« Ah ! c'est intéressant, réplique Bourassa. Continue de réfléchir dans cette voie-là. »

« Ça m'a frappé, ajoute Anctil, il en discutait de façon plus réceptive. »

Anctil parle aussi de ce scénario à Mario Dumont, mais avec une variante. Au printemps de 1993, ce ne serait pas un référendum, mais une élection référendaire qui serait organisée sur la question de Bruxelles.

Quelques jours après la conversation Anctil-Bourassa, un autre de ses conseillers vient présenter au chef libéral une supplique semblable. André Tremblay, de retour d'une rencontre à Ottawa où il a pu mesurer le peu de marge disponible pour modifier l'entente dans le sens d'un accroissement des pouvoirs du Québec, vient offrir à Bourassa sa solution : « Monsieur Bourassa, c'est l'impasse, il faut poser la question de Bruxelles ! ».

Le premier ministre reçoit même d'Ottawa des signaux de ce genre. Avant l'entente du 7 juillet, Marcel Masse remet à Jean-Claude Rivest une proposition de question référendaire. Les futures offres, explique-t-il, si acceptables qu'elles puissent être au Québec, ne passeront peut-être pas la rampe au Canada anglais. Il faut donc prévoir la chose. Il propose la double question suivante : « Premièrement, êtes-vous d'accord avec la proposition [de réforme du fédéralisme] ? Deuxièmement, dans l'éventualité où l'une ou l'autre des provinces anglophones ne serait pas d'accord, êtes-vous favorable à la souveraineté ? » Masse dit en avoir aussi parlé à Rémillard. La formulation a l'avantage de forcer le PQ à faire campagne pour le Oui à la seconde question et à mettre le ROC en face, dit Masse, « d'une guillotine ». Elle aurait surtout écarté la possibilité du *statu quo*. En ce sens, c'est une nouvelle traduction du Pacte. En entrevue, Bourassa dit en avoir entendu parler et l'avoir écartée parce qu'il y voyait la promesse « d'une incertitude politique de deux ou trois ans » et un prolongement du débat constitutionnel qui n'aurait « pas été bien accepté par la population ».

À la fin de 1990, Bourassa était à la fenêtre. À la fin de 1991, il ne restait plus qu'une lucarne. Ses actions ultérieures ont contribué à refermer encore un peu l'orifice. Mais en juillet 1992, un carreau se présente à lui. Carreau seulement, parce que cette fois le temps est compté. Il a encore l'espace voulu pour agir, même s'il faut viser encore mieux, et travailler vite et bien. Les semaines de juillet sont cruciales.

Lorsque viendra le temps de justifier ses choix de l'été de 1992, Robert Bourassa s'expliquera comme suit :

Ce n'est pas le temps de faire un vote existentiel sur l'avenir du Québec alors que les Québécois ne sont pas prêts à prendre une décision [...] Je ne pouvais pas prendre la responsabilité d'un vote existentiel sur la souveraineté, alors que les sondages d'opinion parlent d'un vote 50/50.

Il le dira aussi en privé :

Tsé, à cause du contexte général, ça aurait fini 50/50 avec beaucoup de tension et d'affrontements. Et le rapport de force du Québec aurait été affaibli. Disons 53/47 d'un bord ou de l'autre, là. On se serait retrouvés où ?

Bourassa reprend le refrain du « les Québécois ne sont pas prêts », qu'on lui connaît depuis longtemps et qui constitue le summum de son cynisme*. En fait, le chef libéral a travaillé très fort, depuis l'été de 1991 sinon avant, pour dissuader les Québécois de faire la souveraineté. Ses discours fédéralistes du printemps, ses stratégies au sein du PLQ n'ont eu qu'un but : éteindre le sentiment souverainiste québécois, encore majoritaire au début de 1991.

Son attitude instille chez les citoyens un mal nouveau : la nausée constitutionnelle. « Êtes-vous écœurés par les questions constitutionnelles ? » tonne Jacques Parizeau dans un discours à la fin d'avril. « Moi aussi ! » Le chef péquiste demande qu'on en finisse, qu'un référendum soit déclenché, pour « retrouver la terre ferme ». Bourassa vise l'objectif inverse.

Au printemps, puis à l'été de 1992, l'effet combiné de ses discours, de l'écœurement et d'un barrage de publicité procanadienne en cette année du 125ᵉ anniversaire de la confédération, a contribué à déprimer les indicateurs de souveraineté. C'est d'ailleurs cette baisse, explique Jean-Claude Rivest en entrevue au début de juin 1992, qui rassure Bourassa quant à sa capacité de vendre les offres fédérales à l'électorat et aux militants, même si elles s'annoncent très modestes. « Ça aide beaucoup », disait Rivest.

Pierre Anctil fait de ce fléchissement une évaluation plus paradoxale :

Ben, ça nous aide à gérer la situation à l'interne [au Québec et au PLQ], mais ça nous nuit dans la pression qu'on doit exercer sur le reste du Canada. Parce que ça accrédite la thèse de ceux qui disent : « *They won't do it* », « *Let them go* », « *Call their bluff* ». (« Ils ne le feront pas », « Laissez-les partir », « Mettez-les au défi ».) Je peux te dire que ces sondages-là se promènent à Ottawa sur un moyen temps. Alors ça, combiné avec une petite hausse des conservateurs, mis ensemble ça a rendu ces gens-là très hardis.

Cependant, les indicateurs de la souveraineté sont montés si haut en 1990 et en 1991 qu'ils sont loin de retomber à leurs niveaux d'avant Meech. En fait, ils sont encore à des niveaux soit majoritaires, soit pluralitaires. Jamais René Lévesque ne les avait, de son vivant, trouvés en aussi bonne forme. Voir tableau page suivante.

Ces chiffres ne représentent que l'opinion des Québécois *décidés*. L'indicateur plus « dur » que constitue le pourcentage de gens favorables à l'indépendance, majoritaire en 1990 et au début de 1991, ne l'était plus à la fin de 1991, et continue à se dégrader en 1992. Il atteint le creux de la vague au début de juillet, avant l'entente. Après, il reprend un peu d'altitude. L'indicateur de souveraineté, sans mention d'association, qui se maintenait entre 50 et 55 % en 1991, oscille maintenant entre 45 et 50 %, avant répartition des indécis. Une fois ceux-ci pris en compte, la barre majoritaire est chaque fois franchie.

---

* Bourassa est aussi en retrait des prévisions qu'il faisait à l'été de 1991 : « Si j'avais décidé de faire un référendum sur la souveraineté en septembre 1990, je pense bien que là, ça y était », dit-il alors. Et plus tard ? « Si on avait fait un référendum au mois de juin [1991], si on l'avait gagné, quelque chose comme 58 % à 42 %, on aurait fait quoi ? » Donc, en juin, il prévoyait 58 %. Pas mal.

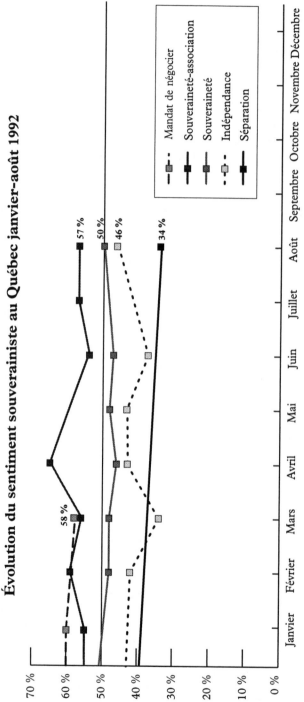

Évolution du sentiment souverainiste au Québec janvier-août 1992

Légende :
- Mandat de négocier
- Souveraineté-association
- Souveraineté
- Indépendance
- Séparation

Indécis non répartis, sondages publics et confidentiels fédéraux, Maurice Pinard, données brutes de Crop, Léger et Léger, Gallup et Multi-réso. 36 mesures utilisées, des moyennes ont été faites pour les mois pendant lesquels plus d'un sondage a été effectué. Mandat de négocier: la mesure de mars 1992 est la dernière disponible.

question référendaire de 1980 et du concept de souveraineté-association, qui emportent toujours de franches majorités. Si Bourassa décidait de poser sa « question de Bruxelles », même dotée d'une position de repli ferme comme le lui suggère Anctil, c'est à ces deux derniers critères — souveraineté-association, mandat de négocier — qu'il devrait se référer.

Si le nageur voulait faire une plongée souverainiste à l'été de 1992, il pourrait prendre appui sur le tremplin de 40 % d'indépendantistes décidés, véritable « noyau dur », et s'immerger dans un bassin disponible et stable depuis maintenant trois ans de près de 60 % des Québécois favorables à la souveraineté-association.

Et il n'aurait toujours pas pris en compte « l'effet Bourassa », qui élargit la piscine. À l'été de 1992, sa crédibilité est fort bonne. Au Québec, 64 % des citoyens affirment donner à l'opinion du chef libéral « beaucoup » ou « passablement » de poids, lorsqu'ils réfléchissent eux-mêmes aux questions constitutionnelles. (Ils sont 56 % à accorder cette importance à l'opinion de Jacques Parizeau.) Et on se doute bien que ce pouvoir d'attraction de Bourassa ne se fait pas surtout sentir dans le « noyau dur » d'indépendantistes, mais au contraire, chez ceux qui le sont moins. Ceux, précisément qu'il peut attirer et additionner aux décidés. Il y a aussi un volet de 10 à 15 % de Québécois qui se disaient « souverainistes », voire « indépendantistes », il y a 8 ou 12 mois à peine, mais qui se sont rangés depuis. Il y a donc là des eaux déjà explorées dans lesquelles il serait possible de faire de nouvelles incursions.

Bourassa est parfaitement conscient de l'état réel de ces indicateurs. Le sondeur Grégoire Gollin, de Créatec, qui produit beaucoup de ces chiffres pour le gouvernement fédéral, participe régulièrement au cours de l'hiver, du printemps et de l'été de 1992 à des réunions de stratégie convoquées par John Parisella, auxquelles Robert Bourassa assiste parfois. Gollin présente souvent un petit portrait de l'évolution de l'opinion, qu'il sonde beaucoup plus précisément que les médias.

Dans un mémo daté du 9 juin 1992, envoyé par Grégoire Gollin à Parisella et à Anctil, le sondeur aborde directement la question des intentions de vote à un référendum éventuel* :

> On note un retour *à un durcissement chez les nationalistes,* au niveau observé en 1991. Dans l'ensemble, le segment francophone fédéraliste continue à être moins ferme que le segment nationaliste.
>
> *Ainsi, malgré la persistance d'une nette préférence du fédéralisme renouvelé sur l'indépendance, on a des raisons de croire que la solidité de cette préférence s'est ramollie, est devenue plus vulnérable ou fragile.*
>
> Il y a une certaine *résignation* à l'indépendance qui ressort, malgré l'attrait économique du fédéralisme renouvelé. [...] Les francophones croient que les dommages engendrés par un désaccord ne seraient pas catastrophiques, mais bien sup-

---

* Les italiques sont de l'auteur.

portables, et 40 % se disent même prêts à faire des sacrifices pour assumer une indépendance. De plus, la grande majorité, surtout les francophones, ne croient pas qu'un accord est l'issue la plus probable du débat. Une majorité de franco-phones croient plutôt que l'indépendance complète du Québec est l'issue la plus probable.

Mais cette résignation à l'indépendance demeure *timide*, tout comme l'appui au fédéralisme renouvelé. En effet, un référendum sur l'indépendance diviserait également les francophones. La question de Bruxelles performerait mieux qu'une question sur l'indépendance, mais son appui recueille une faible majorité*.

Un mois plus tard, un mémo confidentiel du PLQ daté du 8 juillet 1992 et fondé sur les sondages de Gollin offre une vision plus précise de la segmen-tation des Québécois francophones, en cinq tranches : les fédéralistes durs et modérés, les confus, les souverainistes modérés et durs. Selon l'analyse, à moins qu'on leur présente un « fédéralisme décentralisé », 85 % des franco-phones sont susceptibles d'appuyer la souveraineté, soit comme premier choix, soit parce qu'ils s'y résignent, soit « par réflexe ». En supposant que l'ensemble des anglophones et allophones votent en sens contraire, l'analyse du PLQ donne 72 % d'appui virtuel à la souveraineté. Cette segmentation ne mesure pas l'intention de vote au référendum, seulement « l'ouverture d'esprit »**.

Il est bon de revenir finalement sur ce qu'on a identifié, au premier tome, comme la colonne vertébrale, la rivière souterraine, qui conditionne l'attitude des francophones québécois envers la souveraineté. C'est leur sentiment

---

* Les tests de Gollin ont le défaut de ne sonder les répondants que sur « l'indépendance complète » (indicateur dur) et sur la « question de Bruxelles », qui, lorsque testée, obtient toujours des résultats mitigés comprenant un grand nombre d'indécis, probablement parce que la position du PQ à son sujet n'est pas claire et que bon nombre d'électeurs péquistes récusent sa timidité. Ce serait différent si Bourassa posait la question publiquement en présentant la souveraineté comme une certitude, comme le lui demandent Anctil et le Comité qui n'existe pas. La question de Bruxelles ne réussit donc pas à faire le plein, ce que fait cependant une question sur la souveraineté ou, mieux encore, sur la souveraineté-association. S'il utilisait ces derniers indicateurs, Gollin obtiendrait des résultats encore plus élevés.

** Il vaut la peine de citer en entier l'analyse faite par le Parti libéral du Québec, le 8 juillet 1992, des orientations des francophones québécois : « **Les fédéralistes durs** [15 %] : Sont en faveur du *statu quo* et préfèrent toujours l'option la plus fédéraliste, y compris le *statu quo*, à l'indépendance. **Les fédéralistes modérés** [23 %] : Sans s'opposer à la souveraineté-association, ils préfèrent le fédéralisme décentralisé à l'indépendance ou à la souveraineté-association. Ils ne sont pas en faveur de l'indépendance complète. Cependant, ils se résignent majoritairement à l'indépendance plutôt que de continuer le *statu quo*. **Les confus** [18 %] : La majorité de ces répondants ont beaucoup de difficulté et d'hésitation à faire des choix. Lorsqu'ils en font, leurs attitudes et leurs préférences se retrouvent en contradiction et s'ils devaient être confrontés à un choix, ils pencheraient vraisemblablement, par réflexe, vers la souveraineté. **Les souverainistes modérés** [25 %] : Ils préfèrent la souveraineté-association au fédéralisme décentralisé. Tout en étant favorables à l'indépendance, ils préfèrent cependant le fédéralisme décentralisé à l'indépendance complète. Tout comme les fédéralistes modérés, ils préfèrent l'indépendance au *statu quo*. **Les souverainistes durs** [19 %] : Ils sont en faveur de la souveraineté-association et de l'indépendance complète. Ils préfèrent systématiquement l'indépendance à toutes les options fédéralistes, y compris au fédéralisme décentralisé. »

d'appartenance, d'identité. Deux études montrent que la raison principale qui rend les Québécois souverainistes est... qu'ils se sentent Québécois. Comme les Turcs sont Turcs parce qu'ils sont Turcs.

Le sondeur Maurice Pinard a établi que le sentiment souverainiste avait surgi à des niveaux historiques en 1990 parce que, dans la décennie précédente, l'identité « Québécois » plutôt que « Canadien » s'était considérablement accrue chez les francophones. La mort de Meech — et même, un an avant, la perspective de la mort de Meech — a servi d'élément déclencheur à la montée du sentiment souverainiste qui, en retour, a aussi accéléré le mouvement d'identification « Québécois ».

Que s'est-il passé depuis ? Les données disponibles montrent que l'identification « Québécois » atteint un nouveau sommet historique en mars 1992 :

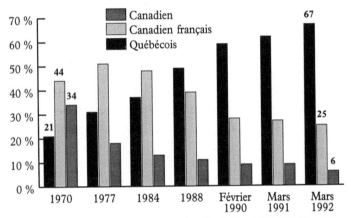

**Autodéfinition de l'identité
des Québécois francophones**

Indécis non répartis. Sources: données 1970-1990, Maurice Pinard; 1991-1992, Léger et Léger

Le sommet atteint en mars 1992 est d'autant plus intéressant qu'il survient alors qu'a commencé une campagne de publicité procanadienne, omniprésente au Québec, à la faveur des célébrations du 125e anniversaire du pays. Pourtant, jamais les francophones ne se sont dits moins « canadiens » [6 % !] qu'en cette année. Comme dans chaque sondage précédent, le sentiment «canadien-français » et « canadien » croît avec l'âge, ce qui augure mal de sa pérennité.

Ces chiffres sous-tendent et soutiennent la segmentation que fait le sondeur Grégoire Gollin. Ensemble, ils contredisent les conclusions tirées en 1992 par toute l'industrie québécoise du commentaire politique (y compris l'auteur dans *L'Actualité*), alors occupée à diagnostiquer un affaissement sensible du sentiment souverainiste, là où il faut voir plutôt le tassement et le raffermissement de ce sentiment sur un plateau solide et la constitution, au surplus, d'un terrain fertile. Comme les chiffres de Gollin, ceux de la tendance identitaire confirment l'existence d'un bassin d'électeurs susceptibles d'être ralliés à la souveraineté, à condition que Bourassa fasse preuve de leadership.

C *La vérité sur la cote*

Les déclarations du chef libéral sur un référendum qu'il perdrait — ou ne gagnerait que de justesse — ou sur des Québécois qui ne sont pas prêts ne sont que cela : des déclarations. Les Québécois sont probablement aussi prêt qu'ils peuvent l'être. Le Parti libéral, grâce au Comité qui n'existe pas, est prêt lui aussi, dès le 15 juin, à publier un programme de souveraineté à la mode Bourassa, découlant du Pacte conclu au printemps de 1991. L'État québécois est mieux préparé qu'il ne l'a jamais été, et plutôt deux fois qu'une.

La « commission d'étude des questions afférentes à l'accession du Québec à la souveraineté », créée par la loi 150, a commandé bon nombre des recherches nécessaires à la « préparation » de la transition vers la souveraineté même si la rédaction et la publication de son rapport s'empêtrent dans la dissension au sein de la délégation libérale, où les fédéralistes inconditionnels sont en majorité absolue, mais dont le président libéral, Guy Bélanger, est devenu souverainiste.

Rien n'indique que Bourassa, membre d'office de cette commission, se soit donné la peine de consulter ces études, mais elles dépassent, en volume et en qualité, ce qui avait été fait précédemment. Il en existe même une, restée secrète pendant deux ans, sur l'impact qu'aurait la souveraineté sur la cote de crédit du Québec, hantise favorite du premier ministre. Son auteur, Mahesh K. Kotecha, fut pendant huit ans, jusqu'en 1987, d'abord vice-président, puis vice-président principal de Standard & Poor's, une des deux firmes new-yorkaises qui fixent la fameuse cote. Voici comment Kotecha décrit son expérience personnelle :

> Je pense que je suis bien préparé pour répondre à vos questions. J'ai participé à cette activité à la fois à titre de chasseur et de chassé. J'ai été analyste pour une firme de cotation et j'ai été, dans la banque d'affaires Kidder Peabody, un conseiller pour les clients qui devaient se soumettre à l'examen des firmes de cotation.
>
> Pendant plusieurs années, je fus responsable de la cotation des institutions publiques à Standard & Poor's. Là, mes responsabilités comprenaient la cotation d'institutions canadiennes, comme le Québec et Hydro-Québec. À la banque d'affaires, j'ai aidé l'International Finance Corporation à obtenir une cote triple A et j'ai aidé la Nordic Investment Bank à maintenir sa cote triple A. J'ai aussi conseillé des gouvernements, des banques et des institutions dans leurs approches des marchés de capitaux.

Bref, Kotecha n'est pas seulement un expert de la cote du Québec, mais quelqu'un dont le boulot était de fixer cette cote. Il livre ses conclusions à huis clos, sachant que seule une décision unanime des membres de la commission pourra lever ce huis clos. Les voici :

> En conclusion, du double point de vue de la cotation et des marchés financiers,

le Québec serait probablement mieux placé s'il en arrivait à un compromis acceptable sur le plan constitutionnel. Les coûts économiques et financiers de la souveraineté ne seraient pas insignifiants, même dans le meilleur scénario.

Cependant, la base économique diversifiée de l'économie québécoise et son haut degré de développement politique et économique semblent indiquer que le Québec aura les moyens d'assumer ces coûts si nécessaire.

Kotecha donne ensuite quelques conseils pour qu'un Québec souverain s'engage dans le « meilleur scénario». Il ne s'en tient pas là. Il calcule le coût supplémentaire que les Québécois devraient payer en cas de souveraineté, à cause d'une décote temporaire due à la période de transition. « Dans le meilleur des scénarios », écrit-il, celui de la souveraineté assortie d'une association légère à-la-Parizeau, réalisée de surcroît dans l'harmonie et sans bouleversement majeur, la décote durerait trois ans et se traduirait par un coût additionnel total de 500 millions de dollars, soit 38,5 millions de dollars par an pendant les 13 ans du remboursement des emprunts affectés. (C'est moins que le coût de l'entente intervenue entre Hydro-Québec et les seuls Inuit pour la construction de Grande-Baleine.)

« Dans le pire des scénarios », qui suppose la création d'une devise québécoise, une sécession dans l'acrimonie et la précipitation, un environnement international difficile, une gestion économique québécoise inepte ou inefficace, un accès plus difficile aux marchés canadien et américain, la décote durerait 6 ans, écrit Kotecha. Le coût additionnel total serait alors calcule-t-il, de 2 milliards de dollars, donc 125 millions par an sur les 16 ans du remboursement des emprunts affectés.

Jamais des chiffres aussi rassurants n'ont été publiés par des économistes non québécois. Ce maximum de 125 millions pendant 16 ans serait prélevé sur un budget consolidé du Québec qui atteindrait alors 80 milliards de dollars. Sachant qu'au seul titre de la défense, selon l'ancien ministre Marcel Masse, l'appartenance au Canada coûte au Québec 600 millions par an en manque à gagner, il reste encore une marge. Et Kotecha écrit que « le pire des scénarios n'est pas réaliste », que ses propres calculs sont donc trop alarmistes.

Robert Bourassa, qui a longtemps expliqué qu'il manquait d'éléments d'information pour poser un jugement sur les conditions économiques de la souveraineté, ne peut plus invoquer ce prétexte[*].

---

[*] Bourassa ne se souvient pas d'avoir lu le rapport de Kotecha. En entrevue, il dit avoir été mis au courant que «plusieurs excellentes études » avaient été réalisées pour la commission, affirme en avoir gardé des copies chez lui et vouloir les lire lorsqu'il en aura le temps... en 1994. C'est dire que cette commission, qui devait lui donner les « éléments d'information » dont il disait manquer à l'été de 1991 pour décider de prendre ou non le risque de la souveraineté, ne fut d'aucune utilité réelle. « Si on se dit la vérité vraie, confie un membre fédéraliste de cette commission, Henri-François Gautrin, je ne suis pas sûr que ça [cette commission] n'a pas été une manière de nous occuper. De faire en sorte qu'on se tienne cois et qu'on soit occupés à jouer à ça. Il faut le dire avec un certain sens de l'humour. »

Il y a plus. Alors que la commission parlementaire issue de la loi 150 fait son travail, les principaux responsables de l'État québécois procèdent à une étude parallèle autrement plus systématique des conditions d'accès à la souveraineté. Un travail de réflexion avait d'abord été mis en branle dès la mort de Meech à l'été de 1990, puis poursuivi pendant la saison qui suivit. « Puisque Bourassa avait annoncé qu'il n'écarterait aucune option, raconte un participant, Diane [Wilhelmy] était favorable à la mise en place d'un équipement intellectuel et technique pertinent » à une éventuelle transition vers la souveraineté. L'ordre vient de haut : de Benoît Morin, et est assorti d'une « quasi-autorisation » de Bourassa, ajoute le participant, arguant qu'une tâche de cette ampleur ne pouvait être déclenchée sans son consentement et que Morin n'agissait jamais sans l'aval de son patron. Un document synthèse du SAIC résume le calendrier des travaux :

> De mai 1991 à janvier 1992, une opération d'une ampleur sans précédent, coordonnée par le secrétaire général du gouvernement [Benoît Morin], le SAIC [sous la direction de Diane Wilhelmy, cette tâche étant spécifiquement confiée au sous-ministre Daniel Beaudet] et les ministères de la Justice [Gil Rémillard] et des Finances [Gérard D. Levesque] a été menée afin : a) d'identifier la nature et les formes de la présence fédérale dans tous les secteurs d'activités ; b) d'évaluer l'impact de cette présence fédérale ; c) d'établir, secteur par secteur, les scénarios de réaménagement des pouvoirs susceptibles de favoriser le plus les intérêts du Québec. Tous les ministères ont été, dans les secteurs relevant de leur responsabilité, directement associés à cet exercice.

Le document ne dit pas tout. Les ministères ont été appelés à faire des calculs : « Si on récupérait tous les pouvoirs, combien ça coûterait, combien ça prendrait de temps. » L'exercice a été arrêté avant l'étape ultime : la confection de plans et de calendriers pour le rapatriement de tous les pouvoirs. Mais ce n'est plus qu'une formalité, en regard des données amassées.

Des études juridiques de faisabilité sont aussi commandées, touchant même la problématique des revendications territoriales autochtones en cas de souveraineté. « On était ben mieux préparés qu'eux autres ! » lance ce participant, faisant référence à la commission issue de la loi 150*.

★   ★   ★

En juin, la pétition de Mouvement Québec, réclamant la tenue du référendum sur la souveraineté en octobre 1992, est déposée. Elle contient plus de 800 000 signatures. Les signataires ne veulent peut-être pas tous voter Oui.

---

* Si d'aventure un parti d'obédience souverainiste devait être porté au pouvoir au Québec, il pourrait trouver l'ensemble de cette inestimable documentation dans le coffre-fort du bureau du sous-ministre Daniel Beaudet, au Conseil exécutif, non loin des bureaux du premier ministre. Ils trouveront le coffre, qui fait plus d'un mètre cube, à droite de l'entrée du bureau, posé par terre, le dos au mur. L'auteur n'est cependant pas en mesure d'en divulguer la combinaison.

Mais ils veulent tous répondre à la question. Plus de 800 000, même en soustrayant les signatures multiples et autres bavures inhérentes à ce genre d'exercice, c'est plus d'un électeur québécois sur cinq. Dans tous les pays qui possèdent des législations permettant aux électeurs de déclencher des référendums par voie de pétition, cette liste de signatures aurait très largement dépassé la longueur minimale requise.

On se demande d'ailleurs comment la société civile aurait pu exprimer plus clairement qu'elle ne le fait sa volonté de trancher :

• Depuis la mort de Meech, tous les sondages — sans exception — démontrent qu'une majorité de Québécois sont favorables à la « souveraineté » ou à la « souveraineté-association ».

• Depuis la mort de Meech, chaque fois que les électeurs ont été appelés aux urnes, ils ont, sans exception, voté pour des souverainistes : en en envoyant un à Ottawa, ce qu'ils n'avaient jamais fait, et en élisant des péquistes dans deux élections partielles, ce qu'ils n'avaient jamais fait non plus. Dans les trois cas, les voix obtenues par les souverainistes dépassaient la barre des 50 %.

• Depuis la mort de Meech, au sein du Parti libéral du Québec, chaque fois que les militants ou les délégués ont été appelés à s'exprimer ou à voter sur une stratégie, ils ont favorisé la souveraineté (consultation de l'automne de 1990), puis, très majoritairement, le Pacte (congrès de mars 1991). Ces résolutions n'ont ensuite été testées nulle part, sauf dans les instances de la Commission jeunesse (congrès de l'été de 1991, puis Conseil des représentants du printemps de 1992), où elles ont été confirmées.

• Depuis la mort de Meech, l'Assemblée nationale a adopté des résolutions rejetant les offres fédérales (Beaudoin-Dobbie) et interdisant un retour aux négociations multilatérales. Les députés libéraux et péquistes délégués à une commission spéciale, Bélanger-Campeau, ont unanimement signé un rapport établissant les termes du Pacte. Puis les députés libéraux ont voté un texte qui donnait force de loi à ce Pacte.

Huit cent mille Québécois réclament de leur chef de gouvernement qu'il respecte sa parole, sa signature, sa loi, le Pacte.

« Les Québécois ne sont pas prêts », dit-il.

⋆　　⋆　　⋆

La persistance des Québécois à vouloir notablement plus d'autonomie pour le Québec est fâcheuse pour leur premier ministre. Car cette volonté s'exprime malgré le climat général d'écœurement et de lassitude qu'il a voulu créer. Elle perce un brouillard lénifiant distillé par la prolongation des discussions. Elle marque l'échec de l'effort d'extinction déployé depuis l'été de 1991 par Robert Bourassa.

Dans la période précédente, de janvier à juin 1991, il avait réussi à dompter la volonté souverainiste au sein de son parti, puis au sein de la commission Bélanger-Campeau. Mais depuis, il lui fallait éteindre la pulsion souverainiste dans l'opinion québécoise au sens large, réduire même l'élan revendicateur : deux conditions essentielles à son œuvre de préservation de l'unité canadienne « à tout prix ». Ses actions privées, ses déclarations publiques, ses tactiques et ses zigzags se sont tous conjugués pour produire ce résultat. Ils semblaient avoir un impact, au printemps, sur les courbes des sondages et sur le climat général. Mais cet impact est insuffisant, et il est balayé par l'entente du 7 juillet. Bref, ça n'a pas marché.

SE PEINTURER DANS LE COIN

Nous disions donc : Il y a les options du chef du gouvernement québécois, il y a celles de Robert Bourassa. Nous avons parlé des premières, abordons maintenant les secondes.

Lorsqu'on évoque devant son conseiller Jean-Claude Rivest le tollé qu'a provoqué l'entente du 7 juillet chez les libéraux fédéralistes, et qu'on lui demande quel impact ces déclarations ont eu sur la ligne de conduite du premier ministre, la réponse est cinglante :

> Rivest : Il y a rien que lui qui peut en décider. Il y a rien que lui qui est responsable. Alors peu importe les croisades des uns et des autres. [...]
>
> L'agenda, c'est l'agenda du premier ministre. Lui, il veut savoir si le *deal* fait ou non globalement avancer le Québec. C'est ça qui est son critère. Parce qu'il ne peut pas aller dans l'autre voie, de toutes façons. C'est pas ses convictions. [...] Lui, son agenda, sa préférence, c'est qu'il pense que l'avenir du Québec est à l'intérieur du Canada.
>
> Alors si tu dis non [à l'entente du 7 juillet], si tu t'excites ou tu dis : « c'est inacceptable », tu peux faire une excellente analyse, lancer ton émotion. Mais ses « alliés fédéralistes » [comme Castonguay et Saucier], ils peuvent aller jouer au golf en Floride, après avoir fait leurs déclarations. Mais lui, il part pas pour la Floride, après. Il s'en va pas jouer au golf. Lui, c'est sa responsabilité. Alors, lui, ces affaires-là [le tollé], ça le touche pas. [...]
>
> L'auteur : Donc, à partir du 7 juillet, Bourassa n'a pas jonglé sérieusement avec la question de Bruxelles ?
>
> Rivest : Non. Dans son esprit, c'était pas faisable et ça ne pouvait même pas être considéré, compte tenu de la réalité, du *realpolitik*. Pour la faire, la question de Bruxelles, il fallait qu'il y ait un gouvernement fédéral suffisamment fort et solide. Il faut être réaliste.

Bref, Bourassa, qui « ne peut pas aller dans l'autre voie de toutes façons », est prisonnier du fédéralisme, si peu renouvelé soit-il. Car dire non aurait des conséquences qu'il veut éviter à tout prix. Le retournement de la situation du Québec, depuis la mort de Meech jusqu'au 7 juillet, est donc complet. Hier « libre de ses choix », il est aujourd'hui prisonnier du quasi-*statu quo*. À cause, toujours, d'un verrou, un seul : « Il y a rien que lui qui peut en décider. Il y a rien que lui qui est responsable. »

En dernière analyse, Robert Bourassa n'a plus qu'un recours, auquel il pense déjà depuis un moment.

A *Le prudent de Maplewood*

De tous les membres de la classe politique canadienne, le premier ministre québécois est le plus calme, le plus serein. À le voir aller, on jurerait entendre, sur la bande son : « Tout va très bien, madame la marquise. »

Que les offres fédérales soient celles, multilatérales, issues de l'entente du 7 juillet, ou celles, unilatérales, que Mulroney aimerait sortir de sa poche le 15 juillet, Bourassa agit pendant tout le printemps et jusqu'au 9 juillet comme s'il détenait une assurance tous risques.

Pourtant, ça crève les yeux que ces offres ne constitueront même pas un « fédéralisme décentralisé », représentant le minimum, selon le sondeur Gollin, en vue d'obtenir un succès référendaire. Et Bourassa voit bien, dans les propos et les mémos du sondeur, qu'il serait extrêmement difficile, voire impossible de réunir une majorité de Québécois sur une proposition aussi modeste. C'est aussi l'opinion exprimée alors publiquement par un autre sondeur proche du PLQ, Maurice Pinard : « S'il y avait un consensus contre les offres, qui irait de Léon Dion jusqu'aux jeunes libéraux, ce serait loin d'être accepté par l'électorat. » Or, cette coalition semble inéluctable. Et puisque Bourassa a pris un engagement ferme, au Conseil général de son parti en mars 1992, de « Ne pas tenir de référendum sans être sûr de le gagner » (engagement n° 8), une voie d'évitement doit être trouvée.

Presque chaque semaine depuis janvier, Parisella réunit un comité de stratégie, dit « comité des enjeux », dans un restaurant de Charlesbourg, à Québec, le Da Cortina. Bourassa assiste parfois aux réunions. Le comité est composé de Rivest, qui rapporte l'évolution des négociations au Canada anglais ; d'Anctil et de Saulnier, qui représentent la direction du parti ; de Marc-Yvan Côté et de Clément Patenaude, pour l'organisation sur le terrain ; et de Jean Masson, du comité référendaire. Grégoire Gollin, de Créatec, vient souvent y donner, on l'a vu, le pouls de l'opinion. Ensemble, au printemps de 1992, ils ont préparé des scénarios pour l'automne. *Grosso modo*, résume Parisella en entrevue, il y en a cinq :

1) L'étapisme : S'il y a des offres acceptables en partie seulement, il s'agira d'accepter cette œuvre inachevée, par un simple vote de l'Assemblée nationale, puis de poursuivre des négociations au-delà de la date du 26 octobre ;

2) Le report : Toujours en cas d'œuvre inachevée, report du référendum et poursuite des négociations jusqu'à entente finale ;

3) L'entente tardive : Puisque le temps passe, même s'il y a offre globale, les commissions parlementaires n'auront pas le temps de l'étudier. Donc, report du référendum pour soumettre ladite offre à l'étude. (Parisella est plutôt favorable à ces trois premiers scénarios.)

4) L'absence d'entente : Déclarer un moratoire sur tout débat constitutionnel. (Ce scénario trouve très peu de preneurs.)

5) Bruxelles : Puisque, à ce comité, siègent aussi Pierre Anctil et Pierre Saulnier, le scénario de la « question de Bruxelles » porte le numéro cinq. C'est la ficelle qui sert à retenir les dupes.

Jean-Claude Rivest parle aussi parfois de « renvoyer la balle », c'est-à-dire d'un référendum par lequel on demanderait aux Québécois de donner à leur gouvernement le mandat d'aller chercher plus de gains qu'il n'y en aurait dans l'offre fédérale. C'est le scénario qui a coûté son emploi à Norman Spector, et qui hante encore les nuits de Paul Tellier.

Il y a finalement le scénario fétiche de Bourassa : des offres tout bonnement entérinées par l'Assemblée nationale, point final. Soulignons : Bourassa veut se soustraire à l'heure de vérité, annuler le rendez-vous avec l'histoire, ne pas tenir de référendum.

Il en parle peu et jamais en public, surtout pas au parti. Mais il l'évoque en privé, avec des gens sûrs. Comme son ami Yves Fortier, l'ancien ambassadeur, qui confirme que c'est là le scénario préféré du premier ministre. Avec John Parisella, aussi : « On n'a jamais eu l'attitude que s'il [Mulroney] arrivait avec une résolution le 15 juillet, on irait en référendum, certain, dit-il. Nous autres, on s'est toujours dit : "Faites-nous des offres, pis on réagira." »

Le scénario circule aussi parmi les chefs de cabinet de ministre, à Québec. À la fin de juin ou au début de juillet, quand Michel Lalonde, responsable des communications au PLQ, appelle dans des cabinets ministériels pour demander de l'aide — il faut préparer les « argumentaires » du comité référendaire — il se heurte à une drôle de réaction. Les chefs de cabinet lui demandent :

« De l'aide, pourquoi ? »

« Ben, pour la campagne », répond Lalonde.

«Voyons donc, hostie ! Y'en aura pas, de campagne référendaire, où tu t'en vas ? tout le monde sait ça, à Québec, crisse ! Vous êtes donc débranchés, à Montréal ! »

Parisella explique comment, sur ce point, fonctionne la logique tordue du gouvernement face à la loi 150 : « N'oublie pas, notre législation [150], ultimement, ne nous obligeait pas à voter sur une offre. » Bon sang, mais c'est bien sûr ! La loi 150 ne prévoit qu'un référendum : celui sur la souveraineté. Pas sur les offres ! Donc, il n'y a aucune obligation de faire un référendum sur la proposition fédérale.

Résumons : parce que Lucien Bouchard et les non-alignés de la commission Bélanger-Campeau ont obligé Bourassa à signer un rapport et à voter une loi qui ne prévoyait qu'une seule consultation, portant sur la souveraineté, le gouvernement s'estime libéré de l'obligation d'organiser quelque consultation populaire que ce soit. C'est le retour du bretzel et de sa luxuriante arabesque.

À la lumière de cet éblouissant raisonnement, il devient très intéressant de revoir comment Bourassa aborde la question du référendum dans des entrevues télévisées. Pendant toute cette période, les interviewers et analystes s'attachent à savoir ce que Bourassa fera en cas d'offres mauvaises ou en cas d'absence d'offres. Mais ils tiennent tous pour acquis qu'il y aura référendum s'il y a des offres. Ils ne voient pas que Bourassa, lui, s'est déjà replié à l'étage inférieur.

Puisqu'il a annoncé, en mai 1991, qu'à moins d'un « tremblement de terre ou d'une guerre mondiale », il y aura référendum, ce qu'il a répété au *Monde* en avril 1992, il a beaucoup de mal à se dégager publiquement de cet engagement et il garde probablement pour plus tard l'argument massue qu'on vient d'évoquer (la réinterprétation de la loi 150). Il commence son retrait en ne répétant plus de phrases définitives sur la question. Il assaisonne son propos de phrases molles : le référendum sur les offres ? « Ça dépend », « C'est la position du parti », « C'est la loi 150 ». Il introduit des conditionnels, tente de se distancier, personnellement, de la chose. Sous la pression, il n'y arrive pas tout à fait. Un beau cas : son entrevue du 2 juin 1992 avec Jean-Luc Mongrain, à TVA :

> Mongrain : Vous avez un échéancier serré. Est-ce que vous allez court-circuiter cet échéancier ?
>
> Bourassa : [...] Ce que nous voulons, c'est une entente qu'on pourra proposer aux Québécois.
>
> Mongrain : Il y aura donc un référendum ?
>
> Bourassa : Sur des — le premier choix du gouvernement en vertu de — bon, que ce soit le Parti libéral ou que ce soit déclaré publiquement, c'est d'avoir des offres fédérales. [...] S'il n'y a pas d'offres acceptables — et c'est là le sens de votre question [! ?] — il faudra examiner [...].
>
> Mongrain : Ça a l'air d'une réponse : il va y avoir un référendum et il sera sur les offres fédérales.
>
> Bourassa : Si — euh — les offres fédérales doivent être présentées au Québec dans les prochains jours, comme vous le savez. Le gouvernement l'a dit publiquement, il y aura des offres, nous faisons des conférences, nous faisons des discussions, donc il y aura des offres fédérales dans...
>
> Mongrain : Donc, il y aura un référendum sur ces offres ?
>
> Bourassa : ... dans, à moins que le gouvernement fédéral soit incapable de s'entendre avec ses partenaires...
>
> Mongrain : Et à ce moment-là, il y a un référendum sur ces offres ?
>
> Bourassa : Ouais, s'il y a des offres fédérales.
>
> Mongrain : C'est là-dessus qu'il va y avoir un référendum ?
>
> Bourassa : C'est évident, je l'ai dit, je l'ai toujours dit.
>
> Mongrain : Parce que vous êtes fédéraliste ?
>
> Bourassa : Parce que c'est le programme du PLQ, comme vous le savez, qui a été

adopté, il y a un an, c'est que, il devrait y avoir un référendum sur des offres fédérales.

Les hésitations de Bourassa, emmêlé entre sa réelle volonté, les documents qu'il a adoptés, signés, votés, les déclarations qu'il a faites, la marge de manœuvre à préserver, relèvent du patinage artistique. Mais puisqu'il a trébuché, en fin de parcours, en disant « ouais » et « c'est évident », il n'obtient pas une note parfaite.

Dans cette entrevue avec Mongrain, il dit aussi que « le Québécois est prudent » ; plus tard il dira aussi qu'au Québec, « la prudence est dans nos gènes ». Toute sa stratégie depuis la mort de Meech répond à cet impératif de prudence plutôt personnelle que nationale : 1) attendre le retour du pendule, attendre que s'estompe la vague nationaliste qui, malheureusement, ne s'estompe pas suffisamment ; 2) être extraordinairement modeste dans ses demandes, pour assurer le succès de la négociation fédérale, même si cela signifie accepter les « réformes en profondeur » que d'autres demandent (Sénat, autogouvernement autochtone) ; 3) ne pas tenir de référendum sur le document issu de cette négociation, car le scrutin serait à coup sûr un échec.

Il dit aussi ceci à Mongrain : « Ce qu'il y a de certain, avec la plus grande sincérité possible, c'est que je n'ai pas l'intention comme chef politique des Québécois, à cette période cruciale de notre histoire, de jouer à l'apprenti sorcier ou au kamikaze. »

Il n'en a pas l'intention. Mais il y est poussé. Tous ses beaux et prudents projets sont en péril. À cause d'un « kamikaze » qui le hante et le harcèle. D'un apprenti sorcier qui déjoue toutes ses stratégies. Il ne s'agit ni de Mario Dumont, ni de Jean Allaire, ni de Lucien Bouchard ou de Jacques Parizeau. Il s'agit de Brian.

B *Le kamikaze de Charlevoix*

« Robert, tu nous vois, toi pis moi, sur la même tribune, en train de gagner un autre référendum ? » Brian a sorti son charme irlandais et son goût pour l'hyperbole. Depuis avril 1992, il travaille Robert au corps sur cette question de référendum pancanadien. Dans sa tête de premier ministre fédéral, le scénario du 15 juillet se termine en beauté par un grand vote où les Canadiens français et anglais, solidaires et heureux, dans l'honneur et l'enthousiasme, consacrent la victoire du grand réconciliateur : Brian Mulroney. Lui qui, contre toute attente, a gagné les élections de 1988, se pense capable de réaliser à nouveau un tel exploit.

Robert ne se voit pas du tout en duettiste avec Brian à la tribune. Il ne voit surtout pas Mulroney, dont l'impopularité est toujours au sous-sol de l'histoire des sondages, mener le troupeau canadien vers l'unanimité constitutionnelle. Après cette conversation du printemps où il a, une fois de plus, résisté au *flirt* de son copain, Bourassa confie à un conseiller : « J'ai pas osé, mais j'ai failli lui dire que la seule chance qu'il a de gagner son référendum, ce serait de promettre de démissionner si les gens votent Oui. »

Lors de leur rencontre au Hilton de Dorval, le 7 avril 1992, la question du référendum pancanadien occupe presque tout le débat. Bourassa et Rivest résistent en exigeant que le référendum québécois, s'il a lieu, se fasse sous le contrôle et dans des conditions prescrites par le Québec. Ils font valoir que les électeurs québécois répondraient mieux à une proposition faite par leur propre gouvernement que par celui d'Ottawa. Derrière cet argument, fort valable, se cache un objectif plus stratégique : en contrôlant son appareil, Québec contrôle aussi sa décision de voter ou non avec les autres.

Dès le 7 avril, dans cette chambre d'hôtel, Mulroney dit accepter que le Québec prenne en charge l'organisation de son coin de référendum, à condition bien sûr qu'il porte sur le même sujet et ait lieu en même temps que dans le reste du pays.

Il y a malentendu. Car ce n'est pas ce que Robert veut dire. Mais pendant quelques mois, avril et mai pour l'essentiel, les objections de Bourassa sont formulées avec tant de tact qu'elles ne sont pas toujours comprises à Ottawa, où le premier ministre canadien pense « rendre service » à celui du Québec en assumant l'entière responsabilité politique du référendum. Après tout, pense Brian, il fait une fleur à Robert, non ? En tenant un vote canadien, il lui donne une excuse pour se tirer de la loi 150, non ? Alors, c'est un *package deal*. Une offre unilatérale bonifiée à son goût, mais un référendum pancanadien. C'est pas beau, ça ?

À la mi-mai, Mulroney reçoit quelques sommités à sa table du 24 Sussex : l'ex-premier ministre de l'Alberta, Peter Lougheed ; son ex-homologue de l'Ontario, Bill Davis ; son ancien chef de cabinet, Bernard Roy ; et quelques autres invités. Mulroney leur expose son rêve référendaire. Lougheed demande si Bourassa est d'accord. « Oui, ça va, je l'ai vu, il va marcher avec moi au besoin », répond Mulroney, très sûr de lui. Lougheed et Davis, dubitatifs quant aux chances de succès de l'opération référendaire, se demandent tout haut s'il ne serait pas préférable que toutes les provinces se chargent d'en organiser leur part. Ils n'insistent pas, car tout le monde comprend que ce serait un moyen de reléguer leur hôte du jour à l'arrière-plan. L'idée d'ailleurs un inconvénient : si les gouvernements de certaines provinces (par exemple, celles de la *triple-E gang*) rejettent l'entente, il faudra bien que le fédéral ait la main haute sur l'organisation du référendum, non ?

Il n'y a pas qu'à sa table ou qu'au Hilton de Dorval que la proposition de Mulroney suscite des inquiétudes. Au Conseil des ministres conservateur, elle fait peu d'adeptes. Perrin Beatty et Barbara McDougall, entre autres, sont contre. Comme Joe Clark et Benoît Bouchard.

Pendant la multilatérale, le 29 mai, Bouchard confie aux négociateurs provinciaux combien il craint un nouvelle campagne référendaire :

Je ne peux pas ne pas vous dire la peur que j'éprouve devant un référendum. On est en groupe relativement fermé. Joe et moi partageons un peu la même préoccupation à ce niveau-là. Je ne vous dis pas qu'il n'y a pas de collègues [au Conseil des ministres] ou des personnes qui sont plus ouverts à ça. [...] Je vous invite à éviter cette option. Je vous donne ici une opinion personnelle et brutale, mais je pense que le Canada d'aujourd'hui, si on ne fait pas attention, a beaucoup d'éléments pour une crise excessivement profonde.

Parfois, lorsqu'il tente de coincer ses amis du Sénat triple E, Clark brandit la menace de déclencher des référendums fédéraux tenus dans une ou deux provinces seulement. Question d'aller voir, par-dessus la tête de Clyde Wells ou de Don Getty, si les électeurs terre-neuviens ou albertains accepteraient un accord que les autres premiers ministres ont entériné. Mais jamais il ne parle de référendum national, autrement que pour souhaiter, à tout hasard, l'adoption d'une loi permettant à Ottawa d'organiser ce type de scrutin.

Mais qu'est-ce qui pousse Brian Mulroney à jouer ainsi au kamikaze ? Son flair politique peut-il lui faire à ce point défaut ? Pas du tout. Son ego lui permet de croire qu'il peut faire des miracles pendant une campagne. Mais il sait lire les chiffres, et l'humeur massacrante du pays. Il se dit qu'en compagnie de, disons, sept premiers ministres provinciaux, il pourrait créer une adhésion populaire. Dans son calcul, cependant, il intègre la possibilité de l'échec.

Allan Gregg, le sondeur principal et stratège épisodique du premier ministre fédéral, explique que « le concept du référendum fédéral a eu sa genèse dans la stratégie politique plus globale du Parti conservateur », en vue de garder le pouvoir pour un troisième mandat consécutif, au-delà de 1992 ou de 1993. Les stratèges conservateurs ont examiné trois cas de figure. Dans le premier scénario, la campagne référendaire mettait en opposition, d'une part, le gouvernement fédéral conservateur et une majorité de provinces et d'autre part, les libéraux fédéraux et les néo-démocrates. « Le référendum aurait été une répétition générale de l'élection, et l'élection fédérale aurait eu lieu juste après la victoire référendaire » afin de profiter du *momentum* ainsi créé. Assez rapidement, cependant, il devint évident que toutes les forces fédérales allaient devoir être harnachées si on voulait gagner un référendum. Dans le second scénario, explique Gregg, « il était prévu de laisser Chrétien et McLaughlin jouer les seconds rôles, pendant que Mulroney tabasserait Preston Manning et Lucien Bouchard ». La victoire d'une entente constitutionnelle allait « saper la raison d'être du Reform et du Bloc, et ça, c'était nécessaire parce qu'on savait qu'aussi longtemps que les gens avaient une raison de voter Reform ou Bloc, ça enlevait beaucoup trop de votes aux conservateurs, qui ne pourraient donc absolument pas retrouver une majorité ». C'est ce qu'on a appelé « confisquer les rails » sans lesquels le Bloc québécois ne pouvait lancer sa locomotive. « On voyait ça comme un bon scénario », raconte Gregg, dans un éclat de rire.

Dans un troisième scénario, celui d'un échec de l'entente au référendum, les conservateurs escomptaient tout de même un dividende bénéfique : le scrutin référendaire permettrait de séparer l'enjeu constitutionnel de l'enjeu électoral. Ce qui est crucial, explique Gregg, car « sur la constitution, les conservateurs ne peuvent pas gagner ». Dans la coalition électorale qui leur a valu la victoire en 1984 et en 1988, on trouve en effet trop de Québécois plutôt autonomistes et trop de citoyens de l'Ouest plutôt contre le Québec. Ce qu'un politologue de l'Ouest, Richard Johnston, a appelé « la coalition des francophones et des francophobes ». Uni sur le libre-échange, sur l'entreprise privée et sur les valeurs individuelles, cet électorat conservateur se déchirera si l'élection porte sur la place que doit avoir le Québec dans le Canada.

Puis il y a l'argument corollaire, selon lequel un référendum va, comme le prédit Mulroney en privé, « sortir le poison du système ». Son sondeur, Gregg, pousse à la roue : « Mon analyse était que l'opinion publique allait beaucoup résister à une entente mais, on s'en fout ! Enfonçons-leur le truc dans la gorge ! Abattons le boulot ! Parce que, deux jours après le vote — ce que le référendum va prouver — les électeurs vont se contrefoutre du résultat du vote. »

« D'ailleurs, une partie de notre problème avec la réforme constitutionnelle pendant toute cette période, était le sentiment très puissant qu'avait le public qu'on ne devrait pas être en train de s'occuper de ça. » Il fallait donc arrêter de s'en occuper. La seule façon d'arrêter était de voter, Oui ou Non.

Et de voter partout. « On pensait qu'il était essentiel d'agir de façon pancanadienne », raconte Paul Tellier, « on n'en a jamais douté ». Faire une exception pour le Québec, ç'aurait été proclamer à la face du pays que les Québécois étaient non seulement distincts, mais privilégiés. Autant donner tout de suite les clés du parlement au Reform Party.

Ce n'est pas tout. Avec un référendum pancanadien, Mulroney veut écarter une fois pour toutes le cauchemar de Spector, le scénario de Rivest : un référendum spécifiquement québécois qui « renvoie la balle ». « Ce qu'on redoutait le plus, dit Paul Tellier, c'était un référendum québécois avec une question confuse portant plus ou moins, soit sur un mandat de négocier plus [de gains pour le Québec], soit un nouveau fédéralisme mal défini. » On l'a vu, c'est un scénario-catastrophe pour Mulroney, un coup de poignard politique qui le terrasserait à l'élection suivante, mais qui donnerait à Bourassa le beau rôle. Le référendum canadien mur à mur conjure ce mauvais sort.

Lorsqu'il s'avise, en juin 1992, que Robert résiste toujours à sa volonté de tenir ce référendum, Brian met ses amis à contribution pour le convaincre. Un des proches conseillers de Bourassa, que l'auteur ne peut malheureusement pas nommer, est ainsi « invité » à passer un week-end dans la résidence cossue d'une famille richissime et influente, que l'auteur pleure de ne pas pouvoir nommer. Pendant toute la fin de semaine, les hommes de la maison font un *lobbying* intense. Ils ont juré de convaincre ce conseiller de persuader à son tour Bourassa d'embarquer dans le référendum pancanadien de Brian. Ce conseiller raconte :

Souvent je suis invité comme ça pour un souper et souvent j'ai l'impression que je paye mon lunch, hein ? Tsé, j'aimerais autant payer mon repas pis aller manger tranquille. Ben là, ils me l'ont fait payer mon lunch, tsé ?

Là j'ai réalisé... Non, mais, toute la fin de semaine, j'ai été martelé par les fils et le père, sur la stratégie de Brian Mulroney. Ah ! si c'était bon ! Ah ! si ça allait marcher ! Tout ce qu'il nous demandait, c'était une job de vente [de l'entente], puis il fallait qu'on la vende.

Pis moi je disais : « Oui, mais les gens en veulent pas. » Là, un membre de la famille que j'identifierai pas, par charité chrétienne, m'a dit : oui mais « *we don't give a shit about people* » (« on se contrefout du peuple »), pis « il faut que tu parles à Robert » [...]

Je me disais, je suis piégé ! Ça a pas de crisse de bon sens d'être tombé dans le panneau ! Pourtant c'était pas la première fois qu'ils m'invitaient. Mais cette fois-là c'était vraiment pour un *working session*. C'était pas des vacances.

De retour en terrain sûr, le conseiller appelle son patron :

Robert, là, je viens de comprendre à quel genre de pressions personnelles tu dois être tenu, là. Moi [je connais la pression], mais j'avais jamais vu comment ces gens-là peuvent se dire : « Bourassa a pas l'air à comprendre ? C'est qui son *chum* ? On le connaît, viens-t'en mon gars, viens te reposer dans notre maison, le *staff* est bon pour tout le monde. » Puis là, là, on m'a enfoncé des clous dans la tête.

Malgré les « *working sessions* » et les nombreux appels de Brian, Robert tient bon. Il tient bon longtemps. Le référendum est peut-être une planche de salut politique pour Brian, mais c'est un cauchemar pour Bourassa : une défaite presque assurée. Un ticket pour l'humiliation politique, un rendez-vous avec une promesse — avec le Pacte — qu'il préférerait ne pas tenir.

Mais Brian, dans cette affaire, tient le plus gros marteau. Et il décide de se charger personnellement de la tâche ingrate d'« enfoncer des clous dans la tête » de Robert. Paul Tellier confirme, en termes diplomatiques, le bref récit qui va suivre : « Ce n'était pas inconcevable pour le PM [Mulroney] d'en faire un [référendum pancanadien] coûte que coûte, même si le PM du Québec s'était objecté. Parce qu'il considérait que l'intérêt supérieur exigeait que tous, tous les Canadiens incluant les Québécois, puissent se prononcer. » Bourassa en fut-il informé ? « Je le pense, répond Tellier, mais ça ne s'est jamais fait sous forme de menaces. »

Non ? Qu'on en juge.

Un dimanche soir de juin 1992, Brian Mulroney se présente, incognito, dans les locaux montréalais de Robert à Hydro-Québec. Le chef libéral explique une fois de plus que « s'il obtenait un règlement qu'il jugeait acceptable, il pouvait le faire entériner par l'Assemblée nationale, puis, peut-être, obtenir le consentement populaire par voie d'élection » générale, où les enjeux seraient plus flous.

Mulroney lui donne une amicale leçon de choses :

« Robert, penses-tu pour un instant que comme premier ministre du

Canada, représentant une circonscription québécoise [Charlevoix] formée à 99,9 % de francophones, où j'ai eu 82 % du vote, que je n'ai pas le droit de consulter les Québécois ? Je ne dis pas que le premier ministre fédéral a le droit d'imposer une modification constitutionnelle. Mais si la question est : "Le premier ministre fédéral a-t-il le droit de consulter les Québécois ?", bien sûr que je l'ai !

« Oui, mais, répond Bourassa, ma préférence c'est qu'on prenne les offres... »

« C'est ta préférence, coupe Mulroney. Mais moi j'ai l'autorité légale, morale et constitutionnelle, et je vais le faire. »

Quatrième partie

Le Louseur

Or c'est icy le nœud de l'affaire,
où il nous faut considérer qu'outre que les voyes de la perfidie
sont méchantes, pénibles et honteuses,
elles trainent toujours avec soy la confusion, le mal-heur
et la ruine de celuy qui les embrasse.

PÈRE NICOLAS CAUSSIN,
confesseur de Louis XIII,
La Cour Sainte, 1624.

12

L'AVALEUR

Peu à peu, nous prenons l'habitude
du recul et de l'humiliation, à ce point
qu'elle nous devient une seconde nature.

Colonel CHARLES DE GAULLE, 1939

ENTRE AUTRES AVANTAGES SOCIAUX, le premier ministre du Canada a droit à une grande maison de campagne, au bord d'un lac de la vallée de la Gatineau, à une heure de route de la colline parlementaire. Il va souvent s'y reposer des combats politiques incessants qui sapent son moral et sa santé. Il y invite parfois des amis, pour se remémorer les batailles passées ; ou des adversaires, pour engager les batailles à venir.

En ce jour de juillet 1992, Brian Mulroney est assis, seul, dans le petit salon du second étage de son coquet chalet. Sur le mur, il a fait accrocher des tableaux de peintres québécois. Aujourd'hui, il ne les regarde pas. Aujourd'hui, il fixe longuement le mur, comme s'il se concentrait sur la couleur utilisée par le peintre en bâtiment, les traces encore visibles du coup de pinceau, les craquelures, peut-être, qui commencent à en miner le travail. « Parfois, on lit ça dans un livre », racontera Mulroney à un confident. « On lit que M. Untel a regardé le mur et ne savait pas quoi faire. Tu te dis : "C'est juste dans les livres..." Ben, c'est vrai. Je le faisais. Je savais pas comment j'allais m'en sortir. » Ces semaines de juillet constituent, il le dira à plusieurs proches : « la période la plus difficile de ma vie politique ».

Il est à Munich quand, le matin du 8 juillet, l'annonce de l'« entente historique » lui parvient. Les téléspectateurs ont pu le voir, réagissant comme un zombi et affirmant ne pas croire « aux miracles ». Il a dit « miracle », il voulait dire « désastre ». Car pour lui, le Sénat triple E est une bombe qui peut faire éclater son caucus, son parti, peut-être même le pays. Impossible, pense-t-il de « vendre » ce concept en campagne référendaire, non seulement au

Québec, mais aussi en Ontario et en Colombie-Britannique, quoi qu'en disent leurs premiers ministres. Selon une version, lorsqu'il téléphone à Joe Clark, c'est pour lui dire ce qui suit :

« *Are you out of your f...ing mind ?* »

Est-ce que Bourassa est au courant ? demande-t-il aussi, question devenue rituelle. « Oui, répond Clark, et il [Bourassa] n'a pas dit non. » Bob Rae raconte aussi à Mulroney, le 9 juillet, les conversations qu'il a lui-même eues avec le premier ministre québécois. Et si Mulroney prend Clark et Rae pour des adversaires, il ne les prend pas pour des menteurs.

Mais ça ne change rien à l'affaire, car Mulroney est formel : jamais il n'avait donné à Clark, au nom du gouvernement fédéral, le mandat de faire pareille concession. Le 2 juillet, lors de leur rencontre secrète tenue au 24 Sussex, le plan avait été clairement établi : Joe devait « fermer le maudit dossier », Tellier devait compléter la rédaction de l'offre unilatérale que Mulroney présenterait à la Chambre des communes quelques jours plus tard, soit le 15 juillet.

Qui a donné à Joe le droit de quitter la route ainsi tracée ? Pourquoi Joe n'a-t-il pas consulté ses pairs, à Ottawa, avant de dire oui à ce texte ? Mulroney dresse devant des proches la liste des manquements au sens de l'État de son ministre. Le 7 juillet, à Ottawa, à quelques coins de rues du lieu des négociations, dit-il, il y avait le vice-premier ministre, Dan Mazankowski ; il y avait le lieutenant québécois et coprésident de la multilatérale, Benoît Bouchard ; il y avait des ministres de haut rang : Wilson, Loiselle, McDougall. Aucun n'a été appelé, aucun n'a été mis dans le coup. « Clark se prend pour Thomas Jefferson ! » lance Mulroney.

« Nous avions une stratégie, peste-t-il encore. Elle était peut-être mauvaise, mais nous en avions une. Nous nous étions ménagé la possibilité de faire une offre unilatérale. Mais comment pouvons-nous maintenant en faire une sans y mettre le triple E ? *Joe already gave that !* [Joe a déjà concédé ça.] » Rien à faire, Joe « s'est désolidarisé, sans consulter. Alors, le caucus, le cabinet, la stratégie, tout est gâté. »

« Dire que j'étais malheureux, racontera-t-il encore, est l'*understatement of the year* [le plus grand euphémisme de l'année]. » Ses ministres, d'ouest en est, sont mécontents du résultat, redoutant le pouvoir de la future Chambre haute, qui pourra contrecarrer tous leurs plans. Le premier ministre appelle McKenna, Ghiz, Getty. Mais ils lui disent : « *Joe gave us the triple-E.* » Getty ajoute : « *Why don't you go sell it to Quebec ?* » (« Pourquoi n'allez-vous pas le vendre au Québec ? »)

Mais justement, Mulroney pense que la dynamique politique déclenchée le 7 juillet conduit à un « aboutissement inéluctable : l'isolement du Québec ». Or, dit-il autour de lui, « c'est arrivé une fois dans l'histoire et c'est une fois de trop ». Il rêvait de corriger l'erreur de Trudeau, pas de la répéter.

Car il en est personnellement convaincu : rendre le Québec égal à l'Île-du-Prince-Édouard est une monstruosité politique. Consentir un tel cadeau à l'Ouest, « sans contrepartie » pour le Québec, c'est creuser sa tombe. « Moi, dira-t-il, en tant que Québécois, j'aurais jamais voté pour ça. Jamais ! »

Au retour de Mulroney en terre canadienne, un curieux scénario se déroule. Le Québécois qui dirige le Canada va forcer le Québécois qui dirige le Québec à être plus ambitieux pour son peuple.

La tâche est d'autant plus incongrue que lorsque Mulroney descend d'avion, le 9 juillet à Ottawa, Robert Bourassa vient de mettre fin à une conférence de presse d'une heure. Quand Mulroney en prend connaissance, il est « surpris » par le fait que Robert, résume-t-il, « laisse entendre qu'il peut avaler ce légume* ».

ROBERT AVALANT LE LÉGUME

Brian Mulroney, on l'a déjà signalé, ne sait pas toujours où va Bourassa. C'est particulièrement vrai au lendemain du 7 juillet. Pour saisir la trajectoire du premier ministre québécois, il faut le suivre à la trace.

Au matin du 8 juillet, il ne « réagit » pas à l'entente de la veille, qu'il connaît fort bien. Il continue de penser, comme il l'a dit à Clark ces derniers jours, que ses dispositions sont « vendables » au Québec, Sénat égal compris. Ce jour-là, il fait à son habitude un certain nombre d'appels. Le matin, il parle à Clark. En grande forme après sa « journée historique » de la veille, Clark rapporte ensuite ce qui suit aux journalistes :

> Clark : J'ai eu une conversation préliminaire avec le premier ministre Bourassa qui doit discuter de la chose avec son Conseil des ministres aujourd'hui. Je pense que la probabilité est bonne que l'on convoque une rencontre des premiers ministres d'ici quelques jours.
>
> Un journaliste : Quelle était la réaction de M. Bourassa ?
>
> Clark : Je ne peux parler en son nom, mais il a suivi les derniers développements de près, évidemment. Une des réalités de cette entente est qu'elle satisfait toutes les conditions que le Québec avait posées. [...] Je suis très encouragé par ma conversation avec M. Bourassa. Ils étudient l'entente avec beaucoup de sérieux. [...]
>
> Un journaliste : Pensez-vous que la rencontre des premiers ministres [pour ratifier officiellement l'entente] sera une rencontre de négociation ?
>
> Clark : Je ne le pense pas. Il y aura probablement quelques modifications de détail. Mais je n'appellerais pas ça une négociation. Je compte que la rencontre donnera l'occasion aux gouvernements de se rencontrer et d'indiquer leur appui à l'entente. [...] Je ne m'attends pas à des changements substantiels, quels qu'ils soient. L'entente forme un tout. Je ne pense pas qu'on y insère un élément important ou qu'on en retire un élément important.

---

*   Il est amusant de noter qu'à ce point du récit, Brian Mulroney et Mario Dumont suivent le même processus mental face à Bourassa. Dumont explique : « Plus tu lis le texte de l'entente, plus tu te dis, c'est comme rien, il [Bourassa] doit ben lire la même chose que moi, pis il va mettre le poing sur la table, il va dire : "C'est assez les folies, là", "C'est impossible"... »

Bref, le 8 juillet, rien n'est meilleur pour le moral de Clark que de parler à Bourassa. L'affaire est toujours sur les rails. Leur conversation a eu lieu avant la rencontre du Conseil des ministres du Québec pendant laquelle les ministres font preuve de mauvaise humeur sur plusieurs aspects de l'entente. Bourassa s'en tape. Après la rencontre, il reçoit un appel de Frank McKenna.

« Il a commencé la communication en me félicitant, raconte McKenna. "Vous avez accompli quelque chose de bien pour vos Acadiens, Frank, a-t-il dit, je vous félicite, les Acadiens doivent être fiers de vous." »

Bourassa fait référence à une clause qui consacre spécifiquement le caractère bilingue du Nouveau-Brunswick et à l'article de l'accord qui déclare « l'attachement des Canadiens et de leurs gouvernements à la vitalité et à l'épanouissement des collectivités minoritaires de langue officielle dans tout le pays ». Cette dernière clause donne à Ottawa le pouvoir de « promouvoir » la minorité francophone au Nouveau-Brunswick, mais aussi la minorité anglophone au Québec ; c'est pourquoi le Québec s'y est toujours opposé. Les négociateurs n'ont mis la dernière main à cette clause qu'assez tard la veille, 7 juillet. McKenna est donc un peu surpris de constater que, le lendemain, Bourassa « maîtrise aussi bien les détails de l'accord ».

« Vous êtes au courant de ça ? » s'étonne le Néo-Brunswickois.

« Oh oui ! répond Bourassa. J'ai très soigneusement pris connaissance du travail réalisé. »

« Quelle est votre réaction à tout ça ? »

« Je pense que vous avez beaucoup travaillé, vous les premiers ministres, au nom du Canada et du Québec. Il est trop tôt pour réagir formellement, j'ai encore des réserves et des problèmes avec l'accord, mais vous devez être félicités pour votre travail. »

Bourassa ajoute : « Je vois que vous avez fait en sorte d'intégrer des paramètres de Meech. »

« Que pensez-vous de l'égalité du Sénat ? » demande encore McKenna.

« Oh ! vous savez, la réaction de mon Conseil des ministres à ce sujet n'était pas trop négative. » Ah bon ?

La conversation Bourassa/Clark et la conversation Bourassa/McKenna illustrent comment le chef québécois se rétablit de sa bourde. Jusqu'à la veille, il espérait encore que la multilatérale de Clark échoue — sans qu'il soit lui-même accusé de ne pas avoir été constructif — et que Brian Mulroney lui fasse une offre unilatérale. Le « scénario du 15 juillet ». Maintenant que Clark et Rae ont déjoué ces beaux plans, Bourassa décide de suivre le courant et de ne pas se démarquer de l'entente du 7 juillet. Il laisse même entendre à Clark, et à ses propre conseillers, qu'il pourrait, dans les jours qui viennent, se rendre pour la grande signature à une rencontre des premiers ministres.

Bourassa a fait son choix. Il expliquera pourquoi, en entrevue :

Il fallait déterminer si une stratégie différente aurait produit une entente acceptable pour le Québec. L'autre stratégie était la résolution unilatérale de la Chambre des communes, qui aurait reçu l'appui des provinces, mais pas de toutes les provinces. Pas suffisamment, par exemple, pour obtenir le droit de veto [qui requiert l'unanimité], qu'on obtient avec toutes les provinces.

Donc, en un sens, parce qu'une entente existait, les chances de succès étaient plus grandes — si les autres partenaires étaient ouverts à des modifications — que l'autre stratégie [unilatérale, du 15 juillet]. Alors j'ai testé ça. J'ai tenu une conférence de presse le 9 juillet, je n'ai pas utilisé un langage qui aurait compliqué les choses. J'ai dit que je voulais des « clarifications » au texte.

Toute la stratégie de Bourassa est contenue dans un registre minimal des changements désirés : l'offre unilatérale n'aurait été que légèrement supérieure à l'entente du 7 juillet. Il n'y aurait pas eu l'encombrant Sénat égal, certes, mais pas le convoité veto non plus. Si on améliorait quelque peu l'entente du 7 juillet pour y mettre ce que Brian aurait ajouté dans son offre, on arriverait à bon port, Sénat et veto en plus. Nulle part à l'horizon bourassien ne se profile de réforme en profondeur.

Comme d'habitude, Bourassa a droit à un compte rendu des analyses préparées par le SAIC, dans une grande réunion qui se tient le 8 ou le 9 juillet et au cours de laquelle Rivest, Rémillard, Tremblay, Parisella, Benoît Morin et le sous-ministre de la Justice, Jacques Chamberland, dépècent l'accord article par article. « Notre évaluation de l'accord du 7 juillet n'est pas négative. Elle est infiniment négative. Le 7 juillet est une catastrophe », résume l'un des principaux conseillers constitutionnels du premier ministre. (Parisella est particulièrement outré du volet autochtone. « Il y a des inquiétudes très réelles ici, déclare-t-il à une représentante autochtone. Ça ne vient pas seulement de nos avocats. J'ai parlé à des avocats anglophones qui ont des contacts dans tout le pays, et ils me disent : "Ça a pas d'crisse de bon sens !" ») Ils disent au premier ministre que « la table » de la multilatérale « est trop bien formée » et qu'elle est « imperméable à des modifications majeures ». Plusieurs lui conseillent de ne surtout pas y aller. Bourassa, comme c'est son habitude, quitte la rencontre en emportant sa liasse de « fiches » analytiques du SAIC. L'impact de ces analyses et recommandations sur l'attitude du premier ministre est égal au zéro absolu.

À sa conférence de presse très attendue, le 9 juillet, Robert Bourassa offre une performance où son enthousiasme face au texte est teinté de bien fragiles réserves, motivées probablement par le tollé ayant commencé à se faire entendre.

« Nous avons constaté, dit-il, cette volonté très ferme de la part de nos collègues canadiens de faire des efforts considérables pour essayer d'arriver à un dénouement qui soit acceptable au Québec et au Canada. » En ce qui concerne Meech, dont il souhaite obtenir « la substance », « on doit constater qu'il y a eu un progrès énorme de ce côté-là. Il reste encore des clarifications sur quelques points. » En anglais, il ajoute : « Ça représente une position très proche de la substance de Meech. » Il sait pourtant, par les analyses du SAIC, que par rapport à Meech, la portée de la société distincte est « plus restreinte », qu'elle souffre de « banalisation » et que la proposition « pourrait réduire la marge de manœuvre du gouvernement du Québec en matière linguistique ».

Bourassa continue : « Par ailleurs, il est clair que sur les points tels le pouvoir de dépenser, le droit de veto, la question de la Cour suprême, l'immigration, à toutes fins pratiques, ça répond aux demandes du Québec. » Bourassa insiste surtout sur le veto — que Rémillard, on l'a vu, compare en privé au gardien de but mis en place après que les buts ont été marqués. « Ceci est un gain très important, notamment pour le Québec », juge pourtant Bourassa, qui semble surpris d'avoir tant reçu, lui qui a si peu demandé.

Sur le partage des pouvoirs, c'est Byzance ! « Nous constatons une ouverture très claire dans les propositions fédérales pour que les provinces puissent contrôler le développement des ressources humaines avec la formation de la main-d'œuvre », déclare Bourassa. « Il y a là un élément majeur de la réforme constitutionnelle. » Voilà une conclusion qui surprendrait Rae, Horsman et Sihota qui pensaient avoir échoué dans leur tentative d'obtenir une victoire significative sur la question de la main-d'œuvre. Ils seraient davantage au diapason des analyses du SAIC, qui indiquent à Bourassa qu'il « est peu probable » que l'entente « modifie sensiblement, à l'avantage des provinces, des compétences dans ce domaine ». Les experts du premier ministre pensent plutôt que l'entente consacre le *statu quo*. En conférence de presse, Bourassa affirme au contraire que l'entente « aborde même indirectement la gestion des fonds de l'assurance-chômage, de manière à ce qu'il y ait une cohérence de la part du gouvernement du Québec ». C'est tout à fait vrai, mais pas dans le sens d'une décentralisation des pouvoirs : puisque le gouvernement fédéral entend garder la gestion de l'assurance-chômage et se donne le droit de fixer des objectifs nationaux aux provinces en matière de formation, il forcera « une cohérence de la part » du Québec. Ottawa, écrit le SAIC dans un beau pléonasme, enregistre un « gain positif » sur ce terrain. Ce qui rend complètement illusoire la réalisation du grand objectif québécois de « guichet unique » en matière de formation.

Pour le reste, Bourassa veut plus d'information, notamment sur le Sénat, où « il reste quand même qu'en apparence, à tout le moins — c'est le moins qu'on puisse dire — c'est un recul important ». En soi, ce serait « difficile à vendre ». Mais, répète-t-il en français et en anglais, il faut évaluer le paquet « dans son ensemble ». « Recul important » ici, du moins en apparence, « progrès considérable » là, la patate se présente plutôt bien.

En réponse aux questions des journalistes, Bourassa évoque quelques arguments favorables au Sénat proposé. Puisqu'un vote de 60 % des sénateurs déclencherait une session conjointe de la Chambre des communes et du Sénat, le poids global du Québec ne serait pas notablement réduit dans la décision finale, explique-t-il. Il ne passerait que de 23 % qu'il est dans la formule actuelle à 22 % dans la nouvelle formule. On ne peut donc pas dire : « *No deal !* » ajoute-t-il. (Il omet de dire que le Sénat a le droit de tuer les projets de loi, avec un vote de 70 %.)

Il y a beaucoup de patinage, comme d'habitude, pendant la période des questions. Quand un journaliste demande plus de précisions, Bourassa s'esquive : « Ce ne sont même pas des textes juridiques », dit-il, on ne peut donc pas faire une évaluation ferme de l'entente. Ce serait imprudent. Lorsqu'un autre lui demande s'il souhaite la tenue d'une conférence des premiers ministres — que Clark et tous les autres premiers ministres réclament à grands cris et disent imminente —, il répond que, puisque personne n'en a encore convoqué, il n'a pas à dire s'il souhaite qu'il y en ait une.

Pour la suite des choses, quelques assaisonnements sont nécessaires, explique-t-il, et il les nomme « clarifications ». « On est prêts à discuter de certains changements, peut-être pas des changements fondamentaux, mais qu'on puisse examiner quelques propositions qui doivent être faites. »

Bourassa a parlé pendant une heure et on ne trouve nulle part, dans ses propos, des réserves comparables à celles qu'il avait évoquées à propos de l'aspect économique des propositions de septembre 1991. Rien, surtout, qui ressemble à l'accusation de « fédéralisme dominateur » portée contre le rapport Beaudoin-Dobbie. L'accord du 7 juillet, c'est le port d'arrivée. Ne restent à réaliser que quelques mineurs travaux d'amarrage.

La tonalité de la conférence de presse de Bourassa, globalement positive, est d'ailleurs en contraste marqué avec la tonalité du débat au Conseil des ministres tenu la veille, qui était « au bout de la ligne pas tellement favorable à l'entente, surtout pour les pouvoirs et les autochtones », pour reprendre le résumé qu'en fait Parisella.

« Pas de changements fondamentaux » : Bourassa est sur la même longueur d'onde que Joe Clark, Gary Filmon, Bob Rae et les autres, qui répètent ce slogan depuis l'avant-veille. Harcourt aussi l'a dit publiquement et privément ce jour-là au téléphone à Bourassa, soulignant s'il en était besoin que toutes les conditions du Québec ont été satisfaites. Le seul point sur lequel Bourassa reste vague est celui de sa participation éventuelle à une rencontre des premiers ministres. Il refuse de dire oui ou non, ce qui lui vaut moult sous-questions de la part des journalistes.

Une fois la conférence de presse terminée, Bourassa regarde sa performance, enregistrée sur bande vidéo. Une caméra de la CBC filme la scène. Son attachée de presse, Sylvie Godin, le félicite pour une réponse particulièrement bien tournée. « Sauf que, répond Bourassa, ça répond pas à la question. » Godin de répliquer dans un grand rire : « Comme toujours ! »

Ce jeudi après-midi du 9 juillet, dans toutes les capitales canadiennes, la télévision était allumée pour entendre la retransmission en direct des questions des journalistes et des non-réponses de Bourassa. Les premiers ministres du ROC, auditeurs de haut niveau, ont dû savourer le moment où le Québécois, interrogé sur les « signaux » relatifs au Sénat qu'il aurait envoyés à ses partenaires canadiens-anglais pendant la négociation, affirme en anglais avec aplomb : « Nous n'avons envoyé aucun signal. Parce que nous n'avions pas le droit d'envoyer des signaux. »

Après le visionnement, Bob Rae prononce, tel un critique, quelques commentaires avisés : « M. Bourassa est le champion de l'ambiguïté », juge-t-il. « C'est impressionnant. » Cela dit, comme plusieurs de ses collègues, Rae est content de la prestation : « La porte est ouverte », dit-il. Il est preneur pour les « clarifications » réclamées par Bourassa, étant entendu qu'une « réouverture de l'entente globale est exclue ». Même le vieil ennemi de Meech, Gary Filmon, est satisfait. Il décode Bourassa au bénéfice de la faune politique manitobaine : « Si des gens s'attendaient à ce qu'il saute de joie et lance : "Alléluia ! voilà exactement ce que je désirais", c'est qu'ils ne l'ont jamais observé auparavant. » Mais l'essentiel est qu'il ne « demandera pas de changements majeurs ». Comme Rae et Harcourt, Filmon a compris que Bourassa n'a « pas dit non » à la possibilité de venir à une conférence des premiers ministres. Ils s'attendent donc à une grande cérémonie de signature collective d'ici peu*.

Le plus heureux de tous est Joe Clark. La performance de Bourassa présente toutes les caractéristiques d'une opération publicitaire pro-7 juillet. Le premier des Québécois ne veut peut-être pas de référendum, mais il forge déjà les thèmes de sa campagne de normalisation de l'opinion québécoise.

À Ottawa, Clark utilise la réaction de Bourassa comme argument supplémentaire dans ses difficiles discussions avec Mulroney. « Convoquons les premiers ministres et signons cette entente », plaide Clark. « Je suis un député du Québec, lui répond Mulroney, et je ne signerai pas ça. Mon caucus non plus », qui commence à émettre les grognements que l'on sait. Mulroney reçoit d'ailleurs une lettre furieuse de Solange Chaput-Rolland, dans laquelle elle accuse Clark d'avoir « banalisé le Québec ». Sans parler du trio Bouchard-Loiselle-Masse, maintenant uni dans son opposition à la chose. À Clark qui propose de convoquer les premiers ministres, Mulroney réplique qu'il convoquera d'abord ses ministres pour une discussion franche et directe, comme on dit en diplomatie.

En conférence de presse, le lendemain 10 juillet, Mulroney annonce que la Chambre ne sera pas rappelée le 15 comme prévu, que les premiers ministres ne seront pas convoqués tout de suite comme le réclament Clark, Rae et les autres, et qu'il faudra encore bien des discussions avant de franchir la prochaine étape. Cette conférence de presse est encore plus intéressante que

---

* Fort curieusement, le seul auditeur qui a retenu des paroles de Bourassa qu'il rejetait l'entente est Lucien Bouchard. « Égal à lui-même, M. Bourassa a émaillé son discours de pistes pour tout le monde », dit le chef du Bloc. Le premier ministre n'en a pas moins signifié par la bande son désaccord en dénonçant le Sénat, explique Bouchard. Si Bourassa n'a pas été plus clair, c'est qu'il a « trop peur de la souveraineté » pour le dire. Comme quoi on ne dénonce pas assez les excès du bénéfice du doute.

celle, tenue la veille, de Bourassa-l'ambigu. Aujourd'hui, c'est au tour de Mulroney-la-double-personnalité. De sa bouche, on entend des paroles favorables à l'entente du 7 juillet. Il défend Clark qui « a toujours agi à l'intérieur de son mandat » ; le Sénat égal qui ne le « surprend pas » ; la réduction du poids du Québec, qui gagne tout de même « 33 % des juges à la Cour suprême ». Et il fustige « les séparatistes » et leurs arguments « dérisoires », qui ressemblent pourtant point pour point à ceux que le premier ministre canadien emploie derrière des portes closes. Dans ses yeux et dans son attitude physique, on lit cependant une profonde détresse. Il est d'une rare pâleur, comme si quelqu'un avait éteint son visage. Son débit est encore moins rapide qu'à l'habitude, son ton, encore plus toc. Et les mesures qu'il annonce — report de tous les rendez-vous — contredisent chacune des volontés des auteurs de l'« entente historique ». Politiquement traqué, il ne veut qu'une chose : gagner du temps. Heureusement pour lui, il est le patron.

Le 15 juillet, il n'y aura donc pas d'offre unilatérale. Il y aura une rencontre des ministres du gouvernement fédéral. Il y aura, résumera Mulroney, « un crisse de tollé ».

JOE AVALANT LA PILULE

Le supplice va durer six heures. Mulroney ouvre la scène. Il sait qu'autour de la table plusieurs vont être cinglants. Il décide de ne pas déclencher lui-même les hostilités. Son laïus d'introduction est donc à la fois modéré et perfide. Il y note qu'à sa dernière intervention constitutionnelle en tant que premier ministre, le 29 juin, la marque était de 6 à 4 contre le triple E. Vous connaissez la suite : 9 à 0 pour. Mais l'entente du 7 juillet « est un triple E dilué », une « base sur laquelle on peut travailler », dit-il. « Joe est le premier à admettre que ce n'est pas parfait », ajoute Mulroney, qui cite le Sénat, les gains autochtones insuffisamment encadrés et la disparition complète de l'union économique chère à Michael Wilson, qui s'en est d'ailleurs plaint publiquement.

« Le Canada anglais pense que l'entente est conclue et que c'est maintenant au tour du Québec de faire un compromis », souligne le député de Charlevoix. « Ce que nous risquons ici est la polarisation du pays. C'est ce qui s'est produit en 1980, en 1982, c'est ce qui s'est produit quand Wells nous a trahis dans Meech. Nous devons faire en sorte que ça ne se reproduise pas. Ce gouvernement et ce premier ministre ne vont pas perpétuer l'isolement du Québec. »

Mulroney propose deux étapes pour sortir du gâchis : d'abord, « faire en sorte que le Québec soit satisfait en rétablissant les cinq conditions de Meech. On y est presque, mais il manque encore des clarifications. » Une fois Meech retrouvé, Mulroney convoquera une rencontre « informelle » de tous les premiers ministres, y compris Bourassa, pour passer à la « seconde étape » : combler les lacunes de l'entente. « Le premier ministre Bourassa devra se rendre compte qu'il ne retourne pas devant une feuille blanche et que la possibilité de modifications est limitée. »

Avant de donner la parole aux ministres, et ayant ainsi fixé les balises de son action future, il sollicite « des conseils : Comment pouvons-nous éviter d'isoler le Québec — ce que je ne tolérerai pas — et en même temps éviter de nous aliéner le reste du pays qui a négocié de bonne foi ? »

Commence alors la litanie de critiques, rapportée ici à partir des notes d'un participant et du témoignage de quelques autres. Bernard Valcourt, du Nouveau-Brunswick, et Pierre Blais, du Québec, exposent d'abord leur opposition à l'entente. Organisateur politique, Blais brosse le portrait d'élections sénatoriales à venir. Puisque le nouveau Sénat aura le droit d'annuler les lois votées par la Chambre des communes, les sénateurs se vanteront de leurs exploits : « J'ai tué trois lois », dira l'un ; « J'en ai tué quatre », dira l'autre. Ce sera la surenchère conduisant à l'immobilisation du système. Plusieurs Québécois enchaînent :

Pierre Cadieux : Du West-Island au Lac-Saint-Jean — j'ai visité les deux la semaine dernière —, les Québécois sont fermement opposés à l'entente.

Monique Vézina : Il est absolument impossible de faire un consensus sur les propositions actuelles. Il faut donc faire une offre fédérale unilatérale.

Jean Corbeil : Ça ne passera pas au Québec. La rapidité avec laquelle le Canada anglais s'est entendu sur le triple E, en quelques heures, alors qu'on parle depuis 20 ans de la société distincte ! Le triomphalisme d'Ovide Mercredi à la télévision, aussi, a effrayé les gens.

Marcel Danis : J'ai parlé à 35 députés du Québec pour qui l'entente est inacceptable.

Gilles Loiselle : On est très loin d'un compromis. L'entente est très loin d'être acceptée. Ses principes mêmes sont inacceptables.

Même Gerry Weiner, ministre anglo-québécois presque toujours muet au cabinet, lance son pavé dans la vitrine de Clark. À un moment, Clark n'en peut plus de ce chapelet en faveur du Québec. Il maugrée : « Y a-t-il quelqu'un ici qui se soucie du reste du Canada ? »

Benoît Bouchard répond : « Nous ! »

« *Bullshit !* Benoît, c'est comme si tu n'étais même pas là ! » rétorque Clark.

Marcel Masse a un peu pitié du ministre responsable de la constitution et, lorsque vient son tour de parler, met un peu de baume sur la plaie.

Masse : Je veux rendre hommage au travail de Joe Clark. Il a présidé à la mise en place de la structure de l'accord. Le second étage, maintenant, est plus difficile. Il faudrait proposer quelque chose d'important au Québec, sur le plan culturel, par exemple. Mais si on ne réussit pas à trancher ce nœud gordien avec le leadership du premier ministre actuel et du cabinet actuel, personne ne va réussir.

Après la salve des francophones, des anglophones prennent le relais.

Kim Campbell : On doit se rendre à l'évidence : il n'y a pas vraiment d'entente.

Tom Siddon (Colombie-Britannique) : Monsieur le premier ministre, j'ai admiré dans vos propos d'introduction le tour de force que vous avez fait pour ne pas dire trop de mal de cette folie de Sénat triple E. Vous avez presque réussi à me convertir ! Il faut maintenant que Robert Bourassa vienne à la table des premiers ministres, ne serait-ce que pour dire qu'il ne peut l'accepter.

Benoît Bouchard se tourne vers un collègue et chuchote : « Si ça continue, Joe ne résistera pas. » Sous-entendu : il est au bord de la démission. La réunion se poursuit :

Perrin Beatty (Ontario) : Je dois constater que Robert Bourassa a dit plus de choses gentilles au sujet de cette entente que n'importe lequel des ministres assis autour de cette table. À l'exception du premier ministre, bien sûr. Peut-être ne devrions-nous pas être si sévères. Si cette entente peut aider le Canada à rester uni, l'Ontario peut vivre avec. Mais [se tournant vers Masse], Marcel, lorsque tu parles de donner la culture au Québec, je ne peux te suivre là-dessus.

Seul Harvie Andre, de l'Alberta, défend clairement l'entente, affirmant que le Sénat proposé n'est pas le monstre que ses collègues décrivent, ses pouvoirs étant très limités. Si c'est le cas, rétorquent des Québécois, pourquoi se donner la peine de l'inclure dans l'entente ?

Mulroney ne donne la parole à Benoît Bouchard qu'à la fin de la rencontre. Le député de Roberval commence par quelques mots sur la solidarité dont il faut maintenant faire preuve. Clark le coupe : « Parlons-en, de la solidarité ! » Bouchard a constamment joué les trouble-fête dans la multilatérale et Clark n'est pas près de l'oublier. Bouchard réplique : « J'ai pas de leçon à recevoir de toi ! C'était pas censé se passer comme ça de toutes façons [le 7 juillet]. Tu le savais que c'était pas acceptable au Québec ! »

Mais Clark n'en démord pas : si le Québec veut son veto, il doit accepter le Sénat égal. C'est le cœur de l'entente. On ne peut pas l'arracher.

Après six heures de ce traitement de choc, Clark émerge de la rencontre comme un boxeur sonné. Le débat n'a rien réglé. Il a seulement établi que Mulroney a l'appui du cabinet et que Clark est largement désavoué. Les deux rivaux de 1976 et de 1983 sont toujours en campagne l'un contre l'autre. Le 7 juillet, Clark pensait être le grand vainqueur, ayant tiré le pays du pétrin constitutionnel dans lequel Mulroney l'avait plongé, au lac Meech. Huit jours plus tard, il est à nouveau au plancher.

« Je ne vous surprendrai pas en vous disant, confessera-t-il à un journaliste, que l'époque ayant suivi le 7 juillet a été très difficile, personnellement, pour moi. »

Clark a-t-il songé à démissionner ? Sans doute. A-t-il offert sa démission ? Nullement. La lui a-t-on demandée ? Au contraire. Mulroney craint comme la peste de recevoir une lettre de départ de son ministre, qui en ferait, commente-t-il, « le martyr du Canada anglais alors que moi, je serais encore le méchant Québécois ».

On n'est pas loin du compte. L'agressivité monte, dans les capitales anglophones, envers ce premier ministre fédéral qui, plus que Bourassa, plaque les freins. Le 23 juillet, Allan Gregg, le sondeur favori des conservateurs, envoie aux bureaux de Joe Clark un mémo percutant affirmant qu'il est préférable d'aller de l'avant avec l'entente du 7 juillet, telle quelle, compte tenu de l'humeur de l'opinion publique du ROC. Il écrit que parmi les Canadiens anglais :

> 72 % se disent en accord — dont 40 % « totalement » — avec l'affirmation : « Je serais fâché si des changements majeurs étaient apportés à l'entente dans le seul but de faire en sorte que le Québec soit satisfait. »

> De ceux qui se disent opposés à l'entente — 22 % du ROC — le gros de l'opposition est *déjà* ciblée sur les éléments qui concernent le Québec.

Par ailleurs, au Québec, l'accueil que l'opinion publique réserve à l'entente est extrêmement difficile à interpréter. En ce qui concerne la souveraineté, de nouveaux sondages libéraux réalisés en juillet confirment les données de juin de Gollin. Mais lorsqu'on leur présente les dispositions du 7 juillet, les sondeurs obtiennent des réponses tantôt favorables, tantôt défavorables, selon le libellé des questions*.

Gregg pense que c'est imputable à un écœurement généralisé face au débat constitutionnel :

> Le résultat le plus significatif de notre enquête est le fait que les deux tiers de la population, anglophone et francophone, sont d'accord avec l'affirmation suivante : « Je me fous des détails de l'entente constitutionnelle, je désire simplement qu'une entente soit conclue de façon à garder le pays uni. » La conjonction d'indifférence, de fatigue et du désir « d'en finir » est le *véritable* facteur qui doit guider nos décisions stratégiques.

Compte tenu du brouillard qui existe dans l'opinion québécoise et de la résistance qui s'exprime dans l'opinion canadienne face à des modifications majeures, Gregg conclut qu'il serait plus facile de vendre les propositions presque telles quelles au Québec, que de convaincre le reste du pays d'accepter des amendements pro-Québec. Ce mémo ne parvient pas à la table de Mulroney. Mais il est intéressant, car il confirme à Clark ce que Bourassa lui a dit, dans les jours précédant le 7 juillet : oui, l'entente est « vendable » aux Québécois.

La journaliste Susan Delacourt raconte par ailleurs qu'à cette époque,

---

* Gregg explique dans ce mémo que les Québécois donnent des réponses favorables lorsqu'on leur présente factuellement chacun des éléments de l'entente. C'est ce que Gregg appelle leur réaction « rationnelle ». Mais les Québécois donnent des réponses défavorables lorsqu'on évoque des comparaisons entre l'entente et Meech, lorsqu'on compare le Sénat égal au principe des deux peuples fondateurs ou lorsqu'on compare les gains du Québec avec ceux des autres provinces. C'est ce que Gregg appelle leur réaction « émotive ». Gregg semble penser qu'au Québec, une discussion, référendaire ou autre, sur l'entente pourrait se faire « hors contexte », sans rappel du passé, sans référence aux principes sur lesquels le pays est fondé ou sans rappel des objectifs québécois initiaux.

Clark a une longue conversation téléphonique avec Moe Sihota, ministre de la Colombie-Britannique qui a participé à la multilatérale. Clark broie du noir et casse peut-être un peu de sucre sur le dos de Mulroney. Après cette déprimante conversation, Sihota exprime publiquement dépit et rancœur : « Est-ce que Mulroney est le premier ministre du Canada ou le premier ministre du Québec ? »

ROBERT POSANT SES CONDITIONS

« Il y a eu une espèce de flottement », résume Jean-Claude Rivest, parlant de la période postérieure au 9 juillet à Québec. « On fait rien. Il se passe pas grand-chose avec Ottawa. Le PM doit évaluer tout ça. » Pendant plusieurs jours, Robert Bourassa disparaît des ondes. Le Québec ne répond plus. Politiquement, son chef est pour ainsi dire tétanisé. Lui qui pensait pouvoir pousser la question constitutionnelle sous le tapis en allant signer la jolie entente du ROC, en lui ajoutant une ou deux boucles bleues, en est empêché par deux forces formidables : Brian Mulroney et le cabinet fédéral d'une part, la quasi-totalité des membres de la famille fédéraliste québécoise d'autre part, qui, au fil des jours, amplifient le tollé.

Ainsi immobilisé, Bourassa s'attire l'ire des premiers ministres du ROC, qui le soupçonnent de changer d'avis et de cacher son opposition derrière le bouclier de Mulroney. En plus des réactions vengeresses des éditorialistes du Canada anglais, on peut lire dans la presse mille citations acerbes qui viennent de sources autorisées et assez facilement identifiables, telle celle-ci, attribuée à un « responsable albertain » : « Notre entente est tissée très serré. Si le Québec ne veut pas faire partie du pays, c'est sa décision. Il doit avaler ou s'en aller. »

Bourassa se demande-t-il s'il a commis, quelque part sur le parcours, une erreur de calcul ?

Au téléphone, il se répand en consultations et multiplie les ballons d'essai. Mario Dumont en attrape quelques-uns :

Là, c'était mêlé. Parce qu'il envoyait toutes sortes de signaux. C'était pus des signaux, c'était des clignotants de toutes les couleurs. Une journée t'étais sûr qu'il y avait pus de référendum, il disait qu'il en ferait pas parce que c'était trop risqué ; pis le lendemain, il en faisait un sur les offres ; pis le lendemain, il en faisait un sur la question de Bruxelles. Il envoyait ces signaux-là à toutes sortes de monde différent. Mais tout le monde se parlait, tsé, et tout le monde était à moitié fou.

« Là, on s'est dit : "S'il y a pas d'accord, qu'est-ce que ça veut dire ? confirme Rivest. Le référendum, qu'est-ce qu'il devient ? Y'en aura un ? Y'en aura pas ?" »

Car, en plus, le « scénario du 15 juillet » s'est effondré. Il n'y a plus, pour ainsi dire, ni pli ni repli. S'il fallait que Mulroney impose aujourd'hui sa volonté à neuf premiers ministres qui se sont entendus, les chances de succès de son référendum pancanadien seraient nulles, comme le note Gregg.

Un Mulroney très directif informe Bourassa du nouveau plan de match :

1) On fait les « clarifications » voulues sur les conditions de Meech ; 2) On convoque une rencontre informelle de tous les premiers ministres, toi y compris, pour constater l'étendue des dégâts ; 3) On avise : nouvelles négociations de groupe ou, l'échec étant patent, retour à l'offre unilatérale maintenant justifiée par l'issue malheureuse de ce « dernier effort ».

Mais Bourassa résiste. Il n'était nullement dans ses projets d'aller « négocier » avec les autres premiers ministres, surtout pas sous l'œil exigeant de Mulroney. Robert Bourassa déteste ces confrontations où il doit monter aux barricades, où il est forcément coincé entre ses vis-à-vis provinciaux d'une part et ses conseillers québécois d'autre part. D'autant que, maintenant, ses vis-à-vis sont plus nombreux encore. « Ils sont 16, tu es un, dit-il. C'est pas dans ta langue naturelle. Ça c'est exigeant. » Il préfère le tête-à-tête et le coup de fil sans témoin. Il abhorre les grandes tables où chacun observe ses moindres gestes et paroles, pour ne pas dire la force de sa conviction et sa capacité de négociation. Ce n'est pas pour rien qu'il se disait dégoûté, après Meech, d'un processus « discrédité ». Lorsqu'il répétait à Rivest et à Béland qu'il ne se replongerait « jamais » dans une telle situation, il y croyait. L'aversion de Bourassa pour « le trouble » et sa tendance à la paresse entrent également en jeu dans son attitude. Certes il aurait bien voulu aller signer, au cours d'une jolie cérémonie, l'entente du 7 juillet. Mais ce n'est plus possible. L'entente est morte et dans l'opinion publique québécoise et, surtout, au 24 Sussex.

Bourassa suggère donc à Mulroney qu'il ne convoque que les représentants du ROC, comme le 29 juin, pour commencer le travail sans lui. « Arrête ça, il faut que tu viennes, répond Brian. Si tu veux sortir du pétrin, Robert, c'est à toi de défendre les intérêts du Québec. Il faut arrêter ces malentendus de messagers. »

Bourassa est perplexe. Mulroney enfonce le clou : « Si tu viens pas, il y en aura pas de crisse de conférence ! Pis vous allez tous vous retrouver à l'eau toute la *gang*, au Québec, avec la crisse d'entente du 7 juillet ! »

Le 16 juillet au soir, Bourassa se rend à l'exécutif du PLQ pour faire rapport. « Ça a été le désarroi, se souvient Michel Lalonde. C'était visible dans le visage des individus. Chez Jean-Claude Rivest, chez Bourassa lui-même. Pis là, c'était une semaine après que ça soit arrivé [l'entente]. Ils avaient quand même eu le temps de se remettre ! On voulait faire venir des constitutionnalistes, des politologues comme Guy Laforest à l'exécutif [pour analyser l'entente]. Ils ont dit non. »

Bourassa et Rivest s'accrochent à de maigres espoirs. Selon le procès-verbal de la réunion, ils pérorent tous deux, longuement, sur la possibilité d'un « scénario du 15 juillet modifié », c'est-à-dire reporté, où Brian emprunterait quand même la route unilatérale. Mais ça ne peut se faire sans que les premiers ministres, y compris celui du Québec, se soient rencontrés. Ne serait-ce que pour constater l'échec.

Ayant boudé depuis deux ans en invoquant de grands principes de rapports « de nation à nation » et « d'égal à égal », Bourassa ne peut tout de même pas retourner à la table des 11 (ou des 17) sur simple convocation. Il faut sauver la face. Puisque Bourassa, comme il l'affirme maintenant, a « toujours dit » qu'il reviendrait à la table pour peu qu'il obtienne la « substance de Meech », il faut émettre quelques grognements appropriés, se donner l'air de se faire prier. Nous venons de poser « trois conditions fermes », explique-t-il devant l'exécutif du PLQ. Ces conditions doivent être satisfaites avant une éventuelle « rencontre informelle » : 1) au sujet de la société distincte, le rôle qu'a le gouvernement du Québec de « protéger et promouvoir » doit être énoncé dans un paragraphe séparé (la théorie ambiante au SAIC veut que les juges en soient fort impressionnés au moment de statuer sur la portée de la clause) ; 2) le Québec doit pouvoir user de son droit de veto contre la création de nouvelles provinces ; et 3) l'accord Québec-Ottawa sur l'immigration doit être aussi bien protégé que dans Meech.

Jugé à l'aune des revendications traditionnelles et récentes du Québec, c'est peu. Compte tenu du travail qu'il faut déployer pour faire avancer le ROC, millimètre par millimètre, sur ces sujets, c'est peut-être un peu plus. En tout cas, ces conditions semblent avoir été conçues pour n'être qu'un obstacle mineur. Mais voilà, Bourassa a parlé. Il faut noter cet ultime engagement sur la route constitutionnelle :

ENGAGEMENT N° 10 : TROIS CONDITIONS À SATISFAIRE AVANT DE NÉGOCIER À 11.

Un commentaire : ces conditions font l'objet de fuites dans des médias québécois, elles font l'objet de commentaires publics de la part de Joe Clark et de représentants des autres provinces, elles sont examinées à huis clos au PLQ, mais jamais elles ne sont publiquement énoncées par Bourassa ou son ministre Rémillard. Ce sont des conditions confidentielles à aires ouvertes. Une bizarrerie de plus.

Devant l'exécutif du PLQ, Rivest est plus sévère que son patron envers l'entente. La clause de société distincte est « difficilement gérable politiquement » et d'une « rédaction insatisfaisante ». Quant au Sénat égal, c'est « une formule inacceptable ». Bourassa est plus ferme en ce qui concerne les autochtones et l'intégrité territoriale. « Je n'ai pas de mandat pour négocier le territoire du Québec », déclare-t-il. En cas de retour à la table de négociation, « s'il y en a un [autre premier ministre] autour de la table qui propose ça, je vais dire : "Est-ce qu'un de vous a un mandat de sa population pour négocier le territoire de sa province ?" »

Des membres nationalistes de l'exécutif objectent que la négociation ne va « mener nulle part ». Bourassa leur répond : « C'est quoi l'alternative ? Ne pas aller négocier ? Il ne faut pas donner l'impression d'un entêtement, de la mauvaise foi. »

Au téléphone avec Mario Dumont, il devient fataliste : « Il disait : "On n'a plus le choix de retourner à la table", se souvient le président des jeunes. "On n'a plus le choix, on n'a plus le choix, on n'a plus le choix." »

Dans la semaine qui suit, un pépin se présente : il semble impossible de satisfaire aux trois conditions fixées. Notamment le veto sur la création de nouvelles provinces. Des représentants des Territoires du Nord-Ouest et du Yukon ont vaillamment participé aux quatre mois de négociations de la multilatérale, justement pour obtenir ce droit de se transformer en provinces et de briser ainsi deux fois le record des « provinces les moins peuplées au pays » : TNO : 54 000 habitants ; Yukon : 30 000. C'est une vieille revendication. Lorsqu'il était premier ministre, en 1979, Joe Clark avait promis de leur accorder ce statut « d'ici cinq ans ». Mais comme Joe dut quitter précipitamment le pouvoir quelque neuf mois plus tard...

Le Québec a toujours considéré cette revendication comme frivole, craignant l'impact de la création de nouvelles provinces sur le mode de calcul de la formule d'amendement (chaque province compte) et sur les futures rencontres de « premiers ministres », où les « petites provinces » passeraient de 6/10 à 8/12 et où la province francophone passerait de 1/10 à 1/12. Compte tenu de la montée du concept d'égalité des provinces...

Dans leurs rapports passés, le Québec et les Territoires n'ont pas fait très bon ménage. Au printemps de 1992, lorsque Bourassa est sur le point de rencontrer Tony Penickett, « premier ministre » du Yukon qui réclame « sa province », il demande conseil à Rivest, qui lui dit : « Si M. Penickett veut une province, c'est ben facile. Dis-lui qu'ils prennent la Saskatchewan, elle est en faillite. » Ce qui, pour n'être pas complètement faux, est une bonne façon de se faire d'un coup deux ennemis.

À la mi-juillet, Penickett fulmine contre Bourassa qui veut, par le biais du veto, avoir droit de vie ou de mort sur « la province du Yukon ». Il le compare, dans son arrogance, à la « reine Victoria ». Lorsqu'on lui rapporte la remarque, Bourassa trouve que ça lui fait une assez belle jambe : « Victoria a régné pendant plus de 50 ans » (64 pour être exact), commente-t-il. Un temps, Rémillard est censé être dépêché dans les capitales des Territoires pour aplanir les divergences, mais la visite est annulée, car on constate une totale pénurie de bonne volonté. À la fin, pour satisfaire cette « condition ferme », tout ce que Bourassa peut obtenir, c'est une copie d'une lettre de Joe Clark à Penickett, affirmant que le gouvernement fédéral ne donnera sa bénédiction à la création de nouvelles provinces que dans la mesure où chaque région du pays, donc le Québec, sera d'accord. Quant à la condition sur l'immigration (protection constitutionnelle égale à Meech), elle paraît impossible à remplir. Le *bunker* se résigne donc à faire comme si l'entente du 7 juillet suffisait à cet égard (de fait, la nuance est extrêmement faible).

À la fin de juillet, il devient impossible de faire un pas de plus, car plusieurs gouvernements, dont celui de Bob Rae, excédés par ces tractations, cessent de répondre au téléphone. « Nous n'indiquerons aucune réaction à d'éventuelles contre-propositions du Québec ailleurs qu'à la table », indique l'Ontarien en chef, dont la mauvaise humeur croît de jour en jour.

Vient le moment de décider, le 29 juillet, de dire oui à la rencontre informelle. Mais que faire avec les trois « conditions fermes » ? On n'en a obtenu qu'une : Bourassa a gagné la bataille de l'alinéa, et c'est dans un paragraphe séparé que « la législative et le gouvernement du Québec » auront le rôle de protéger et de promouvoir la société distincte, ce qui est bien, mais peu. Le 24, encore, la porte-parole de Bourassa, Sylvie Godin, seule à parler aux journalistes, disait que « la substance de Meech n'est pas encore acquise ». Comment affirmer le contraire, cinq jours plus tard ?

Au *bunker*, on trouve deux écoles. Il y a ceux, comme Parisella, qui veulent qu'on affirme que les conditions sont remplies, que « c'est équivalent », enfin qu'on est contents. Un sur trois est égal à trois sur trois. Puis il y a ceux, comme Anctil, qui trouvent qu'il y a une limite à dire blanc lorsque c'est noir. « Il y a trop de monde qui vont dire : "Ben voyons ! À sa face même, c'est pas ça !" » Il en parle à Bourassa. Une lettre de Joe Clark sur la création de nouvelles provinces, lui dit-il, « je pense que ça aura pas beaucoup de valeur ». D'autant que cet « engagement politique » est assorti d'une date d'expiration : celle du gouvernement conservateur de Mulroney, à l'automne de 1993 au plus tard. C'est mou.

Mais lorsqu'il reçoit finalement la presse, tard le 29 juillet, pour annoncer qu'il ira rencontrer ses camarades canadiens au chalet du premier ministre Mulroney six jours plus tard, Robert Bourassa explique que blanc, c'est noir : « À toutes fins pratiques, on a un droit de veto qui n'est pas encore [? !] inscrit dans la constitution, mais qui est reconnu par un engagement formel [! ?] du fédéral, explique-t-il. En pratique et pour l'avenir prévisible, cela donne la même protection [! ?]. » (À Harrington, il fera ce curieux calcul : « Nous avons obtenu sur deux points les clarifications [! ?]. Sur un troisième point, à toutes fins pratiques, on pouvait considérer qu'il y avait eu progrès. »)

Chez les négociateurs canadiens, depuis le rapport Allaire jusqu'aux « trois conditions », on commence à comprendre le mode d'emploi : lorsque le Québec présente une liste de demandes, il crie victoire dès lors qu'il atteint 33 % de ses objectifs. Et même s'il ne s'agit que d'une victoire typographique — un alinéa.

C'est donc entendu, Bourassa se rendra à une rencontre « à 11 », mais pas pour « négocier », seulement pour parler informellement. Il s'y rendra surtout, à reculons et à son corps défendant, tiré à bout de bras par Brian. Bourassa n'est d'ailleurs pas encore entré qu'il prépare déjà sa sortie. Avec les autres premiers ministres, dit-il en annonçant publiquement sa décision, « ou bien on s'entend pour retourner à la table de façon formelle, ou bien on constate que l'entente n'est pas vraisemblable, et chacun devra assumer à ce moment-là ses responsabilités. »

Bourassa déclare aussi qu'il veut aller constater sur place que la substance de Meech est bien acquise. Cette notion de « substance » est fort utile, car Bourassa en est le seul interprète. Tantôt (en conférence de presse, le 9 juillet) elle est à toutes fins utiles présente ; tantôt (au moment d'annoncer sa participation à la rencontre, le 29 juillet) les « conditions » étant satisfaites, elle est dans la poche ; tantôt (le soir de la rencontre informelle du mardi 4 août, si ça tourne mal) on dira qu'elle a disparu, et on reviendra à la maison bredouille.

Le premier ministre québécois couche cette menace en toutes lettres dans une missive — André Tremblay se charge de la rédaction — envoyée à Mulroney :

> Il me faut souligner que cette acceptation [de participer aux discussions] repose sur l'assurance que vous m'avez donnée que la substance de l'accord du Lac Meech est désormais acquise. Je comprends donc qu'on ne remettra plus en cause la substance de cet Accord. S'il en était autrement, je devrais sans doute me retirer des discussions multilatérales.

« Chaque mot compte », dit Bourassa, lisant ce passage à l'auteur et attirant son attention sur l'expression « sans doute ». « Ça atténue », dit-il.

En attendant cette hypothétique sortie, Bourassa n'est, pour la première fois depuis le début de 1991, absolument plus maître du jeu. « C'est pas *clean*, on n'obtient pas toutes nos patentes, on a l'air de reculer sur certains points », résume Rivest. « On fait des erreurs. »

Bourassa a perdu la maîtrise des événements, il cherche des repères, navigue au jugé, s'enfonce.

Le mois de juillet 1992 aura été le plus froid de l'histoire du Québec, depuis 1871.

JOE ACCEPTANT LE BLÂME

En quoi la rencontre serait-elle « informelle » ? demande un journaliste. Clark répond : « Sans cravate. » Il aurait dû ajouter : sans autochtone et sans optimisme. Il n'aurait pu ajouter : sans pathos.

Brian Mulroney n'est plus seul dans son chalet au bord du lac Harrington. Le mardi 4 août, les 10 premiers ministres provinciaux sont avec lui. C'est la première fois qu'ils sont tous réunis depuis la mort de Meech. Mulroney leur fait son grand numéro sur l'unité canadienne. Quelqu'un prend des notes et on constate que le p'tit gars de Baie-Comeau a aiguisé son crayon, cherché ses mots, mis le paquet :

L'accord du 7 juillet, dit-il, « est en train de devenir un document qui nous divise ». L'histoire bégaie. Il faut l'en empêcher. « Aucun d'entre nous ne veut rééditer la décision qu'ont prise neuf provinces et le fédéral en 1982 de modifier la constitution sans le consentement du Québec. En fait, c'est cette décision de 1982 qui est la cause première de notre présence ici aujourd'hui. »

Un nouvel échec aurait des conséquences dramatiques, car il serait « très nuisible aux fédéralistes québécois qui tentent de défendre la cause de l'unité canadienne ».

Il est extrêmement inquiétant de songer que le terrain sur lequel cette résidence est construite, la résidence du premier ministre du Canada, pourrait faire partie d'un pays étranger. Imaginez que de la rivière Outaouais, et au nord jusqu'à l'Arctique, ce territoire pourrait devenir celui d'une nation aussi étrangère pour les Canadiens que l'Allemagne, la France ou la Belgique.

Lorsque ça se sera produit, qu'est-ce que nos enfants penseront de nous ? Ils diront : « Mon père était membre du groupe qui n'a pas réussi à garder le pays uni. » Quelqu'un leur demandera : « Mais quel était l'obstacle sur lequel ils se sont butés ? » Ils répondront : « Je pense qu'il était plus ou moins question du veto ou du Sénat. Ou peut-être s'agissait-il des autochtones. Je n'en suis pas vraiment certain. »

Les plus grandes tragédies humaines sont souvent déclenchées par des actions qui semblent bénignes : l'indifférence, l'irascibilité, la vanité ou la négligence.

L'histoire a donc placé un énorme fardeau sur nos épaules.

On l'a dit, ce n'est pas la première fois que Mulroney brandit le spectre de l'indépendance québécoise pour fouetter ses acolytes canadiens. La technique est un peu usée, cependant. Il l'avait utilisée avant la mort de Meech. Deux ans plus tard, le Québec n'est toujours pas indépendant et son premier ministre est moins souverainiste que jamais. Alors ? À la fin de la journée, dans l'avion Challenger qui les ramène dans leurs capitales respectives, des premiers ministres discutent du sérieux de cette menace souverainiste. « Je ne pense pas que ce soit une option véritable », suppute notamment Roy Romanow, de la Saskatchewan. « Parfois, je souhaiterais pouvoir dire à Bourassa de tenir son référendum. » Un autre, Getty ou Filmon, renchérit : « Qu'on tienne la consultation et qu'on découvre ce que les Québécois veulent vraiment ! » On se croirait à Mouvement Québec !

Pendant la conversation, certains mettent même en doute la véracité des explications de Mulroney et de Bourassa sur « la mince marge de manœuvre » du Québécois face aux nationalistes dans son parti, et face à Jacques Parizeau. Michael Harcourt et Gary Filmon se montrent particulièrement sceptiques. (Pour sa part, Getty note qu'il y avait « toujours la possibilité que Bourassa perde des députés et perde sa majorité en Chambre ».) Il faut que Frank McKenna, qui a pris cet avion vers l'ouest parce qu'il va rejoindre David Peterson pour une expédition en canoë, insiste sur la réelle existence d'une pulsion nationaliste québécoise pour que ses collègues se calment un peu. « McKenna nous disait que le Sénat égal ne pouvait passer au Québec, se souvient Getty. Nous on répondait : il faut pourtant que ça passe. » Bref, depuis deux ans, Bourassa a tellement bien éteint les craintes du ROC face à la souveraineté qu'il n'y a plus guère que les moineaux qui craignent cet épouvantail.

C'est pourquoi, à Harrington, dès que Mulroney a fini de parler, la discussion ne porte nullement sur l'opinion qu'auront des participants leurs enfants et petits-enfants, mais sur les circonstances qui ont mené à l'accord du 7 juillet.

Joe Ghiz, de l'Île-du-Prince-Édouard, est le premier à ouvrir le panier de crabes : « Joe Clark nous avait très clairement donné l'impression que le Québec était complètement informé et que l'entente jouissait d'un appui important au sein du gouvernement québécois. On nous a répété que Robert Bourassa était capable de vivre avec le triple E et avec le volet autochtone. » Cela dit, ajoute Ghiz, « je ne participerai à aucune opération qui aurait pour résultat l'isolement du Québec ». D'ailleurs, « la proposition sur le Sénat est traitée comme une blague à l'Île-du-Prince-Édouard ».

Mulroney avait d'abord donné la parole à Ghiz parce qu'il est un fidèle allié du fédéral. Mais puisque même cet allié ne peut s'empêcher de soulever la question des « signaux » envoyés par Bourassa — effectivement au centre de tout ce psycho-politico-drame — le premier ministre fédéral donne immédiatement la parole à Bourassa, qui pourra peut-être endiguer le flot.

La conversation se passe uniquement en anglais, comme c'est l'usage dans les rencontres à huis clos. Le Québécois a préparé ses notes et a décidé de modifier quelque peu sa position. Contrairement au Bourassa ambigu qu'on joint normalement au téléphone, ce Bourassa-ci sera plus clair, car il est forcé de jouer le jeu de Mulroney et d'intégrer dans son propos les conséquences du tollé. Il a choisi un ton : légèrement combatif. Il a choisi aussi un bouc émissaire.

« Je me souviens d'une nuit de juin. Tous les premiers ministres ont chanté le *Ô Canada*. Nous avions les larmes aux yeux, dit-il en guise d'entrée en matière. Deux semaines plus tard, Meech n'était toujours pas ratifié. » Le Québec, explique-t-il, fut « mis à l'écart » en 1982, puis en 1990. « Si ça devait se produire encore en 1992, certains diraient que c'est une troisième prise. La rupture du Canada serait, pour paraphraser Talleyrand, plus qu'un crime : une erreur. »

Puis il revient sur les « signaux ». Dans cette enceinte, il n'en nie nullement l'existence. Mais il en donne une version nouvelle. « Sur la question des autochtones, j'ai dit à Joe Clark qu'en aucune façon nous n'accepterions que les tribunaux aient le pouvoir de mettre en cause l'intégrité territoriale du Québec. » Pourtant, « lorsqu'on lit l'accord du 7 juillet, on se rend compte que notre territoire pourrait être amputé. C'est totalement inacceptable pour le Québec. »

« Sur le Sénat, nous étions en faveur du modèle "équitable". Nous pouvions examiner la possibilité d'intégrer des éléments du triple E, par exemple en matière d'énergie [pour permettre, en clair, à l'Ouest de bloquer, au Sénat, toute nouvelle "politique nationale de l'énergie" à la Trudeau].

« Le vendredi [3 juillet] quand Joe Clark m'a appelé, j'étais très clair : je ne pouvais accepter quoi que ce soit, car il n'y avait eu aucune consultation avec mon cabinet et mon caucus. » (*Nota bene* : au moment où Bourassa prononce ces paroles un mois plus tard, il n'a toujours pas convoqué son caucus.)

« Le 7 juillet, mon adjoint Benoît Morin [secrétaire général du gouvernement] a appelé le sous-ministre de Bob Rae pour lui dire que le triple E était inacceptable. » (C'était le troisième et le plus tardif des signaux québécois contradictoires de la journée. Bourassa ne parle pas des deux autres.)

Les partisans du Sénat triple E, dit-il encore, « vont dans le sens contraire de l'histoire. La raison pour laquelle le Canada est différent des États-Unis est sa dualité linguistique. Avec le triple E, cette dualité serait perdue. »

Joe Clark est présent lorsque Bourassa réécrit ainsi l'histoire. Selon le récit qu'il a fait de cette scène à la journaliste Susan Delacourt, Clark décide alors de ne pas contredire le Québécois, ce qui aurait déclenché une ruée sur Bourassa, sapant sa crédibilité et réduisant les chances de succès de toute l'opération constitutionnelle à venir. Clark coiffe donc volontairement le bonnet d'âne et fait comme s'il était personnellement responsable du cafouillage. « Par la suite, raconte-t-il, j'ai fait très attention dans mes commentaires, affirmant qu'il y avait eu une mauvaise évaluation de l'état de l'opinion publique au Québec [les 3 et 7 juillet sur la question du Sénat]. Et j'ai formulé mes remarques de façon que les gens croient que c'est moi qui étais responsable de cette mauvaise évaluation. »

Bob Rae prend ensuite la parole : « Nous pouvons nous rendre la vie impossible les uns aux autres. Mais nous avons besoin du Québec, tout en respectant les paramètres de l'entente du 7 juillet. » Rae tient cependant à signaler à son voisin québécois que l'entente du 7 juillet « n'est pas tombée du ciel ».

Don Cameron, de la Nouvelle-Écosse, est un autre allié de Mulroney qui n'est pas censé rendre la vie difficile à Robert. Mais il n'est pas convaincu que ce qui s'est produit le 7 juillet est complètement casher. « Robert Bourassa parle du 7 juillet, dit-il. Je comprends qu'il lui faut trouver une façon de sauver la face. Mais il doit se rendre compte qu'il y a une montée de colère dans le pays. » Puis il s'adresse directement au Québécois : « Robert, qu'est-ce que tu pensais qu'on était en train de faire, pendant les cinq mois de négociations ? »

Cela dit, Cameron prend ses distances : « À Meech, il y avait un accord dûment signé. Le 7 juillet, je n'ai rien signé. Je n'ai serré la main de personne en disant "marché conclu". » Il a ses propres inquiétudes, portant sur le volet autochtone. « Ce dossier est propulsé par des sentiments de culpabilité de notre part et par de l'intimidation de la part des partisans autochtones », dit-il. Chaque fois que des représentants de sa province ont soulevé des objections à ce sujet à la multilatérale, ajoute-t-il, « ils se sont fait traiter de xénophobes ».

C'est au tour de Clyde Wells de parler. « Il faut arrêter de valser autour du sujet, dit-il à Bourassa. L'entente est-elle acceptable au Québec, oui ou non ? Vous ne pouvez pas avoir le veto sans accepter le Sénat égal. »

Bourassa répond qu'il veut le veto, mais qu'il préfère le Sénat équitable. Wells, l'Albertain Don Getty et le Manitobain Gary Filmon l'informent tour à tour qu'il ne peut pas avoir les deux. La *triple-E gang* tient bon.

La discussion, que Bob Rae décrit comme « intense, émotive et difficile », va et vient sur tous les sujets en cause. Passant en revue les conditions de Meech, Clyde Wells s'oppose à la procédure proposée pour la nomination des trois juges du Québec à la Cour suprême. La province est censée présenter une liste de candidats dans laquelle Ottawa choisirait un nom. Mais si le PQ prend le pouvoir et qu'il n'y a que des séparatistes sur la liste ? objecte Wells.

« Si le PQ prend le pouvoir, rétorque Mulroney, cinglant, il n'y en aura plus, de Cour suprême ! »

À un moment, Bourassa revient sur le fait que la substance de Meech n'est pas encore complètement réintégrée dans l'accord du 7 juillet. Le Québécois semble être tombé sous l'influence de Gil Rémillard, qui, selon Bob Rae, « insistait pour que chaque mot, chaque virgule de Meech soit maintenu, dans sa complète exactitude, dans la nouvelle entente ». C'est au point que Mulroney dit à Robert qu'il « n'est pas raisonnable », ce qui surprend plusieurs autres premiers ministres.

Le débat tient tantôt de la confrontation, tantôt de l'explication. Des premiers ministres tiennent à démontrer à Bourassa et à Mulroney, les deux absents de la multilatérale, que les positions du 7 juillet résultent de séries de compromis qu'on ne peut balayer du revers de la main. Pendant le débat, les représentants des provinces de l'Ouest, notamment l'Alberta, raconte Rae, soutiennent de façon « extrêmement vigoureuse qu'il n'est pas question de rouvrir l'accord ». À Bourassa qui parle de l'opinion nationaliste québécoise, Getty oppose l'opinion publique des Prairies et l'avertit, se souvient Clark, « que tout le monde devrait s'inquiéter d'une montée potentielle de colère dans l'Ouest ».

Quelques perches sont tendues, quelques nouveaux concepts évoqués, mais six heures s'écoulent sans que les positions se soient rapprochées. Un sentiment diffus d'échec enveloppe les participants.

« À la fin de la rencontre, se souvient Clyde Wells, il semblait très possible qu'une entente nous échappe, qu'il y ait un référendum au Québec et rien dans le reste du pays. » (Wells n'est pas informé du désir de Bourassa de ne pas consulter l'électorat.) « Mais à l'évidence, nous n'étions pas disposés à annoncer publiquement que tout était perdu. »

Getty, qui avoue ce soir-là « ne pas se sentir très optimiste », propose tout de même que les participants prolongent la session pendant une seconde journée, dont on fixe la date, le 10 août. La conclusion, c'est qu'il n'y a pas de conclusion. Le résultat, c'est qu'il faut continuer à chercher un résultat. « C'est quand même mieux que toutes les autres options, explique Rae aux journalistes à la sortie. Si on vous disait que les pourparlers se sont écroulés, ce serait une nouvelle extraordinaire et ça donnerait une conférence de presse excitante. Mais je ne suis pas sûr que ça ferait un très bon pays. »

Au micro, Bourassa se limite à dire qu'il n'est « pas en mesure de faire des pronostics sur les chances de réussite ». Il retourne à Montréal, laissant Brian derrière, seul dans son chalet, à contempler le mur du salon.

BRIAN SORTANT SA CARTE

À force de regarder le mur on a parfois des idées. Mulroney cherche un moyen de reprendre personnellement l'initiative, de contenter le Québec — ou du moins d'obtenir ce qu'il croit être de nature à contenter le Québec — tout en protégeant ses arrières dans le reste du pays.

Mais il y a ce foutu Getty qui continue à lui répéter que, sans Sénat triple E, il ne signera rien. L'Alberta est quand même une grosse province. Ces jours-ci, Preston Manning y passe à l'offensive, défendant le Sénat égal, honnissant ses adversaires et vilipendant Mulroney qui n'a pas su convaincre les Québécois de la qualité de cette proposition. Manning réclame un arrêt des débats et le déclenchement d'élections fédérales. La soupe populaire albertaine est tellement chaude que, le 6 août, les 22 députés conservateurs fédéraux de l'Alberta (15 % du caucus de Mulroney) se rebellent contre toute tentative de jeter au panier le Sénat égal. Le président du caucus albertain, Ken Hughes, parle d'un « grand prix politique à payer », car ses députés pensent qu'il s'agit là « d'une réalisation majeure pour le pays ». Il laisse même planer des menaces de démission. Un peu plus et on croirait entendre le caucus québécois.

Pour Mulroney, ça va de mal en pis. Voilà que les deux bases politiques de sa coalition — l'Alberta et le Québec — risquent de lui échapper. Dans le petit salon, au second étage du chalet, il tente de remettre les morceaux en place. La bête politique commence à travailler.

Avec des conseillers, Mulroney décide de dessiner son propre Sénat. Il obtient de Statistique Canada les projections démographiques, par province, jusqu'en 2011. Résultat : l'Alberta et la Colombie-Britannique sont les deux provinces dont l'expansion est la plus forte. De plus, ce sont les deux provinces qui versent le plus gros pécule au budget de péréquation. Au contraire, la population du Manitoba stagne, celle de la Saskatchewan décline, celles de plusieurs provinces maritimes aussi.

Eurêka ! Il décide d'offrir un Sénat égal, oui, mais à deux étages. Un étage pour les dorénavant « grosses provinces » : Alberta, Colombie-Britannique, Ontario et Québec. Elles auraient chacune 24 sièges. Un autre étage pour les petites provinces, qui en auraient 8.

Mulroney teste cette recette sur son allié Joe Ghiz, qui portera le ballon, et sur Don Cameron, toujours d'accord. McKenna est également sondé, mais il refuse de s'associer à l'idée.

Quand ses invités sont de retour au lac Harrington, le matin du 10 août, Mulroney ouvre rapidement la séance en annonçant que « le premier ministre Ghiz a une proposition à vous faire ». Ghiz fait son exposé — de la part d'une petite province, c'est pas mal — et Cameron, ex-membre de la *triple-E gang,* lui emboîte le pas.

« Ça rendait M. Harcourt et M. Getty très malheureux, c'est le moins qu'on puisse dire », raconte un témoin. Voilà qu'on leur offrait à eux d'augmenter leur pouvoir. Mais pour cela, il fallait payer le prix : sacrifier leurs alliés Wells et Filmon.

Ces derniers, ainsi que Roy Romanow, multiplient les protestations et font valoir que le principe sacré de l'égalité de toutes les provinces serait ainsi bafoué. Getty et Harcourt interviennent à leur tour pour dire : non merci, *« we're all in this together »* (« On reste solidaires »).

Mulroney se tourne vers ces deux généreux premiers ministres et joue au secrétaire d'assemblée prenant force notes : « Est-ce que je comprends bien ce que vous dites ? Il y a sur la table une proposition de M. Ghiz. Je veux être certain de bien comprendre. La proposition ferait en sorte de donner à la Colombie-Britannique et à l'Alberta autant de sièges qu'à l'Ontario et au Québec. Et vous me dites que cette proposition est rejetée par les gouvernements de la Colombie-Britannique et de l'Alberta ? »

Tout le monde, autour de la table, comprend ce qui vient de se produire. Brian Mulroney vient de se hisser hors du trou. Il vient de façonner la position de repli qui lui manquait depuis le 7 juillet. Cette proposition d'égalité entre les deux principales provinces de l'Ouest et les deux grandes provinces du centre est l'équivalent électoral du miel et des roses. Vendre cette proposition à Vancouver et à Calgary, ce serait du gâteau. Getty et surtout Harcourt ne pourraient s'y opposer si Ottawa, faisant fi des négociations multilatérales, l'offrait directement aux Canadiens.

Mulroney jubile devant un confident : « Là, j'avais renversé la vapeur, sachant que j'avais maintenant une position de repli. Si la négociation ne marchait pas, je me disais : "Je retourne à ma proposition unilatérale" », ainsi largement améliorée au goût des électeurs albertains et colombiens. L'Ontario et le Québec, pour leur part, n'auraient pas trop d'inquiétude à se faire : leur poids relatif dans l'ensemble du Sénat baisserait un peu, mais pas au point qu'ils puissent être mis en minorité par les petites provinces.

Pour l'heure, la proposition d'un Sénat à deux étages est donc rejetée au nom du fameux principe de l'égalité qui va conduire la négociation, ce jour-là et par la suite, dans une voie périlleuse. Parce que les leaders politiques de trois petites provinces — le Manitoba, la Saskatchewan et Terre-Neuve — totalisant 2,6 millions d'habitants réclament l'égalité, parce qu'ils ont l'appui de Don Getty qui en a fait un combat personnel, le reste du pays doit multiplier les contorsions pour se plier à leurs vœux[*].

Roy Romanow ressort alors, pour la première fois en réunion, l'idée de

---

[*]   La proposition Mulroney/Ghiz aurait mis dans un même bateau l'Ontario (9,6 millions d'habitants), le Québec (6,7 millions), la Colombie-Britannique (3 millions et en forte

garantir au Québec 25 % des sièges au Parlement, l'équivalent de sa proportion de la population, en échange de son adhésion au principe du Sénat égal. Selon cette proposition, quelle que soit l'évolution de sa population, le Québec disposerait, pour l'éternité, d'un siège sur quatre à la Chambre des communes.

L'idée sourit à Bourassa et à Mulroney. Elle froisse pourtant les sensibilités démocratiques, notamment celle de Clyde Wells. Au Sénat, on peut reconnaître un principe, au choix : l'égalité des provinces ou des régions, ou encore le facteur de dualité linguistique, ou encore le poids de l'histoire. À la Chambre des communes, par contre, véritable lieu de la démocratie canadienne, le principe de « rep by pop » (représentation en fonction de la population) est la règle cardinale. Chaque recensement apporte son lot de révisions de la carte électorale, au gré des déplacements de population, de la natalité, de l'immigration. Un niveau « plancher » a bien été établi pour les microprovinces, comme l'Île-du-Prince-Édouard. Mais offrir un « plancher » de 25 % à une grosse province en compensation des pertes subies au Sénat procède d'une autre logique et prête le flanc à de graves accusations d'injustice et de privilège[*].

Sur le coup, la proposition de Romanow n'est pas acceptée, surtout pas par Wells. Mais elle reste suspendue au-dessus de la réunion comme une promesse, une voie de sortie, respectueuse du triple E.

En entrevue, Rae explique comment la rencontre chemine vers un astucieux accommodement :

> Il nous fallait faire une belle quadrature de cercle. Politiquement, tous les premiers ministres sauf M. Bourassa devaient continuer de dire que nous allions nous en tenir aux éléments du 7 juillet, et M. Bourassa était forcé de dire qu'il devait garder les éléments centraux de Meech. Évidemment, n'importe quel élève de troisième année, observant ces positions contradictoires, vous dirait que c'est impossible. C'est l'un ou l'autre. Il nous fallait donc créer une « fiction nécessaire » afin de nous rendre à l'étape suivante : la vraie négociation. Alors nous avons décidé de dire, de notre côté, que nous maintenions les éléments centraux du 7 juillet, et M. Bourassa de dire qu'il avait Meech.

La synthèse de Rae comporte une autre information importante : l'absence de toute revendication de Bourassa excédant l'accord du Lac Meech. À ce stade, plusieurs participants jugent que la négociation à venir consistera à marier Meech ainsi que les réserves du Québec face au Sénat et aux autochtones avec l'entente du 7 juillet. Tous les ingrédients semblent réunis. Aucune nouvelle revendication, certainement pas majeure, n'est attendue.

La journée se termine dans un certain optimisme. Don Getty en fait la description :

---

croissance) et l'Alberta (2,5 millions et en croissance). Au second étage, on aurait trouvé le Manitoba (1,1 million), la Saskatchewan (moins de 1 million et en déclin), la Nouvelle-Écosse (900 000 et en déclin), le Nouveau-Brunswick (725 000), Terre-Neuve (575 000 et en déclin) et l'Île-du-Prince-Édouard (130 000). Données : Statistique Canada 1990.

[*] Plus tard, Romanow se mordra effectivement les doigts d'avoir présenté la proposition du plancher québécois. « Oui, dira-t-il, monsieur 25 %, c'est moi ! »

Getty : Le point tournant est venu lorsque, après beaucoup de débats, le premier ministre [Mulroney] s'est tourné vers Bourassa et lui a dit : « Compte tenu des discussions que nous avons eues ici aujourd'hui et des choses qui ont été dites, es-tu disposé à venir à une véritable conférence des premiers ministres sur la constitution ? »

Sans souffrir le martyre et sans dire qu'il devait consulter sa délégation ou quoi que ce soit du genre, Robert a dit : « Oui. »

Pour moi, ça signifiait qu'il allait y avoir une entente. Il n'y a pas eu de doute dans mon esprit. Jamais Mulroney ou Bourassa n'auraient accepté de venir à une conférence formelle des premiers ministres et d'en ressortir avec un échec. Mulroney répétait d'ailleurs sans arrêt que le pays ne pouvait se permettre une autre conférence débouchant sur un échec. Et puisqu'ils étaient tous les deux parfaitement conscients que, pour ma part, je n'allais rien signer qui ne comportait pas un Sénat égal, ils ne pouvaient donc pas m'inviter sans être eux-mêmes disposés à l'accepter. Parce qu'ils savaient que j'allais quitter la conférence si je ne l'obtenais pas. [...]

L'auteur : Est-ce que Bourassa a déjà dit qu'il allait quitter la conférence s'il n'obtenait pas une revendication à laquelle il tenait ?

Getty : Non. Mais il disait toujours qu'il ne viendrait pas à une conférence sans garantie de succès, parce qu'il ne fallait pas que le Québec soit à nouveau rejeté ou humilié ou tout ce que vous savez. Alors je savais que s'il venait, il allait devoir trouver un moyen de se ranger.

Après avoir entendu le « oui » de Bourassa, Getty va voir son ministre Jim Horsman, qui l'attend en coulisse. Utilisant la phrase anglaise qui signifie que quelqu'un, dans une confrontation, vient de céder — au pied de la lettre « cligner des yeux » — Getty lui dit d'un air complice :

« *Somebody just blinked.* »

13

LE REPLÂTREUR

Il négocie d'une drôle de manière.

JEAN-CLAUDE RIVEST,
parlant de son patron.

ROBERT BOURASSA EST INTROUVABLE. Il n'a pas emménagé au Château Laurier, à Ottawa, comme plusieurs autres premiers ministres. Il n'est pas à La Chaudière, à Hull, où descendait René Lévesque. Ce lundi soir, 17 août 1992, l'Albertain Don Getty rage de devoir chercher Robert, encore insaisissable à la veille de la grande négociation.

Le Québécois aspire à la tranquillité. Il garde un mauvais souvenir du « vacarme », dit-il, des systèmes d'air climatisé qui ont jadis troublé son sommeil au Laurier ou à La Chaudière. Il a déniché un îlot de sérénité, au Sheraton d'Aylmer. Sa chambre donne sur le terrain de golf d'où il entend, le soir, le chant monotone des criquets.

Quand Getty réussit finalement à retracer le Québécois, c'est pour le tirer de sa quiétude, faire monter sa pression artérielle, s'assurer qu'il comprend bien les enjeux.

Getty : Qu'est-ce que tu penses faire demain ?

Bourassa : Bien, je pense présenter notre position comme je l'ai fait au lac Harrington.

Getty : Mais, sur le Sénat égal, vas-tu être capable d'appuyer ça d'une façon ou d'une autre ?

Bourassa : Je regarde la proposition du premier ministre [Sénat équitable] et celle de Ghiz [Sénat à deux étages].

Getty : Tu sais, Robert, il faudra que tu traverses du côté du Sénat égal.

Bourassa : Écoute, je veux dire, l'Île-du-Prince-Édouard et le Québec à égalité, comment peut-on faire ça ? C'est deux nations, pas deux provinces égales.

Getty : Alors, pourquoi es-tu venu ? Tu es venu participer à un échec ?

Bourassa : *[Silencieux pendant un moment.]* Je vais penser à ce que tu dis. Peut-être y aura-t-il un miracle.

Getty : Il n'est pas question de miracle. Il va falloir que ça se fasse, sinon il y aura un échec, à moins que tu trouves un moyen d'accepter le Sénat égal.

Bourassa : Bien, mon cher ami, la nuit porte conseil.

Getty : Je ne dormirai pas bien ce soir et je veux que tu saches que si tu n'es pas capable de changer de position, ça va se terminer assez rapidement demain, et je vais m'en retourner chez moi.

« Nous avons raccroché, dit Getty, qui raconte l'échange. Je n'étais pas très content. Au moins, personne ne pouvait se tromper sur les conséquences de nos gestes. »

Peu après, Frank McKenna, de retour d'un souper avec Roy Romanow, appelle Bourassa pour lui faire part de l'avancement des discussions préliminaires. McKenna, qui tente de convaincre ses collègues d'adopter le Sénat équitable, annonce qu'il fait « peu de progrès » et que le Sénat égal a toujours la cote.

Bourassa est coincé. S'il reste de marbre, demain, Getty claquera la porte, entraînant probablement Wells et Filmon avec lui. La conférence sera considérée comme un nouvel échec, dû à l'affrontement Québec/Canada. Comment penser qu'une nouvelle offre unilatérale puisse, ensuite, passer la rampe de l'opinion ? Comment évaluer le coup de pouce que ce nouveau « rejet du Québec » donnerait aux souverainistes québécois ?

« Imaginez-le, fixant du regard la nuit noire, dit un Getty content de son effet. Robert est dans son hôtel, il regarde par la fenêtre qui donne sur le golf, et tout est noir au dehors. Il est assis et il réfléchit. »

« Eh ! Les gars ! On vous l'a pas dit, mais on a un programme ! »

Si le chef libéral québécois est plongé dans ses pensées, il n'a pas que Don Getty en tête. Les huit jours écoulés entre la seconde rencontre de Harrington et le début de la négociation d'Ottawa lui ont laissé peu de répit, personnel et politique. Et c'est avec un nouveau bagage qu'il vient affronter ses collègues.

Brian n'en démord pas : il veut un référendum pancanadien, y compris au Québec, sur les futures offres. Bourassa, ces jours derniers, lui a envoyé des messages par médias interposés : « Vous savez que les référendums peuvent avoir des résultats imprévisibles. Qu'on pense au Danemark, où tout le monde était pour le Oui [au traité européen de Maastricht], et le Non l'a emporté. [...] Il y a des risques dans un référendum, et je suppose que le fédéral tiendra compte de tous ces risques. » Ces propos trahissent la résignation : il est maintenant acquis que « le fédéral » décidera de l'opportunité de consulter la population. Le plus simple serait que Bourassa revienne d'Ottawa avec un texte vendable aux Québécois. Pour ce faire, deux conditions doivent être impérativement — et bien tardivement — réunies : élargir la marge de manœuvre chez les partenaires canadiens-anglais pour obtenir plus de gains — au-delà, donc de l'appétit personnel de Bourassa — et amoindrir la pression nationaliste au Québec, notamment dans le Parti libéral.

Sur le premier front, trois jours après Harrington, Bourassa dépêche à Ottawa Gil Rémillard, Jean-Claude Rivest et André Tremblay*. Ils sont censés conditionner les esprits fédéraux pour le grand retour du Québec à la table de négociation.

Ils sont bien préparés. Car au printemps de 1992, pendant que Bourassa télégraphiait des gentillesses à ses homologues, il avait aussi donné à ses conseillers — qui se plaignaient de toujours « réagir » et de ne jamais « agir » — mandat de formuler des « contre-propositions » à celles alors en évolution au Canada anglais. Des rencontres « ministérielles et sous-ministérielles » furent tenues pour formuler, secteur par secteur, ces demandes, dressées dans un document intitulé *Mandat des représentants québécois* qui, y lit-on, fut « autorisé le 18 juin 1992 ». Moins ambitieux qu'Allaire mais nettement plus musclé que Meech, notamment au chapitre des pouvoirs, ce *Mandat* ne ressemble en rien, on s'en doute, à l'accord du 7 juillet.

Le 13 août 1992, c'est un peu comme si Bourassa envoyait ses boule-dogues à Ottawa. Ils sont attendus. « Je me souviens qu'il y avait bien du monde à Ottawa pour entendre les demandes, raconte un témoin du bureau de Clark. Ils disaient : "On va toujours ben finir par savoir ce qu'ils veulent !" » Dans la salle : Joe Clark, Paul Tellier, Jocelyne Bourgon, quelques autres hauts fonctionnaires.

Rivest explique sa méthode :

> Moi, envers les autres interlocuteurs, je veux m'assurer d'aller le plus loin possible. Autrement dit, je suis là pour dégager le terrain, assurer au PM la plus grande marge de manœuvre, lui donner du *bargaining power*. Quand je parle aux hauts fonctionnaires à Ottawa, moi, je suis un dur. Parce que, dans ma tête, si je suis dur, ça laisse de l'espace au PM. [...]

> Alors là on est assez fermes sur chacun des éléments. On dit : « On veut ça, ci et ça. » *[Rivest frappe du poing sur la table pour illustrer sa fermeté.]* On demande des choses qui vont loin. Mais on veut avoir un certain nombre de garanties d'avenir pour enrichir le paquet, pour aller bien au-delà de Meech dans le discours.

Rivest, Rémillard et Tremblay se relaient à l'offensive, réclament plusieurs pouvoirs nouveaux et insistent sur un « angle d'attaque » particulier, une revendication aussi vieille que l'existence du Québec : le retrait du gouvernement fédéral, sur demande du Québec et avec compensation financière, de tous les champs de compétence québécois. « C'est ce qu'on a toujours voulu, dans le fond », dit Rivest. C'est indubitable. Il n'y a qu'un problème : Québec a oublié de le dire, depuis deux ans. Et il est bien tard.

---

*   Depuis le printemps, Diane Wilhelmy est souffrante. Elle est constamment informée du déroulement des opérations, mais ne participera pas physiquement à la suite des négociations.

L'auteur : Ça chauffe un peu ?

Rivest : Oui, il est évident que ça chauffe. Ils sont un peu surpris que le ton ait monté. [...] On est là : 1, 2, 3, marche ! Et eux autres sont encore sur le *spleen* de Harrington où tout le monde était gentil et tout était beau. Il y a une sorte de différence de langage. Ils ne s'y attendent pas.

Les représentants fédéraux sont atterrés par ce discours nouveau et étonnant. Bourgon soulève des objections, qui épousent le discours des petites provinces à ce sujet. Elle se fait rembarrer par Tremblay qui la critique durement. Elle en est choquée et blessée.

À deux reprises, Rivest sort de la pièce pour aller griller une cigarette dans le bureau de l'attachée de presse de Clark, Michèle Bazin. « Ça barde », lui dit-il.

La séance se termine par un tête-à-tête entre Clark et Rémillard. Clark avertit le Québécois qu'il doit oublier ses rêves de chambardement du fédéralisme : « Il n'y a aucune chance que le Canada accepte ces propositions », explique-t-il. Les Québécois entendent bien le message : « On s'est fait drôlement rabrouer, résume l'un d'eux. On nous a dit de ne jamais compter sur une émasculation du pouvoir fédéral de dépenser. » « Après cette conversation, raconte Clark, j'étais convaincu que le Québec comprenait qu'il n'y avait pas de possibilité de mouvement dans cette direction. »

Une fois la délégation québécoise partie, les responsables fédéraux font le point. « Ils ont descendu en flammes les demandes québécoises, raconte un témoin. Là, c'était rendu que Tellier, Clark et Bourgon disaient : "Ça, c'est les demandes de Rémillard, c'est pas les demandes de Bourassa. Alors, ça compte pas." »

Clark exprime, dans une entrevue, comment il perçoit le phénomène : « Assez souvent pendant ce processus, quelqu'un qui n'est pas le chef d'une délégation exprimait une position au nom de sa province, seulement pour voir si elle trouverait preneur. Cette personne s'en retournait ensuite et, la plupart du temps, c'était la dernière fois qu'on en entendait parler. » Puisque Clark a souvent parlé à Bourassa, puisqu'il a souvent constaté, et rapporté à la multilatérale, qu'il y avait deux étages au Québec — un étage revendicateur chez les ministres et hauts fonctionnaires, un étage conciliateur au *bunker* constitué de Bourassa et de Parisella — il juge qu'encore une fois, l'étage supérieur désavouera l'étage inférieur.

Brian Mulroney est mis au courant de l'esclandre, et il parle avec dédain de ces revendications comme de « l'affaire à Rémillard ».

Michel Roy, le conseiller constitutionnel québécois de Mulroney, ne participe pas à la rencontre — Bazin et lui, jugés trop « proquébécois », sont maintenant fréquemment écartés de ces conciliabules. Mais il lit le compte rendu confidentiel qui en est dressé et il en discute avec les participants. Comme eux, il tombe des nues :

Roy : Arriver avec ça le 13 août, c'est recommencer et dire : « Eh ! les gars ! On vous l'avait pas dit, mais on a un programme ! » [...]

Nous, on était un peu étonnés. On se dit, on remet ça. Des trucs qu'on pensait évaporés dans la stratosphère, ils recommençaient. [Les négociateurs québécois] avaient renoncé et voilà que maintenant ils ne renoncent plus du tout, ils en rajoutent. Ce comportement-là déconcertait les gens autour. On se posait la question : « Est-ce que tout ça est fait avec l'accord de Bourassa ? Qu'est-ce que c'est que ça ? Est-ce que Bourassa a dit à Rémillard de venir faire un peu de *show* ici pour les pouvoirs tout d'un coup ? Le 13 août ? » C'est possible, mais je comprends mal comment tout ça est mené. [...]

Le drame de toute cette histoire, c'est l'incohérence des parties en présence. C'est sans doute une des caractéristiques des grands moments historiques. Mais je pense à la façon dont le Québec a présenté ses demandes de pouvoirs. Les démarches contradictoires. Les silences. Et à Ottawa quand il a bâti cette tour de Babel. [...] Si tu voulais la preuve qu'ils ont mal préparé leur démarche, tu l'as !

Bref, sur le front de l'élargissement de la marge de manœuvre, l'opération bouledogues est un échec complet. Le double langage distillé depuis deux ans par Robert Bourassa commence à réclamer son tribut. Tous ses bluffs sont troués. On l'a tellement vu modeste qu'on ne le croit plus lorsqu'il joue les ambitieux. Surtout lorsqu'il le fait par personne interposée et qu'il envoie à la barricade Gil Rémillard, dont la crédibilité personnelle ne vaut guère mieux. À tant zigzaguer, le ministre est sorti du champ de référence de l'adversaire. Au mieux, on voit en lui un trouble-fête qui sera désavoué par son chef. Conscient que les revendications traditionnelles du Québec viennent d'essuyer un accueil glacial à Ottawa, c'est à ce moment qu'André Tremblay va voir Bourassa pour l'aviser que les discussions sont dans l'impasse, qu'il est trop tard pour introduire des « changements majeurs » dans le consensus canadien, que rien ne serait pire que de retourner négocier «en position de faiblesse» et qu'il n'y a donc plus qu'une solution : la question de Bruxelles. « C'est trop vite, répond Bourassa. On n'est pas rendu là. »

Le premier ministre a-t-il des doutes sur les capacités de ses conseillers pour la négociation qui s'ouvre dans cinq jours ? A-t-il eu vent que, comme le raconte l'un d'eux, «quand on apprend qu'on réintègre les discussions, les humeurs à l'intérieur de la boîte sont vraiment mauvaises. On a l'impression, à l'intérieur de la délégation, qu'il est prêt à accepter n'importe quoi, même quelque chose de défavorable [au Québec]. » Bourassa sent-il que le déficit de crédibilité qu'il a creusé autour de lui devient troublant et qu'il faut une infusion de compétence ? Il joint Louis Bernard, l'ancien bras droit de René Lévesque, qui lui avait aussi donné un coup de main au cours de la négociation de Meech. « Il me demandait si j'accepterais d'y aller », raconte Louis Bernard. Sa présence aux côtés de Bourassa ferait-elle une différence ? Diane Wilhelmy, que les négociateurs surnommaient « Mme Meech », pense que oui, comme elle l'expliquera lors d'une conversation dont on parlera beaucoup :

Wilhelmy : Quand on pense au modèle de Meech, j'oublierai jamais le rôle de Louis Bernard. Un peu comme le *coach* à la boxe. Mais il était plus *rough* que nous tous. Quand il disait : « Non, Robert, je le sais que tu veux dire oui, mais il faut que tu dises non ! Retourne pendant une heure dans la salle, pis dis non. » Pis il le tutoyait pis... En ce sens-là, cette espèce de *bodyguard*, là tsé, pis juste de dire une heure après l'autre : « Non ! Non ! Mets-toi dans la tête que tu vas continuer à dire non. Rentre dans la salle, pis dis-toi qu'ils vont t'haïr [mais] tu vas dire non, tsé ? Pis si tu veux dire oui, sors de la salle, pis viens nous voir. » Il lâchait jamais, Louis.

Depuis la négociation de Meech, « Louis » est resté proche de Wilhelmy, d'André Tremblay et de Jean-Claude Rivest. Il a donc pu constater, grâce à eux, au fil des mois, l'évolution du dossier.

Bernard : Honnêtement, quand je parlais aux gens, là, à Québec, ils étaient vraiment désorientés sur les intentions de M. Bourassa. Il donnait des indications dans un sens un moment donné, puis il donnait des indications dans l'autre sens... Je me demande même si Jean-Claude le savait, ce que Bourassa voulait faire. [...] Ils craignaient que finalement il se laisse charrier par les événements, parce qu'il serait pas en mesure de faire autre chose. [...]

À mesure que le processus se déroulait, ils sentaient pas que le Québec avait une stratégie adéquate pour ce qui se passait. On n'était pas présents là-bas [à la multilatérale] et puis on n'avait pas d'instruments ici pour contrer ce qui pourrait se développer. [...] Par exemple, quand un premier ministre d'une autre province venait ici rencontrer Bourassa et qu'il retournait chez lui, les gens appelaient leurs homologues pour savoir ce qui s'était dit dans le tête-à-tête. Et ils apprenaient que c'était jamais dans le sens de vraiment mettre les gens devant une alternative brutale, tsé. Alors ça cadrait pas avec la stratégie. [... En août] il était trop tard. [...]

Bourassa s'est trouvé avec une stratégie qui l'a beaucoup desservi. Il y a deux approches, il faut en choisir une. Il y a l'approche traditionnelle où tu vas chercher tes gains petit peu par petit peu : tu gagnes ça sur la main-d'œuvre, tu gagnes ça sur l'immigration, tu fais des alliances avec les autres pis tu bâtis ton petit paquet. Pis t'arrives au bout, à la conférence finale, pis tu vas chercher le petit peu qui te manque. Mais ça suppose que t'es présent dans toutes les conférences pis que tu travailles ton affaire. Alors lui, il avait pas fait ça. Parce qu'il avait annoncé l'autre stratégie, du tout ou rien : « On n'est pas à la table, on a nos demandes, pis si ça marche pas, on fait l'indépendance. » Mais comme il l'a pas jouée, cette seconde stratégie, quand il est arrivé à la table, personne n'a eu peur. [...]

Dans ces questions-là, moi, j'ai toujours pensé que l'important, c'était le positionnement, et je pense que quand tu rentres dans une conférence comme ça, pis que t'es pas bien positionné, tu t'en vas à l'échec.

Peu enclin à participer à un échec annoncé, Louis Bernard rejette la requête de Bourassa : « J'ai dit que non, je me sentais pas en mesure d'y aller. » Bourassa n'aurait ni *coach* ni *bodyguard* à Ottawa.

Commence-t-il à s'habituer à ce que tout lui échappe ? Ses affaires ne vont guère mieux sur le second front, celui de son parti. Plusieurs députés nationalistes réclament la convocation d'un caucus — le « tigre qui dort ». Bourassa ne les a pas rencontrés depuis l'ajournement de la session en juin. Jean-Guy Lemieux multiplie les grognements d'insatisfaction face à la marche des choses. Mais le chef libéral est plus préoccupé par Guy Bélanger, président de la commission parlementaire sur la souveraineté, qui menace de démissionner d'un jour à l'autre et qui ne cache plus son rejet complet, total et irrévocable du fédéralisme.

Plutôt que de réunir tous les députés, ce qui serait risqué dans les circonstances, Bourassa convoque une réunion des présidents de caucus régionaux, groupe ressemblant davantage au mouton qu'au tigre. Bélanger est présent, mais peu disert. « Dans un parti, c'est ben rare qu'on s'oppose au chef, explique Bélanger. On dit plutôt : "Pourquoi vous faites-ça, pensez-vous que ça va passer ?" On n'y va jamais de front. Il y a un mélange de respect et de crainte. C'est assez curieux comme dynamique de groupe. Moi, dans ma tête, c'était réglé, je quittais la politique. J'étais là par politesse. »

Au cours de la réunion, personne ne s'oppose au retour de Bourassa à la table et chacun, se souvient Henri-François Gautrin, insiste sur l'obtention de pouvoirs, notamment en matière de main-d'œuvre, dossier « qui était central ». Il se souvient que quelques députés émettent des doutes quant à la réelle récupération des conditions de Meech. Le patinage de fantaisie des « trois conditions fermes » a laissé des traces.

Bourassa explique qu'il ne sait toujours pas quoi faire avec le référendum. Ne sait s'il sera retardé ou non. Ne sait comment il amendera la loi 150, qui stipule toujours qu'un référendum sur la souveraineté sera tenu avant le 26 octobre. « Moi, j'ai dit que j'étais pas d'accord pour modifier la loi 150, raconte Bélanger. Ça fait un an qu'on travaille là-dessus [il parle des conditions d'accession à la souveraineté, son projet de rapport est prêt], et là, à la dernière seconde, on dirait que c'est pus ça. On est partis pour jouer au base-ball et là ce serait au hockey qu'on jouerait. » Bref, lors de cette rencontre comme de celles du Conseil des ministres, Bourassa est en présence d'un peu de grogne, de quelques résistances individuelles, mais il ne perçoit nulle insurrection appréhendée.

Il ne peut malheureusement pas en dire autant de son aile jeunesse. Puisque c'est l'été, il va y avoir un « congrès-jeunes ». Puisqu'on parle de constitution, ils vont en parler aussi. Il faut donc monter une opération garde-chiourme.

Dumont avait annoncé que son congrès aurait lieu vers la fin de juillet ou au début d'août. Le *bunker* était heureux de se débarrasser de cet obstacle aussi rapidement. « Le moment est tellement bien choisi, avait dit imprudemment Parisella à Dumont. Ça va mettre de la pression. » Le président des jeunes a calculé que ce qui était parfait pour Parisella-le-fédéraliste-orthodoxe ne pouvait pas l'être pour les jeunes-prêts-pour-la souveraineté. Il a fait venir les membres de son comité de coordination à son bureau. « Le moment est trop bien choisi, leur a-t-il dit. Je veux qu'on punche le plus tard possible. » Il met le parti devant le fait accompli : le congrès des jeunes aura lieu à la mi-août.

Après le 7 juillet, Dumont a défini la proposition constitutionnelle qu'il soumettra aux délégués. Elle recoupe en tous points le programme du parti adopté en mars 1991 : 1) refus de toute offre fédérale établie sur la base de l'entente du 7 juillet, trop éloignée des demandes du rapport Allaire ; 2) à moins d'une nouvelle offre miraculeuse s'approchant du rapport, le PLQ doit se replier comme prévu sur la « deuxième voie » ; 3) le référendum, à tenir « au plus tard » le 26 octobre porterait sur la « formule de souveraineté adjointe d'une union économique, correspondant au programme du PLQ et aux principes de la question de Bruxelles du premier ministre Bourassa ».

Cette proposition a été discutée au cours d'une tournée de consultation effectuée dans les régions en juillet, où elle est passée, raconte Dumont, « comme du beurre dans la poêle ». Il est d'ailleurs étonné que la rencontre préparatoire tenue dans l'ouest de Montréal se soit déroulée sans anicroche. Très peu de jeunes fédéralistes, dont on avait vu un petit contingent au congrès des jeunes de 1991, se sont présentés au débat.

Ce calme est trompeur. Le parti est beaucoup plus intéressé que d'habitude au congrès des jeunes. Depuis le printemps, à mesure que les mois passaient et que Bourassa traçait une ligne plus fermement fédéraliste, la présence de jeunes souverainistes (ou allairistes, on ne fait plus ces nuances) à la CJ était considérée de plus en plus comme une aberration, pour ne pas dire un cancer. L'ascendant de Dumont et des siens sur l'organisation était observé avec suspicion. Puisque de bons libéraux ne sauraient souhaiter la rupture du lien canadien, la démocratie n'était sans doute pas respectée au sein de la Commission jeunesse. CQFD. Des ministres, anglophones et francophones, commençaient à se plaindre que la CJ ne faisait pas assez de place aux jeunes fédéralistes.

Un mouvement de recrutement de « jeunes fédéralistes » a donc été mis en branle au cours du printemps et de l'été. Au *bunker*, John Parisella et une employée de l'attachée de presse Sylvie Godin poussent à la roue — Parisella affirme cependant avoir refusé d'assister aux réunions de stratégie de cette opération pour ne pas « participer à une intrigue », car il est soucieux, dit-il, de « garder une marge de manœuvre avec Mario ». Le ministre John Ciaccia n'entretient pas de tels scrupules et participe parfois aux assemblées de préparation des recrues — auxquelles Dumont envoie une taupe.

Le député Cosmo Maciocia, ex-bélanger-campésiste, donne un coup de main. Des ressources du Parti libéral du Canada sont mises à profit, notamment Pablo Rodriguez, un ancien de la CJ devenu président des jeunes de Jean Chrétien. Des télécopies appelant à une mobilisation fédéraliste portent la marque du bureau du député libéral fédéral de Saint-Léonard, Alfonso Gagliano. De jeunes Italo-Québécois, dont certains parlent un français approximatif, apparaissent sur les listes de délégués au congrès des jeunes. Des responsables conservateurs, notamment du bureau du ministre et organisateur Jean Corbeil, se prennent d'un soudain intérêt pour la Commission jeunesse du PLQ. Dans l'est de Montréal, le président du caucus régional du parti, le député Jean-Claude Gobé, coordonne le recrutement de ce qu'il dit être des « volontaires » mécontents de la direction de Dumont et s'occupe de louer un autobus.

À l'inverse, certains comtés traditionnellement nationalistes qui envoyaient dans le passé de forts contingents aux congrès des jeunes tombent en panne de mobilisation. L'information entre les dirigeants de la CJ et les membres est censée transiter par les associations locales du parti, contrôlées par le député ou le ministre de chaque circonscription. Tout à coup, il y a des ratés. L'information ne se rend plus à destination. À Québec, c'est notamment le cas de Charlesbourg, circonscription du ministre et organisateur Marc-Yvan Côté, qui dépêchait les années précédentes une trentaine de délégués, mais ne peut plus en trouver que quatre, à quelques semaines du congrès.

« On se faisait squeezer par les deux bords, là, raconte Dumont. Il y avait toutes sortes de motifs. À un moment donné, le monde se demande pourquoi tu deviens comme un taureau. Tsé, tu fonces tête baissée. Mais c'est parce qu'y'a pus rien qui marche. Tu sens là que, tsé, partout où tu regardes, t'es sur le bord de te faire fourrer. »

Pendant que s'organise cette mobilisation, Robert Bourassa continue à chantonner dans les oreilles de son jeune rebelle, avec qui il s'entretient maintenant au téléphone plusieurs fois par semaine. « Plus le congrès-jeunes approchait, plus il appelait souvent », raconte Dumont. Dans un premier temps, le chef a tenté de le convaincre de ne pas reporter la tenue de son congrès. En vain. Puis, il a tenté de le convaincre de ne pas aborder la question constitutionnelle pendant les débats. En vain. Dans la semaine précédant la rencontre, — donc précédant aussi la grande négociation d'Ottawa — la pression monte.

> Dumont : Au Conseil des ministres qui a précédé le congrès [trois jours avant], il y a eu une grosse discussion sur nous autres. M. Bourassa m'a appelé dans le milieu de l'après-midi. C'est rare, habituellement il appelle à la maison à 11 h 30 le soir. Il dit : « Je sors d'un Conseil des ministres, ça a parlé fort. » Il dit que les ministres se plaignent qu'il y a pas moyen de s'exprimer dans les congrès-jeunes, pis que c'est noyauté par quelques jeunes qui sont finalement des péquistes, pis ils disent que je rencontre des gens du Bloc*. Est-ce que Bourassa disait ça pour me mettre de la pression, pour me faire peur ? Tu sais jamais qu'est-ce qui est vrai et qu'est-ce qui est de la manipulation.

---

* Le 23 juin 1992, le député fédéraliste Jean-Claude Gobé a « surpris » Dumont et Michel Bissonnette en grande conversation avec Lucien Bouchard et Jean Lapierre chez Milos, un restaurant grec de Montréal. Il rapporte cette nouvelle à Parisella. Ces rapports PLQ/Bloc, naguère encouragés, deviennent autant d'indices de trahison.

J'ai dit : « Écoutez, les ministres disent des faussetés [au sujet du manque de démocratie à la CJ]. C'est pas vrai. Pis je changerai pas ma façon de faire parce que vos ministres croient des faussetés ou parce qu'ils voudraient que la CJ change de discours. » Bourassa répondait : « Ah ! Je le sais bien que vous faites pas ça pour vous opposer à moi. Moi, je leur ai dit que c'était sûrement pas vrai. » Il faisait comme s'il n'avait pas de contrôle là-dessus.

Une demi-heure après cette discussion, Pierre Anctil convoque Dumont pour enfoncer le même clou. De privée, l'offensive devient publique le surlendemain. Elle est menée par la ministre Lise Bacon. Naguère « à l'aise » avec le rapport Allaire, prête, même, à envisager la souveraineté — « on est rendus là », disait-elle à l'été de 1991 —, Bacon retrouve son rôle traditionnel : « Je suis la femme de ménage de Robert », a-t-elle un jour lancé à la blague. Elle reprend du service.

Après en avoir discuté avec Robert Bourassa et John Parisella, elle multiplie les déclarations, à la veille du congrès des jeunes, accusant la CJ de se transformer en « antichambre du PQ » : « Attention, jeunes libéraux, vous allez trop loin ! » Parlant de Dumont, elle déclare : « Ce n'est pas le président de la Commission jeunesse qui est le chef du Parti libéral, mais plutôt le premier ministre, Robert Bourassa. Que les jeunes fassent confiance à leur premier ministre qui a été élu par le peuple et en qui le peuple a confiance. » Et encore : « Ceux qui ne veulent ou ne peuvent adhérer aux principes qui ont fait la force du Parti libéral devraient savoir où se loger. » Des déclarations destinées autant à galvaniser les jeunes fédéralistes qu'à décourager les jeunes souverainistes.

C'est assez pour que Dumont soit inquiet quant aux résultats des travaux, mais pas assez pour qu'il plie l'échine. En conférence de presse le vendredi 14 août, veille du congrès, il appelle au contraire le parti, le gouvernement et son chef à être « à la hauteur » des « attentes de la population et de l'engagement formulé au printemps 1991 ». Il demande à ses aînés (lire : Lise Bacon) d'« être conséquents avec la démarche que nous avons entreprise » (lire : le rapport Allaire).

Sur ce congrès, tenu à Saint-Jean-sur-Richelieu, il y a deux lectures : celle de John Parisella, celle de Mario Dumont.

Parisella : [La mobilisation de 150 à 200 jeunes fédéralistes], ça a amené des votes intéressants. Une chose qui a jamais été ressortie c'est que d'une part, y a eu une plus faible participation à ce congrès-là qu'y a pas eu depuis quelques années : y'avait juste au-delà de 600 personnes inscrites quand on avait habituellement dans les 800, 900, 1000. Deuxième chose, c'est que le vote était deux tiers-un tiers malgré que Mario Dumont, c'était une superstar, c'était Super-Mario. Mais il avait à toutes fins pratiques moins de facilité à passer ses affaires qu'il n'en avait eu dans l'autre période.

Dumont : T'avais une méchante gang de fédéralistes, pis enragés, là. Au point que j'avais quasiment peur de marcher tout seul sur le site du congrès. Il y avait des groupes d'Italiens fous furieux, là, gonflés à bloc par les députés. Des gens qu'on

n'avait jamais vus, qui se promenaient avec des téléphones cellulaires. Aye ! On rit
pus !

C'était pas un aussi beau congrès que d'habitude. Quand t'as du monde qui sont
envoyés, qui arrivent pour le samedi après-midi, parce qu'eux autres veulent
mettre de la marde dans le samedi après-midi, qui sont mandatés pour ça, pis qui
s'en retournent le samedi à 5 heures, tsé, comparé avec d'autres congrès c'était pas
un ben beau congrès. Le samedi soir ils avaient perdu leur débat, eux autres, pas
question de rester pour le *party* du samedi soir et pour les ateliers du dimanche
matin.

Les débats sont houleux, ce samedi après-midi. « Est-ce que quelqu'un
peut m'expliquer pourquoi on parle de souveraineté dans un parti fédéraliste ? » demande par exemple un jeune qui a manifestement manqué plusieurs
des épisodes précédents*. Un autre lui répond : « Je me suis rendu compte que
le fédéralisme n'est pas renouvelable. Il faut cesser de téter ! »

Un jeune anglophone « dévoile » à un micro qu'une des leaders de la CJ,
Lyne Jacques, ancienne jeune libérale fédérale, est maintenant présidente des
jeunes bloquistes. Et les signaux de la haute direction libérale sur les rapports
entre le Bloc et le PLQ sont maintenant suffisamment brouillés pour que la
salle ne sache pas s'il faut applaudir Lyne Jacques ou l'expulser.

Sur le fond, Dumont et la direction de la CJ font adopter toutes leurs
résolutions. Les jeunes fédéralistes, au contraire, échouent même lorsqu'ils
tentent de faire voter une résolution favorable au « fédéralisme renouvelé ». La
seule proposition qu'ils réussissent à faire adopter, grâce à l'appui de Dumont,
souhaite bonne chance à Robert Bourassa pour son retour à la table des
négociations.

Même si elle a affaibli la capacité de mobilisation de la CJ, l'opération
gardes-chiourmes est donc un échec. Lise Bacon, qui assiste au congrès des
jeunes, avoue qu'elle est « peut-être allée trop loin » dans ses déclarations des
jours précédents. Déclarations dont Gil Rémillard et Lucienne Robillard se
distancient d'ailleurs nettement devant les journalistes. Dans son discours de
clôture, Bourassa est aussi forcé de jeter du lest. Il évoque même la question
de Bruxelles. Il concède de plus qu'il « est normal que le parti fixe des objectifs,
que le gouvernement s'efforce par tous les moyens légitimes de les atteindre.
On essaie d'appliquer le rapport Allaire, mais dans la réalité de tous les jours,
le gouvernement doit prendre des positions. » Voilà pour la garniture. Le cœur
de son message est autre, et il le livre avec clarté : « C'est le gouvernement qui
doit prendre les décisions. C'est le gouvernement qui sera jugé par l'histoire. »

---

* Ce thème voulant qu'il soit « anormal » d'être à la fois libéral et souverainiste, populaire dans
la presse anglophone en 1991, est repris par Alain Dubuc et Lysiane Gagnon dans *La Presse*
en 1992. Au sein du parti, les jeunes et les allairistes sont accusés, notamment par Lise
Bacon, d'être « intolérants aux idées des autres » et « dogmatiques » justement parce qu'ils
n'adhèrent pas au dogme fédéraliste.

Le lendemain soir, Bourassa est assis dans sa chambre d'hôtel du Sheraton d'Aylmer, à la veille de l'épreuve de la négociation. Pense-t-il au jugement de l'histoire ? Comprend-il que ni ses bouledogues ni ses gardes-chiourmes n'ont été d'une grande utilité, alors que Don Getty, lui, montre les crocs ? Plus tard, en entrevue, il expliquera qu'il lui restait une porte de sortie, sa préférée : la fuite.

« J'aurais pu revenir au Québec en disant : "Ce n'est pas assez, j'ai été incapable d'obtenir la substance ou la réalité de Meech." Alors si je ne pouvais pas avoir Meech, j'aurais dit non, et j'aurais bénéficié de beaucoup d'appuis [au Québec]. » Fort bien, mais que se serait-il produit ensuite ? Rien. C'est la beauté de la chose, son désir secret : « Je n'ai pas d'élections qui s'en viennent. Je ne suis pas obligé de tenir des élections pour encore deux ans [novembre 1994 au plus tard]. J'aurais pu expliquer aux Québécois : "J'ai boycotté ces conférences il y a deux ans parce que le Lac Meech n'a pas été accepté et, puisque j'ai été incapable d'obtenir Meech, je ne vais plus à ces conférences et je ne suis pas prêt à accepter une entente." »

Exit le référendum, exit le sujet constitutionnel. Annulé le rendez-vous avec l'histoire. Tout ça pour ça, comme le dirait Lelouch. Bourassa fabule, car il oublie — ou feint d'oublier — un facteur essentiel : son ami Brian et sa menace de référendum pancanadien. Le rendez-vous imposé.

Le Québécois réfléchit, face au golf, face à la nuit. « J'avais l'avenir du Québec sur les épaules », dira-t-il à l'auteur. Getty a appelé. McKenna a appelé. Le téléphone est devenu muet. Bourassa n'entend plus que les maudits criquets.

LE MARDI DES MÉCHANTES HUMEURS

On l'a rarement vu d'aussi mauvais poil. Il est grippé et ça le rend irritable. Son épouse, Mila, s'est blessée à la jambe l'avant-veille ; ça le rend soucieux. Surtout, il voit l'aéropage de l'industrie constitutionnelle au grand complet prendre ses aises devant lui ; ça le rend désagréable.

Brian Mulroney est l'homme des petits comités, des conciliabules, des tête-à-tête. « Il est de l'école de négociation de Lyndon Johnson », raille Bob Rae, parlant du président américain qui s'approchait à un cheveu de ses interlocuteurs, les enveloppait de son corps de géant et les faisait succomber à sa volonté grâce à un mélange de menace, de charme, de persistance et d'intensité.

Le premier ministre canadien, ancien négociateur patronal, avait beaucoup aimé entasser ses homologues dans son chalet du lac Harrington et en ressortir lui-même en meilleure posture à la fin de deux jours de débats serrés.

Mais aujourd'hui, le mardi 18 août 1992, c'est comme si tous les constitutionnalistes du pays avaient nolisé des autobus. Chaque premier ministre est flanqué de son ministre, de son conseiller, de son attaché de presse, de son sous-ministre, de son chef de cabinet, de son chauffeur et de son garde du corps. Sept membres par délégation, avait averti Tellier. Ovide Mercredi débarque avec sa troupe et y ajoute 16 chefs de bandes et de nations indiennes, dont le toujours aimable Billy Two-Rivers de la toujours conciliante nation mohawk. Quelqu'un a invité Bob Keaton, d'Alliance Québec. Des représentants des Francophones hors-Québec, aussi, rôdent dans les couloirs, à la recherche du mot « promotion » de la dualité linguistique. Puis il y a les journalistes. Une centaine.

« Les 400 consultants sont arrivés ! » peste Mulroney. Il les surnomme avec dédain « les frotteurs », les astiqueurs donc, des souliers de leurs maîtres. Il a horreur des « conseillers qui pissent dans les oreilles » des premiers ministres, ce qui est surtout vrai de Robert Bourassa. « Dans le cas de Robert, raconte Benoît Bouchard, présent aux négociations, c'est un voyage constant de ses conseillers vis-à-vis de lui. Il y en a constamment un qui demande son oreille, ça n'arrête pas deux secondes. » Avant d'ouvrir la séance, Mulroney avise ses proches qu'il multipliera les « repas » où les chefs de délégation se retrouvent seuls, sans leur cour, ce qui aura notamment l'avantage d'écarter « l'arrogant » Rémillard.

Ottawa possède un magnifique Centre des congrès, aménagé dans l'ancienne gare, près de la colline parlementaire, où tout ce beau monde pourrait travailler à son aise. Mais c'est le lieu du *sprint* de Meech de juin 1990. L'endroit est donc maudit. Clark, Tellier et Mulroney ont choisi de ne pas y remettre les pieds. « Ce n'est pas pour rien, dit Clark, que nous ne nous sommes jamais réunis dans les endroits où Meech a été négocié. »

Les participants à la conférence doivent donc s'installer à l'étroit dans l'immeuble Lester-B.-Pearson, siège du ministère canadien des Affaires étrangères. Au rez-de-chaussée se trouve une salle de conférence où se tiendront les « séances plénières ». Tout se déroule à huis clos, mais ce huis clos inclut plus de 100 personnes. Ce qui met Brian de l'humeur que l'on sait.

Sur le fond, rationnellement, le premier ministre du Canada admet que son projet de référendum pancanadien a de meilleures chances de l'emporter s'il réussit à rendre tous les premiers ministres heureux, y compris Robert, s'ils font tous campagne ensemble pour le référendum. Des sondages d'Allan Gregg montrent qu'un accord unanime suscite notablement plus d'appuis, dans l'opinion, qu'une proposition venue unilatéralement d'Ottawa. « Je souhaitais l'unanimité, mais je ne pariais pas ma chemise là-dessus », dira Mulroney. La difficulté est si grande, même après les préliminaires du lac Harrington, que Joe Clark, éternel optimiste, évoque publiquement la possibilité d'un échec.

Mais sur la forme, émotivement, Mulroney espère presque que la négociation achoppera et qu'il pourra, seul et légitimement, présenter son offre unilatérale, enrichie des hypothèses sur le Sénat soulevées à Harrington. Il le dit à un confident : « Ça me permet de dire ben poliment mais assez froidement : "Écoutez, on est ici à Pearson, on parle de tout ça depuis une éternité, pis ça marche pas !" [...] Je mets beaucoup de pression sur tout le monde avec mon

rôle de président de la conférence et de premier ministre. Y'a pas de niaisage. »
En un mot, Mulroney décide de montrer « qui est le *boss* ».

Il ouvre la séance à 9 h 20, par un long tour d'horizon de la réalité
politique. La date limite pour tenir le référendum québécois approche, les
délais sont serrés. L'indépendance du Québec va provoquer un dégât économique considérable. « À quoi servirait-il d'obtenir une entente parfaite sur le
Sénat ou sur le volet autochtone, si le Canada est perdu ? » demande-t-il.

Il sort de sa poche une lettre d'un soldat canadien en Croatie qui se dit
troublé par des images mentales où il voit Montréal et Ottawa dévastées par la
guerre civile comme le sont devant lui Sarajevo et Vukovar.

Disons que Mulroney ne fait pas dans la nuance.

Puis il se met à jeter un peu de fiel à gauche et à droite. Contre le Sénat
égal, il cite le père de la confédération, John A. Macdonald, qui parlait d'un
« Canada des régions », pas de provinces égales. Getty n'est pas impressionné.

Mulroney critique ensuite Bob Rae, qui a vu sa décision d'appuyer le
Sénat égal contestée par plusieurs de ses députés. Lorsque le chef conservateur
parle de la dynamique politique ontarienne, Rae bougonne, assez distinctement
pour être entendu : « On n'a pas de leçons à recevoir de personne ici. »

Mulroney se tourne ensuite vers les leaders autochtones, dont Ovide
Mercredi qui, courroucé d'avoir été exclu des rencontres de Harrington, a
traité publiquement Mulroney de *« Indian giver »*, ce qui signifie qu'il reprend
d'une main ce qu'il a donné de l'autre. Ces commentaires, juge Mulroney, « ne
sont pas constructifs ». Puis il accuse les délégations autochtones d'avoir remis
aux médias des copies de transcriptions confidentielles des réunions de la multilatérale. Mercredi se tourne vers sa délégation : « Ne réagissez pas, ne le
laissez pas vous provoquer. »

Comme s'il avait décidé de vider tout son sac et de s'en prendre à tous ses
adversaires, Mulroney se met à dire du mal des médias, et de quelques journalistes en particulier. Il le fait sous le couvert de mettre ses collègues en garde.
« C'est comme un égout ici, dit-il, vous n'êtes pas à Paris ou à Washington, et
vous n'avez pas affaire non plus à des petits journalistes de province. Il n'y a
rien de pire que des journalistes qui vont dire des choses négatives ou cruelles
au sujet d'autres personnes en citant des sources anonymes. Soyez prudents[*]. »

Le premier ministre s'étend aussi longuement sur les « problèmes de
Robert », sur le sentiment souverainiste, sur Jacques Parizeau. Lors d'un des
repas à venir, pendant la semaine, Mulroney reviendra sur ce point. Mais le

---

[*]   L'aversion de Mulroney pour la presse, surtout anglophone, va croître jusqu'à la fin de son
      mandat. « Je n'attends rien, absolument rien, de la part des médias », dit-il un jour au
      Maclean's. « Et c'est ce que j'obtiens : rien ! » En privé, tous ses propos sur les journalistes
      sont ponctués d'une expression qui revient comme une incantation : « Quelle médiocrité ! »
      Il est cependant lui-même une « source anonyme » auprès de journalistes de la colline parle-
      mentaire, devant lesquels il ne se prive pas de dire « des choses cruelles au sujet d'autres
      personnes ».

Manitobain Gary Filmon s'impatientera de cette incessante ritournelle. Benoît Bouchard raconte la scène :

> J'ai vu Mulroney planter Gary Filmon. Mulroney peut être chien — excuse de dire ça de même. Filmon dit à Robert : « Écoutez, monsieur Bourassa, vous êtes pas le seul à avoir des problèmes. Moi aussi, j'ai des problèmes chez nous. » Là, Mulroney dit : « Gary Filmon ! Quand t'auras 55 % de ta population qui aura décidé de s'en aller du pays, tu me diras que t'as des problèmes. D'ici ce temps-là, les problèmes qu'a ce gars-là [Bourassa] sont pas comparables pour deux secondes à ce que toi, tu vis. Lui, c'est la séparation du Québec qui est en cause, c'est pas tes bébelles à toi. » Ça a duré à peu près cinq minutes, cinglant comme Mulroney peut le faire quand il parle en anglais. Filmon a été deux jours sans parler, je pense.

Rarement négociation aura débuté dans un climat aussi hostile. Un des premiers ministres décrit l'atmosphère de la séance plénière comme « bizarre » et plusieurs, dont Wells et Romanow, sont convaincus que Mulroney est déterminé à faire dérailler la conférence.

Après cette entrée en matière, Mulroney annonce le premier sujet de discussion : le Sénat. Bob Rae et surtout le Manitobain Filmon avaient insisté pour que la séance s'ouvre sur la question du partage des pouvoirs. « Les Québécois veulent contrôler la CBC [Radio-Canada], avait averti Filmon, mal informé, et je veux m'y opposer. » Mais le premier ministre fédéral a délibérément placé le Sénat au début. « Si ça casse, avise-t-il en privé, ça casse là-dessus [le Sénat], plutôt que sur les pouvoirs, ce qui isolerait le Québec encore, parce qu'ils diraient que ça a cassé à cause du Québec. »

La discussion sur le Sénat se déroule en deux temps. Dans un premier tour de table, Mulroney permet à Ghiz de reformuler sa proposition de Sénat à deux étages. Elle ne trouve aucun preneur, l'idée ayant déjà été rejetée à Harrington. Mulroney présente une autre idée qui permettrait d'augmenter tout de suite la représentation des petites provinces, mais reporterait le reste du débat à une manche de discussion ultérieure. McKenna l'appuie, mais il se retrouve presque seul. À la fin du premier tour de table, personne n'a vraiment bougé.

Bourassa se garde d'intervenir. « Il ne voulait pas être celui qui dirait non, explique Roy Romanow, de la Saskatchewan. Il voulait faire en sorte que si ça s'écroulait, il n'aurait pas été celui qui avait dit non. »

La tournure de la discussion ne plaît pas aux membres de la *triple-E gang*.

> Clyde Wells : Mulroney semblait vouloir discuter seulement du Sénat et si on ne s'entendait pas là-dessus, alors il semblait se préparer à dire que l'échec était patent, causé par le Sénat, et à faire porter le blâme aux partisans du triple E. [...] Son approche, c'était : « Les gars, vous dites ce que vous voulez, je suis assis et je vous écoute, et si vous ne pouvez vous entendre, c'est tout, il faudra s'y résigner. »

> Don Getty : Mulroney ne semblait pas investi dans la discussion. C'est comme s'il n'aimait pas l'entente qu'il était censé construire avec nous. Quoique à un moment

il m'a dit : « Don, je vais accepter un quadruple E si c'est ce que ça prend pour sauver le pays. »

Après une interruption de séance pour le lunch, Mulroney change de sujet et entame un tour de table sur la question autochtone.

Yves Dumont, représentant métis dont les sympathies conservatrices sont bien connues, émet alors une proposition nettement plus flexible que celle normalement avancée par les délégations autochtones*. Ce n'est pas la première fois qu'il se montre aussi avenant, et l'animosité entre Mercredi-le-dur et Dumont-le-conciliant est à fleur de peau. De sa chaise, Ovide crie : « Ne nous trahis pas, car tu te retrouveras isolé. Ne fais rien qui va affaiblir notre peuple ! » Dumont réplique : « Tu veux qu'on règle ça ici tout de suite ? Veux-tu qu'on jette les gants et qu'on règle ça ? » Mercredi feint de l'ignorer.

La mauvaise humeur de Mulroney est contagieuse.

Robert Bourassa a choisi le moment de la discussion autochtone pour aller se délier les jambes. L'édifice Pearson est ainsi fait que chaque étage donne sur de vastes terrasses d'où on voit le canal Rideau et, au loin, la colline parlementaire. Bourassa est occupé à admirer la vue et à discuter avec ses conseillers lorsque, à l'intérieur, Ovide Mercredi note son absence. Depuis quelques semaines, Mercredi est en furie contre le Québec qui tente en sous-main de miner les gains autochtones du 7 juillet. S'il a traité Mulroney de « Indian giver », il a aussi traité Bourassa de « Indian fighter ». Et maintenant qu'il a enfin l'occasion de l'affronter, le Québécois s'éclipse ! Mercredi fait venir sa conseillère québécoise, Michèle Tisseyre : « Va dire à Robert Bourassa que s'il ne revient pas immédiatement à la table, je m'en vais ! »

Il y avait entre les autochtones et la délégation québécoise, raconte Tisseyre, « une atmosphère de méfiance presque électrique ». Dès que le message est transmis, Bourassa revient à la table.

« Il est devenu évident, se souvient Wells, qu'il n'y avait pas de consensus non plus sur la question autochtone. »

En milieu d'après-midi, alors que le spectre de l'échec se fait envahissant, le vrai débat sur le Sénat commence. Les plus radicaux, sentant peut-être que le temps va leur manquer, jettent du lest et rendent officielles des propositions qu'ils avaient seulement évoquées à Harrington. McKenna réintroduit sa proposition d'un Sénat égal, assorti d'une compensation pour le Québec et l'Ontario sous forme de sièges additionnels à la Chambre des communes. Il raconte la suite :

« Wells a dit qu'il était prêt à abandonner la possibilité, pour le Sénat, de tuer un projet de loi avec un vote de 70 %. C'est devenu intéressant. Romanow et Filmon [puis Rae] ont dit que le Québec pourrait avoir une garantie de 25 % des sièges au Parlement. »

---

* Ceci n'expliquant probablement pas cela, Yves Dumont sera nommé par Mulroney lieutenant-gouverneur du Manitoba au début de 1993.

C'est à ce moment que Wells, dans un second compromis, concède qu'il peut appuyer cette clause, malgré ses réticences.

« À ce stade, la délégation du Québec commençait à devenir très intéressée. Très intéressée, dit McKenna. Et on a commencé à débattre la question de savoir si le 25 % allait s'appliquer à toute la représentation québécoise au Parlement [Chambre et Sénat confondus] ou seulement à la Chambre des communes. »

« Bourassa, sans s'engager, me disait en aparté qu'il voulait voir les chiffres », raconte Bob Rae.

Rae, assis non loin de Bourassa et lui parlant, parfois en anglais, mais aussi parfois en français pour minimiser les malentendus, l'encourage : tu as de très gros compromis devant toi, tu devrais y penser.

Si Mulroney espère faire échouer la conférence à ce point du débat, il faut que Bourassa dise non. Bourassa dit oui. « Je me suis dit, expliquera-t-il : "Ce n'est pas le moment d'avoir une approche nombriliste." »

« Alors, si nous acceptons le Sénat égal, précise Bourassa dans son micro, il faut qu'on sache de quel pouvoir il sera doté. »

L'Albertain Jim Horsman se tourne vers son patron, Don Getty : « Vient-il de dire qu'il accepterait le Sénat égal ? »

« Oui », répond Getty.

« Alors, ça y est, on l'a dans notre camp ? »

« L'essentiel, conclut Getty, c'est de s'assurer qu'il ne recule plus. »

Mulroney suspend la séance. Getty se dépêche de faire son *lobbying* auprès de Bourassa. « Robert, je pense qu'on a la base d'un compromis si tu maintiens ce que tu viens de dire. »

Le nouveau Sénat qui est en train d'émerger consacre l'égalité absolue des provinces, ça ne fait aucun doute. Est-il moins efficace que dans sa formule du 7 juillet. En un sens, oui : il n'a plus le pouvoir de bloquer, seul et de manière définitive, une loi de la Chambre des communes, sauf en ce qui concerne les ressources naturelles. Pour exercer ce pouvoir, dans la version du 7 juillet, le degré de difficulté était élevé: il fallait réunir 70 % des sénateurs plus un. Bourassa crie à la victoire totale : « ce n'était plus que des veto suspensifs », c'est-à-dire que le Sénat ne pouvait plus que suspendre temporairement l'adoption d'une loi, mais que la Chambre des communes, par un nouveau vote à majorité simple, pouvait la ressusciter une fois pour toutes.

« Dans la mesure où on en restait aux veto suspensifs, ce n'était pas des pouvoirs réels, prétend Bourassa. Je me suis dit : Est-ce qu'on va plonger dans l'aventure pour une question de veto suspensifs ? » Certes non. Mais ce dispositif inoffensif ne s'applique qu'aux lois touchant la fiscalité, les recettes et les dépenses. Pour tous les autres projets de loi l'entente conclue à Pearson prévoit que le vote négatif du Sénat à majorité simple (donc cinq des six petites provinces plus un seul sénateur au lieu de six sur dix précédemment) provoquerait la tenue d'une session conjointe du Sénat et de la Chambre, où chaque sénateur et chaque député aurait un vote et où la majorité simple globale trancherait le litige. Le nouveau Sénat aurait aussi le droit de proposer des projets de loi et de forcer la Chambre à les traiter de la même façon. En clair, le Sénat du 7 juillet pouvait tuer, mais rarement. Le Sénat de Pearson peut blesser, continuellement.

Car, en bref, un gouvernement fédéral disposant d'une faible majorité à la Chambre pourrait voir toutes ses lois ordinaires invalidées par ce mécanisme et pourrait être forcé d'appliquer des lois contraires à ses objectifs et priorités provenant du Sénat et adoptées au cours de sessions conjointes. C'est, en soi, une forme d'« aventure ».

Dans ce nouveau contexte, la question du poids du Québec au Parlement devient essentielle. La discussion à ce sujet va bon train lorsque, à 17 h 20, à la surprise générale, Mulroney annonce que la séance est levée jusqu'au lendemain. Le premier ministre a-t-il des choses urgentes à régler ? Oui, il doit se rendre à une partie de hockey — des Sénateurs d'Ottawa — avec son fils Nicholas.

« On se demande si le gars, dans le fauteuil du président, veut vraiment arriver à un accord », maugrée Roy Romanow.

Mulroney expliquera qu'il voulait ainsi mater le groupe de premiers ministres. « Ils avaient pris des habitudes de fou de penser qu'on pouvait régler des choses en une nuit. Alors j'ai dit non : on a des horaires à respecter. » En une autre occasion, il dira : « C'est à cause de mon attitude que le débat a progressé pendant la première journée. Ils avaient la chienne ! » Et d'expliquer qu'il s'agissait d'une tactique de négociation, raide au début — « *You can God damn well show us* » (« Montrez-nous ce que vous avez dans le ventre ») — puis plus douce à mesure que les compromis s'amoncelaient. Ainsi, « la résistance du gouvernement fédéral se réduisait un peu chaque jour et à la fin, on était en mesure de dire : "Eh ! On est tous d'accord !" »

Son conseiller Michel Roy fait une autre lecture du Mulroney amer et irritable du début de la négociation :

> Ce dont se rend compte rapidement Mulroney, c'est que son allié du Québec le lâche. Quand on lui a dit les premiers soirs à Pearson : « Vous semblez triste et mélancolique », en fait, il était seul, surtout.[...]
>
> Le PM pensait que si ça marchait pas avec les gars [les premiers ministres du ROC] et qu'ils étaient tous les deux solidaires, ils auraient peut-être pu provoquer une rupture, laquelle aurait entraîné encore une fois table rase. [...]
>
> Quand Bourassa est arrivé à ces réunions pour la première fois, il s'est rendu compte d'une chose : bien que son premier *chum* dans la vie fût, dans cette affaire, Mulroney, le pouvoir était passé du coté des PM des provinces, qui avaient beaucoup de force. Et il s'est dit : « Je suis peut-être mieux de me solidariser avec eux. »

La vérité se trouve probablement dans un mélange des deux explications. Une fois la séance levée, les premiers ministres des provinces font, chacun de leur côté, le bilan de la journée. Don Getty de l'Alberta et Michael Harcourt de la Colombie-Britannique ont droit à quelques appels catastrophés provenant de leurs capitales respectives : on les met en garde contre le 25 % concédé au Québec, un argument en or pour tous les futurs détracteurs de l'accord. « Ça ne pourra jamais être accepté en Colombie », avertit le leader de l'opposition libérale locale, Gordon Wilson, dans des conversations viriles avec ses amis libéraux Frank McKenna et Clyde Wells et dans des messages agressifs télécopiés à Harcourt.

De leur côté, Bob Rae et Robert Bourassa dînent ensemble. « Nous avons discuté du long chemin parcouru sur le Sénat, du fait que nous avions essentiellement trouvé un compromis, et nous avons parlé de ce qu'il fallait encore faire pour terminer ce travail », rapporte Rae. Le premier ministre québécois, demande l'auteur, a-t-il indiqué qu'il s'attendait, en contrepartie, à obtenir des gains importants en matière de pouvoirs ? « Il n'est pas entré dans quelque détail que ce soit sur la question des pouvoirs », répond Rae. De son côté, Bourassa se souvient qu'il a été question des pouvoirs, mais que l'Ontarien lui a déclaré que le Québec en avait peut-être déjà trop. « Il voulait parler de la main-d'œuvre, parce que les syndicats [canadiens] n'étaient pas heureux de ce qu'il avait concédé le 7 juillet. La culture aussi. » Contrairement à Rae, les grands syndicats canadiens-anglais s'opposent à ce que la responsabilité de la main-d'œuvre soit transférée aux provinces et ils le lui ont fait savoir lors de rencontres houleuses tenues depuis le 7 juillet. Les milieux nationalistes torontois sont également préoccupés par tout retrait, même symbolique, du gouvernement fédéral du champ culturel. Rae met donc Bourassa sur la défensive.

LE MERCREDI DES GRANDS CALCULS

Le mercredi matin, 19 août, la discussion reprend sur deux fronts : le nombre total de sénateurs — moins ils seront nombreux, moins ils seront menaçants au cours des votes des deux Chambres réunies — et la place du Québec en leur sein.

Pendant la nuit, la délégation québécoise a fait des calculs. Bourassa s'approche de Don Getty avant la reprise de la séance plénière et lui dit : « Si on réduit le nombre de sénateurs à six plutôt qu'à huit [par province], alors on a 25 %. » Getty ne promet rien, mais Bourassa ajoute : « Quand je suis venu ici, il n'y avait qu'une chance sur cent que ça réussisse. Maintenant, je veux aller à Charlottetown. » (Depuis plusieurs mois, lorsque est évoquée la possibilité de signer une entente finale, le lieu choisi est toujours Charlottetown, ville où l'accord de 1867 fut conclu, 125 ans plus tôt.)

Au départ, Bourassa s'accroche à sa position : les Québécois doivent avoir 25 % des sièges dans le Parlement en son entier. Tout sénateur québécois sacrifié à l'autel de l'égalité des provinces doit donc être compensé par un siège à la Chambre des communes, au mépris de la règle de représentation en proportion de la population.

Bourassa exprime une inquiétude qu'il nourrit depuis plusieurs années : celle du déclin démographique du Québec. Il veut s'en prémunir. Il explique que, sans garantie, la place québécoise pourrait tomber de 25 % qu'elle est actuellement à 18 % en 2050, une vision catastrophiste. Ses interlocuteurs sont prêts à lui accorder un plancher « historique » de 25 % à la Chambre des communes, mais pas dans tout le Parlement.

Benoît Bouchard commence à craindre que le Québec flanche sur ce point.

Un des éléments de proposition rendait caduc, dans le fond, le 25 %. [...] J'ai eu peur, j'ai eu l'impression à ce moment-là — je pense que ça venait de Wells, et de la façon dont Wells et son ministre de la Justice présentaient les choses, le 25 % ne voulait plus rien dire. Je suis allé voir la délégation québécoise dans son local [chaque délégation disposait d'un bureau non loin de la salle des séances plénières], et j'avais peur parce que la salle de Terre-Neuve était juste à côté... « C'est ben important que vous ne lâchiez pas là-dessus. Ne lâchez pas sur le 25 % ! »

Mulroney décrète que la discussion se poursuivra au lunch, où ne sont conviés que les premiers ministres. Mais d'abord, pour varier les plaisirs, entre l'entrée et le plat principal, on va reparler du volet autochtone.

Bourassa, qui semble toujours chercher la sortie, annonce qu'il retourne à son hôtel pour aller nager un peu et téléphoner. « Il faut que j'appelle mes ministres, j'ai un gouvernement à gérer », explique-t-il à Benoît Bouchard, son voisin à la grande table. Bouchard n'en revient pas. « Tu étais là hier midi, si tu n'y es pas quand on parle des autochtones, tu sais bien ce qu'Ovide va penser. » Bouchard s'en ouvre à Mulroney, qui tonne : « Il n'est pas question qu'il ne soit pas là ! » Bourassa se présente finalement à la table du dîner-causerie-autochtones. Il est « fâché, c'est le cas de le dire », se souvient Bouchard. « Maudit, grommelle le premier ministre québécois, il y a pas moyen d'aller à la chambre de bains sans permission, ici ! »

Encore une fois, la discussion sur la question autochtone ne mène nulle part. On se remet à travailler sur le Sénat. Le repas durera six heures. On apporte des calculatrices aux premiers ministres qui se plongent dans des formules de pondération. Des tableaux de Statistique Canada sur les projections démographiques sont compulsés et annotés. On se croirait à un congrès d'actuaires.

Le premier ministre fédéral commence à se prendre au jeu. « Pour la première fois, commente Romanow, on a senti que Mulroney et Bourassa croyaient une entente possible et la machine s'est mise à tourner. »

Elle tourne d'autant mieux que Getty et Wells acceptent de réduire à 62 le nombre de sénateurs (6 par province, un par territoire, des sénateurs autochtones devant être ajoutés ultérieurement) et que Bourassa accepte d'abandonner sa revendication d'un minimum de 25 % de représentants du Québec dans le Parlement en son entier. Au même moment, dans le hall d'entrée de l'édifice

Pearson, Jean-Claude Rivest jure à un groupe de journalistes francophones que le Québec n'acceptera jamais moins de 25 % de l'ensemble du Parlement.

« Finalement, le Sénat en avait pus, de pouvoirs, commentera Bourassa en privé. Et à ce moment-là, ça devenait un *debating society* (un lieu de débats polis mais sans effet réel). » Mulroney partage cette satisfaction et pense que le Sénat égal a été « étripé ».

Il ne fait pas de doute qu'un Sénat égal de 62 membres plutôt que de 82 membres réduit les risques que le gouvernement soit immobilisé par des votes en sessions conjointes, où les sénateurs des six petites provinces agiraient de concert. Il les réduit, mais ne les élimine nullement. Un gouvernement fédéral minoritaire, ou ne disposant que d'une majorité d'une quinzaine de voix, serait toujours à la merci de ce Sénat égal.

Surtout, grâce au patient travail de Clyde Wells — « Wells est tellement brillant, il a des principes et il voit tout passer, tout ! s'émerveille un membre de la délégation québécoise. Il sait toujours de quoi on parle » — le Sénat égal conserve le pouvoir de proposer toutes sortes de projets de loi. Dans le cas d'un futur gouvernement minoritaire ou faiblement majoritaire à la Chambre, face à un Sénat où, disons, le Reform Party détiendrait une majorité de sièges, c'est le Reform qui pourrait imposer à tout le Parlement, donc au Canada, sa législation non-budgétaire : lois sur l'avortement, l'euthanasie, le port d'armes, l'immigration, même l'approbation des traités comme l'accord de libre-échange. La probabilité qu'une telle conjoncture politique survienne est relativement faible (bien plus faible que la probabilité qu'un parti séparatiste forme jamais l'opposition officielle à la Chambre, par exemple). Mais si cela se produisait, l'impact sur la gestion du pays serait majeur, enrayant la capacité d'un gouvernement à appliquer ses politiques.

En fait, ce que Bourassa a gagné en réduisant la taille du Sénat, il l'a perdu en rendant plus aisée le déclenchement de sessions conjointes (50 % + 1 plutôt que 60 % + 1), véritable bombe à retardement. Le débat durera sans doute longtemps, mais on peut raisonnablement arguer que le sénat du 18 août est, en pratique, plus puissant que celui du 7 juillet. « Bourassa pensait gagner, dit un participant. Il s'est fait fourrer. »

Le principe du Canada des régions de John A. Macdonald, pour ne rien dire de celui des deux nations, a sombré corps et biens au profit de celui de l'égalité des provinces. Don Getty a réussi son pari de renverser « 125 ans d'histoire ». Mais le ver est introduit dans la pomme : les 25 % du Québec*.

---

* Les nouveaux pères de la confédération (il n'y a qu'une femme, l'Inuk Marie Kuptana) introduisent une clause qui mènerait, dans quelques décennies, à une impossibilité mathématique : « Aucune province ne pourra avoir aux Communes moins de sièges qu'une autre province de population moindre. » Puisque le Québec détient 25 % des sièges quoi qu'il arrive, puisque l'Ontario en a aussi plus de 25 % parce qu'elle est plus populeuse, le jour où les populations de la Colombie-Britannique et de l'Alberta, en croissance, dépasseront en nombre celle du Québec, quatre provinces auraient constitutionnellement droit à 25 % des sièges chacune, pour un total de 100 %. Où loger alors les députés des six autres provinces ?

Getty, Wells, Filmon et Romanow sont certains d'une chose : avec le plancher de 25 % de députés à la Chambre, avec la réduction de la taille du Sénat, avec l'abolition du « droit de veto » du Sénat, ils viennent de faire des compromis considérables pour faire plaisir à Robert. Ils devront ferrailler dur, de retour chez eux, pour les justifier. Ils jugent donc avoir fait leur effort, avoir noyé leur vin dans l'eau.

Presque tous les soirs, Bourassa sonde quelques Québécois. Il appelle notamment Pierre Anctil, son nationaliste modéré. Il lui explique les détails de l'accord. Et cette semaine-là, se déroule entre Ottawa et Montréal une conversation qui est l'image inversée d'un autre débat téléphonique, tenu à compter d'un 28 décembre, un an et demi plus tôt, entre ces deux mêmes personnages. Cette fois, c'est Bourassa qui tente de convaincre Anctil de la qualité de sa proposition. Cette fois, c'est Anctil qui multiplie les objections.

Bourassa présente le replâtrage du Sénat comme un gain net du Québec. Comme si le point de départ était, non le *statu quo*, mais l'entente du 7 juillet, et qu'il avait réussi à obtenir certains assouplissements pendant la journée. Anctil rétorque que « dans l'esprit de la population, le Sénat en ce moment n'est ni égal ni élu, pis on en a 24 % », au lieu de 9 %, élu et égal, dans la nouvelle formule. Bourassa insiste sur son « gain » du 25 %, même sans la garantie, dont il parlait la veille, d'un quart de tout le Parlement.

« Ben écoutez, concède Anctil, c'est peut-être acceptable, sujet à tout le reste. Évidemment, c'est pas vraiment notre agenda à nous. Alors ce sera jamais perçu comme des gains du Québec. Ça va plus être perçu comme un boulet, mais c'est pas insurmontable. Ce qui va être important, c'est l'agenda des pouvoirs. Aujourd'hui c'est pas l'agenda du Québec, demain non plus, c'est les autochtones. » Mais il faudra bien y venir.

Le moral de Bourassa fluctue, se souvient Anctil. « À certains moments, de la façon dont il m'en parlait, ça avait l'air plutôt difficile et il était pas sûr qu'il y aurait une conclusion. À d'autres moments, il avait l'air plus encouragé. »

Le jeudi de Mercredi

Ovide Mercredi tient dans ses mains une petite tresse de foin d'odeur — d'« herbe odoriférante », disent les herboristes. Il en allume un bout, le met dans un récipient, puis, d'un ample geste des bras et des mains, dirige la fumée vers son visage, puis vers tout son corps. Il répète le mouvement plusieurs fois. Il est seul, dans son bureau de l'Assemblée des premières nations, sur la colline parlementaire. L'horaire des débats indique qu'il devrait être, en ce moment, assis à la table de négociation, où s'ouvre le grand débat sur le volet autochtone. Mercredi n'en a cure. C'est la journée la plus difficile de sa carrière. Il va l'aborder à sa manière.

Il prie, dans son bureau. Depuis plusieurs mois, il a amassé dans son *medicine bundle* plusieurs objets dans le but précis de s'en servir lorsque viendrait cette semaine d'enfer. Une couverture qu'on lui a offerte et dont il se sert comme d'un tapis. Des fleurs séchées, des graines, des cailloux chargés pour lui d'un sens particulier. Lorsque ses prières sont terminées, il se dirige d'un pas lent vers l'édifice Pearson.

À pied, il lui faudrait déjà un bon 20 minutes pour faire le trajet sans s'arrêter, mais il fait une pause, au passage, dans une église catholique située rue Sussex. Il n'y aura pas trop de deux ou trois dieux pour l'aider à traverser cette journée. Invoque-t-il Saint-Jean-Baptiste ? Le discours qu'il a préparé pour ouvrir « sa » séance plénière porte exclusivement sur le Québec, qui reste pour lui une immense inconnue.

« Ovide faisait des discours au Canada anglais, il était adulé, explique sa conseillère québécoise, Michèle Tisseyre. Il se permettait de dire toutes sortes de choses assez radicales et on l'applaudissait à Vancouver ou à Toronto. Ensuite, il venait au Québec, il ne modifiait pas son comportement, et il ne comprenait pas pourquoi ça ne marchait pas. »

Ni sa cause ni son charisme personnel ne semblent aplanir les divergences au Québec. Un soir, il dîne avec Alain Dubuc, l'éditorialiste de *La Presse,* et pense avoir fait bonne impression. Lorsqu'il lit, dans les jours qui suivent, un éditorial où Dubuc continue à critiquer les revendications autochtones sur plusieurs points essentiels, il se sent trahi. Les commentateurs québécois, pourtant réputés nationalistes, s'en prennent à la nature ethnique des enclaves autochtones réclamées, s'inquiètent du nouvel apartheid qui serait ainsi créé. Petit à petit, Mercredi en vient à blâmer les médias québécois qui, contrairement à de larges pans des médias anglophones, ne boivent pas ses paroles. Ce n'est pas un hasard.

La culpabilité des Blancs envers la condition autochtone était aussi palpable dans la population québécoise qu'ailleurs au pays, avant 1990. Mais les événements se sont déroulés ensuite comme si un expert en mauvaises relations publiques s'était penché sur la question et avait fait la liste de tous les gestes qu'il fallait accomplir pour annihiler la sympathie des Québécois blancs envers les autochtones. La participation d'Elijah Harper à la mort de Meech n'en fut que le point de départ. Quelques jours plus tard, lors d'une réception de la Fête nationale, Robert Bourassa, serrant la main du représentant québécois de l'Assemblée des premières nations, Conrad Sioui, lui a dit au passage : « J'espère que les Québécois vont comprendre. » Las ! La crise d'Oka éclatait le mois suivant...

Au début de la crise, en juillet 1990, une forte majorité de Blancs appuyaient les manifestants qui s'opposaient à la construction d'un terrain de golf sur un espace revendiqué par les Mohawks (des territoires qui leur avaient été donnés, puis ravis, par le roi de France). Mais le pourrissement du conflit, la prise de contrôle des opérations par les Warriors armés et masqués, le vandalisme, les demandes à géométrie variable, la mauvaise foi, les accusations non fondées lancées par le prédécesseur de Mercredi, George Erasmus, contre le traitement que le Québec réserve aux autochtones, ont singulièrement refroidi la sympathie populaire. L'absence quasi totale de condamnation de la violence des Warriors par les leaders autochtones réputés modérés — en contraste marqué avec la condamnation immédiate et incessante du FLQ par René Lévesque — a beaucoup fait pour rompre le lien de confiance et de sympathie*.

À l'automne de 1990, puis à l'hiver de 1991, les Cris du Grand Nord québécois, dont le combat contre le projet Grande-Baleine bénéficiait d'une oreille attentive chez les Blancs intéressés à l'écologie, ont lancé une campagne de publicité aux États-Unis qui faisait la part belle au mensonge et où apparaissait l'expression « génocide culturel », alors que la population crie a doublé en 15 ans et que la proportion de Cris vivant de la chasse a augmenté pendant cette période.

À la faveur du débat sur la souveraineté, Mercredi et quelques autres leaders autochtones se sont mis à brandir des cartes géographiques. Ce sont tantôt les deux tiers, tantôt les trois quarts du territoire québécois qui sont revendiqués en cas d'indépendance. Il est parfois question d'un « droit de veto » que pourraient exercer les 50 000 autochtones québécois sur le droit des sept millions de Blancs à l'autodétermination. Joe Clark a été chahuté un jour par une assemblée autochtone parce qu'il refusait de s'engager à envoyer l'armée pour empêcher la souveraineté du Québec. En février 1992, Ovide Mercredi a eu la bonne idée de se rendre à l'Assemblée nationale expliquer que le problème de l'autodétermination québécoise ne se pose pas, puisque la nation québécoise n'existe pas. Il a ensuite mené le combat que l'on sait en vue d'obtenir pour les autochtones, en plus du droit inhérent à l'autogouvernement, l'étiquette de « société distincte ».

Il a rencontré Robert Bourassa en tête-à-tête à Québec, deux fois, sans jamais avoir pu en tirer grand-chose. Dans les couloirs de la multilatérale, une blague courait selon laquelle après s'être fait demander : « Que t'a dit Bourassa ? », Mercredi se serait pris la tête entre les mains pour gémir : « Je n'arrive pas à m'en souvenir ! »

---

* Erasmus détient la palme des déclarations antiquébécoises pendant la crise. Voici trois exemples, recensés par Robin Philpot dans son livre sur la question : « C'est au Québec que les autochtones sont le moins bien traités » ; « Les Québécois imposent leur langue à tous les Canadiens » ; « Les autochtones ont toujours été fidèles au gouvernement canadien, n'hésitant pas à s'enrôler dans l'armée pour les guerres à l'étranger et à la suppression des rébellions, ce que les Canadiens français n'ont jamais fait. »
Quant à Ovide Mercredi, alors vice-chef des Premières Nations, il déclare : « Le Québec est distinct dans son utilisation de la force contre les autochtones. Ça arrive plus souvent là-bas que partout au Canada. » Mercredi prendra une position plus modérée après la crise, et une fois devenu grand chef, dans une entrevue à *L'actualité* : Parlant du policier mort pendant un échange de tirs à Oka, il dit : « Je ne peux pas imaginer, je refuse de croire qu'ils [les policiers] auraient tiré sur quelqu'un simplement parce qu'il ou elle faisait acte de présence à une barricade. » Les Mohawks, poursuit-il, avaient « l'option de se retirer. On ne riposte pas [à l'agression] par une réaction semblable, surtout si on veut la condamner. »

En fait, lors d'une de ces rencontres, Bourassa a refusé de s'engager à appuyer le droit inhérent à l'autogouvernement car dans cette négociation complexe, avait-il dit, « si j'appuie la revendication de l'un, je devrai me prononcer sur la revendication de l'autre ». Derrière lui, Diane Wilhelmy expliquait comment l'application de ce droit créerait un cauchemar juridique.

Pendant la multilatérale, en mai et en juin, l'opposition du Québec à plusieurs aspects du volet autochtone transite par Rémillard, Rivest et Wilhelmy dans des rencontres avec Tellier et Bourgon. (Wilhelmy parle d'une « rencontre incendiaire » en juin où « il n'y a rien que [Rivest] n'a pas dit [à Bourgon] ».)

Ces critiques font une apparition remarquée dans un quotidien de Québec, *Le Soleil*. Voici un cas où le *bunker* juge opportun de « couler » une des études du SAIC. On ne se limite d'ailleurs pas à remettre le texte confidentiel, sous enveloppe brune, à un journaliste ami. On envoie un des experts du SAIC (André Tremblay en personne), en service commandé et pendant les heures de bureau, expliquer en détail la nature et la profondeur des récriminations québécoises à un éditorialiste (Michel Audet, éditeur du *Soleil* et ex-haut fonctionnaire).

Comme quoi le caractère sacré de documents confidentiels produits par l'administration publique «dans un processus de négociation» est un critère qui varie en fonction des desiderata du pouvoir politique. Cette fuite provoque d'ailleurs une colère de Mercredi à la multilatérale, et elle est à l'origine du durcissement de la position de Clark — notamment l'allongement de trois à cinq ans du délai requis pour faire intervenir les tribunaux dans l'élaboration de gouvernements autochtones. (C'est pourquoi Clark disait que « toutes les conditions » du Québec avaient été satisfaites.)

Après l'entente du 7 juillet, et la montée du tollé, il devient patent que le Québec réclamera encore plus de modifications. Claude Beauchamp, agissant toujours de sa propre initiative, va voir Mercredi à Ottawa pour une discussion qui tourne à l'orage quand Mercredi, selon le récit de Beauchamp, « fait un certain nombre d'affirmations erronées sur le plan historique » ; quand Beauchamp, selon le récit de Tisseyre, « est d'une arrogance paternaliste absolument époustouflante », disant : « Vous n'êtes même pas un million, pour qui vous prenez-vous ? »

Mercredi envoie une lettre furieuse à Bourassa. Parlant des négociations secrètes qui, croit-il, se déroulent entre Québec et Ottawa, il écrit : « Nous n'avons pas besoin d'une autre "nuit des longs couteaux" dont le but serait de diluer la reconnaissance que nous avons acquise [dans la multilatérale]. »

Dix jours plus tard, le 23 juillet, la liste extrêmement longue des « correctifs » que le Québec voudrait apporter au volet autochtone apparaît dans les journaux, grâce à une fuite probablement autorisée d'un document du SAIC.

Alors que s'engagent ensuite, en l'absence des autochtones, les rencontres de Harrington, Mercredi ne se retient plus. Il dénonce les « trois conditions »

de Bourassa, affirme que la clause de société distincte réclamée par le Québec
« donnerait à cette province la domination totale sur les premières nations » et
traite finalement Bourassa de « *Indian fighter* ».

Puis, l'avant-veille, premier jour des négociations, Bourassa a eu le front de
quitter la salle pendant qu'on y discutait de la question autochtone. Il voulait
encore s'esquiver la veille. Mercredi s'attend donc au pire. Ce Bourassa, c'est
un dur.

Le jeudi de Mercredi avait en fait débuté le mercredi. Dans le brouhaha
des interruptions de séances pendant la négociation sur le Sénat — dont
Mercredi se foutait complètement, sauf pour s'assurer qu'il aurait ses propres
sénateurs — une rencontre « exploratoire » entre Bourassa et lui-même est
organisée.

D'un côté : Bourassa, Benoît Morin, André Tremblay. De l'autre :
Mercredi, son chef québécois Ghislain Picard, son chef de la Colombie-
Britannique Joe Mathias, sa conseillère légale Mary Ellen Turpel, sa conseillère
et attachée de presse québécoise Michèle Tisseyre. « Là, on sentait la tension,
qui venait en entier d'Ovide, raconte cette dernière. Il était tendu comme une
corde de violon. Bourassa, lui, je sais pas s'il en éprouve jamais, mais il est
toujours très relax, il est toujours très affable, très gentil. »

Bourassa s'assied au fond de sa chaise, laisse tomber ses bras et dit :
« Ovide, il faut que tu me donnes quelque chose ! Il faut que tu me donnes
quelque chose pour que je puisse vendre ce paquet. » Sur le ton, se souvient
Tisseyre, du : « Je ne demande pas grand-chose. »

Mercredi répète dans cette petite pièce ce qu'il a dit publiquement : « J'ai
déjà fait toutes les concessions que j'ai pu faire pour le Canada anglais. Les
seules concessions que je peux faire maintenant doivent servir à faire embarquer le Québec. » Et il ajoute : « Qu'est-ce que vous voulez ? »

« Le premier ministre du Québec avait une préoccupation, raconte
Mercredi, et c'était l'intégrité territoriale. »

Mais lorsqu'il utilise ce terme — intégrité territoriale — devant Mercredi
et Turpel, ces derniers ne savent pas ce qu'il recouvre. Ils s'étonnent que le
Québec soit la seule province qui en parle. « Qu'est-ce que ça veut dire ? »
demande Turpel. (Toutes ces conversations se déroulent intégralement en
anglais.) « Je les ai entendus souvent en discuter, explique Tisseyre, et ils se
demandaient si c'était le souci du gouvernement du Québec, tout fédéraliste et
libéral soit-il, d'inclure ça pour se prémunir des attaques de l'opposition. Ou
y a-t-il un agenda caché de la part du ministère de la Justice [donc Rémillard]
pour préparer l'indépendance du Québec ? Et là, ça soulève tout le problème
de ce qui arriverait aux Cris et aux Montagnais. Donc c'est un dossier loadé
comme aucun autre. »

Pour la délégation québécoise, il importe que rien, dans le volet
autochtone, ne confère de «nouveaux droits territoriaux» aux nations indiennes

au Québec, ni ne provoque une réouverture de la convention de la Baie James, comme le libellé actuel de la proposition pourrait le faire.

Bourassa clarifie la situation. Oui, il est inquiet à cause de son opposition. « Vous comprenez, nous sommes le seul parti au pouvoir qui avons une opposition qui veut faire sortir le Québec du Canada. » Air connu.

Et s'il n'y avait que Parizeau ! Selon un témoin, Bourassa indique que « ça, c'est les objections que m'apportent mes conseillers ». « Il s'excusait presque, dit le témoin. C'était sur le ton du: Ovide, c'est pas de ma faute, mais c'est des crisse de fatigants ! »

« Il m'a dit clairement qu'il n'était pas opposé à la reconnaissance du droit inhérent ou aux autres dispositions autochtones, raconte Mercredi, qui est à la fois surpris et ravi de tant de retenue. Il m'a dit : "Je ne suis pas un obstacle à votre progrès. Mais je dois avoir quelque chose." » Un peu moins tendu, Mercredi se fait conciliant et affirme qu'il ne veut aucunement étendre les droits territoriaux — dont plusieurs sont toujours indéfinis et font l'objet de négociations ou de recours juridiques. Il propose de faire étudier de nouveaux libellés de part et d'autre.

Bourassa soulève aussi le problème de l'application des lois fédérales comme le Code criminel, ou des lois provinciales, au sein des futures enclaves autochtones. Le sujet est délicat. Le chef des Premières Nations avise Bourassa qu'il a lui aussi à faire face à une opposition chez les siens. « Mon mandat, c'est le droit inhérent, ça recouvre tout ce qu'il y a dans le volet autochtone en ce moment. Je peux me faire sanctionner d'une minute à l'autre si j'outrepasse mon mandat. » (En une autre occasion, Bourassa lui demande s'il maîtrise bien ses troupes au Québec, notamment les Mohawks et leurs chefs, et précise nommément soit Jerry Peltier, soit Billy Two-Rivers. Mercredi répond : « Lui ? C'est mon Parizeau ! »)

À la sortie de la rencontre, Tisseyre chuchote à Mercredi : « Le premier ministre du Québec veut s'entendre avec toi. Il veut une entente. Il fera n'importe quoi pour en avoir une. »

Le lendemain, jeudi matin, lorsque Mercredi arrive finalement, à pied et avec près d'une heure de retard devant des délégués « en maudit », selon un témoin, la séance plénière peut enfin commencer. « J'ai dirigé mon allocution entièrement vers le premier ministre du Québec, explique-t-il. Entièrement. Et je n'ai fait aucune référence au gouvernement fédéral. »

Le débat s'amorce entre pro et anti-autochtones, avec Wells dans le rôle du grand critique. Lorsque Bourassa parle à son tour, se souvient Mercredi, « il n'a présenté aucun argument contre nos droits, ni privément ni publiquement ». « Bourassa avait des objections modestes, des demandes modérées, précise Mercredi. Celui qui était vraiment combatif et qui résistait à nos demandes était Clyde Wells. » Bourassa confirmera dans une conversation que « à vrai dire, j'en avais surtout parlé [de ses objections] au lac Harrington, là où les autochtones n'étaient pas présents ». Passons.

La discussion piétine. Mulroney suspend la séance. Les avocats de Mercredi et les conseillers du gouvernement du Québec s'échangent des projets de libellés, fort différents, sur plusieurs aspects de l'entente. « Mon rôle était de faire en sorte que les chefs du Québec qui étaient présents à Pearson soient conscients de ce processus, et donnent une direction politique, explique Mercredi. Mon rôle était d'aller les voir et de leur dire : "Êtes-vous d'accord avec ça, êtes-vous satisfaits ?" Parce que je n'allais pas prendre la décision à leur place. [...] Le produit final devait être quelque chose qu'ils allaient accepter. » Parmi ces chefs, on compte le Cri Matthew Coon-Come et le Mohawk Billy Two-Rivers.

Mais ce processus de navette et de consultation prend du temps et Mulroney, maintenant déterminé à faire en sorte que la conférence soit couronnée de succès, craint que l'impulsion créée par l'accord sur le Sénat ne soit perdue. Mulroney est lui-même opposé au droit inhérent. Mais puisque, comme pour le Sénat égal, « *Joe already gave that* », il ne peut plus le retirer de la table. « Mon objectif est de le restreindre, sans l'étouffer complètement », confie-t-il.

Dans le feu de l'action, il a une idée de négociateur : désigner comme arbitre un des alliés de l'adversaire. Il demande à Bob Rae, jusque-là grand défenseur du volet autochtone, de forger un compromis. Rae est crédible auprès de Mercredi. Mais en passant du rôle de partisan à celui de médiateur, il est neutralisé.

Quelqu'un va quérir Mercredi. On le conduit dans une petite pièce. « Je suis entré, il y avait le PM [Mulroney], Rae et Bourassa [dans une autre version Wells est aussi présent]. Je me suis assis et Joe [Clark] était assis à côté du PM. Et le PM m'a dit : "Si une entente est possible, elle va être conclue entre les gens qui sont dans cette pièce." »

Mercredi ne voit pas pourquoi il devrait s'astreindre à un face-à-face avec les seuls premiers ministres réfractaires, plutôt que de bénéficier de l'appui de ses alliés, comme Ghiz, dans une discussion en séance plénière. Il se braque. « Nous avions une entente le 7 juillet, dit-il à Mulroney. Quant à moi, je n'ai pas besoin du premier ministre Wells ou du premier ministre Bourassa. Les amendements à la constitution concernant les autochtones peuvent être adoptés avec l'appui de sept provinces représentant 50 % de la population. Nous les avons. Pourquoi devrions-nous faire de nouveaux compromis seulement pour obtenir deux autres provinces ? Nous avons fait suffisamment de compromis ! »

Le grand chef entend alors son allié Bob Rae tenir un douloureux langage : « Tu penses que tu as l'appui de 7/50 ? Laisse-moi te dire que si tu quittes cette pièce, tu n'as rien. »

« Comment peux-tu en être certain ? » demande Mercredi.

Mulroney répond à la place de Rae : « Les gens ne te le disent pas franchement ici, mais moi, je te le dis : les inquiétudes exprimées à Harrington ne venaient pas seulement du premier ministre du Québec. Elles venaient d'autres gouvernements aussi, et pas seulement de Wells. N'oublie pas ça. » [C'est aussi vrai de Cameron et de Getty.]

Clyde Wells sait que certains sont de son avis, mais est un peu froissé par le fait que les opposants au volet autochtone n'aient pas le cran de se battre à visage découvert. En entrevue, il racontera qu'il était le seul à monter aux barricades dans les discussions, mais que pendant les interruptions de séance, les membres d'autres délégations venaient le féliciter. Bourassa est de ceux-là. « Pourquoi ne le dites-vous pas vous-même ? » lui demande Wells. « Il est très difficile de le dire », lui répond Bourassa. Le Terre-Neuvien en sait quelque chose, qui a passé sa vie à trouver le courage de dire non. Mais il constate que des premiers ministres moins audacieux se cachent derrière son entêtement à lui, et il s'en plaint à Mulroney. Reste que la base d'appuis dont bénéficient les autochtones est plus fragile que Mercredi ne le pense.

« Ta seule chance de préserver tes gains, dit Rae à Mercredi, est d'obtenir l'unanimité. »

Une chose est maintenant certaine : sans l'Ontario, Mercredi n'a pas 50 % de la population de son côté. Et l'Ontario menace maintenant de le lâcher.

Commence alors la vraie négociation. Si Bourassa se cache derrière Wells, les conseillers de Bourassa, eux, sont hyperactifs. Rémillard, Tremblay, Morin et le sous-ministre de la Justice, Jacques Chamberland, ont leur liste d'amendements à faire passer. Ils tentent de détricoter et de retricoter en 24 heures ce que la multilatérale a mis trois mois à accomplir. « Nous étions absolument intraitables sur les droits autochtones », se souvient un membre du groupe.

Par exemple, ils trouvent que le « droit inhérent » n'est pas suffisamment défini. Les juges pourraient en faire n'importe quoi. Or il existait une définition, la « clause contextuelle », à une étape antérieure. Une clause qui a sauté. Dans la journée, des négociateurs d'autres provinces proposent maintenant de la réintroduire. Ovide est aux anges : « C'est une victoire majeure pour nous. »

Qu'on en juge. La clause se lit comme suit :

L'exercice du droit à l'autonomie gouvernementale comprend le pouvoir des organes législatifs dûment constitués des peuples autochtones, dans les limites territoriales de leur compétence ou dans le champ de compétence de leurs institutions,

(a) de préserver leurs langues, leurs cultures, leurs économies, leurs identités, leurs institutions et leurs traditions et de veiller à leur épanouissement, et

(b) de développer, de maintenir et de renforcer leurs liens avec leurs terres, leurs eaux et leur environnement ;

afin de déterminer et de contrôler leur développement en tant que peuples selon leurs propres valeurs et priorités et d'assurer l'intégrité de leurs sociétés.

La section (a) ne pose pas de problème, mais on se demandera longtemps ce qu'une Cour suprême pro-autochtone aurait pu faire des mots « renforcer leurs liens avec leurs terres, leurs eaux » afin d'« assurer l'intégrité de leurs sociétés ». La délégation québécoise n'est pas très heureuse de ce texte. Certains de ses membres envisagent à la blague de proposer que la clause s'applique également à la société distincte: il aurait suffi d'ajouter les mots « et du peuple québécois » dans la première phrase et le problème de la place du Québec dans la confédération aurait été réglé une fois pour toutes...

Les Québécois arrachent au moins une clause précisant que cette ode au pouvoir autochtone n'ajoute pas de nouvelles prétentions territoriales à celles déjà existantes. Il n'y a rien à faire, cependant, contre l'effet revigorant que le droit inhérent va insuffler aux prétentions existantes (l'effet net du volet autochtone, donc, ne peut conduire, à terme, qu'à de plus grands gains territoriaux pour les premières nations).

D'autres libellés québécois visant à préciser, à circonscrire, à atténuer, à diluer, à reporter l'application du volet autochtone parviennent à Bob Rae, qui en est excédé. « Les Québécois avaient de très longues listes de libellés qu'ils jugeaient acceptables. Je les ai regardés et j'ai dit : "Ça ne marchera jamais. Ça ne sera jamais acceptable." J'ai dit que je voulais me mettre à écrire quelque chose moi-même. Quelqu'un avait un ordinateur Macintosh portatif, je l'ai utilisé*. » Rae se met à écrire son propre libellé, se référant parfois à Bourassa pour vérifier un terme, une formulation.

Il devient rapidement évident que la délégation québécoise se divise en deux camps : les durs et le mou. « On me disait que ses conseillers étaient opposés à plus d'aspects du dossier, avaient plus d'inquiétudes et étaient plus fermes dans leurs objections que leur premier ministre, raconte Mercredi. Alors ma stratégie était de ne transiger qu'avec Bourassa et d'ignorer totalement ses conseillers. Et j'ai appliqué cette stratégie, en maintenant le contact constant avec Bourassa, directement, et pas avec les autres. »

Les anecdotes qui vont suivre ont été formellement démenties par Robert Bourassa en entrevue, un mois plus tard. « C'est totalement faux, totalement faux », dira-t-il. « J'ai pris la décision d'accepter le volet autochtone quand mes conseillers m'ont dit que c'était sécuritaire, qu'ils avaient obtenu les amendements dont nous avions besoin. »

Trois participants, non membres de la délégation québécoise, dans des entrevues séparées, racontent une tout autre histoire.

---

* Dans les semaines qui suivront, l'histoire de Rae et du Mac portatif entrera dans la légende, et un musée se dira intéressé à faire l'acquisition de l'instrument. Clyde Wells affirme cependant que des mythes se créent lors de rencontres de ce genre, comme pendant le *sprint* de Meech où l'ex-footballeur Don Getty lui aurait bloqué la sortie pour empêcher l'échec des pourparlers. « C'était une invention complète, dit Wells. Et je pense que l'ordinateur portatif peut être aussi mythique que le blocus de Getty. »

Gil Rémillard, profession : *Punching bag*

Ovide Mercredi se sent bousculé par le singulier processus de négociation où Bob Rae écrit des textes à l'écran, dans un climat de tractations de coulisses dont la plupart des premiers ministres sont exclus. « Je pense, dit-il à Rae, qu'on devrait suspendre et dormir là-dessus. » « Es-tu fou ? » répond Rae, si on arrête, tout arrête.

La séance plénière devait reprendre à 14 h 30. Il est 16 h. Les autres premiers ministres se tournent les pouces. Getty rage : « Je trouvais que c'était dégueulasse pour nous. » Des ministres pro-autochtones, comme Bob Mitchell, de la Saskatchewan, se demandent pourquoi leurs lumières ne sont pas sollicitées.

Pour Rae, en revanche, c'est le moment le plus excitant de sa vie politique. Il est au centre du drame. Il a le doigt sur la commande. « J'ai trouvé le processus extraordinaire, c'était grisant, c'était fascinant. De toutes mes expériences politiques, ça a été la plus satisfaisante. »

Le soleil commence à se coucher sur Ottawa. Des négociations sont en cours pour que les autochtones acceptent le principe qu'aucune de leurs lois ne contrevienne aux législations visant « la paix, l'ordre et le bon gouvernement ». Une disposition vague d'un point de vue blanc, mais une concession réelle d'un point de vue autochtone. Le chef métis Yves Dumont, c'est normal, a dit oui. Mercredi, malgré l'opposition de certains chefs et de sa conseillère Mary Ellen Turpel, a dit oui à reculons. Benoît Bouchard a servi d'émissaire pour faire accepter ce principe, auquel le gouvernement fédéral tient.

Bouchard devise avec Paul Tellier et Robert Bourassa dans un petit local lorsque Gil Rémillard fait irruption. Le ministre québécois est très inquiet du fait que les lois provinciales ne sont pas incluses dans la définition de la « paix, l'ordre et le bon gouvernement ». Seuls les mots « les lois fédérales » apparaissent dans le libellé. Il faut y ajouter « et provinciales ». Autrement, les futurs gouvernements autochtones pourront passer outre aux lois québécoises quelles qu'elles soient. Bouchard raconte :

> Tout à coup, Gil arrive avec son texte. Il dit : « Monsieur le premier ministre, c'est pas exactement ça, c'est pas assez précis. » J'ai dit : « Robert, je peux tu vous demander une faveur ? » Pis là j'ai dit : « Gil, si vous touchez à ce texte-là, on est ici jusqu'à trois heures cette nuit, et on pourra pas commencer à parler des pouvoirs demain, alors c'est terminé. » J'étais fatigué, hors de moi. [Mais Rémillard insiste.] J'ai dit à Gil : « Toi, c'est toujours la même crisse d'affaire avec toi, t'en finis jamais. T'as pas exactement ce que tu veux ? Ben personne a exactement ce qu'il veut ! »

> Et là Robert, dans son calme habituel, dit : « Gil, on va avoir une commission parlementaire à Québec. Si véritablement le texte ne convient pas, on le fera valoir à ce moment-là. On tiendra compte des décisions de la commission. »

On ne sait pas comment Rémillard réagit à un argument aussi spécieux. C'est maintenant que la négociation se fait. C'est maintenant que les gains doivent être encaissés. Chaque mot peut signifier des milliards de dollars, des millions de kilomètres carrés de territoire, des années de litige jusqu'à la Cour suprême, qui interprétera strictement l'entente, pas les commentaires d'une commission parlementaire provinciale.

Manquent encore aux objectifs québécois : l'application des lois provinciales dans les futures enclaves ; la garantie que les pouvoirs des futurs gouvernements autochtones ne seront pas définis par les tribunaux ; la certitude que le droit inhérent n'accroîtra pas les droits territoriaux ; la protection des droits démocratiques des citoyens blancs vivant dans les futures enclaves. Les Québécois veulent aussi revoir une série de clauses qui prescrivent aux juges d'interpréter dorénavant les traités de manière « large et libérale » et en tenant compte de « la perception qu'ont les peuples autochtones de l'esprit et de l'intention des traités ». Appliqué à la convention de la baie James, ce seul bout de phrase peut avoir des conséquences titanesques...

Bourassa se contente de faire du replâtrage. Rémillard et son équipe veulent aussi tirer les joints. Ils ne lâchent pas.

Rémillard vient porter de nouveaux projets d'amendements directement à Bob Rae. Benoît Bouchard livre le contexte nécessaire à la compréhension de la suite : « Mulroney considère Rémillard comme une quantité négligeable. » En fait, Mulroney a développé une aversion presque épidermique pour le ministre québécois, qui fut pourtant brièvement son conseiller, à l'été de 1985, avant de se lancer en politique provinciale. Mulroney se souviendra toujours que le soir de la (première) signature de l'accord de Meech, en 1987, Rémillard s'apprêtait à diffuser une déclaration dans laquelle il interprétait la portée de la clause de société distincte de façon si large que le spectre du statut particulier aurait immédiatement fait irruption dans la presse anglophone (ce qui allait d'ailleurs se produire de toutes façons) et qu'il a par conséquent dû « tuer » la déclaration (pas Rémillard), sur-le-champ. Depuis, à travers les épisodes d'Allaire, de Bélanger-Campeau et de la loi 150, puis de la loi référendaire fédérale, Mulroney a souvent contredit, démenti et attaqué à la Chambre des communes des déclarations « fermes » de Rémillard.

Un premier ministre provincial ajoute : « Rémillard n'avait pas beaucoup d'amis dans cette pièce. Il avait développé très peu d'atomes crochus avec les autres participants. » La table est donc mise.

> Rae : J'étais au Macintosh, on écrivait le libellé, et je pense qu'on était en route vers un compromis qui serait acceptable pour tout le monde. Le premier ministre Wells fignolait les détails et les mots à utiliser. Un peu plus loin dans le corridor, dans la salle de la délégation du Québec, il y avait Rémillard et Tremblay — je pense, mais je n'en suis pas sûr — qui avaient produit un autre bout de papier, et ils sont venus me le montrer.
>
> Le premier ministre [Mulroney] et moi étions en train de discuter et je lui ai dit : « Écoutez, on a un texte en cours, on a presque fini, et voilà que nous arrive un bout de papier qui semble venu d'une lointaine planète *[from outer space]* par

Rémillard. Il faut que vous arrêtiez ça *[you're gonna have to shoot it down]*. » C'est ce que le premier ministre a fait.

La scène se déroule pour moitié dans un bureau, pour moitié dans le corridor. Brian va voir Robert et lui explique que le temps des finasseries légales est terminé, qu'il faut en finir. Rémillard apparaît dans le cadre de la porte avec sa feuille et tente une fois de plus de convaincre Bourassa que d'importants détails méritent encore d'être réglés.

Le premier ministre du Canada se tourne alors vers le ministre québécois de la Justice et des Affaires intergouvernementales. Dans un mouvement agile et coordonné, il lui arrache sa feuille des mains et physiquement, comme au hockey, le plaque à l'extérieur du cadre de la porte. Il y a aussi un élément sonore. Brian Mulroney lance : « *Go fuck yourself.* » Les témoignages divergent, non sur la verdeur du langage, mais sur la langue utilisée par le premier ministre. Il a peut-être exprimé son imprécation dans la langue de Molière (de Sade ?), mais on sait qu'il lui arrive de passer à l'anglais dans des moments intenses. Une certitude, selon un témoin : « Il lui a dit d'accomplir un acte physiologiquement impossible. »

Mulroney tend ensuite à Bourassa la feuille dérobée à Rémillard et lui dit : « C'est toi le premier ministre, c'est à toi de décider. » Rae rapporte qu'il n'a plus entendu parler de la proposition « extraterrestre ».

Les conseillers de Bourassa ont été mis hors jeu. Clyde Wells, lui, continue le combat. Il se plaint entre autres choses que le statut des Indiens hors réserve reste très imprécis et il n'aime pas l'idée que les tribunaux devront décider de ce que constitue « la paix, l'ordre et le bon gouvernement ».

« Tout le monde est d'accord pour dire : "Si on se trompe aujourd'hui, on va avoir des problèmes interminables dans 20 ans" », raconte Wells.

« Ce n'est pas suffisamment clair », objecte-t-il donc auprès de Rae.

« Écoutez, répond Rae, je sais que ça va à l'encontre de votre façon d'être, mais il est parfois bon de garder une certaine ambiguïté dans ces questions-là. »

Quelqu'un dit : « De l'ambiguïté constructive. »

Bourassa ajoute : « J'aime l'ambiguïté. »

La séance plénière reprend, un peu après 21 h. Avant que la discussion s'engage, Wells va voir Bourassa pour lui signaler que les autochtones refusent toujours d'inclure dans le libellé « les lois provinciales » (ce que Rémillard lui répète depuis deux heures !). Bourassa répond à Wells : « Merci de m'avertir. » On croit rêver.

La séance étant ouverte, Bourassa pose la question. « Est-ce que ça comprend les lois provinciales ? » Mulroney prend le relais et interroge chaque chef autochtone. L'Inuk, le métis et le représentant des Indiens hors réserve disent oui. Mercredi résiste. « Ovide, donne-m'en au moins une ! » plaide Mulroney, « Donnes-en une au président de la conférence ! »

Mercredi est réticent. Bob Rae intervient : « Veux-tu dire que s'il y a un grave incendie dans une réserve, compte tenu du droit inhérent, les pompiers de la province de l'Ontario ne pourront entrer pour éteindre le feu ? »

Mais les populations autochtones n'ont jamais voulu reconnaître les gouvernements provinciaux comme des égaux. S'ils parlent de nation à nation, ils le font avec la nation canadienne tout entière, pas avec ses subdivisions. Et surtout pas, pour ce qui est des Mohawks, avec le Québec. Mercredi s'esquive pour aller consulter ses chefs. Lorsqu'il revient, une quinzaine de minutes plus tard, il n'accepte pas d'ajouter les mots « lois provinciales » au libellé. Mais il consent à retirer le mot « fédérales » pour laisser le mot « loi » seul : une formulation floue, donc ouverte aux interprétations.

Bourassa demande si Mercredi comprend, lui, que cette nouvelle formule inclut les lois provinciales. Mercredi acquiesce. « À ce moment-là, raconte Bourassa, il a été inscrit au procès-verbal que ça impliquait les lois provinciales et les lois fédérales. » Or, comme chacun des négociateurs, conseillers et avocats présents le savent, le « procès-verbal » de cette rencontre à huis clos n'est pas un document public contrairement au futur « compte rendu » des libellés approuvés, et les tribunaux n'en tiendront aucun compte. La délégation québécoise n'est nullement assagie par ce compromis de Bourassa

Mulroney s'apprête à lever la séance, quand Mercredi demande la parole. « Monsieur le premier ministre, dit-il, un chef indien a dit un jour à votre sujet que vous étiez un *Indian giver*. Il vous présente ses excuses. Un de vos amis m'avait dit que vous étiez le genre de personne à appuyer les *underdogs*. Monsieur le premier ministre, je ne le croyais pas. Je le crois aujourd'hui. »

(Mulroney confiera : « Moi, j'étais surpris, je l'avais planté toute la journée ! »)

Mercredi se tourne ensuite vers Joe Clark. « Je veux dire simplement que sans toi, Joe, rien de tout ceci ne se serait produit, et nous ne serions pas ici. »

La séance est levée. Les premiers ministres se relaient au micro, devant les journalistes. Robert Bourassa explique ses victoires du jour, et prend soin de mentionner que les lois provinciales seront respectées. En coulisses, son ministre des Affaires autochtones, Christos Sirros traduit les réponses de Bourassa en anglais pour Ovide Mercredi. Lorsque arrive la phrase sur les lois provinciales, Mercredi se penche vers Sirros pour dire : « *No Mohawks !* » Ce qui signifie : jamais les Mohawks n'accepteront maintenant de se rallier à l'accord.

De fait, dès le lendemain matin, alors qu'il entre dans l'édifice Pearson, Mercredi est apostrophé devant les caméras par Billy Two-Rivers, furieux qu'une légitimité quelconque ait été reconnue aux lois des Québécois. « Ce n'est pas bon pour les Mohawks », lance Two-Rivers.

« C'est bon pour les Mohawks, c'est bon pour tout notre peuple, répond Mercredi, qui ajoute : Tu brises déjà l'entente qu'on a faite ? Tu la brises déjà ? »

« Ovide, répond Two-Rivers, tu n'as pas l'autorité ou la compétence pour parler au nom des Mohawks. »

« Je vais le dire quand même [que c'est bon pour les Mohawks]. »

« Ovide, tu ne peux pas dire ça. »

« Je vais le dire. »

« Ça n'aura pas de poids parce que tu n'as pas le mandat de parler au nom des Mohawks. »

« J'ai le mandat. »

« Oh ! non ! »

Le jeudi de Mercredi ne fait pas que des malheureux chez les chefs autochtones, au contraire. Entre certains autochtones et certains Québécois, cette négociation a valeur de calumet de la paix. Matthew Coon-Come, par exemple, devient très copain avec John Parisella et avec Sylvie Godin, l'attachée de presse de Bourassa, qui lui donne quelques conseils sur la façon d'améliorer son image auprès des Québécois. Il en a bien besoin*. André Maltais, le conseiller de Bourassa pour les affaires autochtones, qui voyait d'un mauvais œil la fermeté des Rémillard, Tremblay et Chamberland, est sous le charme. On évoque la possibilité d'inviter Mercredi à l'Assemblée nationale pour un grand discours de réconciliation. Michèle Tisseyre, la conseillère de Mercredi, qui croise Bourassa dans un corridor, lui serre la main et lui dit : « Je n'ai jamais été aussi fière d'être québécoise. » Bourassa l'embrasse sur les deux joues. Tisseyre croise ensuite Coon-Come et lui répète ce qu'elle vient de dire à Bourassa.

« Là, Matthew m'a dit : "Tu sais, peut-être que je pourrais devenir un Québécois moi aussi." Pis il riait, tsé, il riait, il était euphorique. C'est incroyable de penser à ça. »

LA MÉTHODE BOURASSA

La technique de négociation de Bourassa commence à émerger. Dans le débat sur le Sénat, il a presque toujours laissé les autres acteurs forger des compromis qui, à la fin, lui convenaient. Dans le cas des autochtones, Mercredi est renversé de découvrir en Bourassa un grand modéré, pour ne pas dire un absent.

Le premier ministre québécois utilise, à répétition, trois tactiques.

• L'obstacle extérieur : Il dit rarement « vouloir » quelque chose en soi, parce que cette revendication a de la valeur en principe. Il la veut parce « qu'il lui faut quelque chose » pour vendre l'accord aux Québécois, ou parce que

---

* Au cours de ces conversations directes entre leaders cris et conseillers de Bourassa, chose extrêmement rare auparavant, les deux groupes se rendent compte que, lors de la mission de « médiation » qu'il a accomplie de sa propre initiative, au printemps, le péquiste et expert en affaires autochtones, David Cliche, a envoyé des factures *et* au Grand Conseil des Cris *et* au bureau du premier ministre. Il n'y a peut-être pas de dépassement dans les honoraires, mais la surprise des parties est totale. « Je ne doute pas de sa bonne foi », dit Parisella, mais ses services n'ont plus été retenus.

Jacques Parizeau va se plaindre, ou parce qu'il doit convaincre son parti. Il agit comme s'il n'était pas personnellement concerné par le fond de l'affaire. Il fait semblant d'être d'accord avec son interlocuteur, mais explique que ce dernier doit l'aider, lui, à faire triompher leur cause commune en aplanissant les divergences.

Don Getty se souvient que ce jeudi soir, Bourassa adresse quelques mots aux premiers ministres « pour nous parler de l'importance de la discussion du lendemain [sur les pouvoirs]. Il parle de ses difficultés, il utilise son parti et son aile jeunesse et dit : "Pensez à ce qui nous attend chez nous au Québec." Il ne nous disait pas qu'il demandait lui-même des choses ou qu'il fallait qu'on les lui donne, mais plutôt : "Je veux que vous réalisiez ce contre quoi je dois me battre." »

La technique est efficace, car elle crée de la complicité plutôt que de la confrontation, entre Bourassa et ses vis-à-vis. Mercredi, par exemple, se prend rapidement au jeu et on raconte que sa conseillère, Mary Ellen Turpel, devait intervenir pour empêcher son patron de « devenir le meilleur ami de Bourassa » (en anglais : « *they were bonding like crazy!* »). La première technique bourassienne comporte cependant plusieurs graves lacunes.

D'abord, elle est essentiellement défensive. Elle sert à amender une proposition déjà existante, plutôt qu'à en concevoir une autre sur des bases nouvelles. Comme Bourassa ne se présente pas comme le porteur d'une conviction ou d'une revendication qui lui soit propre, il ne peut construire. Il ne peut qu'aménager. Et puisque l'objection, l'obstacle, est « extérieur », il en dévalue le bien-fondé, car il ne s'y associe pas.

Ensuite, la technique s'use rapidement, car les interlocuteurs ont tendance à répondre à Bourassa qu'il n'en tient qu'à lui de s'occuper de Parizeau et du Parti libéral. Chacun, dans cette vallée de larmes, doit porter sa croix. Et le débat ne porte plus sur la conviction qu'a Bourassa de ce qui est bien ou mal pour le Québec — une donnée subjective mais stable, comme le sont les convictions de Mercredi, de Wells et de Getty —, mais sur l'évaluation que fait Bourassa du niveau d'opposition existant au Québec, une donnée sujette à toutes les interprétations, donc suspecte.

Finalement, il est difficile pour Bourassa de bien marquer la différence entre une attitude où il a « besoin d'aide » pour surmonter l'obstacle extérieur et une attitude où, pour citer Benoît Bouchard, il « essaie de faire pitié ». Dans une négociation serrée, c'est rarement celui qui fait le plus pitié qui gagne.

« Le premier ministre du Québec, c'est sa nature même, n'est pas très combatif, vous voyez ? » résume par exemple le grand chef Mercredi, expert en ces matières. « Ce que je vois, c'est une personne qui va à la guerre, mais qui veut la paix. La difficulté ne réside pas dans le paquet lui-même, mais dans le caractère du personnage. Il n'est pas enclin à être combatif ou à engager le débat. Et lorsque vous êtes engagé dans un débat sur l'avenir de votre province ou sur la direction que le pays doit prendre, ça peut être un désavantage. »

• Le paravent : Chaque fois que faire se peut, Robert Bourassa laisse quelqu'un d'autre mener son combat à sa place. « Des fois, c'est Rae qui demande quelque chose, explique Bourassa. Pas besoin de parler, il le défend. Parfois, sur les autochtones, c'est Wells. C'est élémentaire sur le plan de la stratégie. S'il y a des choses sur lesquelles les autres peuvent faire la bataille, tu te réserves pour là où tu es seul. »

C'est implicite et explicite. Dans le cas des autochtones, il lance à la blague : « Sur ce dossier, Terre-Neuve parle pour nous. »

McKenna trouve la méthode « extrêmement habile : chaque fois que quelqu'un d'autre était d'accord avec la position du Québec, Bourassa s'effaçait et laissait cette personne parler. En fait, il appelait souvent cette réaction en restant silencieux. Et ça voulait dire que quelqu'un devait prendre la parole. Ça pouvait être Mulroney, ou moi, ou Joe Ghiz, ou quelqu'un qui défendait la position québécoise. Bourassa était très soucieux de laisser ce genre de chose se produire. »

Bourassa utilise même cette technique lorsqu'il veut brandir l'obstacle extérieur : « Je n'avais pas besoin de le dire, explique-t-il, parce que M. Mulroney invoquait souvent ces choses-là. Il disait : "Si Robert est pas capable de vendre ça, y'aura plus de problème, parce qu'on va diviser la dette et les actifs [avec un Québec indépendant]." » (Bourassa trouve d'ailleurs que Mulroney en fait trop ; il parle d'une « attitude de misérabilisme ».)

La technique a l'avantage d'économiser les forces du négociateur, et de répartir la tâche entre lui et ses alliés. Mais elle ne fonctionne que si les ascenseurs partent et reviennent. Chez Bourassa, il y a beaucoup d'allers, peu de retours. À la fin, les autres négociateurs peuvent s'exaspérer d'abattre tout le travail, comme c'est le cas de Wells. Par ailleurs le Québec présente des revendications qui ont un caractère si particulier qu'il ne se trouve pas toujours des alliés pour reprendre — et pour comprendre — exactement ce que Bourassa désire.

« Il est très clair que le style de négociation de Robert Bourassa ne veut rien dire sans Brian Mulroney, raconte Benoît Bouchard. En deux semaines, je n'ai pas entendu Robert dire oui ou non. C'est la négociation sur la retraite tout le temps. On prend pas l'offensive. On n'attaque pas. On dit : "Vous connaissez mes demandes, vous savez ce qui est essentiel pour le Québec." Mais il n'y a pas de générosité en soi autour de la table. Clyde Wells, si tu ne lui imposes pas la clause de société distincte, il va dire non. C'est un doctrinaire. Robert, on a beaucoup de respect pour lui. Mais c'est pas du respect, une négociation comme celle-là, ça joue dur. »

• La combinaison paravent/obstacle extérieur : « Robert se cachait souvent derrière son ministre ou ses conseillers pour réclamer quelque chose », explique un des participants. Il a tenté de le faire avec l'opération bouledogues, par exemple, sans grand succès. Si Rémillard ou Tremblay ou Chamberland réussissent à marquer un point, sans son concours, il va encaisser le gain, bien sûr.

S'ils ne réussissent pas, il va souvent laisser tomber. Mais il dit fréquemment à ses partenaires qu'il ne peut accepter une proposition ou un libellé parce que ses conseillers s'y opposent. Il ne dit pas toujours qu'ils ont raison de s'y opposer, mais il présente la chose comme un obstacle extérieur, indépendant de sa volonté, fâcheux, et que ses collègues doivent l'aider à surmonter. À l'usage, ses collègues lui répliquent, là encore, que c'est son problème, pas le leur.

*   *   *

Bref, Robert Bourassa construit sur du sable, avec du sable. Cela fait souvent de jolis châteaux. Demain, la marée monte.

14

LE PAYEUR

Question : « Pourquoi ne pas dire simplement :
"Nous voulons une redéfinition de la place du Québec dans le Canada.
Mais sinon, on est Canadiens et on veut le rester, donc on s'accommodera" ? »
Réponse : « Si vous abordez la question de cette façon-là,
vous perdez tout pouvoir de négociation.
Si on dit : "On essaie d'avoir ça mais si ça marche pas, on continue",
on n'obtiendra rien. »

ROBERT BOURASSA,
expliquant à l'auteur les rudiments de la négociation
et du rapport de force, le 12 avril 1991.

IL Y A DES JOURS OÙ L'HISTOIRE SE FÂCHE. Il y a des jours où il faut payer. « Ça, ça a été la journée la plus difficile », confie Robert Bourassa. « Là, j'étais assez isolé. » « Ce vendredi, raconte Brian Mulroney, c'était une journée difficile et pénible. C'était pas une journée joyeuse. »

Les pères de la reconfédération canadienne ont maintenant escaladé, de concert, les falaises du Sénat et de l'autogouvernement autochtone, jugées imprenables il y a trois jours à peine. Au Québec, ces exploits sont observés avec un mélange d'attentisme et de scepticisme. Le double sentiment est exprimé à Bourassa au téléphone le jeudi soir par Pierre Anctil. « Oui, c'est bon, là, c'est bon, c'est bien. Mais rappelez-vous : tout ce temps-là, c'est pas l'agenda du Québec. L'agenda du Québec, c'est sur les pouvoirs. » Un identique souci est exprimé par Marc-Yvan Côté à l'adresse, se souvient-il, de John Parisella : la main-d'œuvre, John, répète-t-il, il nous la faut !

Pas besoin d'Anctil ni de Côté pour rappeler cette évidence. Dans la délégation québécoise, on trouve deux façons d'aborder les choses. Pessimiste, telle que la décrit l'un de ses membres : « On avait l'impression d'avoir déjà le bras dans l'engrenage, d'être dans un hachoir à viande. » Ou combative, se souvient un autre : « [Le jeudi soir], on se disait tous : "O.K., *fine,* on les a faits, nos compromis, mais tsé *just wait tomorrow,* ça va être notre tour", tsé. Le vendredi, c'était la journée du Québec. C'est ça que tout le monde se disait. "O.K., on a été prêts à avaler, pis à faire tout ce qu'il fallait, mais *tomorrow is going to be our day.* Ça, c'était clair. »

Clair aussi pour un des deux chefs de la délégation, comme le constate au petit matin la directrice du *Devoir,* Lise Bissonnette, qui reçoit chez elle l'appel d'un ancien professeur de droit, et à ce titre ancien collaborateur de son journal : Gil Rémillard. Bissonnette ne pense pas, contrairement à Bourassa, que les aménagements au Sénat et au volet autochtone sont des « gains » québécois. Elle demande au professeur devenu ministre : « Écoute, Gil, as-tu ton ticket de retour à l'université Laval ? » Rémillard répondant qu'il est en congé sans solde, elle enchaîne : « À ta place, j'y penserais, ça commence à regarder mal ! » Bissonnette pense qu'il y a des limites aux sacrifices que peut faire Rémillard-le-nationaliste à l'autel du pancanadianisme. Le ministre réplique dans un éclat de rire. « Tu vas voir, sur le partage des pouvoirs, on ne se laissera pas faire », annonce-t-il. « Il promettait que le feu d'artifice s'en venait, et qu'on allait voir », raconte Bissonnette.

LE FEU D'ARTIFICE

Rémillard est confiant, car la mèche a été allumée la veille. Elle a brûlé toute la nuit et a emprunté quelques curieux détours le matin, pour porter la flamme à bon port au début de la séance plénière, à 11 h.

Il s'agit d'un document d'une page, de format légal et à simple interligne, sans aucune inscription officielle. Jean-Claude Rivest explique que le texte fut préparé « par les voies normales ». Qu'il fut lu, relu, autorisé par toutes les instances constitutionnelles québécoises. « Gil l'a approuvé, je l'ai approuvé, Benoît Morin l'a approuvé, tout ça. » Robert Bourassa et Gil Rémillard doivent s'appuyer sur ce document pour faire leur présentation devant les premiers ministres et leurs conseillers le vendredi matin. C'est la liste des pouvoirs que le Québec veut obtenir.

Il existe deux versions des faits quant à l'étrange divulgation de ce document. D'abord celle de Jean-Claude Rivest :

> Là, il y a une espèce de quiproquo. Une espèce d'erreur. Il arrive ce qui arrive souvent. Quelqu'un — je sais pas qui mais pas moi — en a probablement remis une copie à un *chum* haut fonctionnaire d'une autre province. Le gars part avec ça et le donne aux autres. La seule chose que je sais, c'est que Gil était pas au courant de ça.

Version vraisemblable, à un détail près : dans deux entrevues, l'une avec un journaliste de la CBC et l'autre avec l'auteur, Robert Bourassa refusera de dire s'il a personnellement autorisé ou non la distribution préalable du document. Un démenti serait simple, rapide et facile. Ce démenti n'existe pas. Ce qui nous amène à la seconde version, d'un autre membre de la délégation québécoise :

On vient de se faire dire non presque partout [sur le Sénat et les autochtones]. On se rend compte que Bourassa, à la table, c'est pas Duplessis.

What does Quebec want ? Bourassa le dit pas aux autres premiers ministres. Le message passe pas. Il y a une tentation, chez les participants, de forcer le jeu.

André Tremblay, d'abord, insiste pour que la position de négociation du Québec soit rendue publique aux autres délégations et aux journalistes. Jean-Claude [Rivest] était d'accord avec ça, Gil [Rémillard] était d'accord, Benoît [Morin, fidèle serviteur de Robert Bourassa depuis les années 1970] était d'accord. Du groupe, Tremblay et Morin étaient partisans de la ligne dure.

Je pense que Gil [Rémillard] réalise dans ces 24 heures l'importance exceptionnelle de la situation, et il embarque.

C'est une opération collective. C'est la *gang* qui procède. Tu peux pas faire un coulage en *lone ranger*.

L'objectif est triple : 1) faire monter les enchères ; 2) informer les délégations, parce que Bourassa ne le fait pas ; 3) coincer M. Bourassa. On s'est dit que si on fixait la barre assez haut, ça serait difficile pour lui de baisser beaucoup [dans la négociation].

Mais on ne prend pas de chance. Il faut « vérifier » avec Bourassa. Le premier ministre est là, dans la pièce, à un moment, quand est prise la décision, dit un témoin, « de lâcher la bombe atomique ». Il écoute les arguments. Mollement, il demande à Rémillard : « qu'est-ce que t'en penses, Gil ? » Gil est pour, bien sûr. Bourassa dit-il « ouais », ou « ok » ou « vas-y » ? Il a tellement peu de façon de dire clairement « oui » que le terme d'acquiescement est perdu pour l'histoire. Mais le fait est qu'il acquiesce. Il lâche la bombe. « Mais il n'appuie pas sur le commutateur », résume un témoin. Il regarde les autres le faire.

L'auteur : Pourquoi Bourassa a-t-il donné l'autorisation de se coincer lui-même ?

Réponse : Je pense qu'il n'a pas réalisé, ou bien l'ampleur, ou bien l'effet de hausse de mise, ou le piégeage que représente la divulgation de ce document. Mais le fait est que l'opération est vissée. Elle est vissée avec Jean-Claude, vissée avec Benoît, vissée avec Gil Rémillard, vissée avec Bourassa. Tous les fils étaient attachés. Et c'est de chez Gil que le document est parti.

Il y a une autre raison pour laquelle Bourassa n'est pas choqué par ce texte : il le connaît bien. Il l'a d'abord lu, mot pour mot, dans les notes que lui avaient préparées ses conseillers pour les débats du lac Harrington. Il fait maintenant partie de la « position de négociation » de base du Québec pour la rencontre de Pearson, et Bourassa va abondamment s'y référer pendant les tractations du vendredi.

Dès le jeudi soir, le texte se rend jusqu'à la délégation fédérale et jusqu'à la délégation albertaine. Il suit deux circuits et est accompagné de deux messages. À la délégation fédérale, « il est arrivé par les canaux normaux », se souvient Hugh Segal, chef de cabinet du premier ministre Mulroney. « Ça nous a été présenté comme une sorte de position de départ, pas une position définitive. »

À la délégation albertaine, il arrive par une tout autre voie, selon le récit (suspect) qu'en fait ces jours-là l'attaché de presse du ministre Horsman, Bill Gatha : « Un journaliste me l'a remis. Des membres de la délégation québécoise le lui avaient remis en disant que ces demandes étaient non négociables et qu'elles représentaient les demandes minimales du Québec. » Gatha transmet texte et message à ses patrons.

Comme plusieurs autres lecteurs du document, Hugh Segal est frappé par sa présentation quasi artisanale. « Ça n'avait pas l'air d'une troisième ou d'une quatrième version, dit-il. Ça ressemblait à une ébauche. »

C'est vrai de la facture du texte, mais non de son contenu. « Nous avions soumis un texte, confie Bourassa, qui nous semblait assez raisonnable. » Un texte, ajoute-t-il, qui reflétait « la revendication historique du Québec sur le pouvoir de dépenser ». Rivest précise : « C'est un texte classique, c'est la position classique. Tu vas le retrouver dans les positions traditionnelles du Québec, à quelques nuances près. »

C'est bien là l'aspect le plus loufoque de l'opération : Robert Bourassa approuve la « divulgation » de ce qui est une position « classique et traditionnelle » du Québec. Ses conseillers le trouvent tellement timoré qu'ils montent une « opération coulage » pour que leur chef ne fasse que réitérer publiquement ce que le Québec réclame publiquement depuis des décennies. Bref, nous sommes en présence d'un « complot autorisé », visant à révéler des faits déjà connus.

Sur le fond, le texte couvre principalement un angle d'attaque. « On commence à sentir qu'en termes de transferts de pouvoirs supplémentaires, prendre 1000 fonctionnaires fédéraux et les envoyer au Québec, ça commence à pas être très très envisageable », explique Rivest. « Alors on s'est dit, fondamentalement on est mieux d'y aller sur le pouvoir de dépenser, c'est là qu'est le nerf de la guerre. »

Voici le texte, *in extenso :*

Partage des pouvoirs

- Essentiellement, le Québec ne recherche pas de transferts massifs de compétences : il recherche le respect de la Constitution de 1867.

Il est difficile de parler du partage des pouvoirs sans d'abord protéger les pouvoirs provinciaux contre les intrusions du gouvernement fédéral par le biais de son pouvoir de dépenser.

Il serait inutile d'obtenir de nouveaux pouvoirs si les provinces n'obtenaient pas aussi la maîtrise d'œuvre de toutes les interventions dans leurs champs de compétence exclusive.

L'encadrement du pouvoir de dépenser présenté dans l'entente du 7 juillet est nettement insuffisant en ce qu'il

• ne s'applique qu'aux programmes cofinancés futurs ;

• ne s'applique pas à tous les secteurs relevant de la compétence du Québec (encadrement partiel pour six secteurs [les six sœurs]) ;

• laisse au Fédéral la capacité d'intervenir librement dans tous les autres secteurs.

Dans tous les champs de compétence des provinces, le Québec demande :

1) que le fédéral ne puisse utiliser son pouvoir de dépenser qu'après entente avec les provinces qui le désirent ;

2) que soient renégociées, dans une période à déterminer, les modalités actuelles de l'exercice du pouvoir fédéral de dépenser, sur demande d'une province et dans les secteurs qu'elle pourra identifier ;

3) que soit accordé à toute province, à défaut d'entente formelle dans l'un ou l'autre cas, un retrait complet du fédéral, accompagné d'une compensation appropriée et permanente, lorsqu'elle s'engagera à mettre en œuvre une mesure compatible avec des objectifs nationaux librement consentis qui seraient définis par la conférence des PM.

Le Québec recherche aussi une confirmation de ses compétences dans tous les secteurs relevant de sa compétence législative exclusive.

De plus, le Québec demande de nouvelles compétences législatives : soit exclusives (culture, main-d'œuvre, mariage et divorce), soit partagées (communications, environnement, développement régional).

En somme, la solution au problème du partage des pouvoirs passe, aux yeux du Québec, par trois points indissociables :

1) l'affirmation de certains pouvoirs que la constitution ou la jurisprudence reconnaît déjà être de compétence provinciale (les six secteurs du rapport Beaudoin-Dobbie : loisirs, tourisme, affaires urbaines, logement, forêts et mines) ;

2) la reconnaissance de quelques pouvoirs additionnels essentiels, dans le cas du Québec, à l'affirmation des éléments de sa société distincte (culture, communications, main-d'œuvre, mariage, divorce et famille) ;

3) le contrôle du pouvoir fédéral de dépenser.

En soi, c'est la position la plus défendable que le Québec puisse prendre. Premièrement, il s'agit de faire respecter la seule constitution que le Québec ait jamais signée : celle de 1867, et de faire respecter par Ottawa les pouvoirs alors attribués au Québec. Jamais, dans l'intervalle, le Québec n'a signé de document acceptant le principe qu'Ottawa puisse intervenir dans ces secteurs. Deuxièmement, il s'agit de tracer une nouvelle ligne de partage dans des champs de compétence qui n'étaient pas prévus dans la constitution de 1867 (environnement, développement régional, culture, main-d'œuvre) ou qui forment un *continuum* avec la société distincte (mariage et divorce avec le Code civil ; culture et communications avec la culture francophone).

Plusieurs des pouvoirs dont parle le rapport Allaire sont absents (sécurité publique, industrie, recherche et développement, etc.). La revendication favorite de Claude Ryan, la responsabilité linguistique, est oubliée. Mais il ne faut pas chipoter : parce que l'évolution du fédéralisme de 1867 à 1992 a immensément élargi la place du pouvoir central dans la vie québécoise, la seule remise des pendules à leur position de départ provoquerait une « réforme en profondeur ». Elle dégagerait une zone d'autonomie québécoise considérable, modifierait pour longtemps les règles du jeu, permettrait l'abolition de la plupart des dédoublements et assouvirait, probablement pour une génération, l'appétit nationaliste québécois. Elle le ferait sans rien changer au pacte canadien d'origine, sans « sortir du cadre », sans superstructure ou modèle européen. Bref, une solution fédéraliste à la crise du fédéralisme.

Depuis trois jours, l'élite politique canadienne est convenue de modifier la constitution de 1867 pour transformer de bout en bout l'institution du Sénat et pour faire une large place à « un troisième ordre de gouvernement », celui des autochtones. Le quatrième jour, le Québec demande plus simplement qu'on respecte la constitution de 1867 en matière de partage des pouvoirs.

Les premiers lecteurs, fédéraux et albertains, de ce document réagissent vivement. « Personne, dans la délégation fédérale, ne pouvait être d'accord avec ça », explique Hugh Segal. Le premier ministre Mulroney, rapidement informé du contenu du texte, dit devant Benoît Bouchard qu'il s'agit « encore des demandes à Rémillard ». Il juge la chose incompatible avec le maintien du fédéralisme et craint qu'elle ait pour effet de « réduire à néant les chances de vendre l'accord » au Canada anglais. « It's not on ! » (« Ce n'est pas recevable ! »), tranche-t-il en ajoutant : « Il faut que je vide ça dans la première heure » de la séance plénière du lendemain.

Sur le fond, la position de Mulroney n'est pas surprenante. Gardien du pouvoir central, il ne veut pas d'un amaigrissement considérable d'Ottawa. Son calcul est aussi politique, explique Segal. « Au cours de toute la négociation, il en était venu à la conclusion qu'il ne servait à rien de tenter de concurrencer les souverainistes québécois dans le sens d'une plus grande autonomie de la province. Il se disait que si on allait trop loin, lorsqu'ils auraient à choisir, les Québécois pourraient simplement opter pour les vrais souverainistes. » Une position très proche de celle de Trudeau, pour qui le statut particulier aurait été l'antichambre de la souveraineté.

Mais il est intéressant de noter qu'à ce point du récit, alors qu'il se sait en opposition flagrante avec ce que Bourassa va présenter le lendemain, Mulroney ne prend pas la peine de tenter de le ramener à la raison, de discuter avec lui des problèmes qui l'assaillent peut-être au sein de sa délégation, de préparer avec lui la journée québécoise. Pourquoi ? Une hypothèse : Bourassa, à travers tous les épisodes précédents — depuis son traficotage avec Lucien Bouchard et le Bloc québécois, en passant par sa stratégie d'avant le 7 juillet, sa volonté d'éviter tout référendum, jusqu'à sa décision, l'avant-veille, d'embarquer dans le Sénat égal — a épuisé la considérable complicité dont il bénéficiait initialement auprès de Mulroney. Uni durant une traversée conjointe du désert de 1976 à 1984, raffermi par un combat commun pour Meech ensuite, le couple Robert et Brian est fatigué, usé, vidé.

Si Robert Bourassa pense avoir l'appui de quelqu'un dans sa charge contre le pouvoir de dépenser, il songe à l'Albertain Don Getty. Sur la question du pouvoir des provinces, l'Alberta, la Colombie-Britannique et, à une autre époque, l'Ontario faisaient front commun avec le Québec. L'Ontario et la Colombie-Britannique étant dorénavant dirigées par des néo-démocrates, seule l'Alberta est maintenant en mesure de se joindre franchement au combat.

Lorsqu'il a le texte québécois en main, le jeudi soir, Getty y reconnaît des principes auxquels il croit. « Je suis d'accord pour dire que le gouvernement fédéral ne devrait pas avoir le droit de contourner la constitution et de dépenser dans les domaines provinciaux », dit-il, « mais ça n'avait aucune importance à ce moment-là, parce que ça ne pouvait pas marcher ».

En fait, cette lecture le met de très, très mauvaise humeur. Il est passé minuit, jeudi soir. Il appelle Robert.

Getty : Je lui ai dit que le train avait quitté la gare depuis longtemps, que ces changements majeurs de dernière minute ne pouvaient être intégrés. C'était peut-être dommage qu'ils n'aient pas été présents pendant tout le long processus de négociation, mais nous étions maintenant à l'étape finale et tout pourrait s'écraser à cause de ça.

Il m'a répondu qu'il devait essayer quand même, mais je n'ai jamais eu le sentiment que c'étaient là ses demandes minimales à lui.

Getty, comme Mulroney, tient pour acquis que ces revendications ambitieuses ne peuvent pas venir de Bourassa. Il lui envoie donc immédiatement les signaux appropriés :

Getty : Je lui ai dit : « C'est toi le patron. »

L'auteur : Pourquoi lui dire ça ?

Getty : Pour qu'il puisse comprendre. Je pensais qu'il y avait quelqu'un d'autre qui faisait pression sur lui, mais on ne peut pas aborder ces sujets de front, entre premiers ministres. On ne peut pas dire : « Tu es l'otage de ta délégation. » Mais je disais : « Tu es le patron, tu es celui avec lequel on négocie. » On ne peut pas se battre avec un problème mystérieux caché derrière la porte.

L'Albertain, chef de la *triple-E gang,* explique aussi à Bourassa que, loin de s'être gagné les bonnes grâces de ses partenaires en acceptant le Sénat égal, le Québec a au contraire atteint les limites de leur patience en obtenant son plancher de 25 % aux Communes et la réduction du nombre de sénateurs.

Getty : J'ai dû le convaincre que je ne pourrais plus contrôler quelques-uns des autres premiers ministres s'il insistait pour obtenir des changements additionnels. Certains avaient accepté de me suivre dans les aménagements faits au Sénat parce que Bourassa y tenait à ce point. Mais s'il tentait d'avancer encore, les autres allaient débarquer.

L'Albertain ne bluffe pas. Bob Rae se souvient, de même, que les premiers ministres de l'Ouest jugeaient avoir considérablement modéré leurs exigences quant au Sénat, « au point qu'ils ne pouvaient encaisser de recul sur aucun autre front parce que, sinon, ils auraient l'air de revenir chez eux les mains vides ». Ils voulaient pouvoir dire à leur électorat, explique Rae, « que, bon, nous avons un Sénat qui nous convient à peu près, mais nous avons aussi fait en sorte que personne n'a démantelé les pouvoirs du gouvernement central et qu'il n'y aura pas de décentralisation vers les provinces, particulièrement vers le Québec ». Ce jeudi soir, « le plancher de 25 % de députés québécois aux Communes était déjà très douloureux pour nous », confirme Roy Romanow, de la Saskatchewan.

> Getty : Je lui ai dit : « Si tu insistes là-dessus, tu vas éliminer tout le bon travail qu'on a accompli et tu vas engendrer un ressac, tu vas susciter de la mauvaise volonté, et il n'y aura pas d'entente. »

Bonne nuit, Robert.

LA RUMEUR DU 21 AOÛT

Quand les membres de l'industrie constitutionnelle canadienne convergent vers l'édifice Pearson, le vendredi matin, c'est pour participer à un bal de rumeurs et de conjectures. Le texte québécois passe de main en main. Une délégation de l'Ouest — probablement celle de la Saskatchewan — en a fait une traduction pour les unilingues. Les délégations autochtones, dernières informées, en quêtent un exemplaire.

La délégation ontarienne se réunit en présence de Bob Rae avant l'ouverture de la séance. Le document est distribué. « Nous l'examinons, se souvient David Cameron, conseiller constitutionnel de Rae, et nous sommes renversés par le processus par lequel il a été distribué. » Renversés aussi, ajoute-t-il, « par l'ampleur de la demande » et par le fait que « ça nous tombait dessus, comme ça, sans aucune préparation, sans effort d'explication ». Rae confirme que c'est la première fois qu'il entend parler d'une telle revendication. Parmi les 20 personnes présentes, personne, précise Cameron, ne pense que la position québécoise est acceptable.

Que se passera-t-il si Bourassa essuie un refus ? Patrick Monahan, qui était conseiller du gouvernement ontarien jusqu'à Meech, est cette fois-ci conseiller des Inuit. Professeur de droit constitutionnel et auteur d'un livre sur Meech, il connaît tous les acteurs. Ce vendredi, il discute longuement avec ses anciens collègues ontariens. Il résume leurs propos :

> Les membres de la délégation ontarienne étaient convaincus que Bourassa n'était pas en position de quitter la conférence. Par conséquent, l'Ontario pouvait, sans risque d'échec, se permettre d'exercer assez de pression sur la délégation québécoise pour la faire fléchir [to stare them down], et l'obliger à abandonner sa revendication. [...]

> La crédibilité de la stratégie de Bourassa s'était complètement désintégrée au cours du mois d'août, quand il est devenu clair qu'il voulait désespérément une entente et que la menace d'un référendum sur la souveraineté n'était qu'un bluff. [...] Le sentiment général était que Bourassa partait d'une position de négociation très

faible, qu'il n'avait pas de rapport de force en sa faveur et que les autres négociateurs en étaient conscients.

En entrevue, Bob Rae confirme qu'il n'a jamais pensé que Bourassa pouvait quitter la conférence. C'est aussi, on l'a vu, la conviction de Don Getty. Clyde Wells exprime également ce sentiment.

Un peu plus loin, dans le local de la Saskatchewan, le premier ministre Roy Romanow fait le même raisonnement.

> J'étais surpris et assez perturbé. J'avais toujours pensé que la question du partage des pouvoirs n'était pas une préoccupation majeure du Québec. Avec les six sœurs et peut-être un autre pouvoir — j'avais discuté des communications avec Bourassa — j'avais l'impression que ce qu'on avait déjà consenti était suffisant pour le Québec. Par conséquent ce document, donné à l'avance, à l'extérieur du processus, et qui faisait monter les enchères, était dangereux.
>
> S'ils ne pouvaient pas avoir gain de cause, allaient-ils claquer la porte ? Je pensais qu'il n'y avait absolument aucune probabilité que Bourassa parte, alors qu'il avait fait autant de progrès pendant la semaine. Alors je ne comprenais absolument pas la stratégie — s'il y avait une stratégie.

Dans la pièce qu'occupe la délégation albertaine, l'atmosphère est fébrile. « Des gens de notre délégation qui étaient restés debout toute la nuit ou qui avaient eu des contacts avec d'autres délégations nous rapportaient qu'il y avait beaucoup de nervosité, raconte Getty. Que d'autres premiers ministres disaient : "Si c'est ça, c'est fini, oubliez ça, on ferme !" Il y avait la sensation que le Québec allait trop loin et que c'était de la mauvaise foi d'arriver avec ça aussi tard. »

Le ministre fédéral Joe Clark est aussi troublé que les autres. Il s'en ouvre au ministre Horsman : « Je ne sais pas ce qu'on va pouvoir faire avec ces nouvelles demandes. » Lesquelles étaient « plus ambitieuses que ce que je croyais être la position du premier ministre du Québec, expliquera-t-il. Et j'étais convaincu que le reste des provinces étaient allées aussi loin qu'elles le pouvaient. » Clark est d'autant plus surpris que ce document est un revenant : il en a entendu les principes à la rencontre des bouledogues du 13 août. « Je pensais que le Québec avait compris qu'il n'y avait aucune chance que ces propositions suscitent l'adhésion, explique Clark. Puis, le premier ministre [Bourassa] les a ramenées. Je sais qu'il doit affronter des séparatistes à la prochaine élection. Peut-être est-ce sa motivation. Je ne sais pas. »

Peut-être n'est-il tout simplement pas responsable de ce texte ? Peut-être que ce document n'est pas le sien ? Peut-être qu'il s'agit d'une « feuille à Rémillard » et seulement à Rémillard ? Cette explication commence à circuler sérieusement d'autant que les journalistes, une dizaine au moins, en ont maintenant un exemplaire et se mettent à poser des questions.

Assaillis, Jean-Claude Rivest et l'attachée de presse de Bourassa, Sylvie Godin, tentent de banaliser la chose. « Ce n'est pas un document officiel, disent-ils. C'est un document de travail. » Rivest n'est aucunement froissé que les représentants des autres provinces aient le texte, « le problème, c'est que les journalistes l'ont eu » ! On mesure l'ampleur du désastre : les citoyens québécois vont être informés des demandes constitutionnelles de leur gouvernement ! Décidément, tout fout le camp !

Dans la délégation fédérale, une autre version apparaît.

> Segal : Assez tôt le vendredi matin, on est informés que des adjoints de Rémillard ont fait un *briefing* pour quelques journalistes, expliquant que ce document représentait la position québécoise minimale, dont Bourassa ne pouvait dévier. Je me souviens que la contradiction entre cette position et ce qu'on nous avait dit la veille — que c'était une position de départ — était problématique. Mon impression, et celle de quelques autres dans la délégation fédérale, était qu'il y avait des divergences au sein de la délégation québécoise, entre ceux, plus modérés, qui étaient proches de Bourassa et ceux, plus nationalistes, qui étaient proches de Rémillard. Ces derniers tentaient de faire monter considérablement les enchères. [...] En disant que c'était une position ferme, ils clouaient le Québec sur sa croix, et fixaient un objectif qui ne pouvait pas être atteint.

Joe Clark, homme posé et mesuré s'il en est, aborde le problème avec Horsman. « Il a exprimé les inquiétudes que plusieurs autres avaient, dit Horsman. Ce document, était-ce l'expression d'une volonté de saborder l'entente ? Était-il diffusé pour saper la position de M. Bourassa ? Ou était-ce une position de négociation ? »

Du côté des délégations fédérale, ontarienne et albertaine, la théorie du complot va bon train. Les présumés conspirateurs ont pour noms : Gil Rémillard et André Tremblay. Le bruit est traité comme un fait, une certitude, une évidence.

En entrevue avec l'auteur, Bob Rae introduit spontanément ces deux noms : « Ça m'a frappé de voir que si M. Rémillard ou M. Tremblay pensaient que ces demandes pouvaient être satisfaites, faute de quoi on allait à l'échec, alors ils créaient un scénario qui ne pouvait pas fonctionner. Et je trouvais que c'était très injuste pour M. Bourassa et que ça le plaçait dans une situation très très difficile. »

Il ne fait aucun doute que Gil Rémillard et André Tremblay pensent sincèrement, ce vendredi, que la liste de demandes doit être satisfaite, qu'il s'agit là de l'intérêt et de la volonté du Québec. Cette liste représente la raison de leur venue en ce lieu et, pour le constitutionnaliste Rémillard, l'objectif de son entrée en politique sept ans plus tôt. Il n'y a pas de doute non plus que plusieurs membres de « l'opération coulage » se réjouissent que le document soit maintenant aux mains de la presse. Cela dit, l'auteur n'a pu trouver aucun journaliste, d'aucun média québécois ou canadien, qui ait reçu cette liste directement des mains d'un membre de la délégation québécoise. Tous se souviennent avoir reçu le document de la part de délégations de l'Ouest, notamment de l'Albertain Bill Ghata[*]. Ce que ni la délégation québécoise ni le premier

---

[*] L'auteur a discuté avec une quinzaine d'entre eux, représentant, sur place, chacun des médias québécois.

ministre n'avaient calculé, c'est la raison pour laquelle le document circule maintenant avec une telle vélocité. Le journaliste Alvin Cater, de la radio de la CBC, sait pourquoi. Un des premiers journalistes mis au parfum se souvient d'avoir reçu le document des mains « d'une source provinciale non québécoise ». La source, « hostile aux demandes québécoises », accompagnait cette fuite d'un message : « Regardez comme les Québécois ont du front d'arriver avec ça ! » Les journalistes en ont fait ensuite des copies les uns pour les autres.

L'empressement de l'Alberta en particulier à faire circuler le texte répond, selon quelques indices, à un impératif politique. Il s'agit de tuer dans l'œuf la revendication québécoise — qui ne saurait survivre, croient-ils avec raison, à sa divulgation — afin de sauver l'entente, donc le Sénat égal.

Reste que ce vendredi matin, 21 août 1992, la perception d'un sabotage délibéré de la position de négociation de Bourassa par des membres de sa propre délégation — plutôt que de la divulgation, autorisée par le premier ministre de sa réelle volonté — devient un facteur dans les événements de la journée, et ajoute à la confusion, à l'excitation ambiante.

Dans les autres délégations et chez la plupart des premiers ministres et des ministres, la volonté de croire que Bourassa n'est pas d'accord avec le texte, alors qu'en fait, ils ne détiennent nullement cette information, constitue un remarquable cas de rumeur politique. Elle correspond en tous points à la description de la rumeur que faisait dans les années 60 le théoricien Tomitsu Shibutani. Selon lui, la rumeur surgit lorsqu'un groupe cherche à expliquer un événement ambigu et inexplicable de la façon la plus satisfaisante possible. L'explication doit être plausible. Plus la situation est tendue, explique-t-il encore, plus la création et la dissémination de rumeurs sont rapides.

Inexplicable, c'est bien le mot qui sied au document que chacun a maintenant en main. Depuis plus d'un an, Robert Bourassa a été si modeste dans chacune de ses démarches qu'il est impossible, jugent ses interlocuteurs, qu'il soit honnêtement, sérieusement, intelligemment d'accord avec cette position.

Inexplicable aussi, le fait que la délégation québécoise, qui a agi, dans la plupart des négociations précédentes, de façon professionnelle et méthodique — ce que rapportent les vétérans David Cameron et Patrick Monahan — produise en catastrophe, au dernier moment, un texte qui a l'apparence d'un brouillon et qui est distribué de façon si peu orthodoxe.

Plausible, le mot s'applique parfaitement aux divisions au sein de la délégation québécoise. Le langage de Rémillard et de Tremblay a toujours été plus agressif que celui de Bourassa et de Parisella. Hier, sur la question autochtone, les divergences étaient audibles et visibles.

Puisqu'un revirement de la position personnelle de Bourassa est inexplicable, puisque les divergences, réelles, au sein de la délégation québécoises n'ont pu que croître depuis trois jours, l'idée d'un sabotage ourdi par des conseillers du prince, contre la volonté du prince, permet d'assembler toutes les pièces du casse-tête.

Il y a mieux.

« La reconstruction de la réalité à laquelle le groupe se livre est généralement limitée par la culture du groupe », écrit Shibutani. Or, dans ce groupe, où Bourassa est un des aînés, il est normal de trouver le premier ministre québécois habile stratège, fin tacticien, superbe négociateur. Deux premiers ministres pousseront leur « reconstruction de la réalité » encore plus loin en ce sens quelques heures plus tard, pour intégrer ce facteur dans leur analyse : ils diront que le scénario du sabotage a été orchestré par Bourassa lui-même pour faire croire que sa propre délégation le met en difficulté, et donc persuader ses homologues de l'aider en jetant du lest.

Un dernier mot pour savourer le paradoxe. La rumeur du 21 août est bel et bien le résultat d'un sabotage. À l'automne de 1990, on l'a vu, l'élite politique canadienne s'attendait que le Québec présentât une demande au moins aussi audacieuse*. La constance avec laquelle, depuis lors, Robert Bourassa a dévalué les revendications québécoises aux yeux de ses partenaires a inhumé ces attentes. Aujourd'hui, face à l'expression claire, concise et imprimée d'une demande québécoise classique, traditionnelle et fédéraliste de réforme du pays, l'élite canadienne-anglaise répond par une totale incrédulité.

BOURASSA À « L'ÉCOLE PRIMAIRE DU FÉDÉRALISME »

Tout cela étant dit, il ne fait aucun doute que les relations entre Bourassa et certains membres de sa délégation ne s'améliorent pas, et battent ce vendredi matin un record de froid. Alors que les participants à la séance plénière se réunissent, et avant que Brian Mulroney déclare la séance ouverte, vers 11 h, un accrochage survient.

À la grande table, il y a Mulroney. À sa gauche, Benoît Bouchard. À gauche encore, Robert Bourassa. En retrait du représentant québécois siègent son ministre Rémillard et son conseiller Tremblay. Les deux hommes décident de mener à cet instant un combat d'arrière-garde auprès de Bouchard, sur des aspects du volet autochtone qui ne les satisfont toujours pas. Bouchard raconte.

> Il a aucun *timing*, Gil. Je suis assis pis, à un moment donné, il revient encore avec ses histoires.
>
> Je dis : « Écœure-moi pus ! Ça a été réglé hier soir, ton premier ministre était là. »
>
> André Tremblay arrive [dans la conversation]. Il dit : « Monsieur Bouchard, jamais on n'acceptera ça ! »
>
> Je dis : « Quoi ? »
>
> Il répète : « Jamais on n'acceptera ça, c'est pas sérieux. »
>
> J'ai dit : « Toué *sacrament*, c'est non ! On reviendra pas sur ça et c'est terminé. »
>
> André dit : « On signera pas ! »

---

* Voir tome I, « La Fenêtre I, Le désarroi des élites canadiennes ». Rappelons que, si elles s'y attendaient, elles savaient qu'elles y opposeraient un refus.

Je dis : « Ben vous avez juste à pas signer. » [Un témoin se souvient d'avoir entendu Bouchard dire : « Allez-vous en chez vous, câlisse ! On est tannés avec vos affaires ! »]

Je parlais assez fort pour que Bourassa et Mulroney entendent. Mulroney part à rire et me fourre un coup de coude. Bourassa est écrasé sur son bureau et trouve ça drôle. Il me fait un clin d'œil. J'ai nettement senti que Bourassa à ce moment-là était loin de condamner la façon dont j'avais réagi vis-à-vis de Rémillard et des autres.

Brian Mulroney appelle l'assistance à l'ordre, en frappant quelques coups de son marteau de président de séance. Dans un climat que plusieurs témoins qualifient de « bizarre », Robert Bourassa a maintenant la parole.

Pendant une quinzaine de minutes, le premier ministre du Québec présente les revendications québécoises. Il parle de l'obstacle extérieur, bien sûr. De la nécessité de livrer la marchandise à son parti, aux Québécois. Don Getty se souvient même qu'il mentionne le rapport Allaire. Il parle de la nécessité de réforme réelle du pays et, suivant d'assez près les arguments énumérés dans le fameux document, il évoque l'esprit de la constitution de 1867, l'intrusion fédérale dans les champs provinciaux, les dédoublements qui en découlent. Il plaide en faveur d'une meilleure division des tâches entre les deux ordres de gouvernement, de l'élimination des chevauchements provoqués par le pouvoir fédéral de dépenser. Son argumentation n'est pas fondée seulement sur une volonté d'autonomie nationale des Québécois, mais sur un objectif d'efficacité du fédéralisme. « C'est une proposition très modeste », dit-il.

Jean-Claude Rivest se souvient que son patron exprime aussi son refus des « normes canadiennes » imposées par Ottawa. « Il dit : "On est capables au Québec de faire la même lecture des conditions économiques, financières, technologiques, internationales que le Canada pour adopter nos propres normes." »

Tous les témoignages concordent. Sur le principe, Bourassa réclame effectivement le droit pour le Québec de repousser toutes et chacune des intrusions fédérales, passées, présentes et à venir. Mais il dore considérablement la pilule en expliquant que s'il revendique ce droit, il n'a pas l'intention de s'en prévaloir partout et toujours. Dans les domaines de la santé, de l'éducation et des programmes cofinancés, par exemple, la réforme proposée ne provoquerait pas de changements radicaux, assure-t-il. Le gouvernement fédéral ne serait pas mis à la porte du jour au lendemain. Mais chacun comprend que si le Parti québécois venait à former le gouvernement, il userait de ce pouvoir comme d'une tronçonneuse. (Un gouvernement dirigé par Maurice Duplessis, Jean Lesage ou Daniel Johnson père l'aurait certainement fait.)

« Ce n'était pas une vente sous pression », se souvient Hugh Segal. « Il disait qu'il comprenait que d'autres provinces ne soient pas intéressées à exercer ces pouvoirs. Mais compte tenu du cas particulier des francophones, formant une minorité sur le continent, il trouvait que c'était nécessaire pour le Québec. »

L'auditoire perçoit diversement cette présentation. « Il a offert une superbe performance, juge Frank McKenna, du Nouveau-Brunswick. Il a combiné la logique avec l'émotion d'une façon que je ne lui avais jamais vue auparavant. » Certains, comme le ministre de la Justice de la Saskatchewan Bob Mitchell, semblent découvrir pour la première fois la revendication québécoise, pourtant presque centenaire. « Nous étions étonnés qu'il utilise cet argument, mais c'était vraiment brillant de sa part. Ça aurait permis au Québec d'obtenir une marge d'autonomie considérable pour sa protection et son développement, et ça évitait de négocier pouvoir par pouvoir. » Mais, dit-il, le vent, dans la salle, souffle dans le sens contraire.

D'autres sont frappés par la dichotomie entre le radicalisme du document et le ton apaisant de la présentation. Le premier ministre de la Nouvelle-Écosse, Don Cameron, pense que Bourassa ne croit pas un mot de ce qu'il avance : « Il a mis sur la table la position de la frange la plus radicale de son parti, afin d'en venir à un compromis plus raisonnable à la fin. [...] Je le vois encore dire des choses, sachant qu'elles allaient être rejetées, pour permettre justement à ses collègues de dire non à ce qu'il demandait, et les convaincre ainsi qu'ils l'avaient forcé à reculer. » Cameron trouve cette stratégie paradoxale « très, très habile, digne d'un véritable homme d'État ».

« C'était comme s'il faisait un effort un peu mécanique, parce qu'il devait le faire », rapporte un négociateur ontarien. L'Albertain Don Getty abonde en ce sens : « Je pense qu'il sentait qu'il devait faire ces demandes pour être équitable envers sa délégation, pour être équitable envers son gouvernement, envers les objectifs et les stratégies qu'ils s'étaient donnés. Mais je pense que c'était un négociateur et un politicien assez avisé pour savoir qu'à cette étape, il demandait l'impossible. »

Gil Rémillard fait aussi un exposé technique, après que Bourassa a établi les grands paramètres. « Il était assez agressif, commente Don Cameron. Il y avait un réel contraste entre la façon dont Bourassa se comportait et celle de Rémillard. Il était plus menaçant, plus insistant. »

Lorsque les Québécois ont fini de parler, la réaction est vive. L'Ontarien Bob Rae et le Manitobain Gary Filmon lancent les premières salves. « Bob Rae était véhément, se souvient Don Getty. Il disait : "Écoute, j'ai été un de tes plus grands supporteurs, je me suis tué à la tâche pour toi, pour faire avancer telle et telle revendication. Et maintenant, à cette étape, tu nous arrives avec ça ! Des choses que mon caucus ne pourrait jamais envisager... *Forget it !* Qu'est-ce qu'on fout ici ! Je n'en reviens pas !" Il trouvait que ça allait déchirer le tissu du pays. »

Le souvenir qu'en a Rae est à peine moins enlevé. « Ça allait trop loin. Je lui ai dit que c'était une sorte de reconstruction cartésienne du monde. Qu'on nous ramenait à une sorte d'école primaire du fédéralisme, que ça ne pouvait pas marcher et qu'il y allait vraiment trop fort et que ça ne nous aidait pas à en venir à une entente. »

Gary Filmon enchaîne et se fait le grand défenseur du pouvoir fédéral de dépenser dans les petites provinces comme la sienne. Il annonce que le Manitoba ne restera pas muet devant une tentative d'émasculation du gouvernement fédéral. Voyant que le document québécois réclame un partage fédéral-provincial du pouvoir sur l'environnement, il proteste. « Gary était particulièrement dur sur l'environnement, se souvient son voisin, Roy Romanow. Il ne pensait pas que ça devrait être donné aux provinces, à cause des implications politiques. »

Filmon « a parlé avec beaucoup de vigueur et de façon très efficace, se souvient Clyde Wells. Il a fait un travail exceptionnel. »

Tout le monde entre ensuite dans le débat. « Chacun son tour, tous les premiers ministres ont présenté leurs arguments, et ces arguments étaient très simples, se souvient McKenna : que le partage des pouvoirs réclamé par le Québec équivaudrait à la destruction de l'autorité centrale du Canada et nous était donc inacceptable. »

Le premier ministre du Nouveau-Brunswick partage ces objections, mais déplore l'agressivité du débat. « Je trouvais que les interventions revêtaient presque le ton de la confrontation. Ce n'était pas le style de logique et de raison qui avait été utilisé depuis le début de la négociation. C'était acide et émotif. »

McKenna est frappé par la charge ontarienne, ce jour-là en particulier, et dans la négociation en général. « Les intérêts des deux grandes provinces auraient dû se rejoindre mais, au contraire, l'Ontario était ouvertement hostile à plusieurs des positions québécoises, même les plus raisonnables. En fait, j'ai trouvé l'Ontario parfois impatiente et quelque peu déraisonnable dans ses rapports avec le Québec. »

Son collègue de la Nouvelle-Écosse, Don Cameron, note aussi que les participants « ne semblaient pas avoir l'esprit très ouvert pour discuter des demandes du Québec ».

Assez tôt pendant la discussion, Brian Mulroney — jusque-là toujours perçu comme l'allié indéfectible du Québec — met son poids dans la balance. « Je dois vous dire ouvertement que cette position [du Québec] est complètement inacceptable. C'est ni plus ni moins que la position de souveraineté-association envisagée par Allaire. C'est complètement aux antipodes de ce qu'il faut faire. »

Dans la tête de Mulroney, le mot « Allaire » semble ouvrir une vanne de fiel. « Il était toujours assez méprisant à l'égard du rapport Allaire », note McKenna. Faisant comme si c'était Allaire, et non Bourassa, qui était assis à ses côtés — un peu comme le boulanger de Giono immortalisé par Pagnol, qui fait à sa chatte un sermon destiné à sa femme volage — Mulroney s'emporte : « Pour qui parle-t-il [Allaire] ? C'est rien qu'un fonctionnaire municipal de troisième ordre, et il va détruire la capacité qu'a le gouvernement du Canada d'agir en fonction des intérêts de tous les Canadiens ? » Parfois, dit Rivest, Mulroney parle du « notaire » Allaire. « Ça ne vaut même pas la peine d'en discuter, ajoute-t-il, Allaire ne laisserait à Ottawa que la dette et la reine. » Et puisque, un peu plus tôt, Bourassa a parlé des « problèmes » qu'il a chez lui — les obstacles extérieurs — en parlant d'Allaire, Mulroney lui répond qu'il se trompe : Allaire « n'a absolument pas le pouvoir que tu dis qu'il a ».

Paul Tellier ayant attiré son attention sur la liste de demandes de pouvoirs présentée par le gouvernement du Parti québécois en mai 1985, Mulroney accuse le Québec de réclamer encore plus de pouvoirs que les séparatistes de René Lévesque — calcul défendable — plus même que tous les gouvernements québécois réunis — calcul farfelu.

« On ne peut pas dire que Mulroney était gentil », rapporte McKenna.

« À ce moment, Bourassa a senti qu'il était même en train de perdre Mulroney », ajoute Getty. « Mulroney ne négociait pas. Il ne disait pas : "on pourrait faire ceci, mais pas cela" ; il faisait des commentaires extrêmement durs. Du genre : "Écoute, ce que tu demandes est tellement vaste qu'on n'a même pas le temps de commencer à en parler." Clairement, en tant que président de la conférence, il voyait que la position québécoise était déraisonnable. »

« Sans Mulroney, poursuit Getty, le Québec n'avait plus aucune chance. [...] Quand les autres premiers ministres ont compris que les Québécois s'avançaient maintenant sur un terrain où ils n'avaient plus Ottawa derrière eux, alors il devenait clair que Robert allait être dans le trouble. »

Assis derrière Bourassa, Jean-Claude Rivest est « pas mal en maudit », et particulièrement sonné par la charge brutale de Mulroney. Plus tard dans la journée, il s'en plaint à Michel Roy. « Jean-Claude trouve que Mulroney est allé au-delà de la limite. Il en mettait trop. Il m'a dit : "Le *speech* du PM sur le rapport était excessivement dur. Et pour les Québécois, c'était pas la peine d'en remettre. On en avait eu assez. On aurait pu s'en passer." »

Quand le flot de paroles se tarit, Robert Bourassa souligne que le rapport Allaire n'est pas une élucubration d'un notaire ou d'un fonctionnaire municipal, mais le programme du Parti libéral du Québec. Toutefois, précise-t-il pour qu'il n'y ait pas d'équivoque, « c'était un rapport de conjoncture ». Une conjoncture périmée depuis longtemps. (Mais il est toujours instructif de constater que la flexibilité canadienne est si faible que les nuances dans les revendications québécoises ne peuvent être perçues. On fait l'amalgame entre la « souveraineté-association », le rapport Allaire et la demande, fédéraliste et respectueuse de la constitution de 1867, de modération du pouvoir fédéral de dépenser.)

Il y a une éclaircie dans le bombardement canadien que Robert Bourassa subit ce matin-là. Il se trouve un premier ministre provincial pour venir à sa rescousse. Un premier ministre féru de droit constitutionnel, qui en connaît l'histoire et l'évolution.

Clyde Wells : Le Québec a raison !

Wells : J'ai toujours été d'accord, au fond, avec la logique de la position québécoise. Leur revendication est assez simple : « Honorez l'accord de 1867 ! » Les Québécois ont raison de dire que la constitution de 1867 donnait certains pouvoirs exclusifs aux provinces et certains pouvoirs exclusifs au gouvernement fédéral. Puis les tribunaux se sont mis de la partie, il y a environ 50 ans, et ont décidé que puisque le Parlement fédéral avait le pouvoir de taxer de toutes sortes de façons, il devait à l'évidence avoir le pouvoir de dépenser de quelque façon que ce soit. C'est ainsi que le pouvoir de dépenser est né. Il a été créé par les tribunaux.

Il s'agit d'une distorsion de la constitution. Nous ne sommes plus en présence de compétences exclusives pour les provinces, comme le stipulait l'entente d'origine. Donc, la plaidoirie du Québec en termes de logique et de justice est parfaitement valide.

Le fossoyeur de Meech, le pourfendeur de société distincte, le trucideur d'asymétrie fait état de cette surprenante position en séance plénière. Bourassa s'en souviendra longtemps. « Il a dit : *"Robert is right,* mais on ne change pas ça du jour au lendemain. »

De la part de Wells, se souvient Rivest, « on s'attendait à un *bulldozer*. Mais par rapport à ce que Rae et Filmon avaient fait, c'était *soft*. »

Même Bob Rae accepte pendant un instant la pure logique de l'argumentation. « O.K., vous pouvez avoir la théorie de vos experts constitutionnels et je peux avoir la mienne. Mais oubliez ça, parce qu'il n'est pas question que ça change ! »

C'est aussi ce que dit Wells, une fois passée la surprise provoquée par son énoncé théorique. « Les petites provinces en particulier ont appris à apprécier le pouvoir de dépenser, explique-t-il, et nous profitons du développement de normes nationales que nous ne pourrions pas nous payer. »

Mais puisque c'est une « perversion » de la constitution de 1867, insiste Bourassa...

« Il y a des perversions qui sont agréables », réplique Wells. Réponse qui n'atteste pas seulement de son sens de l'humour. Il a réfléchi au problème et fait une contre-proposition qui limiterait le pouvoir de dépenser d'Ottawa en ne lui permettant de l'utiliser qu'avec l'approbation de sept provinces. En contrepartie, Ottawa ne pourrait se retirer d'un secteur où il s'est immiscé sans l'approbation de sept provinces. En fait, Wells suggère d'instituer, pour tous les pouvoirs, le mécanisme que Joe Clark proposait en septembre 1991 d'instaurer pour l'économie, et qui aurait contraint le Québec à appliquer des mesures adoptées par une majorité des provinces. Les Québécois disent : « Non merci. » Ils veulent le droit de se retirer unilatéralement des programmes fédéraux, avec compensation financière, et de dépenser cet argent comme bon leur semble.

On aboutit alors exactement au même dilemme qu'à Meech. Puisque les premiers ministres du Canada refusent d'accorder, sur ce point comme sur les autres, l'asymétrie au Québec, le droit que réclame Bourassa de repousser l'ingérence fédérale ne peut lui être accordé que s'il l'est à toutes les provinces. Or, s'il l'est, explique Wells, alors « parfois le Québec, l'Ontario, la Colombie et l'Alberta, les provinces les plus riches, vont user de leur droit de retrait et obtenir 80 % du budget qu'Ottawa voulait consentir à un nouveau programme de dépense. Le fédéral n'aura plus aucune motivation à créer ces programmes s'il ne fait qu'envoyer des chèques aux provinces plus populeuses, qui vont les dépenser elles-mêmes et en retirer toute la gloire. Ottawa va se retrouver avec le seul blâme d'avoir trop taxé. » Principal résultat de la réforme : moins de programmes fédéraux, donc moins de manne pour les petites provinces. « On ne peut pas renverser une intégration vieille de 125 ans », dit Wells.

Bourassa demande à Wells s'il est content que des ministres fédéraux « construisent des ponts, des routes et des musées » un peu partout en territoire provincial, pour s'en attribuer le crédit politique. Il cite spécifiquement un projet de pont, construit en territoire provincial, mais par la volonté d'un ministre fédéral.

Quelqu'un lance : « Il n'y avait même pas de rivière ! »

Mulroney riposte : « Creuser la rivière, c'est notre prochain projet fédéral. »

L'échange déride un peu l'atmosphère. Si peu. Le débat, qui dure environ une heure, s'enlise. Don Getty décrète que « toute cette affaire est une perte de temps ». « Plusieurs premiers ministres avaient tracé leur ligne sur le sable », expliquera McKenna. Ils n'allaient plus bouger.

Joe Clark, très silencieux depuis le début de la semaine, demande la parole. C'est pour invoquer, commente Jean-Claude Rivest, « un argument complètement à côté de la question, qui n'avait pas d'allure ». Il est question des conséquences pratiques, dans des situations d'urgence, du droit de retrait réclamé par le Québec. « C'était ridicule », dit Rivest.

Ce n'est pas exactement ainsi que Robert Bourassa présente les choses :

Joe Clark est arrivé et il a dit : « Il peut y avoir des situations d'urgence. Des tornades, des épidémies, des tremblements de terre. Ce sont des choses qui touchent soit la santé, soit l'ordre public. » Et il a dit : « On ne peut pas commencer à négocier avec les provinces [dans ces cas], il va falloir agir vite. » Donc, ça me paraissait être des arguments de sens commun.

Suffisants, semble-t-il, pour écarter ce que Bourassa appelle « la revendication historique du Québec sur le pouvoir de dépenser[*] ».

---

[*] Dans une autre entrevue, Bourassa a offert une fort intéressante synthèse des événements du matin : « La discussion la plus difficile fut sur le partage des pouvoirs. Et le premier ministre [Mulroney] avait l'esprit assez ouvert à ce sujet, comme plusieurs autres premiers ministres. Mais des hauts fonctionnaires sont intervenus pour dire : "Si nous acceptons ce texte, qu'arrivera-t-il lors de situations d'urgence ? Comment le gouvernement fédéral pourra-t-il agir, en pratique, pour y faire face ?" Alors, il n'y avait pas de mauvaise foi ou d'opiniâtreté. Ce n'était que le bon sens. Car, sur le texte lui-même, le PM a dit : "Je suis d'accord", et il y avait aussi d'autres premiers ministres qui étaient d'accord. Mais on a vérifié avec les hauts fonctionnaires, qui sont habitués à ce genre de choses, et ils nous ont dit : "Il y a de gros problèmes avec ça." Alors il fallait trouver autre chose. »

Mulroney a l'air exaspéré. Il voit que rien de productif ne peut maintenant se produire.

Gil Rémillard est en train de donner une explication. Il est à mi-phrase, en plein élan, quand Mulroney frappe de son maillet de président sur la table, déclare la séance levée et annonce une rencontre des seuls chefs de délégation, dans la salle à manger du neuvième étage. « C'était très abrupt », se souvient Jim Horsman.

Rémillard le prend mal. Aujourd'hui, c'est son jour. Aujourd'hui, c'est sa bataille. Il demande à être admis auprès de son premier ministre dans le huis clos. Après tout, Joe Clark et Paul Tellier accompagnent bien leur patron dans ces conclaves. Bourassa intervient en ce sens auprès de Mulroney qui répond : « Absolument pas ! C'est pour les premiers ministres ! » Mais il accepte de laisser Rémillard faire antichambre, derrière la porte close de la salle à manger. Privilège ou pénitence ?

Dans le va-et-vient de la levée de séance, Don Getty aborde Bourassa : « Tu empoisonnes le débat. On risque de perdre toute la bonne volonté accumulée, qui est notre bien le plus précieux. »

Les participants se dispersent ensuite. Bourassa va prendre l'air sur un balcon avec son attachée de presse. La délégation fédérale se réunit dans son local. Chacun fait le bilan de la matinée. Plusieurs participants partent à la chasse aux journalistes, qui font le pied de grue dans le hall d'entrée. Un délégué de la Colombie-Britannique résume la chose avec ironie : la position du Québec ? « On l'a reçue avec respect et générosité. » Un autre négociateur accuse le Québec de « vouloir agir comme si rien ne s'était passé en 125 ans d'histoire ». Aucun ne résume le débat du matin de façon aussi crue qu'un premier ministre anglophone, *off the record*, devant le journaliste Terry McKenna, de la CBC : « On avait l'impression qu'il y avait du sang sur le sol. »

« IL Y A PAS MAL DE RONDELLES DANS NOTRE BUT ! »

Dans le gouvernement des hommes, et encore plus dans le feu de négociations complexes où les stratégies et contre-tactiques obscurcissent les enjeux, il est rare qu'on « fasse un dessin » aux participants.

Il vient donc de se produire, dans cette salle, quelque chose d'extraordinairement éclairant. Des piliers du fédéralisme canadien, comme Clyde Wells et Bob Rae, viennent d'admettre que : 1) Depuis 125 ans, le Canada a changé de nature sans que les signataires du pacte originel aient donné leur aval ; 2) Le Québec a parfaitement raison de se sentir lésé et de vouloir revenir au contrat d'origine ; 3) Il n'y a absolument aucune chance que la volonté du Québec soit satisfaite, de près ou de loin.

Le blocage est total. Cette discussion n'est pas une « étape », qui « laisse l'avenir ouvert », comme le dira Bourassa. C'est la démonstration que l'histoire canadienne est en marche, qu'il n'y en a qu'une, et que ceux qui veulent changer de direction ou rebrousser chemin n'ont d'autre choix que de quitter le train. Rester, c'est acquiescer.

« On était dans un état un peu catastrophé », se souvient un des Québécois. Le conseiller constitutionnel de Brian Mulroney, Michel Roy, va à la rencontre de la délégation. Il la trouve en effet dans un piteux état.

> Roy : La délégation était atterrée. Gil Rémillard disait : « Ça n'a aucun bon sens. Messieurs, je ne peux pas continuer à vivre comme ça, le pays ne pourra plus... » [...]
>
> Il levait les bras au ciel. L'impression qui me reste c'est que sur la question des pouvoirs, il considérait qu'on ne pouvait pas se satisfaire de ça. [...] Le ton de Rémillard pour moi indiquait qu'une rupture était concevable, plausible. Que le Québec, n'obtenant pas les pouvoirs dont il estimait avoir besoin, ne pouvait pas rester dans cette conférence. C'est l'impression que ça m'a fait. Gil me résumait plus ses sentiments et ses émotions que le contenu.
>
> Je sentais là un homme au bout de sa route, se débattant dans une impasse. Et je me demande lequel lui a dit : « Ça va s'arranger, Gil. » Quelqu'un qui trouvait qu'il y avait trop de témoins autour. Probablement Parisella. L'homme qui veut arranger tout. [...]
>
> Ensuite, je suis allé dans le salon en haut et j'ai parlé avec Michèle Bazin, qui avait vu d'autres membres de la délégation du Québec. Elle me dit : « Ils sont pas mal abattus, Jean-Claude est à terre. »

Si les Québécois sont à terre, les fédéraux grimpent aux rideaux, car ils craignent le pire. Hugh Segal, le chef de cabinet du premier ministre, a noté que Robert Bourassa a bel et bien défendu « l'ébauche » reçue la veille. Il semble camper sur sa position. Les pires cauchemars des stratèges fédéraux reviennent les hanter. Et si c'était ça, la stratégie québécoise ? Et si Bourassa décidait de tenir son référendum sur l'entente telle que négociée jusqu'à la veille, mais en demandant à ses citoyens le mandat d'aller chercher ce qui lui manque, le pouvoir de dépenser ? Norman Spector l'avait prévu. Paul Tellier en a eu des sueurs froides. Hugh Segal pense que le moment de vérité est peut-être venu. « Cette crainte était fondée », dit le chef de cabinet. C'est le scénario à éviter à tout prix.

Devant sa délégation, Segal est agité, outré de la position du Québec. Il dénonce ces « demandes tardives et inattendues ». Parlant de la délégation québécoise, il accuse : « Allaire a corrompu tout ce monde-là. »

« Lorsque vous êtes chef de cabinet du premier ministre, expliquera Segal en entrevue, il y a un moment où vous devez poser la question de l'intérêt national, plutôt que de l'intérêt du Québec. Il est possible que j'aie posé cette question. »

Segal avise ses troupes qu'il faut maintenant se préparer pour une terrible éventualité : la tenue d'un référendum fédéral pancanadien, y compris au Québec, contre la volonté du gouvernement québécois. La menace n'est pas nouvelle. Mulroney l'a déjà évoquée devant Bourassa. Mais aujourd'hui, tous les scénarios précédents ont rendez-vous. Toutes les peurs accumulées resurgissent. Toutes les stratégies s'entrechoquent.

Ce sera Mulroney contre Bourassa. « C'était clair, clair, clair, dit un témoin. Le Canada allait poser sa question. »

« Le Québec, dit Segal, assumera ses responsabilités. »

Personnage tout en rondeurs, à grandes lunettes et au vaste sens de l'humour, Hugh Segal ne projette généralement pas l'image d'un dur. Aujourd'hui, il le fait. Et il informe sa délégation que le message fédéral doit maintenant changer : Ottawa se dissocie du Québec et il faut que tout le monde sache que la position québécoise est intenable, inacceptable et inacceptée. Segal décide d'aller lui-même expliquer aux journalistes que « le Québec est sur une autre planète ».

L'attachée de presse de Joe Clark, Michèle Bazin, ancienne adjointe de Claude Ryan que Segal surnomme « la *pasionaria* du Québec », a passé la dernière année à tenter de faire le pont entre Ottawa et Québec. Voyant tout ce travail sur le point de s'écrouler, elle refuse de participer à une offensive fédérale contre le Québec. Elle monte le ton, claque la porte, éclate en sanglots et part pour Montréal.

« Hugh Segal disait n'importe quoi ce midi-là, commente Bourassa, informé de ces outrances. On m'a rapporté qu'il disait : "On va le squeezer dans le coin, on va le coincer, il va être isolé. » Bourassa donne ensuite en deux mots et dans un sourire sa « conception du personnage : *hot air !* » (« du vent »).

Ce n'était pas la peine de tant s'énerver. Le ROC a peut-être été mis en présence, ce matin, des demandes minimales du Québec. De celles de la majorité des membres de la délégation québécoise. Mais pas de celles de Robert Bourassa. Et pendant qu'au sein de la délégation québécoise, c'est à qui broiera le plus de noir, on peut observer un Bourassa remarquablement serein, assis à la terrasse avec son attachée de presse, compulsant son dossier, ponctuant la conversation de sourires.

Pourquoi ? Parce qu'en effet, le petit numéro du matin n'est qu'une mise en forme, un conditionnement de l'auditoire, pour son réel objectif. Quel est-il ?

> Rivest : Bourassa, il pensait que d'avoir retrouvé la substance de Meech était une bonne chose. Il avait le droit de veto. Les autochtones, c'était dans de meilleures conditions qu'avant. Le *deal* du Sénat était un peu cahoteux, mais néanmoins le 25 % était d'intérêt d'avenir pour le Québec. Enfin, il donnait une sécurité. [...]
>
> Ce dont le PM avait besoin pour le référendum, ce dont le Québec avait besoin, c'est d'un transfert de responsabilité en matière de formation professionnelle et de main-d'œuvre. C'est ça qui était l'objectif de la journée, dans la tête du premier ministre.

Certes, Bourassa aurait aimé qu'on puisse redresser les perversions du fédéralisme, mais il n'était pas prêt à se choquer pour si peu, explique Rivest.

« Ce qu'il voulait, c'était le contrôle total des ressources humaines. » C'est-à-dire la formation, le perfectionnement, la politique de main-d'œuvre, le placement. Que le fédéral garde la détermination des cotisations et des prestations d'assurance-chômage, d'accord. Mais pour le reste : Dehors ! Rivest inclut l'éducation dans la liste, non pour faire sortir Ottawa de l'éducation post-secondaire, mais pour l'empêcher d'entrer dans le reste du champ, qu'il convoite chaque année un peu plus. Le psychodrame du matin devait servir d'avertissement. « On voyait venir des normes et des standards mis dans la constitution, explique Rivest. Notre problème majeur, en éducation et en formation », c'est que « des bureaucrates fédéraux se mettent à dire quoi enseigner prioritairement ». Il s'agit donc d'immobiliser l'adversaire, pas de le faire reculer. (Un autre membre de la délégation affirme cependant que ce combat sur l'éducation était mené par Rivest et non par Bourassa.)

« Le contrôle total des ressources humaines, c'est ça qui est l'objectif du PM à travers tout ça, insiste Rivest. Il n'y en a pas d'autre que celui-là. »

Robert Bourassa sait que sa journée est encore jeune. Il va retrouver les autres premiers ministres au neuvième étage. Maintenant qu'ils sont seuls, plusieurs lui posent des questions sur le texte du matin, sa provenance, sa distribution. Il élude la question, préfère parler de la substance des choses. Maintenant que l'offensive matinale est passée, il revient à son thème favori : l'obstacle extérieur.

« En plusieurs occasions, je me souviens très bien, il nous a dit que l'entente telle qu'elle existait n'était pas suffisante pour lui permettre d'obtenir une majorité dans le public québécois, dit Don Cameron. Qu'il fallait faire plus. »

Même Paul Tellier, mandarin en chef et gardien des pouvoirs fédéraux, est d'accord. Il se met de la partie, dans un échange bref et vif avec Roy Romanow, de la Saskatchewan. « Je ne pense pas que vous compreniez combien la situation de M. Bourassa est difficile, dit Tellier. Les Québécois n'accepteront pas qu'il n'y ait pas de changement important sur ces sujets. » Romanow répond — c'est presque du déjà vu — qu'il ne tolère pas que des fonctionnaires, si haut perchés soient-ils, le contredisent.

McKenna rapporte que le haro (« *gang up* ») sur Bourassa se poursuit dans le huis clos, et que les représentants des deux territoires se mettent maintenant de la partie, reprochant au Québécois de toujours s'opposer à ce qu'ils se transforment en provinces. Wells et Harcourt veulent rouvrir l'entente sur le Sénat, et la discussion part dans tous les sens. Le pessimisme monte.

Les interruptions de séance se succèdent. Bourassa veut rencontrer ses conseillers, pas seulement Rémillard, qui fait toujours antichambre mais maintenant en compagnie d'André Tremblay qui est son centre de documentation ambulant. Dans un premier temps, Benoît Morin vient rejoindre le ministre et Tremblay non loin de la porte. Plus tard, la délégation québécoise au grand complet est amenée au neuvième étage, dans un grand hall qui sert aux réceptions. Il y a des tables basses et des fauteuils, un piano. Bientôt, les autres délégations sont aussi admises à l'étage des débats et les conciliabules des uns et des autres se font au vu et au su de l'ensemble des délégations. « On parlait à voix relativement basse et on parlait en français, donc on était sûrs que bien des délégations ne nous comprenaient pas, dit Parisella dans un sourire. Mais quand même ! »

Dans le huis clos, Bourassa ramène la question de la main-d'œuvre. « Il ne l'a jamais lâchée », dit McKenna, mais sans trouver d'appui nouveau autour de la table, ni dans la délégation fédérale, où Hugh Segal, entre autres, y est réfractaire.

Puisque c'est la journée des pouvoirs, les premiers ministres passent en revue les dispositions sur les six sœurs, le reste, et font un petit ménage des libellés proposés. Bourassa obtient qu'en plus de la désignation toute symbolique de la culture comme « pouvoir provincial », le fédéral s'engage à négocier une micro-entente « d'harmonisation » délimitant les rôles et responsabilités de chaque capitale. Un engagement « en gélatine », dit un négociateur québécois. En télécommunications, sujet également cher à la Saskatchewan, on introduit un texte guimauve où il est question de « coordination et harmonisation des procédures entre organismes de réglementation ». Aucun transfert réel, donc.

À mesure que les débats avancent — ou plus exactement piétinent — Jocelyne Bourgon, dans la salle des débats, rédige les versions légèrement amendées des propositions. Quand Bourassa tient un nouveau libellé, il sort le montrer à Rémillard, à Benoît Morin, aux autres.

Rivest décrit la scène :

Il arrive avec ses textes, on lui dit : « Pis ? » Il nous montre ça. Et nous on dit à Bourassa : « Tel article, il faut ceci ou cela. » Gil dit : « Il faut surtout tel mot et telle expression qui a telle conséquence juridique. » Alors on *goale* chacune des virgules. Et quand le texte nous revient, on s'aperçoit qu'il y a pas mal de rondelles dans notre but. On voulait telle sécurité, on l'a pas. Telle autre chose, on l'a pas. On le sait, on n'est pas fous !

Tout le monde s'agite, évidemment. Tout le monde a plus ou moins ses priorités. Il y en a un qui se promène avec son amendement qui dit : « Ça, c'est inacceptable » ; l'autre dit : « Ça, c'est épouvantable. » Bourassa écoute tout ça. Tout le monde parle en même temps. C'est un vrai bordel.

L'auteur : Par exemple ?

Rivest : Ben... Prends les éditoriaux de notre amie Lise Bissonnette quand elle décortiquait article par article. Ben c'est ça. C'est le genre de discussion qu'on avait.

Un autre membre de la délégation résume ainsi son évaluation des choses : « On se casse la gueule. On se casse la gueule. » « Le concept d'offres au Québec n'existait pas, résumera André Tremblay. C'était le fruit de l'imaginaire québécois. »

Il arrive que Paul Tellier vienne discuter avec les Québécois.

Tellier : Ça, je m'en souviens. Ils étaient meilleurs pour identifier les difficultés que pour contribuer à des éléments de solution. [...] Très souvent c'était Jocelyne ou c'était moi qui essayions de trouver des formules. Bon, ils faisaient bien leur travail, ils conseillaient M. Bourassa. Mais ils auraient pu être plus constructifs et plus ingénieux pour aider M. Bourassa à répondre aux objections qui lui étaient faites et pour lui permettre d'atteindre ses objectifs.

Je dis ça avec beaucoup de prudence, parce que ces types-là — que ce soit [Jacques] Chamberland ou que ça soit [Benoît] Morin — sont des individus d'une très grande intégrité, en particulier ces deux-là. Mais souvent quand on retournait les voir, ils étaient assis et ils avaient pas avancé dans la recherche d'une solution à un problème donné.

Tellier est plus imaginatif. Devant le groupe de Québécois, il fait le total des « pouvoirs » obtenus par le Québec : six sœurs, formation, culture, etc, on monte jusqu'à 13 ! « Avec ça, au Québec, pas de problème ! » leur dit-il avec l'enthousiasme du mandarin.

Mulroney, fort préoccupé du déroulement des opérations, décide d'intervenir personnellement auprès de la délégation québécoise. C'est la première visite de Brian. Il leur fait un discours sur tout ce qu'ils ont gagné depuis le début de la conférence : sur le Sénat, sur les autochtones. Il parle même directement à Rémillard, dont il admet soudain l'existence. C'est un cadeau. Il lui explique combien le Québec a fait de progrès. « Écoute Gil, le paquet contient vos gains sur les autochtones, sur le Sénat, le 25 % à la Chambre, et si vous avez 5, 6, 7, 8 pouvoirs de plus, tout Meech, ne penses-tu pas que ce sont des gains historiques ? » Rémillard répond que l'opinion publique ne le verra pas de cet œil, s'il n'y a rien sur les pouvoirs. L'échange est cordial. Personne n'est plaqué sur la bande.

Il y en a qui se retiennent. « Quand Mulroney arrive, ça met fin à l'excitation, raconte Rivest. C'est le premier ministre et on ne l'obstine pas. Quand Brian dit que telle clause est magnifique, et moi, je sais que sur le plan technique elle vaut pas de la merde, je suis pas pour aller l'obstiner. »

« L'impression que j'avais, raconte Parisella, c'est qu'il voulait évaluer le degré de solidarité dans notre groupe. » Dans les allées et venues, Mulroney va d'ailleurs parler directement à Parisella, le plus fédéraliste de la délégation, afin de lui fournir des arguments, du carburant, pour qu'il soutienne à son tour le moral des autres Québécois.

Le premier ministre vend une idée qui a commencé à circuler quelques heures plus tôt. Sur l'épineuse question du pouvoir de dépenser, pourquoi ne pas prévoir, dans l'entente constitutionnelle, qu'on... tiendra une conférence pour en discuter ! La paternité de ce concept est disputée. Certains disent qu'elle vient de Tellier, d'autres de Romanow, d'autres encore de Mulroney. Peu importe. Il s'agit, dira Mulroney, de « sauver la face » sur cette question, en introduisant un élément qui n'engage à rien, mais qui fait joli dans un discours. C'est d'ailleurs ainsi qu'il présente l'idée aux Québécois. Ça aidera à vendre l'accord. C'est le seul argument qui vaille car sur le fond, plusieurs pensent, comme Rivest, que « c'est de la merde ».

Bourassa est bien sûr moins cru. En entrevue, il dira tantôt que cette conférence, « ça ne me semblait pas énorme », tantôt qu'elle constituait « un engagement concret ». Mais elle « semblait satisfaire » ses partenaires, ce qui était l'essentiel.

Au sein du huis clos, quand cette idée est présentée, raconte Getty, « plusieurs, dont moi, Clyde Wells et Bob Rae avons dit : "Écrivez-le si vous voulez, mais si ça [la conférence] vise le moindrement à atteindre ce qu'on a entendu ce matin, oubliez-ça !" »

L'EFFET RÉMILLARD

Le premier ministre québécois, de retour d'une autre consultation avec ses conseillers — où, selon l'un deux, il « vient recharger ses batteries » —, réapparaît dans le conclave. La main-d'œuvre, messieurs, pensez-y ! À force d'insister sur ce point, Bourassa... recule* : le libellé introduit ce vendredi au compte rendu officiel de la rencontre est moins généreux que celui du 7 juillet ! Alors, l'entente forçait Ottawa à se retirer, sur demande d'une province, de tout programme de formation (pour adolescents) *et* de perfectionnement (pour adultes). L'obligation de retrait du fédéral, voilà le but du jeu, l'objectif visé. Mais ce vendredi 22 août, il n'est plus du tout question d'obligation de retrait des programmes de perfectionnement. Cette disposition disparaît du texte. Le Québec tombe d'un étage : descend au niveau de « l'obligation de conclure une entente ». Le premier ministre du Québec réussit donc, sans peut-être s'en rendre compte, mais sur le seul dossier qui lui tient à cœur, à sortir de la salle avec moins de billes que lorsqu'il y est entré.

Bob Rae explique pourquoi : « Son problème central était simplement

---

* Petit éclaircissement pour les mordus : dans les ententes sectorielles, il y a trois étages possibles pour se débarrasser du fédéral. 1) Ottawa s'engage à « négocier » une entente, ce qui est équivalent à une expression de bonne volonté, dont le fédéral aurait pu indéfiniment faire fi sans risque de représailles judiciaires ; 2) Ottawa s'engage à « conclure » une entente, ce qui pourrait être justiciable si l'objet de l'entente est assez bien défini dans le texte, ce qui n'est pas toujours le cas, surtout pas en matière de développement régional, couvert par cet engagement ; 3) Ottawa est « tenu de se retirer », sur demande et avec compensation, ce qui est clairement justiciable. Dans ce dernier cas cependant, pour ce qui est de la formation, comme pour ce qui est des six sœurs, l'obligation de retrait ne porte que sur les programmes fédéraux « en ce qui concerne la province ». Ottawa pourrait plaider, et un juge juger, que cela ne couvre que les programmes fédéraux visant strictement la province, et non les programmes fédéraux visant des objectifs pancanadiens. Exemple : même si la formation est cédée aux provinces comme « pouvoir exclusif » et même s'il est assorti d'une « obligation de retrait », Ottawa pourrait décider, pour des raisons de gestion pancanadienne de la main-d'œuvre, d'instituer un « programme canadien de formation en dentisterie » ouvert aux plus de 14 ans. Puisque le programme ne concerne pas qu'une ou des provinces, mais tout le pays, l'entente le permettait. Bref, le potentiel d'annihilation du gain est équivalent au gain potentiel.

d'être arrivé trop tard. Si vous tentez d'obtenir quelque chose d'un peu complexe, il faut prendre le temps de préparer le terrain et de faire en sorte que les autres provinces se sentent à l'aise avec votre demande. » (Michel Roy partage ce point de vue : « Sur les pouvoirs, dit-il au sujet des Québécois, ils avaient préparé leur cercueil. »)

« Nous sommes arrivés trop tard. » C'est ce que Gil Rémillard avoue à un avocat autochtone, de l'autre côté de la porte. Entre les apparitions de Bourassa, l'atmosphère est lourde. Un moment, Rémillard va s'asseoir avec John Parisella, à l'écart. « Il m'a dit : "Si c'est ça, on est morts" », se souvient Parisella. « John, ça se vend pas, ça », dit encore Rémillard. « Il y a eu des moments de découragement », confie le chef de cabinet.

Vient-il un moment où Rémillard dit à Bourassa qu'il ne faut pas compter sur lui pour vendre cette entente ? Qu'il est prêt à claquer la porte ? Par la suite, Rémillard le niera en public, mais le confirmera à ses amis en privé. Le soir même, lorsque Robert Bourassa assurera les journalistes que la rumeur de démission est sans fondement, Rémillard restera de marbre. Mais son attachée de presse, Linda Dion, éclatera de rire.

Le fait est que Rémillard exprime bien mollement son mécontentement devant Bourassa et la délégation québécoise, pendant l'après-midi. Mais ses propos ne diffèrent guère de ceux des autres membres de la délégation, Bourassa compris.

Selon un participant, Rémillard dit : « Si c'est comme ça, on ne peut pas vendre ça, on ne peut pas marcher avec ça, vaut mieux s'arrêter là, point final. » Selon un autre, ses mots exacts sont : « Il est absolument impossible, monsieur Bourassa, de vendre ça au Québec. » Dans les deux cas, il s'agit plus d'un avis que d'une menace.

Les politiciens jouent sur les mots. Lorsque Rémillard dit : « Moi, je ne peux pas vendre ça », met-il son propre avenir en cause ? Quatre membres de la délégation québécoise, présents cet après-midi-là, ne l'entendent pas ainsi. L'auteur non plus.

> Robert Bourassa : Gil était pas satisfait, comme moi, comme personne l'était. Mais il ne m'a pas dit : « Si on n'a pas ça, je m'en vais. » [...] Il a pu dire dans la conversation, comme Jean-Claude qui a dit : « Il y a rien là. » Alors Gil a pu dire : « Ben moi, je suis pas capable de vendre ça », et André Tremblay a dû se prendre la tête dans les mains. Moi, je disais la même chose : « Ben, elle est *tough* aujourd'hui ! » Pis j'ai dit le soir : « C'est pas notre meilleure journée ! » Mais s'il avait voulu démissionner, il aurait dit : « Monsieur Bourassa, est-ce que je peux vous voir quelques minutes ? » J'aurais dit oui. Ce n'est pas arrivé. Je sentais qu'il y avait du désappointement, mais je sentais que tout le monde resterait solidaire. [...]
>
> L'auteur : Ce que Rémillard raconte en privé, c'est qu'il a dit ce que vous dites [je ne peux pas vendre ça], mais que, plus tard dans la journée, ça s'est comme amélioré.

Le tollé

Claude Castonguay : « Ce qu'il fallait craindre s'est produit. On a régressé. » Sa voix se mêle à celle de la plupart des fédéralistes québécois...

... sans parler de la réaction choc des nationalistes. Ici, le plus éloquent éditorial de l'histoire de la presse québécoise.

ÉDITORIAL

NON

LISE BISSONNETTE

Avalant le légume

Sur le toit du *bunker*, Bourassa et Rémillard lisent « l'entente historique ». Le Québec a retrouvé son droit de veto, serine Bourassa. « À quoi sert d'avoir un gardien de but après que tous les buts ont été comptés ? » commente Rémillard.

En conférence de presse, Bourassa est serein. Sur plusieurs points, l'entente du ROC « à toutes fins pratiques, répond aux demandes du Québec ». L'Ontarien Bob Rae prend bonne note.

« La période la plus difficile
de ma vie politique. »

Photo : Jacques Nadeau

« Parfois, on lit dans un livre que M. Untel a regardé le mur et ne savait pas quoi faire.
Tu te dis : "c'est juste dans les livres..." Ben, c'est vrai. Je le faisais. Je savais pas
comment j'allais m'en sortir. »

Joe Clark : bouc émissaire

Passé à tabac par le cabinet fédéral pour son entente, Clark estime avoir simplement suivi les avis de Bourassa. Pour assurer le succès du sauvetage, il porte le chapeau : « J'ai formulé mes remarques de façon que les gens croient que c'est moi qui étais responsable. »

À la recherche de la ligne dure

Quarante-huit heures avant la négociation finale, Bourassa tente d'amadouer la Commission jeunesse. Elle veut qu'il tienne la ligne dure : si c'est le 7 juillet, dites non, sortez, posez votre « question de Bruxelles ».

Douze heures avant la négociation finale, l'Albertain Don Getty téléphone à Bourassa : si ce n'est pas le 7 juillet, moi, je sors, et ce sera l'échec. (Derrière Bourassa, à droite : Jean-Claude Rivest.)

La table est mise

Mardi matin. Brian Mulroney est d'humeur massacrante. « Quand Bourassa est arrivé, il s'est rendu compte d'une chose : bien que son premier *chum* dans la vie fût Mulroney, le pouvoir était passé du côté des provinces. »

Le jeudi de Mercredi. Après une première rencontre avec Bourassa, la conseillère du Grand Chef de l'Assemblée des premières nations lui dit : « Il veut une entente. Il fera n'importe quoi pour en avoir une. »

Le vendredi des pouvoirs. « Le Québec a raison », dit Clyde Wells, mais c'est trop tard. Le Canada n'accepte plus les principes du contrat de 1867. Sur la terrasse, on attend que Robert cède. Gary Filmon, du Manitoba ; Don Getty, de l'Alberta ; Roy Romanow, de la Saskatchewan ; Michael Harcourt, de la Colombie-Britannique ; Frank McKenna, du Nouveau-Brunswick.

L'heure de vérité

Bourassa n'a rien obtenu sur les pouvoirs, il hésite. « Je lui disais [à Mulroney] qu'il n'y en avait pas beaucoup, je lui disais que ce serait très, très difficile à vendre. »

« Si ça marche pas, Robert, je sais quoi faire ! Moi, je m'en vais à la Chambre des communes, et il y aura un référendum sur le paquet [de réformes], et le référendum sera pancanadien. » Que Robert le veuille ou non.

« Bourassa savait qu'en venant à Ottawa, il se plaçait de plus en plus dans mes mains », expliquera Mulroney. « Plus il avançait, plus il était mouillé. » Le premier ministre québécois est piégé.

Il est des nô-ô-tres...

Bourassa a dit oui. Le Canada est ravi. Roy Romanow, à l'extrême droite, un des artisans du rapatriement unilatéral de 1982. Dix ans plus tard, il dit vivre « une grande occasion, assez semblable à celle de 1982. Mais c'était encore un peu mieux que ça. Encore un peu plus savoureux. Parce que, cette fois-ci, le premier ministre du Québec était un des nôtres. »

Bourassa : Ça s'est amélioré ? [petit ricanement]*

Le premier ministre québécois affirme n'avoir entendu parler de la rumeur de démission de Rémillard que lors de sa conférence de presse du soir. On verra que cette version ne s'harmonise pas avec toutes les autres. Mais sur le fond, Bourassa a des raisons de ne pas être autrement inquiet. « Gil n'est pas un *trouble-maker* », a-t-il un jour confié à l'auteur.

Il y aurait pourtant de quoi. Bousculé par Mulroney la veille. Interrompu sans ménagement le matin même. Sa pensée constitutionnelle mise en échec par le Canada tout entier. La question n'est pas de savoir si Rémillard a pensé démissionner. La question est de savoir comment qui que ce soit, dans ces conditions, peut trouver une autre joue à tendre.

Le bruit voulant que Rémillard soit sur le point de démissionner, transitant par la délégation albertaine où quelqu'un a entendu Rémillard parler de départ, s'empare bientôt du hall des délégués. Il tombe en terrain fertile, car Rémillard a aussi utilisé ce genre de langage devant d'autres délégations, disant : « Si vous faites ça comme ça, moi, je ne vends pas ça. » La rumeur se rend jusqu'à la délégation fédérale, où elle crée un certain émoi.

Hugh Segal : Si un ministre important du gouvernement québécois, connu pour ses penchants nationalistes, devait débarquer, ç'aurait été très dommageable. Il aurait pu y avoir un effet d'entraînement dans nos propres rangs [conservateurs fédéraux], y compris au niveau ministériel.

Nous avons immédiatement procédé aux vérifications nécessaires, et on nous a dit que ce n'était pas vrai. Nous avons conclu que quelques personnes au sein de la délégation québécoise utilisaient la possibilité de la démission pour obtenir des gains supplémentaires.

En fait, ajoute Segal :

Le délégation fédérale a jugé que l'impasse qui surgissait sur la question des pouvoirs n'était pas le fait d'une impasse entre le Québec et le Canada, mais d'une impasse au sein de la délégation du Québec.

Il convient donc de continuer à séparer Bourassa de sa délégation, pour qu'il en vienne, de lui-même, à accepter finalement moins que ce qu'il a revendiqué le matin. C'est ce à quoi s'emploie constamment Getty, dans la salle de négociation. Quand Bourassa fait mine d'aller encore vérifier quelque chose avec ses conseillers, l'Albertain s'exclame : « Robert, *for crissake* ! Qui est-ce qui décide chez vous ? Va pas encore perdre trois heures de notre temps ! Va pas

---

* Rémillard expliquera ensuite en privé qu'il y a eu « déblocage » des négociations dans l'après-midi « sur plusieurs points », qui l'ont rendu « satisfait des négociations ». Parmi ces points, il cite la future conférence sur le pouvoir de dépenser, le processus de sélection des juges québécois à la Cour suprême, la clause de promotion de la dualité linguistique et « quelques autres points importants ». Un autre membre de la délégation — en plus de Bourassa — affirme que c'est de la foutaise. Ces autres points ont été réglés soit la veille, soit le matin, soit le lendemain, mais en aucun cas dans l'après-midi du vendredi.

leur demander ce qu'ils pensent, va leur dire ce que tu as décidé, toi. Il nous faut une entente, c'est ça notre but, c'est pas d'avoir une discussion philosophique sur ce qui s'est passé en 1867 !» Mulroney lance : « Amen ! »

D'autres ont une vision bien plus alambiquée de la dynamique à l'œuvre au sein de la délégation québécoise. Ils sont enclins à « reconstruire la réalité » pour y loger toutes leurs certitudes.

> Frank McKenna : Bourassa revenait et disait : « Je viens de discuter avec mes conseillers et je ne peux pas faire ce que vous me demandez. Mes constitutionnalistes me disent qu'on ne peut pas », ou « Gil Rémillard me dit que ce ne serait pas dans l'intérêt du Québec ». Mon opinion est qu'il utilisait ses conseillers dans la négociation un peu comme des boucs émissaires. Je pense que parfois il orchestrait ses débats avec eux, dans le seul but d'augmenter la tension.

Ce serait donc un gigantesque bluff. Pour ce qu'on en sait, la délégation québécoise est peut-être parfaitement contente de l'accord tel qu'il est, mais chacun continue à jouer un rôle prédéterminé pour obtenir un ou deux gains de plus ! McKenna trouve la tactique « assez intelligente ». Bob Rae fait la même analyse, mais ça ne le met pas d'aussi bon poil. Pendant une interruption, il s'assoit avec la délégation albertaine, dont Jim Horsman et son attaché de presse, Bill Gatha.

Selon ce dernier, Rae leur explique que la conférence est victime d'une tactique de la délégation québécoise — et de son chef — qui veut faire croire qu'elle va éclater si les autres délégations ne cèdent pas du terrain. « Ça ne marchera pas », dit Rae.

Dans ces savantes analyses, il manque une hypothèse : et si la délégation québécoise exprimait des appréhensions réelles, fondées sur une crainte justifiée que le peuple québécois va recracher ce qui est en train de se cuisiner ici ? Et si le débat en cours allait vraiment au cœur du malaise canadien ? Et si le refus opposé par le ROC, le matin, provoquait une immédiate et réelle crise de conscience chez les nationalistes québécois modérés (Rémillard, Rivest) qui composent l'entourage de Bourassa ? Ça ne semble traverser l'esprit de personne. La pensée canadienne rejette ces explications. Témoins du désarroi québécois, les Canadiens du ROC pensent complot, voire génie tactique.

BOURASSA : « IL VA FALLOIR QUE JE RETOURNE CHEZ MOI »

Si Bourassa est un génie de la tactique, c'est un génie malheureux, car rien ne bouge. Selon Don et Frank McKenna, Bourassa prononce alors des paroles dont il n'est pas coutumier. « Il a dit : "Écoutez, ce qui est sur la table n'est pas acceptable. Il va falloir que je retourne chez moi" », rapporte McKenna. « Il ne l'a pas dit de façon menaçante, il l'a dit d'une façon plutôt philosophique. Dans le sens : "Tout a été dit, on a fait notre possible, on ne peut simplement pas y arriver." »

D'autres premiers ministres, comme Rae et Getty, ne se souviennent cependant pas avoir entendu cette réplique. Mais l'idée d'un départ traverse quelques autres esprits : « Nous nous retenions pour ne pas aller prendre notre avion et dire : "Que le diable l'emporte" », raconte Getty.

Une dernière fois, Bourassa retourne voir ses conseillers. Selon un témoin, il leur dit : « J'ai ben essayé d'obtenir plus, mais c'est bloqué et il n'y a personne qui m'appuie, qu'est-ce que je fais ? »

« On constate qu'on se retrouve avec le document du 7 juillet », dit un participant.

> Bourassa : On était quatre ou cinq dans un coin de la salle. On se disait : "Ça va être difficile à vendre." Alors est-ce qu'on retourne ? Est-ce que je fais comme avec la société distincte [pendant le *sprint* de Meech en juin 1990, Bourassa avait refusé de poursuivre la négociation à ce sujet] ? Alors autant les gens étaient déçus sur le résultat de la journée, autant ils voulaient pas qu'on casse la baraque.
>
> Alors on fait quoi ? On retourne à Québec, on passe une loi pour dire qu'il y aura pas de référendum sur les offres ?
>
> L'auteur : Est-ce que des membres de la délégation offrent des options ?
>
> Bourassa : Silence... [Personne n'avait quoi que ce soit à proposer.]

En privé, Rémillard affirme avoir suggéré que la délégation québécoise prenne plus de temps, prolonge la négociation, suspende les travaux et retourne au moins temporairement à Québec, au besoin. Bourassa affirme que « c'est possible, mais sans insistance et sans que ça crée de consensus ».

Ni Rivest ni Parisella ne se souviennent d'avoir entendu cette suggestion, et un troisième larron est plus dur : « Jamais ! » dit-il, le ministre n'a fait preuve d'une telle sagesse. Pourquoi ?

> Gil vient à toutes fins pratiques de jeter la serviette. Il comprend que c'est ça. Qu'on vient de se faire flouer. Il se met au neutre. Il vient de débarquer. Il est pus dans le char.

Aucun autre n'évoque la possibilité d'un départ ou d'un prolongement d'un jour ou deux. Un participant explique cette mollesse par le sentiment que le débat était « perdu d'avance », car plusieurs membres de la délégation québécoise se souvenaient du vain combat qu'ils avaient mené contre le retour à la table après le 7 juillet. « Écoute, on voulait même pas y retourner. On était là à notre corps défendant. » Mais cette suggestion d'un prolongement ou d'un ajournement parvient aux oreilles de Mulroney, qui y oppose un refus net.

Ce qui n'est pas nécessaire, car Bourassa n'a aucune intention de la formuler.

> Bourassa : J'aurais pu dire : "On retourne au Conseil des ministres pour avoir son avis."
>
> L'auteur : Pourquoi ne pas l'avoir fait ?
>
> Bourassa : J'avais eu le temps de mesurer l'élastique. Si, dans le climat qui existait à ce moment-là, je demandais un ajournement, avec le congrès du parti qui était

déjà fixé au 29 août et avec le référendum qui par la loi était déjà fixé au 26 octobre, c'était l'échec.

Si je retournais à Québec, avec le climat, on aurait dit qu'il fallait tenir un référendum sur la souveraineté. On partait pour *God knows where*.

Prolonger, non, mais retourner dans la salle, continuer à se battre, voilà ce qu'on peut encore faire, pensent Benoît Morin et André Tremblay qui, eux, sont encore « dans le char ». Assis à l'arrière, ils tentent d'encourager le conducteur. Ils « essaient de convaincre M. Bourassa de sauver certains meubles », dit un participant. Puisque le blocage est total sur le pouvoir de dépenser et la main-d'œuvre, ils suggèrent d'ouvrir d'autres fronts : pouvoir de nommer des juges au tribunal de la famille, compétence en matière de divorce, de faillites personnelles. Des objectifs mineurs, mais des choses tangibles. Leurs « suggestions pour qu'il y ait un autre combat se perdent et tombent dans le vide », dit un témoin. Rémillard est là, entend ces dernières suppliques, et « laisse faire sans appuyer ». Son sous-ministre, Jacques Chamberland, est plus actif, mais « ça tombe totalement à plat, le débat est comme irréel ». Un participant exprime son sentiment :

> Ça restera toujours marqué dans mon esprit ce moment de renonciation. Ce moment de cruelle rencontre avec la réalité. Ce moment où c'est ça ou rien d'autre.

Pendant que les Québécois se mirent dans l'abîme constitutionnel, le premier ministre canadien revient les voir. C'est la seconde visite de Brian. Charmant tout à l'heure, il se fait maintenant menaçant :

« Robert, fais ce que tu veux, mais il faut absolument qu'on continue, parce que je suis en train de perdre mon monde », grince-t-il, parlant des autres premiers ministres, notamment de Getty dont l'irascibilité monte d'heure en heure (Brian doit aller l'apaiser sur la terrasse où l'Albertain ronge son frein).

« On sent que nous sommes le foyer de résistance et que c'est nous qui empêchons la bonne marche des affaires », se souvient un Québécois. Mulroney « était impatient, il disait que si on continuait à insister sur nos affaires, il y aurait déconfiture de la conférence ».

AU PAS DE LA DÉCISION
Un air de musique commence à envelopper la petite table où les membres de la délégation québécoise s'agitent, *non-stop*, depuis que Mulroney les a quittés. Cinq mètres plus loin, il y a un piano. Bob Rae a décidé de se délier les doigts. Il joue *Summertime*. Il devrait jouer *Stormy Weather*. Sa musique, loin de détendre l'atmosphère, couvre les voix et rend la discussion difficile. « C'était vraiment dégueulasse, commente un participant québécois. Le Québec était en train de se faire enterrer, pis les Ontariens pianotaient. » Bourassa choisit ce moment pour indiquer à Rivest qu'il veut lui parler.

« Il est au pas de la décision », dit Rivest. Les deux hommes marchent sur la grande terrasse et trouvent un endroit où s'asseoir. Bourassa fait un petit laïus de cinq à sept minutes. « Pour lui, c'était très serein et c'était grave en même temps, parce que c'est là qu'il devait décider. »

Il pense tout haut. Rivest résume.

Bourassa : Est-ce que dans le contexte politique, compte tenu de la situation de Mulroney, dans le contexte économique et financier, si je refuse ça, je tombe dans quoi ?

Et si j'accepte, qu'est-ce que j'ai pour le Québec ? Bon, j'ai la société distincte dans la constitution. C'est pas banal. J'ai l'affaire de l'immigration. J'ai ma sécurité constitutionnelle [le veto] y compris le petit *deal* du Sénat qui est un peu plus mou. Mais le pouvoir du Sénat est quand même assez limité. Pis après ? Bon, les autochtones. Faut vivre avec. Pour la paix sociale, c'est peut-être pas une si mauvaise chose que ça. Pis l'autre volet, c'est sûr qu'on n'a pas la main-d'œuvre complètement. Sur le pouvoir de dépenser, il y a au moins un discours d'avenir [la future conférence] et des choses à régler dans le futur.

Est-ce que je dois laisser passer ça ou non ? Et est-ce que je peux me battre pour ça ? C'est pas le rapport Allaire, c'est pas Bélanger-Campeau, pis c'est pas les revendications traditionnelles du Québec. Mais au moment où on est, surtout compte tenu des conditions économique et financière du gouvernement, qu'est-ce qu'on ferait si ça marchait pas ?

Rivest lui donne la réplique.

Rivest : Ça va être difficile, au niveau du discours. On est arrivés au terme d'un processus et c'est pas mauvais. Tu recules pas. T'avances. Mettre la société distincte, ça peut avoir une portée. Si on refuse, on n'a pas de mandat du gouvernement ni de personne de faire sauter le pays. [! ?] Alors moi, mon *feeling*, c'est de dire : « Vas-y avec ça. » Maintenant, on n'est pas rendus au bout du chemin. C'est sûr qu'il y a des dangers.

Bourassa enregistre la réponse. Il ne réagit pas. Il s'en retourne vers le huis clos. Rivest, l'architecte du Pacte de Bélanger-Campeau, l'ancien fédéraliste prêt à la souveraineté à moins d'un « changement majeur », a maintenant un appétit d'oiseau. Ou sait-il qu'il ne sert à rien de rêver ? « Quand le processus est fait, moi, je ferme mes lumières, si brillantes soient-elles », a-t-il confié à l'auteur[*].

Le soleil commence à décliner vers l'horizon. Sur la grande terrasse du neuvième étage, plusieurs premiers ministres, désœuvrés, prennent le frais. Des agents de la GRC les abordent souvent, pour leur recommander de parler à voix basse, car des caméras et des micros à longue portée sont pointés vers l'étage où ils se promènent. Malgré ces admonestations, on aperçoit, faisant les

---

[*] La réaction de Rivest est incompréhensible, sauf si on accepte l'idée qu'en bon cynique, sachant que Bourassa ne fera en aucun cas la souveraineté, il lui indique que la seule façon de ne pas la faire est d'accepter cette entente qu'il sait, par ailleurs, très en deçà des objectifs, pour ne pas dire des intérêts québécois. Son comportement dans les jours et les semaines qui suivent est d'ailleurs ambivalent. Rivest semble avoir, plus que « fermé ses lumières », perdu sa boussole.

cent pas plus loin sur la passerelle, Mulroney et Bourassa en grande conversation.

Robert n'est pas impressionné des progrès de la journée. Il n'a même pas obtenu son *bottom line* : les ressources humaines, la main-d'œuvre. En fait, on l'a vu, il est tombé plus bas encore sur ce point. Son grand numéro du matin n'a rien donné. Il n'a récolté que de l'hostilité.

« Je lui disais qu'il n'y en avait pas beaucoup, je lui disais que ce serait très très difficile à vendre. Je lui faisais rapport », résume Bourassa qui, pour le reste, récuse absolument le résumé qui suit, que l'auteur tient cependant d'une excellente source.

« On était où le 7 juillet ? réplique Brian. Le Sénat, les autochtones, tout le reste ? Est-ce qu'on avait conservé Meech ? »

« Je subis des pressions énormes de ma délégation », proteste Robert.

« C'est pour ça qu'on est premier ministre, pour décider », rétorque Brian.

« Rémillard va peut-être démissionner », insiste Robert.

« Voyons donc, Robert ! Rémillard ne démissionnera jamais ! » tranche Brian.

Pendant un moment, le duo examine les considérations politiques. « Si ça marche, est-ce vendable au Canada anglais? Au Québec, quels arguments Parizeau va-t-il utiliser ? »

Bourassa tergiverse, soupèse, hésite.

Mulroney craint que Bourassa ne dise oui aujourd'hui, puis non une fois retourné à Québec. Ça s'est vu. « Je voulais pas une affaire comme à Victoria, moi », dira Mulroney. Surtout, il se sait en terrain sûr. Il sait que Bourassa le sait. « Bourassa savait qu'en venant à Ottawa, il se plaçait de plus en plus dans mes mains », expliquera-t-il à un confident. Pourquoi? Parce qu'ayant fait aménager le Sénat et le volet autochtone à son gré, Bourassa a donné son aval au moins partiel à l'entente canadienne. « Plus il avançait, plus il était mouillé », dira encore Mulroney.

« Si ça marche pas, Robert, inquiète-toi pas ! Je sais quoi faire, lui dit-il ce jour-là, mettant un point sur chaque "i". Moi, je m'en vais à la Chambre des communes, et il y aura un référendum sur le paquet, et le référendum sera pancanadien. »

Il est évident, dans cette hypothèse, que si Bourassa décidait de s'allier à Jacques Parizeau et à Lucien Bouchard dans le comité du Non, Mulroney se ferait aplatir par l'électorat québécois. C'est la porte de sortie du piège. Mais Mulroney ne serait pas le seul aplati par cette manœuvre. Le fédéralisme québécois en sortirait amoché, et Bourassa avec lui.

Bourassa pourrait aussi mettre en branle le « cauchemar de Spector », le référendum qui renverrait la balle au fédéral. Mais il est maintenant clair que Mulroney imposerait aussi son propre scrutin et ferait campagne contre la question de Bourassa. Ces affrontements ne feraient encore qu'une seule victime : le fédéralisme.

Il y a une troisième solution : prendre de vitesse le référendum unilatéral de Mulroney et en organiser un, prévu par une loi de l'Assemblée nationale, sur la souveraineté, le ou avant 26 octobre 1992. Avec l'échec de la conférence de Pearson comme tremplin, le succès du Oui serait assuré. Les Québécois ont dit de cent façons, depuis deux ans, qu'à moins d'une « réforme en profondeur », Bourassa doit les mener à la souveraineté. Il s'y est lui-même engagé.

Mais voilà, Mulroney sait que Bourassa n'empruntera jamais ces voies. Il le sait allergique à la souveraineté. Il le sait partisan du Canada à tout prix. Il le sait piégé. Robert ne répond pas à la menace de Brian. Il n'y a rien à dire. Il a joué, il a perdu. Il est coincé. Il n'obtient même pas sa demande minimale. Et il est prisonnier de son propre fédéralisme.

Mais qui donc a construit cette prison ? Dans les explications qu'il donne plus tard en privé pour expliquer sa dureté, Mulroney fait deux constats. Le premier, sur le calendrier : « C'est pas moi qui a patenté ça, la tenue d'un référendum le 26 octobre ! » Il s'est en effet opposé pied à pied à chacun des jalons posés depuis deux ans par Bourassa pour délimiter cet enclos politique. Maintenant que Mulroney y a été enfermé, et tout le Canada avec lui, il vit avec. Second constat de Mulroney : « Il voulait pas le tenir, son référendum sur la souveraineté ! » Bourassa ayant construit l'enclos, et refusant d'en utiliser la sortie, il est en effet coincé à l'intérieur, avec les autres Canadiens. Là, il pourrait encore faire du grabuge, en renvoyant la balle, par exemple. Mais là, et seulement là, Mulroney a du pouvoir. Puisque Bourassa reste, décide-t-il, il doit rester sage. Mulroney lui dicte donc sa conduite, sans ménagement.

Bourassa, on l'a dit, conteste cette version des choses. L'auteur l'a interrogé sur l'importance qu'a pu avoir sa relation d'amitié avec Mulroney sur ses décisions de ce jour-là. Plusieurs de ses proches, notamment Mario Bertrand et Pierre Bibeau ainsi que son ministre Marc-Yvan Côté, ont cru comprendre qu'il avait accepté l'entente par amitié pour Brian. « Des considérations personnelles sont entrées en ligne de compte », pense Bibeau. « Il s'est laissé emporter par la tornade », dit Bertrand. « Il y a des choses entre Mulroney et Bourassa, pis on savait pas nécessairement tout », suppute Côté. Le premier ministre affirme que ses copains n'ont rien compris.

> Bourassa : C'est pas parce que j'étais ami avec quelqu'un que j'ai agi d'un bord ou de l'autre. Tsé, j'étais ami avec René Lévesque, ou du moins j'avais beaucoup d'admiration pour lui, pis on s'est pas entendus. [...] Non, Jean-François, je te le répète : la politique, c'est un rapport de force.
>
> Monsieur Bourassa, je vous crois.

★   ★   ★

Ils retournent au huis clos. Bourassa n'est plus au pas de la décision. Il doit franchir le seuil. « J'avais acquis la conviction, résumera-t-il, que j'avais obtenu le maximum. Si j'avais demandé plus, ç'aurait été l'impasse. » Dans une autre entrevue, il dira que s'il avait insisté, « ils auraient fermé les livres ».

Est-ce vrai ? Pour l'essentiel, oui. Comme l'indiquent Bob Rae et Michel Roy — et comme le pensent Louis Bernard et Jean-Claude Rivest — Bourassa aurait pu obtenir plus, sur les marges, s'il avait participé au processus multilatéral depuis son début, en mars. « Obtenir la main-d'œuvre n'aurait pas détruit le Canada », dit par exemple Rivest. Sans doute pas. Deux ou trois pouvoirs supplémentaires, avec beaucoup de persistance et d'explications, auraient probablement pu être introduits dans l'entente. En un mot, l'incompétence de Bourassa lui a coûté son propre *bottom line*. Rien, cependant, n'aurait pu faire triompher la réforme en profondeur réellement réclamée par les Québécois, même dans sa forme classique, telle que présentée le vendredi matin dans le document intitulé « Partage des pouvoirs ».

Qui le dit ? Le Canada :

Clark : À la fin de la journée, le pays était allé aussi loin qu'il le pouvait sur cette question.

McKenna : C'était la meilleure entente que Bourassa pouvait faire. La meilleure pour le Québec. Nous n'avions plus rien à donner. [...] Je pense que le choix posé au Québec, en conséquence, est cette entente ou la souveraineté.

Wells : Je n'ai aucune doute que ce fut très dur pour le premier ministre Bourassa. Il s'est battu pour défendre la cause du Québec mais, je veux dire, ça n'aurait eu aucune importance si nous avions eu Jacques Parizeau ou Gil Rémillard ou qui que ce soit pour négocier à sa place. C'était simplement impossible d'en arriver à une conclusion différente, qui aurait aussi préservé le pays.

Il a fait un effort considérable et il peut avoir été fatigué et vidé et en avoir senti les contrecoups physiques, je n'en doute pas. Mais personne ne pouvait faire plus. Tout ce qu'on aurait pu faire de plus ç'aurait été de quitter la pièce et de dire : « Voilà, on abandonne, tout s'est écroulé ! » *(« Everything is at an end ! »)*

Ces témoignages, recueillis dans les semaines qui suivent la conclusion de l'entente, n'intègrent pas une autre donnée : l'hostilité de l'opinion publique canadienne à toute victoire québécoise supplémentaire. Bourassa est conscient de cette difficulté. Il l'évoque parfois, devant Anctil : « Si j'en obtiens plus, lui dit-il, ça va être un gain de très courte durée, parce que trois semaines après, ça passerait pas dans le reste du Canada. »

À force de longer les murs, on se retrouve au pied du mur. À force de construire des labyrinthes, on se retrouve emmuré.

Lorsque Bourassa, sonné par les ultimatums de Mulroney, coincé par la réalité canadienne, revient dans le huis clos, la discussion ne dure pas très longtemps. Et alors que — rapportent Rae, McKenna, Getty et Cameron — aucun élément nouveau n'est venu enrichir le paquet, Bourassa se tourne vers Mulroney et lui dit : « C'est pas parfait, mais je pense qu'on peut faire un bout de chemin avec ça. »

Le pas est franchi. La décision est prise. Bourassa, au tapis, renonce.

Getty, qui tente de lui remonter le moral en lui disant qu'il a fait « *a wonderful job* », n'est pas le seul à lui trouver l'air fatigué. « Il avait vraiment l'air de quelqu'un qui vivait un grand stress. »

Les premiers ministres vont dans le grand hall d'entrée de Pearson, annoncer qu'une entente est intervenue sur les pouvoirs. Au micro, Bourassa affirme avoir fait « des progrès réels » notamment sur « la volonté de circonscrire le pouvoir fédéral de dépenser ». Il se dit particulièrement heureux de ses gains en matière de main-d'œuvre ! « C'est sûr que c'est inférieur au programme du Parti libéral », ajoute-t-il. « Je dirai à mon parti : Regardons ce que l'on a, les progrès qu'on a réalisés. Ce progrès, les Québécois vont le regarder avec réalisme. »

IL EST DES N-Ô-Ô-TRES...

Pierre Anctil regarde ce que l'on a. Les progrès réalisés. C'est John Parisella qui l'appelle, ce vendredi soir, pour lui faire le bilan de la journée, car Bourassa est trop fatigué.

« La main-d'œuvre, ça a pas marché », rapporte Parisella.

« C'est un point fondamental », insiste Anctil.

« Ça a pas marché, répète Parisella, penaud. On l'a pas. »

« Ouan, John, ça va être dur... »

Anctil tente de regarder la chose avec réalisme. Quand Robert Bourassa a fait sa conférence de presse télévisée, tout à l'heure, quelques responsables à la permanence du parti ont suggéré de sauter dans une voiture et d'aller chercher le premier ministre à Ottawa avant qu'il ne commette l'irréparable. Avant qu'il ne signe quoi que ce soit au nom des Québécois.

Le directeur général du parti confie à Parisella un message pour le premier ministre : « Écoute, tu vas lui dire une chose. Moi, je lui placerai pas d'appel, mais je compte sur toi pour lui transmettre ce message-là qui est simple, tsé, il n'est pas interprétable dans un sens ou dans l'autre : mon opinion c'est que la seule chose qu'il peut envisager en ce moment, c'est de retourner là demain matin et de dire que si on rouvre pas la partie des pouvoirs, *there's no deal* [il n'y a pas d'entente]. Dis-lui ça. »

Mais Bourassa, le génie tactique, le grand stratège, l'habile négociateur, a pour l'essentiel plié son nécessaire à réforme des pouvoirs. Le lendemain, samedi, il déploie ce qui lui reste d'énergie à faire échec à la volonté fédérale de réintroduire dans l'entente des visées économiques, bien qu'atténuées, comme on en avait lu dans le document de Clark de septembre 1991. Mulroney, pressé au téléphone, la veille, par Jean Chrétien, voudrait que les tribunaux puissent déclarer inconstitutionnelle toute mesure provinciale nuisant à la libre circulation des biens, des personnes, des services et des capitaux. C'est aussi ce que souhaite son ministre du Commerce, Michael Wilson.

Mais ce samedi, la Saskatchewan, le Québec et quelques autres font échec à cette molle offensive. Suit un débat sur la tâche qu'ont les gouvernements de favoriser « l'épanouissement et le développement » des minorités linguistiques — ce qui signifie que le Québec doit promouvoir sa minorité anglophone. Dans la proposition de libellé, ils y sont *committed* (« engagés ») dans la version anglaise ; ils y sont « attachés » dans la version française. McKenna préfère l'engagement à l'attachement. La résistance québécoise se joue sur le synonyme plutôt que sur le principe. Paul Tellier tranche la question en citant, dans son Petit Robert, Bossuet qui dit « son attachement immuable à la religion de ses ancêtres ».

La liste des points à discuter est épuisée. À l'invitation de Joe Ghiz, les premiers ministres conviennent de se revoir, le mercredi suivant, à Charlottetown, pour la cérémonie de signature officielle. Puis Mulroney demande à ses hauts fonctionnaires, Tellier et Bourgon, de quitter la salle, pour que les chefs des 17 délégations puissent se parler entre 34 yeux.

Quelques participants saluent le travail accompli par le premier ministre Mulroney qui, tantôt brutal, tantôt délicat, a conduit toute la troupe jusqu'à cette improbable unanimité. Un premier ministre tient à féliciter Joe Clark, présent, qui a porté la multilatérale pendant toute la première étape. D'autres félicitent Robert Bourassa pour son travail exceptionnel. Vraiment.

Les politiciens réunis s'interrogent sur ce que seront les positions des autres acteurs canadiens dans la phase de ratification de l'entente qui s'ouvrira bientôt. Untel s'interroge sur la position de Jean Chrétien. Un autre sur celle de Preston Manning.

Le débat glisse sur la réaction des Québécois de tendance fédéraliste/ nationaliste. Quelqu'un demande quelle sera la position de Benoît Bouchard, absent de cette rencontre, mais qui a l'habitude d'être imprévisible.

« Benoît était avec nous cette semaine, dit Mulroney, il a été avec nous pendant tout le processus, et il sera un ardent supporteur de l'entente. »

Fort bien. Mais qu'en est-il de Marcel Masse, dont les convictions autonomistes pour le Québec sont presque aussi célèbres que son goût pour les capitales européennes ? Getty s'interroge : « Où se situera Marcel Masse ? »

Robert Bourassa répond : « Il se situera à Paris ! »

Éclat de rire général.

Mulroney prononce ensuite un petit discours ému, sur la grandeur du pays, la difficulté d'en arriver à des compromis, la valeur des artisans réunis dans la pièce. Le processus qui touche à sa fin, dit-il, sera un jour raconté par des historiens, qui y verront un point tournant essentiel dans la préservation de l'unité canadienne. Les participants, dit-il, auront raison de recevoir leur part d'applaudissements.

Quand il a fini, il est au bord des larmes. Quelqu'un se met à frapper dans ses mains. Puis un second, suivi d'un troisième. Bientôt, tous sont debout à s'applaudir les uns les autres, à applaudir Mulroney — qu'ils maudissaient après le 7 juillet —, à applaudir le Canada.

« Je regardais le premier ministre du Québec, raconte Roy Romanow, qui est le seul, dans cette salle, à avoir aussi vécu le rapatriement unilatéral de 1982, cause de tout ce mal. Je pensais au stress et à la pression que cet homme avait enduré. Et je pouvais lire un sentiment de soulagement dans le visage de Robert Bourassa. Le sentiment que nous avions une entente qui lui permettrait de défendre à son aise l'idée que le Québec doit rester dans le Canada. Ce n'était pas de la joie. Mais un air de satisfaction. Vous savez, en politique, lorsqu'on peut défendre une position à laquelle on croit, c'est une coïncidence magnifique. Ça vous permet d'être un bon soldat. J'avais l'impression que Robert Bourassa, ce jour-là, éprouvait cette sensation.

« C'était donc une grande occasion, ajoute Romanow. Une occasion assez semblable à celle que nous avions vécue en 1981-1982, quand nous avons réussi après avoir pensé échouer. Mais c'était encore un peu mieux que ça. Encore un peu plus savoureux. Parce que, cette fois-ci, le premier ministre du Québec était un des nôtres. »

15

L'EMBERLIFICOTEUR

Je retiens un aspect marquant :
l'extraordinaire solidarité de mes collègues,
du cabinet, du caucus et du parti — l'unité du parti.
C'est un point fort de ma vie politique.

ROBERT BOURASSA
le 14 septembre 1993.

Extraordinaire. *adj. (XIIIe ; lat.* extraordinarius *« qui sort de l'ordre »).*
• *1° Qui n'est pas selon l'usage ordinaire, selon l'ordre commun. V.* **Anormal.**
Petit Robert
Extraordinaire. *adj.[...] Qui étonne par sa bizarrerie.*
Petit Larousse

« *JUST WATCH ME.* » Robert Bourassa connaît ses classiques. Lorsqu'il prononce cette phrase, au sortir de l'édifice Pearson, ce samedi en début d'après-midi, il cite, sans le nommer, son vieux rival Pierre Trudeau.

Prononcée un jour d'octobre 1970, quelques kilomètres plus loin, sur les marches du parlement, la phrase signifiait que l'État fédéral ne reculerait devant rien pour traquer les terroristes d'octobre : suspension des libertés civiles, fouilles sans mandat, emprisonnement sans motif.

L'histoire du Québec, alors, était à un tournant. La carrière de Robert Bourassa, aussi, allait changer de cap. Le premier ministre québécois comprend-il, à 22 ans de distance, que les choix qu'il assume maintenant sont d'un semblable calibre ? Qu'il joue, comme en 1970, avec la vie d'un peuple ? Qu'il décide, seul, comme en 1970, de créer un climat, de choisir un itinéraire ?

« *Just watch me* » (« Regardez-moi aller »), c'est ce qu'il répond lorsqu'on lui demande comment il s'y prendra pour faire accepter l'entente par les Québécois. Ce ne sera pas facile. Ce sera une course à obstacles. Il n'est nullement certain de réussir cet exploit. Mais il doit, d'abord et à tout prix, vendre cette entente à ses ministres, à ses députés, à ses militants, à son parti. S'il échoue là — ou si sa victoire n'est acquise qu'au prix d'une sérieuse hémorragie — rien ne sera plus possible.

En fait, il est immensément plus important de triompher dans le parti que de triompher dans la population. Car puisque le référendum, dont les modalités restent à définir, portera sur l'entente, un vote négatif n'aura aucun impact direct sur l'avenir immédiat du gouvernement ou du pays. Défaite politique, certes, pour Bourassa. Et après ? La sagesse politique répond par cette phrase de Daniel Latouche : « L'empereur est nu, mais il est toujours empereur. » Robert Bourassa use d'une métaphore biblique : « Y'a pas d'apocalypse si ça marche pas. » Mais pour rester empereur, pour éviter l'apocalypse, il faut maintenir son emprise sur la garde prétorienne, sur l'appareil. En démocratie, il faut maintenir son emprise sur le parti.

Un *putsch,* à ce stade, n'est guère probable (quoique les conservateurs britanniques, à la même époque, se débarrassent de leur première ministre en exercice, Margaret Thatcher, pour moins que ça). Mais la démission de quelques ministres et de plusieurs députés pourrait faire fondre la majorité du gouvernement libéral à l'Assemblée et surtout hypothéquer les chances de réélection du gouvernement, d'ici deux ans au plus tard. Voilà pourquoi la conquête du parti dépasse en importance la conquête de l'électorat. De plus, en la précédant, elle la préfigure, car l'inaptitude à faire le plein d'appuis dans ce premier cercle annoncerait l'échec dans les cercles plus vastes formés des électeurs libéraux, puis des indécis.

« La semaine va être cruciale », déclare Jacques Parizeau, qui prie pour que se produise le pire. Bourassa ne le sait que trop. Nous sommes samedi, 22 août. Dans sept jours, le 29, le Congrès des membres du Parti libéral se réunira à Québec pour discuter de l'entente. Dans l'intervalle se tiendra la cérémonie de Charlottetown. Le parti, la partie, vont se jouer dans ces sept jours.

« *Just watch me.* » Généralement, Bourassa manipule le temps dans le sens de la longueur. Il repousse, reporte, allonge, dilue, use. Cette fois, il doit gérer la pénurie de temps. Il n'y est pas réfractaire. S'il a, depuis la mort de Meech, étiré le temps politique dans l'espoir d'un retour de pendule, d'un refroidissement du sang, il lui arrive aussi de citer l'ex-premier ministre britannique Harold Wilson selon lequel, « en politique, une semaine, c'est très long ».

Cette fois, le manque de temps l'arrange. Car si la politique, « c'est la gestion des perceptions », il est difficile de soutenir longtemps, artificiellement, une perception complètement contraire à la réalité. Or pour gagner la bataille du Parti libéral, il doit créer la fiction que l'entente est meilleure qu'elle ne l'est. Pour soutenir cette fiction, il doit contrôler l'information. Mais l'information ne se contrôle correctement que pour une courte période. La vérité — c'est son défaut — est contagieuse, surtout lorsqu'elle est explosive. Une semaine, c'est court. C'est jouable.

PAROLES, PAROLES, PAROLES...

Il faut presser le temps. Lundi, ce sera la grande journée. Il s'agit de précipiter un maximum de gens dans des positions pro-entente dont ils ne pourront, ensuite, se dégager. Il faut réunir pour cela les meilleures conditions : la confusion, la bousculade, la loyauté, l'effet de troupeau.

L'itinéraire est maintenant connu : pour faire passer une position fédéralisante dans les instances du PLQ, il faut l'amener d'abord au Conseil des ministres, où le bloc fédéraliste est le plus fort, puis au caucus des députés, moins docile mais ainsi fortement incité à suivre la marche, puis à l'exécutif du parti, où les fortes têtes nationalistes sont alors mises devant le fait accompli. Cette vente en cascade est prévue pour lundi, à Québec.

D'ici là, il faut circonscrire les foyers potentiels d'incendie. À l'exécutif, Mario Dumont et Jean Allaire sont, à l'évidence, les deux cas les plus difficiles. Au caucus, Guy Bélanger est une véritable bombe ambulante, et Jean-Guy Lemieux a fait de la réforme en profondeur son cheval de bataille.

Dès le samedi après-midi, Bourassa se pend donc au téléphone. Il parle d'abord à Pierre Anctil et lui vante les mérites de l'entente. « La main-d'œuvre, on a ça », lui dit-il, « il y a un gain, qu'il s'agit de mesurer ». Bourassa a beau jeu : le texte de l'entente n'est pas disponible, la conférence des premiers ministres n'a même pas accouché d'un communiqué de presse. Anctil doit se fier aux comptes rendus que font les journaux, alimentés eux-mêmes à partir d'entrevues, et non de textes écrits. Quand il objecte : « J'ai lu ça dans tel journal », Bourassa répond : « Non, c'est pas bon. Lis dans tel autre journal pour telle affaire. » Anctil rétorque : « O.K., mais dans tel autre, ils disent ça ! »

Pour ce qui est du partage des pouvoirs, les amendements au texte du 7 juillet adoptés à Pearson tiennent en moins de 50 mots. La délégation québécoise, qui a en main tous les nouveaux libellés, pourrait produire en moins de 20 minutes un texte révisé et le distribuer aux responsables du parti, aux ministres, aux députés. Ça ne sera pas demandé. Ça ne sera pas fait. Pourquoi ? Parce qu'à la brévissime rubrique « partage des pouvoirs », à cinq des six alinéas, il faut écrire : « selon l'entente du 7 juillet ». « Selon », dans le sens de « conformément à ». Ce texte serait un acte de reddition. Ne pas en faire la distribution, convient Rivest, « c'était peut-être une précaution de style ».

« Ça fait que, là, résume Anctil, il y a eu des journées de flottement, tsé, où le compte rendu qu'on en avait, c'était des ombres chinoises. »

Bourassa appelle aussi Guy Bélanger et l'invite à venir le rencontrer, le lundi, à son bureau. Le dimanche, Bourassa parle à Allaire, qui se montre plus réticent encore qu'Anctil. Allaire insiste pour voir les textes ; Bourassa promet que Jean-Claude Rivest va les lui envoyer le lendemain. Il ne le fera pas. Mais Bourassa n'insiste pas pour rencontrer le vieux militant, dont l'entêtement a crû ces derniers mois. Il n'y a rien à faire. Mais s'il ne reste plus que lui comme opposant, ça pourra aller.

« Ils savaient que s'ils parvenaient à faire flancher les jeunes, explique Allaire, à ce moment-là j'aurais été isolé pis ils auraient dit : "Voyez, il est tout seul pis il pense rien qu'à son rapport..." »

Faire flancher les jeunes, Bourassa le voudrait bien et il va s'y astreindre. Car dans sept jours, au congrès des membres, un délégué sur trois peut provenir de l'aile jeunesse. Or les jeunes sont pompés. Le vendredi soir, Dumont et plusieurs de ses adjoints, réunis au quartier général du parti, ont écouté Bourassa faire son point de presse à Pearson, tentant de plaquer un sourire sur le désastre. Ils ont entendu, ensuite, les comptes rendus journalistiques expliquant combien le point d'arrivée était loin du point de départ.

Parlant de sa petite bande de responsables de la CJ, Mario Dumont raconte :

> Là, on n'en revenait pas. Vraiment, on était atterrés, désespérés. Le téléphone arrêtait pas de sonner au parti, c'était écœurant. Moi et les autres, on prenait les appels des citoyens. Pendant une heure les lignes ont pas dérougi. « Vous direz à Bourassa que c'est une crisse de putain ! » « C'est la même p'tite crisse de putain qu'on a toujours connue ! » C'était rien que ça. Tout le temps, tout le temps. Des femmes, des hommes, des jeunes, des vieux. Pis nous autres, c'était comme un cauchemar, là. On comprenait le monde d'appeler, mais on se disait : « Il y a quelque chose qu'on sait pas, il y a une stratégie, il va arriver quelque chose demain, il va bloquer ça demain...

Le samedi, quand Bourassa ne fait que confirmer ce qu'il a dit la veille, Dumont doit se rendre à l'évidence. Il multiplie les appels, chez quelques membres du G7 (le groupe des sept cadres allairistes du parti). Notamment Pierre Saulnier, le président de la Commission politique, le responsable du rapport du Comité qui n'existe pas, celui qui a promis de ne pas se transformer en « dinde » qui perdrait un référendum. « Moi, je suis un libéral, dit-il à Dumont. Je serai jamais rien d'autre. Bourassa a accepté l'entente... Peut-être qu'il y aura d'autres bons moments dans le futur mais, cette fois-ci, on a manqué notre coup. C'est pas moi qui étais là, à Ottawa. Mais c'est fait, c'est fait ! »

G7 ? Plus maintenant. G6.

Tôt le dimanche matin, Dumont reçoit l'appel de Bourassa. Il est invité à Maplewood, pour un échange cordial entre libéraux. Dumont trouve un premier ministre « ben en forme », qui s'évertue à le convaincre en jouant sur plusieurs fronts à la fois. « J'ai senti qu'il testait des arguments de vente, rapporte Dumont. Il testait ce qui pouvait marcher. » Bourassa s'informe du même coup de la température de la Commission jeunesse.

* *La qualité de l'entente.* Bourassa en vante les mérites. Main-d'œuvre ? On l'a. Développement régional ? C'est réglé. Communications ? On a un gain. « On avait toute ! résume Dumont. Avec le pouvoir de dépenser, surtout, il disait : "Tu vas chercher la moitié d'Allaire." Pourtant, ça m'avait pas l'air si clair. » Dumont est surpris de ce qu'il entend. « Moi, j'avais pas de texte, j'avais

rien, dit-il. C'est pas facile d'argumenter. » Il demande à les voir, ces textes. Bourassa lui dit qu'ils ne sont pas encore prêts.

* *Le moment historique.* Bien sûr, on n'a pas absolument tout, admet le chef, mais quels sont nos autres choix ? « Il essayait de faire son gars qui avait une grande vision de l'histoire, dit Dumont. Avec le contexte économique actuel, c'était pas le moment pour faire la souveraineté, ce serait trop risqué, les gens sont pas prêts pour ça. » Et « les gens », bien sûr, veulent « garder cette carte dans leur manche* ». C'est donc, à la fois, les protéger et leur rendre service que de ne pas foncer, tête baissée, dans l'aventure souverainiste — bonne en soi, mais pas en ce moment. « C'était les mêmes rengaines, résume Dumont, mais avec plus d'énergie, parce qu'il sentait que ça allait mal. »

La menace autochtone. « On peut pas refuser ça, dit aussi le premier ministre, à cause des autochtones. » Déjà, le climat est tendu avec eux, explique-t-il, ce n'est pas facile. Mais dans l'entente, ils obtiennent « des gains historiques ». « Imagine qu'on leur enlève ça, ce serait la faute au Québec », dit-il. « Il pourrait y avoir des kamikazes là-dedans, ils font sauter un barrage, ils font sauter un pont ! Je te dis, Mario, pour la stabilité, on peut pas faire de meilleur choix que d'accepter cette entente-là ! »

* *La flatterie.* Quand rien ne fonctionne, rien ne fonctionne mieux que la flatterie. Bourassa s'y connaît. Et puisque Dumont, armé de sa seule connaissance médiatique de l'entente, s'escrime à lui trouver des lacunes, Bourassa l'en félicite. « Ah ! C'est bon que tu penses à ça. Tu vois, même Jean-Claude pis Gil ont pas accroché trop trop là-dessus. C'est pour ça que c'est important d'en parler avec du monde. Je vais dire à Jean-Claude qu'il fasse un *check* là-dessus, je te redonne des réponses. » De fait, Bourassa rappelle Dumont par la suite. « Il revenait avec des réponses, il disait : "Jean-Claude a vérifié ton point"... »

* *L'accompagnement.* Il est toujours difficile de renier une position passée, mais ce l'est moins quand on le fait en groupe. Selon une technique qui servira beaucoup au cours de la semaine qui s'ouvre, Bourassa fait donc « accompagner » Dumont par un autre militant. Le choix est un peu gauche, cependant, car Bourassa invite rue Maplewood Thierry Vandal, un fédéraliste bon teint qui n'a jamais vraiment flirté avec Allaire. Mais puisque Dumont est président de la CJ, il faut trouver une légitimité à l'autre invité. Vandal est président du « Comité de suivi » des engagements électoraux, donc également du programme constitutionnel. Vandal fait d'ailleurs semblant, ce jour-là, d'avoir « des doutes » sur l'entente. Surprise : Bourassa le rassure rapidement et Vandal, ainsi rallié, trace la voie. La ficelle est un peu grosse pour Dumont, qui n'en finit plus d'argumenter avec Bourassa, notamment sur les chances de succès de l'entente auprès de l'électorat. Vandal se formalise de tant d'arrogance et exprime son irritation. Bientôt, Dumont tire sa révérence.

---

* Cinq jours plus tôt, un sondage Léger et Léger a montré que 76 % des Québécois voulaient un « référendum sur la souveraineté à l'automne » — 4 % d'indécis seulement — et que 57 % seraient disposés à y répondre par l'affirmative.

De retour chez lui, il se met à prendre le pouls de la députation nationaliste. Il téléphone aux principaux suspects, les alliés de la CJ au moment de l'adoption du rapport Allaire : Jean-Guy Lemieux, Georges Farrah, Rémi Poulain, Serge Marcil, Michel Després, Benoît Fradet. Tous sont renversés par la faiblesse de l'entente. Ils conviennent de se réunir le mardi, lendemain de la réunion du caucus, pour parler stratégie, définir ensemble leur action au congrès du samedi.

Pendant la journée du lundi 24 août, plusieurs de ces députés allairistes se parlent, et discutent de la réunion du soir. Rémi Poulain et Jean-Guy Saint-Roch, par exemple, tentent d'anticiper le déroulement du débat : « Guy Bélanger va parler, Lemieux va parler, Benoît Fradet va parler, Serge Marcil va parler... » Il ne s'agit pas d'une coordination, mais d'une prévision. Saint-Roch promet de clore la marche, en faisant une synthèse à la fin.

Mais au même moment, Guy Bélanger est censé retrouver Robert Bourassa à ses bureaux d'Hydro-Québec à Montréal. Au téléphone, la veille, il lui a indiqué qu'il allait calquer sa démarche sur celle de Jean Allaire, ce qui n'était pas pour plaire à Bourassa. Bélanger n'est pas le plus influent des députés. Il est plutôt solitaire et inorganisé. Mais le caucus est comme une digue. Si un seul trou y est percé, on ne peut prévoir l'ampleur du déversement.

Le destin se charge cependant de protéger la digue, du moins en ce point faible : pris d'un malaise en après-midi, Bélanger se rend à l'Institut de cardiologie de Montréal où on l'hospitalise immédiatement. Il subit un quadruple pontage qui le mettra hors jeu pour les mois à venir.

Ce même lundi, Pierre Anctil réussit à accumuler assez d'information pour comprendre que l'entente sera extrêmement difficile à vendre aux nationalistes et aux électeurs. Il est surtout frappé du fait que les transferts de pouvoirs éventuels devront être négociés un à un, entre Québec et Ottawa, pour se concrétiser. Les maigres gains du Québec sont donc potentiels, non réels.

Il s'en ouvre à Bourassa : « Je pense que ce qui est mis au jeu au niveau des pouvoirs peut être intéressant éventuellement. Mais ce qui est acquis de façon immédiate va être décevant pour tout le monde. Une fois qu'on aura signé l'entente, le pouvoir de négociation qui va nous rester pour réaliser le potentiel contenu dans l'accord sera pas si élevé que ça. Donc, la meilleure chose à faire serait de dire : "Écoutez, on accepte en principe cet accord-là, mais on n'ira pas en référendum, on ne ratifiera pas l'entente, tant que les accords prévus n'auront pas été négociés. L'entente sur la main-d'œuvre, la formation, le perfectionnement, le développement régional, les communications. Qu'on les négocie, qu'on prenne trois, six mois pour les négocier, qu'on prenne le temps qu'il faut. Quand on les aura, on fera un référendum sur l'ensemble, avec les textes en main, et on saura de quoi on parle." » Anctil veut même attendre les résultats de la future « conférence des premiers ministres » sur les restrictions à imposer au pouvoir fédéral de dépenser. C'est effectivement le cœur du débat.

Le scénario Anctil préserve le rapport de force québécois, tire le maximum de suc du document de Pearson, et élargit la marge de manœuvre politique. « Ça va nous garder les nationalistes, argumente-t-il auprès de Bourassa, ça va vous garder votre pouvoir de négociation et je pense que c'est raisonnable pis ça va être accepté par la population. » Bourassa, qui n'a toujours pris aucun engagement quant au référendum québécois, ou national, ou pancanadien — sauf qu'il sait que Brian va le lui imposer — et qui n'a toujours pas fixé de date pour ce scrutin, encourage son conseiller à continuer sa réflexion en ce sens.

Fort de cet acquiescement mou, Anctil tente de convaincre les nationalistes. Dumont, d'abord, le rembarre : « L'entente n'est même pas une bonne base, dit-il. Même si on réalise tout le potentiel qu'il y a là, on ne peut pas le vendre. » En fait, il trouve Anctil presque comique : « On n'a rien [dans l'entente], mais ça nous prend des garanties pour nos miettes ! » Le président des jeunes craint surtout l'engrenage : « Si j'avais accepté ça, qu'est-ce qu'ils auraient fait à partir de là ? Ils m'auraient dilué ça encore davantage toute la semaine et, au congrès, on aurait eu un charabia qui n'aurait pas été respecté par Bourassa de toutes façons. Si t'avais la garantie que ce qui sort d'un congrès sera respecté, tu pourrais accepter bien plus de compromis. Mais moi j'avais compris, depuis le 10 mars 1991, ce que c'était qu'un congrès. La leçon était gravée là », dit-il en se montrant le front. « Fait que, ce qui comptait pour moi, c'était pas les mots de la résolution, mais les deux ou trois perceptions qui allaient sortir du congrès. »

Anctil tente ensuite sa chance chez Jacques Gauthier, allairien, membre du Comité qui n'existe pas et du G7. Gauthier est un ami depuis les batailles de l'Université de Montréal, un compagnon de route, un égal intellectuel. Et il est intéressant de noter qu'avec lui, Anctil laisse poindre le regret et parle d'un avenir qui n'est pas dénué d'ambition.

> Gauthier : On a regardé le *deal*. Pierre pensait qu'on pouvait encaisser les acquis de la négociation en disant : "La politique, c'est long. Dans 15 ans, nous, on pourra raviver le débat, on reviendra. Dire non c'est renoncer à un certain nombre de choses, sachant que Bourassa ne fera pas la souveraineté, ne s'engagera pas dans quelque autre processus et on n'a rien qui nous donne à penser que le débat puisse progresser, sauf avec Parizeau et sa *gang*, ce qui n'est pas rassurant."
>
> Je peux comprendre cet argument. Ce que Pierre disait c'est : notre cheval a pas le goût de courir pour sauter cette barrière-là. On peut pas le cravacher plus que ça. Moi je disais que la part de renoncement était hallucinante. On met de côté 50 ans de revendications traditionnelles. Avec sa résolution, il essayait de trouver une porte de sortie élégante.

« De toutes façons, je pense que la démonstration est faite, répond Gauthier à son copain. Le point de non-retour est passé, tout ce qui reste à faire c'est de passer à la souveraineté. » Anctil doit baisser les bras. S'il avait pu

404 LE NAUFRAGEUR

faire à Bourassa la preuve que sa proposition allait rallier certains des allairistes, elle aurait pris de l'altitude. Mais elle refuse de décoller. Devant Gauthier, il admet : « Ça a pas l'air de pogner au *bunker* non plus. » Tout au plus Bourassa écrit-il à Mulroney, le lendemain, une lettre où il lui demande « d'amorcer sans délais les négociations en vue de conclure, au plus tard d'ici six mois, des accords » sur les pouvoirs. Mulroney refuse de s'y engager.

L'INCOMPRÉHENSIBLE PÉRORAISON DE DANIEL JOHNSON

Le lundi après-midi, la trentaine de ministres du gouvernement de Robert Bourassa se rassemblent pour entendre le chef expliquer de quoi il retourne. Ils savent que le moment est historique. Ils savent que cette réunion est une des plus importantes auxquelles il leur sera donné de participer.

Lorsqu'on s'engage en politique, qu'on vend des cartes de membre, qu'on fait du porte à porte, qu'on gaspille ses samedis soir dans des clubs Rotary, optimistes, de l'âge d'or, qu'on se bat pour chaque parcelle de responsabilité, pour faire obtenir une subvention, signer un Livre blanc, réformer un programme, c'est qu'on veut se hisser jusqu'à l'endroit où les choses se décident. Et on veut y être au moment où les virages se prennent. On a payé sa place assez cher en énergie et en temps, toujours, en vie familiale gâchée, parfois, en illusions perdues, souvent.

Le pouvoir se comporte à la manière d'un mirage, qui recule à mesure qu'on pense l'approcher*. Mais chaque fois qu'un politicien franchit une étape dans son ascension, il a accumulé une parcelle de pouvoir, une parcelle de responsabilité supplémentaire. C'est d'autant plus vrai pour les ministres qui, dans le système politique québécois d'inspiration britannique, tiennent leur mandat, personnellement, des électeurs de leur circonscription et, collectivement, des électeurs d'une majorité de circonscriptions. Ils l'oublient souvent, mais c'est pour eux qu'ils travaillent. Pas pour le parti, pas pour le chef.

Très souvent, les politiciens ambitieux sont des gens têtus, qui ont des

---

* Le grand organisateur et éminence grise démocrate Robert Strauss a un jour décrit sa quête de pouvoir comme suit, dans le contexte de la politique présidentielle américaine : « Le pouvoir est une chose intéressante. Au début, je pensais que le pouvoir politique consistait à assister à un dîner réunissant des politiciens. Puis, j'ai pensé que le pouvoir politique consistait à organiser un dîner avec des politiciens. Puis, j'ai pensé que ça consistait à se faire inviter à loger au même hôtel qu'un candidat à l'investiture présidentielle, au moment de la convention. Je me tenais dans le couloir à la sortie de la suite de Sam Rayburn [figure politique démocrate des années 50] et j'étais très impressionné. Puis, j'ai été admis dans le salon d'une de ces suites, et j'étais très impressionné. Puis, je me suis rendu compte que toutes les décisions étaient prises, avec le candidat, derrière la porte de la chambre à coucher. Finalement, j'ai été invité dans la chambre à coucher avec les derniers 8 ou 10 individus les plus proches du candidat. Là je pensais que j'étais arrivé dans le cénacle — jusqu'à ce que j'apprenne que le candidat et ses plus proches conseillers disparaissaient parfois dans la salle de bain. À la fin, il n'y avait plus que Jimmy Carter, [son chef de cabinet] Hamilton Jordan et moi, dans la salle de bain. C'est là que la vraie décision se prenait. »

opinions sur tout, qui y tiennent et qui se battent. Engoncés dans le système des partis, qui impose la solidarité sans laquelle l'action gouvernementale manquerait de cohésion, ils ne peuvent clamer publiquement leurs désaccords. Deux espaces sont aménagés pour ces débats, ces défoulements : les réunions du Conseil des ministres, celles du caucus. Au-dehors, on ne doit former qu'un bloc. Au-dedans, on peut laisser parler sa conscience.

Le premier ministre, c'est sûr, a le pouvoir que l'on sait : « immense », dit Bourassa, découvrant au premier jour de son mandat un pouvoir présidentiel à la française. « Si les ministres ne sont pas d'accord, ils peuvent toujours démissionner », écrit-il un jour. C'est leur arme ultime.

Mais le Conseil des ministres peut aussi servir de frein majeur. Confronté à une révolte de 5, 10 ou 15 ministres sur un point important de son programme, le premier ministre, si puissant qu'il soit, doit recalculer sa trajectoire. C'est d'autant plus vrai lorsque le projet qu'il propose prête flanc à la critique. Lorsque le projet qu'il propose est plein de trous.

Ce lundi 24 août, les ministres du gouvernement Bourassa doivent discuter à chaud d'une entente dont ils n'ont pas reçu le texte. Ils ont tout au plus quelques pages, trois ou quatre, selon trois d'entre eux, où ont été inscrits des points, comme des têtes de chapitre. Bourassa et Rémillard partent de ces points pour expliquer le contenu de l'entente. Il faut les croire sur parole.

Dans un premier temps, les ministres doivent faire l'apprentissage de l'entente. Plusieurs posent des questions sur les gains ou les pertes qui concernent leurs secteurs d'activité. Selon un des témoins, André Bourbeau, responsable de la main-d'œuvre, n'est pas très heureux de la timidité de l'accord dans ce domaine. « Il trouvait que ça allait pas assez loin*. » Monique Gagnon-Tremblay, responsable de l'immigration, n'arrive pas à comprendre si l'entente administrative sur l'immigration qui existe déjà entre le Québec et le gouvernement fédéral sera, ou non, protégée dans la constitution aussi bien que dans Meech. Elle n'est pas la seule dans le noir à ce sujet. Christos Sirros, responsable des affaires autochtones, ayant participé à la négociation, « essayait avec beaucoup de scepticisme de défendre le *deal* sur les autochtones. Bacon posait des questions là-dessus », résume Rivest.

Pendant une bonne heure, Bourassa et Rémillard répondent aux questions. Claude Ryan se demande s'il est bien prudent de donner son aval à un changement constitutionnel de cette ampleur sans pouvoir consulter les textes de l'entente. (« M. Ryan s'exprimait au nom du groupe. En disant ça, il reflétait l'opinion générale », se souvient Marc-Yvan Côté, étonné de cette pénurie de

---

* Ce n'est cependant pas ce qu'il dit, à la sortie, aux journalistes. L'entente, dit-il, « signifie qu'il y aura une seule structure de formation de la main-d'œuvre au Québec au lieu d'en avoir deux ». On ne sait pas s'il est désinformé ou s'il désinforme. L'entente, elle, stipule que « le gouvernement fédéral devrait conserver sa compétence exclusive à l'égard du soutien du revenu et des services connexes qu'il fournit dans le cadre du régime d'assurance-chômage ».

réelle information. « C'est toujours dans les détails qu'on est questionneux, dit un autre ministre, et là on sait pas trop comment ça va se rattacher. ») Cela dit, personne ne pousse l'audace jusqu'à suggérer que le Conseil des ministres réserve sa décision jusqu'à ce que des textes lui soient soumis.

En tant que ministre de la Sécurité publique, Ryan veut s'assurer que les lois québécoises s'appliquent vraiment dans les futures zones autochtones. La réponse qu'on lui donne est trop aléatoire à son goût.

« M. Ryan trouvait qu'on s'en allait pas au référendum avec quelque chose de ben, ben substantiel nous permettant d'espérer quoi que ce soit, rapporte un participant. Mais il disait que, quand il regardait tout ce qui s'était passé historiquement, pis il faisait référence un peu au temps où il était au *Devoir* [...] c'était ce qu'on était allé chercher de mieux depuis ben des années. »

La question de savoir si cette entente constitue, en soi et hors contexte, un gain net pour le Québec ne sera sans doute jamais tranchée. À son actif, on trouve effectivement quelques désengagements fédéraux par rapport au *statu quo*, à négocier et à renégocier. À son passif, on trouve la boîte de Pandore du volet autochtone et la bombe à retardement du Sénat égal.

Deux éléments de contexte pousseront beaucoup de fédéralistes à lui trouver bien des attraits : 1) La conscience que ces maigres acquis constituent l'absolu maximum de flexibilité disponible dans le système fédéral. Puisque, en tant que Québécois fédéralistes, ils veulent rester dans le pays, ne vaut-il pas mieux avaler ces hors-d'œuvre ? Compte tenu de la tendance canadienne à l'homogénéisation, ils sont convaincus que le plat ne repassera plus. 2) La crainte qu'un refus n'accélère la marche vers la souveraineté honnie.

Une demi-douzaine de ministres de Bourassa peuvent être placés d'emblée dans cette catégorie, favorable au « *statu quo* plus » : les John Ciaccia, Sam Elkas, Pierre Paradis, Louise Robic, Normand Cherry, Robert Dutil.

Mais pour tous les autres, rien ne dit que cette dynamique s'impose. Car qui sont ces ministres québécois placés, ce lundi 24 août 1992, devant la plus grande réforme constitutionnelle proposée aux Canadiens depuis 1867 ? Presque tous ont voté la loi 150. Deux d'entre eux — Claude Ryan, Gil Rémillard — ont signé le rapport Bélanger-Campeau. Une grande majorité, y compris Lise Bacon et André Bourbeau, ont voté, et appuyé publiquement, le rapport Allaire. Il y a un an, entre le quart et le tiers d'entre eux se disaient, en privé, prêts pour la souveraineté.

Une fois terminé le tour d'horizon technique sur les éléments principaux de l'entente, une fois bien imparfaitement mesurés les avances et les reculs, la question de principe reste posée : accepter ou rejeter le « paquet ».

Le cas Ryan, comme toujours, est le plus intéressant. L'entente rapportée d'Ottawa par Bourassa et Rémillard pour un règlement satisfaisant du problème canadien n'est conforme à aucun des critères établis par Ryan au cours des 22 dernières années. Son Livre beige de 1980, ode à la dualité canadienne, est en tous points l'antithèse de l'entente de Pearson, ode à l'égalité des 10 provinces. Au début de 1991, Ryan avait défini une position plus ferme : on pose des conditions minimales, sinon, on part ! Dans le document confidentiel qu'il a remis en janvier 1991 aux allairiens, puis dans ses propres modifications proposées au rapport Allaire, il réclamait pour le Québec « un pouvoir de législation prépondérant en matière linguistique ». L'entente de Pearson n'est pas complètement muette à cet égard. Ryan en conviendra à l'Assemblée nationale, elle ouvre la porte à de nouvelles contestations de la législation linguistique*. Dans son document de janvier 1991, Ryan réclamait aussi une « révision en profondeur » du « partage des pouvoirs ». Et si le congrès libéral de mars 1991 avait adopté l'intégralité des amendements que Ryan proposait d'apporter au rapport Allaire, le parti aurait toujours réclamé le retrait total du fédéral de 11 champs de compétence, et la dévolution au Québec de 4 pouvoirs exclusifs supplémentaires. L'entente de Pearson est à des années-lumière de ces exigences.

Que proposait Ryan, en cas d'échec des négociations ? Dans son document, il écrivait : « ... à défaut de quoi le Parti libéral du Québec recommandera que la population du Québec soit invitée par voie de référendum à se prononcer en faveur de la souveraineté politique ». Voilà pourquoi Ryan n'a nullement proposé de modifier l'article 2b2 du rapport Allaire, qui imposait cette guillotine. Voilà pourquoi Ryan n'a nullement bronché au moment de s'associer, dans un *addenda* trop peu lu, au rapport Bélanger-Campeau qui reprenait ce dispositif. Nullement résisté au moment de voter la loi 150, qui légalisait cette menace.

Si on devait s'attendre à ce que quelqu'un, dans cette enceinte, fasse preuve de cohérence intellectuelle, de conscience politique, de rectitude, il fallait se tourner vers Claude Ryan. Si on voulait identifier, autour de cette table, un personnage indépendant d'esprit, ne devant rien à personne, n'attendant aucune faveur, car en fin de carrière, il fallait nommer Claude Ryan. Exprime-t-il une hésitation ? Mesure-t-il le gouffre qui sépare la chose promise de la chose livrée ? Soulève-t-il seulement la nécessité d'ouvrir un débat ? Introduit-il la notion du Pacte, conclu puis plusieurs fois renouvelé depuis le jour de la mort de Meech entre le gouvernement, le parti dont il fut naguère le chef, et les électeurs ? Claude Ryan ne fait rien de tel. Claude Ryan ne fait rien.

---

* Une fois qu'il aura lu le texte de l'Accord, paraphrasant une de ses dispositions, Ryan déclarera à l'Assemblée nationale : « Il pourra arriver [...] que des jugements de cour nous invitent à réviser des mesures qui auraient été jugées incompatibles avec l'épanouissement et le développement de notre minorité linguistique. Dans de tels cas, au lieu de crier au scandale, nous devrons d'abord examiner sincèrement notre conduite afin de voir si elle pourrait être modifiée. » Cette admission ne l'empêche pas de conclure que les pouvoirs du Québec en matière de protection du français sont « renforcés ». Gil Rémillard, lui, affirme que la loi 101 est protégée « mur à mur » par l'Accord.

Puis il y a la poignée de ministres nationalistes : Marc-Yvan Côté, Yvon Picotte, Michel Pagé, Lawrence Cannon, Liza Frulla.

De par ses fonctions de ministre régional et d'organisateur, Côté est considéré comme « le » ministre représentant l'aile nationaliste. Au moment de l'élaboration du rapport Allaire, Côté était un tenant de la stratégie : « souveraineté d'abord, négociations ensuite ». Refroidi par le discours de Bourassa à la clôture du congrès de mars 1991, il continuait néanmoins à tenir un discours nationaliste. « Le recentrage de M. Bourassa m'allait, explique-t-il, sachant que c'était une ultime étape qui, si elle n'aboutissait pas, devrait nous amener éventuellement à des gestes pas mal plus importants. » En mai 1992, il affirmait au *Soleil* : « C'est clair qu'il y a des ministres plus fédéralistes que d'autres. Moi, je le suis moins que je l'étais. Pas mal moins. » Et il annonçait que, s'il ne s'attendait pas à ce que le Canada adoptât le rapport Allaire « à la lettre », il comptait tout de même sur une révision « assez substantielle » du partage des pouvoirs dont, « une pièce maîtresse est le pouvoir de dépenser ».

À Jean Allaire qui l'appelle, au début d'août, pour l'informer que les associations libérales fédéralistes comptent louer des autobus pour « paqueter » le congrès du 29 août — ce ne sera pas le cas, mais la rumeur court — Côté, rageur, répond : « Câlisse, nous autres aussi on peut faire la même chose ! » Juste avant la négociation de Pearson, conscient que la barre baisse de plus en plus, Côté dit encore à Guy Bélanger : « Si on n'a pas le contrôle sur la main-d'œuvre, je regrette, moi, j'embarque pas ! ». Il le dit aussi à Bourassa. Lors d'une des réunions du « comité des enjeux » organisées par John Parisella au printemps et à l'été de 1992, on discute un jour de ce que sera la position minimale du Québec à la table des négociations. Meech, bien sûr. Mais encore ? La main-d'œuvre. Toute. « Il était clair à ce moment-là que ce qu'il y avait sur la table, c'était pas mirobolant, résume Côté. Il fallait un signal très évident. La formation de la main-d'œuvre, moi, ça m'apparaissait le minimum à aller chercher. Pis effectivement, dans la mesure où ça c'était pas là, moi j'étais pas là. » (Côté a fait cette déclaration devant des collègues, mais en entrevue, Robert Bourassa affirme ne jamais avoir entendu parler de cette « position minimale ».)

L'effet d'entraînement considérable qu'il peut exercer sur les militants libéraux confère à Côté une responsabilité particulière. Il en est conscient et il avoue à l'auteur qu'il aurait suivi son chef Robert avec joie sur le chemin de la souveraineté. Mais voilà, Robert pourra toujours compter sur Marc-Yvan. Dès la fin des négociations de Pearson, il a, comme Rivest, « fermé ses lumières ». Lors d'une conférence téléphonique avec des conseillers de Bourassa pendant la fin de semaine, « il était déjà passé à l'autre étape », se souvient Anctil, « il questionnait pas ce qu'il y avait dans l'entente. C'était : "Bon, là on a juste une *job* à faire, c'est vendre." Il l'a fait tout de suite... Ça m'a frappé. Et il avait une position très "poing-sur-la-table", c'est son genre, très conforme au personnage. » Allaire, Bruxelles, Pearson, peu importe le sens de la marche, Côté est toujours prêt pour l'offensive. « Il était disposé à faire ce qu'il fallait pour passer la vague, résume Anctil. Je ne peux pas qualifier ses dispositions idéologiques. » Au Conseil des ministres du 24 août, donc, Côté trouve la réforme bien mince, mais il met de côté ses « dispositions idéologiques ». Il est colonel dans l'armée bourassienne. On ne pose pas de question, on ne réfléchit pas. En avant, marche !

Quand on lui demande si, au cours du printemps et de l'été, il s'est « fédéralisé », l'autre ministre nationaliste turbulent, Yvon Picotte — qui poussait les jeunes à en rajouter au congrès de mars 1991 —, affirme n'avoir jamais flanché. « J'avais mandaté mes gens, dans mon esprit à moi, pour aller discuter sur la base des discussions du rapport Allaire », dit-il. Et pendant toutes les allées et venues, « c'est évident que j'ai toujours le rapport Allaire comme garantie, en toile de fond. [...] Il était voté par le parti. Pis on a dit : "Ça prendra une autre rencontre des militants pour le changer." » La partie du rapport que le ministre de l'Agriculture affirme préférer est celle qui « élimine les dédoublements », ce qui était « une solution aux problèmes économiques du Canada, pis des provinces, pis de tout le monde », car « pendant ce temps-là, le taux de chômage grimpe ».

Lorsqu'on lui présente une entente qui n'élimine pas les dédoublements et qui ne règle pas, donc, les problèmes économiques de tout le monde, Picotte effectue un agile glissement conceptuel. Il insiste sur le déclenchement d'un référendum, pour que les gens puissent se prononcer, pour ou contre. Lui-même n'est pas très chaud : l'entente n'est « pas ce que je souhaite, moi, ça va pas aussi loin que je souhaiterais que ça aille, précise-t-il. Mais je me dis : il faut quand même tenir la consultation. » Car il pense que l'engagement du parti, du gouvernement, le sien propre s'arrêtent là : que les gens votent sur l'entente. Point final.

C'est le principe de l'escalier, dit-il. On monte une marche, il y en aura d'autres après. (Dans les semaines qui suivront, Picotte recourra à la métaphore du billet de loterie : « Tu l'achètes pour gagner le million, tu gagnes juste 250 000 dollars, est-ce que tu dois le refuser ? »)

Michel Pagé, le ministre de l'Éducation, n'a pas été mêlé d'aussi près que Côté et Picotte aux épisodes précédents. Mais, de loin en loin, il a exprimé sa profonde déception à l'égard du Canada, et son intérêt pour la question de Bruxelles. Deux mois après Pearson, alors qu'il aura quitté la vie politique pour entrer dans le monde des affaires, il se dira très attiré par le concept de souveraineté-association : une évolution qui ne tient pas de la génération spontanée. De même, Lawrence Cannon fut un des derniers à avoir le cran de défendre publiquement le rapport Allaire, au printemps de 1992, lorsque Brian Mulroney s'en servait gaiement comme d'un paillasson.

Le 24 août 1992, Michel Pagé et Lawrence Cannon, s'ils participent au débat, ne posent aucune question de fond, n'évoquent pas leurs convictions, ni ne critiquent la volte-face que leur chef est en train d'imposer au parti.

De tous, la plus outrée est Liza Frulla, responsable de la culture. Il y a deux mois, elle a publié un Livre blanc qui présupposait le rapatriement de beaucoup de pouvoirs fédéraux. On ne lui offre qu'un hochet. Elle annonce qu'elle « va avoir des problèmes », mais Rémillard lui fait miroiter, à cette première étape, plus de gains que l'entente n'en comporte.

Elle fera sa vraie sortie au Conseil de la semaine suivante, lorsqu'elle se rendra compte que Rémillard a quelque peu exagéré. Mais déjà, elle est fort troublée par ce qu'on lui présente. « Ils vont rire de moi en Chambre », redoute-t-elle en privé plus tard dans la semaine, anticipant les railleries des péquistes. « Gil m'a pas beaucoup aidée », se plaint-elle encore, « ils négocient la culture, mais ils comprennent rien ». Pourquoi n'intervient-elle pas publiquement ? « Je peux pas tellement sortir, parce que ça me prend les textes », explique-t-elle, mais elle tente de convaincre Jean-Guy Lemieux et Jean-Guy Saint-Roch de déclencher le chahut à sa place, au congrès, pour montrer, précise-t-elle, « que j'ai du monde derrière moi ».

On pourrait poursuivre la liste, mais à quoi bon ? André Vallerand, qui avait signifié son appui discret au rapport Allaire, dira tout à l'heure devant les micros des journalistes que « c'est mission accomplie pour le premier ministre » ! Lucienne Robillard, qui avait diplomatiquement défendu la position des jeunes au congrès de Saint-Jean-sur-Richelieu deux semaines plus tôt, pratique l'immobilisme politique. Etc.

Cinq témoins et participants le proclament : personne, autour de cette table, ne propose de dire non. Personne, autour de cette table, ne propose même de discuter de la possibilité de dire non. Personne, autour de cette table, ne prononce le mot Bruxelles, le mot souveraineté, les mots engagement, cohérence, respect de la parole donnée.

« J'ai pas le souvenir que ça ait été un Conseil des ministres difficile », résume Bourassa. Des réticences, des déceptions, bien sûr. « Sur le pouvoir de dépenser, la plupart trouvaient que c'était pas beaucoup. Je l'avais dit moi-même », ajoute-t-il.

Daniel Johnson, président du Conseil du Trésor, demande maintenant la parole. Chacun sait, autour de la table, que Johnson a eu horreur de toute la stratégie bourassienne, du début jusqu'à la fin : le flirt nationaliste, la commission Bélanger-Campeau, la loi 150, le couteau sur la gorge. Il était contre l'idée du bluff. Il était contre l'idée d'utiliser un bluff auquel on ne croit pas, et auquel les autres savent qu'on ne croit pas. (« Un ultimatum est valable seulement si tu vas l'exercer », explique-t-il à l'auteur. Donc, « ça n'avait aucun sens ! ») Les rares interventions de Johnson dans le dossier donnaient à penser qu'il était encore plus fédéraliste que Ryan, note un ministre. C'est un fait, car contrairement à Ryan, Johnson n'envisage sous aucun prétexte la rupture du lien canadien.

Il n'en a cependant pas moins quelques idées sur le type de réforme à apporter à « son » Canada. Il avait fait la campagne du référendum de 1980 en affirmant qu'un vote pour le Non était un vote « pour un changement profond de la fédération canadienne. [...] Cela consiste à demander aux Canadiens des autres provinces de reconnaître à l'intérieur du Canada deux nations. » Blessé par le rapatriement unilatéral de 1982, il s'y était opposé à l'Assemblée nationale, et n'a pas cessé depuis de réclamer l'imposition d'un corset au pouvoir fédéral de dépenser. « L'*encroachment* du fédéral nous coûte une fortune, dit-il. C'est ça qui donne 30 milliards de déficit fédéral par année, essentiellement. »

Johnson, c'est son boulot, est obsédé par les problèmes de coût. Combien coûteront aux contribuables québécois et canadiens les futurs gouvernements autochtones ? Il ne le sait pas. Il ne pose pas la question. « Les premiers ministres du Canada, dans leur grande sagesse, ont considéré que ça valait la peine », lance-t-il en entrevue quelques mois plus tard, un soupçon d'ironie dans la voix.

Mais sur le pouvoir de dépenser, son dada, Johnson n'est guère impressionné : « Il n'y en avait pas assez, notamment. » Son opinion globale sur l'entente ? « Il est exagéré de dire que le Québec s'est fait traverser. » Exagéré. Bon choix de mot. Quoi d'autre ? « Je trouvais qu'on était loin... Comment dire ? Je pensais qu'il y avait plus de potentiel d'atteindre la perfection et l'équilibre. [...] Il était difficile de s'enthousiasmer », dit-il encore. « Difficile de soutenir de façon cohérente l'ensemble du dossier. Il y avait presque des morceaux qui se contredisaient les uns les autres. » Sur le fond, résume un collègue, « l'Accord ne l'impressionnait dans aucun domaine ».

Pourquoi Daniel Johnson ne dit-il pas, comme d'autres fédéralistes déjà cités, que ces quelques éléments imparfaits jetés sur la table sont toujours bons à prendre, qu'il faut donc dire oui, et qu'on avisera pour la suite ? Deux raisons : Johnson est un fédéraliste optimiste. Malgré 1982, malgré Meech, malgré Pearson, il pense encore qu'un jour viendra où le Québec obtiendra ce qu'il voudra. Ou du moins en obtiendra un peu plus. Il rêve — il le dit — d'un futur *magic moment*. Surtout, comme Pierre Anctil, il craint que le Québec ne perde, ne gaspille en fait, son pouvoir de négociation en acceptant cette entente, en réintégrant la constitution à vil prix. Quand on a dit oui, pense-t-il, c'est fini.

L'ancien premier ministre albertain Peter Lougheed, dans un discours qu'il prononcera à Toronto un mois plus tard, résumera très exactement cette problématique : « N'oublions pas que la vraie motivation derrière l'Accord est la signature du Québec. Et quand on aura obtenu cette signature, ce sera fini. Même si de nouvelles demandes sont faites par les forces minoritaires nationalistes au Québec ou par d'autres provinces, le reste du pays ne tolérera pas que le dossier constitutionnel redevienne une priorité. »

En entrevue, quand on demande à Johnson s'il craint qu'en acceptant l'entente, le Québec ne renonce au pouvoir de négociation qui est le sien depuis le rapatriement unilatéral de 1982, on obtient cette réponse, éloquente dans le non-dit autant que dans le dit :

« [Soupir] Difficile. [Nouveau soupir.] »

Mais nous voilà au Conseil des ministres. Johnson est un ministre important du gouvernement. Figure fédéraliste emblématique. Porteur d'une légitimité familiale — Daniel père ayant inventé le slogan « égalité ou indépendance ». Ex-challenger, en 1983, de Robert Bourassa pour la direction du parti. Futur candidat, tout le monde s'en doute, dans la prochaine course. Que Daniel Johnson dise, aujourd'hui, qu'il faut rejeter cette entente pour des raisons fédéralistes, qu'il le dise publiquement, et elle périra. Il détient ce pouvoir, comme Rémillard l'avait, trois jours plus tôt, à Pearson.

Il prend donc la parole, pour 5 à 10 minutes. Les témoins s'entendent sur le récit suivant : « C'est un peu compliqué, ce que Daniel a dit. Au début de son intervention, c'était plutôt contre l'entente. Tout le monde s'est demandé ce qu'il voulait dire. Je me souviens qu'il y a eu une espèce de scepticisme. Finalement, on s'est aperçus à la fin de l'intervention qu'il était plutôt pour. C'était un peu curieux comme réponse. »

Quand il a eu fini de parler, se souvient un ministre, « la réaction était : "Est-il pour ? Est-il contre ?" »

De ce laïus tortueux — Johnson a pu changer d'avis à mi-parcours — on retient des bribes : « c'est une commande ben difficile », « il n'y a pas un élément symbolique important pour aider à vendre ». Puis, à la fin, « il dit qu'il se fie entièrement à M. Bourassa pour tirer son épingle du jeu ». Une façon comme une autre de lui indiquer qu'il est seul responsable.

Voilà. Le dernier obstacle potentiel est franchi. Tout le monde s'aligne derrière le chef. Celui qui a promis « une réforme en profondeur ou la souveraineté » ne livre ni l'une ni l'autre, et conserve 30 ministres sur 30. On comprend qu'il trouve la chose « extraordinaire ».

Reste à préparer la suite des choses. Ce référendum. Comment s'y prendre ? On l'a déjà dit, le Parti libéral ressemble davantage à une foire commerciale qu'à une université. On se met donc tous à discuter de « vente ». Et là, les ministres naguère partisans du Pacte dont on aurait pu penser qu'ils se feraient les porte-parole et les relais de la volonté populaire disant non à l'entente, se font simples lecteurs de la volonté populaire, et prédisent que l'électorat, lui, saura dire non.

C'est le festival des Cassandre : Marc-Yvan Côté, Yvon Picotte, Yvon Vallières, Robert Middlemiss, Daniel Johnson (dans son cas, il n'est pas certain qu'il l'ait dit au Conseil, mais il l'a répété en privé). « Il y avait une bonne majorité qui croyaient qu'on gagnerait pas, résume un ministre. Peut-être pas pour les mêmes raisons. Mais tous ceux qui s'exprimaient de cette façon-là disaient toujours après : "Ben, M. Bourassa est tellement convaincant que c'est surprenant. Il peut réussir probablement à convaincre les Québécois, tsé ?" »

Au moins, ils lui donnent un conseil : en aucun cas il ne faut laisser les Québécois voter en même temps que les autres Canadiens.

Marc-Yvan Côté : La très grande majorité des gens s'exprimaient en faveur d'un référendum séparé. Après nous avoir dit non à Meech, que le Canada nous dise oui, et après ça on pourra faire la bataille du Québec.

Ils le pensent si fort qu'ils le disent encore à la sortie du Conseil des ministres. « On devrait attendre, lance Yvon Picotte, de voir ce que les autres provinces ont à dire. » Si elles votent Non, pourquoi s'infliger une défaite ? Le ministre de l'Éducation, Michel Pagé, est encore plus net : « Les autres provinces devraient voter d'abord, le Québec ne se laissera pas humilier une seconde fois. » Même le ministre responsable, Gil Rémillard, annonce que « c'est certain qu'on ne sera pas les premiers, on va être les derniers » (mais il parle peut-être de la ratification, pas du scrutin). Le député Jacques Chagnon affirme de même : « On serait fous de commettre la même erreur qu'avec l'entente de Meech ».

Au Conseil des ministres, seuls les fédéralistes à tout crin comme Louise Robic et John Ciaccia défendent la thèse d'un référendum pancanadien simultané.

Voilà donc le plus haut degré de combativité qui s'exprime au sommet de l'appareil gouvernemental. Insatisfaits du contenu de l'entente, empêchés, même, d'en lire le texte pour en apprécier toute la vacuité, convaincus de la défaite à venir — parce que bons lecteurs de la volonté populaire —, les ministres n'ont qu'un sursaut : n'obligez pas inutilement nos électeurs à nous dire non. Ne votons pas tant que nous ne serons pas certains que le Canada nous offre vraiment ces miettes, qu'elles resteront bel et bien sur la table.

« Ça aurait été idéal, convient Bourassa. Mais les autres provinces disaient : "Tout à coup on vote pour, pis le Québec dit non après, on aura l'air de quoi ?" » Il ne se souvient pas que ses ministres aient été « insistants » sur ce point.

La réunion maintenant presque terminée, les 30 élus du peuple québécois se lèvent pour offrir à Robert Bourassa une ovation debout unanime.

« On est tous partis, tous tant que nous sommes, assez penauds devant cette situation-là, résume un ministre nationaliste. Puis on a dit : "Respectons notre engagement, allons consulter la population, pis croisons-nous les doigts, fions-nous à la bonne étoile du chef." »

LE SILENCE DES AGNEAUX

Château Frontenac, salle Frontenac. En début de soirée, ce même lundi 24 août, c'est le rendez-vous du caucus des députés libéraux. Avant de s'y rendre, plusieurs députés, dont Georges Farrah et Jean-Guy Saint-Roch, font un arrêt au bar Champlain. Depuis plusieurs mois, les députés s'attendent à la tenue, au moment crucial, d'un caucus « à la 178 ». Au moment de l'adoption de cette loi sur l'affichage, en 1988, une longue réunion du caucus avait fourni à chaque député l'occasion de s'exprimer, avant que Bourassa prenne sa décision. Une rencontre studieuse, franche, tendue. Depuis la mort de Meech, la question constitutionnelle n'a été qu'un sujet marginal aux réunions du caucus, dont la dernière remonte à juin, deux mois plus tôt. Cette fois, on s'attend à entrer dans le vif du sujet.

On n'en est que plus nerveux. Au bar Le Champlain, les députés nationalistes jouent à qui parlera le premier, et le dernier. À l'entrée de la salle Frontenac, ils voient que les journalistes ont harponné Jean-Guy Lemieux. Il est en verve. « On passe d'un fédéralisme dominateur à un fédéralisme rigide », dit-il, précisant qu'il est « le serviteur du PLQ, mais pas son esclave ». Il brisera la glace, il ouvrira la brèche, pensent ses collègues.

Ceux qui savent, savent que rien n'est encore joué. Jean-Claude Rivest parle des « craintes évidentes » qui courent au *bunker* à l'égard de membres du caucus qui pourraient ne pas suivre la marche. Yvon Picotte est presque résigné à en perdre quelques-uns : « On se dit [entre ministres] qu'on a tellement peu de chances de gagner ce référendum-là que s'il faut qu'on ait en plus des défections à l'intérieur, ça va amenuiser nos chances davantage. Ça c'est fatigant. Mais on se dit : en politique, chacun prend sa décision. » Parlant de Lemieux, il ajoute : « S'il décide de partir, il part, on peut rien faire. » Marc-Yvan Côté est net : « Le congrès s'est réglé au caucus. »

Lorsque les députés entrent dans la salle Frontenac, une première surprise les attend : la disposition de la salle. Lorsque la direction veut susciter un débat sérieux, elle dispose les tables dans le plus petit carré possible, pour rapprocher les 90 participants. Lorsqu'elle veut faire un spectacle, elle crée le carré le plus large possible, pour que les caméras de télévision puissent s'y promener en début et en fin de séance. Ce soir, le carré est très grand.

Les ministres et le premier ministre sont arrivés, les portes sont closes, on peut commencer. Le président du caucus est Marcel Parent, un ancien membre du comité Allaire, un de ceux qui ont voté oui à la souveraineté à la réunion de l'Alpine Inn. Ce soir pourtant, il affirme que « le Parti libéral est fédéraliste. Ceux qui ne sont pas fédéralistes vont avoir des problèmes. » Il accueille Bourassa comme « celui qui a négocié l'entente du siècle » et appelle ses collègues à lui rendre hommage, dans une ovation debout.

Henri-François Gautrin, pilier fédéraliste du caucus, se souvient que « l'ensemble des députés du caucus se sont levés et ont applaudi très fortement pendant au moins 5 à 10 minutes et puis... — ça crée une tendance *[ici, Gautrin s'interrompt pour rire un peu]*. Quand un caucus commence par une *standing ovation* de plus de 10 minutes, même si quelqu'un avait des réserves, c'était un peu difficile pour lui de les exprimer. »

C'est sûrement un gag. La conviction d'hommes et de femmes politiques ne peut se plier à ce genre de conditionnement.

« Tu peux pas rester assis dans ces cas-là, raconte Jean-Guy Saint-Roch. Tu te lèves avec hésitation, moi inclus. Mais t'es moins vigoureux dans tes applaudissements. »

Tous les députés nationalistes participent à cette ovation préventive. Mario Dumont, à qui certains d'entre eux décriront la scène le lendemain, la résume ainsi : « Ils se sentent obligés de commencer à applaudir comme des marionnettes, pis à un moment donné ils ont tellement applaudi qu'ils osent plus poser de questions. »

Bourassa et Rémillard présentent l'entente pendant quelques minutes chacun. Une feuille, peut-être, est distribuée aux députés, mais rien de plus. « Bien sûr, j'étais frappé de ne rien avoir d'écrit devant moi, se souvient Gautrin. Mais le geste politique important était le fait qu'il y avait une entente et c'est ça qui comptait pour moi. Beaucoup plus que le contenu de l'entente. Faisant confiance à M. Bourassa, je me disais que s'il y avait une entente dont il était partie, le contenu de l'entente était acceptable. Et je pense que ça a été la position très fortement majoritaire de mes collègues. »

C'est sûrement un gag. La conviction d'hommes et de femmes politiques ne peut se résumer à ce genre de raisonnement. Nous sommes en présence de *législateurs*. De gens dont la fonction est de discuter, d'amender, d'adopter des textes de lois. Il est question maintenant de la loi fondamentale du pays. Logiquement, ils vont vouloir lire avant de signer...

La période de questions est maintenant ouverte. Guy Bélanger, sur le billard à l'Institut de cardiologie, n'est pas là pour ouvrir la marche, si tant est qu'il l'aurait fait. On attend la charge de Jean-Guy Lemieux. Elle ne vient pas. Il reste muet.

> Lemieux : Monsieur Bourassa m'a regardé, pis j'ai fait non de la tête. Je suis allé le voir quand il s'est levé du caucus. Je suis allé le voir. J'ai dit : « Faites attention, on a aussi d'autres clientèles. » [...] Clément Patenaude [conseiller de Bourassa] est venu me dire : « Pourquoi, Jean-Guy, t'es pas intervenu ? » J'ai dit : « Pourquoi ? Quand je vais à la guerre, c'est pour la gagner, c'est pas pour la perdre. Tout est déjà organisé, tout est déjà fait. Le peuple vous donnera votre verdict. »

Jean-Claude Rivest est un peu surpris, aussi, du mutisme du plus trublion des députés nationalistes. « L'affaire que j'ai pas saisie, dit-il, c'est Jean-Guy Lemieux. Ça a été très facile. Je sais pas pourquoi. Ça m'a surpris[*]. »

Surpris à ce point que John Parisella, plus tard dans la semaine, voudra vérifier qu'il n'a pas eu la berlue. Il appellera Lemieux pour s'assurer que tout va toujours bien. La conversation tient plus de la pathologie que de la politique. C'est Lemieux qui raconte :

> Lemieux : Voulez-vous que je vous dise ce que j'ai dit à Parisella, hein ?
>
> L'auteur : Oui.

---

[*] Certains diront que Lemieux s'est tenu coi par intérêt, car son épouse, vice-présidente de la Régie des Télécommunications, devait son emploi au bon vouloir du premier ministre. Mais les dates ne concordent pas. Au moment où ce débat a lieu, le mandat de Mme Lemieux est encore valide pour deux ans. Et c'est elle qui pousse son mari à s'opposer à l'entente. « C'est pas facile de vivre ça, là, raconte Lemieux, je couche avec tous les soirs ! » Mais le député Lemieux — volonté de fer — résiste à la tentation de succomber à ses convictions.

Lemieux : J'ai dit : « Dites-lui [à Bourassa] que je suis pas d'accord. Mais je suis pas capable de l'haïr, je suis pas capable de le détester. Si je pouvais l'haïr pis le détester, peut-être. Qu'il me demande pas de dire que oui, c'est bon [l'entente], mais je suis pas capable de le détester. »

C'est ça notre problème, c'est le culte du chef. Le problème c'est que M. Bourassa est un homme aimable, c'est un homme sincère, c'est un homme affable.

Mais Parisella poussera son avantage, invitant le député à casser la croûte avec lui. Puisque Lemieux-le-nationaliste embarque, il doit mener sa portion de troupeau. « Parisella m'a bien passé le message à l'heure du souper, et assez raide merci, racontera Lemieux en privé à une collègue. Il va falloir que je prenne le flambeau. »

Pour l'heure, lorsqu'il sort de la réunion du caucus, ce lundi soir, Lemieux est à nouveau interpellé par les journalistes. Alors, ce fédéralisme « rigide » ? « Le premier ministre, lui, parle de fédéralisme évolutif », rétorque le député, à demi-assagi, qui évoque maintenant des « réserves » et des « appréhensions ». Avocat, il demande aussi à lire les textes avant de se prononcer définitivement. Mais, conclut-il, « le fédéralisme que l'on a actuellement, c'est celui avec lequel on nous dit de vivre. On aura un choix : soit ce fédéralisme-là ou l'indépendance. »

En l'absence de Bélanger et compte tenu du mutisme de Lemieux, faut-il s'attendre maintenant à la verve du jeune Benoît Fradet ? Ami de la Commission jeunesse, actif au moment de l'adoption du rapport Allaire — c'est dans sa chambre d'hôtel que se tenaient les réunions de stratégie —, Fradet fut coauteur et défenseur, en novembre 1990, d'un rapport des libéraux de Laval réclamant pour le Québec la « pleine autonomie politique », sans superstructure ni union politique. En cas d'échec d'un accord négocié d'accession à la souveraineté, précisait-il, « le Québec ne devrait pas hésiter à rapatrier unilatéralement ses pouvoirs ».

Au caucus, Fradet, au moins, prend la parole. Mais c'est pour encenser l'entente. Il parle « au nom des jeunes », ajoutant qu'on « s'est bien battus », qu'on « a fait un bon bout de chemin », mais qu'il faut être raisonnable. Tout à l'heure, à la sortie, il dira que « c'est la meilleure entente dans le contexte. Par rapport au rapport Allaire, c'est en deçà de ce que le parti voulait. Mais il y a des choses dans l'entente qui n'étaient pas dans le rapport Allaire et qui ont des conséquences pour l'avenir du Québec. »

Georges Farrah puis Serge Marcil parlent ensuite dans le même sens. L'entente n'est pas parfaite, on aurait préféré mieux, mais c'est la vie et bravo monsieur le premier ministre pour votre beau programme.

On n'avait pas assisté à tel dégonflement depuis la cérémonie de clôture du Festival de montgolfières de Saint-Jean-sur-Richelieu.

Jean-Guy Saint-Roch assiste à la scène avec un mélange de colère et de frustration. Adjoint parlementaire de Liza Frulla à la culture, il se tourne vers elle et lui demande : « Avez-vous vu les textes ? Où sont les textes ? » Elle dit non. Personne ne les a vus. On ne les a pas. « C'est vrai qu'ils ont oublié la culture ? » demande-t-il encore. « Comment tu sais ça ? » réplique Frulla.

Saint-Roch ronge son frein. Il ne dit rien.

La tournée des félicitations se poursuit. Les sourires fendent les visages. Yvon Lafrance, député d'Iberville — trois ans de présence à l'Assemblée, ancien colonel de l'armée canadienne, fédéraliste modéré — se lève.

« Monsieur le président », commence-t-il en s'adressant à Marcel Parent, président du caucus. « Moi, je me demande ce qu'on fait ici à soir. Vous convoquez un caucus, on n'a pas de texte, pas de document, pas rien. Pis je pensais qu'on était pour avoir de l'information et du détail. Mais je vais retourner dans ma circonscription et je n'en sais pas plus que ce que j'ai vu dans les journaux et à la télé. »

Lafrance est d'autant plus outré qu'il a lui-même réclamé, deux fois pendant l'été, la tenue d'un caucus pour « qu'on vide la question » constitutionnelle, avant d'être mis devant le fait accompli. « J'ai téléphoné à 40 députés et ministres pour qu'on force un caucus », raconte-t-il en entrevue. Voici qu'il y en a enfin un, qui se transforme en hommage. Devant ses pairs, Lafrance conclut son intervention en ces mots : « C'est pas normal. Et je m'aperçois que ça a été un hymne à la gloire des négociateurs, à soir. »

Selon Saint-Roch, « ça a créé un courant d'air froid ». Mais Marcel Parent annonce tout de suite que le caucus est terminé. Il fait entrer les journalistes et, procédure inédite, annonce devant les caméras que le caucus est fermement uni derrière son chef et qu'il lui fait plaisir d'annoncer que l'appui est unanime. Nouvelle salve d'applaudissements, filmée pour les journaux télévisés du soir.

« Qu'est-ce qu'on fait ? Ça a pas de maudit bon sens ! » C'est Rémi Poulain, ayant recouvré l'usage de la parole, qui s'exprime ainsi, au sortir du caucus, devant des collègues. Saint-Roch, pas plus disert tout à l'heure, engueule maintenant Lemieux : « Tu m'as estomaqué, à soir. » Avec Farrah et Després, ils vont souper rue Saint-Jean, dans le Vieux-Québec, et conviennent de se réunir, le lendemain, avec d'autres députés nationalistes pour relancer leur action, « brasser la cage », réclamer les textes et « toutes ces choses-là ». Poulain se charge de l'organisation. Mais le lendemain, il annule tout. Une autre réunion du caucus est prévue pour le vendredi soir, veille du congrès. Une autre occasion de « brasser la cage ». Pourtant, Poulain et les autres ne se préparent pas, ne s'organisent pas, ne se coordonnent pas avec la Commission jeunesse. Ils se terrent.

Comme les autres, Poulin se range. Pendant la campagne, il développera un intéressant argument devant des citoyens qui, à leur tour, se plaignent de n'avoir pas reçu le texte de l'entente : « Est-ce que vous avez déjà lu toutes les clauses de votre contrat de mariage ? Non. Mais vous vous sentez protégés quand même. Dans ce cas-ci, c'est la même chose : il faut faire confiance. »

Dans l'intervalle, Marc-Yvan Côté, entre autres, s'assure du caractère rectiligne de la pensée de la députation.

Côté : La loyauté au chef était l'élément principal. Mais dans des moments comme ceux-là, il fallait que quelqu'un les appelle, leur rappelle « la ligne » et le respect de l'autorité. [...]

L'auteur : Pour Farrah, Lemieux, Fradet, qu'est-ce qu'il a fallu faire ?

Côté : En politique, il y a encore des gens qui croient en des gens. Et au-delà du fond, il y a des gens mieux placés que d'autres pour les ramener et finalement les réunir tous ensemble. C'était le travail des bonnes personnes auprès des bonnes personnes.

L'auteur : Est-ce que des arguments non politiques ont été employés ? Promesses de subventions, postes d'adjoints parlementaires [portant une prime salariale de 12 000 dollars], postes ministériels ?

Côté : Rendu à ce stade-là, si ça a été employé, à mon point de vue ça a très peu d'effet. On est quand même à sept ans de pouvoir, il y a moins de naïveté de la part des parlementaires. Je dis pas dans un changement de pouvoir, ou dans une course au leadership. Mais à ce moment-là, pas auprès de ces éléments-là.

L'auteur : Un gars comme Farrah, qui était proche du Bloc québécois, aurait pu choisir ce moment-là pour faire le saut, et se préparer pour l'élection fédérale ?

Côté : Ça a jamais été sérieux, ça. C'était juste des stratégies.

Et le vendredi soir, le caucus se transformera en une autre démonstration de *cheerleaders*. « Désavouer l'entente, c'est désavouer le patron », avertira Côté, en appelant au « ralliement des troupes » pour le grand spectacle du lendemain[*].

Quand Mario Dumont fait sa tournée téléphonique des députés nationalistes, il n'entend que du vent, sauf chez Saint-Roch, qui lui annonce qu'il votera contre l'entente même s'il est le seul et le dernier. Pour le reste, « perds pas ton temps », lui dit Saint-Roch, ajoutant : « Je vais voir, les petits mosus, si vous avez des couilles. »

---

[*] Au caucus, les ex-bélanger-campésistes (Louise Bégin, Claire-Hélène Hovington, Cosmo Maciocia, Christiane Pelchat et Russell Williams) se comportent aussi comme si tout était normal et conforme au document qu'ils ont signé 17 mois auparavant. Une notable exception cependant concerne Claude Dauphin, devenu président de la commission parlementaire sur les offres fédérales. Dans les deux semaines qui suivront, sa commission aura quelques jours pour « étudier les offres ». Le gouvernement veut que Dauphin recommande, tel que prévu dans la loi 150, la ratification de l'entente. Or la loi prévoit que, pour être retenues, les offres doivent « lier formellement le gouvernement du Canada et les provinces ». Rémillard affirme que « la tenue d'un référendum démontre que les offres lient le gouvernement fédéral et les provinces ». Dauphin n'avale pas cette couleuvre : « Aucun document déposé et évoqué à l'Assemblée nationale ou devant moi ne me permet de constater objectivement l'existence d'un engagement précis et explicite, excluant toute équivoque, de la part du gouvernement du Canada et de ceux des autres provinces. [...] Je ne peux considérer ces offres comme liant le reste du Canada. »

L'HOMME QUI PARLE

Lundi après-midi, Robert Bourassa a franchi l'étape du Conseil des ministres. En début de soirée, il a franchi l'étape du caucus. Lui reste, vers 9 h du soir, l'étape de l'exécutif du parti. Là, se trouve un irréductible : Jean Allaire. Et un os : Mario Dumont. Vont-ils résister à la vague ? Déjà, l'ordre du parcours politique qu'a suivi aujourd'hui le premier ministre les dessert. Ils se savent seuls. Pas un ministre, pas un député n'a repris leur refrain. Allaire et Dumont pensaient participer, ce 24 août, à un débat. Ils assistent à l'avancée d'un rouleau compresseur. Ne serait-il pas sage de se retirer de la route ?

Cinq témoins ont raconté la scène de l'exécutif libéral à l'auteur. Sur les faits, leurs récits concordent. Mais pour comprendre le climat ressenti par les dissidents, on va retenir ici comme fil conducteur le récit du directeur des communications du parti, Michel Lalonde, l'ancien compagnon d'Anctil alors sur le point de basculer dans l'autre camp.

> • Michel Lalonde : D'abord, je dois dire que comme j'étais au comité référendaire, je savais que les sondages fédéraux sur les offres étaient pas mal bons, qu'ils pensaient pouvoir avoir 60 %. Alors ils voulaient foncer à un référendum. La perception dans l'absolu, *a priori*, était très positive pour le Oui. Fait que, nous, quand on pensait à quitter, c'est qu'on pensait aller mourir au front, là : on aurait peu de chance de succès, on n'aurait plus de véhicule politique... Pis il y avait beaucoup d'amitiés laissées en plan[*].

> Dans l'après-midi du lundi, Allaire n'avait pas de doute sur le Conseil des ministres. Il a dit : « Bourassa va rallier tout le monde, il y a pas un ministre qui va sortir. Si Rémillard a pas eu le courage de s'objecter vendredi, il le fera pas. » Chez les députés, on pensait qu'il y aurait de l'opposition. Des dissidences. Deux, trois, quatre cinq, six, on sait pas combien. [...]

> Moi, je suis monté en voiture avec Allaire. La réunion de l'exécutif était au Château Frontenac, dans une immense salle, à 9 h. On est arrivés cinq minutes après tout le monde. On est arrivés à 9 h 05, juste assez tard pour capter les nouvelles de 9 h à la radio, où t'entendais le décompte : les députés s'étaient ralliés. Il y avait pas d'opposition, pis là ils applaudissaient Bourassa. Tsé, le gros show. Pour nous autres, c'était le pire, c'était le pire scénario. Pourtant la veille, certains des députés nous avaient dit, à Allaire, à Dumont, à Bissonnette [l'ex-président de la CJ] : « Ça a pas d'hostie d'allure ! Je vais aller au caucus, je vais leur dire : "Votez pas ça !" » Là, ils étaient ressortis, ils disaient pus rien.

---

[*]   Les coffres-forts du Bureau fédéral des relations fédérales-provinciales débordent de sondages de l'été 1992 qui montrent qu'une majorité de Québécois et de Canadiens sont favorables aux éléments de l'entente en voie de négociation. Ce qui n'empêche pas les Québécois de se dire par ailleurs souverainistes. Ils répondent comme s'il s'agissait de deux débats distincts. Une fois l'entente devenue réalité, un premier sondage public, CROP-*La Presse*, publié le mardi 25 août, donne 37 % de Québécois opposés à l'Accord, 30 % favorables, et 33 % indécis. Mais il est fort intéressant de noter, à ce stade du récit, que les ministres et députés francophones de Bourassa ont une meilleure lecture de la réaction prévisible de l'électorat — on va perdre, pensent-ils — que les meilleurs sondeurs, et que les allairistes.

Alors on arrive. Meute de journalistes. Allaire leur dit : « Moi je suis contre et voici pourquoi. » Il se peinture dans un coin, il s'engage. Il le sait. Il fait exprès. À l'intérieur, c'était une immense salle. Il y avait une grande table, c'était comme la Dernière Cène, c'est pas compliqué : Bourassa au centre, Rivest un peu plus loin. Ils avaient gardé une place pour Allaire, à une extrémité, une autre pour Dumont, à l'autre.

Allaire était préparé psychologiquement à l'affrontement, ben avant moi. Depuis des mois, il me disait : « Il va signer n'importe quoi. » Moi je répondais : « Monsieur Allaire, Bourassa c'est le gars qui a dit, à Meech, je ne négocierai pas la clause de société distincte ! Tsé, je ne peux pas croire qu'il signera n'importe quoi. Dites-moi qu'il va signer une entente pas satisfaisante pour nous autres, mais pas n'importe quoi. »

Arrivé là, ce soir-là, je me suis rendu compte qu'Allaire avait eu raison. Il avait senti que ce moment allait venir. Il est venu comme un gars qui a fait son chemin de croix.

• Jean Allaire : Je voulais pas que ça devienne un match de lutte. Je pouvais pas embarquer dans leur affaire, mais j'avais pas décidé de faire une conférence de presse, à ce moment-là. J'étais pas décidé à faire des sorties publiques organisées, parce que ça allait tellement contre tout ce que j'avais fait dans ma vie. Et je pouvais pas croire qu'on en viendrait à ça. Tsé, j'espérais malgré tout. Un peu comme le cancéreux qui espère guérir quand même.

• Michel Lalonde : Bourassa commence son intervention : j'ai accepté l'entente, voici comment ça s'est passé, on a eu telle chose, on a eu telle chose. Ça a duré très longtemps. Il a expliqué point par point. O.K.

Là, tout le monde a applaudi. Presque. Pis là, il faut voir le spectacle, il faut comprendre ce qui se passe. Moi, je suis avec les autres cadres du parti qui ne sont pas membres de l'exécutif, mais qui assistent aux réunions. Donc on est en retrait. Je regarde le monde qui applaudit. Je les connais. C'est pas des farces. C'est le même monde qui a voté le rapport Allaire, là. C'est ça qui est stupide.

Il y a une première intervention de la part du délégué régional de la Mauricie, une région qui est classée nationaliste. Le type, qu'est-ce qu'il dit ? Il dit : « Monsieur Bourassa, je veux vous féliciter, j'ai parlé à mes présidents [de circonscriptions] avant, je les ai sondés rapidement, et je peux vous dire que la majorité d'entre eux sont entièrement satisfaits. » Puis là il en met, il beurre ça.

Ensuite, la députée de Kamouraska, France Dionne, représentante de la députation à l'exécutif : « Monsieur Bourassa, félicitations ! Moi, dans ma région, ce qui est important c'est les programmes de développement régional. Enfin on a un PM qui est revenu d'Ottawa avec le plein contrôle du Québec sur le développement régional, c'est ce que le monde attendait, félicitations ! »

Pis là, il y en a eu des interventions comme ça, peut-être quatre en file. Ça couvrait tous les champs de l'entente et tous les angles : les nationalistes, l'aspect régional, les Anglais, tout bien cordé. Chaque fois qu'il y en avait un qui intervenait, tout le monde applaudissait et ils étaient tous là à se faire des signes de la tête : ça va bien. Ils jouaient le jeu, ils le savaient. Ils créaient un climat.

Écoute, c'était pas compliqué. Je vais être dur, là, mais il y avait 45 guenilles autour de la table.

Moi je savais que mon rôle normal, dans ce contexte-là, en tant que cadre du parti, ç'aurait été de faire sentir à Jean Allaire — ça ne se dit pas, mais c'est une chose qu'on apprend à force d'être dans le parti — ç'aurait été de lui faire sentir que : « Aye ! Jean ! Y'a quelque chose que tu comprends pas, là. Tu dérailles, là. »

La pression est extrêmement forte, c'est fait très habilement. Une fois que tout ce beau *build up*-là est fait, Jean Allaire intervient : « Là, moi, monsieur Bourassa, je vais vous dire pourquoi je suis contre. » C'était le clou de la rencontre, tout le monde le savait. Là, il part. Pis il énumère ses affaires, au fur et à mesure. Jean Allaire, évidemment, il est pas aussi éloquent que Robert Bourassa, mais il explique bien ses affaires, il explique tout ça.

Jean Allaire parle à partir d'un texte qu'il distribuera plus tard dans la semaine.

• Jean Allaire : Vous savez tous que je suis opposé aux offres présentées par le reste du Canada. Il serait plus facile pour moi de me joindre à l'actuel concert d'apparente unanimité. Rien ne me surprend de cette manifestation d'apparente unité. J'ai investi 36 ans de ma vie dans le PLQ, je connais toutes les règles de la vie partisane et aussi, tous ses artifices y compris les manifestations de fausse unité. [...]

Si je renonçais, en ce jour capital, à exprimer le fond de ma pensée, je ne serais pas à la hauteur de la confiance que le parti a investie lorsqu'il a fait appel à moi pour présider le Comité constitutionnel du parti. [...]

La présente intervention complète en quelque sorte le travail qu'on m'avait demandé d'accomplir. [...]

Ce qui était vrai pour le Parti libéral du Québec il y a à peine 17 mois [mars 1991] ne peut soudainement devenir secondaire ou erroné. Est-ce que soudainement, par magie, tout ce qui s'est passé à la commission Bélanger-Campeau et au PLQ depuis plus de deux ans est disparu et n'a jamais existé ? Des compromis raisonnables auraient pu être faits, mais ne l'ont pas été. Que faire d'autre, sinon appliquer la solution alternative du programme adopté l'an dernier, sous peine de marcher à genoux et nous couvrir de ridicule ?

• Michel Lalonde : Bourassa prend des notes, il compte le nombre d'arguments d'Allaire. Quand Allaire a fini, il dit : « Jean » — il l'appelle « Jean », Allaire l'appelle « monsieur Bourassa », sauf une fois quand il s'échappe — « t'as relevé 14 points, pis je vais les prendre un à un. Telle chose, c'est pas vrai, c'est ci, c'est ça. Jean, Jean, Jean. » Ça prend une bonne demi-heure. Pis l'intervention de Bourassa se termine, il dit : « Réponds, Jean ! »

Les gens se retournent. Et ils écoutent Allaire. Allaire pensait faire simplement une déclaration, et c'est tout. Là, il est dans une situation où il est en confrontation continue avec le PM et le chef du parti, une connaissance de longue date. Mais il répond aux arguments.

• Robert Bourassa : Ce qui m'a frappé, c'est son entêtement. Il a fait un exposé d'abord. J'ai dit : « T'as 14 points. » Pendant trois quarts d'heure de temps, j'ai répondu. J'ai dit : « As-tu d'autres points que ça ? » J'ai dit : « Réponds aux arguments ! »

• Pierre Anctil : Robert Bourassa avait pris les objections en note. Il répond à chacune de façon très habile. Il a été très habile. Et là, il y a un débat où Robert Bourassa a eu une approche très rationnelle, confiante, assurée, directe, mais pas agressive. Jean Allaire a une approche sobre, il explique ce qu'il a à dire, il dit franchement ce qu'il pense, il en remet, il en remet.

C'est un débat assez inégal, parce que d'un côté t'as un bonhomme qui fait des débats politiques en public depuis des années, qui a fait ça toute sa vie et qui est un des bons *debaters* au Québec, et de l'autre il y a quelqu'un qui n'a pas l'habitude. Au niveau des perceptions, quand même, Jean Allaire faisait l'honnête et simple citoyen qui exprime ce qu'il pense. [...]

Allaire tentait de ramener le débat sur le choix fondamental. Il disait : « On a fait ceci au début [parlant du congrès de mars 1991], on a été directs, on nous a dit tout le temps que si les offres étaient pas acceptables, on procéderait à l'alternative. Aujourd'hui, on voit que n'importe quoi allait être considéré comme acceptable. » [...]

Bourassa argumentait plutôt sur la substance. « Désolé si j'ai créé des fausses perceptions, mais j'ai pas l'impression d'avoir nourri ça véritablement. Je vous ai dit que mon premier choix c'était le Canada. » Il ne voulait pas refaire la séquence des événements. Il disait : « Le critère de décision c'est ce qui est mis sur la table, est-ce bon ou pas pour l'avenir du Québec ? »

• Jean Allaire : Là, Bourassa est réellement tendu et il essaie tous ses arguments. Je le trouvais bon. Il me dit : « Jean, tu peux pas faire ça, un militant de 35 ans... » Je lui dis : « Robert, pour moi c'est rendu une compromission, j'en ai fait pendant 35 ans des compromis, mais je peux pas aller là-dedans. » Pis je lui demandais : « Écoute, Robert, où sont les nouveaux pouvoirs ? » — là on est rendus qu'on se dit « tu » mais d'une façon très polie. Les pouvoirs. C'est la question principale. Je dis : « L'entente, c'est pas les revendications traditionnelles du Québec, et on n'ira nulle part avec ça. En fait, c'est une renonciation. » Il me parle de la main-d'œuvre. « La main-d'œuvre, j'ai dit, ça, je le croirai quand je le verrai. »

• Robert Bourassa : C'était pas dramatique, mais c'était tendu. Dans le sens où je l'ai pris de front sur les 14 points, je lui donnais des réponses sur ce que je suis allé chercher à la table de négociation, mais sa décision était prise, c'était fait. Il y a pas eu d'engueulade.

• John Parisella : M. Bourassa a répondu à tous les points d'Allaire. Tu pouvais couper la tension avec un couteau. Et là, j'ai vu un M. Bourassa qui a mené le combat de sa carrière, au point de vue de défendre un dossier, il y croyait profondément. Et il a bien livré sa défense. Mais c'était clair qu'il y avait un blocage de l'autre côté. C'était pas ce qu'ils voulaient, c'était trop flou, c'était trop long à négocier [les futures ententes sectorielles]. Ils étaient pas patients, ils aimaient pas. Tandis que M. Bourassa avait la foi envers le Canada.

Après une heure d'échanges, le débat est bloqué. On tourne en rond. Allaire répète son refus d'obtempérer. Certains commencent à trouver le temps long. Le député Marcel Parent, ancien allairien, lance, assez fort, à son voisin : « Y'est pas pour nous faire la morale ! » Mario Dumont le fusille du regard. De son siège, Rivest tranche : « Qu'il démissionne ! » C'est ce qu'il fera.

• Michel Lalonde : Là, Bourassa est entré dans une autre phase qui caractérise, d'après moi, la réunion. Il dit : « Écoute, Jean, il y a une meute de journalistes à la porte. Tu les as vus. Tu les connais, les journalistes, Jean, mais tu les connais pas autant que moi, parce qu'il y a personne qui connaît les journalistes autant que moi, tu le sais. Pis je sais que tu vas être d'accord avec moi. Jean, ces gens-là, depuis deux ans ils veulent une chose. Ils veulent pouvoir écrire que le Parti libéral est divisé ! C'est ça qu'ils veulent faire comme titre demain, Jean. Ils veulent écrire que le Parti libéral est divisé.

« Jean, ça fait 36 ans que t'es dans le parti, ça fait 25 ans qu'on se connaît. Jean, je te demande rien qu'une chose ce soir. Je te demande pas de signer cette entente-là. Je te demande une chose, ce soir, une, une seule. Jean, il faut pas leur donner ce qu'ils veulent.

« Alors avant de dire non à cette entente-là, attends de voir les textes, Jean. Attends de voir les textes. Je te demande pas de signer, juste de voir les textes. »

J'ai trouvé ça odieux. Moi, je suis en communications. Je connais la *game*. Je savais ce qu'il faisait. Bourassa voulait pas demander à Allaire de lire les textes pour vrai. Il voulait le tromper. Il utilisait un subterfuge de communications pour le tromper. Il savait que, puisque Allaire était entré et avait dit aux journalistes « Je suis contre », s'il pouvait le convaincre de dire à la sortie : « Je vais attendre de voir les textes », le message serait sorti *loud and clear*. La presse aurait conclu : Allaire a flanché, Allaire est en train de se faire convaincre par Bourassa. Il aurait été fini. Pis là mon Rivest aurait spinné ça auprès des journalistes : Allaire va attendre, Allaire réfléchit. Le parti est uni.

Moi, j'étais nerveux, j'étais nerveux, j'avais les « quételles ». Je me dis : Allaire, c'est pas un gars de communications. Il va se faire fourrer. Une dame qui était assise à côté de moi, employée du parti depuis 30 ans, me dit : « C'est pas possible, il va avoir une crise cardiaque. » Les gens ne soupçonnent pas la pression qu'il y avait là. Moi, j'en avais des sueurs.

Le premier ministre du Québec, le chef du parti, voulait tromper celui qui était à mon sens à moi un honnête homme, qui était intègre, qui avait le sens du devoir.

Allaire l'a regardé, pis il a dit : « Monsieur Bourassa, vous m'avez dit hier que vous me les enverriez, les textes, pis je les ai pas reçus. »

Pow ! Hostie, c'est rentré raide. Là, Bourassa a viré ça en *joke*. Il a dit : « Jean-Claude ? Jean-Claude ? Qu'est-ce que t'as fait encore ? » Tout le monde est parti à rire. Rivest joue son rôle de clown.

Donc Allaire a pas embarqué dans le jeu. Il est pas fou. Alors ça a pas marché.

Là, ils ont essayé de cruncher Dumont, mais n'étant pas capables de cruncher Allaire, c'était comme moins évident, ils avaient moins de temps, tsé, il était rendu minuit.

C'était comme si en échouant avec Allaire, ils échouaient, point. C'était la dynamique, là, à tort ou à raison. Dumont est intervenu contre l'entente, Philippe Garceau [ancien allairien] a dit pourquoi il était contre.

Alors à la fin, avant de lever la séance, ils ont décidé de ne pas passer au vote sur la résolution à soumettre au Congrès du samedi [l'objet formel de la réunion]. Ils voulaient pas sortir comme message que l'exécutif était définitivement divisé sur un vote. On allait poursuivre la discussion, c'est tout.

À la toute fin — la réunion est terminée — là, les gens qui avaient été proches d'Allaire à l'exécutif dans le passé se sont tous agglutinés autour de lui pour dire : « Jean, fais pas ça ! Jean, fais pas ça ! »

Moi, je suis allé le voir, je lui ai dit : « Monsieur Allaire, qu'est-ce que vous voulez communiquer aux journalistes à la sortie ? » Il m'a dit : « Je veux que ce soit clair, je suis contre l'entente. » J'ai dit : « C'est parfait, dites-le comme ça. » Moi, je suis le directeur des communications du Parti libéral du Québec. C'est pas ça que j'étais censé faire. Les autres me regardaient, se demandant ce que je faisais là.

Il est allé voir les journalistes, il leur a dit qu'il était toujours contre pis que Bourassa l'avait pas convaincu, pis qu'il allait défendre son option au congrès. Pis il a levé le camp. On est redescendus en auto. Moi, juste d'embarquer dans son char à ce moment-là, c'était réglé. Il fallait que je me trouve une autre job.

Mario, fais pas flopper toute l'histoire du Québec !

1 h du matin. La nuit est encore jeune. Mario Dumont aussi. Pierre Anctil et Pierre Saulnier l'entraînent dans une autre réunion. Mario, c'est à ton tour de te faire serrer les boulons.

Tout à l'heure, à l'exécutif, Dumont a expliqué combien le revirement du PLQ va nuire à la crédibilité des politiciens, déjà bien fragile chez les jeunes. Bourassa lui a rétorqué : « Justement, j'ai pas le droit, pour cette génération-là, de compromettre l'avenir. »

Dumont : Là, ils disaient : « C'est correct, le plaidoyer que t'as fait à l'exécutif, mais là il faut qu'on s'entende sur une résolution pour le congrès. » C'est toujours comme si l'étape précédente était pas importante. Comme si, tsé, t'as donné un bon coup de souffle, mais là, on passe aux choses sérieuses.

Anctil et Saulnier tentent effectivement d'écrire un texte de résolution qui, d'une part, signifierait un appui du Congrès à l'entente mais qui, d'autre part, intégrerait suffisamment d'ambiguïté pour que certains nationalistes puissent l'appuyer sans se dédire complètement. Jouant la carte de « l'accompagnement », Anctil et Saulnier « demandent » à Dumont de venir les aider à convaincre Bourassa et Parisella d'accepter la résolution. « On a besoin de toi », disent-ils.

Ils s'installent dans une petite salle. Ils sont sept : Robert Bourassa, Jean-Claude Rivest, John Parisella, Pierre Anctil, Pierre Saulnier, Thierry Vandal, Mario Dumont. On va jouer à deux jeux libéraux traditionnels : faire semblant qu'on n'est pas vraiment en désaccord ; faire semblant qu'on t'accompagne dans ta décision.

Dumont : La réunion était organisée comme si j'étais pas isolé. Comme si on était autant d'un bord que de l'autre. Comme si j'avais Anctil et Saulnier de mon côté.

[...] Tsé, des fois j'avais vraiment l'impression qu'ils me prenaient pour un hostie de crétin.

On lui explique que la résolution a été écrite de façon à répondre à ses préoccupations à lui, et qu'il est privilégié de la voir avant les autres membres de l'exécutif. On lui demande d'ailleurs de garder ça pour lui. Nous sommes entre nous. Entre autres assouplissements, la résolution proposée affirmerait que le Congrès des membres « reçoit favorablement » l'entente, plutôt que « appuie » ou « entérine ». Elle stipulerait aussi que l'Assemblée nationale ne devrait la ratifier formellement qu'une fois que les textes juridiques seraient disponibles et que les Québécois l'auraient approuvée par voie de référendum.

Dans un autre paragraphe de la résolution, Saulnier et Anctil proposent même qu'en cas d'échec du processus de ratification de l'entente, le Parti libéral remette à l'ordre du jour l'article 2b2 du rapport Allaire.

• Pierre Anctil : Mario disait : « On peut bien essayer de changer des petites coquilles à droite et à gauche, tout le kit, mais il n'y a rien que je peux accepter, parce qu'on est contre l'Accord. Alors c'est pas une question de formulation. » Il avait raison là-dessus, mais quand même il est resté là. Il a écouté.

• L'auteur : Quelle était l'attitude de Mario Dumont ce soir-là ?

John Parisella : C'était : « Y'a rien à manger ici ? » Alors j'ai envoyé quelqu'un réveiller le chef cuisinier pour qu'il lui fasse des sandwiches. Mais j'ai senti que Mario assumait le rôle que les médias avaient créé de lui. Il assumait le rôle d'un égal face à Robert Bourassa. C'était comme s'il était chef, tsé, de je sais pas quoi.

• Robert Bourassa : Là on voyait qu'il commençait à se considérer comme la conscience du Québec. Sans être déplaisant, il était à ce moment-là convaincu qu'il avait un rôle à jouer. Moi, je laisse filer quand je vois que c'est irréversible. J'avais fait mes efforts avec Allaire sur le fond. Dans la mesure où Dumont restait avec Allaire, je voyais bien que ça donnait rien. Mais, au cas où...

L'auteur : Vous dites : « Je laisse filer », mais moi ce qui me surprend c'est le temps que le premier ministre du Québec passe avec deux, trois, quatre dissidents.

Robert Bourassa : C'est parce que les médias en avaient fait des grandes vedettes. Des symboles.

• Mario Dumont : Cette réunion-là, il me semble que c'était une perte de temps. Premièrement, j'avais faim, j'avais pas soupé, là. J'étais complètement impatient. Pis là, ils reprenaient ça, des grandes litanies sur la résolution. Moi je disais : « Je veux ben croire à la limite que vous l'avez écrit pour moi, tsé, mais il y a un point sur lequel je pense qu'on ne se comprend pas : je ne suis pas d'accord avec l'entente ! Tout ce qui va contribuer à ce que l'entente devienne réalité, je vais m'y opposer, parce que je suis contre ! » [...]

Alors ils disaient : « Oui, mais si on changeait tel mot, si on travaillait sur le texte... » Pis là Anctil avait la cravate détachée jusqu'au nombril, les cheveux tout dépeignés, pis il barbouillait sur un papier, il essayait des formulations. [...]

J'ai dit : « Moi, je suis très habile en langues, j'avais d'excellentes notes en français, on peut jouer avec les mots. Mais de toutes façons, même si je change des mots, mes jeunes, ça les dérange pas. Ils vont voter contre. Parce qu'ils veulent pas que l'entente devienne réalité. » Mais les autres agissaient comme s'ils entendaient pas. Pis un autre recommençait, chacun son tour.

• Pierre Anctil : On lui disait : « Est-ce qu'on peut écrire ça ? » Il répondait : « Ah ! oui, vous pouvez écrire ça ». Je disais : « Écoute, on peut écrire ça, mais si on écrit ça, qu'est-ce que tu fais ? » Il disait : « On votera pas plus pour. Mais vous pouvez l'écrire. » [...]

Assez rapidement, il a comme décroché. Il était plus dans la salle. Il tenait le temps, il mangeait des sandwiches. Il faisait de l'humour douteux. Disons qu'il se payait notre tête un petit peu. Il faisait des calembours. Ça a pas été très satisfaisant intellectuellement, cette réunion-là. [...]

Probablement, ce qui était en train de se passer était plus une démonstration de l'importance qu'on attachait à Mario. Sans que ce soit dit, on montrait que : « Écoute, on passe deux heures avec toi pour te dire que c'est important. »

Mario revenait à ses positions fondamentales. Il dit : « Mes jeunes me suivront pas là-dessus. »

• Mario Dumont : Bon, je vais te dire quelque chose de complètement *rough*, là. J'avais accepté ben des affaires en cours de route depuis le début de cette histoire-là. Mais c'est vrai que ce soir-là, j'avais l'air du gars qui écoutait pas. C'est absolument vrai, ça. C'était tout à fait volontaire. Parce que c'est pas de la poli-tique qu'ils faisaient, là, c'est de la torture psychologique. En tout cas, c'est de la psychologie. Ça n'a rien à voir avec la politique de pogner un individu fatigué à 2 h du matin, puis de le tordre sous toutes sortes d'affaires. Rien à voir avec la politique. Alors quand ils font de la psychologie, moi je ferme les panneaux, je laisse passer, parce que tu peux pas résister à ça, c'est impossible. Y'a personne qui a cette force-là. Personne, personne, personne. Il faut que tu mettes un filtre. Il faut que tu laisses passer. Sinon, ils te détruisent. Tu viens que t'es tellement tout seul, tu brailles, tu t'effoires, tu sais plus rien.

Mais si Bourassa, Anctil, Saulnier et Vandal s'évertuent à créer un flou politique qui efface les lignes de fracture et enveloppe Dumont dans la chaleur de la camaraderie libérale, il y a une personne dans la pièce qui ne prise pas, comme dirait Allaire, « la fausse unité ».

• John Parisella : Dieu sait que je suis axé sur la conciliation comme élément important dans la politique, mais pas à ce moment-là. On venait de passer le Conseil des ministres, on venait de passer le caucus, on venait de passer la majorité à l'exécutif, faut quand même pas exagérer.

• Mario Dumont : John a jamais insisté pour qu'on fasse des compromis pour me garder dans le parti. Il faut préciser ça. John avait déjà décidé à ce moment-là de me *flusher*, c'était clair. Il en parlait ouvertement aux gens. John disait : « Ah ! je pense qu'il y a un désaccord de fond, il va falloir agir en conséquence. »

• John Parisella : C'est ce que je pensais. Quand t'es rendu là...

Mais Parisella et Dumont sont les seuls adeptes de la clarté dans cette rencontre. Robert Bourassa maintient la balle au jeu.

• Pierre Anctil : Là, le chef [Bourassa] a décidé d'argumenter sur l'Accord, l'alternative, le PQ. [...] Il lui a dit : « T'es un gars rationnel, tu l'as toujours été. »

• Mario Dumont : De temps en temps il beurrait un peu, comme quoi j'étais un gars intelligent, pis raisonnable, pis j'ai un sens des responsabilités, j'allais pas faire flopper toute l'histoire du Québec.

• Pierre Anctil : Alors Mario dit : « C'est ben beau ça, à la limite si j'acceptais votre raisonnement, quelle crédibilité j'aurais, moi, à tenir ce discours-là ? » Mario, ça revenait souvent dans ses affaires, ça m'a frappé. « Quelle crédibilité je vais avoir au lendemain si je fais ça ? » Pis là, le chef disait : « Ben, écoute. Tsé. Quelques mauvais jours à passer. Ça passe vite. » [...]

À un moment donné, notre discours a changé. On lui a dit : « Écoute, tu peux être contre sans avoir à quitter le parti. Tout dépend comment ça se fait. Il y a une question de degré. »

• Mario Dumont : Il a fallu que ce soit moi qui mette un terme à cette réunion-là, parce que sans ça je serais encore là.

Bourassa, maître du supplice de la goutte d'eau, ne veut toujours pas tirer un trait. En quittant la réunion, il dit : « Écoute, Mario, continue d'y penser. »

Bourassa et Dumont se revoient le mardi soir. Mais les rôles sont inversés. Cette fois, c'est Bourassa qui est presque isolé. Il est venu à une réunion du Conseil des représentants de la Commission jeunesse. S'il n'a pas réussi à retourner leur chef, il va travailler ses lieutenants.

Ils sont 35. Ils ont beaucoup d'énergie. Ils sont de mauvaise humeur. Par définition, le débat est toujours plus *rock n' roll* au Conseil des représentants de la CJ qu'au Conseil des ministres ou au caucus. Dumont laisse ses partisans monter l'offensive. C'est un bombardement. Studieux, les jeunes ont passé les journaux des derniers jours au peigne fin. Ils abordent les aspects de l'entente un par un, chaque pouvoir non acquis, chaque sénateur perdu. Micro-questions, macro aussi : « Il me semble qu'on parlait pas de petits pas, dit l'un. Il me semble que vous avez parlé de la question de Bruxelles, on n'est pas dans le même ordre d'idée. » Un autre : « Cette entente-là, Jean Chrétien va être d'accord avec, et pas moi. » Dumont se sent même obligé de se porter à la défense de Bourassa sur un ou deux points, car il trouve que ses jeunes exagèrent.

Comme toujours, Bourassa a réponse à tout, mais il sent que ses interlocuteurs ne le croient pas. La session dure plus de deux heures, et se passe très mal. André Tremblay, qui y assiste, défend les gains du Québec avec une fougue qu'il ne manifestera plus guère par la suite.

« C'était tranchant, se souvient Bourassa. J'avais de la difficulté à ce qu'ils me laissent terminer mes réponses. André Tremblay les avait trouvés crinqués. »

Bourassa persévère : « C'est quand même des gens qui avaient travaillé très très fort pour le parti à des élections partielles, tout ça, explique-t-il. Je me devais de faire un effort. Et ils représentaient la jeunesse. Avec la Commission jeunesse, politiquement il y avait un coût. »

La rencontre terminée, Bourassa va voir Dumont. Il a les traits tirés. La fatigue commence à le gagner lui aussi.

« J'ai dit précisément : "Je me croirais à une Commission jeunesse du PQ », se souvient Bourassa. C'est là qu'il m'a répondu : "Ces gens-là ont travaillé très fort pour le Parti libéral du Québec." »

« Monsieur Bourassa, dit aussi Dumont parlant de ses jeunes, c'est des libéraux qui ont adopté le rapport Allaire. C'est des libéraux de ce moment-là. C'est pas des libéraux de l'entente de Pearson. L'entente de Pearson, elle vous appartient à vous et aux autres PM. »

« Comprenez-vous de quoi je vous parle, poursuit-il, quand je vous dis que dans la population pis dans les jeunes, l'entente passe pas ? »

« Ouan, penses-tu que tu vas être bon pour faire quelque chose avec eux autres ? » répond Bourassa, affectant de croire, ajoute Dumont, « que j'étais encore de son bord ».

Après cette épreuve, le premier ministre doit encore encaisser une mauvaise nouvelle. Lorsqu'il rentre chez lui pour écouter les journaux télévisés du soir, qu'il ne rate jamais, il constate que pendant la journée à Ottawa, des hauts fonctionnaires fédéraux — anonymes selon la télé, mais il s'agit de Paul Tellier et de Jocelyne Bourgon — ont tenu un *briefing* destiné à rassurer le Canada anglais, mais dont des journalistes francophones font leurs choux gras, notamment à TVA. Tellier et Bourgon affirment que l'entente de Pearson « reprend en général le texte de l'entente intervenue le 7 juillet ; il y a eu relativement peu de changements ». En termes de communications politiques, ce n'est pas exactement le slogan désiré. Ils ajoutent que c'est particulièrement vrai au chapitre des pouvoirs, où il y aura, certes, « une clarification formelle de la responsabilité exclusive des provinces » sur les six sœurs et la main-d'œuvre dans la constitution ; mais, soulignent-ils, « ce n'est pas parce qu'on a réglé la question de la compétence qu'on a automatiquement réglé comment les gouvernements vont travailler ensemble ». Pour Bourassa, c'est un signe avant-coureur de tuiles à venir. Pour les autres, cette information est précieuse car, rappelons-le, aucun texte de l'entente ne circule encore.

Le mercredi matin, 26 août, Robert Bourassa part pour Charlottetown, retrouver ses collègues de la semaine précédente. Au Québec, les préparatifs du congrès libéral du samedi s'accélèrent.

La résolution concoctée par Anctil et Saulnier est rendue publique, mais les forces fédéralistes la trouvent trop molle. Elle ne dit pas franchement que le PLQ embrasse l'entente à pleine bouche. Henri-François Gautrin pilote un amendement qui prévoit que le PLQ « appuie son chef, Robert Bourassa, dans sa démarche constitutionnelle ». Ce faisant, la résolution devient une motion de confiance envers le chef libéral, plutôt qu'une occasion de débat sur un sujet difficile et important. Détail intéressant : Gautrin, qui a assisté à la réunion du caucus de lundi soir, appelle ses collègues pour collectionner les appuis à son amendement. Il appelle entre autres personnes Jean-Guy Saint-Roch, et il tombe sur un os. « C'est là que j'ai vu qu'il y avait un problème avec lui », dit-il.

Dumont aussi tombe sur des os, dans ses tournées téléphoniques de la députation et des associations locales. Il sent le sol de la dissidence se dérober sous ses pieds. Tellement qu'à un moment, pendant la semaine, il appelle Anctil pour lui reparler de sa proposition de repousser le référendum jusqu'à ce que toutes les ententes soient négociées. « Coudon', ton affaire, ça peut-tu encore marcher ? » Trop tard.

Jean Allaire et Mario Dumont s'interrogent aussi sur l'opportunité de mobiliser activement des troupes. « On savait qu'il y avait une mobilisation massive qui se faisait dans certains comtés fédéralistes », raconte Michel Bissonnette, ancien président de la CJ, et membre de l'ex-G7. « On se demandait si on devait essayer de trouver de l'argent pour mobiliser de notre côté, payer les inscriptions et tout ça. On avait la capacité logistique de le faire. Ça prend pas tant de comtés que ça, tsé ? Ça prend 15 comtés qui t'amènent 20 personnes de plus chacun et tu peux changer une proportion dans un congrès. Mais on a décidé de ne pas l'organiser, parce que ça aurait confirmé qu'on participait à en faire un congrès antidémocratique, en changeant des proportions et des représentativités des comtés. »

Reste que, malgré l'accumulation de mauvaises nouvelles, Mario Dumont et Robert Bourassa font à peu près la même évaluation, à mi-chemin de cette semaine : les dissidents vont obtenir environ 20 % des voix au congrès.

Ce mercredi, alors que Bourassa est à Charlottetown, c'est le jour de la conférence de presse de Mario Dumont et des jeunes libéraux. Dumont avait bien dit qu'il savait jouer sur les mots. Dans l'« amendement global » qu'il propose à la résolution d'Anctil et de Saulnier, il tente de flatter les militants dans le sens des poils qu'il leur reste. D'abord, il donne lui aussi un coup de chapeau au chef bien-aimé, en proposant que le Congrès « manifeste son appui au chef du parti et premier ministre qui a défendu les intérêts du Québec la semaine dernière dans des circonstances particulièrement difficiles ». Cela dit, pas question de lui donner un « appui » dans sa « démarche constitutionnelle ». La résolution des jeunes ne parle pas de rejeter l'entente, mais constate comme l'a fait la veille et à son corps défendant le « comité de suivi » des engagements du parti qu'elle « n'est pas conforme au programme » du PLQ. Dumont propose donc que la commission parlementaire sur les offres se penche sur les aspects manquants de l'entente et que la commission parlementaire sur la souveraineté définisse un projet de Québec souverain dans une union économique. Que les deux commissions fassent rapport, tel que prévu par la loi 150, ajoute-t-il, et que « le gouvernement du Québec décide, de concert avec les instances décisionnelles du parti, de l'objet de la consultation référendaire qui découle du programme du parti ».

Derrière toutes ces pirouettes se cache — à peine ! — la volonté de marquer une différence entre ceux qui sont respectueux d'une démarche et ceux qui veulent la court-circuiter. « Accepter cette entente serait ni plus ni moins que renier la démarche engagée par le Parti libéral », déclare Dumont en conférence de presse. « Les jeunes libéraux ont toujours respecté le chef de leur parti, dit-il encore. Cela étant dit, les jeunes du PLQ ne font pas d'idolâtrie ou d'idéologie. Ils font de la politique pour défendre des idées*. »

Le lendemain, jeudi 27 août, c'est Jean Allaire qui donne sa conférence de presse. Contrairement à Dumont, il décide de ne pas mettre de gants, et se vide le cœur au sujet de Robert Bourassa qui, de Charlottetown, affirme ce jour-là que Jean Allaire fait « de la mise en scène » en convoquant les journalistes. « Les militants libéraux sont actuellement déchirés entre la loyauté au chef et ce qu'ils croient bon pour le Québec », explique Allaire. « Je suis entré [au PLQ] il y a 36 ans pour combattre ce que nous appelions "la grande noirceur" », dit-il, parlant du règne de l'autocrate Maurice Duplessis. « Dans un parti démocratique, le droit à la dissidence existe. J'exerce ce droit. Je ne suis pas un organisateur de cabale. [...] Je ne fais pas de mise en scène. »

Mais il s'interroge tout haut sur le caractère théâtral des épisodes précédents, depuis le « quoi qu'on dise » jusqu'à la loi 150. N'était-ce que « de la frime et de la ruse politicienne » ?

La conférence de presse terminée, la rupture avec son chef Bourassa maintenant publique, les ponts maintenant coupés avec ce parti qui regroupe tous ses meilleurs amis, Jean Allaire retourne à sa chambre d'hôtel. Là, à l'abri des regards, il fond en larmes.

---

* Dumont raconte qu'à son retour de la conférence de presse, il trouve sur son bureau un message de Pierre Bibeau qui dit lui avoir trouvé « un emploi d'été ». (Il est de coutume que le parti trouve au président de la CJ un travail pas trop accaparant dans une compagnie amie afin de lui permettre d'avoir un revenu et de vaquer à ses activités partisanes pendant l'été. C'est Bibeau qui avait trouvé à Bissonnette son emploi chez BCP.) « Le mercredi après-midi avant le congrès des membres, ils me trouvent une job ! Tsé, des sabots hauts comme ça avec des cloches dedans ! » Bibeau confirme l'offre mais affirme qu'il répondait « à une demande de Mario » pour un emploi qui se serait prolongé pendant l'année universitaire. Il dit qu'il ne demandait « rien en retour ». « Je l'ai même relancé après le Congrès. D'ailleurs comme manœuvre politique, t'attaches pas quelqu'un par une job ou par un montant d'argent ou une affaire comme ça. C'est trop gros et c'est une arme à deux tranchants. [...] S'il avait été embauché avant le Congrès et clairé après, ça aurait pu se revirer contre moi ou contre son employeur. » Il s'agissait d'un travail de recherche pour une petite firme d'ingénierie. Dumont a décliné.

16

LE DÉCROCHEUR

On s'est écrasés, c'est tout.

ANDRÉ TREMBLAY
à DIANE WILHELMY
28 août 1992

L E DISSIDENT LIBÉRAL N'A PAS QUITTÉ LA SCÈNE sans verser une importante pièce au dossier. Le mardi 25 août, en après-midi, les gouvernements provinciaux ont reçu du bureau du premier ministre Mulroney un « Compte rendu » de 9 pages, « confidentiel », des discussions de la semaine précédente. Pour une raison étrange, trois heures après avoir reçu son exemplaire, Gil Rémillard en a transmis une copie à Jean Allaire, qui en a lui-même distribué des copies aux journalistes lors de sa conférence de presse, le jeudi 27 août. On assiste alors à un double ratage, lourd de conséquences : aucun quotidien québécois ne reproduit d'extrait de cet éloquent document ; les allairistes n'en envoient pas copie aux députés, qui n'auront toujours rien à se mettre sous la dent pour leur caucus du vendredi.

La partie du document portant sur le partage des pouvoirs est tellement brève qu'on peut la citer au complet. Il faut noter une gradation en trois temps des changements introduits : 1) « l'obligation de se retirer », qui épouse l'objectif québécois d'obliger le fédéral à évacuer, sur demande et avec compensation financière, un champ de compétence provincial ; 2) « l'obligation de conclure une entente », elle, ne présuppose pas qu'on s'entendra à la satisfaction du Québec, mais simplement qu'une entente existera ; 3) « l'engagement de négocier », lui, ne présuppose pas qu'une entente sera conclue, mais seulement qu'une négociation aura lieu. Voici l'extrait du document :

> LES SIX SŒURS (Forêts, mines, logement, affaires municipales/urbaines, tourisme, loisirs)
> 0 Selon l'entente du 7 juillet, soit obligation de se retirer, en versant une compensation, à la demande d'une province

ENTENTES INTERGOUVERNEMENTALES

[0] Engagement de négocier des ententes entre gouvernements et d'offrir une protection constitutionnelle dans les secteurs suivants :

1) Culture — en plus de la modification constitutionnelle énoncée dans l'entente du 7 juillet [c'est à dire qu'avant les négociations à l'édifice Pearson, le transfert symbolique de la compétence n'était pas accompagné d'un engagement de négocier une entente]

2) Développement régional — selon l'entente du 7 juillet

3) Immigration — selon l'entente du 7 juillet

4) Télécommunications — coordination et harmonisation des procédures entre les organismes de réglementation

5) Formation et perfectionnement de la main-d'œuvre — selon l'entente du 7 juillet

[0] La formation est visée par l'obligation de se retirer (voir le n° 2)

[0] Le perfectionnement de la main-d'œuvre est visé par l'obligation de conclure des ententes

En un mot, les seules certitudes de retrait fédéral partiel concernent les six sœurs et l'aspect « formation » du dossier de la main-d'œuvre : autant d'éléments déjà présents dans l'entente du 7 juillet, qui comporte elle-même d'importantes nuances quant à la permanence de l'intervention fédérale dans ces secteurs, au quadruple titre de la recherche, du développement, de la politique internationale et des affaires autochtones.

Allaire, Dumont, les députés, les ministres, seraient encore plus curieux de lire un document rédigé le mercredi 26 août par les experts constitutionnels du gouvernement pour préparer la délégation québécoise à la toute dernière rencontre de Robert Bourassa avec ses homologues, à Charlottetown. On croirait y lire les questions que posent Dumont et Allaire :

PARTAGE DES POUVOIRS

En ce qui concerne le partage des pouvoirs, l'entente du 21 août reconduit essentiellement celle du 7 juillet, sauf en matière de culture et de communications.

— De quelle nature sera l'engagement pris par le fédéral de conclure des ententes en matière de culture ?

— N'y aurait-il pas lieu de préciser davantage, ne serait-ce que dans un accord politique, la nature des engagements du fédéral en matière de communications ?

— Doit-on comprendre que l'obligation de retrait et de compensation en matière de main-d'œuvre ne touche que la formation ? et que le seul engagement du fédéral en matière de perfectionnement de la main-d'œuvre est de conclure des ententes ?

N'y aurait-il pas lieu de ramener sur la table les dispositions traitant :

— de la délégation interparlementaire [proposition de Clark tuée par Rae dans la multilatérale*] ?

— du mariage et du divorce — pouvoir de nommer les juges au tribunal de la famille* ?

— environnement ?

— faillite personnelle et pêches intérieures* ?

---

*   dispositions présentes dans les libellés antérieurs

Le ton des écrits des conseillers de Bourassa a changé. Avant l'entente de Pearson, on sentait dans la tournure des phrases un élan d'indignation et de revendication. Après l'entente, les inquiétudes sont tapies dans la révérence et un certain fatalisme. La tournure interrogative et le mode conditionnel font leur apparition. Les questions des experts n'en tranchent pas moins avec les certitudes affichées par Bourassa et Rémillard sur la qualité des gains québécois. C'est vrai aussi de la future conférence sur le pouvoir de dépenser, qu'ils proposent de muscler de différentes façons car ils ne la trouvent vraiment « pas satisfaisante ». Une idée parmi d'autres : « Ne serait-il pas opportun de suggérer que, d'ici à ce que les PM terminent leurs discussions sur ce sujet, un moratoire soit établi qui oblige le fédéral à obtenir l'accord du Québec avant d'utiliser son pouvoir ? Ne serait-il pas opportun de prévoir un délai d'un an et une obligation de résultat sur ces discussions ? » Rien de tout cela ne sera fait.

Et pour cause : quand Robert Bourassa se présente à Charlottetown, ses collègues ont apporté leurs propres listes d'épicerie, qui visent à amaincir, plutôt qu'à engraisser, le volet québécois de l'entente.

Reste qu'ils sont aimables. Et ils sont contents pour lui. Dans son laïus d'introduction à la conférence, Brian Mulroney, rayonnant, souligne que l'avant-veille, Bourassa a obtenu l'appui unanime de son cabinet et de son caucus. Les applaudissements très nourris, autour de la table, expriment un grand soupir politique de soulagement. « Ça a été vu comme une victoire pour Bourassa, raconte Benoît Bouchard, présent dans le huis clos. C'est ce que les autres voulaient voir. C'est ce qu'ils ont vu. Ils ne se préoccupaient pas du reste. »

L'obstacle extérieur a fait son temps.

BOURASSA DANS LES DEUX LANGUES OFFICIELLES

L'Albertain Don Getty et le Manitobain Gary Filmon mènent l'offensive. Eux aussi viennent de se retremper dans leur vie politique locale, eux aussi ont affronté leurs Allaire et Dumont locaux. L'influent universitaire de Calgary Roger Gibbins, par exemple, écrit que « la nouvelle entente sur la réforme du Sénat renforcera en fait la domination du centre du pays, et plus spécifiquement la domination du Québec sur le processus politique national ». Et il utilise, pour résumer l'entente, le mot « humiliation ».

Les négociateurs des provinces de l'Ouest, explique le chef de cabinet de

Mulroney, Hugh Segal, veulent rediscuter de la question des sièges additionnels québécois aux Communes : « Ils disaient que ça rendrait l'entente trop difficile à vendre. » Ils insistent aussi pour que Bourassa se fonde complètement dans le moule du Sénat égal, et fasse élire ses sénateurs directement par la population, plutôt que les faire désigner par l'Assemblée nationale comme l'a réclamé la délégation québécoise.

Un des arguments invoqués concerne, toujours, le scénario de l'élection d'un gouvernement péquiste. Les sénateurs « délégués » seraient indépendantistes. *Shocking !* (Personne ne peut imaginer, en août 1992, que les Québécois puissent élire directement des indépendantistes au Parlement fédéral.)

« On ne réalise pas à quel point on a failli perdre l'accord au complet à Charlottetown, résume Segal. Il y a eu des nuits où, à la délégation fédérale, nous pensions que tout était foutu. »

Entamées le mercredi après-midi, les discussions se déroulent à huis clos, entre les seuls premiers ministres et leaders autochtones, qui épluchent une à une et très longuement les clauses de l'accord qui posent toujours problème.

Le maître mot est « résistance » : chacun résiste aux modifications demandées par les autres. « Si on commençait à renégocier, résume Segal, on n'en ressortait plus. » Une des causes de l'immense lenteur des débats : la relative incapacité de Michael Harcourt, premier ministre de la Colombie-Britannique, à effectuer les calculs qui s'imposent. Durement critiqué par la presse locale pour avoir mal anticipé, dans les calculs de répartition des sièges à la Chambre, la formidable explosion démographique de sa province, Harcourt demande qu'on rouvre ce dossier. Mais « il n'était pas évident qu'il comprenait la formule utilisée pour le calcul, dit Segal. On l'a changée pour qu'il ait plus de facilité à la défendre. Mais on se demandait encore s'il avait pigé. Wells, en particulier, devenait très frustré. »

Si Harcourt a du mal à suivre le débat dans ses méandres mathématiques, Robert Bourassa, lui, fait des heures supplémentaires. Il refuse de se rendre, le mercredi soir, au *barbecue* organisé par Joe Ghiz pour les autres premiers ministres, parce que trop de ficelles pendouillent encore. Lorsque ses pairs, rassasiés, reviennent, il insiste pour que la discussion se poursuive au-delà de minuit.

On ne peut pas dire qu'il ait pris beaucoup de repos, depuis le début de juillet. Tout le monde sait que l'homme est en sursis, ayant repoussé une première offensive du cancer il y a un an à peine. Brian Mulroney, surtout, veille. « Si j'avais pensé un instant qu'il était trop fatigué ou malade, explique-t-il à un confident, j'aurais ajourné, en faisant semblant que c'était de ma faute. J'aurais dit : "Il faut que je consulte mes ministres", ou un truc comme ça. »

Tard dans la nuit, sur un aspect assez technique du volet autochtone, Bourassa tente de défendre la position québécoise. Les discussions à huis clos se déroulent en anglais — sauf entre Mulroney, Bourassa, Bouchard et parfois Rae et McKenna. Selon le récit de Bourassa, c'est lui qui avise ses collègues :

« Je ne peux pas donner le fond de ma pensée avec autant de précision que si j'utilisais ma langue maternelle. » Bourassa se souvient que Jocelyne Bourgon lui sert alors d'interprète.

Selon un autre témoin, le passage de Bourassa de l'anglais au français se produit au moment où il veut faire état d'un texte, français, écrit par Benoît Morin. Il tente de traduire. Mais le fait est que, malgré 30 ans de vie politique, l'anglais de Bourassa n'a jamais atteint le stade de l'éloquence. *A fortiori* lorsqu'il doit traduire un texte technique. « Même en grande forme, il n'aurait pas pu le faire », dira Mulroney.

Le premier ministre fédéral, trouvant l'exercice « laborieux » et « boiteux », décide d'intervenir. Pendant une dizaine de minutes, il fait la traduction du texte légal de Bourassa. « Ce que Robert dit, c'est ceci, c'est cela... » La chose n'est pas complètement inédite. Pendant tout le processus, il est arrivé que Mulroney décide de « traduire », pour ne pas dire « adapter » des arguments que Bourassa venait d'exprimer... en anglais. « Brian faisait ça souvent, explique son conseiller Michel Roy. Quand Bourassa ou Rémillard avaient fini de parler, lui il savait exactement ce que ces gars-là venaient de dire et voulaient dire, mais il se rendait compte que les autres avaient plus ou moins compris. Alors il reprenait le ballon et il l'expliquait dans une autre langue, avec un art remarquable d'ailleurs. C'est une de ses forces, de pouvoir rendre les arguments québécois compréhensibles pour les gars de l'Ouest ou des Maritimes, qui ne les comprennent pas toujours du premier coup. »

André Tremblay n'est pas dans la pièce pendant que cette scène se déroule. Mais devant un groupe d'hommes d'affaires, il rapportera en début de campagne référendaire que selon le procès verbal de cette rencontre « les séances étaient à ce point éprouvantes pour le premier ministre qu'il n'était plus capable de saisir les nuances, qu'il ne réussissait plus à s'exprimer en anglais ». Il semble que l'anecdote du texte légal traduit par Mulroney ait subi quelques améliorations au passage...

Un membre de la délégation québécoise tient à préciser : « Bourassa était fatigué, c'est vrai. » Vrai aussi que Bourassa est souvent paresseux, ne lit pas les documents qu'on lui prépare, ne s'intéresse pas aux technicalités en jeu. Sauf lorsqu'il s'en donne la peine. « Là, il les saisit, les nuances. C'est un premier de classe. Quand il travaille, il comprend. S'il est passé au français, c'est qu'il voulait insister, justement, sur les nuances. »

Le sujet qui préoccupe au premier chef les délégués à l'ultime étape de Charlottetown est le processus de ratification. Un référendum ? National ? C'est la proposition avancée par Mulroney, et bientôt reprise par la grande majorité des délégations. « Il n'est pas question de répéter l'expérience de Meech, affirme par exemple Bob Rae. On l'a fait une fois, on a vu ce que ça a fait au pays, de laisser une entente exposée au vent pendant trois ans. Ce n'est pas très sain. »

Des premiers ministres précédemment sceptiques sur l'issue d'un tel vote sont maintenant rassurés. Frank McKenna, comme d'ailleurs Bourassa, craignait « l'effet Mulroney » : que l'impopularité du premier ministre entraîne l'accord à sa perte. Mais un accord unanime, signé par tous les premiers ministres et agréé par les partis d'opposition en Chambre, c'est une autre histoire. Déjà, la Colombie-Britannique, l'Alberta et le Québec ont prévu, par voie législative, un référendum. Terre-Neuve en affirme la nécessité. Les électeurs des autres provinces se sentiraient floués de ne pas pouvoir s'exprimer, eux aussi. Comme le manitobain Gary Filmon, la majorité des PM veulent poser « la même question, à travers le pays » et, indique Mulroney, « le même jour ». Personne ne se souvient que Bourassa ait défendu, dans le huis clos, l'idée que le Québec vote dans une seconde étape, après le ROC. Personne ne se souvient l'avoir entendu dire que telle était la volonté de son Conseil des ministres — sa seule volonté, en fait. Là-dessus, le premier ministre québécois est muet. (En entrevue, Bourassa confirme qu'il n'a pas évoqué ce scénario pendant le débat.) Ce ne sera pas sa seule absence. En proposant que le vote national soit tenu le 26 octobre, date limite prévue par la loi 150, en acceptant que le Québec puisse organiser le scrutin selon ses propres procédures référendaires, le ROC considérait avoir fait son plein de compromis[*].

Un référendum national, organisé partout le même jour, mais posant quelle question ? À la blague (du moins on l'espère), Mulroney propose : « Êtes-vous pour cet accord ou pour la division du Canada ? » Clyde Wells, qui tient mordicus à modifier la partie de l'accord qui porte sur la Cour suprême, propose une question à plusieurs volets, où des majorités, dans certaines provinces, pourraient s'opposer à l'un ou l'autre aspect de l'entente. La réforme de la Cour suprême nécessitant l'unanimité des provinces, ce « gain québécois » pourrait ainsi sombrer au large des côtes du Labrador. Isolé sur ce point, Wells renonce.

Mais que se passera-t-il si l'accord est adopté dans une majorité de provinces, mais qu'une ou deux boudent ? Le texte confidentiel de l'entente formulé à Charlottetown est rédigé de telle façon que cette issue ne soit pas fatale : « Si l'ensemble des modifications est approuvé au moment du référendum, tous les gouvernements s'engagent, compte tenu des résultats du vote dans leurs provinces respectives et de leur législation, à déposer les résolutions constitutionnelles nécessaires. »

Ainsi, il faudra « tenir compte » du vote provincial. C'est un élément

---

[*] On a vu que, plusieurs jours auparavant, un sondage montrait que 75 % des Québécois préféraient la tenue d'un référendum sur la souveraineté. Au moment où Bourassa accepte de faire le contraire, CROP est en train de sonder les Québécois, avec une question à choix multiple : 33 % veulent « tenir immédiatement un référendum sur la souveraineté » ; 15 % veulent « tenir un référendum sur l'entente constitutionnelle après que les autres provinces l'auront ratifiée » ; 15 % veulent « tenir immédiatement un référendum sur l'entente constitutionnelle ».

essentiel, pas une condition déterminante. Un gouvernement provincial pourrait donc passer outre à la recommandation de ses électeurs — au Canada, les référendums sont par définition « consultatifs » — et arguer de l'appui majoritaire de tous les Canadiens pour faire ratifier l'entente.

À Charlottetown, Mulroney dispose de sondages frais, qui montrent qu'une majorité de Canadiens, partout au pays, sont disposés à voter en faveur de l'entente. Il les montre à Bourassa qui répond, lucide : « Ça ne veut rien dire. » Mulroney n'est pas dupe non plus. « On pensait qu'avec une bonne campagne, on pouvait le gagner, confiera-t-il. Mais on ne pouvait pas se permettre de bourde. » En fait, Mulroney et plusieurs premiers ministres pensent que le vote sera plus problématique en Colombie-Britannique qu'au Québec. Lorsque la rencontre se terminera, plusieurs iront prodiguer leurs encouragements à Robert et Michael, sur l'air de : chez nous, ça va bien se passer.

Lorsque Mulroney annonce publiquement la tenue du vote, un journaliste lui demande s'il ne craint pas que le pays en sorte déchiré.

« Tout peut semer le désaccord, répond-t-il. Si vous tenez une élection, un référendum, si vous menez des négociations constitutionnelles, même si vous allez danser ou si vous allez au cinéma, ces jours-ci ! »

La rencontre de Charlottetown dure moins de trois jours, mais elle a bien des hauts, bien des bas. Bourassa donne parfois l'impression « qu'il est pas là », dit Benoît Bouchard. C'est qu'une partie de son esprit est restée au Québec, où il a peine à jauger l'importance de l'opposition à venir. En plus de s'occuper de la « mise en scène » d'Allaire, il suit de près l'évolution de Dumont. Il l'appelle deux fois, pendant la négociation, « pour voir, dit Dumont, ce qu'on allait faire en fin de semaine ». Attentif à la conférence de presse de Dumont, il lui lance ensuite dans un grand rire : « J'ai vu ta conférence de presse hier, t'es toujours aussi habile, hein ! Tu vas encore une fois t'en sortir ! » Des remarques qui laissent Dumont perplexe. « Je vois pas pourquoi il serait fier de ça ? J'ai jamais pu comprendre ça. C'est comme si je faisais partie d'une stratégie pour ramener les affaires de son côté. Il se dit peut-être qu'en agissant comme si on était complices même dans cette histoire-là, il va finir par me faire oublier mon opposition. »

Si Bourassa « n'est pas là » dans les discussions de Charlottetown, s'il décroche c'est notamment vrai vers 10 h, les matins du jeudi et du vendredi : moment d'arrivée de sa revue de presse québécoise. Le premier ministre s'y plonge, en lit chaque feuille. Parfois il attire l'attention de Benoît Bouchard, assis à côté de lui à la table de négociation, sur un éditorial critique du *Devoir* (tous les éditoriaux du *Devoir* sur Bourassa sont critiques). En riant, il commente : « Pour moi, ils ont pas compris ce que je voulais dire. Si je leur expliquais encore ? »

Mulroney fait signe à Bouchard de ramener Bourassa aux travaux en cours. Le ministre prend l'aide-mémoire qui guide les débats, et montre à

Bourassa : « On est rendus là. » Mais Bourassa n'en a cure. Il continue sa lecture. Mulroney place maintenant lui-même l'aide-mémoire par-dessus la revue de presse. « Arrête de lire tes *clips* de presse, lui dit-il. Regarde, il est en train de parler, là ! » Bourassa recommence son manège revue de presse sur l'aide-mémoire. Mulroney recommence son manège. « Avec Bourassa, résume Bouchard, on a eu un *fun* noir. Il est tellement relax. Jamais de mauvaise humeur ! »

Le premier ministre de Terre-Neuve, lui, est venu pour se battre. Sur plusieurs fronts. D'abord et toujours : la Cour suprême. Lui qui est avocat, et qui rêve peut-être un jour d'y siéger, ne veut pas s'y retrouver en présence de juges « séparatistes ». Or le mode de désignation des trois juges du Québec permettrait à un gouvernement péquiste d'imposer un juriste indépendantiste à la Cour. Clyde Wells insiste donc pour qu'on ajoute une clause stipulant que ce mode de désignation pourra être modifié par une décision de sept provinces représentant 50 % de la population canadienne. En clair : Parizeau prend le pouvoir et, dans les trois mois qui suivent, sept provinces du ROC votent pour empêcher la profanation du sanctuaire canadien de la justice. La demande de Wells oblige Bourassa à descendre en deçà de Meech, qui prévoyait un veto québécois sur le mode de désignation des juges. Il cède néanmoins, ébranlé peut-être par l'argument anti-indépendantiste de Wells, qui porte autour de la table. Le Terre-Neuvien a sa clause, une des nombreuses dispositions Meech moins que comporte l'entente. Le Parti québécois l'appellera la « clause Jacques-Yvan Morin », du nom du juriste et ancien ministre péquiste qui aurait fait un excellent candidat pour la plus haute cour du pays mais qui, grâce à Wells, n'y accédera jamais (à moins de devenir trudeauiste, ce qui est peu probable).

LE DERNIER SECRET

Clyde Wells poursuit aussi le combat sur l'application, dans les futures zones autochtones, des lois provinciales. Dans un document remis à Bourassa et qui comprend 12 points à proposer, clarifier ou défendre à tout prix à Charlottetown, le SAIC dit, comme Wells, qu'il faut absolument ajouter les mots « lois provinciales », plutôt que de laisser le flou artistique proposé par Ovide Mercredi, et accepté le jeudi précédent par Bourassa. (Un autre document des conseillers propose une demi-douzaine d'autres changements au volet autochtone.) La délégation québécoise insiste auprès des représentants autochtones, affirmant que Claude Ryan, ministre de la Sécurité publique, est très déterminé sur ce point. Selon Michèle Tisseyre, conseillère de Mercredi, les Québécois affirment que Ryan « avait dit à Bourassa que pour lui c'était *sine qua non*, *bottom line* absolu, et qu'il fallait absolument qu'il ait ça ».

Ovide Mercredi, lui, est rongé par le débat sur les « lois provinciales ». Déjà, le boiteux compromis consenti le jeudi soir précédent lui a valu la défection des Mohawks. Céder encore, c'est perdre combien de bandes autochtones supplémentaires ? « Il était extrêmement anxieux, il ne dormait plus, il était crevé », raconte Tisseyre.

Le jeudi soir, Mercredi pèse encore le pour et le contre, non loin de la salle de réunion. « Je sais que Bourassa a besoin de ça pour son congrès, mais qu'est-ce que les chefs vont dire ? » L'Ontarien Bob Rae et Roy Romanow, de la Saskatchewan, viennent le rejoindre pour éclairer sa lanterne. Rae est le plus net : « Je veux que tu saches que si tu ne changes pas ta position, il y a des gens autour de la table qui seront très heureux de te fourrer [*to screw you*]. Tu peux compter là-dessus. Ils le feront. » Tout le volet autochtone se joue désormais, affirment les deux PM, sur les mots « lois provinciales ».

Rémillard insiste auprès de Mercredi. « Pensez-y, Ovide, vous pourriez être l'homme qui aura façonné l'histoire de votre peuple. » Ce à quoi le leader autochtone répond dans un grand éclat de rire : « Oui, mais je pourrais aussi être l'homme qui a vendu son peuple pour une bouchée de pain ! »

Si la délégation québécoise tente de convaincre Mercredi, elle tente surtout de convaincre Bourassa d'imposer ce point de vue à ses homologues. « Avec lui on faisait des *briefings*, des caucus, dit un négociateur québécois, on était comme des entraîneurs du coin du ring. "Vas-y Robert !" » Robert y allait. Quand il revenait, rien n'avait encore été fait. Encore. Encore. Encore. Toujours rien. Pourquoi ? Comment ?

Dans la délégation, on s'impatiente. Si on ne veut arracher qu'une chose, c'est la foutue clause des lois provinciales. Benoît Morin, secrétaire général du gouvernement, premier fonctionnaire de l'État québécois, vieux compagnon de Bourassa, a sa dose. « Ça faisait 15 ou 20 fois qu'on demandait le changement, pis on l'avait pas, raconte un participant. Benoît est un gars colérique. Il en avait assez. Il était survolté. C'est le seul qui a vraiment perdu patience parce que les messages ne se rendaient pas. »

Morin dit : « Crisse, moi, j'y vas ! » et part en flèche vers la salle de réunion réservée aux premiers ministres. Un agent de sécurité garde l'entrée du conclave. Il s'interpose. Morin le repousse et lance, en français : « Moi, j'passe ! » Une fois à l'intérieur, il insiste à nouveau auprès de son premier ministre. Ne voyant toujours rien venir, il y retournera encore une ou deux fois, pour recharger les batteries de Bourassa.

André Tremblay, de même, vient voir à l'intérieur de la salle ce qui s'y passe, et demander à Bourassa des instructions sur un aspect du volet autochtone. Selon Benoît Bouchard, qui assiste à la scène, Bourassa répond à son conseiller : « Là-dessus, j'ai délégué mes pouvoirs à Clyde Wells. Wells parle en mon nom. »

« À Charlottetown, dit un des Québécois, il fallait qu'on se substitue à l'absence de leadership et qu'on pose des gestes qui ne relevaient pas de nous. Le gouvernement n'était pas là. »

Le sur-place autochtone s'éternisant — les discussions, le jeudi, durent près de 21 heures — des membres de la délégation québécoise veulent savoir ce qui se passe dans le conclave lorsqu'ils n'y font pas personnellement irruption. « Est-ce que Bourassa fait les messages ? » demande l'un d'eux à un des hauts fonctionnaires fédéraux admis dans le huis clos. La réponse est non.

> Bourassa se rendait à l'intérieur, il disait rien, sauf d'aller voir Jocelyne [Bourgon] et Suzanne [Hurtubise, son assistante, préposée aussi à la rédaction des libellés agréés]. Donc, il allait intervenir auprès des officiers rédacteurs pour obtenir ses modifications ! Comprends-tu ? Au lieu de négocier ses affaires, il essayait de convaincre Jocelyne de les mettre dans le texte par en arrière. C'est inacceptable. Comprends-tu ? C'était systématique. Ça a pas de bon sens négocier comme ça, on n'a jamais vu ça. Jocelyne était outrée de cette façon de procéder.

La personne qui raconte cette anecdote — ou plutôt, cette déchéance — a la voix chargée de chagrin. On y entend la trace d'une indignation qui a vieilli, depuis la première fois qu'elle l'a ressentie, ce jour-là à Charlottetown, et qui s'est mêlée, depuis, d'un peu d'amertume et de beaucoup de lassitude. Cette description saisissante du comportement de Robert Bourassa, le témoin la fait à l'auteur à l'issue de 14 heures d'entrevue, comme le morceau final, le secret trop pesant qu'il avait besoin de lâcher, celui qui le réveille la nuit, celui qui a brisé à jamais la confiance qu'il avait investie dans « son » premier ministre.

> C'est à Charlottetown que j'ai découvert le pot aux roses. Tu ne veux pas voir ton premier ministre comme un être impuissant. Tu te refuses à voir l'évidence.
>
> Dans toute la délégation, quand on s'est rendu compte de ça, c'était une atmosphère d'enterrement. À la fin, c'était pas de la révolte, c'était de la peine.

LES GAVROCHES DE LA CONSTITUTION

Le conseiller André Tremblay devient visiblement amer. Lui qui a très peu parlé à la presse pendant les négociations précédentes, se vide le cœur, le jeudi après-midi, devant Michel Vastel, du *Soleil*. « Pour lui, c'était un échec, se souvient le journaliste. Tu sentais qu'il avait la gueule sure. Tout allait mal. Rien n'avait marché comme il le voulait. Tu sentais le fonctionnaire déçu. » Car bien peu des recommandations presque désespérées du dernier document du SAIC ont été prises en compte à Charlottetown.

Tremblay est à ce point déprimé que lorsque Rémillard lui demande de participer à une réunion d'experts destinée à fignoler un nouveau compromis, qui, lui, le met en rogne, il a (comme il le racontera dans une conversation téléphonique qui sera bientôt fameuse) « désobéi au ministre ». Il s'est « rebellé ». Rémillard a insisté. « J'ai dit : "Non, j'y vas pas." [...] J'ai dit : "Mes genoux sont usés." On marche sur les genoux, comme tu sais, hein ? Je pense qu'ils sont troués ! Je ne suis pas allé et je l'ai envoyé promener ! »

Il n'est pas le seul, dans l'équipe québécoise, à se sentir abandonné par

Bourassa. Plusieurs se plaignent que le chef des Québécois disparaît tôt, dès 23 h — sauf le mercredi soir — et n'est pas présent, le matin, pour donner des instructions à ses troupes, comme c'est le cas dans les autres délégations. « On n'en avait pas, de crisses d'instructions, dit un membre du groupe. C'est nous autres qui lui en donnait. C'est pas aux employés de surveiller le *boss,* quand même ! »

Même Jean-Claude Rivest trouve la coupe trop pleine. Devant Michèle Tisseyre, conseillère d'Ovide Mercredi, il lâche : « Vous, au moins, vous savez où vous vous en allez. Nous, on sait jamais ce qu'il va faire. » Le jeudi soir, résume un participant, « l'atmosphère au sein de la délégation était d'ordre funéraire ».

Mais il faut faire quelque chose. Une fois Bourassa parti écouter les informations à la télé et se coucher, Benoît Morin et André Tremblay devisent sur le désastre en train d'émerger. Ils jugent que l'entente ne pourra jamais passer la rampe de l'électorat québécois. Ils décident de se substituer à l'inexistant leadership politique québécois et d'organiser, eux-mêmes, de leur propre initiative, un ultime effort pour arracher des concessions. Sans en informer Bourassa ou encore moins Rémillard — alors extrêmement loin du *char* — mais en en avisant Rivest et Chamberland, Morin et Tremblay se rendent plaider la cause québécoise, le vendredi matin, à la réunion de stratégie des Ontariens, tenue dans une salle à manger fermée au public.

« Ils prenaient un air très important, comme pour une mission lourde de sens, se souvient le négociateur ontarien David Cameron. Nous étions un peu déconcertés par la démarche, qui semblait improvisée et désespérée. »

Morin et Tremblay demandent à voir le premier ministre ontarien et son principal conseiller, Jeff Rose, à l'écart. Une fois le quarteron isolé du reste du groupe, les deux Québécois font une démonstration globale : sans pouvoirs supplémentaires, pas de majorité québécoise. Sans majorité québécoise, pas d'entente constitutionnelle. Tremblay tient en main son *checklist.* Lui et Morin formulent trois demandes : que Rae aide le Québec à obtenir la maîtrise d'œuvre en matière culturelle, gain indispensable pour « la vente » ; que Rae aide le Québec à repousser l'offensive de Clyde Wells sur la « clause Jacques-Yvan Morin » ; que Rae aide le Québec à protéger totalement, dans la constitution, son plancher de 25 % de députés à la Chambre.

Rae écoute, prend note. Il ne fera rien. Il n'aidera en rien. Ce qui poussera Tremblay, dans une conversation avec une collègue, à parler des « Ontariens, là, [qui sont] les plus enfants de chienne que tu puisses imaginer ; plus que ça, c'est terrible ». (Les deux francs-tireurs québécois obtiendront par une autre voie, ce jour-là, leur demande de protection du 25 %, mais échoueront sur les autres fronts.) L'inutile conciliabule une fois terminé, Bob Rae revient voir sa délégation. Du rapport qu'il fait de cette étrange mission, Cameron retient « que c'était une initiative stupide », survenue « bien trop tard pour pouvoir réussir ». Sur la culture, ajoute-t-il, « les trois quarts des délégations provinciales qui s'étaient exprimées pendant la multilatérale étaient déjà intervenues avec force pour défendre la présence fédérale dans ce domaine ». En plus, lors d'une rencontre à Toronto, des artistes anglophones favorisant le pancanadianisme culturel avaient fait un piquetage remarqué. « Ce qui fait que plusieurs délégations se sentaient poussées à tenir la ligne. »

Morin, Tremblay, Rivest et Chamberland ont un souci supplémentaire : une rébellion larvée du reste du personnel d'experts québécois à Charlottetown. En plus des hauts fonctionnaires et des conseillers, la suite de Bourassa comprend un groupe de membres du SAIC dont la tâche est d'assurer le soutien technique, de produire des textes, des évaluations, de retrouver les références, les précédents, d'établir les traductions. Ce ne sont pas des idiots. Ils savent lire, dans la paperasse qui leur passe entre les mains, la déconfiture québécoise. À Pearson, déjà, ils rechignaient. À Charlottetown, ils sont les gavroches de la constitution. Logé de l'autre côté de la rue de l'immeuble où se tiennent les réunions, un d'entre eux refuse, le jeudi et le vendredi, de se joindre aux travaux lorsqu'on lui en fait la demande. Comme s'il ne voulait pas être partie à la reddition. « On n'a pas d'affaire là. On devrait retourner chez nous. » Les experts regardent même d'un œil torve les Tremblay, Chamberland et Morin qui acceptent, eux, de s'acoquiner avec Bourassa et Rémillard. Un peu plus, ils feraient du piquetage.

Les membres de l'entourage du premier ministre québécois ne sont pas les seuls « déçus de Bourassa ». Bien que son jugement soit sujet à caution et que son rôle ait été on ne peut plus ambivalent dans cette histoire, Benoît Bouchard, lieutenant québécois du gouvernement fédéral, présent à Pearson et à Charlottetown, fait de l'action du Québec un bilan qui ne manque pas d'intérêt :

> Benoît Bouchard : Moi, je pouvais pas parler au nom du Québec. Mais si moi j'avais été Robert Bourassa, si j'avais parlé au nom du Québec, c'est ben évident que je trouvais que c'était pas suffisant. C'est ben évident. Sur la question des pouvoirs entre autres.
>
> Mais on revient toujours au point de départ : si Bourassa le considère acceptable, comment nous, les Québécois à Ottawa, peut-on s'en dissocier ?
>
> On pouvait dire qu'on avait retrouvé Meech. Mais il fallait torturer pas mal les choses. Alors que si, au niveau des pouvoirs, on était revenu véritablement avec quelque chose... [...]
>
> Le droit de la famille, par exemple. Ils se sont pas battus pour ça. Remarque bien, je sais pas pourquoi et je ne me suis pas arrêté à ça. Mais le Québec s'est pas battu pour ça. [...]
>
> Veux-tu, je vais être honnête avec toi ? Le Québec ne s'est jamais battu. Je suis mauvais juge parce que je suis un bonhomme qui s'est bagarré [à Ottawa] pendant neuf ans. Mais le Québec s'est jamais battu dans le sens de mettre les poings sur la table. Ou dans le sens où le Québec aurait dit : « C'est ben malheureux, mais nous autres on s'en va vers la souveraineté. » Tsé, pousser les enchères jusqu'au bout. Est-ce que ça aurait donné quelque chose ? Je le sais pas. Je le sais pus.

Mais moi, tel que je voyais les choses, je pense qu'on n'aura peut-être pas le choix que d'aller jusqu'au bout à un référendum sur la souveraineté, parce que c'est bloqué, il y a un mur. [...]

Le Québec détenait à un moment donné un levier immense et excessivement fort, qui s'appelait le référendum sur la souveraineté. C'était Bélanger-Campeau dans le fond. Je ne pense pas que Robert ait jamais voulu s'en servir. Je ne dis pas qu'on aurait dû aller jusque-là, mais je dis qu'on aurait dû considérer que s'il le fallait, on allait le faire. [...]

Mais Robert ne tente pas le diable. Mulroney joue quitte ou double. Mulroney est un *gambler*. Bourassa est pas un *gambler*. Est-ce que, si Bourassa avait encore eu deux gains de moins, il aurait quand même accepté ? Je pense que oui. Parce que Robert allait pas là pour se battre.

FRIENDS FOREVER !

Les Québécois ne quittent pas Charlottetown sans empocher deux prix de consolation. D'abord, ils réussissent à recouvrer ce que Bourassa avait perdu la semaine précédente, dans le domaine du perfectionnement de la main-d'œuvre. Ottawa devra se retirer, là comme en ce qui concerne la formation, dans les bien fragiles paramètres de l'entente du 7 juillet. Ensuite, il y a « les lois provinciales ».

Le vendredi matin, après avoir consulté les chefs présents, mais sans trop d'illusion quant aux conséquences du compromis sur la suite du débat entre autochtones, Mercredi accepte : « Ryan en a besoin, Bourassa doit l'avoir, il retourne à Québec ce soir, il a son congrès demain, on doit l'aider », dit-il. Détail qui montre tout ce que Mercredi a appris, en six mois de coexistence avec les politiciens : s'il accepte d'introduire les mots « lois provinciales », c'est à la condition qu'ils figurent, non dans le texte de l'Accord, mais plutôt dans les articles des textes juridiques dont la publication n'est prévue que pour au moins un mois plus tard. La technique, confirmée par Segal, constitue une nouveauté dans la négociation consitutionnelle : la concession à retardement[*].

---

[*]   Dans les analyses préparées quelques jours plus tard par le SAIC, et qui reflètent les préoccupations de la délégation québécoise (sauf de Bourassa), on note que le libellé adopté à Charlottetown est encore bien périlleux, car pour être appliquées en territoires autochtones, « les lois provinciales » dont il est question doivent être « essentielles » au maintien de « la paix, de l'ordre et du bon gouvernement *au Canada* ». « Les termes "au Canada" pourraient amener le pouvoir judiciaire à exiger que le maintien de la loi provinciale soit essentiel non dans une perspective provinciale, mais plutôt d'un point de vue canadien, écrit le SAIC. Si une telle démonstration était exigée, on peut prétendre que bien peu de lois provinciales la rencontreraient. » Ces textes reconnaissent par ailleurs que les changements apportés ont « écarté les dangers » principaux identifiés après le 7 juillet, mais soulignent qu'à plusieurs titres, le volet autochtone « ne procure pas au Québec toutes les protections recherchées ». Les experts disent essentiellement que l'entente donne aux tribunaux la latitude nécessaire pour que « l'intégrité du territoire du Québec [soit] malgré tout menacée », pour « confier aux gouvernements autochtones de nombreuses compétences qui relèvent actuellement du Parlement » québécois et pour, en définitive, « se prononcer sur la portée du sens du droit inhérent ». Or la jurisprudence des cours fédérales en ces matières est rarement favorable aux arguments québécois.

Mais les rapports entre Bourassa et Mercredi sont au beau fixe. Le premier ministre québécois prend le grand chef par l'épaule et lui dit : « *Friends forever, Ovide. Friends forever.* » (« Nous serons toujours amis, Ovide, toujours amis. »)

Une fois réglé le problème autochtone, le groupe en a terminé de ses délibérations. Brian Mulroney, après un petit couplet de congratulations générales, annonce que le bateau est à bon port. Que chacun doit maintenant se préparer pour le référendum à venir. Frank McKenna, au sortir de la salle — mais loin des journalistes — tombe, genoux à terre, les bras au ciel, et crie : « Enfin, enfin, c'est fini ! »

Quelques heures plus tard, alors que Bourassa a pris son envol pour Québec, Ovide Mercredi lui fait transmettre un message : « Dites à Robert que, demain matin, je vais faire brûler un peu de foin d'odeur et que je vais prier pour lui. »

André Tremblay, de son côté, retourne à son hôtel, le Hilton. Il est encore plus en rogne qu'au départ de Charlottetown car Rémillard, puis Bourassa, l'obligent à venir, le lendemain, parader sur l'estrade du congrès libéral, y faire semblant d'aimer « l'entente de Charlottetown ». Il a d'abord refusé. Mais Bourassa lui a imposé ce « devoir d'État ».

Fatigué, démoralisé, révolté, au bord de la démission, il décide d'appeler sa vieille complice Diane Wilhelmy, toujours en convalescence. Pour une raison qu'il ne s'expliquera jamais complètement ni ne se pardonnera tout à fait, plutôt que d'utiliser le téléphone de sa chambre d'hôtel, il utilise son cellulaire. Il est 22 h 24.

Il compose le numéro, joint Wilhelmy à Sainte-Foy.

Diane, laisse-moi te raconter...

Quelque part, à Québec, pendant 27 minutes, un magnétophone tourne.

17

LE RASEUR

La démocratie n'est pas un sport-spectacle.
C'est un sport de contact.

Tom Korologos,
lobbyiste américain

U N JOUR DE LA FIN DE JUIN 1990, à Vancouver, un délégué québécois au congrès du Club automobile du Canada est assis à l'écart. « S'ils veulent avoir des explications, ils vont venir s'asseoir », se dit-il. Au Club, il est bien connu pour ses opinions politiques et pour son appui à l'accord du Lac Meech, qui meurt ces jours-là. Personne ne vient le voir. Personne ne vient partager sa tristesse. « Ça m'a confirmé dans l'opinion que j'avais », explique l'avocat de Laval, alors sur le point d'entrer sous les projecteurs. « Je savais que c'était une réaction contre le Québec. »

Jean Allaire est encore assis à l'écart, le 29 août 1992. Partout ailleurs, sur le parquet et dans les gradins de la grande salle du Peps de l'université Laval, les 3600 délégués au congrès du Parti libéral du Québec se serrent les coudes. Mais dans le coin sud-est, par rapport à la scène, il y a comme un vide. Un *no man's land*. Ou plutôt, un *one man's land*. Au centre : le paria. « Jean Allaire est mort », lâche Marc-Yvan Côté dans le micro d'un journaliste, à quelques mètres de là. Étrange constat, car lors de vraies funérailles, on se presse généralement autour du cercueil. Il est vrai que le décès n'a pas encore été officiellement constaté.

L'isolement d'Allaire est en partie voulu. « Je me suis dit : "C'est moi qui suis le mouton noir aujourd'hui. Je suis le mauvais garçon." » C'est son style : un tantinet misérabiliste. Il lui suffirait de s'avancer d'une vingtaine de rangées pour être en terrain ami, près de la petite centaine de membres de la Commission jeunesse, non loin de Mario Dumont et de Michel Bissonnette. Mais Allaire dit refuser d'être « la belle-mère des jeunes ». De temps en temps, quelqu'un vient le saluer. Jacques Gauthier, formellement passé dans son camp. Dumont et Bissonnette, pour échanger des informations. Bill Cosgrove, l'ancien allairien fédéraliste, gentleman comme toujours. Pierre Anctil fait aussi son effort. Quelques députés. Aucun ministre. Quand quelqu'un s'approche, les caméras s'allument et des perches de micro se tendent en sa direction. Le reste du temps, un photographe est posté à quelques pas, attendant de croquer une rencontre.

Mais pendant toute la journée, Allaire, dans son coin, sera le reproche vivant, le symbole de l'isolement, de l'entêtement. Il ne faut pas un grand effort d'imagination pour lui trouver quelques traits de ressemblance avec un autre têtu canadien, Clyde Wells.

LE VENT FROID DE L'HISTOIRE

Mario Dumont, lui, s'active. Il va et vient, tente de grappiller quelques derniers appuis. « Cette journée-là, ce qui était pas endurable, c'était les caméras. » Des équipes de l'émission *Le Point* et de son pendant anglophone, *The Journal*, ont décidé de préparer la chronique détaillée de cette journée. Ils suivent donc à la trace, pas à pas, les principaux acteurs, pour ne manquer aucun rebondissement de l'intrigue. Mais à force d'éclairer, ils éteignent. « Je pouvais jamais parler de stratégie avec le monde autour de moi, se plaint Dumont, j'avais toujours les caméras dans la face ! Ah ! c'était l'enfer. » Jean-Guy Lemieux qui se promène avec une tête d'enterrement, annonce à Dumont qu'il va parler contre l'entente, mais voter pour. C'est encore trop. Il parlera pour et votera pour.

Parmi les anciens allairiens, plusieurs membres du réseau Anctil rejoignent la dissidence : en plus de Gauthier et de Lalonde, Lucie Granger est du voyage, comme Philippe Garceau. Membre du Comité de suivi, Carole Lavallée fait le saut.

Avec le recul, l'histoire retient que les enjeux étaient clairs, tranchés à la hache. Mais dans le bouillonnement des événements, rien n'est moins clair, surtout lorsque des *apparatchiks* intelligents, dans une situation politique complexe, distillent des arguments plausibles.

Un membre très nationaliste de la Commission politique du parti explique à l'auteur ce jour-là qu'il ne sert à rien de s'énerver : ce qu'on appelle dorénavant « l'entente de Charlottetown » va s'écraser d'un jour à l'autre dans quelque capitale de l'Est ou de l'Ouest, et il n'y aura peut-être même pas de référendum. S'il y en a un, il sera battu dans le ROC. C'est alors que la vraie bataille va se tenir. « Plusieurs pensent qu'on va être de retour en congrès spécial d'ici quelques semaines et qu'on va se pencher sur la seconde option [la souveraineté confédérale] », affirme-t-il, avec la foi du prosélyte. « Mario pourra revenir avec sa proposition, et obtenir 50 % d'appuis. »

Pourquoi, dans ces conditions, risquer sa peau politique, s'il faut la préserver pour la bataille à venir ? Denis Therrien, allairien puis membre du G7, a fini par craquer pendant la semaine. La veille, il était encore présent à la rencontre de stratégie des dissidents, mais il devint bientôt clair qu'il venait les retenir, non les aider à partir. Ex-candidat libéral défait, potentiel futur candidat, il a besoin de l'aval de la direction du parti pour assurer sa future carrière politique — car c'est le premier ministre qui signe les « bons de candidature ». Est-ce bien la peine de la mettre en péril ?

Il faut compter aussi sur la désinformation que fait le premier ministre. « M. Bourassa a répondu à beaucoup de questions et apporté de nombreux éclaircissements », explique Therrien aux journalistes. Ce qui est heureux car, dit-il, il était difficile d'évaluer les offres à partir des reportages qu'on en faisait pendant la semaine. Ce que le président du parti, Jean-Pierre Roy — autre allairien qui, à l'Alpine Inn, affirmait qu'il fallait « arrêter de parler du fédéralisme dans ce parti-là, il faut maintenant parler de souveraineté » — résume de façon exquise : l'entente devient « très intéressante pour le Québec, quand on obtient les explications de M. Bourassa ».

Sur le podium, d'où elle préside le congrès, trône Diane Viau, autre membre du G7. Elle qui n'avait accepté cette tâche que pour mieux démissionner avec fracas, encaisse au contraire assez bien le virage que le parti est en train de prendre. « Ce à quoi on tient le plus, déclare-t-elle, c'est que personne ne se fasse bulldozer » pendant les discussions.

Viau et Therrien, qui sont aussi vice-présidents du parti, veulent bien se ranger, mais il faut y mettre les formes. Or les fédéralistes orthodoxes, menés par Henri-François Gautrin, insistent pour amender la résolution de l'exécutif de sorte que le Congrès « appuie » l'entente et encense le chef. Les deux compères viennent plaider leur cause.

> Gautrin : C'est eux qui insistent pour une porte de sortie. Ils disent : Si vous passez votre amendement, nous on peut pas rester et on regarde la porte de sortie. » Alors on avait accepté d'écrire « recevoir favorablement » [en plus de « appuie »]. Eux, une fois qu'ils avaient ça, ils étaient d'accord, ils ont dit oui.
>
> L'auteur : C'est dérisoire. C'était pour sauver la face.
>
> Gautrin : Absolument. Il faut être conscient de ça. Mais il faut laisser les gens sauver la face.

Ainsi définitivement retourné, Therrien s'applique à racoler à son tour d'autres militants nationalistes. « Notre rôle était d'harmoniser le parquet, explique-t-il, d'amenuiser les tensions. » Il considère avoir assez bien réussi.

G6 ? Plus maintenant. G4.

Heureux d'avoir ainsi raccroché Viau et Therrien dans les coulisses du Peps, Gautrin tente le grand jeu avec Mario Dumont. Son récit illustre la présomption de cynisme toujours présente dans ces moments importants :

> Gautrin : Contrairement à l'expérience que j'avais eue avec les présidents de Commission jeunesse avant, je n'ai pas eu de sa part de volonté de négocier. C'est presque comme s'il était déjà dans un autre monde. [...] Moi j'étais ouvert, je

trouvais que c'était important de sauvegarder l'unité. Lui, il disait que rien n'était acceptable et qu'on avait trahi l'esprit du rapport Allaire.

Je comprends qu'il le dise en public, mais là, on se parlait !

Mais il est venu nous parler avec trois ou quatre personnes de la CJ, ce qui le mettait dans une position faible pour négocier [Gautrin veut dire : pour céder, le reniement étant toujours plus difficile devant témoins...].

J'ai essayé de lui dire que s'il trouvait un rationnel et qu'il appuyait la proposition, avec toutes les réserves, il aurait peut-être quelques problèmes avec les excités de son Conseil des représentants, mais il aurait l'appui de tout le monde pour régler ce problème-là [les excités]. Il serait sorti lui-même incontournable dans le parti et donc son poids aurait été beaucoup plus grand. Mais il répondait sur le principe.

Alors ça a pas abouti. Mais il a quand même été honnête. Il a dit : « Si je perds sur tel amendement, je retire tous les autres, il n'y a pas de raison qu'on s'étende. » Il l'a fait. C'est un garçon qui, sur le plan de l'honnêteté intellectuelle, a été correct. Nous, en contrepartie, on lui a dit qu'il pourrait s'exprimer et que Jean Allaire s'exprimerait et qu'on ne ferait pas comme eux avaient fait au congrès précédent*.

Therrien et Viau participent aussi à la tentative de sauvetage de Dumont. « Therrien, tout le monde... T'avais l'impression qu'il y en avait 600 qui perdaient leur temps à changer des mots dans la résolution, raconte Dumont. Il devait y en avoir trois ou quatre avec des dictionnaires de synonymes qui arrêtaient pas de changer toutes sortes de textes et de sous-amendements. » Bourassa lui-même fait venir Dumont dans la petite infirmerie du centre sportif pour tenter de lui administrer un dernier calmant. En vain.

Pierre Anctil et John Parisella ne pensent pas, depuis la rencontre de la nuit de lundi, que Dumont puisse être amadoué par des opérations de lexicologie appliquée. « Notre objectif au congrès, précise Anctil, c'était que Mario ne démissionne pas. » Et que le moins possible de nationalistes se joignent à lui.

« Ils descendaient toujours d'un grade sur ce qu'ils pouvaient sauver comme meubles, là, résume Dumont. Ils avaient fait leur deuil du congrès, pis ils se disaient : "Bon, si on a un congrès désuni, mais qui s'inscrit dans un parti qui est toujours uni par la suite, c'est déjà un peu moins pire. Ils essayaient de sauver ça. »

Parisella prend Dumont à part, pour sa propre séance de *lobbying*. « Je lui ai dit qu'il devait rester. Depuis cinq ans, la Commission jeunesse a imposé ses thèmes en éducation, en environnement, sur des questions de natalité, alors ça vaut la peine de travailler à l'intérieur. Je lui disais : "On a besoin de vous, vous

---

*   Cette légende est tenace. Voir tome I, « L'étripailleur », section « Le coup est parti tout seul ». Le jour du congrès de 1992, Claude Ryan s'en plaint encore : « Ils savaient ce qu'ils faisaient lorsqu'ils ont coupé court prématurément à la discussion, comme vous vous en souvenez sans doute. Ils doivent assumer les responsabilités de leurs actes. Un jour ou l'autre, d'une façon ou d'une autre, ces choses-là se retournent contre leurs auteurs. »

Les loyaux troubadours

Bourassa avec une partie des très fidèles membres de son gouvernement. « J'ai pas le souvenir que ça ait été un Conseil des ministres difficile », dit-il parlant de l'adoption de l'entente de Charlottetown. Les ministres n'étaient pas heureux de devoir prendre une décision sans pouvoir lire les textes de l'entente. Ils étaient insatisfaits de ce qu'ils savaient de son contenu. Ils étaient certains que le référendum serait une défaite. Ils ont dit oui quand même.

(De gauche à droite : Lawrence Cannon, Christos Sirros, Yvon Vallières, Albert Côté, Liza Frulla, Yvon Picotte et, le cas toujours le plus intéressant, Claude Ryan.)

Le plus allairiste des ministres, Marc-Yvan Côté, remise ses convictions. « On était quand même pas pour tuer le conducteur ! dit-il. Un parti, c'est un corridor et le chef joue dedans. Parfois, il va en dehors du corridor, s'il en a la force. C'est ce qui nous est arrivé. »

Un « Non » fédéraliste ?

Photo : Jacques Grenier/Le Devoir

Daniel Johnson. « Au début de son intervention au Conseil, c'était plutôt contre l'entente. Tout le monde s'est demandé ce qu'il voulait dire. Je me souviens qu'il y a eu une espèce de scepticisme. Finalement, on s'est aperçu qu'il était plutôt pour », dit l'un. Quand Johnson a eu fini de parler, se souvient un autre, « la réaction était : "Est-il pour ? Est-il contre ?" »

Le festival des dégonflés

Le plus allairiste des députés, Jean-Guy Lemieux, se dirigeant vers la salle du caucus, le 24 août. « Je suis le serviteur du PLQ, mais pas son esclave », dit-il avant d'entrer. Mais une fois à l'intérieur, lui et sa dizaine d'acolytes « se sentent obligés de commencer à applaudir [Bourassa] comme des marionnettes, puis un moment donné ils ont tellement applaudi qu'ils osent plus poser de questions ». Lemieux, lui, tire la conclusion : « Notre problème, c'est le culte du chef. »

« Parisella m'a bien passé le message, et assez raide merci, dit Lemieux à une collègue. Il va falloir que je prenne le flambeau. »

Le consensus était presque parfait. Le député Jean-Guy Saint-Roch s'échappe du lot. Bourassa tente de le rattraper. Tous les moyens sont bons.

Une dernière fois sur le métier...

Venus à Charlottetown pour une cérémonie de signature, les premiers ministres négocient à nouveau. Ses conseillers veulent que Bourassa passe à l'offensive : « Avec lui on faisait des *briefings*, des caucus, on était comme des entraîneurs du coin du ring. "Vas-y Robert !" » Robert y allait. Quand il revenait, rien n'avait été fait. Encore. Encore. Encore. Toujours rien. Pourquoi ? Comment ?

(De gauche à droite : Joe Ghiz de l'Île-du-Prince-Édouard, Joe Clark, Bob Rae, Brian Mulroney, Robert Bourassa, Benoît Bouchard.)

Au moment du départ : *Friends Forever !* Mercredi envoie un message : « Dites à Robert que, demain matin, je vais faire brûler un peu de foin d'odeur et que je vais prier pour lui. »

« Robert était pas là pour se battre. »

Photo : Ron Polling/Canapress

« Moi, je pouvais pas parler au nom du Québec. Mais si moi, j'avais été Robert Bourassa, c'est ben évident que j'aurais trouvé que c'était pas suffisant. C'est ben évident. [...] Veux-tu, je vais être honnête avec toi ? Le Québec ne s'est jamais battu. »

Dernier engagement

Au Congrès du 29 août 1992, Bourassa répond aux questions de la salle. Que faire si l'entente de Charlottetown est rejetée ? « Ce serait la souveraineté partagée qu'il faudrait considérer sérieusement à ce moment-là », dit Bourassa.

Allaire et Dumont : lâchés par les députés nationalistes et plusieurs alliés proches, isolés par l'appareil. « Est-ce qu'il y avait un côté vengeur ? Est-ce que je sentais une force vindicative ? demande un député fédéraliste. La réponse est oui. Elle se manifestait comme suit : "Ils nous ont... ; on va les..." Les verbes variaient. »

Dernier tour de piste

Photo : Le Soleil

« Il faut avoir un minimum de cohérence dans la vie. »

Les dissidents

Photo : Jacques Boissinot/Canapress

Quinze jours plus tard, ils annoncent officiellement qu'ils feront campagne pour le Non. L'avant-veille, Mario Dumont avait succombé, pour 24 heures, au numéro de charme de Bourassa.

Bonne question. Il offre sa réponse : ce sont des « saltimbanques sépara-tistes ». De mémoire de militant, on n'avait jamais entendu un Bourassa si fougueux, si décapant, si emporté, au vocabulaire si coloré, à l'agressivité si éloquente. Certes, il est conscient qu'il faut électriser ses troupes pour la cam-pagne à venir. Certes, il est conscient que plusieurs des appuis qu'il recueille aujourd'hui tiennent plus de l'automatisme que de la conviction. Que pour gagner, l'amour de l'entente de Charlottetown ne suffira pas : il faut lui ajouter la haine de l'adversaire.

Reste que le Robert Bourassa du 29 août 1992, pour une fois, semble avoir attaché ses cordes vocales à ses tripes, son discours à ses émotions. On com-prend qu'il a aussi lié ses choix à ses angoisses — Charlottetown plutôt que l'insécurité — lorsqu'il prononce ces mots terribles : « Je ne peux pas faire l'apprenti sorcier avec l'avenir du peuple québécois sans risque de subir le vent froid de l'histoire. »

QUOI QU'ON DISE, QUOI QU'ON FASSE...

« Je suis jeune, je m'inquiète pour les emplois, est-ce que [l'entente] va nous aider ? » Un jeune fédéraliste, Christian Siouifi, est au micro. Depuis quelques minutes, le premier ministre, flanqué de Gil Rémillard et d'André Tremblay, répond aux questions. S'attendait-il à affronter, en public, l'agressivité infor-mée des représentants pro-Dumont qu'il a essuyée en privé quatre jours plus tôt ? Si oui, il s'est énervé pour rien. Les jeunes allairistes ont décidé de ne pas se lancer dans un débat hargneux, de ne pas « brûler des arguments », dit Dumont, et de laisser Bourassa faire son spectacle sans anicroche. Ce qui lui enlève beaucoup d'intérêt.

Siouifi est un des jeunes fédéralistes qui se sont concertés avec le groupe de Gautrin pendant la semaine pour « créer un *momentum* positif » pendant la journée. Gautrin coordonne une vingtaine d'intervenants aux différents micros, donne les consignes, orchestre le débat. Il a planifié une utilisation maximale de ses jeunes orthodoxes, qui se relaient pour montrer que la CJ « n'est pas représentative » des vrais jeunes. Louis-Martin Richer, le chef de l'opposition fédéraliste à la CJ, vient dire au micro qu'il « félicite Robert Bourassa pour sa ténacité, sa clairvoyance et son courage ». Un délégué de la circonscription de Jacques-Cartier trouve l'hommage trop fade, et vient remercier Bourassa pour « une entente pratiquement parfaite ».

Des questions « plantées », comme celle de Siouifi sur l'emploi, visent à donner à Bourassa l'occasion de s'étendre sur ses « gains » en matière de main-d'œuvre, sur les ressources humaines maintenant contrôlées par le Québec, prétend-il. Tremblay, assis à côté de lui, ne dit rien. (Tout à l'heure, à l'univer-sitaire Guy Laforest, il a confié : « Sur les pouvoirs, on aurait dû sortir » de la négociation.)

Un militant, adjoint du député Yvon Lafrance, demande à Bourassa ce qui se passera si les autres provinces refusent, par voie référendaire, d'accorder au Québec toutes ces gâteries. Réponse du premier ministre : « Ce serait la souveraineté partagée qu'il faudrait considérer sérieusement à ce moment-là. » L'absence presque totale de résistance nationaliste dans la salle donne au débat une atmosphère irréelle. L'immobilité qui précède l'orage.

Le débat sur la proposition proprement* dite est enclenché, en début d'après-midi. L'amendement Gautrin, transformant le débat en un « appui au chef, Robert Bourassa », est adopté avec une écrasante majorité. À peine une centaine — 200 au grand maximum — de personnes votent contre, notamment les jeunes pro-Dumont regroupés à l'avant, à droite. Lorsqu'ils lèvent leurs cartons de vote pour dire non, ils sont chahutés. Bill Cosgrove se présente au micro pour demander aux militants de respecter les votes des uns et des autres. Il est applaudi.

Si quelqu'un avait un doute sur l'issue du vote, il a disparu. Plus de 90 % des militants ont voté pour. Ils se sont comptés. Les dissidents sont écrasés. La minorité « aurait été plus forte que ça, s'il n'y avait pas eu les ralliements qui ont eu lieu », commente Gautrin. Un militant exprime son dépit au micro : « Comme beaucoup d'autres, j'ai milité pendant 12 ans dans le PLQ en faveur d'une option qui serait entre le fédéralisme à la Trudeau et le séparatisme à la Parizeau. Ces gens doivent constater qu'ils ont échoué. Et je suis très malheureux de dire qu'au moment du référendum, je ne serai pas avec vous. Bonne fin de congrès ! »

Vient ensuite l'amendement « Viau-Therrien » voulant que le Congrès « reçoive favorablement » l'entente de Charlottetown. Philippe Garceau un allairien membre du G7 annonce au micro qu'il ne portera pas cette feuille de vigne et officialise ainsi sa dissidence. L'amendement est adopté.

Des circonscriptions qui, en début de semaine, s'était rangées du côté de la Commission jeunesse disparaissent comme par magie : Prévost, du député Paul-André Forget (adjoint parlementaire de Lise Bacon, ça ne pardonne pas) ; Vimont, de Benoît Fradet ; Saint-Maurice, d'Yvon Lemire ; Vanier, de Jean-Guy Lemieux ; Îles-de-la-Madeleine, de Georges Farrah. « Je suis nationaliste, mais pas indépendantiste », explique ce dernier à la presse, ce qui étonne ses amis du Bloc québécois.

Presque tout est dit. On attend Dumont. On attend Allaire. Ils arrivent.

Mario Dumont, chemise, cravate, cheveux courts et fausse assurance, est maintenant sur le marchepied, devant le micro, entouré de ses jeunes. Tous les

---

*   Les amendements sont ajoutés entre crochets
     Il est résolu : 1. que le Parti libéral du Québec [appuie son chef, Robert Bourassa, dans sa démarche constitutionnelle et] reconnaisse que le projet d'entente constitutionnelle provisoire négocié entre le premier ministre du Québec et ses partenaires canadiens, bien qu'en deçà du programme du Parti, représente un progrès réel, progrès qui va dans le sens des revendications traditionnelles du Québec [et, en conséquence, qu'il reçoive favorablement cette entente] ;

projecteurs des caméras sont braqués sur lui. De la salle, on le voit un peu à contre-jour.

« Les jeunes auraient aimé faire un débat sur l'idée, un débat sur le fond. On se présente à un congrès où — à moins que je me trompe — l'ensemble des décisions est déjà pris. On a une entente entre les premiers ministres et on nous dit qu'il y aura un référendum sur l'entente constitutionnelle le 26 octobre. Ce ne sont certainement pas des circonstances qui permettent d'aller au fond des choses comme le Parti libéral aime aller. »

Le silence qui entoure la présentation de Dumont est presque total. Comme si même ses opposants les plus hargneux ne voulaient rien manquer de ce tournant historique. Comme si tous les militants voulaient pouvoir dire : j'étais là, j'ai entendu, j'ai ressenti.

Dumont aborde quelques éléments de l'entente. La société distincte ? « On nous assure qu'elle n'a pas été diluée, alors que Clyde Wells ne cesse de répéter le contraire et dit que c'est pour ça qu'il l'appuie. » Il cite aussi l'opposition exprimée par Léon Dion à l'entente, un politologue que « le PLQ n'a pas manqué de respecter dans le passé ». Au lendemain de Meech, ajoute Dumont, les Québécois souhaitaient à tout le moins obtenir l'autonomie en matière d'affaires sociales, d'éducation, de santé et de culture, ce que l'entente n'offre pas.

Dans la salle, on se demande s'il agira comme un autre converti à la souveraineté, 25 ans plus tôt. S'il quittera, tout de suite, le parti, malgré les adjurations d'Anctil et de Parisella.

Dumont livre sa réponse dans une phrase, écrite ce midi-là, calquée sur celle qu'avait prononcée un premier ministre québécois, un soir de juin 1990, pour entraîner ses citoyens dans un rêve qu'il savait vain : « Quoi qu'on dise, quoi qu'on fasse, dans l'âme, je resterai un libéral. Parce que notre parti a 125 ans, parce qu'il a une histoire, une tradition, une pensée, une philosophie et, tout ça, c'est plus que l'histoire d'un congrès. »

C'est donc une dissidence, pas un schisme.

Le cercle des applaudissements est donc plus vaste, lorsqu'il en a terminé, que la claque allairiste entendue précédemment. On voit même Liza Frulla et Gérald Tremblay, debout, taper dans leurs mains. Quelques minutes plus tard, Jean Allaire se présente au même micro. Il a préparé un texte, relativement bref. Il parle d'une « démarche très difficile », regrette qu'on « ravale le débat d'idée à une question de confiance au chef », car « le problème dépasse les hommes, les groupes et doit dépasser les partis ».

« Il faut avoir un minimum de cohérence dans la vie », ajoute-t-il sur le ton du reproche. Le PLQ voulait régler la question constitutionnelle une fois pour toutes, or avec l'entente de Charlottetown,

> nous aurons toujours deux ministères de l'Environnement, deux ministères des Transports, deux ministères de la Science, de la Technologie, de la Justice, du

Travail, du Revenu, de l'Industrie, du Commerce, des Ressources, de l'Agriculture, des Communications et j'en passe.

Après avoir accepté ces offres, nous aurons à négocier à tous les cinq ans des
ententes administratives, dans des champs de juridiction provinciaux, avec des
fonctionnaires fédéraux. Se rallier à cette entente, c'est consacrer les disputes et
querelles de juridictions. [...] Après cinq années de tiraillements, en arriver à ce
résultat, ce n'est pas un progrès. On ne me fera pas dire que c'est un progrès.

Il souligne, ensuite, l'absence de texte. « L'entente est faite et nous n'en
connaissons ni les tenants ni les aboutissants. » (Dans la salle, Jean-Guy Saint-
Roch opine : « Je me dis, il y a jamais un chrétien qui va croire que, sur la
gueule, on a fait marcher un Conseil des ministres, un caucus, et qu'on va faire
prendre un virage au Congrès. » Et pourtant !) Puis Allaire se fait solennel :
« La population va se rappeler de ce 29 août 1992, quand les libéraux du
Québec auront laissé filer un consensus qui aurait pu nous apporter la paix et
la stabilité. » Donnant un coup de chapeau à Dumont et à ses jeunes, il dit être
« surtout venu saluer les jeunes libéraux qui ont toujours été le sang et les
poumons du Parti et, à certains moments comme ceux-ci, sa conscience ».

Citant Pierre Mendès France, il conclut : « Une société qui n'écoute pas ses
jeunes ne pense pas à son avenir et n'en a peut-être pas. »

Depuis le début du débat, Pierre Anctil est juché à son poste d'observation
en haut des gradins : la cabine de contrôle technique. Il sait qu'il a gagné. Il voit
Therrien, Viau, Saulnier, comme autant de gages de son habileté, de sa capacité de « circonscrire l'opposition » et de faire « que les gens accrochent ou
décrochent, au-delà des arguments de fait invoqués ».

Détail qui en vaut bien d'autres : Anctil ne participe pas au vote. Contemplant son œuvre du haut des gradins, il ne se délecte pas du spectacle. Il a un
pincement de cœur. Il a regardé les orthodoxes proposer leur amendement qui
encense Bourassa, « et, franchement, dit-il, je trouvais que c'était pas fort ». Il
regarde Bissonnette, Gauthier, Lalonde réaliser leur bien modeste « stratégie de
plancher », et il éprouve « beaucoup de respect pour eux ». A-t-il choisi le bon
camp ?

> Anctil : Rendu au congrès, je dois dire que sur le plan personnel, je ne faisais
> qu'une chose : organiser le congrès. Je suis directeur général du parti. Problème
> de logistique, discours, résolutions, intervenants, médias, ci, ça. J'ai mis en suspens
> mes sentiments, mes émotions. Il y en a qui me soulevaient la question [de mon
> choix]. Pis je me la suis posée.
>
> L'auteur : Michel Lalonde ?
>
> Anctil : Ah ! oui. Oui. Tout à fait. Jacques Gauthier aussi. C'est mes amis et j'ai
> pas trouvé ça facile, tsé. J'ai trouvé ça très difficile. Très difficile. J'ai eu un cas de
> conscience, sur le plan rationnel. Je me disais, de toute façon on va voir, il y a
> toujours la possibilité qu'au référendum les Québécois l'accepteront pas. Alors
> laissons le temps de voir un peu, de réfléchir, ne prenons pas de décision à chaud,
> prenons le temps. Je suis pas obligé demain matin de dire : « Je déchire ma
> chemise. » Je réfléchissais.

C'est un arbitrage difficile. J'ai une responsabilité professionnelle importante, j'ai mes convictions. J'ai toujours pensé que le Québec avait une capacité d'autonomie plus large que celle dont il jouit en ce moment. J'avais embarqué, à un certain point, dans l'orientation du rapport Allaire [! ?]. [...]

Je me disais bon, d'une part mes amis, pis les principes et les convictions, d'autre part les responsabilités professionnelles. Il faut essayer de faire la part des choses, pis de faire l'analyse de l'entente. Il y avait la fatigue, les heures de travail tard le soir, jusqu'à 3 h du matin. L'information partielle. Tout ça mis ensemble, je me suis dit que j'aurais encore la chance de bien analyser ça. Je me suis dit : « Si tu vis pas bien avec ça, c'est pas ton genre de démissionner pendant un congrès des membres. Alors fais l'exercice, fais ton travail, pis la prochaine fois que t'auras la chance, là, avant le référendum, prends un peu de temps, regarde ça, fais-toi une idée, décide si tu veux effectivement continuer ou pas. » [...]

À la fin, l'accord ne m'apparaissait pas contraire aux intérêts du Québec. [...]

L'auteur : T'as voté Oui au référendum ?

Anctil : Oui... Tu parles d'une question !

Pendant qu'Anctil se sent, dans la cabine de pilotage surplombant le Congrès, presque aussi seul qu'Allaire — qui est un peu, parlons net, sa créature —, un amendement vient visser l'ultime boulon au parcours politique entamé deux ans plus tôt.

Paradoxalement, c'est Bill Cosgrove qui défend cet ajout à la résolution pro-Charlottetown. L'amendement fait en sorte que « dans le cas où l'entente constitutionnelle ne serait pas ratifiée par l'Assemblée nationale [en cas d'échec référendaire au Québec ou dans le ROC], le processus prévu à l'article 2b2 du programme constitutionnel du parti soit alors proposé aux instances concernées ».

Cet amendement, approuvé par Parisella et Anctil, est d'ailleurs conforme à la déclaration qu'a faite un peu plus tôt Bourassa, sur le fait de « considérer sérieusement la souveraineté partagée » en cas d'échec référendaire. Les 3000 militants du PLQ l'adoptent, encore, à la quasi-unanimité. Un congrès du parti qui s'exprime, un premier ministre qui répond sérieusement à une question lourde de sens : dans la vie des gens normaux et honnêtes, c'est un engagement. Donc, on note.

ENGAGEMENT N° 11 : EN CAS DE REJET DE CHARLOTTETOWN, REDISCUTER DE SOUVERAINETÉ.

Mais le texte est voté dans la foulée, presque sans débat. Le Congrès du Parti libéral vient de voter en faveur de l'accession du Québec à la souveraineté confédérale en cas d'échec référendaire. Le caractère irréel du geste crève les yeux. Personne ne pense que cette mesure sera un jour appliquée. C'est presque un gag. Et en votant cet amendement, tout en sachant qu'il ne faut pas y croire, le Congrès proclame sa propre insignifiance, assume sans complexe sa fonction de faire-valoir, sans mémoire et sans cohérence.

C'en est presque fini. Sur leur siège, Michel Bissonnette et quelques autres jeunes laissent couler leurs larmes. Le déversement a commencé pendant le discours de Dumont, comme si ce baroud d'honneur marquait la fin d'un long combat, soulignait sa futilité, confirmait que tout, depuis la mort de Meech et LaPocatière, n'avait été qu'un rêve. Ils ont le cœur gros mais, dira Bissonnette, la certitude d'avoir été « fidèles à leurs convictions ». « Demain matin dans le miroir, pense Dumont, on n'aura pas honte de se regarder en se rasant. »

La veille, en réunion de stratégie, des jeunes avaient proposé de quitter la salle, en groupe, pour marquer leur désaccord. Maintenant que tout a été dit, les permanents de la CJ pressent Dumont de donner le signal. Toujours soucieux d'obtenir une couverture médiatique maximale — il y a des moments où il est bon d'avoir « les caméras dans la face » —, il informe son responsable de presse qu'un préavis sera donné aux journalistes juste avant que la sortie s'effectue.

> Dumont : J'étais pas encore tout à fait prêt à sortir. Je cherchais quelqu'un pour qu'on donne le signal aux *cameramen*. Alors je me lève pour voir, au-dessus des têtes, où était cette personne. Mais là, tous les jeunes se lèvent. Tout le monde est debout, enligné vers la sortie. Fait que là, j'avais plus le choix de sortir, sinon je restais assis tout seul. Le mouvement de masse s'est fait, tout le monde est sorti.

« Mouvement de masse », l'expression est forte. À ce stade, Dumont n'a plus qu'une quarantaine de partisans autour de lui. (Parisella donne à des jeunes fédéralistes la consigne d'aller occuper immédiatement les sièges vides. C'est la bataille des symboles.) Quand Jean Allaire se fraie à son tour un chemin vers la sortie, un journaliste l'interpelle : « Demain, que ferez-vous ? »

Allaire répond : « Demain, laissez-moi dormir... »

LE CONSENSUS ÉTAIT PRESQUE PARFAIT

« Mon serment, c'est d'être loyal au peuple du Québec ! » Presque personne ne s'en est rendu compte, mais, sur le parquet du Peps, un député libéral, avec la majorité de sa délégation, a voté contre la résolution d'appui à l'entente : Jean-Guy Saint-Roch, député de Drummond. Ancien homme d'affaires et élu municipal, ce verbo-moteur est un représentant type de l'entrepreneur régional raisonnant à coups de gros bon sens. Dans son curriculum vitae, on lit qu'il est « membre du 4e degré des Chevaliers de Colomb et du 3e degré de l'Assemblée 2174 de ce même organisme ». Personne ne s'est rendu compte de sa dissidence au congrès, car à l'extérieur de sa région, Saint-Roch est un homme politique invisible. Actif au sein des commissions parlementaires sans se prendre pour une vedette, il ne court pas les caméras. Et lorsqu'il se met, tout à coup, à « faire la nouvelle », les journalistes de télévision ont peine à le reconnaître dans les images d'archives.

En après-midi du lundi 31 août, alors que Saint-Roch a annoncé à son association qu'il allait « remettre en question » son appartenance au caucus et qu'il n'a pas encore décidé de la marche à suivre — il pense appeler Bourassa, puis convoquer une conférence de presse pour annoncer sa démission —, le journaliste Alain Gravel, de TVA, le rejoint à son bureau de Drummondville. « J'ai appris de source sûre, lui dit-il, que vous avez voté contre l'entente. » C'est vrai.

Au bulletin de 18 h de TVA, on aperçoit la photo de Jean-Guy Lemieux, et on entend la voix de Gravel — un journaliste débrouillard mais qui ne fait pas dans la dentelle — dire : « Au Parti libéral, il y en a qui parlent beaucoup mais agissent peu... »

Puis la photo de Saint-Roch apparaît.

« ... et il y en a qui parlent peu mais qui agissent. »

C'est ainsi que le *bunker* apprend qu'un mouton s'est échappé du troupeau. Le responsable de la députation auprès de Bourassa, Robert Chapdelaine, en est informé à une terrasse de la Grande-Allée. Il rentre en catastrophe appeler Saint-Roch.

Une circonstance rend Chapdelaine particulièrement nerveux : ce matin-là, le *Globe and Mail* a publié *in extenso* le texte de l'entente de Charlottetown. Les députés restés à Québec avalent de travers. C'est « surprenant et insultant pour un parlementaire », déclare Jean-Guy Lemieux qui s'avise, un peu tard, que « comme parlementaire on a, à tout le moins, le droit à l'information pour prendre la décision la plus éclairée possible ». « Le ridicule ne tue pas », ajoute-t-il, ne croyant pas si bien dire. Lui et d'autres députés se mettent à évoquer la possibilité de « demander un vote libre » à l'Assemblée nationale sur la question de l'entente. L'offensive qu'ils montent en ce sens est aussi vigoureuse que les précédentes. Ces députés découvrent aussi, comme Liza Frulla, que les dispositions publiées dans le *Globe and Mail* sont moins généreuses que les paroles entendues de la bouche de Gil Rémillard la semaine précédente. Réunis ensuite pour une séance d'information sur l'entente, des députés sont furieux de constater que les responsables du ministère de la Justice reprennent, à la sortie de la réunion, le texte explicatif qu'ils leur avaient distribué à l'entrée.

Le *bunker* craint-il encore que la digue ne cède ?

Saint-Roch, lui, n'a pas d'exemplaire du *Globe and Mail*, et personne ne va lui en présenter un à Drummondville, ce qui donne à la suite des événements un caractère loufoque.

« C'est pas normal, t'as même pas informé le premier ministre ! » tonne Chapdelaine au bout du fil.

« Je fais exactement comme vous, répond Saint-Roch. Vous l'apprenez par les médias ? Ben moi aussi, ça fait depuis le mois de juin que tout ce que j'apprends [sur la constitution], c'est par les journaux ! »

Le bureau de Saint-Roch étant inondé d'appels, le *bunker* doit lui faire parvenir un télégramme pour réussir à le convoquer à une rencontre avec Bourassa, le lendemain soir à Québec. Saint-Roch ayant déjà déclaré, notamment au *Soleil*, qu'il quittait le caucus, Bourassa veut éviter que le député ne répète cette déclaration devant les caméras, à temps pour les journaux télévisés du soir.

Saint-Roch : Ils m'appellent dans mon automobile, vers 17 h 40, en me disant que le PM demande expressément que j'entre pas au *bunker* par la grande porte, pour que j'évite les journalistes. Bon, j'accepte. Ils viennent me chercher à mon bureau à Québec, me font rentrer par un stationnement quelque part. On était dans les dédales. Je suis arrivé à 18 h, il y avait un Conseil des ministres planifié pour 19 h 30. Bourassa était en chandail.

Moi, j'ai fait des affaires à travers le monde [il était directeur du marketing pour Celanese Canada], j'ai négocié avec je sais pas combien de gens de nationalités différentes, mais j'avais jamais rencontré quelqu'un qui est capable de jouer sur toutes les facettes d'un être humain comme Robert Bourassa l'a fait ce soir-là. Il pourrait réécrire Machiavel et l'améliorer de 300 coudées.

Lorsque l'auteur a d'abord entendu le récit qui suit, il ne l'a pas cru. C'est qu'il n'avait pas encore complété son enquête. Même en soustrayant la part d'exagération qu'un protagoniste ajoute souvent dans un récit le concernant, le portrait tracé par Saint-Roch offre la plus pure synthèse qui puisse exister de la technique Bourassa.

Saint-Roch : Je lui dis : « Monsieur le premier ministre, on va faire ça en hommes d'affaires, là, on met le babillage de côté à soir, et on va se parler de grand-père à grand-père. » Lui et moi on est devenus grands-pères en même temps.

Il me répond : « Jean-Guy, la première chose que je devrais te dire, c'est que je t'ai sous-utilisé. » Là, c'est le *mea culpa*, ses regrets et tout. Il s'apercevait qu'il aurait pu me faire confiance dans n'importe quelle situation.

Je dis : « Monsieur le premier ministre, c'est pas ça qui est le but. » Il dit : « Viens, on va manger. » Il y avait un peu de truite fumée et de vin. Je lui dis : « La politique, c'est du football, moi j'ai joué au football, et on mange jamais avant le match. » Je sais pas, j'avais dans la tête qu'il me ferait pas manger. J'ai juste pris un petit morceau avec un peu de vin.

Il dit : « Avant d'entrer sur le fond du sujet, qu'est-ce que t'as fait de bon dans tes vacances ? » [...]

Je dis : « Je suis allé travailler à mes propriétés au lac Memphrémagog. »

« T'en as plusieurs ? »

Là, je sens qu'il essaie de m'évaluer monétairement. Il se demande si j'ai un point faible. Il essaie de trouver une ficelle quelque part pour pouvoir me ficeler. J'ai du plaisir avec lui :

« Robert, je pourrais te conter l'histoire mais c'est trop long. J'ai construit 10 chalets en quatre ans. Un défi que je relève avec mes deux fils. »

Il dit : « Dix ? »

« Oui, avec accès au lac. Si tu calcules les prix, Robert, sachant que je les ai faits moi-même, tu comprends que j'ai pas de problème financier. »

« Tu sais, Jean-Guy, la politique, c'est pas éternel. As-tu pensé à ta pension ? »

« Robert, je t'arrête tout de suite. Quand il a été question d'augmenter la pension des députés, m'as-tu déjà entendu intervenir une seule fois en sept ans ? Non. C'est pas un problème pour moi, oublie ça. »

Je savais où il voulait aller. Robert Bourassa a la réputation de se tenir informé sur tous les problèmes, tous les travers de ses députés.

« Cherche pas, Robert. J'ai pas de maîtresse à Québec. C'est de ta faute, tu m'as fait présider une commission parlementaire [sur le travail], j'ai fait un record d'heures de sessions. » [...]

Il continuait à dire comment j'étais important. Je dis : « Arrête, si tu continues, je vais être gonflé comme Hulk, il faudra que tu fasses venir un ouvrier parce que je passerai plus dans les cadres de portes. »

« T'es venu à Québec comment ce soir ? »

« Comme tout bon député, en Corsica. »

« Tu retournes comment ? »

« Je reprends mon auto, je retourne coucher chez moi [à Drummondville]. »

« Jean-Guy, tu peux pas faire ça. Moi, je voudrais pas qu'il t'arrive quelque chose. Je comprends le stress que tu peux avoir pour prendre une décision. Toi comme moi, on fait face à l'histoire. Je connais la pression. Je t'engage un chauffeur avec une limousine pour 15 jours, le temps que ça se tasse, que ça se stabilise. »

L'auteur : Quoi ? Il a pas dit ça !

Saint-Roch : Je veux mourir ici s'il me l'a pas dit.

J'ai dit : « *Time out.* » Je sors mon calepin, je lui donne le nom de mon assureur à Drummondville, Pépin Assurances, dont le copropriétaire est président de mon association de comté, et je lui dis [ironique] : « Appelle-le, fais-moi assurer pour un milliard parce que si j'ai un accident à soir, d'après ce que tu me dis, le Québec va arrêter. T'as pas le droit de prendre de chance. » [...]

Il dit : « Un premier ministre connaît beaucoup de monde. Quand on regarde tes qualifications, et si tu rends service au premier ministre, des fois il y a des nominations qui passent. On peut être président de Donohue [le poste, alors vacant, sera comblé par le ministre Michel Pagé deux mois plus tard], Domtar, ces compagnies-là. C'est normal que ces compagnies-là consultent le PM. »

« Non, non, j'ai pas besoin de job, j'en ai refusé une à 250 000 récemment, sans mettre mon premier ministre au courant. C'est mon épouse qui a dit non, pour des raisons de principe, parce que c'était seulement un an après l'élection de 1989. »

Là Bourassa me parle du comité de négociation de l'ALENA*. Il me dit qu'à compter de la troisième semaine de septembre pis en octobre, je pourrais me joindre à l'équipe de négociation, pis qu'en revenant, [donc, après avoir « raté » la campagne référendaire] on s'arrangerait ensemble. Entre temps, à l'Assemblée nationale, je faisais le mort, je bougeais pas, je ne me présentais tout simplement pas. Pis il m'a dit qu'au niveau ministériel [accession au Conseil des ministres], c'était pas immuable, qu'il y avait toujours des changements, qu'un premier ministre sait être reconnaissant.

Dans une ultime entrevue avec Robert Bourassa, l'auteur l'a brièvement

---

* Accord de libre échange nord-américain, alors en négociation.

questionné sur sa tentative de repêchage de Saint-Roch. Bourassa nie lui avoir fait miroiter un portefeuille ministériel, mais se souvient en effet d'avoir évoqué un poste de négociateur.

Saint-Roch : J'ai dit : « Bon, on va mettre ça de côté et on va parler de l'entente. » Je lui ai dit qu'il avait oublié la culture. [Saint-Roch est adjoint parlementaire de la ministre de la Culture.]

Quand tu veux savoir si tu te mets à préoccuper le premier ministre, il a un geste qu'il fait : il monte son chandail, il détache un bouton de sa chemise, il parle plus et il se frotte le ventre. Là, c'est ce qu'il faisait.

J'ai dit : « Montrez-moi les textes. J'ai déjà négocié avec des syndicats. Rien n'est jamais sûr tant qu'on voit pas les textes. » Il dit rien. Mais là je regardais ma montre, je savais qu'il avait un Conseil des ministres à 19 h 30, il était déjà 19 h 35, ça servait à rien d'éterniser. « Je voudrais pas vous retarder. »

« Jean-Guy, les ministres attendront, notre conversation est trop importante pour le parti et pour le gouvernement. On va régler ça, qu'ils attendent ! »

On a parlé de l'entente pendant une demi-heure. Je lui dis : « Vous n'avez pas pris une décision d'État, vous avez essayé de sauver votre parti et votre gouvernement et vous avez fait une erreur. [...] Vous avez fait une erreur monumentale d'évaluation. Vous auriez pu emmener le peuple du Québec sur la question de Bruxelles et les grandes lignes du rapport Allaire. Chez les ultrafédéralistes, il n'y en aurait pas eu plus de deux qui auraient eu les couilles de partir ! » [...]

Il me dit : « Je t'écoute, là. Tu penses que je n'ai pas toujours agi dans l'intérêt supérieur du Québec ? J'ai mis ma santé en jeu. J'ai risqué ma vie pour le Québec. » [Bourassa usera de cet argument dans des termes très similaires avec l'auteur.]

J'ai dit : « Écoute, ça sert à rien de continuer, je suis convaincu qu'il n'y a pas de texte, que tout s'est fait sur la gueule, que t'as fait prendre à ton Conseil des ministres, ton caucus, ton parti un virage sur lequel y a pas un maudit texte. Ça a pas de maudit bon sens. Je pars. Alors je vais te dire, ma décision est prise, vous m'avez pas convaincu. »

Ça devient très froid comme atmosphère. Je suis dans le milieu d'une phrase, je lui dis : « Pour tous ces motifs... »

« Avant que tu prononces la dernière phrase, j'aimerais te rappeler que toi comme moi on fait face à l'histoire. Moi à l'échelle de la province, toi à l'échelle de ta circonscription. On est deux grands-pères, nos petits-enfants auront à nous juger sur nos actes. Tu aimerais pas que l'histoire dise que le député de Drummond a remis sa démission au premier ministre sans avoir pris la peine de consulter les textes ? »

Là, mes bras m'ont tombé. Je suis parti à rire et j'ai dit : « Un à zéro pour toi, Robert. Quand est-ce que tu peux me montrer les textes ? »

Là, il veut acheter du temps : « Que fais-tu samedi prochain ? » [Cinq jours plus tard.]

« Levé à 5 h 45, comme toutes les six semaines, je vais à mon chalet avec mes petits-fils. »

« Voici ce que je propose : tu viens chez moi à Outremont, on amène Gil Rémillard, Jean-Claude Rivest, André Tremblay. Là, la conversation qu'on vient d'avoir, on va tout épuiser ça. On va passer au travers. »

« Non, samedi, c'est le congé que je prends avec mes petits-fils que j'ai pas vus depuis cinq semaines. »

« T'as raison, j'aurais pas dû te demander ça. Regarde ce qu'on va faire. Samedi, vers 20 h, 20 h 30, après souper, on va aller à ton chalet. »

Il disait qu'il amènerait les principaux négociateurs venir discuter de l'avenir du Canada dans mon chalet. J'ai dit : « Non. Donnez-moi les textes, je vais les lire et je jugerai si on se rasseoit et si on pose des questions. De toutes façons, samedi c'est trop tard. Si tu veux, demain soir, je suis ici. »

Il vérifie avec sa secrétaire, qui lui dit qu'il a un caucus de 6 à 8 le lendemain. « Tu viens au caucus ? Après on revient ensemble pis on aura une discussion et je te montrerai les textes. »

Je dis : « Le caucus va être fini vers 8 h, je serai à votre bureau à 8 h. Je veux avoir le texte sur la culture, sur l'éducation, sur la formation professionnelle. Si vous me les montrez et si je les juge suffisants, je vous donnerai ma réponse. »

« Oui, mais il faut que tu viennes au caucus. »

« Si vous exigez que j'y aille, je vais être obligé d'y aller et de demander la démission du président du caucus Marcel Parent et du *whip* Bill Cusano, parce qu'ils ont pas fait leur job de nous convoquer pendant l'été pour nous informer et ils n'ont pas organisé le caucus de la semaine dernière de façon à ce qu'on discute correctement de l'entente. »

« O.K., viens pas au caucus. Mais puisqu'on se voit encore demain, j'aimerais que tu sortes par le même chemin que pour entrer [pour éviter les journalistes]. Je te le demande comme une faveur. »

« C'est la dernière concession que je vous fais, monsieur le premier ministre. Vous pourrez dire dans vos mémoires que vous avez réussi à faire entrer et sortir Jean-Guy Saint-Roch par la petite porte. »

Le destin est cruel pour Bourassa. De tous les aspects de l'entente, il fallait que Saint-Roch s'intéresse en particulier à la culture, un de ses points les plus faibles. D'ailleurs, sous la pression de Liza Frulla, Bourassa tente ce jour-là, dans des conversations avec Tellier, d'en faire modifier le libellé. (« Au moment où je vous parle, déclare Gil Rémillard le lendemain, 2 septembre, il n'y a aucun texte pour nous qui soit définitif*. »)

L'auteur ne passerait pas tant de temps sur le cas Saint-Roch si Bourassa n'y accordait lui-même tant d'importance. « Je me suis rendu compte le premier soir que ça donnait rien, explique Bourassa. Que sa décision était prise,

---

* Les textes ne seront officiellement déposés par Gil Rémillard à l'Assemblée nationale que le jeudi 3 septembre. Mais puisque Robert Bourassa et Brian Mulroney sont alors engagés dans un échange de lettres visant à modifier encore des points de l'entente, le député péquiste Jacques Brassard demande au ministre s'il s'agit là « d'un texte définitivement provisoire ou provisoirement définitif ? »

qu'il avait prévu tous les intéressés. Mais je me disais, comme chef de parti, qu'il avait fait un bon travail, qu'il était loyal et efficace et dévoué et que je devais faire un effort. Alors j'ai dit : "On se verra demain." »

Bourassa rappelle l'entêté chez lui le lendemain matin : « As-tu de bonnes nouvelles pour moi ? » demande-t-il, espérant à l'évidence qu'un de ses appâts de la veille a eu un effet à retardement. Présidence d'une compagnie, poste de négociateur, portefeuille ministériel, ça vaut la peine d'y penser, non ? En après-midi, Frulla appelle Saint-Roch : « Sur la culture, dit-elle, tout ce qu'ils ont, c'est des engagements verbaux ! » Saint-Roch lui annonce son départ imminent, et lui demande si elle va en faire autant. « Si tu pars et que je pars, dit-elle, qui va défendre la culture ? »

De retour au *bunker*, le mardi soir, Saint-Roch trouve un premier ministre moins avenant. « J'ai passé une très mauvaise journée, Jean-Guy. J'espère que tu m'apportes une bonne nouvelle. » Oui, mais les textes ?

Saint-Roch : Tout ce qu'il m'a montré, c'était une feuille avec quatre lignes dessus, que le PM a lues. Mais ça voulait rien dire.

Je dis : « C'est ça les textes ? Là vous m'avez convaincu qu'il n'y en a pas de texte. » [...]

Avant que je lui donne ma décision, je me suis fait offrir autre chose :

« La culture est tellement importante pour toi et j'ai réalisé tout de suite à notre rencontre que s'il y a une chose qui te tient à cœur, c'était ça. Tu as le choix d'être le chef négociateur », pour aller négocier la clause culturelle avec Ottawa.

Je dis : « Mme la ministre là-dedans ? » [...]

Je lui ai dit que j'allais siéger comme député indépendant. À la sortie, j'ai annoncé ma démission.

À la fin, je suis d'accord avec John Kennedy qui a dit : « Le vrai politique est celui qui a perdu toutes ses illusions, mais a gardé toutes ses convictions. » Aujourd'hui, il ne me reste que mes convictions*.

LA DERNIÈRE TENTATION DE MARIO

L'aîné et le cadet marchent, sur le toit du *bunker*.

Le temps est dégagé, ce vendredi 4 septembre. On voit loin. Le fleuve, les plaines et, plus près, la Grande-Allée, le parlement.

« Tu penses toujours aller étudier à l'extérieur ? »

Dumont rêve d'étudier à la London School of Economics ou au Massachusetts Institute of Technology.

---

* Il reste encore un épisode : le surlendemain, alors que s'engage à l'Assemblée nationale le débat sur l'amendement à apporter à la loi 150 pour prévoir la tenue d'un référendum sur les offres, le *bunker* propose à Saint-Roch, dont la démission n'a pas encore pris effet, de s'abstenir de voter mais en restant membre du caucus. Il refuse. Saint-Roch affirme que 4 ministres et plus de 20 députés libéraux l'ont appelé pour l'encourager ou le féliciter. Quand il demande à certains pourquoi ils n'en font pas autant, il entend : « Moi, je ne me sens pas le courage d'affronter tout ça. »

« Je pourrais t'aider pour ça, tu sais ? J'ai des contacts au MIT. »

Il n'est plus question d'appuyer l'entente, de trouver un compromis, de rester dans le parti. « À chaque fois, on descendait d'un pas », dit Dumont. Maintenant, il est question de se taire. Il est question de faire le mort.

Bourassa et Anctil conjuguent leurs forces. « L'enjeu, dit Anctil, c'était devenu : Est-ce qu'il va au comité du Non ? Et là, on a travaillé fort là-dessus, moi en particulier. Je l'ai rencontré à plusieurs reprises. Je lui ai dit : Écoute, tu t'es exprimé, t'as dit ce que t'avais à dire, t'as publié ton document — après qu'il ait publié son document — t'as été fidèle à tes convictions, on ne te demande pas de dire le contraire, mais t'es pas obligé d'aller t'asseoir sur la même tribune que Jacques Parizeau. Tu peux dire : "Maintenant, je vais rester chez nous, parce qu'il y a un lendemain au 26 octobre." »

Si Dumot, au contraire, s'associe au comité du Non de Parizeau, court les tribunes et les micros, l'avertit Anctil, « ça va être difficile d'expliquer au monde [dans le PLQ] que t'as pris un congé sans solde de quatre semaines pendant la guerre, que t'es allé travailler avec l'armée adverse pis que là tu reviens, alors que tu nous as tiré dessus dans l'intervalle.

« Si tu restes chez vous, moi je peux prendre un engagement personnel, pis je suis pas mal sûr que le PM le prendrait aussi, c'est qu'au lendemain on travaillerait, là, pour faire accepter ton maintien en poste [de président de la CJ] à ceux qui trouveraient ça moins facile. »

Le congrès a eu lieu le samedi 29 août. Ces conversations se déroulent presque quotidiennement, pendant les deux semaines qui suivent. Dumont a droit au traitement royal du toit du *bunker* le vendredi 4 septembre, alors qu'il part réfléchir quelques jours à Cacouna. Bourassa a identifié la chose qui tient le plus à cœur à ce jeune désargenté après la politique : les études. Robert Bourassa se souvient-il des efforts qu'il a lui-même déployés, à cet âge, pour trouver de quoi étudier à Londres et à Harvard ?

> Dumont : Là, il parlait de mes études. Il était rendu là. Il disait : « J'ai jamais vu ça un gars de ton âge, 22 ans, aussi connu en politique. » Pis il riait, il en mettait. Il dit : « T'as une crédibilité qui est extraordinaire. T'as le profil économique, pis le Parti libéral te convient. » Tsé, des gars comme moi, il en pleuvait pas.
>
> Mais tout ça convergeait sur le fait que si j'étais connu, c'était dû au Parti libéral, pis que j'avais pas intérêt à quitter le parti et qu'il fallait pas voir les choses à court terme. Que ça paraissait ben noir cette période-là, le référendum, mais qu'à plus long terme, c'est pas de ça que les gens allaient se souvenir.
>
> Pis les études, c'était toujours des allusions un peu biaisées, là. Ça m'irritait profondément. Je disais : « Il me semble qu'on a des choses plus importantes que ça à discuter ! » Pis il était sur la défensive et disait oui, oui, oui.

Parallèlement, Mario Dumont, Jean Allaire, Jacques Gauthier, Philippe Garceau, Michel Bissonnette et Michel Lalonde se réunissent fréquemment pour décider de leur avenir. Rester membre du Parti libéral ? Absolument. Ils choisissent de démissionner seulement de leurs postes de responsabilité à l'exécutif du parti. Dumont, élu non par le Congrès général des membres mais par le Congrès des jeunes, est fort de sa légitimité spécifique et n'entend pas se faire déloger de son poste. Mais pour le reste, que faire ? La loi référendaire québécoise est ainsi faite que tous les groupes voulant voter Non au référendum doivent se regrouper sous un unique parapluie politique. Celui du Non sera dirigé par Jacques Parizeau. Tout un symbole, pour des libéraux.

Le Conseil des représentants de la CJ n'est pas monolithique. Les trois cinquièmes veulent suivre Dumont s'il part pour le Non. Un représentant sur cinq préfère rester chez lui. Les autres, libéraux avant tout et malgré tout, vont rester fidèles à Bourassa.

Des permanents de la CJ, c'est-à-dire des salariés du PLQ, ont subi un *lobbying* efficace de la part d'Anctil, entre autres. « Vous avez une bonne job au parti, leur dit-il, on vous mettrait en retrait, ça paraîtrait pas trop pour le Oui, on vous ferait pas travailler avec les jeunes, vous auriez votre job après. » Plusieurs acceptent de rester au PLQ et d'y œuvrer pour le Oui. « Certains qui avaient des salaires sont restés dans l'équipe pour toucher des salaires, commente Marc-Yvan Côté, c'est la foi de certains. » L'auteur a plus d'une fois entendu ce genre de propos : ceux qui ont réussi à faire fléchir les consciences méprisent ensuite profondément leurs victimes*.

Il y a deux côtés à la tentative de séduction de Dumont : le persévérant travail des séducteurs, la participation active du candidat à la séduction. Dumont retourne chaque appel. Accepte les rendez-vous d'Anctil et de Bourassa. « C'est un petit Wayne Gretzky de la politique, dit Anctil. Et il a un petit côté à la Bourassa aussi. Il le cultive. »

Un conseiller de Bourassa explique en termes assez crus que cette opération était futile : « La pression psychologique, ça marchait pas, on le savait. On appuyait sur des boutons qui étaient connectés sur rien chez lui. La pression ? On pouvait pas vraiment en mettre. C'est un étudiant. Il a pas assez d'expérience. Il connaît pas les conséquences que les gestes peuvent avoir. Il a pas vu les vies brisées. »

L'aîné et le cadet marchent, sur le toit. La crédibilité de Mario tient à son appartenance au PLQ, explique encore le chef. Une rupture, et « j'allais être oublié. Le monde se souvient de rien un mois ou deux après. J'étais une vedette passagère. »

« Tu pourrais être silencieux durant la campagne référendaire », suggère l'aîné.

« Si j'avais voulu être silencieux, je me serais tu avant », réplique le cadet.

---

* C'est aussi vrai dans la vie journalistique. Dans ses Mémoires, un ex-porte-parole de Ronald Reagan, Larry Speakes, raconte comment il avait longuement insisté auprès d'un journaliste du *Washington Post,* Lou Cannon, pour qu'il lui révèle la source d'un scoop d'importance mineure, en invoquant divers excellents prétextes. Cannon a flanché. Speakes écrit : « À partir de ce moment, je ne lui ai plus jamais fait confiance. »

En faisant les cent pas, Bourassa insiste sur le poids des choix de Dumont sur sa future carrière. Une carrière écourtée, peut-être, par une mauvaise décision pendant la campagne qui s'annonce. Un bon choix, par contre, et qui sait jusqu'où ce jeune politicien pourra se rendre ?

Les deux hommes embrassent l'horizon du regard.

« Je me promène ici tous les jours, dit Bourassa. T'aimerais ça te promener ici, on voit les Plaines, tout ça... »

« J'ai trouvé ça épouvantable, mais tu peux pas te chicaner avec ce gars-là. Il est toujours sympathique, il est toujours drôle. [...] J'ai dit : "C'est pas de ça qu'on jase, là." Il voyait que ça m'avait irrité. Il avait l'air d'un petit gars qui venait de faire un mauvais coup. Un petit gars qui était allé un peu trop loin. »

Dumont fait un peu de surimpression historique. Car le fait est que le grand jeu du toit du *bunker*, la mise en perspective d'une future carrière qui pourrait le conduire jusqu'au sommet brise sa dernière ligne de résistance. Ce vendredi-là, déjà, il n'est plus sur la crête de la vague. L'avant-veille, Allaire et Garceau ont pris les devants en annonçant qu'ils allaient créer un « Réseau des libéraux pour le Non ». Parmi les autres dissidents, Michel Bissonnette est le plus réticent. « Prouve-nous que notre action va être déterminante » dans la campagne référendaire, lance-t-il à Allaire, Lalonde et Gauthier. Cette preuve n'existe pas.

« C'est pas évident que notre campagne va avoir de l'effet, dit-il encore. Notre campagne, on l'a fait au congrès. » Lalonde et Gauthier lui donnent la réplique : « On veut que l'entente soit défaite, on a déjà dit à voix haute que le Québec est plus important que le parti. »

Bissonnette, prédécesseur de Dumont à la présidence de la CJ, est son conseiller le plus influent, son meilleur ami. Dans une rencontre chez Dumont, où Allaire et Bissonnette ont tiré chacun de leur côté sur leur hôte — rencontre interrompue par un autre appel de Bourassa —, Allaire a annoncé que, Dumont ou pas, CJ ou pas, il allait de l'avant.

De Québec, Dumont se rend à Cacouna, pour réfléchir quelques jours. Quand il revient, il se rend aux arguments de Michel Bissonnette. Michel et Mario resteront chez eux pour mieux retourner au PLQ au lendemain du référendum. Pour pouvoir, disent-ils, mener la guerre de l'intérieur. Pour pouvoir, pensent-ils, continuer leur carrière libérale.

Michel Bissonnette : Mario et moi avions convenu que le samedi [12 septembre], on *leakait* la décision dans *La Presse* de façon à préparer le terrain pour l'annonce formelle qu'on ferait le mardi suivant qu'il embarquait pas dans les Libéraux pour le Non.

La fuite est planifiée auprès du journaliste favori de Bissonnette, Denis Lessard. Elle est surtout organisée de façon professionnelle. Puisqu'il s'agit de « préparer le terrain » auprès des autres jeunes et de l'opinion, Dumont ne peut pas officiellement dire à Lessard qu'il a pris une décision finale. Une déclaration claire rendrait l'annonce du mardi superflue, donc volerait le *punch*. Mais pour que Lessard écrive sa manchette, il faut qu'il détienne une réelle information. Bissonnette annonce donc à Lessard, sous le couvert de l'anonymat, que Dumont ne fera pas la campagne référendaire. Car se joindre au Comité du Non, dit-il, ce serait « passer le point de non-retour », rompre d'une façon irréversible les liens avec le Parti libéral. Bissonnette parle d'une circulaire explicative qui serait envoyée aux jeunes libéraux pour leur expliquer le « positionnement » de Dumont. Lessard appelle ensuite Dumont qui ne confirme ni ne dément l'information. Le journaliste est sur la tranche de l'information : une source interne, fiable, lui dit que c'est blanc ; l'intéressé lui-même ne dit pas que c'est noir. Lessard comprend la manœuvre ; il sort son papier. Les scoops sont ainsi faits.

> Pierre Anctil : Mario m'appelle. Il dit : « Écoute, je fais une entrevue avec Lessard, tout ça, je serai pas cité directement mais je vais tester mon argumentation, tu vas voir dans *La Presse* de samedi, je pense que tu vas aimer l'article. [...] Tu vas être content, j'ai trouvé mon positionnement. » « Ah ! je dis, je suis ben content ! »

> Je lis l'article de Lessard, ça explique que Mario Dumont est contre l'accord, mais ne travaillera pas pour le Non. Alors je dis : « Parfait ! Il passe entre les deux. » C'est ça qu'on cherchait.

> Le lundi matin, je lui reparle, je lui dis : « T'as raison, c'était bon l'article ! » Il dit : « Écoute, j'ai repensé à ça, pis finalement, je vais t'en reparler. »

En entrevue avec l'auteur, Mario Dumont, qui cultive toujours son côté Wayne Gretzky et Robert Bourassa, nie en bloc cette histoire de fuite et se déclare membre du club des mal cités. Mais à l'époque, il explique à Bissonnette que de plusieurs de ses partisans ont si mal réagi à l'article de Lessard qu'il a dû faire marche arrière. Lessard rapporte aussi que certains membres du Conseil des représentants de la CJ se seraient joints, avec ou sans Dumont, au Comité du Non, ce qui aurait mis leur leader dans une position politique pour le moins inconfortable. Bissonnette confirme en outre que la décision de Dumont de se joindre au Non ou pas était très épidermique. « De demi-heure en demi-heure, ça changeait. » Dumont a une autre explication, probablement complémentaire : « J'ai eu tellement un mauvais *feeling* quand j'ai vu ce titre-là [en première page, *La Presse* titre : "Le Non se passera de Mario Dumont"]. J'ai dit : "Yark !" »

Mais il faut savoir que, pour des *apparatchiks* comme Bissonnette et Dumont, « sortir » d'un parti, ne serait-ce que pour une campagne, c'est comme « sortir » du chaud pour se lancer dans le froid. Quitter une organisation pour en fonder une autre. Et ils savent combien ce travail est difficile. Ils savent qu'on a tôt fait de sombrer, par amateurisme, dans le ridicule. Le dimanche 13 septembre, lendemain de l'article de Lessard, Dumont se fait expliquer par Michel Fréchette, le (bénévole) conseiller en communication d'Allaire, comment la campagne des Libéraux pour le Non pourrait s'organiser. « Je lui montre mon plan sur les huit semaines, le plan des tournées, les thèmes, tout ça, raconte Fréchette. Je pense que ça lui prenait ça pour se convaincre que c'était vrai. » Dumont ne serait peut-être plus au chaud, mais au moins, il aurait un abri.

Bissonnette et Dumont, les deux jeunes frondeurs qui ont animé la CJ depuis l'été de 1990, qui ont allumé le débat souverainiste au sein du PLQ, se séparent. Ayant publiquement exprimé son opposition à l'entente, Bissonnette appelle Bourassa en septembre pour lui dire qu'il ne fera pas campagne pour le Non. Puis il donne une entrevue à *La Presse* pour signaler que : « Ma décision de voter Non à l'entente ne remet pas en cause la confiance que j'ai envers non seulement Bourassa, mais aussi l'ensemble de l'équipe ministérielle. » Il veut s'assurer de retourner « au chaud » le 27 octobre.

★   ★   ★

Le lundi soir 14 septembre, le cadet appelle l'aîné. Sa décision, cette fois, est prise. Le communiqué de presse est écrit — sur du papier à en-tête du PLQ, dans les locaux du PLQ. Mario Dumont fera campagne pour le Non.

« J'ai tout mis ça dans la balance, je suis désolé, mais c'est allé trop loin, je ne suis pas d'accord avec l'entente, dit-il à Bourassa. Je ferai pas une campagne où je vais vous écorcher ou quoi que ce soit, mais je vais faire campagne pour dire qu'il faut pas que les Québécois acceptent ça.

« Il m'a dit que j'handicapais ben gros ma carrière, pis que je faisais une grave erreur, que ça passerait jamais au parti. Mais que si jamais j'avais quoi que ce soit à lui demander, y avait pas de problème. »

Le souvenir de Bourassa est similaire : « J'ai terminé la conversation en lui disant que je n'étais pas sûr qu'il ne regretterait pas son geste un jour. »

« Mais c'était pas mal spécial au téléphone, raconte Dumont. C'est peut-être la fois où j'ai le plus senti que je parlais au premier ministre. Tout le temps, avant, c'était comme si on s'échangeait des messages. Mais là, ce soir-là, il y avait pas de porte de sortie pour moi. C'était juste : demain matin il y a une conférence de presse, on annonce qu'il y a des libéraux pour le Non et j'en suis. C'est aussi simple que ça.

« Pis lui, c'était juste : "Bon, ben, tu vas être contre moi." Il y avait pas de porte de sortie pour lui non plus. »

Grand Angle

LES COMPLICES

En dernière analyse, un gouvernement
n'est que l'organisation de l'opinion de ses membres.

W. L. Mackenzie King

« Monsieur le premier ministre, je ne peux croire que 5000 militants et militantes libéraux ont souffert d'hystérie collective lors de la préparation d'un rapport intitulé "Un Québec libre de ses choix", maintenant connu et diffusé sous le nom de "rapport Allaire", rapport adopté à 80 % de nos membres lors d'un congrès de notre formation politique en 1991. »

Le constat posé, dans sa lettre de démission, par le seul député libéral dissident ne va pas de soi. Personne n'a tordu les bras des militants qui ont adopté le Pacte au Congrès libéral de 1991. Personne n'a tordu les bras des militant qui l'ont piétiné au congrès libéral de 1992. Dans les deux cas, la procédure démocratique a été respectée, ceux qui ont voulu s'exprimer — et qui se sont présentés au micro pour le faire — ont été écoutés, sinon entendus. Personne ne met en doute la transparence du vote.

Il est extrêmement rare, en démocratie, qu'un parti politique mette son chef en minorité lors d'un congrès (le cas de Margaret Thatcher, survenu dans un système parlementaire britannique proche du nôtre, est une remarquable exception*). Mais il est presque aussi rare qu'un chef imprime à son parti un

---

*   La chute de Thatcher fut rendue possible par l'existence d'une soupape de sûreté démocratique au sein du parti conservateur britannique, que nos partis québécois et canadiens auraient intérêt à adopter. Même au pouvoir, le parti doit, statutairement, organiser chaque année, à son congrès régulier, un vote pour élire le chef du parti, donc du gouvernement. Normalement, c'est une formalité, où un ou deux candidats se présentent contre le chef pour mettre un peu de piquant ou se faire connaître. En novembre 1990, un candidat sérieux mit Thatcher en ballotage et elle préféra démissionner plutôt que d'être défaite au second tour. Elle était à mi-mandat, après 11 ans de pouvoir. À l'été de 1992, Robert Bourassa est à mi-mandat, après 14 ans de pouvoir.

changement de cap à 180 degrés sur une question essentielle sans payer un prix politique lourd. Le PLQ est avant tout un parti de pouvoir, le PQ avant tout un parti de convictions, et la comparaison entre les deux n'est pas aisée. Reste que lorsque René Lévesque a voulu faire prendre à ses militants, en novembre 1974, le virage de l'étapisme — non pas un changement d'objectif, mais l'introduction d'une étape préalable à l'objectif — 35 % des délégués au congrès ont voté Non, à la suite d'un vigoureux débat dont l'issue, le matin même, était loin d'être certaine.

De même on a vu, en 1984, ce que son changement d'objectif — le beau risque plutôt que la souveraineté — a provoqué de démissions à son cabinet et à son caucus.

Rien de tel ne s'est produit au PLQ. Marc-Yvan Côté, un des piliers du parti et du gouvernement, résume la chose en entrevue en parlant des « décisions que M. Bourassa a prises et qu'il a fait endosser par le caucus, par le Conseil des ministres et par le parti ».

Trente ans après la mort de Maurice Duplessis, la volonté du chef demeure le maître mot de la politique québécoise sous Robert Bourassa. Et si ce dernier répète qu'il est « le seul responsable » de décisions qui engagent l'avenir d'un peuple, il faut constater qu'il ne pouvait agir seul. Pour imposer sa volonté, il lui fallait la complicité, tantôt active, tantôt passive, d'un très grand nombre de gens qui avaient, collectivement, le pouvoir de contrecarrer ses plans. Si, comme le dit Côté, Bourassa a « fait endosser » ses décisions, encore fallait-il que les responsables, à chaque échelon, acceptent de signer ces chèques en blanc, acceptent donc de participer à la rupture du Pacte, au reniement des engagements pris, des rapports signés, des lois votées.

Ce résultat ne semblait pas s'imposer d'évidence aux amis du Parti libéral, comme Claude Béland, qui a caressé, un temps, le rêve d'en diriger les destinées. En entrevue avec l'auteur, c'est avec une tristesse abyssale et sur le ton de celui qui a maintenant connu toutes les déceptions qu'il exprime sa pensée :

> Claude Béland : Tout le Québec a raté une occasion incroyable et c'est lui [Bourassa] principalement qui nous l'a fait rater. [...]
>
> J'aurais pensé que le parti aurait mis le chef un peu à sa place en disant : « C'est pas ça qu'on vous a dit » [...]. Je ne pensais jamais que le Parti libéral — parce que je connais beaucoup de libéraux — ferait un acte de démission comme celui-là.

La déception de Béland est générique. Elle est aussi personnalisée, lorsqu'il s'enquiert de l'état des colonnes vertébrales de ses amis et relations libérales.

> Béland : Quand je vois des gens du Parti libéral qui me disent : « Moi ma femme est sur telle commission » ou « mon frère est sous-ministre », je me rends compte que quand vous êtes dans le parti au pouvoir vous avez bien des petites attaches...

PLQ 1991-1992 : HISTOIRE D'UNE CRÊPE

Il ne s'agit pas de simplement constater, et de simplement déplorer. Il faut aussi comprendre.

A Trois mille militants face aux choix

« Ce sont deux congrès qui sont anormaux dans la vie d'un parti, affirme John Parisella, qui fut directeur général du PLQ avant d'accéder au *bunker*. Que le parti fasse pas un gros débat de fond en mars 1991 sur des questions aussi fondamentales, c'était pas mieux que le vote des gens qui, en 1992, ont essayé d'en faire un vote de confiance à M. Bourassa, dont le leadership était jamais en doute, même avec Allaire pis Dumont. [...] C'étaient pas des congrès normaux, tsé. Ça a basculé d'un bord pis de l'autre. »

Oui, mais pourquoi ?

« Moi, je te garantis, affirme Anctil, qu'il n'y avait aucune façon, au congrès de mars 1991, de faire battre le rapport Allaire, pis il y avait aucune façon, au congrès d'août 1992, de faire battre l'accord de Charlottetown. Peu importe comment les débats se seraient déroulés. » Dans les deux cas, analyse le directeur général du parti, on était en présence de « locomotives ».

Oui, mais pourquoi ?

L'hypothèse parfois avancée veut qu'il ne s'agissait pas, pour une grande part, des mêmes délégués. Que la proportion de délégués de circonscriptions nationalistes et de circonscriptions fédéralistes s'était inversée, d'un congrès à l'autre. C'est faux.

En 1992, il est vrai qu'un effort particulier a été fait pour mobiliser les fédéralistes. Depuis quelques mois, chaque semaine, des militants fédéralistes se réunissaient dans les locaux de la compagnie Scotia-Macleod, au centre-ville de Montréal, pour préparer leur stratégie, compter leurs appuis, coordonner leur action. Il est vrai que, dans des circonscriptions anglophones et fédéralistes militantes, des autobus ont été affrétés pour faire l'aller-retour à Québec dans la journée et économiser ainsi des frais d'hôtel. Il est vrai que les associations locales de ces circonscriptions se sont assurées de faire le plein, transportant à Québec à la fois leur contingent de délégués et de substituts. Il est vrai que des députés et quelques ministres ont mis des bâtons dans les roues de leurs délégués jeunes et pro-Dumont. (« Les délégués jeunes ne sont pas élus par les jeunes, précise Henri-François Gautrin, alors il y a eu beaucoup de cas où les délégués jeunes [en 1992] étaient de la tendance majoritaire » pro-Bourassa. Gautrin confirme que des jeunes, délégués en 1991, n'ont pas été réélus en 1992.) Il est vrai enfin que l'aile nationaliste a été d'une totale maladresse dans la mobilisation de ses propres forces.

Mais un chiffre parle plus fort que tous les autres. Selon les calculs de Pierre Anctil, 71 % des délégués au congrès de 1992 étaient également délégués au congrès de 1991. « On pourrait faire l'opération mathématique, dit-il, mais ça signifie qu'il y a au moins 50 % [en fait, un minimum absolu de 46 %] des mêmes personnes qui ont voté pour le rapport Allaire en 1991, puis ont voté pour l'accord en 1992. »

Il ne s'agit donc pas de nouveaux recrutés, il s'agit de convertis. Le vétéran

Ronald Poupart pense que l'explication est toute bête : « Je connais assez bien la chimie d'un parti politique ; les militants sont des soldats. Des soldats très respectueux du leadership. Alors les militants se font dire par des leaders du parti quelle est la meilleure solution. Ils l'appuient. »

Si on accepte cette explication, seules les courses au leadership, où plusieurs leaders potentiels s'affrontent, laissent un réel libre arbitre aux militants. En 1992, le signal du premier ministre était très clair : il fallait dire oui à l'entente. En 1991, le signal n'était pas clair du tout.

« Avec le rejet de l'accord du Lac Meech, le programme du Parti libéral du Québec a été rejeté, affirmait Bourassa dans son allocution du Salon rouge, le 23 juin 1990. Il nous faut un nouveau programme, et c'est normal que nous prenions le temps de discuter avec les militants du Parti libéral. » Pendant l'automne de 1990, explique le fédéraliste Parisella, « le parti était en profonde réflexion, et c'était pas possible de jouer une *game* fédéraliste parce que notre programme était pas là. Il était perdu. » En novembre 1990, alors que les consultations du comité Allaire vont bon train dans les circonscriptions et que beaucoup de militants, jeunes et vieux, proposent spontanément la souveraineté, Bourassa envoie de son lit d'hôpital la consigne : « Soyez à l'écoute des Québécois », qui sont alors massivement souverainistes.

Pendant toute la période qui précède la publication du rapport Allaire, donc, les militants sont laissés à eux-mêmes sur une question essentielle : la définition de l'avenir du Québec. Pour une fois, les « soldats » de Poupart ne reçoivent pas de directive du général, ne se font pas dicter « la meilleure solution ». Leur verdict est net : non au *statu quo*, oui à une solution confédérative à l'européenne qui suppose un passage préalable par la souveraineté. Même l'interprète le plus conservateur de la tournée de consultation de l'automne de 1990, l'allairien Bill Cosgrove, convient qu'en ce qui concerne les objectifs soumis aux militants, notamment « l'objectif d'autonomie politique du Québec », « il y avait, je dirais, unanimité à l'intérieur du parti* ».

Membre de la mouvance libérale, Claude Béland l'entend aussi de cette oreille :

> Pourquoi c'est monté si haut, l'adhésion au projet de souveraineté ? C'est parce que M. Bourassa a dit le 23 juin : "J'ai plus de position, on va décider ça par nous-mêmes." Les gens ont dit : "Ça a ben de l'allure." Mais quand ils ne sentent pas qu'ils ont le chef qui vont les amener là, ils hésitent grandement. Ils avaient misé sur Bourassa.

En un sens, ils avaient cru que Bourassa allait, soit les mener sur le chemin de la liberté, soit les y suivre. Entre le moment où le rapport Allaire, édulcoré

---

* Les quatre objectifs soumis à la consultation se lisent comme suit : « 1° L'autonomie politique du Québec afin de répondre à la volonté d'affirmation du peuple québécois ; 2° Une plus grande intégration économique et l'instauration de conditions optimales au développement économique du Québec ; 3° Le respect des droits et libertés des personnes et la recherche de l'harmonie sociale ; 4° La stabilité des services sociaux, de santé et de sécurité du revenu. »

par Bourassa, est publié le 29 janvier 1991, et le moment où le congrès a lieu le 9 mars 1991, les militants reçoivent un double signal. D'une part, Robert Bourassa semble s'associer au rapport, tout en distillant un flou artistique d'intensité moyenne (dans l'échelle des brouillards que ce PM est capable de générer). D'autre part, plusieurs ministres importants du gouvernement, l'ancien chef Claude Ryan, l'ex-candidat au leadership Pierre Paradis, plusieurs députés critiquent ouvertement le rapport, sans être rappelés à l'ordre par le premier ministre. Dans les réseaux du parti, on parle aussi beaucoup de l'opposition exprimée par Daniel Johnson (opposition réelle) et par Lise Bacon (opposition ponctuelle et non militante).

De ce double signal, le militant retient que la discussion est véritablement ouverte, qu'un réel débat peut avoir lieu, qu'une expression franche de ses positions est de mise. Jamais, autant qu'au congrès libéral de 1991, Robert Bourassa n'a dit aux délégués de la base qu'ils étaient « libres de leur choix ».

Un autre fédéraliste, Henri-François Gautrin, un colonel de la faction Ryan dans cette bagarre, pense que les militants de 1991 se divisent en trois camps : 1) ceux qui, comme lui, ont dit non parce que le rapport Allaire mettait le fédéralisme en danger ; 2) ceux qui, comme les membres de la Commission jeunesse, « croyaient réellement au *verbatim* du rapport Allaire — c'est ça ou rien » ; et 3) ceux qui disaient : « Bien sûr, c'est une position de négociation, mais on commence pas par affaiblir notre position initiale en disant que c'en est une. »

Des représentants de la tendance nationaliste, comme l'allairien Jacques Gauthier, rapportent cependant que les militants francophones de l'est du Québec se plaignaient du caractère trop modéré des conclusions du rapport Allaire. La consultation interne menée par le comité Allaire à l'automne de 1990 et les sondages d'opinion mesurant la force du sentiment souverainiste au sein de l'électorat libéral à la même époque tendent à confirmer l'existence d'une réelle volonté souverainiste, hostile au détour de la « dernière chance », au sein du parti à l'époque.

Faire la synthèse de l'ensemble de ces données, de Bill Cosgrove à Jacques Gauthier, mène à une conclusion simple : le militant de la base du Parti libéral en mars 1991 voulait, au minimum, « l'autonomie politique du Québec », au maximum, « la souveraineté dès 1991 ». Le rapport Allaire, avec toutes ses contradictions internes, se situait entre ces balises.

Le congrès de 1992 est tout autre. Les militants, déjà conditionnés par des mois de messages fédéralistes du chef, sont alors nettement rappelés à la discipline par l'appareil au grand complet : général, colonels, lieutenants, tous donnent l'ordre de marche. Les dissidents Dumont et Allaire sont conspués, notamment par Lise Bacon, avant même que Bourassa négocie l'entente finale. L'organisation de la campagne référendaire à venir sur les offres est mise en place avant même que les offres existent. Le militant ne peut pas se tromper.

Il redevient soldat, et vote avec ses bottes. Cette discipline des convictions, on l'appelle la « loyauté au chef ». Les analyses de Marc-Yvan Côté et de Mario Dumont à cet égard se complètent sans se contredire :

> Marc-Yvan Côté : Je pense que les gens ont témoigné à Bourassa une fidélité et une affection assez importantes au congrès sur Charlottetown. C'est pas sur le fond que les gens ont dit oui, mais davantage sur le fait que c'est lui qui nous a fait gagner [des élections] et qui nous a guidés pendant ces années-là.

> Mario Dumont : Pendant le congrès, je trouvais ça aberrant, mais je me disais : c'est une gang de bon monde qui suivent le chef parce qu'ils voient pas vraiment tous les enjeux, et ils font confiance à Bourassa. Tsé, la plupart sont de même. Le chef, c'est le chef, puis au Parti libéral, c'est ça.

> Mais je me disais, dans le fond d'eux-mêmes, ils savent que c'est pas correct. À part les anglophones, les communautés culturelles et les très fédéralistes, la grande majorité savent que ce qu'ils sont en train de faire, c'est pas correct. Pis ils savent que leur beau-frère est pas fier d'eux autres aujourd'hui. Pis ils savent que leurs compagnons de travail sont pas fier d'eux autres aujourd'hui. Tsé, ils le savent tous, ils le sentent tous.

Ce qui fait dire à un membre de la Commission politique du parti, le soir du congrès, qu'à part « dans l'ouest de l'île de Montréal, il y aura pas beaucoup de soldats » pendant la campagne référendaire. Prédiction qui s'est en tous points réalisée. Les délégués au congrès de 1992 ont donc doublement abdiqué leurs responsabilités : d'abord, en acceptant avec un enthousiasme feint une marchandise complètement différente de la commande qu'ils avaient librement passée en 1991 ; ensuite, en refusant de se battre sur le terrain pendant la campagne référendaire pour défendre un accord qu'ils ont pourtant plébiscité au congrès.

Dire que les militants et délégués du PLQ sont mus par la loyauté au chef, pour autant que le chef émette un signal, c'est un constat. Pas une excuse.

B *Cent* apparatchiks *face à la dissidence*

Dans le parti, il y a la masse des militants — y compris, dit un *apparatchik*, « une série de madames qui s'occupent d'aligner les numéros de téléphone » et ceux qui « viennent faire de l'organisation, pas de l'orientation » —, mais il y a aussi les leaders d'association, de région, les militants professionnels, les membres des comités du parti, les dévoués, les studieux.

Entre les congrès et les élections, le parti, c'est eux. Ils sont une centaine environ à faire fonctionner la machine. Pour la plupart, ils se sont lancés dans l'aventure Allaire. Ils ont cru, comme la grande majorité des Québécois, au Pacte. Pourtant, en fin de course, une poignée seulement a franchi le pas vers le groupe de dissidents[*]. Pourquoi ?

---

[*] L'auteur ne considère évidemment pas les dissidents comme des « complices », bien au contraire. Mais on en parle dans ce chapitre pour jauger leur force d'attraction sur les autres *apparatchiks* allairistes, moins courageux et conséquents au moment du choix.

Michel Lalonde pense que l'erreur stratégique fut commise dès janvier 1991, lorsque les allairiens ont accepté de passer de la version A, souverainiste, du rapport Allaire, à la version B. Si, au congrès de 1991, les six souverainistes du comité (sans compter Fernand Lalonde et Suzanne Levesque, qui auraient probablement suivi Bourassa), avec l'appui de la CJ et d'une dizaine de députés, avaient mené le combat pour un référendum sur la souveraineté en 1991, il n'est pas certain qu'ils l'auraient perdu. Les enjeux, en tout cas, auraient été clarifiés. On peut rêver de l'effet d'entraînement qui se serait ensuivi à la Commission Bélanger-Campeau. À la place, les six ont fait semblant de croire à la dernière chance, donnant ainsi au premier ministre le contrôle du jeu.

Cette bévue ayant été commise, les forces allairistes se sont ensuite assez peu préparées à l'épreuve de force prévisible de l'été de 1992. Mario Dumont a consacré toute son énergie à la seule organisation de ses congrès des jeunes de 1991 et 1992, pas à la consolidation et au maintien, pendant ces deux années, d'une « aile allairiste » puissante et présente dans le parti. Le travail de liaison avec les députés nationalistes, dans l'année précédant l'affrontement, a été presque inexistant. Les quelques ministres qui auraient pu se laisser convertir n'ont pas été approchés.

Pendant cette même période, les fédéralistes, d'abord par des réunions de parlementaires à l'hôtel Concorde en 1991, puis par le processus de recrutement de jeunes fédéralistes au printemps de 1992 et de préparation du congrès à l'été de 1992, ont maintenu l'intensité, donc la cohésion de leur action. Leur tâche était plus facile que celle des nationalistes, car ils avaient de leur côté le premier ministre, son chef de cabinet et plusieurs ministres influents. Reste qu'en cas de confrontation, ils pouvaient compter sur un réseau d'alliance plus étendu et plus solide que les allairistes.

En comparaison, l'activité du G7 est risible. Surtout que leur leader, Jean Allaire, est le type même du velléitaire.

Jean Allaire : Moi, je tire la conclusion qu'au G7 ils voulaient faire quelque chose, mais qu'ils n'osaient pas. Pis s'ils pensaient que j'étais pour prendre les devants, pour faire un coup de force dans le parti, moi je suis pas fait comme ça. Je voulais pas le faire. Je voulais pas le faire. Il y en a qui vont dire que c'est un coup de force que j'ai fait quand même, mais j'ai suivi ma conscience et j'ai suivi mes convictions, pis c'est toute. J'ai démissionné, pis je suis parti, pis j'ai fait mon affaire. Mais à l'intérieur du parti, faire des intrigues, moi, ça m'horripile. [...]

On n'était pas des conspirateurs. C'est si vrai qu'on n'a jamais fait de mouvements d'ensemble, on n'a jamais essayé non plus de mettre une organisation sur pied pour contrecarrer les autobus jaunes par d'autres autobus jaunes, pis essayer de paqueter le congrès de notre côté.

L'auteur : Mais au G7, vous vous réunissiez une fois par mois à peu près en 1992 ?

Allaire : Peut-être que ça a été plus que ça. Mais disons, oui, à toutes les trois semaines, un mois, en gros.

L'auteur : Et vous en aviez une, charpente organisationnelle, c'était la Commission jeunesse, qui avait des membres dans toutes les circonscriptions ?

Allaire : Oui.

L'auteur : Si vous aviez décidé début août, quand vous avez su que le congrès allait avoir lieu, de vous organiser, vous auriez pu ?

Allaire : Oui, on aurait pu, et je pense que c'était pas notre intention que de casser le parti en deux, parce que ce genre d'initiative-là, ça casse le parti et on a espéré tout le temps un sursaut des militants, un sursaut.

Bref, contrairement à Anctil, à Gautrin et aux autres qui savent qu'un débat de cette ampleur ne s'improvise pas, que pour gagner, il faut créer des conditions propices au ralliement des consciences, Allaire, Dumont et compagnie, hors du cocon de la CJ, ne créent pas ces conditions ; ils travaillent donc à leur propre isolement. Outre l'amateurisme, un autre élément explique leur immobilisme : la foi.

Allaire : On pensait pas que Bourassa ferait un 180 degrés comme ça, y'a personne qui le pensait. Je savais qu'il voulait pas faire la souveraineté, je leur avais dit qu'il accepterait n'importe quoi. Ça, je leur avais dit. Mais faire un 180 degrés en deux, trois jours, là, franchement, c'était la fin des haricots. [...]

[Après l'entrevue de Bourassa au journal Le Monde], je me dis : « Bourassa a plus aucune argumentation avec le Canada anglais. » Je me dis : « Il est fini, il est mort. » Et je continuais quand même à œuvrer à l'intérieur du parti. J'espérais un sursaut de certains ministres et de certaines parties du Parti libéral, de certains groupes du Parti libéral.

Malheureusement, l'opposition organisée dans un parti au pouvoir relève rarement de la génération spontanée. Mais posons l'hypothèse inverse. Si Gil Rémillard, par exemple, avait su qu'une importante aile allairiste, vivante, active, visible et cohérente, l'attendait dans le détour, soit pour critiquer l'entente de Pearson, soit pour l'accueillir s'il devait faire faux bond à Bourassa, son choix aurait-il été autre, ce vendredi où le Canada s'obstinait à ne rien lui céder ?

Mais voilà. Les allairistes ayant chômé tout l'été, les militants déçus ne disposaient pas, au moment de l'épreuve de force, d'une famille d'accueil. Ils ne pouvaient s'appuyer que sur leur propre conscience. Ce qui devrait normalement, dans plusieurs cas, suffire. Ce qui n'a pas suffi, même chez trois membres du G7 : Pierre Saulnier, Diane Viau et Denis Therrien.

Michel Lalonde : Les gens disaient : « Ah ! mon Dieu, il y a juste une petite bunch qui est sortie du parti. » Les deux raisons, c'est d'abord l'action du pivot nationaliste [Pierre Anctil], et la deuxième, c'est la force de la dynamique d'un parti au niveau des relations personnelles. Les gens de l'extérieur soupçonnent pas l'importance que ça a.

Il faut comprendre un parti comme étant d'abord et avant tout un club social. Les gens qui sont dans un parti, c'est pas vrai qu'ils sont là d'abord pour les idées. Il y en a peut-être 15 à 20 % qui sont là principalement pour les idées. Les autres, c'est pour les contacts, les relations, pas nécessairement pour avoir des contrats. Mais c'est pour être dans une gang, se rencontrer, faire des choses ensemble. C'est un petit monde.

Quand tu arrives à la croisée des chemins et que tu es appelé à quitter le parti pour des raisons de fond, tu réalises quelle importance le parti a pris dans ta vie. Tous tes amis, beaucoup de gens que t'as connus pis qui ont été très sympathiques dès leurs premiers rapports avec toi — parce que c'est un petit peu ça la règle dans le parti, la familiarité de départ. Alors c'est tout ça que tu mets en péril.

Toute l'émotivité qu'il y a dans ces relations-là est utilisée par la direction du parti. C'est pas théorique ce que je te dis. On fait des comités, on se demande qui est susceptible de partir ou sur le point de partir. On se demande qui les connaît bien, on fait par exemple des réunions où on met un dissident potentiel dans un groupe de soi-disant nationalistes hésitants — qui en fait sont acquis au virage — pis qui discutent « ensemble » de la décision qu'ils ont à prendre. À la fin, ils décident « collectivement » de rester dans le parti. Il y a eu beaucoup de ce genre de réunions après le congrès d'août 1992.

C Quatre-vingt-dix députés face à leur responsabilité

Parce que les militants, les délégués et les *apparatchiks* représentent, à divers paliers (exécutif, CJ, Commission politique), les membres du Parti libéral, parce qu'ils forment la structure d'un des deux grands partis qui incarnent, par leur action, la démocratie québécoise, ils ont une responsabilité démocratique. Ils ont des comptes à rendre.

Mais dans cette échelle de la responsabilité, donc de la complicité à la triche de 1991-1992, les députés libéraux occupent un rang nettement supérieur. De par leur élection, ils sont représentants du peuple, donc censés refléter, au-delà des variations saisonnières de température, ses espoirs, sa volonté.

Ils prêtent d'ailleurs un serment, en arrivant au Parlement, où ne figure aucune mention de loyauté au parti ou au chef, ou même au gouvernement. Il y est cependant question de loyauté. Le serment dit : « Je jure que je serai loyal envers le peuple du Québec[*]. »

De par leur fonction, les députés sont des législateurs, donc censés être respectueux des textes de loi, des rapports de commissions parlementaires, et particulièrement soucieux de l'étude d'un projet de loi fondamentale du pays.

Pourquoi les députés nationalistes francophones, enthousiastes au moment de l'adoption du rapport Allaire, auteurs ou lecteurs empressés, à l'automne de

---

[*] Le serment en son entier se lit comme suit : « Je jure que je serai loyal envers le peuple du Québec et que j'exercerai mes fonctions de député avec honnêteté et justice dans le respect de la constitution du Québec. » Tous les députés et les ministres, dont le premier ministre, prêtent ce serment.

1990, d'un *Plan de Match* qui proposait de faire la souveraineté à court terme, se sont-ils effondrés au moment crucial ?

Comme pour les autres allairistes, ils ont péché par inorganisation. Pendant qu'une vingtaine de députés fédéralistes se serreraient les coudes chaque semaine au Concorde, que des rapports de ces rencontres étaient faits à Claude Ryan et à Pierre Paradis pour cultiver des appuis solides au Conseil des ministres, que la sympathie du chef de cabinet du premier ministre, John Parisella, était acquise, les députés nationalistes, vainqueurs au congrès de 1991, dormaient sur leurs lauriers.

« Nous, on n'a pas bougé beaucoup à cette époque-là, raconte Jean-Guy Lemieux, parce qu'on s'est dit, sans rien prendre pour acquis, que Bourassa aurait un moyen revirement à faire : le congrès, pis Bélanger-Campeau. On a pris un certain recul, on ne s'est pas réunis beaucoup. On s'est parlé de manière surtout informelle. »

Cette inaction durera jusqu'au congrès de 1992, malgré la conscience qu'ont Lemieux et consorts, dès la fin du congrès de 1991, que « notre parti était dénaturé » par le discours de clôture de Bourassa. « L'expression a peut-être été employée souvent, dit Lemieux, mais je pense qu'elle doit l'être : dénaturé de la position que le congrès avait prise, "contre nature". »

Résumons : certains de représenter la volonté de la majorité des membres et des militants, contents de leur victoire écrasante au congrès mais conscients de la volonté de leur chef de dénaturer leur action, ils décident de « ne pas bouger », alors même que les adversaires fédéralistes s'organisent.

Il leur arrive certes de se voir, au cours des 17 mois qui séparent les deux congrès. Mais c'est alors par hasard et presque pour le plaisir. « C'est des réunions informelles, se souvient Guy Bélanger. Pas organisées avec agenda et rapport. C'est des réunions de bouts de corridor ou de restaurant. Avec toujours en tête : "C'est ben beau, là, on parle, mais qui va aller au *bat* ?" »

« On n'était jamais plus d'une douzaine, dans des restaurants. C'était jamais convoqué comme tel. On se demandait ce qu'on pouvait faire, quel pouvoir on avait vraiment. On est un certain nombre, mais on ne sait pas vraiment combien, et surtout, on n'est pas certains de la fidélité de tout ce monde-là.

« Souvent, il y avait Jean-Guy Lemieux, Georges Farrah, Rémi Poulain, Michel Després, Benoît Fradet, Serge Marcil, Michel Tremblay. Un qu'on convoitait et qui n'était pas réfractaire, c'était Jacques Chagnon*. [...] Mais plusieurs de ces gars-là étaient méfiants. Ils disaient : "Tout d'un coup que ça se sait [que je participe] et que je me fais prendre là-dedans, avec quoi je vais être pris ?" » C'est le festival des trouillards.

---

* Chagnon, qui avait envoyé ses bons vœux au bloquiste Gilles Duceppe à l'été de 1990, mais qui participe épisodiquement aux réunions du groupe du Concorde, a plus de nez que d'audace. Décrit par plusieurs collègues comme un bon patineur, il se faufilera en 1994 jusqu'à une banquette de ministre.

Collectivement, ils ne forcent même pas la tenue de rencontres du caucus pendant l'été de 1992, alors qu'à l'évidence, d'importantes décisions se prennent sans eux. Lorsque survient l'entente de Pearson, ils ne se concertent nullement avant le caucus du lundi, puis omettent de se rencontrer pendant la semaine.

> Lemieux : Qu'est-ce qui fait qu'on s'est pas réunis ? Je pense que c'est l'état de la situation qui a fait ça. Je pense qu'on était un peu pris de court, un peu désabusés parce qu'on ne sentait pas qu'on avait des alliés suffisamment forts pour renverser la vapeur. Et peut-être que là, on a manqué. Là, on a manqué. C'est-à-dire qu'on s'est dit : « Ça se peut pas que ça [l'accord] passe [au référendum]. Ils auront leur leçon, ça se peut pas que ça passe. » Et je vous avoue que c'est vrai qu'on n'a pas réagi. Ils s'attendaient à ce qu'on réagisse. C'est vrai qu'ils s'attendaient à ça, je le savais.

> L'auteur : Si vous aviez entretenu une cohésion pendant les derniers mois, puis à ce moment-là, avec les 15 personnes qui étaient dans votre mouvance, à partir de votre noyau dur, vous auriez pu faire quelque chose ?

> Lemieux : Je pense qu'on n'était peut-être pas assez structurés. Je pense qu'on était trop naturels ; les nationalistes chez nous ce sont des naturels. Je pense qu'on a peut-être fait une erreur de ne pas mettre suffisamment de pression. Peut-être aussi parce qu'on en connaissait le résultat. On était certains que ça pouvait pas passer. Écoutez, on écoutait notre monde !

> L'auteur : Vous voulez dire au référendum ? Vous étiez certains que votre parti allait se faire battre au référendum ?

> Lemieux : Oui.

> L'auteur : Vous auriez pu dire : « Pour le bien du parti, nous on vous dit qu'il ne faut pas présenter ça au référendum, il faut passer au 2b2 ou... »

> Lemieux : Tout était déjà fait, tout était déjà coulé dans le ciment. Tsé, c'était dire à un sourd de tourner à gauche. Quand même vous lui diriez cent fois, ça change pas les choses. On l'avait fait notre job. On le savait. On avait déjà dit tout ça.

On l'avait dit gentiment, mais on l'avait dit. Le fait que Lemieux pense que les choses soient « coulées dans le ciment » avant même qu'elles soient présentées au caucus ou au congrès en dit long sur la sous-estimation qu'ont fait ces parlementaires de leur propre influence (le temps investi par le premier ministre pour retenir les rares dissidents est en soi révélateur du poids de chaque défection). Il en dit long aussi sur le manque d'indépendance d'esprit dont ils ont fait preuve. Rien n'est plus triste, cependant, que les constats que font les deux chefs de file de l'aile nationaliste :

> Jean-Guy Lemieux : J'ai une conscience sociale envers les électeurs que je représente et, pour moi, à mes yeux, Charlottetown était pas une bonne chose pour eux autres. Mais j'avais un chef, aussi. [...] T'as jamais vu un joueur du Canadien se retourner de bord puis aller prendre la *puck* et l'envoyer dans ses propres buts. Il est toujours d'accord avec la stratégie de son entraîneur, et il vit avec.

Guy Bélanger : Dans le fond, tu sens que la ligne de parti est plus forte que la ligne de pensée.

Le jugement de leurs collègues est d'ailleurs assez tranché. Jean Lapierre, un libéral égaré au Bloc québécois, un temps très proche de ce groupe, commente la déroute : « Qu'est-ce que tu veux, même nos pseudo-alliés, les libéraux nationalistes, ils avaient froid aux pieds à chaque fois que M. Bourassa montrait une hésitation. Donc l'aile nationaliste du PLQ, c'est un mythe, dans le sens que c'est une aile nationalisante, mais avec des convictions un peu girouettes. »

De l'autre côté de l'Assemblée, le Parti québécois a aussi tenté de jauger la force de conviction des uns et des autres, raconte le vice-président du parti, Bernard Landry :

> On a essayé plusieurs fois de faire l'inventaire des députés libéraux qui pouvaient être souverainistes. On a toujours convenu, dans une étude cas par cas, qu'il n'y en avait aucun qui avait assez de conviction au fond, assez de personnalité et de courage pour faire le saut. D'autres péquistes nommaient Lemieux, Bélanger, Rémillard. Mais quand on avait été au fond de la question et qu'on avait recoupé toutes les sources, on se disait que non. Si c'est pas le complexe de la limousine, c'est le complexe de vouloir la limousine, ou plus d'avancement dans le parti, ou obtenir une job après l'élection. Alors, toutes ces spéculations faisaient qu'on n'a jamais cru qu'il y en aurait un seul qui se rangerait de notre côté.

Personne, cependant, n'est aussi dur et cru que le député qui s'est échappé, Jean-Guy Saint-Roch :

> Quand tu arrives avec des problématiques comme la fameuse question du [caucus du lundi] 24 août 1992, et que tu vas voir des députés qui vont s'avachir, tu te demandes pourquoi ; je vais te le dire. Il y a cinq grandes raisons.
>
> [1.] D'abord on a affaire à un groupe de députés, hommes ou femmes, qui veulent être ministres. Ils ont tout intérêt, s'ils veulent être ministres, à pas brasser les affaires, à pas faire de vagues et à exprimer leur point de vue ben gentiment, et à laisser parler les autres et à rester en arrière. Alors ce groupe-là qui veut être ministre, ne montera pas au front.
>
> [2.] Tu as un autre groupe qui ne sont tout simplement pas capables d'aller au front parce qu'ils ont pas d'indépendance intellectuelle. Ils ont besoin de la machine du parti ou de l'équipe parlementaire pour préparer leurs textes d'intervention à l'Assemblée nationale et pour monter leurs dossiers ou pour être capables de les piloter. Ces gens-là, même s'ils avaient le goût de monter au front, ils vont te résumer ça en disant : « Moi, j'ai pas le courage d'affronter la machine. » [...]
>
> [3.] T'as un autre groupe pour lequel ce qui compte, c'est les besoins monétaires. Alors ils veulent être adjoints parlementaires (prime de 12 000 dollars), ils veulent être présidents d'une commission parlementaire (prime de 15 000 dollars) ou vice-présidents, alors ils ne veulent pas perdre ça. Ces postes-là se donnent sur recommandation du bureau du premier ministre.
>
> [4.] Un autre groupe va être immobilisé à cause des travers des personnalités

humaines. L'Assemblée nationale est le reflet de la société. Tous les travers humains, tu les retrouves ici. Certains, c'est le coude qui est porté à se lever un peu trop ; d'autres, le jeu, la drogue, les femmes, les maîtresses. Si tu tombes là-dedans, tu viens de t'enfarger royalement. Parce que là, le moindrement que tu fais signe de regimber, on te dit — ça c'est le langage codé qu'on utilise en politique — : « Tu sais, les journalistes, c'est comme une meute ! Si tu vas sous les feux de la rampe trop trop loin, ils vont vouloir savoir quel genre d'animal t'es. Alors t'aimerais pas que dans ton patelin on apprenne par exemple que tu fais la *dolce vita* à Québec. Parce que chez toi c'est pas ton image. » Ça, ça retient beaucoup de monde.

[5.] Finalement, la cinquième catégorie, c'est les dossiers que tu as dans ta circonscription. Si t'as besoin d'une école ou d'un quatre ou cinq millions d'investissement, alors c'est sûr que si tu brasses trop la cage on va te rappeler que quand on indispose nos collègues, c'est plus difficile de faire passer tes dossiers au Conseil des ministres. Parce que toute dépense de 25 000 dollars se ramasse soit au président du Conseil du Trésor, soit au Conseil des ministres.

Là, t'as les cinq grandes choses qui vont faire que lorsqu'arrivent des grandes décisions, très peu de gens vont sortir du rang.

D *Trente ministres face à l'histoire*

Sortir du rang, Saint-Roch l'a fait. À retardement, en juin 1993 et en claquant la porte, Guy Bélanger le fera*. Au fédéral, en 1990, Jean Lapierre, François Gérin, Gilles Rocheleau, et toute la bande du Bloc québécois l'ont fait. Au PQ, en 1984, ils ont été sept ministres et trois députés à partir pour cause de « beau risque ».

Chez les ministres, aussi, la démission est envisageable, comme l'ont montré Lucien Bouchard et, avant lui, Jacques Parizeau et les autres ministres péquistes qui ont quitté Lévesque en 1984. Mais il y a des libéraux, aussi. En 1988, Richard French, Clifford Lincoln et Herbert Marx ont fait primer leurs convictions sur leurs carrières. Il était alors question des droits linguistiques de la communauté anglophone (comme en 1976, quand le ministre fédéral Jean Marchand a plaqué son ami Trudeau sur le principe du bilinguisme dans les transports aériens). En 1990, Yves Séguin a quitté le cabinet. Il exprime ainsi son désaccord avec la politique fiscale du gouvernement.

Dans le cas qui nous occupe, il s'agit de l'avenir de tout un peuple, d'un choix historique, d'engagements pris, de parole donnée. Aucun ministre, on le sait, n'esquisse le moindre geste vers la sortie. Aucun ministre, ce qui est plus grave, n'exige même que le débat se tienne.

---

* Lors de la remise de sa démission, le 16 juin 1993, Bélanger professe à nouveau à l'Assemblée nationale sa foi dans le rapport Allaire et dénonce « ces lignes de parti » qui « ont pour effet de stériliser la réflexion et l'action. [...] Pourquoi être 100 si on doit obligatoirement tous penser pareil ? Un seul suffirait, non ? » Ayant créé une nouvelle entreprise, Bélanger oeuvre dans le secteur privé. Comme prévu, c'est le PQ qui a remporté la partielle dans sa circonscription de Laval-des-Rapides.

Il y a pire.

En conférence de presse après la présentation des offres de Joe Clark en septembre 1991, Robert Bourassa déclare que les décisions du gouvernement québécois en matière constitutionnelle ne relèvent pas de lui. À un journaliste qui lui demande ce que le Québec veut, exactement, dans sa quête de réforme, Bourassa répond :

> Je dois vous dire que ces décisions seront prises collectivement. Je ne peux pas, comme premier ministre du Québec, vous dire : « Je veux ceci, ceci et cela. » Je dois en discuter avec mes collègues du Conseil des ministres.

Or s'il y a un moment crucial dans le débat constitutionnel, un moment où il faudrait que les « décisions » soient « prises collectivement », il survient au lendemain du 7 juillet 1992 et de « l'accord historique » du Canada anglais. Naïf, comme toujours, l'auteur pose la question au chef de cabinet du premier ministre.

> L'auteur : Là, il faut décider si vous retournez à la table de négociation ou non. Est-ce que ce débat-là se fait au Conseil des ministres ?
>
> Parisella : Non. Il y a jamais eu beaucoup de débats de fond de cette nature-là au Conseil des ministres. Des débats de stratégie ? Le Conseil des ministres, c'est un lieu où les gens étaient informés. Il y avait très peu d'interventions sur le côté constitutionnel.

Pendant le processus, au cours de l'été de 1991, Lise Bacon confirme. La constitution au Conseil des ministres ? « C'est drôle, on n'en parle presque jamais. » Un autre poids-lourd du cabinet abonde en ce sens : « Honnêtement, sur toutes ces affaires-là [la constitution], il ne s'est jamais rien passé au Conseil. On n'a jamais été vraiment engagé dans ces affaires-là. On n'en est pas partie. Ça se négocie ailleurs. »

En comité restreint alors ? Le projet fut évoqué au début de 1991, mais ce comité, dont auraient fait partie Ryan, Rémillard et Côté, ne s'est presque jamais réuni. Par des conversations bilatérales entre des ministres et le premier ministre, alors ? L'auteur n'a pu en repérer qu'une, entre sa vieille complice Lise Bacon — ex-présidente du parti et vice-première ministre — et Robert Bourassa, à l'été de 1991 :

> Bacon : Moi, j'étais un peu inquiète. Je lui ai posé la question : « Est-ce que tu le sais, où tu t'en vas ? » Il m'a dit oui. Il ne m'a pas dit où. J'ai dit : « Si tu le sais, où tu t'en vas, tu me rassures, parce que moi, je le sais pas. D'abord que tu le sais, je te fais confiance. »

Les députés nationalistes pensent que tout est réglé d'avance, « coulé dans le ciment ». Les ministres agissent comme si la question de l'avenir du peuple québécois était le domaine réservé du premier ministre. Pendant plus de deux ans, aucun ministre ne réclame de session de stratégie, aucun ministre ne propose de modifier le cap, aucun ministre — sauf Claude Ryan, en mars 1991 — ne demande à être consulté sur ces questions qui engagent toute la nation.

Ryan, comme toujours, est un cas particulier. Depuis son esclandre du congrès de mars 1991, Bourassa le tient informé de la marche des affaires. En 1991, André Tremblay est chargé d'aller lui porter régulièrement les documents pertinents et de le tenir au fait du dossier. En 1992, Jean-Claude Rivest prend la relève, et la cadence augmente. Étrange tandem, car Rivest appelle Ryan « le vieux schmock », et ce dernier considère Rivest comme un être amoral. (Le ministre en veut au conseiller depuis qu'il a réussi à se faire élire dans Jean-Talon, à l'époque où Ryan, alors chef libéral, tentait d'écarter du caucus les figures pro-Bourassa. Qui plus est, Rivest n'avait pas satisfait aux rigoureux critères de probité que le chef Ryan avait établis pour le choix de ses candidats.)

Condamné, donc, à informer régulièrement « le vieux schmock », Rivest se plaint régulièrement de cette ingrate tâche. « M. Ryan recevait tout, se souvient un membre du SAIC, mais c'était le seul. Dieu le père recevait les études, les textes, les synthèses. Les autres ? Cherchez les... » Dans quelle mesure Ryan est-il consulté par Bourassa en 1992 ? Difficile à dire. Bourassa, qui dit parfois incidemment avoir « parlé à Paul » [Tellier], à Brian ou à quelques autres, mentionne rarement les avis que Ryan lui aurait donnés. « Il était convenu comme indispensable que Ryan donne son accord à toute entente, » dit encore le membre du SAIC. Si le ministre avait un tel droit de veto, sa responsabilité dans la débandade s'en trouverait lourdement augmentée. Mais il y a fort à parier que Bourassa ne tenait Ryan informé que pour le calmer.

On a vu au chapitre précédent comment Claude Ryan a abandonné, au moment d'accepter l'entente de Charlottetown, toute prétention à la cohérence idéologique sur la question nationale. « Passé les bornes, dit le dicton, il n'y a plus de limites. » Ryan, dans les mois qui suivront, s'astreindra à le prouver. Son itinéraire d'ancien éditorialiste nationaliste du *Devoir,* puis de chef du PLQ opposé à Trudeau et à Chrétien en 1982 se terminera par une conférence de presse qu'il tiendra pendant l'élection fédérale de 1993, appelant les électeurs à voter pour Jean Chrétien, car tout sera alors oublié. Dans les coulisses libérales, des âmes peu charitables mais généralement bien informées en déduiront que l'ancien pape du *Devoir* aurait voulu troquer ainsi son restant de crédibilité contre un siège de sénateur libéral.

Reste que dans le gouvernement Bourassa, Ryan était un privilégié car « on en donnait le minimum aux ministres, dit un conseiller du PM. Il fallait pas trop en donner aux ministres, c'était ça la politique à suivre. » Et comme les ministres ne se plaignaient pas beaucoup de cette carence d'information, tout baignait dans l'huile. Muets avant la crise, les membres du gouvernement québécois furent muets pendant la crise.

L'auteur a interrogé à ce sujet un ministre fédéraliste, poids lourd du gouvernement Bourassa.

L'auteur : Vous dites que vous n'étiez pas satisfait du résultat. Pourquoi n'avez-vous rien dit ?

Le ministre : Ça donne rien d'intervenir. Le premier ministre est allé négocier il est revenu, c'est réglé. Fondamentalement, il disait que c'était le mieux qu'il pouvait avoir.

L'auteur : Très bien. Pourquoi ne pas poser la question : est-ce que « le mieux » est suffisant ? Est-ce qu'il faut envisager une autre option ?

Le ministre : Moi, j'ai toujours pensé que les ultranationalistes diraient quelque chose. Mais ils n'ont rien dit. Et il n'y a jamais eu de discussion mouvementée au Conseil des ministres là dessus, jamais. Il aurait dû y en avoir, ça c'est clair. Mais c'était tellement ambivalent et confus [la stratégie de Bourassa], que ça servait à rien.

L'auteur : Ce que vous me dites, c'est que le pouvoir est concentré dans les mains d'un seul homme.

Le ministre : Non. Mais je dirais que pour la stratégie, c'est vrai.

L'auteur : Pour la stratégie et pour le résultat. Qu'est-ce qu'il aurait pu vous ramener qui aurait été moins de Charlottetown et que vous n'auriez pas approuvé ?

Le ministre : Si ça avait été encore moins que Charlottetown... [Il fait une pause avant d'ajouter :] Mais même ça, c'était rien.

L'auteur : Et s'il avait décidé de poser la question de Bruxelles, est-ce qu'il aurait perdu des ministres ?

Le ministre : Hum. Je ne pense pas. [Longue pause.] La réponse est non. Il n'en aurait pas perdu un seul. Comme il n'en a pas perdu avec [l'adoption du rapport] Allaire, comme il n'en a pas perdu avec Charlottetown. [...]

Ça explique aussi pourquoi il y avait autant de monde qui ne faisait presque pas de contributions au Conseil des ministres et au caucus. Les gens forts avec des idées, les gens qui veulent des changements importants, c'est comme s'ils étaient pas là.

L'auteur : Le premier ministre est le numéro un, d'accord. Mais vous êtes le second étage, vous êtes des élus, vous êtes responsables. Est-ce que ce n'est pas votre responsabilité, au Conseil des ministres, de vous faire entendre, de représenter les Québécois ?

Le ministre : [Très long silence.] La réponse à cette question-là, c'est oui. Ça c'est clair. Moi, je me suis essayé d'intervenir au Conseil dans des dossiers que je maîtrisais mieux. Mais quand tu faisais ça, tu sentais que tu dérangeais...

Nous sommes en présence d'un phénomène d'abdication collective face à une responsabilité historique qui dépasse l'entendement.

Mais pourquoi, au niveau personnel, certains ministres « amis de la souveraineté » ont-ils délaissé le combat pour leurs propres idées, idées qui avaient triomphé au congrès de 1991 ?

Jean-Claude Rivest : L'aura de Jean Allaire a nui à la cause de Jean Allaire. L'omniprésence d'Allaire qui parlait à gauche et à droite, de Mario Dumont qui se faisait l'interprète du parti, leur notoriété, ça a eu un effet terrible sur le Conseil des ministres. Parce que les ministres et les élus pensent que c'est eux qui doivent définir les orientations dans le parti. Quand ils se font placer en situation de se faire dire quoi penser par des gens du parti, c'est le genre d'attitude qui leur déplaît beaucoup.

Marc-Yvan Côté est un de ceux qui n'aiment pas être ainsi relégués « dans l'ombre » d'Allaire et de Dumont. Mais il faut noter que sur cette question, aucun ministre ne prend l'initiative d'aller se planter sous les feux des projecteurs. Une meilleure coordination entre les allairistes, les ministres et les députés nationalistes aurait pu atténuer ce malaise. Côté, un des membres les plus souverainistes du Conseil, avait annoncé qu'il ne faudrait pas compter sur lui si Bourassa revenait d'Ottawa sans avoir arraché la main-d'œuvre. Quand on lui demande pourquoi, dans ces conditions, il a quand même suivi, et un peu dirigé, la troupe vers l'acquiescement, il donne cette réponse :

> La manière qu'ont eue Allaire et Dumont de frapper sur Bourassa m'a souverainement déplu dans les deux semaines qui ont précédé le congrès du parti. Ce manque de respect-là, surtout vis-à-vis du chef, presque en traitant Bourassa de menteur, c'est impardonnable. Surtout compte tenu d'où serait Jean Allaire aujourd'hui s'il n'y avait pas eu le Parti libéral. Que serait Mario Dumont sans le parti libéral ? Alors ça, c'est des choses que je ne peux pas accepter.

En fait, on ne peut retracer aucune déclaration d'Allaire ou de Dumont qui manque de respect envers Bourassa. Au contraire, le congrès des jeunes de 1992 l'encourage à retourner négocier. Ce qui était palpable, cependant, c'est l'augmentation du degré de méfiance envers Bourassa pendant cette dernière étape. Côté en est gêné. Mais il ne semble pas gêné de l'abus de confiance perpétré par Bourassa pendant cette période. Il complète son explication :

> Moi, si j'étais où j'étais, c'est parce que Bourassa m'a fait confiance, et à ce moment-là, c'est une question de loyauté au chef. Alors moi, j'ai choisi la loyauté au chef et au parti, mais toujours en gardant ma conviction que sur le plan de la souveraineté, il fallait faire des gestes additionnels.

Bref, comme Lemieux, Côté est en désaccord avec la démarche. Comme Lemieux, Côté est certain que le peuple va recracher l'imbuvable entente de Charlottetown. Comme Lemieux, Côté est relativement convaincu que le peuple aura raison de la recracher. Mais, comme Lemieux, Côté ne travaille pas pour le peuple. Il travaille pour le chef.

Ce qui ne signifie nullement que les ministres « amis de la souveraineté » ont tous viré capot, se sont tous convertis aux vertus du *statu quo*. En 1993, lorsque le parti se mettra à la recherche d'un nouveau chef, le souverainiste Claude Béland recevra d'ailleurs un drôle d'appel. « Ils me disent : "On est huit ministres ici et on voudrait t'appuyer comme candidat au leadership", raconte Béland. Je leur dis : "Vous n'y pensez pas, vous n'avez pas la bonne option [constitutionnelle] !" On me répond : "On est plusieurs ici à l'interne, on se rend bien compte qu'il y a pas beaucoup de solution dans le cadre fédéral." » Béland ne sait pas s'il doit rire ou pleurer...

Dans une conversation téléphonique avec Jean-Guy Lemieux la veille du congrès de 1992, déjà, la ministre Liza Frulla s'interroge sur les lendemains du probable échec référendaire. Bourassa acceptera-t-il, alors, de poser sa question de Bruxelles ? Elle se répond elle-même :

« Il est pas capable, c'est pas le genre de personne, là, pour faire ça. »

« C'est pas un Jean Lesage ou un René Lévesque », opine Lemieux.

« Ni un Daniel Johnson père », enchaîne Frulla*.

Mais qu'en est-il de Daniel Johnson fils ? On a vu ses hésitations, au Conseil des ministres du lundi 24 août, et son boniment en épingle à cheveux. L'entente le laisse si réticent, cependant, qu'il revient à la charge, le vendredi suivant, au caucus qui a lieu la veille du congrès. Soulignons : un des principaux ministres de Bourassa évoque, devant les députés libéraux réunis, ses réserves face à un accord important. C'est rare.

La ministre Frulla n'a pas assisté à ce caucus. Le député Lemieux lui résume l'intervention que Johnson a faite, après que Gil Rémillard, de retour de Charlottetown ait livré de bien oiseuses explications.

Jean-Guy Lemieux : Johnson a fait une sortie. Il a posé beaucoup de questions et Gil a pas répondu vraiment aux questions et aux préoccupations de Daniel.

Liza Frulla : Daniel est ben à l'envers. Mais ça durera probablement pas long-temps.

Lemieux confirme que Johnson est « à l'envers ». Ils étaient assis côte à côte pendant le caucus, ils se sont parlé.

Lemieux : Ce qui le préoccupe, c'est la manière dont on va vendre l'entente. Et les reculs au niveau des symboles. Ce qui le fatigue, c'est sur la culture, sur le Sénat, qu'on n'était pas supposés d'accepter pis qu'on a accepté quand même.

Daniel Johnson a souvent été décrit comme un homme de principes, presque comme un idéologue. Or le voici à une croisée de chemins. Le fédéralisme qu'il envisage pour l'avenir, celui qu'il voudrait lui-même contribuer à façonner s'il réalisait son rêve de devenir premier ministre, est en contradiction avec celui qu'on lui présente. Il voit le Canada comme l'union de « deux nations », pas comme une addition de provinces égales. Il veut le retrait du pouvoir de dépenser, pas des promesses de palabres. Et pour pouvoir s'atteler lui-même à cette tâche, une fois au sommet, il lui faudrait garder un levier : le pouvoir de négociation du Québec. Or il sait qu'en signant cette entente, le Québec perdrait ce pouvoir. Pourtant, à compter de ce soir du 28 août, il se taira. Et il dira, à l'auteur, avoir voté Oui au référendum.

---

*   L'auteur a eu accès à une transcription assez complète de cette conversation, qui a eu lieu par téléphone cellulaire. Frulla y discute aussi des gens qui influencent vraiment Bourassa : « Le *boss* est entouré d'un ensemble d'influences, dit-elle. Mais tu connais jamais l'histoire, tu connais jamais *the straight story*. Même Lise Bacon et Marc-Yvan [Côté] font pas partie de la clique. »

Puisqu'on parle des forts en thème, il faut évoquer finalement Gil Rémillard. Universitaire, auteur, homme de loi, ministre responsable du dossier constitutionnel, entré en politique dans le but spécifique de rénover la constitution canadienne au goût des Québécois, il aurait pu se faire la conscience nationaliste au cabinet, dans l'aile nationaliste et dans le public. Tout ce qui vient à l'auteur à son sujet est une citation de Pierre Dac : « Celui qui est parti de rien pour n'arriver nulle part ne doit rien à personne. »

E Trois conseillers face à leur rôle

Des trois principaux conseillers de Robert Bourassa — John Parisella, Jean-Claude Rivest et Pierre Anctil — seul le premier a conjugué action et conviction. Ancien directeur d'Alliance Québec, Parisella n'a (presque) jamais douté de l'absolue nécessité pour le Québec de maintenir le lien fédéral. En ce sens, il fut le plus proche compagnon intellectuel de Robert Bourassa. Il ne lui a jamais suggéré d'autre voie que celle qui devait mener à l'entente, voire au *statu quo*. Il a pesé de tout son poids pour abaisser la barre des revendications québécoises ; il a insisté pour que la stratégie du couteau sur la gorge ne soit plus utilisée ; il a même proposé un report du référendum.

« John veut sauver le Canada, explique finement Liza Frulla dans sa conversation avec Lemieux. Il nous aurait dit : "Vous avez moins que Meech dans l'entente", il l'aurait signée pareil. »

Lorsqu'il réfléchit sur la période libérale de 1991-1992, Parisella parle d'une « certaine adolescence quasi souverainiste », due à un « faux calcul » effectué par les souverainistes : « Fondamentalement, ils considéraient le nationalisme québécois comme la valeur principale de leur engagement au Parti libéral. C'est ça leur erreur de fond. » Ces égarés auraient dû comprendre, explique-t-il, que le nationalisme est certes « une valeur importante », mais c'est parce qu'elle permet au PLQ de se « distinguer du Parti libéral du Canada », trudeauiste, de Jean Chrétien, voilà tout. Une décoration, en somme. Un emballage. Mais ce n'est surtout pas une « valeur fondamentale ». « Notre nationalisme peut refléter la fierté québécoise, peut porter un petit préjugé contre les Anglais, mais fondamentalement, c'est toujours secondaire. » L'essence du Parti libéral, selon lui, c'est « le libéralisme et le fédéralisme ».

En fait, le caractère foncièrement non revendicateur de Parisella l'a parfois opposé à Jean-Claude Rivest qui, longtemps, a placé la barre plus haut. En entrevue, Rivest parle d'ailleurs des « bonne-ententistes » qui ont « nui » à la cause du Québec. Un autre membre de la délégation québécoise partage cette impression. (De fait, Hugh Segal, qui dit avoir parlé plusieurs fois par jour à Parisella pendant les journées chaudes, le considérait comme le meilleur interprète de la pensée de Bourassa. Ce en quoi il n'avait pas tort, mais ce qui affaiblissait le rapport de force québécois.)

Parisella renvoie la balle en suggérant que Rivest en a mené lui-même un peu trop large : « Jean-Claude, contrairement à ce que vous pensez dans les médias, c'est pas automatiquement Robert Bourassa. Sauf que moi, quand je parle, je dis que [Bourassa et moi], ce n'est pas toujours la même chose. Je fais cette nuance. Il y en a d'autres qui la font moins. »

Dans le grand travail de duperie des ministres, députés, militants, adversaires et électeurs de 1991-1992, le rôle de Parisella ne fut pas central. Celui de Rivest, par contre, fut plus important. Justement parce que ses interlocuteurs, comme Lucien Bouchard, Jean Lapierre, Bernard Landry, croyaient que Rivest reflétait la pensée de Bourassa, ils se sont laissé embarquer. Sans Rivest, pas de compromis à Bélanger-Campeau. Sans Rivest, pas de prolongement du rêve jusqu'au début de 1992.

La force de conviction de Rivest a tenu au fait qu'il était lui-même, non seulement un rêveur, mais un des coauteurs du Pacte : « Une réforme en profondeur, sinon on part ! » C'est au début du printemps de 1992 qu'il s'est rendu compte que son chef n'adhérait pas à ce principe. Qu'il n'allait pas respecter le Pacte.

Anctil rapporte qu'aux réunions du comité des enjeux, à compter de mars 1992, Rivest broie du noir. « Il est toujours ben négatif, ben pessimiste, note-t-il. D'une fois à l'autre, on dirait que ça va de mal en pis. » Voyant qu'aucune réforme en profondeur n'est possible, et constatant que son chef ne va pas donner le signal du départ, Rivest « ferme ses lumières ».

Dans une entrevue accordée à l'auteur le 8 juin 1992, Rivest affecte de croire que le Pacte existe toujours, malgré l'attitude de son chef. La conversation, normalement civile et souvent ironique entre l'auteur et le conseiller, se transforme alors en un dialogue proche du débat, où on sent l'inconfort de l'ex-rêveur face à la nouvelle réalité :

L'auteur : Votre message, votre premier choix, vous l'avez toujours dit, c'est que vous avez le droit de modifier la loi 150 pour faire un référendum sur les offres, si les offres sont acceptables. Vous n'avez pas de problème avec ça. Vous êtes très clair. Mais à la fin, vous disiez : « Sinon, on va se fâcher. »

Rivest : C'est ça.

L'auteur : C'est ça.

Rivest : On peut toujours se fâcher. Qu'est-ce qui nous empêche de nous fâcher, là ?

L'auteur : La question que je te pose c'est : puisque c'est votre dispositif principal, qu'est-ce que ça donne, six mois avant, quatre mois avant, trois mois avant, de dire [dans *Le Monde*, où Bourassa déclare que le référendum portera sur les offres] : « Savez-vous, on l'a pas encore la réforme, mais je vous le dis, c'est certain que je me fâcherai pas. » Qu'est-ce que ça donne ?

Rivest : Je comprends ta question, qui est très suggestive et qui est pas permise devant un tribunal, enfin c'est beaucoup plus un plaidoyer.

L'auteur : Pourquoi a-t-il fait ça ? Je veux le savoir, c'est tout.

Rivest : Néanmoins, je vais y répondre par courtoisie.

L'auteur : C'est une question que je me pose comme analyste politique.

Rivest : Ça dit au ROC : « Vous avez réalisé un certain progrès, même s'il est timide. Vous pouvez compter que le Québec est intéressé à ce que vous continuiez dans le sens où vous êtes engagés, parce que notre option première est le fédéralisme. On voudrait pas avoir à s'engager dans l'autre voie, si vous ne travaillez pas bien et si vous ne réussissez pas à produire un renouvellement du fédéralisme qui soit tant soit peu intéressant pour le Québec. »

C'est ça que ça dit. « Mais si vous réussissez pas, évidemment on va devoir conclure autrement. » Pis au moment où on se parle, on n'est pas dans une situation différente.

L'auteur : Mais si ! Bourassa leur a dit : « Si vous réussissez pas, si vous le faites pas, je vous jure que je me fâcherai pas ! »

Rivest : Ben non, la loi 150 est encore là, on l'a pas amendée.

L'auteur : Ben oui, mais écoute, la parole du premier ministre, c'est quand même quelque chose.

Rivest : On n'a pas amendé notre résolution du congrès [de 1991], il y a rien de changé !

L'auteur : Le premier ministre parle.

Rivest : Le premier ministre, c'est pas le peuple. C'est pas le Parti libéral.

On comprend la grande difficulté qu'éprouve personnellement Jean-Claude Rivest devant le virage de son chef, qui est aussi un ami proche depuis 30 ans. Contrairement à Bourassa, Rivest voit la différence entre « le premier ministre » et « le peuple ». Il pense que le second est plus important que le premier. Et plus tard, au cours de la même entrevue, Rivest laisse tomber que si la stratégie du couteau sur la gorge n'est plus employée, c'est parce que pour l'utiliser correctement, « encore fallait-il être disposé à la faire, la souveraineté ». Ce qui, il le sait maintenant, n'est pas le cas.

Personne ne s'attend à ce qu'une éminence grise comme Rivest passe dans le camp adverse, dénonce l'arnaque qu'elle vient de découvrir et dont elle fut elle-même victime depuis l'automne de 1990. Mais Rivest aurait pu refuser de continuer à y participer.

De tous, Pierre Anctil constitue le cas le plus net et effectue le plus grand écart. Au début de sa trajectoire, en 1990, il pense que « si on ne s'engage pas sur la voie de la souveraineté, on va vivre 10 ans de médiocrité ». Lorsqu'il décide, en janvier 1991, d'être l'employé du chef plutôt que l'employé des membres du parti, il devient l'un des plus efficaces outils de l'arnaque. Or la stratégie de Bourassa vise à embrouiller les cartes pour qu'aucun débat net et franc soit possible entre lui et les vrais souverainistes. Un homme de conviction se serait efforcé de créer la situation inverse : la clarification des enjeux, la destruction des masques.

Au moins, comme Rivest, Pierre Anctil est libre de se retirer du jeu. Il songe à le faire, on l'a vu, juste après le congrès de 1991, et prépare une démission tranquille. Mais Bourassa, qui a bien saisi l'utilité que son directeur général pourra avoir dans les mensonges à venir, le retient.

Pierre Anctil, jouissant d'une grande crédibilité dans l'aile nationaliste du parti — foyer principal d'activisme souverainiste au PLQ —, et dont les talents de tacticien politique ne doivent plus faire aucun doute, se dévoue. Pendant l'année qui suit, il s'applique à faciliter et à rendre crédible, à chaque pas, le travail du tricheur.

Sans Jean-Claude Rivest et Pierre Anctil, deux amortisseurs politiques sur la route cahoteuse menant de Meech à Charlottetown, il n'est pas certain que Robert Bourassa aurait pu se rendre à sa destination.

18

L'ENCAISSEUR

René Lévesque, de son nuage au paradis,
lance des pierres sur la campagne du Oui.
C'est la seule explication possible.

BERNARD LANDRY
Du comité du Non

Il y a des soirs, on voulait pas se lever le matin.

FERNAND LALONDE
Du comité du Oui

IL Y AURA UN COMITÉ DU OUI. Il y aura un Comité du Non. Mais pour répondre à quelle question ? Robert Bourassa raconte à un confident que, dans les derniers jours de la négociation de l'entente, il téléphone à Jacques Parizeau. « On va faire un référendum sur les offres, lui dit-il, parce que, sur la souveraineté, ça nous aurait divisés profondément. » Parizeau répond : « Et comment ! »

Bourassa expliquera à ses conseillers qu'il interprète ces deux petits mots comme l'expression d'un sentiment de « soulagement » de la part de Parizeau, presque comme un feu vert. « Même le PQ était pas trop chaud à l'idée d'un référendum sur la souveraineté », explique-t-il. Le chef péquiste, qui a réclamé à grands cris ces derniers mois la tenue d'un vote sur la souveraineté, aurait ainsi indiqué que le moment n'était pas propice à un tel scrutin.

Lorsqu'on lui rapporte cette version des faits, Parizeau tombe des nues.

Parizeau : Ce que vous dites là, c'est contraire à tout ce que j'ai déclaré, à tout ce que j'ai fait, à tout ce que j'ai dit. Dans les mois qui ont précédé, ma stratégie est de faire en sorte que lorsque le gouvernement renoncera à son référendum sur la souveraineté [prévu par la loi 150], il y aura un prix politique à payer, un prix sérieux. Et je vais tout agencer en fonction de ça. Je le disais à mes organisateurs, à tout le monde : « C'est pour ça que vous devez aller dans les rues et dans les centres d'achat faire signer les pétitions réclamant un référendum sur la souveraineté. Parce que c'est comme ça que va monter le prix politique que le gouvernement va payer. »

L'auteur : Mais vous savez qu'il va y renoncer. Vous comptez là-dessus. Compte tenu de cette dynamique, ça aurait donc été une mauvaise nouvelle que Bourassa vous appelle et vous dise : « Finalement j'ai mes offres, mais plutôt que de poser ma question sur les offres, je la pose sur la souveraineté et moi, Bourassa, je vais être chef du camp du Non et je pense gagner. »

Parizeau : Je savais qu'il ne pouvait pas faire ça. La loi prévoit que le gouvernement doit adopter une question référendaire, la présenter à l'Assemblée Nationale, en faire une résolution du gouvernement. Après tout ça, il aurait dit : « Maintenant je vais voter Non ? »

L'auteur : On n'en est pas à une absurdité près...

Parizeau : Une absurdité comme ça, on n'a jamais vu ça *[rires]*. Ils se couvriraient de ridicule...

L'auteur : Vous-même en 1991 vous aviez suggéré à M. Bourassa de faire un référendum en s'excluant de la campagne, mais d'en accepter le résultat à la fin.

Parizeau : Vous ne pensez quand même pas un instant que je pensais que ça pouvait marcher ?

L'auteur : Clyde Wells avait dit qu'il ferait peut-être ça pour Meech [laisser les Terre-Neuviens trancher sans donner de consigne de vote].

Parizeau : Dans mon cas, c'est pas des peut-être. Quand je fais une affaire comme ça, les gens d'en face se méfient et ils ont bien raison *[rires très nourris]*. J'ai beau dire publiquement la même chose que je dis en privé, annoncer mes affaires à l'avance *[rires]*, faire des propositions, pis en rire en disant « Vous l'accepterez jamais », les gens continuent de me demander : « Y a-t-il pas un endroit où vous avez tordu vos affaires ? » [...] Je suis achalant là-dessus parce que je ne change pas. Je dis ce que je pense et je pense ce que je dis.

Attaché à faire « payer le prix » de l'amendement voté à la loi 150, Parizeau explique qu'il aurait été insensé de donner à Bourassa le feu vert qu'il se targue d'avoir reçu. Le chef péquiste ne se souvient d'ailleurs pas de l'existence de cette conversation. De toutes façons, « avec les sondages qu'on avait à ce moment-là, dit son chef de cabinet Jean Royer, on savait qu'on pourrait gagner sur la souveraineté facilement[*] ».

Parizeau a un allié objectif dans son combat pour la tenue d'un scrutin sur la souveraineté : Jean Chrétien. Mais le chef du Parti libéral du Canada, frère d'armes de Mulroney dans la grande croisade pour Charlottetown, ne semble pas avoir les mêmes sondages que Jean Royer. Un vote sur la souveraineté se traduirait par une défaite des séparatistes, pense-t-il. Voilà pourquoi il souhaite

---

[*] Contrairement à Bourassa, qui ne prend jamais de notes et déteste avoir des témoins pendant ses entretiens téléphoniques, Parizeau met toujours ses adjoints Royer ou Thibault en ligne pendant les appels de Bourassa, pour que des notes soient prises. Les deux jurent n'avoir jamais entendu une conversation de ce genre.

que, le 26 octobre, les Québébois soient appelés à dire, dans deux cases différentes, Oui à la réforme, et Non à la rupture.

Il le fait savoir, par l'intermédiaire de son chef de cabinet Eddie
Goldenberg et de son lieutenant québécois André Ouellet. La requête est
traitée par le chef de cabinet de Mulroney, Hugh Segal, qui fait réaliser quelques sondages pour tester l'hypothèse. En un sens, de tous les acteurs
fédéralistes, Jean Chrétien est celui qui veut coller le plus à la lettre de la loi
150.

Évidemment, Chrétien pense que les Québécois opposeront un Non reten-
tissant à la question — les libéraux fédéraux ont une propension congénitale à
sous-évaluer la force du sentiment souverainiste au Québec. Le libellé qu'il
propose est d'ailleurs assez net, selon le souvenir de Segal : « Êtes-vous pour
l'indépendance, oui ou non ? »

À Ottawa, la proposition fait quelques adeptes. Le sondeur conservateur
Allan Gregg, par exemple, trouve que la seconde question a l'avantage « d'inscrire sur le bulletin de vote le risque inhérent à voter Non à l'entente ». C'est
une façon de signaler à l'électeur que, sans Charlottetown, il y a risque de
souveraineté. Gregg raconte cependant avoir été refroidi par un autre argument : la possibilité que les Québécois disent Non à l'Accord et, pour s'assurer
qu'il n'y ait pas de conséquence fâcheuse, Non à l'indépendance aussi. Un
Non double, donc sans risque.

Chez Brian Mulroney, la suggestion fait long feu. « Nous n'avions pas une
grande confiance dans le jugement de Jean Chrétien en matière québécoise et
nous ne pensions pas que les libéraux fédéraux pouvaient nous aider beaucoup
au Québec, résume Segal. Plusieurs, dont probablement le premier ministre,
s'inquiétaient aussi du fait que cette tactique aurait l'air paternaliste. Pourquoi
est-ce que seuls les Québécois devaient passer ce test et pas les Albertains ou
les Colombiens ? »

La réaction la plus intéressante est celle de Robert Bourassa, le seul qui ait
le pouvoir de proposer cette seconde question à l'Assemblée nationale. Plusieurs fois, directement et indirectement, Jean Chrétien tente de le pousser dans
cette direction. Mais il n'en veut pas. Absolument pas. Parce qu'il veut préserver « la carte dans la manche » ? Parce qu'il veut « garder l'avenir ouvert » ? Ce
ne sont pas ses préoccupations principales. « C'est évident que ça aurait été
probablement 52-48 ou 53-47 », dit-il. Dans quel sens ? « D'un bord comme
de l'autre », répond-il. Il ne le sait pas. « Mais, s'interroge-t-il, le Québec se
retrouve où avec un résultat comme ça ? » La question est excellente. Qu'aurait
fait Robert Bourassa, le soir du référendum, avec un vote majoritairement
favorable à la souveraineté ? Avec un résultat, donc, exactement à l'inverse de
l'objectif de toute son action politique des dernières années. Et si 48 % des
électeurs — donc une nette majorité de francophones — avaient voté Oui ? On
voit d'ici le malaise. « J'ai pu éviter ça. »

Après coup, évoquant ces scénarios en entrevue, Robert Bourassa a une phrase dont on aurait voulu qu'elle fût son principe d'action depuis le jour de la mort de Meech : « Dans des questions comme ça qui touchent l'avenir même du Québec, tu fais pas de la stratégie ! »

Il faut s'occuper de la vraie question, celle qu'on posera aux Canadiens et aux Québécois. Les services fédéraux ont fait tester plusieurs versions, longues ou courtes. Voici une des versions longues :

Êtes-vous d'accord pour que la constitution canadienne soit modifiée selon les propositions sur lesquelles le gouvernement fédéral, tous les gouvernements provinciaux ainsi que les chefs autochtones se sont unanimement entendus, à savoir :

* Renforcer l'union économique entre les provinces ;

* Introduire une clause concernant le caractère distinct de la société québécoise visant à assurer la protection de la langue et de la culture du Québec ;

* Réformer le Parlement canadien afin de donner à chaque province un nombre égal de sièges au Sénat et un nombre accru de sièges à la Chambre des communes pour les provinces les plus populeuses ;

* Établir un processus visant à donner aux autochtones l'autonomie gouvernementale ;

* Donner à chaque province un droit de veto sur toute modification qui pourrait être apportée aux institutions fédérales ;

* Répartir les pouvoirs entre les gouvernements provinciaux et fédéral de façon plus efficace, notamment afin de réduire les chevauchements et les dédoublements.

* Oui   * Non

Dans les sondages fédéraux, une telle question emporte toujours au moins 7 % plus d'adhésion que les questions courtes, qui ne définissent pas le contenu de l'entente. Hugh Segal est un des promoteurs de la question longue. « La courte allait donner à nos adversaires le loisir de soulever la crainte qu'on avait quelque chose à cacher. » Allan Gregg aussi note que la simple lecture de la question longue met les répondants en meilleure disposition à l'égard de l'entente, à laquelle ils reconnaissent au moins un élément satisfaisant. Les paragraphes explicatifs agissent comme une publicité. Il y a cependant un danger, note Gregg. « On se disait que le PQ aurait pu concevoir une publicité où ils publieraient la question elle-même en ajoutant, comme à la main : "Êtes-vous d'accord avec tel élément ?" Et ils encercleraient le paragraphe sur les Indiens. "Êtes-vous d'accord avec tel élément ?" Et ils encercleraient le paragraphe sur le Sénat. Et ils diraient : "Si vous êtes en désaccord avec un seul élément, votez Non." »

Ce n'est pas précisément la crainte exprimée par les libéraux québécois, réunis en « comité des enjeux » pendant la première semaine de septembre. Rivest, Anctil, Parisella et quelques autres trouvent qu'avec une question longue, « une chatte y perd ses chatons ». Tous, ils préfèrent une question courte.

Anctil suggère : « Êtes-vous d'accord pour que la constitution canadienne soit amendée conformément à l'Accord... » Le publicitaire Yves Gougoux trouve le mot « amendé » trop formel. Il propose à la place le mot « renouvelé », plus attrayant. Quelqu'un propose aussi d'enlever le mot « conformément » et de le remplacer par « sur la base de » l'entente. Puisque, pendant cette semaine-là en particulier, Québec et Ottawa négocient toujours sur les marges de l'entente, l'expression « sur la base de » introduit un flou pertinent.

La question référendaire telle que formulée ce soir-là par des libéraux québécois allait devenir, à une virgule près, la question effectivement posée à tous les Canadiens le 26 octobre 1992. Hugh Segal, qui recevait les suggestions de chaque capitale provinciale, affirme que « le Québec a eu sensiblement plus de voix au chapitre que les autres quant à la nature spécifique et précise de la question, mais on ne peut pas dire qu'ils l'ont écrite ». Si les libéraux sont tombés si près du libellé final, c'est que les premiers ministres de l'Ontario, de la Saskatchewan et du Nouveau-Brunswick ont soumis des textes presque identiques.

La question est donc choisie : « Acceptez-vous que la constitution du Canada soit renouvelée sur la base de l'entente conclue le 28 août 1992 ? » Quelle sera la réponse des électeurs ? Au Canada anglais, le premier sondage national public effectué depuis la fin de la rencontre de Charlottetown annonce un Oui massif du ROC : 61 %, avant même de répartir les indécis. La majorité est franchie dans chaque province anglophone. Les intentions des Québécois sont plus difficiles à lire. Dans un sondage réalisé avant le congrès libéral, 41 % se déclaraient contre l'entente, 37 % pour. Mais dans le premier sondage effectué après Charlottetown, on note un renversement de tendance : 49 % des Québécois se disent en faveur de l'entente, 37 % contre. Quatre jours plus tard, second renversement, c'est 39 % à 34 % pour le Non.

Si ministres et députés libéraux considèrent la défaite inéluctable, ce sentiment n'est nullement partagé par les ténors nationalistes. L'habileté de Bourassa à limiter la dissidence libérale à un noyau d'irréductibles, la lassitude démontrée par les Québécois pendant l'été et le grand nombre d'indécis dans les premiers sondages poussent plusieurs souverainistes à prévoir le pire.

Le dimanche 31 août, toute la famille souverainiste se présente à la Place des Arts pour le lancement du documentaire-fleuve de Jacques Godbout, *Le Mouton noir*, qui raconte l'année québécoise de l'après-Meech. Revivant, au lendemain du congrès libéral qui a refermé le couvercle sur les allairistes, l'extraordinaire moment d'engouement et d'optimisme de l'après-Meech, les auditeurs privilégiés subissent le choc de la nostalgie.

À l'écran, les jeunes libéraux, notamment Michel Bissonnette, et les bélanger-campésistes, notamment Claude Béland et Lucien Bouchard, tiennent la vedette. On aperçoit Pierre Anctil, dans une chambre d'hôtel, expliquant à Allaire comment présenter son rapport aux délégués. Le vieux militant ne sait trop comment défendre « sa » revendication en matière d'environnement. « On le donne pas au fédéral, explique Anctil, pédagogue. On le garde exclusif québécois. C'est une question de cohérence. » « Ça va », fait Allaire, bon élève.

À l'écran, on assiste au premier caucus du Bloc québécois, puis à l'investiture de Gilles Duceppe, le premier bloquiste élu à l'été de 1990. On revoit le « quoi qu'on dise... » Et on entend Robert Bourassa raconter à Godbout, son ami d'enfance, ce qu'il aurait pu faire dans l'après-Meech : « Plusieurs me disaient : "T'aurais pu passer à l'histoire si t'avais fait un référendum après le lac Meech. T'aurais pu, au mois de septembre, déclencher — ou au mois de juillet [90] —, faire un référendum pour la souveraineté. Tu gagnais. T'étais le premier chef d'un Québec indépendant !" »

Bourassa déclare à la caméra qu'il aurait pu faire la souveraineté en 1991, aussi. « Ça aurait donné 55 % ? 58 % ? 53 % ? » suppute-t-il avant d'ajouter : « Si on était pour la souveraineté prudente, on faisait pas ça en 91. »

À l'écran, plusieurs dissertent sur le futur référendum sur la souveraineté, qui doit avoir lieu en 1992, Certains proposent des libellés de question. On entend Mario Dumont, nouveau président de la Commission jeunesse, juste après l'adoption enthousiaste du rapport Allaire au congrès libéral de 1991, affirmer dans sa juvénile assurance : « Ce qu'on a voté hier va guider, tout au long des mois qui viennent, le gouvernement. Ça va guider le premier ministre aussi. » Seul Jacques Parizeau casse la bonne humeur ambiante en prédisant : « Non, non. Cette question-là se réglera au Québec et elle se réglera par une campagne électorale. »

Chaque séquence du film de quatre heures nourrit chez les auditeurs l'impression qu'ils ont été dupés, manipulés dans l'intervalle. Godbout renforce cette conclusion en intercalant dans son récit des extraits de vieilles séries de l'ONF racontant la négociation constitutionnelle de 1867. Les épisodes choisis montrent combien l'histoire est bloquée, tourne en rond, piétine.

Au moment du montage, Godbout pense que le Québec de l'après-Meech peut enfin briser le cercle vicieux. « Nous vivons un pays incertain, l'entend-on dire à la fin du film. Mais le débat politique des 12 derniers mois [juin 1990-juin 1991] nous a permis d'affirmer l'originalité de la société québécoise, distincte et démocratique. » Peut-être. Mais le débat politique des 12 mois qui ont suivi a affirmé le caractère autocratique du parti au pouvoir.

Parmi les convives se trouvent Lucien Bouchard et plusieurs bélanger-campésistes, ex-membres de son groupe des non-alignés.

Lucien Bouchard : J'avais aimé son film, à Godbout. J'avais trouvé que c'était la chronique d'une défaite. La chronique d'une tromperie et d'une défaite. [Les autres non-alignés] pensaient comme moi. Ils étaient très découragés de voir ce que le film racontait, et tout ce que ça aurait pu être. Dans le fond, c'est l'histoire de ce qui aurait pu être. D'une solidarité et d'un envol. C'est l'histoire d'un effoirement.

Pis je voyais l'atmosphère qui régnait autour de moi, à la Place des Arts. Les gens à qui je parlais. Ils pensaient que Bourassa et les fédéralistes allaient laver le cerveau des Québécois pis qu'ils allaient passer le référendum.

Ce soir-là, tout le monde que je rencontrais, les gens du monde de la presse, les intellectuels, les écrivains étaient convaincus qu'on allait perdre le référendum. Je suis sorti de là absolument catastrophé. Le cœur dans les talons.

La péquiste Louise Beaudoin, à qui on a demandé de devenir secrétaire générale du nouveau Comité du Non, fait le même constat. Elle raconte :

Ça m'a beaucoup frappée, ce soir-là. Tout le monde qui était là, les gens des centrales syndicales, les jeunes libéraux, il y avait Claude Béland, enfin tout le monde avait l'impression, et ils le disaient très fort, qu'on était pour perdre. Ça a été pour moi un choc terrible. J'ai dit : « Comment ça, on va perdre ? Ça a pas de bon sens ! »

Il y a, chez les souverainistes québécois, une culture de la défaite. Depuis le 20 mai 1980, tout va mal. La réélection du PQ en 1981, arrachée au prix d'une mise sous le boisseau de l'objectif souverainiste, a gardé un goût amer pour beaucoup de militants. Les victoires remportées lors des élections partielles depuis Meech ne semblent pas avoir modifié ce sentiment. Au début de septembre 1992, l'auteur participe à une soirée en compagnie de plusieurs souverainistes, dont un ancien chef de cabinet péquiste, et il se surprend à être le seul à prévoir une victoire du Non, ce qui lui vaut moult railleries. Le sondeur péquiste, Michel Lepage, prévoit une défaite en tout début de campagne. « On est partis perdants, à 51 % en faveur du Oui », raconte un stratège péquiste. À la mi-septembre, l'ex-ministre Claude Charron, au pif politique généralement assez sûr, prédit aussi dans sa chronique du magazine *7 Jours* que le Oui va l'emporter. Au début d'octobre, encore, Louise Beaudoin évoque froidement la possibilité de la défaite du Non, et l'effet qu'elle aurait sur beaucoup de vétérans, comme elle. « Si ça ne marche pas, confie-t-elle, on sera nombreux à lâcher la politique. » Missionnaires, oui, masochistes, non.

Seul Lucien Bouchard, qui a surtout fréquenté des vainqueurs pendant sa zigzaguante carrière (aidant des libéraux de Trudeau en 1968, Bourassa en 1970, Lévesque en 1976, Mulroney en 1984 et en 1988), semble épargné par la déprime ambiante et, dès le soir du lancement du *Mouton noir*, passe de groupe en groupe en répétant : « Non. On va les planter ! »

Lucien Bouchard a tort. Ni lui, ni Parizeau, ni Dumont ne vont « planter » Robert Bourassa. Le chef des libéraux québécois va chuter à cause de l'écart qu'il a lui-même creusé entre la promesse de 1991 et la réalité de 1992. L'écart ou, plus crûment, la rupture du Pacte : « Une réforme en profondeur, ou bien on part ! ». Il est évident qu'on ne « part » pas. Et la foudre va s'abattre sur l'argument de Bourassa voulant que la réforme est digne de porter ce nom, qu'elle a même quelque parenté avec la « réforme radicale » ou « en profondeur » dont il parlait, en 1991, pour faire patienter son parti, et tous les Québécois. Cette rupture du Pacte ne cessera de s'imposer dans le débat public. Bourassa, qui ne peut gouverner que grâce à l'oubli, va ainsi être la victime du souvenir. La campagne qui s'ouvre sera une suite ininterrompue de *flashbacks*, où le Bourassa d'avant-hier et celui d'hier viendront hanter le Bourassa d'aujourd'hui. Le premier ministre va être la victime de ses mensonges, de ses retournements, de ses renoncements. Robert Bourassa va « planter » Robert Bourassa.

Ceci est un conte moral.

LE FRUIT DÉFENDU

« Je ne me jetterai pas sur les caméras de télévision, c'est sûr. Je suis capable de me sauver, pis de passer par les magasins, de passer par les entrées de service. » C'est André Tremblay qui, au retour de Charlottetown, explique ainsi à sa collègue Diane Wilhelmy comment il entend esquiver les questions, se réfugier dans un mutisme, bref, rester fidèle à ses « principes » — il déteste l'entente — en les gardant pour lui. La conseillère constitutionnelle favorite de Robert Bourassa est d'accord : « Il y a une décision du PM pis, je veux dire, à un moment donné t'es obligé de vivre avec. Mais de là à dire que ta crédibilité personnelle est atteinte, il y a un pas qu'il faut pas franchir. »

Au congrès libéral, le lendemain de cet échange, Tremblay fait le compromis de se tenir à côté de Bourassa, sur l'estrade, pendant la période de questions, sans plus. Devant des proches qui le questionnent en coulisse, il ne fait pas semblant d'aimer l'entente. Lui aussi pense que « la population québécoise, tellement ambivalente », va dire Oui. « La semaine prochaine, ça va être rendu 55 % pour les offres », prédit-il à Wilhelmy.

Cinq jours plus tard, Tremblay participe à un point de presse technique pour les journalistes, en compagnie du sous-ministre de la Justice Jacques Chamberland et de Jean-Claude Rivest. Alors qu'à l'Assemblée nationale, Bourassa, Rémillard et compagnie vantent les vertus apparemment illimitées de l'Accord, les trois experts sont plus mesurés, et Tremblay se fait le plus neutre de tous. Une théorie veut que l'entente mette en péril la loi 101. Rémillard dit que c'est faux. Tremblay explique aux journalistes — le point de presse n'est « pas pour attribution »[*] — qu'il est « impossible de prédire ce qui va arriver ». Oui mais, insistent les reporters, si Alliance Québec se plaint à la Cour suprême que la loi 101 contrevient à « l'épanouissement » des anglophones, prévu par la nouvelle constitution ? Tremblay refuse de s'aventurer, dit-il, « dans le futurisme juridique ».

André Tremblay est un peu plus clair, ces jours-là, en mission devant l'équipe éditoriale du *Soleil.* Avec Jean-Claude Rivest, il explique aux éditorialistes et au nouvel éditeur, Michel Audet, ex-haut fonctionnaire, les bons et mauvais points de l'Accord. Il y en a tellement de mauvais que plusieurs personnes présentes, dont le journaliste André Forgues, se demandent si Tremblay est venu défendre ou descendre l'entente. « Rivest nuançait parfois les propos [de Tremblay], rapporte Forgues. Mais ça nous avait beaucoup surpris. »

[*] Ce qui signifie que les journalistes peuvent porter à la connaissance du public l'information qu'on leur donne, mais sans en révéler la source.

Les membres de la fonction publique québécoise, aussi, veulent savoir exactement de quoi il retourne. On décide de donner de l'information d'abord à un groupe d'une quarantaine de fonctionnaires du ministère des Affaires internationales. « On était très intéressés, parce que l'information qu'on avait était tellement fragmentaire », raconte un participant. Quelle n'est pas la suprise des invités d'entendre Tremblay leur démontrer, textes à l'appui et point par point, que l'entente est vide, nulle, et que, à part quelques gadgets, elle ne comprend rien qui puisse répondre aux revendications traditionnelles du Québec et modifier durablement les combats constants et stériles que se livrent depuis des lustres les fonctions publiques du Québec et d'Ottawa ! Les quelques initiés qui ont droit à cet éclairant résumé sont aux anges. « Enfin, on avait la vérité ! » dit l'un d'eux. Tremblay n'est cependant pas invité à répéter sa performance devant des cadres d'autres ministères.

Le lundi matin 14 septembre, André Tremblay est dépêché à une rencontre de la section montréalaise de la chambre de commerce du Québec. Là, il doit contribuer, à huis clos, à convaincre la douzaine de membres du comité constitutionnel de l'organisme d'appuyer le camp du Oui. La tâche est difficile, car la chambre fut, au moment de Bélanger-Campeau, d'un nationalisme à couper le souffle. Elle est d'ailleurs au centre d'une vaste opération politique où PQ d'une part et PLQ de l'autre tentent de la rallier à leur camp. Les militants péquistes ont reçu la consigne d'entreprendre un *lobbying* auprès de chaque section locale de la chambre. L'objectif : que la chambre provinciale, qui se réunit en congrès en octobre, reste neutre. (Une prise de position pour le Non serait trop demander, pense-t-on au PQ.)

À cette réunion du lundi matin, le constitutionnaliste souverainiste Daniel Turp devait faire contrepoids — dans une conférence séparée — au libéral Tremblay. En fait, les deux conférenciers chargent la balance du même côté. Tremblay se présente à la réunion l'air abattu et sans avoir préparé de notes structurées. Son propos n'en est pas moins palpitant. Insistant sur le fait que les « gains » du Québec sont pour l'essentiel de nature administrative et non constitutionnelle, il raconte au groupe que les négociations se sont déroulées dans un « sentiment de grande impatience et d'exaspération de la part des autres provinces vis-à-vis du Québec ». Il insiste également, ce qui est plus grave pour la crédibilité de Robert Bourassa, sur le fait que les séances étaient « éprouvantes » et que le premier ministre ne pouvait plus « saisir les nuances », qu'il « ne réussissait plus à s'exprimer en anglais ».

Il raconte que les autres premiers ministres ont bloqué les transferts de pouvoirs réclamés par le Québec, mais constate que la province n'en a pas moins tiré le maximum. « C'est ça ou c'est l'indépendance », annonce-t-il, ajoutant qu'un vote pour le Oui ou pour le Non donnera le même résultat, c'est-à-dire : « des troubles ».

« André est allé là, il pensait parler à des bons libéraux », raconte Jean-Claude Rivest.

« La réunion se terminait, que déjà je recevais un coup de téléphone »,
raconte la péquiste Louise Beaudoin. Son interlocuteur, de la race, nouvelle
mais en croissance, des gens d'affaires souverainistes, n'en revient pas : « Tu
peux pas imaginer ce qu'il nous a raconté, ça a pas de bon sens ! »

Pendant que Tremblay s'exprime aussi franchement à Montréal, on commence à percevoir, à Québec, les signes d'un menaçant orage. Le matin même,
dans les quotidiens *Le Soleil* et *Le Journal de Québec*, la station de radio CJRP
a fait acheter une pleine page de publicité où on lit : « CJRP a la preuve :
Bourassa s'est écrasé » et qui annonce la diffusion de cette « preuve » pour le
lendemain matin, 15 septembre — second jour de la période où la firme BBM
mesure les cotes d'écoute.

C'est la première manifestation visible de ce qu'on connaîtra dans une
première étape sous le nom « d'affaire Wilhelmy ». Elle a commencé à ébranler
le pouvoir québécois l'avant-veille, le samedi soir 12 septembre, quand
François Baby, journaliste de la station et professeur d'université, a appelé
Wilhelmy, une vieille connaissance, pour lui parler de l'enregistrement d'une
conversation où on reconnaît sa voix.

Aussitôt que Baby a raccroché, Wilhelmy joint Jean-Claude Rivest par
téléphone cellulaire et lui demande de la rappeler... à partir d'un appareil
conventionnel. Elle est très inquiète. « Wilhelmy avait une peur maladive des
fuites, raconte un de ses anciens employés du SAIC. Elle en faisait une obsession. » Ce samedi, deux problèmes se posent immédiatement : d'abord,
Wilhelmy ne sait pas de quelle conversation il s'agit, ne sait pas ce qu'elle y a
dit, ni à qui. Elle ne peut donc mesurer l'ampleur du désastre. Ensuite, que
faire ?

« Je pensais que c'était à moi qu'elle avait parlé, raconte Rivest. Une chance
que je ne lui avais pas parlé à Charlottetown, pas du tout, ajoute-t-il dans un
détail révélateur. À partir des questions que Baby lui avait posées, elle essayait
de reconstruire la conversation, elle essayait de se rappeler à qui elle avait parlé.
Mais elle avait parlé à tellement de monde. André, lui, prétendait que c'était
pas lui. Ça pouvait être d'autres fonctionnaires du ministère. »

Quand la publicité de CJRP, publiée le lundi matin, parle d'« écrasement »
de Bourassa, il devient clair que la chose est grave. Selon tous les témoignages
recueillis, c'est Wilhelmy qui insiste pour protéger sa vie privée et le secret
professionnel en réclamant le jour même une injonction contre la diffusion, par
CJRP ou tout autre média, du contenu de cette conversation.

Il n'y a pas et il n'y aura jamais de discussion directe entre Diane Wilhelmy
et Robert Bourassa. « Moi, je pensais qu'il fallait régler ça le plus vite possible »,
affirme Bourassa. Il aurait préféré laisser sortir l'information. C'est aussi la
première réaction d'Anctil et de Rivest. C'est aussi la première, et la seule,
réaction de Parisella : « Wilhelmy a comme protégé son serment d'office, pis
elle a oublié qu'il y avait un gouvernement dans lequel elle était employée et
qu'elle devait servir. »

« Mais elle voulait être très indépendante, explique Bourassa, et je ne pouvais pas l'empêcher de prendre une injonction, hein ? »

Au sommet de la fonction publique québécoise, la pression pro-injonction est forte. Wilhelmy, Tremblay, agissant ici à titre de conseiller, et Benoît Morin, premier fonctionnaire de l'État, en sont tous partisans. Rivest consulte Louis Bernard, ancien secrétaire général du gouvernement — et bientôt officiellement favorable au Non — qui abonde en ce sens : il faut protéger la confidentialité des discussions entre mandarins.

« Ils prenaient ça au plan des principes, dit Bourassa. Je pouvais pas bloquer sa demande d'injonction. » Rivest, qui se dit « très près de la fonction publique », est « très sensible à leur argument ». « Peut-être que j'ai pas goalé ça suffisamment, au plan politique », soupire-t-il.

Rivest est convaincu que, ce lundi 14 septembre, il y a eu un moment où Bourassa « a approuvé » la décision de demander l'injonction. Parisella restera toujours fâché que Wilhelmy n'ait jamais communiqué avec le premier ministre pour lui demander son avis ou une permission, ou pour s'excuser, tout simplement.

Il est vrai que, le lundi soir, personne ne sait encore exactement de quoi il retourne. Et alors qu'ils mangent ensemble au restaurant Le Nicolas, Rivest, Wilhelmy et Tremblay se demandent qui est le mystérieux interlocuteur. Car ils savent, eux, que n'importe quel membre de la délégation québécoise à Charlottetown — à l'exception notamment de John Parisella et de Sylvie Godin —, aurait pu tenir au téléphone des propos également dévastateurs sur « l'écrasement » de Bourassa, puisqu'ils partagent tous ce point de vue. Quand Bourassa appelle Mulroney pour l'informer qu'une tuile est sur le point de s'abattre sur la campagne du Oui, il reste extraordinairement vague. Il parle d'une conversation entre deux hauts fonctionnaires qui pourrait couler dans les médias. Il n'est pas question d'écrasement.

Mulroney ne sait que faire de cette information. « Au tout début, Robert avait tellement minimisé ça que j'avais compris que c'était des histoires sentimentales entre deux hauts fonctionnaires, dit-il à un confident. Je comprenais pas en quoi ça donnerait du trouble à la campagne. Je trouvais les libéraux pas mal prudes de se préoccuper de ça. »

Le mardi 15, l'affaire Wilhelmy n'en éclate pas moins, par le biais de l'injonction elle-même, qui introduit dans le débat politique québécois l'élément toujours le plus intéressant : le secret. Il est interdit de parler de l'affaire. C'est le meilleur moyen d'attirer l'attention sur elle. Le texte de la requête en injonction de Wilhelmy — document public — parle d'informations dont la divulgation « porterait vraisemblablement préjudice à la conduite des relations entre le gouvernement du Québec et les autres gouvernements » et « causerait un préjudice grave et irréparable ».

À l'Assemblée nationale, voilà que les péquistes Jacques Brassard et Guy Chevrette se mettent à poser des questions qui indiquent qu'ils ont, eux, pris connaissance du contenu de la conversation. Chevrette affirme que « le transcript prouve de A à Z » que le premier ministre a refusé les « avis » de ses hauts fonctionnaires.

Il deviendra bientôt clair que François Baby et Damien Rousseau, cadre de CJRP, dans le but d'assurer à leur *scoop* un retentissement maximal, ont montré la transcription de la bande à Jacques Brassard, le vendredi précédent, au restaurant Le Louis-Hébert. Intéressé, Brassard en plie une copie et la met dans sa poche en partant. Les deux autres ne disent rien. Leur calcul est simple : en informant l'opposition péquiste, explique Rousseau, « on voulait s'assurer qu'on n'accoucherait pas d'un pétard mouillé. On se disait que si c'était repris en Chambre [à la période de questions], le suivi se ferait », et la nouvelle serait relayée, amplifiée, publicisée.

On apprendra bientôt aussi que que la cassette contenant la conversation a été remise dans une enveloppe à la station par une source anonyme le lundi 31 août, moins de 72 heures après avoir été enregistrée. Les responsables de la station ont donc laissé s'écouler deux semaines avant d'en annoncer la diffusion*. Les délais de « vérification » invoqués par Damien Rousseau n'expliquent en rien un laps de temps aussi long, d'autant qu'il convient avoir voulu « faire un bon bout de chemin avec ça » dans la guerre des cotes d'écoute. La décision de diffuser un mardi plutôt qu'un lundi répond précisément à cet impératif : « Le lundi, c'est pas une journée idéale pour les cotes d'écoute. » Le cas CJRP/Affaire Wilhelmy devrait être enseigné dans les cours de journalisme dans un « jeu des dix erreurs éthiques ».

En période de questions mardi, Bourassa, ignorant le contenu de la transcription, est donc aux prises avec une opposition mieux informée qu'il ne l'est. Il accuse le PQ de « complicité dans l'utilisation de certains coups bas ». « Bravo ! » à ces « aspirants à la présidence de la république », raille-t-il. Les péquistes, eux, réclament que « la vérité soit étalée au grand jour et que le peuple québécois puisse prendre une décision éclairée ».

---

* Des rumeurs circuleront quant à la provenance de la bande. Plusieurs refuseront la thèse de l'enregisgrement « amateur » en invoquant la trop bonne qualité du son et la très longue durée de l'enregistrement. Des stratèges et politiciens importants ont affirmé à l'auteur que seuls des services policiers ou des services secrets étaient capables d'une telle prouesse. Au sujet de la qualité, Damien Rousseau explique qu'elle n'était pas si bonne, il la situe à 7/10 par rapport à une transmission parfaite. L'animateur de radio de CJRP, Robert Gillet, est le seul à avoir parlé avec le détenteur de la bande d'origine. Gillet a rapporté qu'il s'agissait d'un quidam habitant sur la rive sud qui s'amusait à écouter les conversations clandestinement, grâce à un balayeur d'ondes. Au-delà de ce témoignage, quatre arguments militent en faveur de la thèse de l'amateur — ou du moins du franc-tireur : d'abord, un service secret ou policier n'aurait pas contacté un animateur de radio, au téléphone, pendant une pause commerciale de son émission en direct, et n'aurait pas précisé qu'il lui fallait une heure pour venir

C'est le mercredi matin 16 septembre que le personnel politique libéral peut enfin prendre connaissance du contenu de la conversation grâce à la publication d'extraits dans l'édition ontarienne du *Globe and Mail*, qui n'est pas sous le coup de l'injonction, limitée au Québec. Wilhelmy est identifiée, mais pas son interlocuteur, dont il est cependant facile de constater qu'il s'agit d'un membre de la délégation québécoise à Pearson et à Charlottetown. Plusieurs initiés reconnaissent immédiatement le ton, les expressions et les préoccupations d'André Tremblay. Mais un doute subsiste. Au SAIC, penchés sur leur télécopie, Tremblay et son collègue Michel Hamelin se disputent la paternité de telle ou telle expression.

Jean-Claude Rivest, Robert Bourassa, Brian Mulroney, comme des centaines d'autres Québécois en possession d'un télécopieur ou d'un photocopieur — quelqu'un distribue des exemplaires gratuits, dès midi, au coin des rues Sainte-Catherine et Peel à Montréal — peuvent enfin lire[*] :

> Wilhelmy : On se demandait pendant des mois c'était quoi le *bottom line* de notre premier ministre. Aye ! Ayeayeaye. [...] *Ça m'a pris trois jours avant d'accepter le fait qu'on avait réglé bas comme ça.* [...]
>
> Tremblay : *C'est lourd à supporter dans le contexte. Tu vas à la toilette, à côté de toi il y a un anglophone du Québec, un gars d'Alliance Québec. Et tu parles de constitution dans la toilette. Tu sors de la toilette, et pis tu rencontres un francophone hors Québec. Tu te fais interpeller. Ils ont toujours des choses à te demander. Parce que t'es l'enfant de chienne de service, toi, là. Et c'est toi qui bloques, qui empêches les gens de tourner en rond, là. Alors c'était comme ça tout le temps. On était agressés, harcelés, fatigués.* Alors, bref, beaucoup de ce type de problèmes-là. Et ils sont tous contre nous. *Et*

---

au studio depuis son domicile de la rive sud ; ensuite, un service secret aurait mis plus de 72 heures, surtout pendant un week-end, à prendre la décision politique de faire usage d'une telle information ; des experts, cherchant le plus grand retentissement possible, n'auraient pas choisi le *morning man* d'une station locale de Québec comme véhicule pour cette information, ils auraient contacté plutôt des journalistes des diffuseurs les plus importants, comme Radio-Canada ou TVA ; s'ils avaient malgré tout, pour une raison étrange, choisi CJRP, constatant que l'information ne sortait pas pendant 12 jours, ils seraient revenus à la charge assez rapidement, auprès d'un autre média. Finalement, il faudrait découvrir le mobile des services secrets ou policiers, mais leur logique est souvent assez obscure pour permettre toutes les hypothèses. Bref, dans l'état actuel de la preuve, l'auteur favorise soit l'hypothèse de l'amateur soit, à l'extrême rigueur, celle d'un individu travaillant pour un service d'écoute mais ayant demandé l'initiative personnelle de donner la cassette à son animateur de radio local favori. Une autre rumeur veut que l'injonction ait été demandée par Wilhelmy parce que la bande contenait des bribes de conversations de nature personnelle ou sentimentale. Il n'en est rien.

[*] On ne citera qu'une fois, dans ce chapitre, de longs extraits de cette conversation. L'essentiel en est publié ce jour-là dans le *Globe and Mail*, puis le lendemain dans d'autres quotidiens hors Québec. Les portions apparaissant d'abord dans le *Globe*, en citation ou en paraphrase, sont en italique, pour qu'on distingue ce qu'ont spécifiquement appris, le premier jour, Rivest, Bourassa et Mulroney.

les Ontariens, là, c'est les plus enfants de chienne que tu puisses imaginer. Plus que ça, c'est terrible. [...]

Wilhelmy : Quelle folie ! Quand hier [avant-dernier jour à Charlottetown] j'ai vu à la télévision aux nouvelles que ça repartait le bal, *pis même qu'ils revenaient sur la Cour suprême et l'immigration, là j'ai dit : « Ça, c'est la honte nationale. On devrait s'absenter. M. Bourassa devrait prendre l'avion tout de suite et s'en venir ici »* [à Québec]. *Comme humiliation, en arriver là.*

Tremblay : *Les demandes traditionnelles du Québec ? Il ne les a pas défendues avec vigueur, là.* En tout cas, je peux pas dire que dans la salle... Puis, ensuite, dans la salle, il soulève des affaires, mais pas tout le temps. Il travaille toujours en pensant que Brian va le faire. En pensant que Bob Rae va le faire. Il s'acoquine avec Wells. *Pis il parle pas. Tu comprends ? Il veut régler ça en bilatérale, en refilant les questions aux avocats, en pensant que ceux-ci vont faire le travail de nettoyage pour que, lui, puisse se la fermer.*

Wilhelmy : Ah ! Seigneur !

Tremblay : Ah ! Il a pas changé. C'est vraiment lui, ça.

Wilhelmy : Mais comme il n'y avait pas eu de travail fait dans les premières vagues de fond par les fonctionnaires, ben là c'est un désastre. Parce que quand on était à des tables multilatérales et qu'on préparait ça, on faisait des batailles avant et on disait : « *No way.* » Mais là, personne avait été là dans le multilatéral.

Tremblay : Le bonhomme arrive, il entre, il est en conflit direct avec ses collègues. C'était une drôle de dynamique. [...]

Wilhelmy : Parce que c'est pas compliqué, l'entente, quand tu la regardes, là. Je viens de la recevoir tantôt, il y a à peu près trois heures. Mais [que ce soit] la version finale ou celle de la semaine passée, *il y a à peu près pas une ligne sur laquelle on n'a pas écrit depuis un an que ça avait pas de bon sens. Il existe des centaines de papiers dans les classeurs, là — les archives vont parler dans 25 ans.* [...] Autochtones, pis partage des pouvoirs, pis clause de sauvegarde pour le *spending* [pouvoir de dépenser], pis la charte sociale, pis tout : *on a tout écrit ça, des centaines de fois, qu'il fallait pas accepter ça. Des fois on peut dire, tsé, il y a 10 % de ce qu'on a écrit qui est pas accepté. Mais là, c'est quasiment 100 %.*

Fait que, Jean-Claude [Rivest], je peux-tu croire, quand il a fait des shows à Mme Bourgon, là, pis y'a rien qu'il n'a pas dit, dans le dossier autochtone. Notre réunion incendiaire, là, le 2 juin, comment aujourd'hui il peut vivre avec ça, je le sais pas. Demande-moi pas, comment la semaine passée, il pouvait même imaginer que ça se pouvait, par rapport aux intérêts supérieurs du Québec. *Parce que, c'est pas pour les 10 prochaines années qu'on fait ça, là, c'est pour les 50 pis les 75 à venir.* Mais tsé, ça va être beau.

Tremblay : *Il en voulait pas, il en voulait pas, de référendum sur la souveraineté. En tout cas, on s'est écrasés, c'est tout.*

Jean-Claude Rivest participe à une réunion d'organisation du Comité du Oui, à l'hôtel Bonaventure, lorsqu'on lui donne une copie de l'article du *Globe.*

Ma première réaction, connaissant les deux moineaux, c'est que j'ai trouvé ça très bon. Très drôle. Parce que je reconnaissais très bien les deux : l'enthousiasme de l'un, le scepticisme de l'autre, les expressions. *J'étais d'accord avec tout ce qu'il y avait dedans.* Je trouvais ça très bon*.

Ensuite, j'ai fait « Oh ! oh ! Quand les journaux [québécois] vont s'emparer de ça, là j'aurai un problème ! »

Robert Bourassa, lui, est à Québec lorsqu'il prend connaissance de l'extrait du *Globe*. Contrairement à son conseiller, il n'est pas du tout d'accord avec ce qu'il y a dedans. À bien y penser, il est en désaccord avec tout ce qu'il y a dedans. Il n'aime ni le contenu ni la forme. « C'est un coup dur », admet-il.

Bourassa : Je trouve qu'André Tremblay dit des choses qui sont assez difficiles à justifier, en me reprochant de faire faire certaines batailles par Rae ou par Wells, alors que j'en ai plusieurs à faire. Alors je dois partager le travail pour être plus efficace. Je trouve que c'est pas... Je veux dire, parler avec un cellulaire alors qu'il y a un téléphone à côté de lui !

Diane, je trouve, elle qui invoque le sens de l'État, elle devrait avoir un minimum de respect pour le chef de l'État. C'est ce qui me vient à l'esprit [à ce moment-là].

Il y a une familiarité dans le ton de la conversation entre Wilhelmy et Tremblay, qui l'étonne.

Bourassa : Je trouve que dans la mesure où elle connaît André Tremblay comme un collaborateur, je trouve que ses propos dépassent un peu... ne sont pas tellement élégants. Elle parle pas à un ami proche mais à un collaborateur. Cela dit, sur le contenu, ça, c'est des réactions qu'elle a eues souvent.

L'auteur : Ça vous rend triste ?

Bourassa : Non.

L'auteur : Vous ne vous sentez pas un peu trahi ?

Bourassa : En politique, on ne doit pas se laisser guider par ses sentiments.

Se laisser guider, certes non. Pendant les jours et les semaines qui vont suivre, Bourassa va répéter ce refrain de l'homme fort, à l'imperméable carapace. Dures, les négociations, l'affaire Wilhelmy-Tremblay ? Nenni. « Pendant les mesures de guerres, quand mon ministre du Travail a été livré, mort, dans le coffre d'une voiture, ça, c'était dur. »

De fait, la crise d'octobre — toujours elle — a hissé extrêmement haut le seuil d'intolérance aux sentiments de Robert Bourassa, l'homme. Cette froideur l'a beaucoup servi depuis : elle a alimenté son cynisme, l'a retenu de céder, parfois, aux impératifs de la cohérence, de la parole donnée, de l'amitié ou de la démocratie. Un homme plus sensible aurait peut-être craqué. Son ancien ministre Clifford Lincoln, démissionnaire en 1989 à cause de la loi linguistique 178 sur l'affichage (français à l'extérieur, bilingue à l'intérieur), raconte être

---

*   Ce qui tend à confirmer un commentaire que Tremblay fera à un confident : « Moi, j'ai l'air d'un dur dans la conversation téléphonique, mais t'aurais dû entendre les autres ! [Jacques] Chamberland était très dur, Benoît Morin était l'un des plus durs que tu puisses concevoir. Moi, je n'étais que l'écho affaibli des bruits plus forts que j'entendais autour de moi. »

allé trouver Bourassa pour lui annoncer son départ. « Je m'attendais à un peu de réconfort », se souvient celui qui vivait alors une décision qui lui nouait les tripes. Au lieu de quoi il entend Bourassa banaliser la crise qui déchire son gouvernement : « Quand on a vécu la crise d'octobre, lui dit-il, ça, ce n'est rien. » Pour la chaleur humaine, Clifford devra s'adresser ailleurs.

Mais quoi qu'en dise Bourassa, l'affaire Wilhelmy-Tremblay, ce n'est pas rien. Il est attaqué, ou devrait-on dire démasqué, dans son comportement même, dans sa façon d'être. Son seuil d'intolérance est, très exceptionnellement, franchi. On verra poindre sa douleur en quelques brèves occasions pendant la campagne. Pendant la semaine, il parle à Mario Bertrand qui sent — circonstance rarissime — son ami déstabilisé, personnellement touché, atteint au plus profond.

> Bertrand : La compréhension qu'il faut avoir de la réaction de Bourassa, c'est que Diane Wilhelmy est quelqu'un en qui il avait mis une grande confiance personnelle. À plusieurs reprises, il a apposé son veto personnel pour l'imposer à toutes les équipes et à toutes les stratégies secrètes du gouvernement du Québec dans les négociations avec le fédéral. Alors là, de voir reproduit à des milliers d'exemplaires les propos qu'elle semble tenir sur lui, l'opinion que semblent avoir de lui ses hauts fonctionnaires...
>
> C'est Bourassa lui-même qui les avait choisis, ces fonctionnaires. Alors ça fait toujours un pincement au cœur, ça fait toujours un peu mal de voir ses proches — parce que si tout ça était pas arrivé, Bourassa aurait considéré que Diane Wilhelmy faisait partie de ses proches.

Brian Mulroney aussi, qui parle à Robert trois fois par semaine au téléphone, dira entendre « dans sa voix qu'il se sentait trahi. Ça l'affectait. »

Mulroney n'est pas concerné à titre personnel. Lisant ces propos dans le *Globe* il dit à son épouse Mila : « *We're dead !* » (« On est morts ! ») « Quand j'ai vu le texte pour la première fois, expliquera-t-il, j'ai pensé deux choses : d'abord, que c'était une erreur d'empêcher sa publication, parce que ça ferait manchette sur manchette ; ensuite, qu'on venait de perdre le référendum. »

À Bourassa, à son ami Yves Fortier — devenu président du Comité canadien du Oui — , à tous ceux qui l'entendent ces jours-là, Brian explique son dépit, dans une métaphore colorée. La conversation Wilhelmy-Tremblay, dit-il :

> c'est comme si, 10 jours après le déclenchement de l'élection fédérale de 1988 [dont l'enjeu principal fut l'accord de libre-échange canado-américain] on publiait une conversation téléphonique du négociateur en chef canadien Simon Reisman et de mon chef de cabinet Derek Burney, où Simon est en train de dire à Derek : « *We just came back from Washington, the boss just gave away the fucking store !* » (« On revient de Washington, le patron a cédé sur tous les crisses de points. ») « *Anything Ronald Reagan wanted, he said yes. I didn't know how to stop it.* » (« Il se pliait à toutes les demandes de Ronald Reagan. Je ne savais pas comment arrêter ça. ») « *It's a fucking disaster ! I don't know what to do.* » (« C'est un hostie de désastre, je ne sais pas quoi faire. »)

Devant ses proches, et pendant plusieurs semaines, Mulroney est intarissable : « C'était pas Parizeau qui disait que l'entente était pas bonne, c'étaient les deux conseillers principaux du premier ministre québécois ! » Pour le public, leur message a une « crédibilité totale ». Le texte de la transcription est lisible, coloré, dépourvu des indéchiffrables considérations juridiques dont la documentation référendaire est habituellement farcie. « Je n'ai jamais vu un document politiquement aussi dévastateur de ma vie », s'exclame Mulroney. *« Politically, it was a fucking atomic bomb ! »*

Mulroney est d'autant plus choqué qu'André Tremblay est un ancien confrère de classe de l'université Laval et que son opposition à l'entente est, pour lui, une surprise. « Il nous avait jamais dit ça à nous », grince-t-il. Brian prend le téléphone : « Robert, câlice, on est morts avec ça. Laisse aller ça, *let's put this behind us* [tournons la page]. »

Au départ, Brian trouve Robert « pas mal *soft* » et le soupçonne de sous-estimer l'impact de la bombe comme le facteur aggravant de l'injonction. (De fait, Bourassa dira toujours qu'il ne pensait pas que ce « fait divers » mettait fin à ses chances de gagner le référendum, chances qu'il savait minces au départ.)

« Jean-Claude a parlé à Tremblay, répond Robert, et il dit qu'il veut défendre son honneur. »

« Laisse faire l'honneur de Tremblay ! tranche Brian. C'est un conseiller grassement payé ! Quel crisse de *bum* ! »

Le problème de Bourassa, explique Rivest, « c'est qu'il sait, lui, le travail qu'André et Diane ont fait pendant sept ans. C'est quelque chose. Il veut pas être injuste envers eux. Surtout Diane qui est restée là à la demande du PM. » Et qui s'est épuisée au travail.

Mais « l'affaire Wilhelmy » réclame immédiatement son tribut. À l'Assemblée nationale, le jour de la publication du *Globe*, un nouveau député péquiste, ancien membre du Parti égalité et bouffon de Bélanger-Campeau, Richard Holden, lit des passages de la transcription de l'article. Il est sous la protection de son immunité parlementaire, donc non soumis à l'injonction. À la radio, à la télé, dans les journaux, ses propos sont reproduits, en vertu du même principe. Le supplice de la goutte d'eau a commencé.

Parallèlement, le PQ distribue un procès-verbal de la conférence faite par Tremblay à la chambre de commerce. Le soir, à la radio, à la télé, on ne parle plus que de ça. Pendant la journée, Tremblay est dans les locaux du ministère de la Justice et du SAIC, à répondre de ses propos. A-t-il effectivement dit ceci ? Cela ? Il nie, d'abord. Hésite. Puis admet. Quelqu'un le décrit comme abattu, « cramoisi », en maudit. C'est dur. Le fond de sa pensée étalé à pleine page. Et encore, le *Globe* n'a pas tout publié. Ailleurs dans cette conversation, il raille le ministre Gil Rémillard (« Lui, l'équitation ! ») ; il critique le conseiller aux Affaires autochtones, André Maltais, (« C'est un imbécile ! »); il met en cause l'intégrité de Jean-Claude Rivest (« Jean-Claude, dans le *crunch,* il va toujours être pour son *boss*. ») Ce n'est pas une fuite, ce sont les chutes du Niagara.

Surtout que le lendemain, le jeudi 17 septembre, le quotidien *Le Droit*, imprimé à Ottawa mais lu à Hull, publie à son tour des extraits de la conversation, cette fois en français (le *Toronto Star* en publie aussi). Tremblay propose de tenir, le jour même, une conférence de presse pour rectifier les faits, défendre son premier ministre, et expliquer l'entente. Devant les journalistes, André Tremblay est l'incarnation du chagrin. Seul, à la table de la salle des conférences de presse du Parlement, il parle longtemps, dans un silence lourd. Tantôt furieux et théâtral, tantôt geignard et penaud, il refuse de dire s'il est, ou non, l'interlocuteur de Wilhelmy sur la bande. « Ce n'était ni mon intention ni mon rêve de me retrouver catapulté sur la scène publique. » Interrogé sur sa présence à la tribune du congrès libéral, il répond qu'il est « l'avocat de M. Bourassa ». « Je n'accompagnais pas le chef du parti, mais le premier ministre du Québec. » Il ne dit pas si ce syllogisme s'applique aussi à sa participation aux rencontres de Bourassa avec la Commission jeunesse, à ses missions explicatives auprès de journalistes et de responsables de chambres de commerce. Tremblay accuse les participants à cette dernière rencontre d'avoir rapporté « de façon sournoise, malicieuse et tendancieuse » des propos tenus à huis clos. « Je me sens violé », dit-il encore.

Qu'a-t-il vraiment dit, à la chambre de commerce, alors ? « Mon propos était empreint de fierté envers M. Bourassa, qui avait osé utiliser sa langue, notre langue, dans une conférence constitutionnelle. » D'ailleurs, ajoute-t-il, « M. Bourassa a bien servi les intérêts du Québec comme négociateur ». En tentant d'excuser son patron, il l'enfonce cependant un peu, et revient sur le thème de la fatigue : « M. Bourassa devait aller dans une salle où on ne parle qu'anglais, après 12 heures de discussions éprouvantes. Je sais que ça serait éprouvant pour moi. Ce serait éprouvant pour vous ! » (Presque au même moment, à Montréal, Bourassa nie publiquement avoir été fatigué lors des négociations.) Sur l'analyse juridique de fond, Tremblay ne se dédit surtout pas. L'entente comporte « l'intégrité de l'accord du Lac Meech, moins quelques petits aspects ». Il s'agit du maximum possible dans le cadre fédéral. « C'est ça ou l'indépendance », car « il n'y aura pas d'autres offres ». Celles-ci « reposent sur l'harmonisation, la collaboration, l'interdépendance » canadienne, plutôt que sur l'affirmation du Québec. Quant à l'impact de l'entente sur l'avenir, il ne change pas d'opinion : « Si la réponse est affirmative aux offres, il y aura des difficultés. Si le Non l'emportait, il y aurait également des difficultés. » Un journaliste lui demande s'il a déjà dit à quelqu'un, quelque part, que Bourassa « s'est écrasé ». Il esquive la question.

Des quotidiens francophones rapporteront ces paroles en insistant sur le drame humain vécu par Tremblay. Le quotidien anglophone *The Gazette* ne verse pas dans la compassion et affiche un titre froid : « *Bourassa aide steps up attack on unity deal* » [« Le conseiller de Bourassa amplifie ses attaques sur l'entente »]. Ce qui est un peu fort. Le mot « confirme » aurait suffi. Mais Parisella, qui écoute la conférence de presse, a déjà assisté à de plus impeccables retournements. « À sa conférence de presse, dit-il peu après, Tremblay s'est surtout protégé. Il n'a pas corrigé ses remarques désobligeantes envers Bourassa. Wilhelmy, elle, on l'a pas encore vue... »

Les informations du soir ne parlent que des répercussions de l'affaire. Une accusation d'outrage au tribunal est portée contre CJRP. Wilhelmy poursuit le *Globe and Mail* pour 110 000 dollars. On discute des ramifications juridiques du cas : la captation des conversations téléphoniques de tierces personnes est illégale, pas celle des conversations sur téléphone cellulaire*. Mais surtout, on s'interroge sur l'intensité des efforts de Bourassa : fatigué ou pas ? Parlant français ou pas ? Écrasé ou pas ? Des premiers ministres anglophones viennent à sa rescousse. Bourassa « a défendu vigoureusement et passionnément les intérêts du Québec », déclare Frank McKenna, bientôt suivi par Bob Rae et les autres, dont Brian.

« Le débat a été complètement transformé, *subito presto*, expliquera ce dernier. C'était pus un débat sur la substance, mais sur la capacité de Robert Bourassa de représenter le Québec. C'était ça la grande tragédie. Au Québec, je passais au moins la moitié de mon temps à défendre Bourassa. »

Des photocopies des articles du *Globe*, du *Droit* et du *Star* circulent. Des libraires vendent des exemplaires de la transcription au grand complet. Les lignes ouvertes, les chroniques de journaux, les conversations de pause café reviennent *ad nauseam* sur l'affaire. « Ils nous avaient donné le fruit défendu », commente Louise Beaudoin.

Puis il y a le procès : les audiences tenues à Québec où Radio-Mutuel, un consortium de médias et la Fédération professionnelle des journalistes du Québec réclament la levée de l'injonction. Puisque l'injonction est provisoire, il se peut qu'elle soit levée avant la fin de la campagne référendaire, ce qui maintient le suspense. Du coup, la télévision montre presque chaque soir les visages silencieux de Diane Wilhelmy et d'André Tremblay, qui a finalement admis être son interlocuteur.

« À cause du crisse de procès, fulmine Mulroney, ça repartait et ça repartait ! »

DES GAINS DÉCHIRANTS

Il faut faire quelque chose, trouver une autre formule, changer le sujet de la discussion référendaire, pense Mulroney. Ne plus parler de la faiblesse du

---

* Quelques mois plus tard, le gouvernement fédéral légiférera pour rendre aussi illégal l'enregistrement de conversations tenues sur téléphone cellulaire par des tiers. Un des sénateurs siégeant au comité étudiant le projet sera Jean-Claude Rivest. Rarement législation aussi spécifique aura franchi aussi rapidement les étapes du mandarinat fédéral. Il est vrai qu'elle sert aussi à protéger les mandarins.

négociateur, mais de la qualité de l'entente. Il a une idée : faire la liste des « gains » du Québec, puis en faire état dans des entrevues, dans des discours. Et pourquoi pas, tant qu'à y être, faire la liste des gains de chaque province du Canada. « Toute cette idée d'en dresser la liste et de se trimballer avec, commente le sondeur et stratège Allan Gregg, c'est du Mulroney tout craché. »

Ses fonctionnaires se mettent au travail. Résultat : une liste où sont répertoriés « 31 gains » québécois. Elle comprend les six sœurs, la culture, le 25 % à la Chambre des communes, etc. Mais, bizarrement, « la formation » et « le perfectionnement » de la main-d'œuvre ont droit à deux numéros séparés. Comme « la culture » d'une part et « l'entente protégée sur la culture » d'autre part. Sans compter le « mécanisme pour la protection constitutionnelle des ententes ». Le droit de veto sur les institutions, unique dans Meech, a fait des petits : la liste compte un veto sur chaque institution, donc cinq au total — calcul que Bourassa utilise lui-même déjà dans ses discours, et arrondit parfois à « une demi-douzaine ». Encore plus fort, et inédit : le volet autochtone est comptabilisé comme un « gain » québécois.

« J'ai sans doute révisé la liste avec beaucoup de soin », expliquera Mulroney.

Même Robert Bourassa, qui n'est pas le dernier venu dans l'art de l'exagération, trouve que ça fait un peu beaucoup : « Ils avaient fait vérifier ça au Conseil privé [à Ottawa]. Ils disaient que c'était sérieux. C'était Paul Tellier pis Jocelyne Bourgon, c'était pas des enfants d'école. Pis Jean-Claude disait : "Ça se défend." » Le premier ministre québécois n'est pas complètement convaincu. « Moi, je me disais : "O.K., mettons qu'il y en a 25 !" » Ça suffirait.

Au Comité du Oui, où il coordonne les opérations, Pierre Anctil ne tombe pas en pâmoison non plus devant cette munition fédérale qui se présente comme une invitation au ridicule. « Quand on a vu ça ! Tsé, les autochtones étaient un des 31 gains ! » Mais il n'a pas le choix. Le premier ministre canadien fait de la liste son instrument de campagne favori. « On pouvait pas revenir avec 14 ou 22. Si on se mettait à se chicaner là-dessus, ça aurait juste empiré la situation. Qu'est-ce que tu veux faire ? Ils l'ont sortie. Il faut travailler avec. » Et si ça peut reléguer Wilhelmy au second plan, tant mieux. (Cela dit, le PLQ ne fait ni la promotion ni la distribution de la liste de Mulroney. Des journalistes diront en prendre connaissance pour la première fois deux semaines plus tard. Le chiffre « 31 » devient toutefois le nombre fétiche de la campagne, étant repris par le Comité du Non, qui dénonce les « 31 façons d'induire la population en erreur », puis par le Comité du Oui qui dénonce « les 31 mensonges du Non ».)

Mulroney lance son tract le dimanche 19 septembre, dans une longue entrevue accordée au journaliste Bernard Derome, de Radio-Canada, sur la pelouse du 24, Sussex. Mulroney montre la feuille, la cite, puis passe à autre chose. Derome part avec sa copie mais juge, très justement, qu'il n'y a pas là

« matière à nouvelle ». Personne n'en fait état dans les journaux du lendemain, ni du surlendemain. La bombe est tombée dans un trou noir.

Le mardi, Robert appelle Brian. « Nos 31 gains, ça passe pas. Tu l'as donnée à Bernard Derome, mais ça traverse pas, ça lève pas. Si on pouvait penser à quelque chose pour que ça passe ? » Brian répond : « Laisse-moi ça ! »

Six jours plus tard, le plan de campagne du premier ministre le conduit à Sherbrooke, pour sa première sortie québécoise en solo, c'est-à-dire hors de la présence de Bourassa. Sherbrooke, c'est la circonscription d'un de ses ministres préférés, le jeune et bouclé Jean Charest. Mais les cheveux du ministre semblent dressés sur sa tête, dans les jours précédant la visite. Il joint son patron au 24, Sussex et lui brosse un noir portrait de la situation : « À Sherbrooke, on parle pus du tout de Charlottetown, on parle pus des gains du Québec, on parle que de Diane Wilhelmy et d'André Tremblay. Si vous faites rien pour essayer au moins de démontrer aux Québécois qu'il y a des gains, moi je vous dis que la campagne référendaire est finie, au moins dans la région de Sherbrooke. »

Le lundi matin, 28 septembre, Mulroney et Charest commencent leur tournée sherbrookoise. Un de leurs premiers arrêts : une visite à l'équipe éditoriale du quotidien régional *La Tribune*. À la sortie, Mulroney résume pour son poulain l'effet de leur effort de persuasion : « *It fell flat as piss on a plate* » (« C'est comme si on avait pissé dans un violon »). Charest opine : « Vous voyez, personne nous écoute. »

Il n'y a guère plus charmeur, en campagne électorale, que Brian Mulroney. Il ne fait pas que serrer des mains : il établit le contact, semble captivé par son interlocuteur de l'instant, le captive à son tour, avec un mélange d'humour et de détermination. D'habitude, ça marche. Sauf que : « Les gens me disaient : "Oui mais, monsieur le premier ministre, l'avez-vous écoutée, la bobine ?" Alors, comment tu veux... »

Mulroney marmonne : « Là, on était cuits, cuits, cuits. »

Il a préparé, pour son grand discours de début de soirée — à temps pour les journaux télévisés — un texte musclé à souhait. « Il est évident qu'un Non serait interprété comme l'avant-dernière étape avant la séparation et que cette option nous plongerait dans l'inconnu, l'instabilité politique et l'insécurité économique », dit-il. Un Québec souverain devrait frapper sa propre monnaie, ajoute-t-il, « ce qui obligera les Québécois à convertir la totalité de leurs dépôts, avoirs, dettes, salaires et contrats dans la nouvelle monnaie locale ».

« Ce n'est pas du terrorisme psychologique que de dire qu'en démantelant un pays, on bouleverse son économie. »

Par contraste, et avec autant de verve, il vante la liste de ses 31 gains qui, dans l'enthousiasme du moment, deviennent « les 33 gains ». Il décrit « le pays merveilleux que sera le Canada de l'an 2000, si nous votons Oui le 26 octobre ». Si c'est Non, reprend-il, on rejette cet espoir. Si c'est Non, ajoute-t-il en tentant de crever un argument très répandu chez les Québécois, on va se heurter au refus des partenaires de recommencer à négocier. Si c'est Non, c'est la fin des négociations constitutionnelles.

« Si c'est Non... »

dit-il enfin dans un élan théâtral qui lui est venu, dira-t-il, spontanément « ... on déchire des gains historiques... »

il déchire sa liste des 31 gains droit devant les caméras ; les flashs des photographes éblouissent l'assistance, puis Mulroney jette par terre, réduits en lambeaux, les gains québécois

« ... et moi je veux les conserver pour le Québec et pour le Canada. »

Le lendemain, c'est Mulroney qui appelle Charest : « Pour la première fois, le Téléjournal a pas commencé avec une autre bribe de la conversation Wilhelmy-Tremblay ! pavoise-t-il. Et on a fait la première page de tous les journaux, en couleur à part ça ! Tu vas être heureux, on m'a donné les *overnight* [sondages effectués chaque soir], pis on a fait des gains intéressants. »

Pas pour longtemps.

THE COCKSUCKER THEORY

Faut-il faire peur aux Québécois ? Faut-il brandir des épouvantails ? Évoquer le spectre de la guerre civile ? Est-il judicieux de prédire des apocalypses économiques en cas de victoire du Non ou, plus loin dans le temps, en cas de séparation du Québec ?

Il y a deux écoles.

Pierre Anctil : Les gens du Parti [libéral] qui étaient au Comité du Oui voulaient prendre une approche de vente plus par induction, *soft sell*. On voulait parler de l'Accord, des avantages qu'il y avait dans cet accord-là, pis pour décrire les conséquences du Non, on voulait parler d'incertitude. De la continuation de l'incertitude politique. On voulait pas parler de Sarajevo.

Ce n'est pas par bonté d'âme, du moins pas seulement. Les libéraux québécois ont été convaincus, notamment par des études de sondeurs, que l'argument de la peur était devenu contre-productif. Qu'il tendait à faire fuir les indécis, à les choquer, plutôt qu'à les entraîner vers une position fédéraliste.

Le PLQ juge qu'il faut aussi éviter de donner à la campagne une tournure trop « fédérale » au Québec. Puisque les vrais fédéralistes voteront Oui de toute façon, il faut plutôt convaincre les indécis, nationalistes modérés, que l'Accord est bon pour « le Québec », pas pour « le Canada ». Au Comité québécois pour le Oui, présidé par Bourassa qui assiste rarement à ses réunions, il y a des représentants conservateurs, notamment le ministre Pierre Blais, et des représentants des libéraux fédéraux.

Anctil : On s'était entendus pour que Jean Chrétien passe au maximum une journée par semaine au Québec. Même chose pour Brian Mulroney. [...] Pis le seul créneau qu'ils doivent exploiter comme porte-parole fédéraux, c'est d'accréditer les potentialités représentées par les futures ententes inscrites dans l'Accord. On leur disait que chaque fois qu'ils venaient au Québec, ils devraient dire : « Oui, en main-d'œuvre on a bien l'intention de s'entendre et ça pourra donner ceci ou cela. » Rien d'autre. « Allez pas parler des dangers de la souveraineté ou des choses du genre » [leur disait-on].

Le Comité du Oui a même préparé un document intitulé *Interdits de communications,* faisant la liste de ce qu'il ne faut pas dire pendant la campagne. Il est daté du 14 septembre, deux semaines avant le discours de Sherbrooke, et agréé par les participants. En voici l'essentiel :

Interdits :

– Éviter le mot « offres » ;

– Interdit de donner l'impression que le Québec a plié ;

– Interdit de demander aux Québécois de se considérer comme Canadiens d'abord ; [...]

– Laisser aux porte-parole du Québec la responsabilité d'établir les conséquences de la signification du Non ;

– Toute incursion fédérale dans ce thème de communications serait assimilée à une campagne de peur et nuirait à la thèse du Oui.

Trois jours après la distribution de cette missive au Comité du Oui, Joe Clark rappelle publiquement que l'ONU a décerné au Canada, en 1992, le titre de pays où la qualité de vie est la meilleure au monde, avant d'affirmer : « On devrait se souvenir qu'il fut un temps où Beyrouth était un des meilleurs endroits au monde. Et on a cédé à la colère. Si bien que ce que l'on voit aujourd'hui à la télévision, c'est le résultat de cette colère. Ça pourrait aussi se passer ici. » Le même jour, en Chambre, le leader parlementaire du gouvernement, Harvie Andre, déclare qu'une victoire du Non serait « épouvantablement perturbatrice [...] nous n'avons qu'à regarder en Europe ». (La guerre civile yougoslave est alors en plein élan.)

Que se passe-t-il ? Michel Roy, qui participe, chaque matin à 7 h, à la conférence téléphonique entre le grand Comité canadien du Oui, à Ottawa, et le Comité québécois du Oui, à Québec, résume la chose comme suit : « Je me rendais compte que ça ne marchait pas très bien. Il n'y avait pas un arrimage satisfaisant entre la campagne telle qu'on la concevait à Ottawa et la campagne au Québec. »

Et pour cause ! À Ottawa, certains des conseillers de Mulroney pensent que le thème de la peur ne doit pas être interdit, mais obligatoire. L'auteur de cette théorie et son principal promoteur est Allan Gregg, le brillant jeune sondeur aux cheveux longs qui est devenu le scruteur d'opinion favori de Brian Mulroney au cours de ses campagnes électorales. Cette fois, parce que la campagne est une affaire d'État et non une affaire de parti, Gregg n'est qu'un des trois sondeurs utilisés par le gouvernement. Leurs avis seront contradictoires pendant la campagne, donc et ultimement inefficaces. Mais Gregg a toujours un accès direct à Mulroney, à qui il prodigue ses conseils.

Pendant l'été, Gregg avait constaté que l'accord alors en gestation bénéficiait d'un appui important partout au pays — parfois jusqu'à 70 % —, obtenant une majorité même au Québec. Cette bonne volonté s'exprimait surtout lorsqu'on lisait aux sondés la liste des sept volets de l'entente. En août, Gregg organise des groupes tests pour vérifier la solidité de cet appui. Il en sort abasourdi. « En fait, seulement 13 % des Canadiens étaient d'accord avec tout. » Lorsqu'on vise les 51 % d'appui, un noyau dur de 13 % seulement est assez préoccupant. (Au Québec, le « noyau dur » est de 25 %, rapporte Gregg. « C'est parce qu'au Québec vous avez le vote fédéraliste qui appuie n'importe quoi, je veux dire, presque sans égard au contenu. ») Globalement, le Oui a donc un appui en porcelaine, pense Gregg, qui envoie à Clark dès le mois d'août un mémo remettant en question la sagesse de tenir un référendum dans de telles conditions. Il évoque les des « dangers extrêmement graves » tapis sous la surface des chiffres.

Au début de septembre, l'effritement appréhendé commence à se produire, notamment au Québec et en Colombie-Britannique. À la fin du mois, la contagion se propage à l'ensemble des Prairies, et même à la Nouvelle-Écosse. Les taux d'approbation en Ontario déclinent aussi. Gregg pense que tout est perdu. Il faut donc pratiquer la politique du pire.

> Gregg : C'est devenu la plus grande des batailles au sein des conseillers. Jusqu'où devait-on insister sur les conséquences négatives d'un vote pour le Non ? Il n'y a aucun doute que le public ne croyait pas à beaucoup des scénarios de malheur qu'on pouvait évoquer. Plus les scénarios étaient hystériques et exagérés, moins ils étaient crédibles. [...]
>
> Évidemment, si on avait été en train de gagner, j'aurais dit qu'il ne fallait absolument pas utiliser la peur. Si vous avez le choix entre *renforcer* la tendance de l'opinion publique ou la *renverser*, il faut toujours choisir le renforcement. C'est la plus vieille maxime stratégique. Mais si vous perdez, vous devez la renverser, parce que la tendance existante vous mène à votre perte. [...]
>
> On savait que, au fond, la peur des conséquences allait déterminer le vote de beaucoup de gens. Quand on a commencé à perdre — presque à compter du premier jour au Québec, c'est tombé raide — j'ai dit : « On n'a pas le choix. » Les autres me disaient : « Mais ils ne croient pas à nos scénarios. » Je répondais : « C'est ça. Ils ne nous croient pas. C'est pour ça qu'on perd. Alors on s'en fout complètement que les gens ne nous croient pas au début. Il faut les convaincre d'avoir peur. »

Si quelqu'un vous aborde dans la rue et vous dit que, parce que vous portez des souliers noirs, vous êtes un *cocksucker**, votre première réaction est de penser que c'est une exagération épouvantable. Qu'il n'y a absolument rien, au sujet de vos souliers noirs, qui peut justifier une telle accusation. Votre deuxième réaction sera de poser un jugement très sévère sur votre interlocuteur — et c'est exactement ce qui s'est passé quand Mulroney a déchiré les gains. On savait que ça allait nuire à son image au début.

---

* Il y a des mots que l'auteur ne se résout pas à traduire.

Cependant, si pendant les deux semaines qui viennent, chaque fois que cette personne vous voit avec vos souliers noirs, elle vous traite de *cocksucker*, après deux semaines vous aller commencer à vouloir changer de souliers. Vous n'aurez pas changé d'avis, mais vous allez vouloir que ça s'arrête. Pourquoi subir ça, quand on peut faire autrement ?

Le sondeur expose de ses observations dans un mémo où il conseille de lier, dans l'esprit du public, « le rejet de l'entente avec (a) un premier et irrévocable pas vers la séparation et (b) la garantie d'un prolongement de la récession ». Il en parle directement à Mulroney, aussi, la veille du discours de Sherbrooke, le poussant à bien insister sur les conséquences du Non.

Ce qui tombe assez bien puisque, dans la colonne « apocalypse », la Banque Royale du Canada a rendu publique, le vendredi précédant le discours de Sherbrooke, une remarquable analyse des conséquences économiques de l'indépendance du Québec. De toutes les études existantes, c'est la plus noire. L'économiste Patrick Grady, qui détenait jusqu'alors la palme des prévisions paroxystiques, se sent d'ailleurs obligé de dire que la Banque monte des scénarios « d'Europe de l'Est » pour décrire l'avenir d'une province industrialisée et, dans l'échelle du bonheur des peuples, assez riche. Qu'on en juge : selon la Banque Royale, en cas d'indépendance, 1,25 million de citoyens quitteront le Canada et, en l'an 2000, le revenu annuel moyen de chaque ménage sera amputé de 10 140 dollars[*].

Mulroney avait été informé de l'existence de cette étude dès l'été. Les stratèges fédéraux et québécois en furent avisés dès le début de la campagne, ce qui suscita deux débats : l'un au Québec, sur l'opportunité de publier l'étude ; l'autre à Ottawa, sur le moment auquel on devrait l'utiliser.

Des Québécois comme Anctil et Rivest s'opposaient à la publication de l'étude, mais sans véhémence au début, car ils n'en connaissaient pas le contenu. « On s'est dit : une banque, ils vont y aller assez modérément ! » se souvient Anctil. Surtout qu'un des principaux actionnaires de la Banque Royale est... la Caisse de dépôt et placement. Lorsqu'ils sont informés de la teneur du texte, quelques jours avant sa publication, ils déchantent. « On avait peur que ça fasse comme le coup de la Brinks », dit Anctil. Rivest affirme aujourd'hui avoir prédit que « ça aurait exactement l'effet que ça a eu », c'est-à-dire braquer l'opinion publique contre les fédéralistes. Le Comité québécois

---

[*]   La malhonnêteté intellectuelle qui sous-tend ce chiffre mérite le détour. Claude Picher, dans *La Presse*, en a fait la démonstration. En cas de séparation, dit la Banque, le taux de croissance de l'économie ne sera que de 1 %. Mais s'il reste uni, le Canada connaîtra, de 1993 à l'an 2000, une période quasi historique de bonheur et de croissance de près de 4 % par an en moyenne. En bout de course, la séparation aura entraîné un manque à gagner de 10 140 dollars par ménage. CQFD. Autres hypothèses imaginatives : aucun immigrant ne s'établira dans un Canada scindé en deux (les réfugiés préféreront sans doute Sarajevo à Toronto) et le taux de chômage au Québec oscillera entre 10 et 15 %. Mais puisque, au moment de la sortie de l'étude, le chômage québécois est à 14 %, est-ce à dire que l'indépendance offre la possibilité de le faire descendre à 10 % ?

du Oui multiplie les pressions pour limiter les dégâts. « Le gars de la Banque Royale voulait venir faire ça ici, à Montréal, dans un discours devant des gens d'affaires, se souvient Anctil. Alors on a dit : en dehors du Québec, on peut pas les empêcher de s'exprimer, mais on veut pas qu'ils viennent faire ça au Québec. » L'étude est finalement lancée à Ottawa ; aucun exemplaire n'est disponible au Québec, même pour les clients des succursales de la banque. Comme pour la transcription de Wilhelmy-Tremblay publiée dans le *Globe*, les télécopies en provenance de Toronto et d'Ottawa sont légion. Bourassa, qui ne se souvient pas d'avoir été informé à l'avance de l'arrivée de l'étude, juge au moment de sa sortie qu'elle « brouille les cartes ». Il préfère citer la commission parlementaire sur la souveraineté, qui s'attend en cas d'indépendance à un ralentissement économique à court terme variant de 1,5 à 4 %. C'est « trois fois la récession actuelle », répète Bourassa, en omettant de mentionner les gains potentiels à long terme également évoqués par la commission. Brodant sur le thème de « l'incertitude », il déclare qu'avec « le Non, on s'enfonce dans un tunnel sans voir s'il y a de la lumière ».

À Ottawa, le débat sur le document portait sur le moment du largage de cette bombe. Plus tôt ? Plus tard ? La Banque Royale, inscrite au Comité du Oui, a choisi le moment de son annonce en prenant en compte les désirs des stratèges fédéraux.

Dans son discours de Sherbrooke, Mulroney cite les points saillants de l'étude. « Entre les théories fumeuses des architectes de l'indépendance et les analyses de notre plus importante institution financière, je pense que les Québécois savent faire la différence. »

Ces prévisions alarmistes, combinées à la menace qu'en cas de victoire du Non, il n'y aurait plus de négociations constitutionnelles, puis au geste de déchirer les gains, devaient lancer la phase électrochoc de la campagne fédérale du Oui. C'est-à-dire mettre en pratique la *Cocksucker Theory*.

> Gregg : Dès qu'on frappait un grand coup, les intentions de vote pour le Oui s'amélioraient. Mais tout de suite après, les représentants du Oui revenaient sur leur parole, disant qu'un Non, en fin de compte, ne serait pas si désastreux. Alors ils sapaient complètement la crédibilité de ce qu'on tentait de faire, et qu'il aurait fallu faire avec force et constance. Et on se battait à l'interne, entre conseillers, là-dessus. [Bruce Anderson, autre sondeur, était contre. Un autre conseiller, Bill Fox, était plutôt pour.] Une semaine, je gagnais. La suivante, je perdais. Alors c'était ça : un pas en avant, deux pas en arrière. [...]

> Ça devenait un cercle vicieux. Comme ils faisaient en sorte que ça ne marche pas, ils me disaient : tu vois, ça marche pas !

Résultat : Mulroney souffle le chaud et le froid. Alarmiste un jour, il annonce qu'un Non « signifie le début du processus de démantèlement du Canada ». Rassurant un autre jour, il déclare : « Le Canada tombera-t-il en pièces ? La réponse est non. » Rien ne peut être pire que ces allers et retours qui enlèvent toute crédibilité au message. Le geste théâtral de Mulroney à

Sherbrooke a en outre un effet imprévu : la méfiance à l'égard du premier ministre est si exacerbée, au Canada anglais, que son geste y est immédiatement interprété comme une insulte au caractère sacré de la constitution.

> Gregg : Alors tout à coup, les gens pensaient que Mulroney venait de déchirer la constitution. C'était pas vrai. Mais je suppose que son geste prêtait au ridicule.

> Pierre Anctil : Nous autres, en voyant ça, on s'est dit que ça avait pas de bon sens. En le voyant, c'était évident. Mais Mulroney se sentait à l'aise avec ça. C'était son style.

Même Bourassa, le lendemain, prend ses distances en disant aux journalistes : « Ne me demandez pas de commenter le style » de l'intervention de Mulroney. Plusieurs membres du Comité parapluie canadien du Oui s'en dissocient également. Certains ministres fédéraux, comme Monique Vézina, ne trouvent rien de bon à en dire. Des signataires de l'entente, comme Frank McKenna, annoncent leur préférence pour une campagne « positive ». Des commentateurs, dont l'influente Lysiane Gagnon, de *La Presse,* accusent le Comité du Oui de « charriage ».

Le fait que le premier ministre canadien fasse siennes les prévisions catastrophistes de la plus grande banque du pays a un autre effet : sur les marchés, le dollar perd 15 centièmes et tombe au-dessous de 80 cents. Le lendemain, pour prévenir l'hémorragie, la Banque du Canada hausse subitement de deux points son taux d'escompte.

Les ténors du Non ont donc beau jeu d'accuser Mulroney de susciter l'inquiétude en exagérant les conséquences d'un vote négatif. Ce en quoi ils sont rejoints par des porte-parole des milieux bancaires canadiens (des concurrents de la Banque Royale) et des analystes américains de Moody's. L'étendue des retombées négatives du discours de Sherbrooke est effarante.

S'y ajoute, en prime, un peu de désinformation. Au Canada anglais, des journalistes affirment qu'à Sherbrooke, Mulroney a déchiré « l'entente » plutôt qu'une liste explicative des gains du Québec. Partout, les porte-parole du Non s'en donnent à cœur joie. Notamment Lucien Bouchard : « Moi, j'ai fait tous les discours là-dessus, c'était très amusant. Quand Mulroney a déchiré le texte de l'entente [sic], moi je disais : "Grand drame, c'est épouvantable ! Ils en avaient juste une copie, pis il l'a déchirée à Sherbrooke !" »

Dans de nouveaux mémos rédigés au début d'octobre, Allan Gregg constate la contre-performance complète de Mulroney, et suggère, dans des phrases sybillines, de le retirer du champ de tir, car les Canadiens identifient de plus en plus le Oui à ce personnage honni :

> Nos groupes tests montrent que ça pose problème. Comme les électeurs n'ont pas une bonne compréhension de l'entente, plusieurs ont tendance à la rejeter sur la base de l'opinion qu'ils ont du porte-parole. Il faut donc modifier les porte-voix du Oui en y incluant : 1) Des citoyens de la base ; 2) des figures non partisanes reconnues ; 3) des événements multipartis.

Ce qui équivaut à demander à Brian Mulroney de ne pas participer à son sport favori : une campagne politique. Il passe outre.

Exigez le programme !

Le Comité québécois du Non joue sur du velours. Où est l'entente, demandent-ils ? Qui l'a lue ? Pourquoi ne peut-on pas l'avoir ? Qu'est-ce qu'on nous cache ?

Dans ce qui sera une des plus audacieuses — et des plus efficaces — opérations de relations publiques de l'histoire politique récente, le Comité du Non va utiliser la confusion ambiante sur le texte de l'entente et la retourner en sa faveur. Pour une fois, le clair-obscur — éclairage favori de Robert Bourassa — va servir les souverainistes.

D'abord, le texte de l'entente du 29 août 1992 est devenu document public le 3 septembre. Il a été publié, *in extenso,* le 4 septembre dans *La Presse* et *Le Devoir,* et le 5 septembre dans *The Gazette.* Les citoyens qui en font la demande peuvent en obtenir un exemplaire du gouvernement fédéral. Dans les circonscriptions, les comités du Oui en ont des photocopies.

Une entêtante odeur de secret plane néanmoins. Le texte n'est pas distribué dans les foyers, comme il se doit pour un référendum. Aux informations, on parle de plus en plus des obscurs « textes juridiques » en voie de négociation, dont on ne sait pas s'ils seront prêts avant la date du scrutin. Puis il y a l'injonction empêchant la diffusion de la conversation Wilhelmy-Tremblay et de sa transcription ; les épisodes quotidiens du procès ; les récriminations des médias contre « le secret ». Il y a aussi les mystérieux 31 gains, dont on n'a pas la liste, et on se souvient vaguement qu'au retour de Charlottetown, le texte de l'entente n'était pas disponible.

Bref, le fait est qu'à la fin de septembre, à un mois du scrutin, le camp du Oui souffre d'un problème majeur de crédibilité.

Anctil : On est partis, l'air de dire : « Lisez pas l'entente, mais si vous votez contre, des mauvaises choses vont se produire. » [...]

Depuis le début et à chaque fois qu'on rencontrait des conservateurs pour des discussions de stratégie, on revenait là-dessus : « Toutes vos belles affaires-là, les belles publicités, ça sera jamais aussi efficace que si vous nous donnez le texte de l'Accord. » On n'a aucune crédibilité si on n'a pas le texte de l'Accord, pis ensuite les textes juridiques. [...]

Le fédéral nous disait : « Écoutez, il va y en avoir des copies pour tous les Canadiens, ça s'en vient par la poste. Ça s'en vient. » Nous, au début, on se dit : « C'est correct, on va attendre. » Mais à chaque jour c'était pour dans trois jours.

Une situation que Brian Mulroney n'améliore pas en déclarant, au sujet de ceux qui réclament les textes juridiques : Bien sûr, les Canadiens « veulent lire toutes les clauses nonobstant, le samedi soir, après le hockey ». Parlant de l'indéchiffrable sabir des constitutionnalistes, il ajoute : « Si on veut garder l'Accord secret, le meilleur moyen serait de publier les textes juridiques tout de suite. »

Au Comité du Non, c'est le président, Jacques Parizeau, qui avance à la fin de septembre l'idée de profiter de cette bévue. Au cours d'une des grandes réunions du lundi matin, il suggère que le Comité du Non imprime et distribue aux Québécois, à ses frais, l'intégrale de l'entente de Charlottetown. En marge, sur chaque page, les experts du Non ajouteraient leurs commentaires, critiques, bien sûr, et éminemment lisibles.

Autour de la table, plusieurs contestent vivement la sagesse de ce projet. « C'était beaucoup d'argent, cette affaire-là, se souvient Louise Beaudoin. Quand on regardait notre budget, ce qu'on pouvait dépenser [les dépenses totales de chaque comité sont plafonnées, au Québec, à 4,6 millions de dollars] c'était un très, très gros morceau [164 250 dollars pour la seule impression]. » Certains objectent que ce n'est pas au Comité du Non de faire le boulot du Oui. « Ça a discuté ferme », se souvient Beaudoin. Bouchard, qui était « partisan de ça à mort », appuie Parizeau dans le débat, et ils l'emportent. Pendant la réunion, quelqu'un suggère d'en imprimer 10 000 copies. Quelqu'un d'autre, 15 000. En public, peu après, Bouchard annonce le chiffre de 50 000 copies.

Cinquante mille ? Trois jours plus tard, Parizeau multiplie par 40 : deux millions de copies seront distribuées. « Nous sommes forcés de remplacer le gouvernement, qui veut cacher cette entente », déclare le chef du PQ. Ce qui est un gros mensonge... et un gros contrat. Pierre Boileau, le secrétaire général du PQ, vérifie que l'infrastructure militante du parti permet la distribution, à chaque porte du Québec, de ce document. Elle le permet : elle est en grande forme. Le PQ approche deux imprimeries qui font des soumissions. Le groupe Transcontinental, de Rémi Marcoux, est un peu moins gourmand que Quebecor. La commande est donc passée, Jean Royer avise les journalistes qu'ils peuvent venir filmer les rotatives en pleine action, le matin du 1er octobre 1992. Parizeau doit bénir les premières copies de sa présence.

Mais voilà qu'à 6 h du matin, le 1er octobre, le gérant général de l'imprimerie annonce à Boileau que « la haute direction » a reçu un appel « d'Ottawa » interdisant l'impression. À 8 h, Parizeau donne la consigne : « Amenez les journalistes quand même. Les patrons de l'imprimerie auront à expliquer pourquoi ils ne respectent pas leur contrat. » Boileau et Royer sont dans le bureau du gérant quand l'autobus où ont pris place une vingtaine de journalistes bardés de caméras — en avance pour une fois — arrive à l'imprimerie. « Regarde par la fenêtre, dit Royer : tu vas avoir la plus belle publicité de ta carrière. Ou bien tu leur montres comment tes presses peuvent fonctionner efficacement, ou bien tu leur expliques pourquoi elles tournent pas. » Quelques minutes plus tard, elles tournent.

On brûle de citer Humphrey Bogart : « *That's the power of the press, baby !* »
Lorsqu'il raconte cette anecdote, Jacques Parizeau rit au point d'en être

écarlate. Et il fait de la surenchère sur Bogart : « *The power of the press on the presses !* »

Le document est imprimé sur un papier de mauvaise qualité, ce qui renforce le côté un peu clandestin, frondeur, de sa publication par le Comité du Non. Le texte lui-même étant couché en termes juridiques, et courant sur 28 pages, il tombe sous la définition de Winston Churchill : « Par sa seule longueur, ce document se défend de tout risque d'être lu. » Mais le PQ a fait ajouter, comme prévu, en marge et en caractères manuscrits d'un bleu qui accroche l'œil, des commentaires souvent pertinents (exemple : « sur 60 points de l'entente, plus de 28 sont à négocier »), parfois oiseux (exemple, au chapitre du partage des pouvoirs : « Aucun nouveau pouvoir pour améliorer l'avenir des 800 000 Québécois sans emploi, surtout les jeunes. ») Le document est ainsi fait qu'il est impossible de ne pas lire les commentaires, écrits en coups de poing, et qu'il faut au contraire se forcer pour lire le texte de l'entente, écrit en jargon du juriste.

Au sein du Comité parapluie du Non, devant le succès de l'opération lancée par Parizeau, les critiques s'inclinent. Au sein du Comité parapluie du Oui, on ne dit pas autre chose. « Moi, se souvient Anctil, je disais : "Le PQ distribue l'entente, pas nous. On a l'air de cacher l'entente. Les gens font : 2 + 2 = 4, c'est clair." »

Au grand dam des fédéralistes québécois, les textes fédéraux de l'entente, arborant un beau drapeau canadien et publiés avec professionnalisme, n'arriveront dans les boîtes aux lettres qu'à compter du 8 octobre, après que le texte du Non a été distribué par les militants souverainistes. L'information fédérale est enfin disponible et sera beaucoup lue*. Mais comme la cavalerie faisant irruption après la fin des combats, son impact sur les interventions de vote sera minime. « Ça, franchement, soupire Anctil, ils ont fait une belle campagne, le Comité du Non. »

LE COMITÉ DES RÉALIGNÉS

Le succès de l'opération de publication du texte « intégral annoté » a aidé à cimenter le Comité du Non et à asseoir l'autorité de Jacques Parizeau sur le groupe. Ce n'était pas couru d'avance.

Car ce Comité du Non représente, c'est sûr, la famille souverainiste. Or c'est entre parents que naissent les plus grandes querelles. Et les cousins maintenant réunis sont les mêmes qui s'étaient invectivés à Bélanger-Campeau. Jacques Parizeau est notamment flanqué de Jacques Brassard, Guy Chevrette, Louise Harel et Pauline Marois, tous ex-bélanger-campésistes. On trouve au Comité, bien sûr, Lucien Bouchard, mais aussi Jean Campeau, ex-coprésident

---

*   En fin de campagne, CROP testera, pour *La Presse,* la provenance de l'information des Québécois : 61 % diront avoir lu la brochure fédérale, 20 % le texte annoté par le Non, 16 % le texte intégral publié par les quotidiens.

souverainiste de la commission, passé aux non-alignés. À leurs côtés : Gérald Larose, Lorraine Pagé, Serge Turgeon, trois autres vétérans de ce déchirement.

Il y a 18 mois, au cours des longues nuits de négociations à Maizerets, les non-alignés affirmaient qu'il fallait accompagner Bourassa dans le marais, et qu'on l'en ferait inexorablement sortir, en octobre 1992, du côté de la souveraineté. Parizeau, souvent furieux, leur opposait sa méfiance envers un chef libéral qui n'en était pas à sa première entourloupe.

Bouchard estime n'avoir pas complètement perdu son pari. Si l'accord de Charlottetown est si mauvais, pense-t-il, c'est grâce au carcan imposé par Bélanger-Campeau : « À partir du moment où il y avait une date butoir, on savait qu'à Ottawa c'était impossible de faire un accord qui serait montrable au Québec à temps pour respecter l'échéancier. »

Mince consolation. Et on a vu que c'est en fait Brian Mulroney, et non Lucien Bouchard, qui a imposé, sur la terrasse de l'édifice Pearson, un « carcan » une « date butoir » à Robert Bourassa. Sur le fond, sur la grande stratégie, les non-alignés ont eu tort et Parizeau a eu raison. Comment encaisser ce choc ?

« Il y a pas eu d'évaluation *post-mortem*, raconte Bouchard. On ne s'est pas demandé qui avait eu raison, qui avait eu tort, et quels sont ceux qui s'en sortent avec les honneurs de la guerre. » De la part de Parizeau, pas de : « on vous l'avait bien dit », ni de « vous voyez comment vous nous avez fait perdre notre temps ».

En entrevue, Parizeau en parle avec une infinie délicatesse :

J'ai eu sans aucun doute des périodes de tension avec les non-alignés, à travers l'épisode de Bélanger-Campeau. Probablement parce que nous sommes un parti politique et qu'eux étaient à la recherche d'une entente de bonne foi, dans un cadre qui échapperait au fonctionnement des partis. Ça a laissé chez certains d'entre eux des traces, je sais ça.

Je sais aussi que certains d'entre eux, observant le déroulement des événements, ensuite, jusqu'au référendum d'octobre... comment dire ? Je regarde ça dans la réaction de certains d'entre eux, je me dis que ça les amène peut-être à reconsidérer un peu le jugement qu'ils portaient à mon égard au moment de Bélanger-Campeau.

Pour le reste, Parizeau affirme que s'il a « l'âge où normalement la nostalgie joue », il est d'avis que la nostalgie est « le pire des principes en politique ». Ce qui est passé est passé et, ajoute-t-il : « J'imagine que certains d'entre eux doivent être soulagés de se rendre compte que c'est pas présent chez moi. »

Mais Bourassa, en se délivrant du Pacte qui était censé lui lier les mains (au quartier général du PLQ à Montréal, la réceptionniste lit à cette époque un livre intitulé *Les Grandes Évasions du vingtième siècle* !), modifie grandement le jeu d'équilibre sur lequel les succès du Bloc québécois étaient fondés depuis sa création. Le représentant de « l'aile libérale » du Bloc, Jean Lapierre, se détache du troupeau, déportant ainsi le parti de Bouchard vers son seul allié naturel :

le Parti québécois. Du coup, d'ex-partisans de Pierre Marc Johnson (« l'aile johnsonienne ») ne veulent plus participer à l'aventure, par allergie à la direction péquiste actuelle. Jean Fournier, principal organisateur du Bloc, est de ceux-là ; il démissionne.

> Lucien Bouchard : À ce moment-là, nous autres au Bloc, on n'en menait pas large. Jean [Lapierre] nous laissait, pis Jean Fournier, notre principal organisateur, venait de nous laisser aussi. Je venais de passer un an à écrire mon livre [son autobiographie *À visage découvert*], j'avais été très absent.
>
> À Ottawa, on était dans le mou, dans la gélatine. Un parti plus ou moins existant, seulement 25 000 membres. Toute la misère du monde à ramasser de l'argent. On crevait de faim, littéralement. Il y avait pas une cenne dans les coffres du Bloc. On n'avait pas de dettes mais on était sur le point de tomber dans les dettes.
>
> On chancelait dans les sondages, si je me rappelle bien. Il y avait eu un éditorial de Gilles Lesage dans *Le Devoir*, peut-être même deux de suite, contre le Bloc. Il avait félicité Lapierre de nous avoir laissés. On était assez *down*.
>
> Et pis c'est là que j'ai rencontré Parizeau pour l'organisation du référendum.

Nous y sommes. Le référendum. Qui sera chef des forces souverainistes ? Le triomphant, ou le moribond ? D'abord, on ne sait pas si la consultation sera fédérale ou provinciale. Au cours d'une première séance de négociation, en juin, le Bloc propose que, si le référendum est tenu selon la loi fédérale et pancanadienne, Bouchard soit le président des forces du Non. À une réunion du comité de stratégie du Pari québécois du lundi matin, Bernard Landry objecte : « Je ne vois pas comment on peut demander à notre organisation de fournir la main-d'œuvre et les fonds, sans être en contrôle des affaires. » Le 23 juin, en marge d'une soirée de la Société Saint-Jean-Baptiste à l'Île-Notre-Dame, Bouchard et Parizeau conviennent d'un nouvel arrangement : si le référendum est fédéral, ils dirigeront le Non conjointement.

Mais Bourassa annonce, en août, que le référendum sera tenu conformément à la loi québécoise. Parizeau fait alors un pèlerinage inédit pour aller offrir un poste, unique, de vice-présidence, à son cousin fédéral.

> Lucien Bouchard : Là, Parizeau était très, très courtois. Il était venu aux bureaux du Bloc. Je l'avais trouvé assez bien, parce que c'était un moment où il aurait pu ignorer le Bloc sans trop de dommages, peut-être.

Avant l'ouverture officielle de la campagne, la dernière fin de semaine d'août, Parizeau prononce un discours dans les terres de Bouchard, à Alma. L'endroit même où, un soir de mai, deux ans plus tôt, le chef péquiste avait lu à son conseil national un chaleureux télégramme envoyé de Paris par un ministre conservateur fédéral, qui ne le serait plus 48 heures plus tard. Commençait alors un double itinéraire, où tous les deux allaient naviguer vers le même objectif, mais pas dans le même bateau, ni avec le même compas. À deux ans de distance, les deux hommes sont enfin dans le même véhicule : un petit avion, où la chaleur d'août est étouffante, et dont le vacarme rend la conversation éprouvante.

Parizeau et Bouchard, voisins de banquette, planifient le court terme : finie la valse à contretemps, fini le flirt avec un troisième partenaire, c'est le temps du tango politique, exécuté avec précision. Dans une campagne à deux têtes, on peut se permettre de se partager le travail. Parizeau occupera, de Québec ou de Montréal, la scène médiatique nationale, pendant que Bouchard attirera l'attention depuis les capitales régionales en Estrie ou en Abitibi. À trois reprises, il y aura convergence, dans de grands rassemblements. Tous les trois jours, ils s'appelleront, pour coordonner les thèmes. On va bien s'amuser. Sur d'autres banquettes, Audrey Bouchard et Lisette Lapointe (Parizeau) deviennent « de bonnes copines », dit un des époux. Lorsque l'engin atterrit à Montréal, le plan de campagne est fait. Le tout se déroulera, dira Louise Beaudoin, « comme du papier à musique ».

Vers la fin de la campagne, Lucien Bouchard se lancera même dans une « ode à Parizeau » telle qu'on ne lui en avait jamais entendu :

« M. Jacques Parizeau, c'est l'homme de la situation, c'est l'homme qu'il faut pour franchir le passage vers la souveraineté du Québec. [...] C'est un personnage historique, c'est un homme qui a œuvré depuis plus de 30 ans au service du Québec, qui a été associé au mouvement ascendant du Québec, c'est un homme qui va couronner cette carrière dans le grand combat [pour la souveraineté]. Je serai à ses côtés. »

Mais on anticipe.

Pour l'heure, le chef du Bloc est content de son sort. Vice-président du Comité du Non, alors qu'il n'est pas complètement certain de le mériter, ce n'est pas si mal. D'autres s'agitent cependant pour que Parizeau cède une partie de sa place. La question d'image, toujours, hante le président du PQ. Elle le hante quand il a tort. Elle le hante quand il a raison. Jean Campeau, par exemple, déclare publiquement le 12 septembre que ni Parizeau ni Bouchard ne doivent diriger le Comité du Non. « Ça me dérange, dit-il au *Soleil*. Pas parce que j'ai peur du PQ mais parce que le Non doit être ouvert à tous les Québécois. » Une autre figure de proue, moins controversée et moins identifiée au souverainisme, doit selon lui être choisie.

Certains proposent que Jean Allaire soit cette figure. Mais il refuse même de siéger à la table du Comité, tant il est soucieux de garder ses distances face au PQ. Lors d'une première grande réunion d'organisation du comité, alors que cette question doit être tranchée, Parizeau prend les devants. Il explique que la loi québécoise des consultations populaires, qui régit la campagne à venir, impose quelques contraintes. Entre autres, celle que le chef de l'opposition soit aussi chef du Comité du Non. Une lecture moins rigoriste de la loi aurait pu ouvrir d'autres avenues. Et il aurait été parfaitement possible d'avoir un président « officiel », pour les formulaires, et des coprésidents honoraires, pour les tribunes.

Reste que, Parizeau ayant parlé, la discussion est close et on passe à un autre sujet. Le chef du PQ préside personnellement, tous les lundis matins sauf un, la grande table du Comité du Non. Le débat sur la stratégie centrale de la campagne est relativement bref, en cette enceinte. C'est qu'il a déjà duré fort longtemps, au sein des instances du PQ, pendant l'été. En juin, une école de pensée préconisait que la future campagne sur les offres fédérales (la quasi-totalité des stratèges péquistes jugeaient invraisemblable que la campagne se fasse sur la question de Bruxelles) serve de tremplin pour le thème de la souveraineté. Un slogan avait même été trouvé : « L'indépendance, c'est la liberté ! »

Depuis l'époque de l'étapisme, puis du beau risque, il est toujours délicat, au Parti québécois, de proposer de mettre le thème de la souveraineté sous le boisseau. Parizeau ayant juré de faire campagne pour la souveraineté « avant, pendant et après l'élection », cet engagement vaut-il aussi pour un référendum ? Lors d'une réunion de l'exécutif péquiste tenue en août, la réponse est unanime : « La grosse décision qui s'est prise avant le déclenchement du référendum, raconte un stratège péquiste, c'est que la job qu'il y avait à faire était de détruire Charlottetown. »

Lorsque le Comité du Non se réunit officiellement pour la première fois, tous ses membres adoptent d'emblée cette consigne. Il n'est certes pas question d'occulter complètement la souveraineté : Parizeau et Bouchard en glisseront quelques mots dans presque tous leurs discours. Mais il ne faut pas que ce soit un thème dominant, et il faut faire comprendre aux électeurs qu'un Non ne déclenchera pas, en soi, le processus d'accession à la souveraineté, ce qui est la stricte vérité. Robert Bourassa devra d'ailleurs se dépatouiller avec son propre argument ; il dira finalement qu'un Non est « un premier pas » vers la souveraineté ou qu'il la rend « plus probable », ce qui est tout aussi vrai.

Au sein du Comité du Non, des gens voudraient que le mot souveraineté ne soit tout simplement pas prononcé. Jean Campeau en fait un combat personnel, et appelle les responsables de l'organisation chaque fois qu'il entend le mot proscrit. « Il me téléphonait quatre fois par jour ! Quatre fois par jour ! s'exclame un responsable. Je disais que c'était mon meilleur client. »

Le Comité du Non développe par conséquent des « messages » où la souveraineté ne figure pas. Ils adoptent même un « ton » qui proscrit les accents patriotiques :

LES MESSAGES QUE NOUS VOULONS VÉHICULER À NOS GROUPES CIBLES :

• Les dédoublements vont continuer et cela ne permet pas de régler les vrais problèmes, ex : politique de plein emploi...

• Bourassa est un mauvais négociateur ;

• C'est un faux débat : il n'a pas d'entente de signée et quand le texte juridique sortira, il n'y aura pas un premier ministre qui voudra le signer ;

• S'attaquer au document de l'entente car c'est un brouillon et c'est moins que Meech, les experts le disent ;

- L'économie après le référendum ;

LE TON DE LA CAMPAGNE :

- Ton pédagogique, mais bien vulgariser notre pensée ;
- Dédramatiser la situation ;
- Toujours demeurer crédible ;
- Humour en fin de campagne (si approprié) ;
- Il faut éviter les propos alarmistes, les formules solennelles (appel aux forces vives de la nation) et le ton aggressif ou arrogant.

Puis il y a le cas Jean Allaire. Qu'en faire ? Jacques Parizeau a lancé un « appel aux allairistes » peu après le congrès libéral. Comme ils ne sont pas très nombreux, les dissidents libéraux n'ont pas voulu s'appeler « mouvement » ou « regroupement », encore moins « parti ». « On a trouvé le mot « réseau », raconte Michel Lalonde, parce que c'est moins qu'un parti, mais plus qu'une petite bande. Un réseau, on ne sait pas trop ce que c'est, et ça donne un côté clandestin. Ça permet de dire qu'il y a des gens qu'on ne peut pas nommer, mais qui travaillent avec nous. On ne donne pas de liste. » La force symbolique du Réseau des libéraux pour le Non dépasse de loin sa force numérique, et le PQ sait que son rôle sera important pour attirer les indécis dans le camp du Non.

Autour de Parizeau, on propose de faire d'Allaire un vice-président du Comité du Non, comme Bouchard. Pourquoi pas ? Parce qu'Allaire ne veut pas.

> Allaire : Parizeau et moi on a lunché et je lui ai dit : « Voici, monsieur Parizeau, je voudrais fonctionner de telle façon, pas parce que vous êtes pas un honnête homme et tout ça, mais je veux garder au Réseau des libéraux pour le Non son indépendance d'action et de pensée. »

Jean Allaire accepte de déléguer quelqu'un (Jacques Gauthier) au Comité parapluie du Non mais pas d'y siéger lui-même ni d'apparaître sur les mêmes tribunes que Parizeau. Cette différenciation entre le Réseau et le PQ est d'ailleurs essentielle : pour que la coalition ratisse aussi large que possible, il est préférable qu'elle possède deux râteaux. « Je lui ai dit que moi, je parlerais du référendum, explique encore Allaire. Que l'affaire de la souveraineté, je n'en discuterais pas, que c'était pas l'objet du débat. Et je lui ai fait sentir également que je m'attendais à ce qu'il fasse la même chose. »

Le Comité du Non dégage par conséquent un budget de 200 000 dollars pour le Réseau, et le laisse travailler en paix. « Ça s'est passé sereinement, raconte Gauthier. Il y a eu un respect de qui on était, et ils ne voulaient pas nous bulldozer. » Les responsables du Réseau craignent que les associations locales du PQ n'envoient leurs troupes assister aux événements organisés pour le passage d'Allaire et de Dumont, ce qui pourrait dénaturer leur message et brouiller les cartes. Rien de tel ne se produit.

Un jour que Parizeau fait campagne en région et serre des mains dans un petit restaurant, un électeur sympathisant l'aborde ainsi : « Dites-donc, monsieur Parizeau, le petit Dumont, là, pourquoi on le voit pas plus à la télé ? Il est bon, lui ! » Le chef péquiste trouve que c'est là une fort intéressante question, et puisqu'il doit s'entretenir avec un de ses adjoints au quartier général du Non, il répercute illico la question, par téléphone. L'électeur entend Parizeau commenter : « Ah ! bon, pourquoi pas ?... Ah ! oui ?... Ah ! bon ! », puis raccrocher.

« On a nos sondages, explique un stratège péquiste. On a des groupes tests, une rétroaction, un tas de choses. Et le *feedback* qu'on avait est que Dumont était pas bien perçu dans le public. Il était considéré comme un arriviste. Allaire, c'était positif, Dumont, non. Donc on n'avait pas avantage à l'utiliser. » C'est sans doute l'explication que Parizeau entend, au bout du fil, dans son restaurant. Mais la question est bien théorique, car le PQ ne peut décider d'utiliser plus ou moins l'un ou l'autre des héros du Réseau. Ces derniers planifient leur actions eux-mêmes.

« Les libéraux ne pensaient pas qu'Allaire serait très présent ou qu'il aurait les moyens de l'être, explique Michel Fréchette, de la firme Promédia, l'organisateur d'Allaire. Mais moi, je lui ai offert un cabinet pour les 30 premiers jours avec toutes mes ressources. Pis pour la deuxième étape on a eu le financement du Non, et on a eu les moyens. »

Les deux seules vedettes du Réseau font le tour de la province, sans jamais se rencontrer. Quand l'un est à Québec, l'autre est à Montréal. Chaque semaine, Fréchette envoie des articles signés par Allaire ou par Dumont dans chaque journal régional, avec un très bon taux de publication. À chaque arrêt des deux dissidents, il y a conférence de presse, petite assemblée, entrevues : 450 au total. « Bourassa arrivait dans une région, raconte Fréchette, il voyait qu'on faisait la une du journal local. » Pour faire passer Allaire ou Dumont aux informations télévisées, Fréchette se tient au courant du trajet des caravanes des deux chefs, Bourassa et Parizeau, où les journalistes sont regroupés. Il fait en sorte qu'Allaire et Dumont se trouvent régulièrement à proximité d'une des caravanes, pour que la jonction puisse se faire. Il réussit un petit bijou de campagne à grand retentissement, avec peu de soldats et relativement peu de moyens.

Tellement que le Comité du Oui commence à trouver la chose agaçante. Jean Allaire est un employé de la Ville de Laval, non ? Laval est une ville à majorité libérale, non ? L'employé ne devrait-il pas travailler à son bureau, plutôt que de courir les assemblées ?

Il existe deux versions de ce qui suit. Celle de Fréchette/Allaire, et celle de John Parisella. L'agence de Fréchette, Promédia, s'occupe aussi des communications de la Ville de Laval, ce qui le met en contact constant avec le maire, Gilles Vaillancourt, et son chef de cabinet.

Fréchette : J'étais dans le bureau du maire, au début de la campagne, quand il a reçu un appel de Marc-Yvan Côté, qui lui demandait s'il pouvait faire quelque chose au sujet d'Allaire. Quand il a raccroché, Vaillancourt m'a dit : « Ça les emmerde profondément que tu sois là [à aider Allaire]. » [...] Le chef de cabinet de Vaillancourt, Jean-Marc Melançon, m'a aussi averti que Lise Bacon et John Parisella l'avaient appelé pour se plaindre. La mairie a été très correcte, ils ont rien répercuté. Mais ça les ennuyait parce qu'ils étaient en train de négocier deux gros dossiers avec Québec, le prolongement du métro et l'usine d'épuration, et c'était pas une bonne idée de se mettre à dos le chef de cabinet du premier ministre et la ministre responsable de Laval.

Fréchette affirme qu'après le référendum, les dossiers du métro et de l'usine d'épuration, qui étaient « très très avancés, se sont mis à traîner ; tout à coup, on est retombés dans un processus d'étude ». Une source très bien informée à l'hôtel de ville de Laval (il ne s'agit pas d'Allaire) confirme tous ces faits, précisant que Parisella, Côté et Bacon ne formulaient pas de demandes précises : ils se bornaient à exprimer clairement leur mauvaise humeur et à faire de pressants appels du pied pour que « quelque chose soit fait » dans le cas Allaire. Quant aux dossiers du métro, de l'usine d'épuration et d'un troisième, le projet d'un hôpital dans l'est de l'île, « on peut croire qu'ils ont ralenti » faute « d'enthousiasme » de la part de leurs promoteurs — Bacon et Côté — au cabinet Bourassa. Mais ce sont des dossiers fort complexes en soi, et il est impossible d'établir avec certitude un lien de cause à effet entre la campagne référendaire d'Allaire et leur enlisement. D'autres considérations politiques étaient en jeu, notamment le fait que Daniel Johnson, au Conseil du Trésor, n'était pas pressé de donner à Lise Bacon, rivale potentielle dans une course au *leadership*, la double couronne du métro et de l'usine.

Jean Allaire rapporte aussi avoir été informé que des pressions ont été exercées sur le maire Vaillancourt, qui l'en a informé mais n'y a donné aucune suite. Ainsi renseigné, l'auteur s'enquiert de ces faits auprès de John Parisella.

L'auteur : Vous aviez un problème dans la campagne, c'est qu'Allaire faisait le tour de la province, Promédia l'aidait. Et à Laval on lui permettait de prendre ses congés, d'organiser son temps. Êtes-vous intervenus auprès de la Ville de Laval pour demander qu'on essaie de faire en sorte qu'il reste à son bureau ?

Parisella : [Rires] Je le sais pas, est-ce que quelqu'un t'a dit ca ou quoi ? Tu veux dire intervenir dans quel sens, parler à la Ville pis dire quoi ? Tu insinues qu'on aurait interféré avec la gestion de la Ville ou qu'on aurait menacé la Ville si...

L'auteur : J'ai pas parlé de menace. Avez-vous appelé à la Ville, à la mairie...

Parisella : Qui « vous » ? Le gouvernement ?

L'auteur : Toi, John, ou des membres du gouvernement...

Parisella : Tssss, j'te vois venir, toi.

L'auteur : ... pour dire « Écoutez, on a un problème, pouvez-vous nous aider, peut-on faire en sorte que Allaire... Pouvez-vous nous donner un coup de main ? »

Parisella : C'était ben difficile d'arrêter Allaire parce qu'il avait déjà annoncé qu'il prenait ses vacances pis il allait sans solde, c'était déjà dans les journaux. Comme ça, de même, faire l'appel, tsé, je veux dire ? S'il y avait eu des implications publiques [d'Allaire] avant ou après, ç'aurait été plus normal pour nous autres d'interférer, mais dans la campagne comme telle, pourquoi interférer ? C'était impossible, il avait déjà annoncé publiquement qu'il prenait son congé, tout le monde le savait. C'est de la fabrication !

Le chef de cabinet du premier ministre québécois, à l'évidence remarquablement informé des modalités des absences d'un employé municipal de Laval, se fend, ici, d'un démenti un peu longuet.

Au Comité du Non, puisque tout le monde, y compris l'allairien Gauthier, est d'accord pour ne pas parler de souveraineté, il faut approuver le nouveau slogan. Il est fait sur mesure pour les « normatifs », c'est-à-dire ceux des indécis qui sont des Québécois sceptiques, qui aiment comparer avant d'acheter : « À ce prix-là, c'est Non. »

Ce slogan intègre l'idée de contrat, de calcul, de recul, de décision raisonnable. (Jean Allaire, un avocat avec des airs de notaire de province, était le parfait prototype du « normatif », explique un stratège péquiste.) Le slogan vient avec tout un emballage : neuf messages télévisés, où des personnalités du Non, en gros plan, expliquent pourquoi il faut dire Non. Tout est en noir et blanc, d'une sobriété funéraire, sans chichi et sans mouvement.

Tout un contraste avec l'optimisme émotif des publicités adverses, qui affirment que « l'avenir commence par un Oui », avec force ciel bleu et fleur-delysé flottant au vent. Sans parler d'un autre message où l'on voit grand-papa Bourassa s'amuser avec fiston à lancer des pierres dans l'étang.

Quand on leur présente pour la première fois la pub en noir et blanc du Non, la grande majorité des membres du comité sont sceptiques. Le slogan, ça va. Mais tout ce noir et blanc lugubre...

« On trouvait que ça avait l'air *cheap,* se souvient Lucien Bouchard. On trouvait que ça avait l'air qu'on manquait d'argent. » Sur le terrain, des militants l'abordent d'ailleurs d'un air complice et navré : « C'est un peu sinistre, votre affaire, disent-ils, mais évidemment on sait que vous avez pas beaucoup d'argent, alors on va essayer de ramasser davantage de fonds pour le Non ! » (En fait les budgets du Oui et du Non sont équivalents, exception faite, bien sûr, des sommes gigantesques — pour ne pas dire obscènes — investies en publicité par Ottawa au cours des mois précédent le référendum*.)

---

* Selon le directeur général des élections du Québec, Pierre-F. Côté, le gouvernement fédéral a dépensé pendant la campagne référendaire au Québec cinq millions de dollars, au seul titre de sa campagne de publicité télévisée Canada 125. C'est plus que le budget total du Comité du Non. De son côté, le Non a présenté sa publicité essentiellement à la télé et à la radio et, en ville, sur des panneaux d'autobus. Depuis des mois, le gouvernement fédéral avait raflé la quasi-totalité des contrats de panneaux publicitaires extérieurs, en prévision du référendum. Une campagne de pub « Achetons canadien » avec une jolie feuille d'érable s'est ainsi déployée partout pendant la campagne référendaire. Ottawa avait aussi prévu une campagne

Vu la « mauvaise critique » essuyée par la publicité du Non au sein du comité, les stratèges péquistes viennent expliquer, quelques semaines plus tard et chiffres à l'appui, l'extraordinaire impact de leur lugubre campagne sur l'opinion. Une étude similaire effectuée pour la revue *Info Presse* montre que ces messages figurent parmi les plus populaires au Québec (après ceux de McDonald et avant ceux de Black Label), alors que la pub pour le Oui est l'une des moins aimées (après les pubs du 125e anniversaire du Canada, et avant celles d'Au Bon Marché). Donnée plus importante encore en termes d'impact sur l'opinion : alors que les deux tiers des partisans du Non ont trouvé la pub du Oui « peu ou pas objective », seulement le quart des partisans du Oui ont jugé aussi sévèrement la campagne du Non. Bouchard et les autres sceptiques doivent se rendre à l'évidence : « Durant toute la campagne, on la trouvait pas bonne, mais il est apparu que les gens ont beaucoup aimé, et c'était la meilleure. »

Deux autres débats occupent le Comité du Non : la question des « spectacles » et celle des femmes. En guise de grands rassemblements de campagne, les experts péquistes proposent de grands happenings postmodernes avec musique, jongleurs, comédiens, pour transformer les assemblées politiques en véritables fêtes.

Bouchard, plus « conservateur », dit-il, est contre. Le fait est que ces *meetings*/spectacles, apparentés aux rassemblements socialistes français, ont un effet revigorant sur les foules — et étonnent les journalistes étrangers, notamment ceux de la grande émission américaine *MacNeil/Lehrer News Hour,* qui en soulignent le caractère innovateur. Mais c'est un genre qui implique aussi une part d'improvisation.

« On avait une maudite peur de ça parce qu'on contrôlait pas le contenu : des comédiens allaient parler, improviser, tout ça, dit Bouchard. Et ça coûtait cher. Et le premier spectacle qu'on a fait, ça nous a donné raison. À Trois-Rivières : Diane Jules. »

Trois-Rivières, le 3 octobre, c'est le lieu du « lancement officiel » de la campagne du Non. Plus de 1500 personnes se présentent au happening postmoderne. La comédienne Diane Jules, covedette de l'émission *Parler pour parler,* de Radio-Québec, est embauchée pour... parler. Chargée de meubler le temps entre les prestations de deux participants, elle improvise : « Il y a toujours du monde qui a peur du changement, même pour le mieux. C'est sûr qu'il restera toujours une couple de vieux ici et là qui vont voter Oui. Je ne les juge pas, je les comprends, ils ont la chienne. »

Une gaffe. Et qui plus est, une inexactitude : il n'y a pas d'âge pour avoir « la chienne ». « Des propos humiliants et méprisants pour les personnes âgées comme pour l'ensemble des Québécois », tonne Robert Bourassa qui demande

---

fédérale sur l'éducation — domaine provincial — mais en fut dissuadé par les cousins québécois du Oui.

à Jacques Parizeau et Lucien Bouchard de « s'excuser sans délai », personnellement.

S'excuser ? Mais les dirigeants du Non sont prêts à ramper devant le premier foyer d'accueil venu pour faire oublier cette affaire. Car ils sont pris d'une hantise pire que l'attaque d'une horde de 100 Clyde Wells : la hantise des Yvettes. Pendant la campagne référendaire de 1980, la ministre Lise Payette avait — erronément — assimilé l'épouse de Claude Ryan au stéréotype féminin des manuels scolaires où la fillette, Yvette, fait sagement le ménage pendant que le garçon joue ou étudie. Ce faisant, Payette avait sonné le réveil des troupes fédéralistes : des milliers de femmes, portant des macarons « Je suis une Yvette » ou « Yvette et fière de l'être », avaient rempli le Forum de Montréal, mettant tout le discours souverainiste sur la défensive, donc en difficulté.

Au lendemain de la gaffe de Trois-Rivières, un Parizeau contrit s'oblige donc à en mettre, plutôt trois fois qu'une : « Mme Diane Jules a tenu des propos inqualifiables à l'égard des personnes âgées », déclare-t-il, répétant à satiété qu'il « présente volontiers » ses « excuses ». « En tant que président du Comité du Non, je suis responsable de ce qui s'y passe. Même si je ne l'ai pas voulu ; même si, évidemment, je ne l'ai pas préparé ; même si, en un certain sens, je ne suis pas au courant, il reste qu'ultimement, je ne peux décliner ma responsabilité. »

Diane Jules présente aussi ses excuses*, mais trouve la force de frappe de Parizeau un peu démesurée. À cause d'une phrase, elle devient l'ostracisée du camp du Non. « On n'a pas hésité, raconte Louise Beaudoin, secrétaire générale du Comité du Non. On a dit : "tant pis pour elle." C'est sûr qu'humainement, pour elle, c'est très dur. Les gens, personnellement, ont eu de la compassion. Pauline Marois l'a appelée, par exemple. Mais politiquement, on savait qu'il fallait qu'on tue ça dans l'œuf, pis tout de suite. Il n'y a pas eu d'hésitation ou de revenez-y. Les partis politiques ont pas beaucoup de cœur, comme tu sais. »

Il y a tout de même Serge Turgeon, le président de l'Union des artistes, à la table du comité. « Je pense que ce qu'on a fait à Diane Jules est absolument déplorable », dit-il, « personne n'est venu à sa rescousse » (sauf l'auteur Victor Lévy Beaulieu et la comédienne Louise Deschâtelets). Turgeon n'en revient pas de « la réaction de peur et d'effroi » qui s'empare du comité après l'incident, et qui jette un discrédit sur toute la colonie artistique. « J'ai entendu autour de la table : "Fini les artistes, on n'en veut plus !" J'ai mis le poing sur la table : "Une minute, faut pas perdre les pédales !" »

« L'affaire Diane Jules » deviendra-t-elle l'Yvette de 1992 ? Au Comité du Oui, on jongle avec l'idée. Mais elle n'est pas très facile à manier. D'abord, dit

---

* C'est Royer qui l'informe de la crise qu'elle a provoquée. Il la joint à sa maison de campagne, le lendemain de son faux pas. « Ça va bien ? » demande Royer, alors que « l'affaire Diane Jules » crève les bulletins de nouvelles radio. « Oui, répond innocemment l'intéressée. Hier, excellent, non ? »

Jean-Claude Rivest, « Diane Jules était pas Lise Payette », c'est-à-dire pas une figure dominante du Comité du Non. Peu de citoyens auraient pu dire son nom, ou auraient pu la reconnaître sans la perruque qu'elle porte dans *Parler pour parler*. Ensuite se pose un problème de récupération. En 1980, des femmes pouvaient se dire « fières d'être une Yvette ». Mais en 1992 ? Imagine-t-on des macarons « P'tits vieux pour le Oui » ? Ou encore : « J'ai la chienne et j'en suis fier ? » Après trois jours, on n'en parle plus.

L'autre source de tension au sein du Comité du Non oppose les hommes et les femmes. Ces dernières trouvent constamment que les premiers ne laissent pas sufisamment de place aux femmes dans les assemblées, les publicités, l'ordre d'intervention. Quatre membres du comité se montrent particulièrement insistantes sur ce point : Lorraine Pagé, de la CEQ, les députées Pauline Marois et Louise Harel, et la féministe Françoise David, du Regroupement des centres de femmes*. « Autour de la table référendaire, on était 28 et on était le tiers de femmes, ce qui était déjà une victoire incroyable », dit une de ces femmes, qui raconte la suite :

> La vraie ligne de démarcation que j'ai sentie, c'était pas le PQ face aux non-alignés, c'était pas gauche/droite, c'était : hommes/femmes. Par exemple, [Pierre] Boileau, secrétaire général du parti, et compagnie arrivaient au comité référendaire pour parler des grandes soirées qu'on devait faire. À chaque fois, c'était quasiment une bagarre rangée pour que des femmes autour de la table puissent prendre la parole dans un bon rang, si tu veux, à un bon moment. Parce que spontanément, ce qui venait à l'esprit des organisateurs, curieusement, c'était de mettre juste des gars. Tsé : 10 gars, pas de fille. J'exagère, mais à peine. Ça, ça faisait sauter les filles au plafond.
>
> Les gars trouvaient que les filles étaient assez agressives. Imagine ! Nous autres on se trouvait pas agressives pantoute ! [...]
>
> À la fin, je pense que Parizeau en avait plein son casse des chicanes autour de la table du comité. Chicane est un grand mot, mais je veux dire : lui, Boileau, [Hubert] Thibault se sentaient tous comme des hommes agressés. Mais nous, et Françoise David en particulier, on trouvait que le discours féministe était absolument pas intériorisé par personne de ces gars-là autour de la table, même les plus jeunes. [...]
>
> À la dernière grande assemblée, quand Parizeau a remercié tout le monde [organisations syndicales, mouvements nationalistes, Bloc, etc.] il a oublié les femmes. Je pense qu'il les a oubliées sciemment.

---

* Le gouvernement fédéral avait pourtant ouvert la campagne en jetant les féministes dans les bras du Non. Jean-Serge Beauregard, chef de cabinet du ministre fédéral René Robert de Cotret, avait annoncé au téléphone à la présidente de la Fédération des femmes du Québec, Céline Signori, que la subvention fédérale annuelle de 105 000 dollars versée à son organisation ne pourrait lui être remise qu'en échange d'une promesse de neutralité pendant la campagne référendaire. La Fédération, explique Beauregard alors que Signori enregistre la conversation, est « nourrie par ceux [Ottawa] qui défendent une idée — *just too bad !* » Une fois l'affaire éventée, de Cotret remet le chèque dans les 48 heures, sans condition.

Un stratège péquiste conteste cette version avec la dernière énergie, du moins en ce qui concerne les remerciements de Parizeau.

> Il a souligné le travail de tout le monde, c'est tout. Parizeau a de la difficulté à faire cette différence-là. Pour lui, les femmes sont des citoyennes au même titre que les hommes, qui n'ont pas à être remerciées séparément.

C'est aussi la version de Lucien Bouchard :

> Je suis pas sûr que ça aurait pas été macho de dire : « Je remercie les femmes. » Moi, j'aurais pas remercié les femmes. Je vais dire, honnêtement, j'aurais commis la même erreur. Je suis sûr que Parizeau a pas fait ça sciemment.

Pour ce qui est des débats internes, le stratège péquiste offre l'explication qui suit :

> Je les trouvais pas fatigantes, je les trouvais tenaces. Elles avaient raison de l'être. Parce qu'on n'a pas toujours le réflexe de penser à ça. C'est comme la discrimination positive. Il faut l'intégrer.

> Les femmes intervenaient, correctement. [Françoise] David comme [Lorraine] Pagé étaient très pro-femmes. Très persistantes dans leur idée d'inclure la dimension femme à l'intérieur de la campagne, la présence féminine sur les tribunes. J'ai pas perçu ça comme étant des accrochages. C'étaient des rappels à l'ordre.

Au-delà de ces accrochages, le Comité du Non permet au PQ de créer une coalition plus grande que celle de la campagne référendaire de 1980. René Lévesque n'avait alors pu compter sur l'appui organisé ni des centrales syndicales ni des artistes. Les grèves de la fonction publique qui ont envenimé le second mandat péquiste ont d'ailleurs consommé la rupture entre PQ et syndicats[*].

Il manque tout de même deux joueurs importants autour de la table du Non : Jacques Proulx, de l'Union des producteurs agricoles (UPA), et Claude Béland, du Mouvement Desjardins. Ils avaient tous deux participé à une conférence de presse des ex-bélanger-campésistes pour dénoncer l'entente de Charlottetown comme contrevenant au rapport qu'ils avaient signé. (Simultanément, les ex-fédéralistes associés expliquaient que, comme ils l'avaient signé en étant assurés que Bourassa se dédirait, rien d'anormal ne s'était produit.)

Mais au sein de l'UPA, tout le monde n'est pas très chaud à l'idée de voir Jacques Proulx courir les tribunes pour dénoncer le gouvernement libéral, qui est par ailleurs engagé dans une importante négociation au GATT, où il doit représenter les intérêts des agriculteurs québécois. Proulx, qui vient d'être nommé « patriote de l'année » par la société Saint-Jean-Baptiste, devient donc le Muet de l'automne dans la campagne référendaire. Pour lui, qui était sur une plage au moment du vote sur la souveraineté pendant la dernière nuit de Bélanger-Campeau, l'absence devient une habitude.

---

[*]   Bourassa tentera de jeter du sel sur cette plaie, pendant un débat référendaire, en parlant de la « loi scélérate » adoptée par le gouvernement péquiste pour amputer de 18 % le salaire des employés du secteur public. Une « opération d'abattage », dira-t-il.

Le cas de Claude Béland est plus intéressant. Extrêmement choqué, on l'a vu, de la tournure des événements au Parti libéral, il affirme que l'entente est « à cent lieues » du rapport déposé par le Mouvement Desjardins à Bélanger-Campeau. Mais fera-t-il campagne pour le Non ? Le Mouvement Desjardins, bientôt premier employeur privé au Québec, compte parmi ses cadres bon nombre de libéraux. Il y en a aussi au conseil d'administration, où Béland propose un compromis.

« J'ai fait la recommandation au conseil en disant : "Je ne vois pas à quel titre le Mouvement pourrait s'immiscer dans le débat. Mais est-ce que vous me laissez intervenir à titre personnel ?" Les gens ont dit : "Monsieur Béland, vous portez le chapeau de Desjardins, c'est pas vrai que vous allez parler sur la place publique sans qu'il y ait des retombées pour Desjardins. Nos clients qui ne seront pas d'accord avec vous, c'est pas Claude Béland qu'ils vont punir, c'est le Mouvement." J'ai compris. »

Béland ne fait donc pas campagne, et ne met pas sa grande crédibilité au service actif du Non. Une absence fort remarquée au Comité du Non : « Il est parti en Europe pendant la campagne, souligne un responsable. Il a sapré son camp en Europe, il est disparu en voyage d'affaires, pis il est revenu une semaine avant le vote, pour dire que c'était pas ben bon, cette entente-là. » Deux ou trois fois, tout de même, à l'occasion de conférences qu'il donne sur d'autres thèmes, Béland ne cachera pas son opposition à l'entente. Mais pour l'essentiel, comme les hommes d'affaires fédéralistes qui font dans le commerce de détail, il est muselé par les impératifs des rapports avec le client. (Son ami Serge Saucier, de la firme comptable RCMP, qui avait dénoncé avec fougue l'accord du 7 juillet, joue aussi les passe-muraille pendant la campagne.)

À la firme d'ingénierie SNC-Lavalin, on ne vend pas de barrages à la pièce ; on n'a donc pas ce problème. Le président, Guy Saint-Pierre, ex-ministre libéral, fait donc campagne pour le Oui, alors qu'un de ses principaux adjoints, Yves Bérubé, ex-ministre péquiste, travaille pour le Non. Il est d'ailleurs assez intéressant d'entendre les deux hommes se donner la réplique lors de débats télévisés, au *Point*. Remarquable exemple de tolérance et de pluralisme dans le milieu des affaires.

Yves Bérubé mourra d'un cancer en 1993. Louise Beaudoin, secrétaire-général du Non explique ce qui fut un de ses derniers combats, et une de ses dernières désillusions :

> Bérubé est un gars formidable. Homme de conviction et tout. Il me téléphone et il me dit : « Écoute, j'ai une idée formidable. On commence à être tannés d'entendre Mulroney et d'autres dire que René Lévesque aurait accepté cette affaire-là. »

Mulroney et Gil Rémillard affirment en effet que l'entente de Charlottetown équivaut aux demandes constitutionnelles faites par Lévesque au temps du beau risque, en 1985.

Bérubé dit : « Je vais réunir tous mes anciens collègues du premier cabinet Lévesque, et pis on va écrire un texte collectif, pis on va shooter ça. » Ça a pris du temps parce que, j'ai pas besoin de te dire, ça a été long, ramasser tout le monde. Un moment donné, Yves m'a dit : « Ça y est, c'est fait, c'est à peu près réglé, il y a juste une complication, c'est Pierre Marc Johnson. »

L'ancien premier ministre a, c'est l'évidence, droit à des égards. Il était, à titre de ministre de la Justice, coauteur des demandes constitutionnelles de René Lévesque en 1985. (Savoureux rappel : à l'époque, Gil Rémillard jugeait ces demandes trop modestes.)

Depuis son départ de la vie politique en 1987, Pierre Marc Johnson a lentement dérivé vers une position médiane sur la question nationale. À la fin de 1991, alors qu'il participe, à Lyon, aux Entretiens Jacques-Cartier, il discute longuement avec Jean-Claude Rivest, pendant un trajet en voiture. Rivest est frappé des inquiétudes de l'ex-ministre indépendantiste. « Il me dit : "Si t'as 55 % de Oui [dans un référendum sur la souveraineté], même 60 %, est-ce qu'un vote de 60 % peut entraîner l'abandon de citoyenneté des 40 autres ?" J'ai trouvé ça bon. »

Johnson confirme mot pour mot cette conversation. Le problème qu'il pose porte sur l'éthique politique, et il est insoluble. Car que faire des 60 % qui ont voté Oui, alors ? On est démocrate ou on ne l'est pas[*].

Dans une entrevue donnée en mai 1992 au *Journal de Montréal*, puis dans un texte publié dans *Le Devoir*, Johnson va plus loin. Affirmant qu'après « l'échec de Meech, il aurait pu se passer quelque chose de clair », il juge maintenant que les raisons qui pouvaient, par le passé, justifier une quête de souveraineté pour le Québec, ont disparu « à 80 % ». Interrogé sur son intention de voter Oui ou Non à un éventuel référendum sur la souveraineté, il répond : « C'est dans le secret de l'isoloir que je vais répondre. » Dans un texte de « clarification » publié la semaine suivante dans *Le Devoir*, il clarifie : il ne croit ni à « la pensée magique » du fédéralisme renouvelé, ni à celle de la souveraineté, et déplore le « détournement d'énergie » provoqué par le prolongement du débat. Johnson est tranchant dans son ambivalence...

Ses déclarations sont un don du ciel pour les fédéralistes. Elles font les beaux jours de Robert Bourassa en période de questions à l'Assemblée nationale. Comment ce Pierre Marc Johnson politiquement repositionné (l'année suivante, il ne démentira pas la rumeur — « folle », dit-il — qui fait de lui un candidat potentiel au leadership libéral ; et il confirme à l'auteur avoir eu quelques échanges épistolaires avec Bourassa qui dépassaient, mais si peu, la simple politesse) réagit-il à l'initiative de Bérubé ?

Selon le récit de Pierre Marc Johnson, corroboré par Louis Bernard, c'est

---

[*] Johnson s'inquiète de l'attachement de cette minorité à sa citoyenneté canadienne, un élément fondamental de son identité. Il est vrai que la législation canadienne actuelle permettrait aux antisouverainistes de garder leur passeport canadien (voir tome I, p. 76), mais l'objection dépasse, en portée, cette technicalité.

l'ex-premier ministre qui écrit lui-même le texte « d'un bout à l'autre », dit-il. La copie est ensuite revue paragraphe par paragraphe par Bernard, très versé en ces matières. Bérubé en télécopie des versions à d'autres anciens ministres, tels Jacques-Yvan Morin, qui proposent à leur tour des modifications. Johnson se souvient en avoir intégré quelques-unes. À la fin, le texte précise qu'on ne retrouve dans l'entente « ni l'essentiel, ni même, à l'exception d'un seul aspect du droit de veto, une partie substantielle de ce que recherchait le gouvernement de 1985 ».

Ensuite, il y a débat sur le mode de publication. Bérubé parle d'abord d'une conférence de presse groupée, puis d'un texte signé collectivement et publié dans un grand quotidien. Bérubé s'évertue d'ailleurs à convaincre plusieurs ministres — aux égos difficilement malléables — à se joindre à la démarche. Il remporte un bon succès et se pense près du but. Johnson, lui, affirme avoir été farouchement opposé à l'idée d'une conférence de presse collective et n'avoir jamais donné son assentiment au principe de la signature commune. « Je leur ai dit, en commençant, que ça ne m'intéressait pas de m'insérer dans leur stratégie partisane. Peut-être Yves Bérubé a-t-il voulu me manipuler mais il étirait le temps pour que "ça sorte" dans leur timing stratégique. [...] Une journée avant le *deadline*, je les ai informés. J'ai dit : "Messieurs, moi je publie." » Louis Bernard ne se souvient pas avoir été avisé de cette décision. Bérubé est décédé. Mais selon Louise Beaudoin, qui était tenue quotidiennement informée du dossier par Bérubé, il se produit ce qui suit :

> Ben, tu me croiras pas, mais ce que je te dis est la vérité : tout le monde avait signé, tout le monde s'était entendu. Bérubé et moi on était en train de calculer si on sortait ça dans un journal le mardi ou le mercredi suivant. Ben on s'est levés un matin, [le 13 octobre] pis Pierre Marc l'avait signé tout seul, l'avait fait publier tout seul, [dans *Le Devoir* et *Le Soleil*] sans appeler Yves Bérubé ni aucun de ses anciens collègues pour leur dire ce qu'il était en train de faire.

Informé qu'il aurait ainsi froissé les égos de ses anciens collègues ministres, volontaires pour cette action collective, Johnson répond : « Ça m'indiffère totalement ! »

> Beaudoin : Bon, en matière de communications, c'est pas une catastrophe. Dans le fond, c'était déjà beaucoup que Pierre Marc signe. Mais Bérubé, là, il était comme pétrifié. [...] Moi, j'en reviens pas. Je te raconte ça, j'en reviens pas encore !

LA MOBILISATION DU OUI (OU : « LE CALVAIRE »)

L'organisation référendaire libérale ayant été mise en place dès mars, elle ne manque ni d'organigramme, ni de thèmes, ni de plan de match. Et pourtant ! « On avait nos porte-parole régionaux qui devaient livrer un message spécifique chaque jour, explique Fernand Lalonde. Je pense que, sur toute la campagne, on a réussi à faire passer notre message dans les médias seulement un jour. »

Lorsqu'on rapporte ce constat à Pierre Anctil, il s'exclame : « Ah ! oui ? Lequel ? »

L'incapacité à faire passer le message du Oui ne tient pas qu'aux « affaires » et autres tuiles s'abattant sur la campagne fédéraliste. Elle tient aussi au manque de conviction des troupes.

L'auteur : Dans la campagne référendaire, quelle a été la pire chose pour vous ?

Marc-Yvan Côté : Sachant qu'on perdait, ce qui a été le pire c'était, tout au long de la campagne, tenter de mobiliser les troupes. Ça, sur le plan de l'organisation, ça a été un calvaire.

Aller sur le terrain, expliquer aux gens qui venaient nous aider exactement la portée de l'entente. D'abord, il fallait se convaincre soi-même. Ensuite, il fallait trouver des mérites à l'entente pour dire aux amis qui ont accepté de faire du porte à porte : « Voici ce qu'il faut dire. »

Là, vous êtes obligé, en tant qu'organisateur, d'en mettre et d'en mettre un peu plus [d'exagérer]. De tirer l'élastique. Inévitablement vous devez, en bout de piste, un peu affecter votre crédibilité comme organisateur. Ça, ça a été assez difficile.

L'auteur : Si on dit que votre mobilisation pour l'élection de 1989 équivalait à 100 % de vos forces, à combien vous évaluez votre mobilisation de 1992 ?

Côté : À 60 %. Au maximum à 70 % de travailleurs. Mais pas avec la même intensité.

Avec une intensité si faible, en fait, que le parti doit modifier sa méthode de pointage des électeurs car trop peu de militants sont prêts à faire du porte à porte. Dans quelques circonscriptions, la défection des allairistes sape l'organisation. Surtout, elle sape le moral. Les militants ne passent pas au Non. Ils ne travaillent pas pour le Oui, c'est tout.

Claude Beauchamp, membre du Comité du Oui à titre de président du Regroupement Économie et Constitution — les gens d'affaires fédéralistes — participe à la campagne dans une trentaine de circonscriptions. « Il y en a plusieurs où il y avait personne dans les locaux, dit-il. Il y a aucun doute que c'est parti tard et que ça semblait manquer, à certains endroits, d'organisation et de mobilisation de monde*. »

L'exemple vient de haut : des députés, des ministres libéraux font campagne à pas de tortue. Le cœur n'y est pas. « Les ministres provinciaux étaient pas là », à quelques exceptions près, se plaint Benoît Bouchard. Quant aux députés libéraux, « ils ont commencé à sortir une semaine avant le vote. Le premier mois on a fait la campagne tout seul. Pis c'était pas la grande cause de ma vie, c'était pas la grande conviction. »

---

* Beauchamp était lui-même convaincu de l'inéluctabilité de la défaite depuis le tout début. C'est pourquoi, dans une déclaration malhabile et antidémocratique, il avait appelé le 26 août, donc avant même la conclusion de l'entente, à l'annulation pure et simple du scrutin. « Les chefs politiques, M. Mulroney et M. Bourassa, ont été élus deux fois sur la base de ce programme électoral, celui de renouveler la constitution canadienne. C'est fait. Ils ont le mandat et la légitimité pour procéder. Dans les circonstances, le référendum n'est pas indiqué. »

Pierre Bibeau, qui d'ordinaire donne un coup de main à l'organisation, avoue s'être « tenu loin de tout ça », notamment parce qu'il pensait que « le Québec n'avait pas de chance de gagner ». Et même si le Québec votait Oui, il est sensible à l'argument suivant : « On va-tu dire Oui et faire rire de nous autres encore une fois ? » par le Canada anglais, qui dirait Non. En début de campagne, il gage que le Non va l'emporter avec 55 % du vote.

L'autre « ange gardien » de Bourassa, son ancien chef de cabinet Mario Bertrand, est tout aussi distant. Il ne comprend pas pourquoi Robert a signé une chose pareille, il pense qu'il s'est laissé embrigader par Mulroney. Il n'en annonce pas moins qu'il votera Oui, ne serait-ce que parce qu'il vote au même bureau de scrutin que Bourassa. « Robert, dit Bertrand à son ami dans une boutade, je vote pour toi, parce que je voudrais pas que tu réalises que t'es tout seul dans ton crisse de coin. Il en faudrait au moins deux. Pis tu te demanderas toujours si c'est Andrée [Mme Bourassa] ou moi qui a voté du bon bord*. »

Mulroney se plaint de la faiblesse des troupes libérales québécoises. « Sur le terrain, le PQ avait la meilleure organisation, expliquera-t-il. Ensuite, c'était nous [les conservateurs]. En troisième, seulement, venaient les libéraux provinciaux, puis, loin derrière, les libéraux fédéraux. »

On ne peut cependant pas dire que les conservateurs, hormis Mulroney et Benoît Bouchard, aient monopolisé les écrans pendant la campagne. « Les députés [conservateurs] du Québec voulaient pas participer, soupire Benoît Bouchard. Marcel Masse, il est pas sorti de [sa circonscription] de Frontenac ! » Ce que confirme l'intéressé. Masse publie d'ailleurs dans les journaux un texte extraordinairement flou. « Il fallait dire quelque chose », explique-t-il, avant de préciser : « Reprends le texte, Jean-François : j'ai pas parlé de l'entente de Charlottetown. » (C'est faux : il en parle.)

Masse, le trouble-fête nationaliste du cabinet fédéral, laisse entendre qu'il a fait campagne, certes, mais pas pour l'entente. Il a fait des discours, donné des entrevues, dans le vide. Et n'a jamais, lui, dit Oui — sauf dans la boîte de scrutin.

> Marcel Masse : Oublie pas ce filon-là. Ça a toujours été à côté de la voie décisionnelle. En aucun cas il n'y a eu une approbation officielle par le cabinet, ou un comité du cabinet, du texte de la proposition. Essaie de trouver l'endroit où il y a eu approbation ! Même au Parlement, ce qui a été voté, c'est l'idée du référendum, et c'est la date du référendum, et c'est la question du référendum. Jamais le texte.

Gilles Loiselle s'avance un peu plus, en déclarant pendant une visite de Bourassa dans sa circonscription que les demandes du Québec ont été insatis-

---

* Il y a au moins un Bertand parmi les combattants du Oui : Philippe, fils de Mario, au cégep Grasset. Il organise la venue de Gil Rémillard et explique où il a pris son savoir faire : en lisant en secret les notes de papa pendant Meech. « Mon père m'a aussi dit comment parler aux journalistes, raconte-t-il : tu fais du *screening*, tu leur donnes pas l'information. [...] Il faut faire du blabla, ne pas répondre, et ça passe. »

faites depuis 30 ans, et qu'il « a fallu M. Bourassa pour que le déblocage se fasse ». Avec Loiselle, on ne sait pas s'il s'agit d'ironie lourde ou de sincérité feinte.

(Masse affirme qu'en tout début de campagne, entre deux bouchées de spaghetti à Québec, lui et Loiselle se disaient certains qu'au référendum, « ça passerait pas, ça pouvait pas passer »).

Au contraire de Mulroney, Jean-Claude Rivest affirme que « les libéraux [provinciaux] dominaient partout sauf quelques individus » forts dans leurs circonscriptions. Mais au Comité du Oui, où siègent côte à côte libéraux provinciaux, libéraux fédéraux et conservateurs, l'exaspération mutuelle grandit avec la frustration. « Quand Mulroney déchire sa feuille, raconte Rivest, les libéraux fédéraux disent : "Ah ! c'est épouvantable de faire ça." Les conservateurs nous disent : "Ben vous autres, vous auriez dû mieux contrôler Wilhelmy." Il y a de l'impatience. »

Les cousins libéraux fédéraux n'ont pas toujours la main heureuse dans leurs interventions. Jean Chrétien, par exemple, annonce qu'il est opposé à l'aspect de l'entente qui permettrait à l'Assemblée nationale de nommer directement ses six sénateurs, plutôt que d'organiser un scrutin général comme le prévoient les autres provinces. Chrétien avertit que s'il devient premier ministre, il songera à modifier cette disposition. « Je ne sais pas si Jean Chrétien est intéressé à faire élire des députés [du Parti libéral du Canada] au Québec », ironise Robert Bourassa. Cette clause de l'Accord, insiste-t-il, « j'y tiens ! Je suis poli mais je suis têtu ! »

Rivest, vétéran du référendum de 1980, juge ces irritants bénins, en comparaison de l'affrontement qui avait alors opposé, dans le camp fédéraliste, Claude Ryan et Jean Chrétien.

La hargne, à l'automne de 1992, on la trouve sur le terrain, dans les auditoires. Les ténors fédéralistes se font rabrouer, accuser, invectiver. C'est parfois de la colère, parfois de la rancœur. La ligne séparant le débat de l'irrespect est souvent franchie, sans ménagement, surtout par des étudiants, surtout en présence de Robert Bourassa. Certaines scènes confinent à la grossièreté. Certes, la chute de la cote de confiance de toute la classe politique y est pour quelque chose. Mais force est de constater que ces offensives, aussi dures que fréquentes, ne visent pas les ténors du Non. C'est donc qu'elles trouvent leur cause ailleurs. Et si c'était la revanche des floués ?

« Il y a des bouts, c'était pas un cadeau, se souvient Benoît Bouchard. Je suis arrivé dans Trois-Rivières dans une ligne ouverte, je me suis fait engueuler. Je me suis fait engueuler partout. »

Ça commence au Cégep de Saint-Hyacinthe, le 17 septembre. Bouchard sent tout de suite de l'animosité dans la salle. « Je l'ai vu à la façon dont ils étaient regroupés, à la façon dont ils me regardaient. »

« C'est de la marde, c'est quoi ça ? » attaque un jeune au micro. Probablement un étudiant de Sciences humaines, citant Cambronne hors contexte ? « Et pis y'a personne qui l'a lue », ajoute-t-il.

« Ah ! répond Bouchard, ancien directeur de cégep, là, tu parles à travers ton chapeau, mon chum. Va t'asseoir deux heures et lis-la. Pour ce que tu comprends pas, demande à des profs. Au moins, tu vas être contre quelque chose que t'auras compris. »

« Tu veux nous vendre ton entente, *man*, reprend cet étudiant manifestement bilingue. C'est correct. Mais je dirais que tu l'as pas assez élaborée. »

Dix jours plus tard, au Cégep de Saint-Georges de Beauce — lieu rarement considéré comme un foyer de rébellion étudiante — c'est Robert Bourassa qui goûte au traitement. « Si "l'avenir commence par un Oui", commence un étudiant en citant le slogan de la campagne fédéraliste, votre carrière politique va finir par un Non. » C'est la première flèche. Le chef libéral comprend que le match sera difficile. À voix très basse, il soupire : « Oh ! mon Dieu ! » Ressaisi, il félicite l'étudiant pour son « sens de l'humour ». Un autre demande : « Advenant un Non québécois le 26 octobre, allez-vous démissionner ? » Sous les huées, Bourassa répond : « Je n'aime pas spéculer sur l'invraisemblable. » Un autre encore raille : « En quoi l'entente de Charlottetown va vous permettre de régler les problèmes, alors que les dernières années que vous avez passées au pouvoir suggèrent plutôt que vous en êtes incapable ? »

Bourassa pense-t-il que le climat sera plus calme à la chambre de commerce locale ? Plus poli mais non moins tranchant, un médecin se lève pour lui dire : « Je ne vois pas comment on peut vous faire confiance. On s'attendait à plus de vous. »

Participant à une ligne ouverte à Trois-Rivières, Bourassa est confronté avec un animateur du nom d'Édouard Paquette qui parle sans arrêt, et pas pour le féliciter. À bout de patience, Bourassa l'interrompt : « C'est moi le premier ministre, vous êtes l'animateur ! »

À la faculté de droit de l'Université de Sherbrooke — historiquement la moins rebelle des facultés de droit au Québec —, quelques jours plus tard, 150 étudiants et professeurs l'assaillent de questions hostiles. Un ancien membre de la CJ, Philippe Lasnier, ouvre le bal. Puisque les révélations de la campagne « démontrent que vous vous êtes écrasé », dit-il, « comment peut-on vous faire confiance comme négociateur dans l'avenir ? » Bourassa répond qu'il a « sué à grosses gouttes pour récupérer le droit de veto », ce qui fait naître des rires narquois dans l'auditoire. Lasnier et un second étudiant sont applaudis lorsqu'ils annoncent avoir renvoyé leurs cartes du PLQ. Bourassa a un allié dans la salle, un seul, qui applaudit à ses réponses. À un universitaire qui lui parle des commentaires critiques de Wilhelmy et de Tremblay, Bourassa réplique en citant les avis favorables de Michel Bélanger et de... Claude Ryan, ce qui lui vaut de nouveaux ricanements.

Sur un ton d'interrogatoire de police, un professeur identifié au PQ, René Turcotte, demande pendant combien de temps le Québec pourra s'opposer à l'irruption de six sénateurs du Yukon et des Territoires (la réponse est : selon l'entente, pour toujours). Turcotte avertit Bourassa : « Répondez-moi pas sur l'assurance-chômage ! Et je vous dis tout de suite, monsieur Bourassa, que si vous ne répondez pas à ma question, je vais vous interrompre. Ici, vous êtes dans une faculté de droit, pas dans un congrès du Parti libéral. » Un autre professeur, qui enseigne le droit matrimonial, vient se plaindre des déclarations de porte-parole du Oui qui comparent l'entente à un contrat de mariage, que les gens n'auraient prétendument pas besoin de lire. « On lit pas ça dans la chambre à coucher, dit-il. C'est avant qu'il faut le faire ! » Lorsqu'un autre étudiant lui rappelle le contenu du rapport Allaire, Bourassa répond : « Comme chef de parti, j'étais d'accord, mais comme premier ministre, je suis obligé de vivre dans la vraie vie. »

Il y a dans ces anecdotes plus que l'illustration du déclin de la civilité. Lorsque le premier ministre Pierre Trudeau, très détesté, faisait son pèlerinage annuel devant les étudiants indépendantistes et gauchistes de l'Université de Montréal, s'exposant à un feu roulant de questions, on assistait à une confrontation, on entendait des accusations. Mais jamais l'hôte n'était objet de mépris ni de railleries. Cela tenait à l'homme autant qu'à la fonction, sans doute. Bourassa crée à cet égard un précédent, pendant la campagne référendaire de 1992. Ayant dévalué le Québec face au ROC, ayant dévalué sa parole, sa signature, les votes de l'Assemblée nationale, ayant dévalué le Parti libéral, s'étonne-t-il qu'on ne lui accorde aucun crédit ?

Au moins, il peut compter sur les gens d'affaires. Mais pas sur tous. La chambre de commerce du Québec décide en octobre de rester neutre. La conjonction du *lobby* péquiste et des explications d'André Tremblay a fait le nécessaire. Au Conseil du patronat, l'appui est toujours indéfectible. Mais un sondage interne montre que 22 % des membres de l'organisation la plus fédéraliste de la province voteront Non. Soulignons : plus d'un grand capitaliste sur cinq votera Non. À l'Association québécoise des manufacturiers, le nationaliste Richard le Hir veille au grain, et tire le frein.

« On a regretté que plusieurs grosses têtes de pipe ne participent pas davantage », raconte Ghislain Dufour, président du Conseil du patronat. Ils craignent, s'ils prennent pudiquement position, un boycottage de leurs produits, explique-t-il. Une baisse des ventes de 5 ou 10 %, et c'est la marge de profit qui disparaît. Les grands patrons qui font affaire directement avec des clients/électeurs se font donc discrets.

Dufour : Chez Bell [téléphone], t'as pas vu un Raymond Cyr nulle part. T'as pas vu Jean Monty. T'as pas vu Jacques Brulé. T'as pas vu beaucoup de banquiers [sauf la Banque Royale]. T'as pas vu beaucoup de monde dans l'alimentation. [...] Y'en a d'autres qui peuvent se le permettre facilement. Évidemment, Laurent Beaudoin, il vend des Challengers, alors il s'en contrefout. À Alcan, Jacques Bougie s'en contrefout, il vend des lingots d'aluminium.

Les « grosses têtes de pipe » qui acceptent de s'embarquer dans la caravane du Oui n'apprécient cependant pas tous le voyage.

L'auteur : Un homme d'affaires que vous connaissez m'a expliqué que lui et ses collègues étaient envoyés au front pour défendre l'entente, mais ont été très désagréablement surpris dans les comités, dans des rencontres, dans des cocktails, en parlant à des ministres libéraux québécois et certains fédéraux, de constater que les politiciens libéraux n'étaient pas chauds, et disaient : « Surtout, ne parlez pas de l'entente. » Est-ce que vous avez vécu ça ?

Claude Beauchamp : C'est des commentaires que j'ai entendus et effectivement, c'est vrai que dans la classe politique il y a des gens qui se sont pas mouillés beaucoup, qui ont pas travaillé. C'est vrai. C'est vrai. Pour quelles raisons ? Peut-être parce qu'ils percevaient que ça serait défait. Alors un homme politique aime pas être associé à la défaite.

Laurent Beaudoin, le président de Bombardier, prononce par exemple un beau discours pour expliquer que les revendications du Québec sont largement satisfaites par l'entente, qui donne « à la fois la ceinture et les bretelles en matière de sécurité culturelle et linguistique ». Selon des journalistes présents, il parle d'une entente « presque parfaite ».

« Je lui avais pourtant dit qu'elle n'était pas parfaite », commente un Daniel Johnson ironique, devant l'auteur, quelques semaines plus tard.

« Si Laurent Beaudoin juge que l'entente est parfaite, poursuit l'auteur sur le même mode, qu'est-ce qu'on peut penser des procédures de contrôle de qualité de Bombardier ? »

« Bombardier ne fabrique pas des constitutions ! » réplique Johnson.

Mais les hommes d'affaires ne sont pas tous des croisés. En fait, pour la plupart, ils appuient l'entente sans trop se soucier de son contenu. Ou en se pinçant le nez. Ghislain Dufour lui-même avoue qu'il était presque « traumatisé » par le volet autochtone. « On savait pas ce qu'on leur donnait, dans le fond. » Mais ça importe peu : « On l'appuyait essentiellement pour une raison, et c'était la raison du milieu des affaires, c'était : qu'on passe à autre chose. C'était rien que ça, dans le fond. »

« Pour les fins de l'objectif global, qui était de ne plus en parler, on prenait un paquet de choses [dans l'entente] peut-être à rabais. Mais tout ça était un choix politique des gens d'affaires fédéralistes. [...] On se disait : "On prend une chance* !" »

Claude Castonguay, qui avait dit de l'entente du 7 juillet qu'elle constituait une régression par rapport au *statu quo*, a par exemple exécuté un superbe revirement en appuyant l'entente de Charlottetown. « Moi, vis-à-vis de Charlottetown, avoue-t-il à l'auteur, c'était pas tellement le contenu précis de

---

* Dufour reflète très exactement les données d'un sondage réalisé en septembre parmi les membres du CPQ : 58 % de ceux qui appuient l'entente disent que leur seule motivation est de « mettre fin au débat constitutionnel ». Ils ne sont que 19 % à citer comme unique motif leur conviction que « l'entente est avantageuse ».

tout ce que l'on retrouvait là-dedans, mais un des motifs pourquoi moi je trouvais que l'on devait régler ça, c'était d'en finir avec cette question-là. »

Bref, beaucoup des ténors fédéralistes sont remarquablement tièdes face au contenu de l'entente. Ce qui leur importe, bien plus que les présumés « gains », c'est de conjurer la menace souverainiste. Comme Bourassa, donc, ils sont disposés à signer presque n'importe quoi, pour régler. C'est dire que, comme Daniel Johnson, bon nombre de fédéralistes auraient pu appeler à voter Non à l'entente sur une base fédéraliste, mais se sont retenus.

Castonguay ne dit pas autre chose : sans le risque de sécession, se demande-t-il, « comment j'aurais agi ? C'est une question un petit peu académique. Je le sais pas, comment j'aurais agi. »

On obtient une réponse semblable lorsqu'on demande au plus visible des hommes d'affaires pour le Oui, Claude Beauchamp, si « cette entente-là était bonne en soi pour le Québec et le Canada ? Sans la menace souverainiste, est-ce que des gens comme vous n'auraient pas dit Non ? »

« On peut pas répondre à cette question-là, dit Beauchamp. Le milieu des affaires, évidemment, ce que nous on trouvait, c'est qu'il fallait arrêter d'en parler le plus vite possible. L'important, c'est qu'il y ait pas de cassure. L'important pour nous autres, c'est qu'il y ait pas de brisure. »

« Dans le fond, résume Benoît Bouchard, on s'est pas battus. C'était peut-être pas possible, mais on s'est pas battus. On n'était pas des croisés et on n'était pas des gens convaincus qui s'en allaient à la bataille. »

LE FRUIT RÉPANDU

Pendant ce temps, le « crisse de procès » continue. Le 29 septembre, André Tremblay admet avoir été l'interlocuteur de Wilhelmy, mais invoque la confidentialité des rapports entre avocat — lui-même — et client — Wilhelmy dont il était, par contrat, un conseiller juridique en affaires constitutionnelles — pour refuser de répondre à toutes les questions. Le juge Jacques Dufour admet cette défense ; les avocats des médias portent en appel la décision du juge ; rien ne va plus.

Jean Larin, un des avocats des médias représentés, estime comme tous ses confrères que l'affaire peut maintenant traîner dans les méandres juridiques pendant des semaines, donc au-delà de la date du vote le 26 octobre. Il est donc « mystifié », le 30 septembre, de constater que l'avocat de Wilhelmy, Gérald Tremblay (à ne pas confondre avec son homonyme ministre), conclut avec les médias un *deal* en vertu duquel l'enregistrement ne sera jamais diffusé, mais la transcription pourra maintenant circuler librement, ce qui lui donne un nouveau et extraordinaire retentissement.

« Dans un cours de relations publiques, si je voulais enseigner comment fucker une affaire, je dirais de faire exactement ça, explique le conseiller en communications des Libéraux pour le Non, Michel Fréchette : d'abord une injonction pour attirer l'attention sur un secret, puis, quand ça s'essouffle, diffuser au maximum. »

Y a-t-il eu, de la part de Diane Wilhelmy et d'André Tremblay, intention de nuire à la campagne du Oui ? C'est une théorie qui a circulé dans les milieux libéraux, et il existe un ou deux indices à l'appui. Mais elle ne passe pas le test du réel. « Toutes les fois où je lui ai parlé [à Wilhelmy], elle braillait, raconte Mario Bertrand qui lui téléphone à quelques reprises pendant l'épreuve. Alors je vois mal comment elle aurait été partie prenante d'un complot ou d'une volonté de nuire. » De plus, l'avocat de Wilhelmy, Gérald Tremblay, fut plusieurs fois l'avocat du gouvernement, de Robert Bourassa personnellement, et de son grand copain Mario Bertrand à TVA. Il est « inconcevable », disent plusieurs *cognoscenti,* qu'il ait accepté de mordre ainsi la main qui le nourrit.

« On pensait que le dommage qui serait causé par le prolongement du procès serait plus grand que celui qui serait causé par le *deal* », explique une des personnes directement concernées. « Il fallait crever l'abcès, même si au moment de le crever, il y a du pus qui sort. »

Dans l'intervalle entre l'injonction et le *deal,* raconte Rivest, Bourassa « a commencé à faire pression pour qu'on demande qu'il y ait un règlement, parce que ça traînait trop longtemps dans le décor. » « Plus ça durait, pire c'était », disait Bourassa. Ce dernier ne se souvient pas d'être intervenu directement, mais son message a dû passer.

Des témoins se souviennent que l'avocat Gérald Tremblay est « extrêmement nerveux » pendant la négociation, et se comporte comme s'il fallait absolument signer un *deal* séance tenante*. Il est curieux que la décision de régler l'affaire à l'amiable soit prise au moment où une autre stratégie devient possible. Le « comité des enjeux », qui se réunit encore pendant la campagne, n'est pas informé que l'argument juridique invoqué par André Tremblay peut prolonger l'affaire. « C'est clair que, idéalement, ç'aurait été mieux que ça traîne devant les tribunaux pour un autre 40 jours », dit Parisella. Les membres du comité — Anctil, Côté, Masson et cie — étaient d'accord pour « que ça sorte », dit-il, mais « c'est pas nous qui a donné le feu vert à un *deal,* c'est pas nous qui l'a initié, c'est pas nous qui l'a souhaité. Moi, je l'ai appris après que ce soit fait. »

Robert Bourassa aussi, qui l'apprend au téléphone, dans sa voiture, de la bouche de Sylvie Godin qui vient elle-même de l'entendre... sur les ondes de Radio-Canada. « Je me rendais parler à Lévis et je l'ai appris dans l'auto », juste avant de prendre la parole devant la petite foule qui l'attend. « Alors j'ai eu cinq minutes pour préparer mes répliques. »

---

* Wilhelmy et Tremblay acceptent le *deal* parce qu'il leur permet de maintenir une fragile fiction : puisqu'on n'entendra jamais leurs voix — la cassette d'origine étant sous séquestre — ils peuvent dormir avec la satisfaction de n'avoir jamais admis avoir tenu les propos qu'on leur prête, et de n'avoir pas laissé filer la preuve indubitable de l'existence de leur conversation.

« Le jugement de l'histoire ne portera pas sur une conversation, [tenue] en fin de soirée, dans un contexte qu'on peut imaginer, dit le premier ministre, une fois qu'il est revenu de son étonnement. L'histoire va porter un jugement sur la réalité. » Il traite la chose de « fait divers » et oscille entre le désir de banaliser — « si la divulgation de cette conversation accroît l'intérêt du public pour le contenu de l'entente, tant mieux » — et le désir de riposter — « si c'est de l'écrasement d'être allé chercher 31 gains et une demi-douzaine de vetos... ».

Brian Mulroney, lui, n'hésite pas. Il parle d'une « conversation de taverne » farcie de « faussetés ».

Les Québécois peuvent maintenant en juger. Jusqu'à ce jour, grâce aux télécopies et aux transcriptions, une toute petite partie de la population — mais beaucoup de décideurs — savait de quoi il retournait vraiment. Le lendemain, jeudi 1er octobre, le bon peuple se jette sur les journaux avec une rare avidité — il y a rupture de stock dans plusieurs kiosques à journaux dès 8 h le matin — car *La Presse*, *Le Soleil* et *Le Devoir* en font leurs premières pages et publient, enfin, de très longs extraits.

À la télé de Radio-Canada, le journaliste Jean Bédard en lit de longues répliques (il joue les deux rôles, mais est nettement plus crédible dans celui de Tremblay). De sa chambre d'hôtel, Mulroney assiste à la détonation, à retardement, de la « bombe atomique ». À quelqu'un qui l'accompagne, il dit : « *We're dead as a doornail !* » (« On est faits comme un rat mort. »)

Sur les ondes de Radiomutuel, deux acteurs rejouent la conversation, diffusée 11 fois pour un auditoire évalué à 1,5 million d'auditeurs. (Anecdote : afin d'en approuver la facture, les responsables de la station doivent écouter l'enregistrement des deux acteurs. Toujours pris dans la négociation du *deal*, ils écoutent la chose à distance... sur téléphone cellulaire.) Les deux acteurs commettent une erreur, dont Bourassa et Parisella reparleront longtemps, celle de faire dire à Tremblay « il s'est écrasé, c'est tout ; c'est le premier ministre qui va être écrasé », alors que Tremblay a vraiment dit deux choses : « On s'est écrasés, c'est tout. C'est le ministère [de la Justice] qui va être écrasé. »

Allan Gregg, qui réalise des sondages quotidiens, enregistre au cours de ces 24 heures un intéressant glissement. Les intentions de vote pour le Oui au Québec tombent, *subito presto*, de 27 % à 20 %. Les intentions de vote pour le Non grimpent de 48 % à 58 %.

Robert Bourassa tente de prendre la chose avec philosophie. Quand Pierre Anctil va le rejoindre, à un arrêt de campagne, il trouve son chef moins dépité que ses accompagnateurs. « Il était assez décontracté. Il disait : "Ouan, c'est une *tough* celle-là." Mais il banalisait toute l'affaire, il dédramatisait avec son humour léger. C'est ce qui m'a le plus frappé. »

Parfois, cependant, la moutarde lui monte au nez. Le 1er octobre, alors que tout le Québec est rivé à sa lecture de la transcription, un animateur de radio de Trois-Rivières lui cite et recite le passage où Wilhelmy parle de « honte nationale ». Bourassa rétorque que Wilhelmy ne connaissait pas tous les faits, et que les éléments qui la choquaient ce jour-là — spécifiquement, la volonté de Clyde Wells de rouvrir l'accord sur la Cour suprême — ne se sont pas matérialisés. Mais l'animateur insiste, car les propos de Wilhelmy portent sur l'ensemble de la négociation. On entend alors Bourassa grincer sur ses gonds : « Est-ce qu'il faut que je vous le répète trois fois pour que vous compreniez ? »

Pendant cette journée difficile, il refuse de répondre directement aux questions des auditeurs d'une ligne ouverte ; et il ne rencontre que des groupes de partisans libéraux, qui ont la bienséance de ne pas poser de questions dures.

Bourassa commence à souffrir de l'effet de répétition. Ses compromis de la dernière année ne le hantent pas, ils le harcèlent. D'abord Allaire et Dumont, puis la première sortie d'André Tremblay à la chambre de commerce, suivie de l'injonction. Maintenant : la transcription la plus lue de l'histoire politique du Québec. Heureusement que les coups ne viennent pas, aussi, de l'extérieur.

Mulroney en est bien content, qui demande : « Pensez-vous qu'avec 10 premiers ministres, 4 chefs autochtones et 2 leaders des territoires, que quelqu'un aurait pu s'effoirer, faire preuve de faiblesse devant les autres, sans que ça sorte ? »

Le mardi 6 octobre, dans un petit village du nord de la Colombie-Britannique, devant un petit groupe d'électeurs et, suprême maladresse, devant une caméra vidéo, « ça sort ». Moe Sihota, le ministre responsable de la constitution pour la Colombie-Britannique, confie que Bourassa « a perdu. Neuf gouvernements l'ont regardé dans les yeux et ont dit non. »

Le vidéo de Sihota est diffusé aux informations télévisées du 7 octobre. La qualité visuelle est imparfaite et Sihota ne regarde pas l'objectif, ce qui donne à l'ensemble, là encore, une couleur de secret révélé, de caméra pirate. Sihota ne participait pas aux négociations de Pearson et de Charlottetown. Mais il a suivi toute la multilatérale. Il est un des artisans de l'accord du 7 juillet. Il est donc à même de constater que Bourassa n'en a changé ni la structure ni la nature[*]. Clyde Wells, lui, était dans la pièce, et il déclare le 7 octobre à Calgary que le Québec s'est contenté de moins que Meech, et que les objections terre-neuviennes à l'entente de Meech ont été « substantiellement » prises en compte. Il dit qu'une « clôture » a été placée autour de la notion de société distincte. Par contre, la réforme du Sénat a une « portée réelle », pense-t-il : elle fait en sorte que « l'intérêt de la nation ait toujours priorité sur celui d'une province » et que « le centre du Canada [l'Ontario et le Québec] n'a fait aucun gain aux dépens du reste du pays ».

---

[*] Les manchettes des journaux du lendemain offrent une diversité intéressante. *Le Soleil* : « Bourassa a perdu, dit un ministre de C.-B. » ; *Le Devoir* : (surtitre) « Bourassa a perdu, affirme un ministre de Colombie-Britannique » (titre) « Il déforme les faits, rétorque Bourassa » ; *Journal de Montréal* : (page intérieure) « Les provinces ont dit non à Robert Bourassa ». Comparons maintenant avec *La Presse* : « Bourassa n'a pas frappé un mur à Charlottetown ».

Wilhelmy, Tremblay, Sihota, Wells, aucune embellie ne semble se présenter à l'horizon.

« C'est un combat, commente Bourassa, le lendemain, sur le ton du philosophe. À chaque matin, je me lève, je lis les journaux et je me dis : "Bon, qui a parlé aujourd'hui ?" »

Pierre Trudeau : Un egg roll avec ça ?

Le soir du 1er octobre, Robert Bourassa n'a nul besoin de lire les journaux. C'est dans sa voiture qu'il écoute, en direct à la radio, une intervention très attendue : celle de son vieil ennemi, survenant professionnel de la politique canadienne, Pierre Elliott Trudeau. Seize ans plus tôt, leur opposition avait revêtu un symbole culinaire : le hot-dog. Ce soir, l'ex-premier ministre a choisi un mets chinois.

Il fait son allocution à la Maison Egg Roll, à Saint-Henri, restaurant dont le nom est, dans son bilinguisme, un hymne au multiculturalisme canadien, invention trudeauiste s'il en est. Le restaurant est pris d'assaut par des journalistes de tous les pays, à l'occasion d'une soirée des amis de *Cité Libre,* la revue radicale des années 50 réinventée depuis peu par des nostalgiques de l'ère Trudeau. L'ex-premier ministre, qui a joué un rôle considérable dans le torpillage de l'accord du Lac Meech, vient répéter son exploit.

« J'étais certain qu'il allait dire de voter Non », dira Mulroney. Ils en étaient tous certains. Et cette certitude planait sur l'entente comme un nuage précurseur d'orage. Quelques semaines avant la soirée du egg roll, Bob Rae croise Trudeau à l'Université de Toronto. Il lui serre la main : « Bonjour, heureux de vous rencontrer », dit le premier ministre ontarien.

« Moi aussi, je suis heureux de vous rencontrer », répond Trudeau.

Un silence ambigu s'installe entre les deux hommes. Trudeau y met fin en disant : « Bon. Maintenant qu'on s'est dit ce mensonge, avons-nous autre chose à nous dire ? »

Le lundi 20 septembre, Trudeau fait publier simultanément dans *Maclean's* et *L'actualité* un essai sur « la pauvreté de la pensée nationaliste au Québec » qui donne le ton. « Nous sommes en voie de devenir un dégueulasse peuple de maîtres chanteurs », écrit-il au sujet des Québécois, au premier paragraphe. Il explique avoir écrit cette phrase en 1940 et ajoute que depuis, les choses ont changé « pour le pire ». Dans l'hebdomadaire anglophone, on le voit prenant la pose pour un photographe : celle du cow-boy, pouces dans la ceinture, attendant le moment de dégainer. Dans ce texte, il ne donne pas clairement de consigne de vote, si bien que dans l'entourage de Jean Chrétien — partisan de l'accord, faut-il le rappeler — subsiste l'espoir que Trudeau n'aille pas plus loin.

Cet espoir s'éteint le 1er octobre. À la Maison Egg Roll, Trudeau vise toujours, dans sa première salve, le Québec et sa société distincte.

Commentant, paragraphe par paragraphe, la première clause de l'entente, dite « clause Canada », il annonce au pays que l'entente crée « une hiérarchie des classes de citoyens. Nous ne sommes pas égaux, dans cette clause Canada. Ça dépend où on se tient », accuse-t-il.

Au sommet de cette nouvelle pyramide, Trudeau dit voir les Québécois francophones « de souche », à qui on accorde la capacité de promouvoir la société distincte. « Ce n'est pas étonnant que les communautés culturelles autres que les Québécois de vieille souche s'inquiètent, dit-il. Elles ne font pas partie de cette culture unique. Elles sont pas mal plus bas dans les classes. »

La « seconde classe » de privilégiés est formée par les autochtones, dont chacun des 600 gouvernements éventuels aura le droit d'utiliser la clause nonobstant et pourra ainsi « invalider des articles de la charte [des droits] qui autrement protégeraient les individus ». Mais si Trudeau n'hésite pas à traiter globalement les Québécois de « dégueulasses », il ne veut pas, en revanche, froisser les autochtones. Dénonçant la clause qui ne spécifie pas la nature de la « participation » des non-autochtones à la gestion des territoires autochtones où ils habiteraient, il précise donc : « Je ne ferai pas l'injure aux autochtones de dire qu'ils ont voulu cette clause carrément raciste. »

La « troisième classe » est celle des minorités linguistiques, surtout les francophones hors Québec, suivis des anglophones au Québec, puis de la « classe » des néo-Canadiens puis des femmes. Finalement, dit-il, il y a « les autres, vous autres ». Conclusion : « Lorsque des citoyens ne sont pas égaux à tous les autres, on est en présence d'une dictature. »

Puis il appelle à dire Non à ce « gâchis ».

Dans le débat qui s'engage dans la pièce, quelqu'un demande si un vote pour le Non ne va pas aider les séparatistes ? « Le pire mal, répond-il, c'est de s'enferrer de façon irréversible dans une constitution qui est en train de détruire le Canada tel qu'on le connaît. » Parlant des « maîtres chanteurs » qu'ont été les gouvernements québécois successifs, il ajoute : « Le chantage va continuer si vous votez Oui. Vous aurez la paix si vous votez Non. »

Dans le reste du Canada, la déclaration du egg roll a l'effet d'un gigantesque feu vert. Voilà un Québécois francophone qui dit qu'on peut, qu'on doit, dire Non au Québec. Voilà le père de la charte des droits qui dit qu'on peut, qu'on doit dire Non aux autochtones. Voilà un intellectuel qui confirme que tous les *rednecks* du pays ont raison.

Comme si son discours avait été écrit par un maître ès communications, Trudeau détourne tous les slogans de l'adversaire. C'est le cauchemar d'Allan Gregg.

• Seuls les séparatistes sont pour le Non ? Au contraire, c'est le Oui qui va encourager le chantage du Québec.

• En votant Non on retombe en crise constitutionnelle ? Au contraire, c'est en votant Oui qu'on s'engage dans des négociations sans fin.

• En votant Non, on vote contre le Canada ? Au contraire, c'est en votant Oui qu'on le détruit.

Pierre Elliott Trudeau, au Canada anglais, c'est l'équivalent de trois affaires Wilhelmy-Tremblay. Le thermomètre du Oui enregistre presque partout un refroidissement instantané.

« Il a rendu respectable le sentiment antifrançais, constate Bob Rae devant la journaliste Susan Delacourt. Je ne le lui pardonnerai jamais. Il aurait dû savoir. N'importe quelle personne sensée aurait su qu'en utilisant ce genre d'arguments, ce genre de langage, elle provoquerait cette réaction. »

Un ministre conservateur, en visite dans les Prairies dans les jours qui suivent, rapporte cette réplique d'un *redneck* local, naguère farouchement opposé au bilinguisme de Trudeau : « J'ai craché sur le nom de Trudeau toute ma vie ; maintenant, j'adore l'enfant de chienne ! »

Au Québec, la sortie de Trudeau suit d'un jour la publication de la transcription maudite. Mulroney, de plus en plus pessimiste, pense que le Oui « pouvait tout perdre, même les anglophones ». Et tomber à 40 % ? 30 % ? 20 % ? Il n'ose pas fixer de plancher. Et il lui reste 24 jours de campagne à tirer.

Si, au moins, l'accord était vraiment fini, bouclé, signé, ça ferait un souci de moins. Mais non. Pendant que tout va mal, la négociation des textes juridiques se poursuit, comme une interminable visite chez le dentiste.

LE SEXE DES TEXTES

Il y a d'abord des combats douteux. L'équipe constitutionnelle du SAIC et les quelques experts du ministère de la Justice sont tellement découragés par l'entente qu'ils tirent sur toutes les ficelles. Déjà, à Pearson et à Charlottetown, Bourassa avait insisté pour garder dans la version française le mot « attachement », traduisant le mot « *commitment* », pour brouiller les cartes sur la « promotion » que le Québec devrait faire de la communauté anglophone. (Une bizarrerie habilement embrochée par Trudeau, qui signale : « Remarquez bien que quand il s'agit de la péréquation, le traducteur du mot *"commitment"* trouve tout à coup *"engagement"* pour le français ! »)

Mais puisque le ton est donné, les experts québécois tentent d'introduire d'autres zones d'ombre dans les textes, en utilisant des « faux amis », mots identiques en français et en anglais, mais qui ne veulent pas dire la même chose. « Ils jouent sur la traduction », révèle un témoin. Ainsi, les autochtones veulent, en anglais « *determine and control their development as peoples* ». Le traducteur fédéral propose, pour « *determine* », le mot « orienter », qui rend bien la capacité de décision dont le mot anglais est chargé. Les experts québécois proposent « déterminer », mot plus ressemblant mais plus vague, qui peut vouloir dire « évaluer » autant que « inciter », donc moins fort.

Bref, commente un membre du SAIC qui n'a pas peur des métaphores acrobatiques, « le gouvernement du Québec en est réduit à tordre le bras de la langue pour sauver les meubles ». Il compte aussi sur la moindre agilité des partenaires canadiens dans la langue de Molière. Mais les Québécois perdent, entre autres, la bataille de « déterminer » et les autochtones imposent un autre mot : « diriger ».

Il y a les combats d'arrière-garde. Dès la fin d'août, Bourassa envoie missive sur missive à Mulroney — elles sont écrites par André Tremblay — l'exhortant à « amorcer sans délai, au plus tard d'ici six mois, des accords dans les 11 secteurs » où des ententes administratives sont prévues. Bourassa demande aussi que la clause d'immigration soit aussi bien protégée que dans Meech, ce qui n'est toujours pas le cas, quoi qu'il laisse entendre par ailleurs.

Mulroney veut boucler l'entente à la satisfaction de Bourassa. Pour ce faire, le plus simple est de se faire dicter les réponses par celui-là même qui a rédigé les requêtes ! C'est donc André Tremblay (encore au service du gouvernement québécois jusqu'au début de septembre) qui écrit les brouillons de lettres de réponse de Brian à Robert. Mais Jocelyne Bourgon y apporte, au nom de l'État fédéral, des corrections qui annulent pour l'essentiel l'effet recherché par Bourassa et Tremblay.

Mulroney répond donc qu'il est urgent d'attendre, et que rien ne doit se faire avant le référendum et la ratification de l'Accord par les Parlements, donc pas avant mars 1993. Mais tout vient à point à qui sait attendre, ajoute-t-il : « Notre but serait de conclure les négociations [des ententes administratives sectorielles] dans les six mois qui suivraient », c'est-à-dire probablement après... l'élection fédérale. Ce qui peut tout jeter par terre, car on se doute que Chrétien ne sera sûrement pas un premier ministre aussi avenant que Mulroney. Par retour de courrier, Bourassa abaisse encore un peu plus la barre, en demandant qu'au moins, on se penche « immédiatement » sur la culture. Domaine où il est certes entendu que le gouvernement fédéral continuera d'intervenir massivement, notamment en audiovisuel, mais où le Québec continue de réclamer — en vain — la « maîtrise d'œuvre » sur ce qui reste.

Au téléphone, Brian se plaint de ces échanges épistolaires, rendus publics par Québec, qui veut afficher une certaine fermeté. « Tant que vous persistez à en demander plus, dit-il à Robert, vous allongez le processus et vous prêtez flanc à l'idée qu'on a quelque chose à cacher [parce que l'entente a des failles]. »

« Ça, soupire Rivest, c'est une affaire que j'avoue que j'ai jamais compris. Pourquoi le fédéral s'est-il systématiquement refusé à nous donner notre clause sur l'immigration et, deuxièmement, a tellement freiné sur la maîtrise d'œuvre en culture ? Il y a eu la saga des lettres. Pis le problème qu'on a dans ces affaires-là, c'est que, quand Mulroney parle, c'est bien. Quand Paul Tellier parle, c'est bien. Quand Mme Bourgon parle, c'est encore mieux. Mais la machine dans les ministères fédéraux dit : "Pas question." »

Pas étonnant, dans ces conditions, que lorsque les négociations sur les textes juridiques prennent leur envol en septembre, les espoirs soient limités. « Nous pensions, dit Michel Roy, que le Québec allait passer au *bat*. Et finalement, on a été très étonnés de voir, à la fin, qu'il passait pas au *bat* tant que ça. Il s'en sortait pas si mal. »

Que s'est-il passé ? Deux acteurs ont joué : Bourassa et Mulroney. Le premier en se retirant du jeu — et en cessant donc de nuire — le second en faisant pression aux bons moments.

> Bourassa : Un des moments les plus difficiles que j'ai connus c'était une soirée à Mirabel. C'était en pleine campagne et la campagne commençait pas facilement. C'était après le cinéma de Wilhelmy-Tremblay. J'ai rencontré Gil Rémillard, Chamberland et Benoît Morin qui s'en allaient négocier les textes juridiques et là, évidemment, ils faisaient rapport des autres rencontres qu'ils avaient eues.
>
> Je trouvais que la responsabilité était énorme, parce que là, on discutait du détail du texte juridique, avec toutes les implications concrètes que ça suppose, et on voyait qu'on avait un chemin quand même assez important à parcourir.

La simple liste exhaustive des failles que comporte l'entente et des détails importants encore à négocier aurait de quoi refroidir même le chef du gouvernement. Un mémo qui en fait l'inventaire au début de septembre en identifie 23, dont au moins un qui « risque de réduire, voire d'annuler, les chances du Québec de faire des gains substantiels ».

À proprement parler, la négociation des textes juridiques a une portée plus grande sur l'avenir du pays que celle de l'accord du Lac Meech au grand complet.

Morin et Chamberland, ainsi que Jean K. Samson — les « durs » qui restent, une fois Tremblay et Wilhelmy écartés — ont donc le mandat de mordre dans chaque article. « C'étaient pas seulement des rédacteurs, c'étaient des négociateurs, raconte Michel Roy. Les autres demandaient au Québec : « Alors, c'est bien ça que vous comprenez, au sujet de telle affaire ? » Ils répondaient : « Ah ! non, c'est plutôt ceci. » Là, chacun devait refaire un tour de consultation. Et c'est pour ça que ça a été si long. »

Mulroney, on l'a dit, intervient directement dans le processus. « Chaque fois qu'il y avait un doute, racontera-t-il, je le résolvais en faveur du Québec. » Deux autres premiers ministres font sentir leur présence. Clyde Wells, d'abord, qui continue de protéger la Cour suprême contre les séparatistes comme s'il s'agissait de défendre l'honneur de sa fille cadette. Ayant sans doute entendu, à la commission Bélanger-Campeau, les juristes québécois parler d'une cour québécoise de dernière instance, il insiste pour que cette éventualité soit écartée à jamais. Sur l'immigration, il fait aussi quelques misères. Puis Wells — premier ministre libéral, faut-il le rappeler — a ce mot : « Je ne peux dire à mes commettants ce que je pense exactement de l'entente tant que je ne saurai pas en quoi elle consiste exactement. » *Shocking !* Il ne se résoudra finalement à faire campagne que le 5 octobre, après avoir vu suffisamment de libellés des textes en préparation.

Le premier ministre de l'Ontario se fait embrigader, lui, dans la lutte québécoise pour la maîtrise d'œuvre en matière culturelle. C'est le bureau de Liza Frulla, maintenant convaincue qu'il ne faut pas compter sur Bourassa, Rémillard et compagnie pour défendre la culture québécoise, qui imagine cette échappatoire. Frulla informe Rae que « le Conseil des ministres québécois est en train d'éclater » sur cette question, et qu'il faut donc faire quelque chose. Soucieux de sauver son ami Robert, Bob émet les signaux appropriés.

Pendant tout le mois de septembre, la saga des textes juridiques s'étire, alimentant les craintes des électeurs sur le contenu secret, incertain, incomplet d'une constitution qu'ils sont appelés à ratifier. (Et une fois les textes juridiques complétés, il faudra encore négocier tous les accords sectoriels, tous les cinq ans, et une autre série de points laissés en suspens.)

Les choses vont tellement mal pour le Comité québécois du Oui qu'on se demande si on ne pourrait pas arrêter, *in extremis,* tout le processus référendaire. « Ça nous est déjà arrivé de nous dire que si les accords juridiques faisaient pas notre affaire, ça pourrait être un prétexte », confie Pierre Anctil. « C'est déjà arrivé à des organisateurs de se dire ça. » Il s'agit surtout de propos tenus « autour de la machine à Coke », précise-t-il. Ils n'en sont pas moins révélateurs de la profondeur de la dèche.

Mais Chamberland, Morin, Samson et les autres repoussent les attaques des adversaires et parviennent à faire quelques pas de plus qu'à Charlottetown. « Finalement, ils ont réussi à mon avis à faire un travail plutôt étonnant de clarification, de limpidité dans bien des cas, et je dirais même d'amélioration des textes », commente Michel Roy à propos de l'ensemble du processus.

Lorsque les textes juridiques sont enfin publiés, le 9 octobre, les responsables québécois s'expriment d'un ton soulagé, sur l'air de : on l'a échappé belle. « Les textes reflètent la lettre et l'esprit de l'entente de Charlottetown », clame Gil Rémillard en conférence de presse. « Il n'y aura pas de surprise, enchaîne Bourassa. Ma lecture, à date, montre que les textes reflètent l'entente de Charlottetown. » Avaient-ils si peur qu'il en soit autrement pour glorifier ainsi ce sur-place ?

C'est d'autant plus curieux que quelques gains notables sont en fait enregistrés — dans le minuscule registre des objectifs bourassiens, s'entend. Dans le domaine de la culture, en particulier, les textes juridiques affirment l'existence d'une « maîtrise d'œuvre » québécoise, alors que l'accord de Charlottetown ne parlait que de « viser » à l'atteindre dans un avenir indéfini. C'est mieux. Il faut cependant noter ici l'extrême fragilité de cette victoire. Ottawa n'a pas seulement conservé ses « institutions culturelles nationales » ainsi que leurs « subventions et contributions » *actuelles,* qui ne tombent pas sous le coup de la « maîtrise d'œuvre » québécoise. Il a gardé le droit d'en créer d'autres, *ad libitum.* Rien ne l'empêche de fonder un « Institut national des musées d'histoire locale », par exemple, et de l'utiliser pour subventionner, dans chaque village québécois et canadien, un micro-musée.

L'application, dans les futures zones autochtones, des « lois provinciales » essentielles à la préservation de la paix, de l'ordre et du bon gouvernement figure finalement dans les textes, comme Ovide Mercredi l'avait promis à Charlottetown. Sur l'épineux dossier de la main-d'œuvre, les rédacteurs réussisent à tenir la barre là ou le ROC l'avait placée dans l'entente du 7 juillet — ce que Bourassa avait perdu à Pearson mais qui fut recouvré à Charlottetown : c'est-à-dire l'obligation faite au gouvernement fédéral de se retirer non seulement de la formation (des adolescents), mais aussi du perfectionnement (des adultes), ce qui permettrait au Québec de piloter certains cours donnés jusqu'alors sous l'égide de l'assurance-chômage, mais seulement ceux « visant la province ». Ce qui reste en deçà de l'objectif minimum que Robert Bourassa s'était fixé à Pearson : toujours pas de « guichet unique » pour le placement des travailleurs, toujours pas de « gestion complète des ressources humaines », toujours pas une seule victoire totale, nette et définitive, au-delà de la ligne floue de « la substance de Meech ».

Surtout, rien qui puisse s'assimiler, de près ou de loin, à une « réforme en profondeur » (dans une entrevue donnée à Radio Canada au début de 1991, Bourassa avait dit, plusieurs fois, vouloir une « réforme radicale »). Chamberland et Morin sont de bons négociateurs, pas des magiciens. « Ils ne pouvaient pas changer un homme en femme », s'exclame un membre du SAIC.

Mais l'arrivée des textes juridiques le 9 octobre, comme le simple fait qu'ils ne trahissent pas de nouveaux reculs, enlève une épine du pied de Bourassa. Juste au bon moment car, le lendemain, il doit se préparer pour le clou de la campagne : le débat.

Le chef du camp québécois du Oui confie à son ami Yves Fortier — président du Comité canadien du Oui — qu'il doit bientôt remonter la pente car sinon, c'est « *Goodbye Charlie Brown !* »

Le soir le plus drabe

Il y a le débat sur la tenue du débat. Puis il y a le débat. Puis il y a le débat sur l'issue du débat. Des trois, le troisième est le plus important.

Lorsqu'il est question de cynisme, dans l'univers politique québécois, on ne peut parler des libéraux comme de la nuit, et des péquistes comme du jour. Mais le débat sur la tenue du débat donne une intéressante mesure de la répartition de cette mauvaise herbe politique chez les uns et chez les autres.

Du point de vue du citoyen, tout grande décision politique, *a fortiori* toute campagne référendaire, devrait être l'occasion d'un ou de plusieurs grands débats télévisés où les chefs de chacun des clans confrontent directement leurs idées. Des scribes disent, parfois beaucoup de mal de ces exercices, qui forcent pourtant les opposants à produire leurs meilleurs arguments, car la démagogie supporte mal le feu de la contradiction. Lorsque les jouteurs sont efficaces, le débat permet d'offrir synthèse et vulgarisation des enjeux à un vaste nombre de citoyens. Il s'agit aussi d'un spectacle, et il le faut, tant il est vrai que le théâtre est une composante essentielle de la vie politique, juridique ou sportive — de la vie tout court.

Mais bien qu'un débat télévisé des chefs, tenu avant un scrutin, constitue un apport certain à la qualité de la vie démocratique, il n'est jamais sûr qu'un tel événement puisse être organisé. Au Québec, les chefs provinciaux ne se sont pas mesurés de la sorte depuis 1962. Ils se sont surtout affrontés à la radio, contrairement aux leaders fédéraux, pour lesquels le débat télévisé est maintenant une tradition. Le candidat qui jouit d'une bonne avance répugne souvent à mettre en péril cet avantage en livrant un combat où il risque le faux pas, le dérapage, la gaffe. Souvent, la dérobade est camouflée derrière des considérations techniques. Mais depuis le débat télévisé entre John F. Kennedy et Richard Nixon en 1960, puis celui entre Jean Lesage et Daniel Johnson en 1962, il devient, à chaque campagne, un peu plus difficile de se tirer élégamment de la croissante obligation morale d'y participer. Puisque le candidat se désistant sera traité de poltron par l'adversaire et par la presse, il doit juger si le tort ainsi subi sera moins grand que le risque pris en participant au débat. En 1985, Bourassa, loin en tête des intentions de vote, avait fait ce calcul et s'était esquivé d'un débat télévisé avec Pierre Marc Johnson en posant des conditions absurdes — pas de modérateur — auxquelles Johnson ne pouvait se plier. « C'était évident que Pierre Marc refuserait, explique Rivest. Mais on n'en voulait pas, de débat, et on n'en avait absolument pas besoin. Ç'aurait juste été l'occasion de faire un accident. Alors pourquoi le faire ? » Rivest et Bourassa avaient fait coup double évitant le débat et faisant passer Johnson pour un poltron. À l'élection de 1989, Jacques Parizeau, devenu chef du PQ, avait de même réclamé la tenue d'un débat, mais Bourassa, en avance dans les sondages s'était dérobé, quoique moins habilement qu'en 1985.

Trois ans plus tard, les rôles se trouvent inversés. « J'avais besoin d'un débat », dit Bourassa. Pendant la première partie de la campagne, il insiste pour que le face-à-face soit organisé à l'Assemblée nationale, selon les règles parlementaires. Parizeau a beau jeu de refuser : cette formule ne permet ni échanges ni reparties et se résume à une série de monologues. Les réseaux de télévision québécois ayant invité les deux chefs à s'affronter sur leurs ondes, le débat sur la tenue du débat a vraiment commencé.

Dans le Comité du Non, les allairistes préféreraient que Parizeau déclare forfait, mais ils ne le disent pas car ils évitent de participer de trop près aux débats stratégiques des péquistes. Ils sentent cependant que la force du Non tient à l'existence de deux pôles d'attraction : Jacques Parizeau et Jean Allaire. Un débat opposant le seul chef péquiste au premier ministre éliminerait cet avantage en assimilant le Non au seul PQ. Les autres membres du grand Comité du Non pensent plus simplement que le débat « est inévitable ». Il fait partie de la vie démocratique, il vient avec la campagne, le vote, et tout ce qui s'ensuit. « C'était clair pour tout le monde qu'il fallait être là, résume Lucien Bouchard. On ne souhaitait pas un débat en soi. On sait que c'est jamais indiqué quand t'es en avance de faire un débat. Mais on pensait qu'on ne pouvait pas y échapper. » Ils en discutent à peine.

Parmi les conseillers de Parizeau, certains sont réticents, comme Jean Royer, qui tente de retarder l'échéance afin que l'avance du Non dans les sondages soit solidement ancrée avant le risqué face-à-face. À force de reporter les rendez-vous et de laisser sonner le téléphone, il fait reculer le débat d'une semaine. D'autres sont au contraire enthousiastes, comme Pierre Boileau. Il pense que Parizeau peut gagner le débat et se donner ainsi un élan considérable en vue des joutes politiques qui suivront le référendum. Mais ces divergences de vues chez les conseillers ont peu d'importance, car Parizeau a décidé de relever le gant depuis longtemps.

L'auteur : Le débat, pourquoi dire oui ?

Parizeau : Parce qu'on ne dit pas non à un débat.

L'auteur : Vous étiez en avance.

Parizeau : Ah ! non, ah ! non, ah ! non, on ne dit pas non à un débat ! Je crois qu'il est normal dans tout scrutin qu'il y ait un moment où les deux chefs de parti se présentent devant le public. C'est une sorte de responsabilité élémentaire. [...] Ça me paraît être dans l'ordre normal des choses. On a médiatisé le débat politique d'une façon telle que je pense que c'est de la responsabilité de ceux qui sont les soi-disant stars de la médiatisation du débat, de se présenter devant les caméras de télévision. Ça peut prendre des tas de formes, mais à mon sens c'est la responsabilité qu'on a comme politicien. Ça fait partie de la définition de la tâche.

Chez les libéraux, l'affaire est entendue. Ils ont la certitude que, puisqu'il est en avance, Parizeau refusera de participer au débat. « J'ai jamais compris pourquoi ils l'avaient accordé, dit Rivest. Ils n'y avaient pas intérêt. »

« À leur place, tu l'aurais pas accordé ? » demande l'auteur.

« Non, j'aurais fait comme on a fait à Pierre Marc en 1985. »

John Parisella est du même avis : « Parizeau, il avait pas à nous le donner, ce débat-là ! »

Parizeau annonce pourtant sa décision, lors d'un passage à Rouyn-Noranda. Elle est assez soudaine. Lui et Royer expliqueront en entrevue que le chef péquiste a donné son accord immédiatement après qu'il eut reçu l'offre officielle des réseaux de télévision. Il a donc dit oui à la première occasion parce qu'il veut, réellement, débattre. Parisella pense au contraire que « c'est parce que M. Bourassa l'a traité de peureux » la veille ou le matin même. « On l'a eu par la vanité. » Puisque l'adversaire ne fait pas preuve d'autant de cynisme que nous, il faut trouver une autre explication. Respect du jeu démocratique ? Ça ne traverse même pas l'esprit des conseillers de Bourassa.

Une date est choisie : le 12 octobre. Il faut discuter des modalités. Ni Bourassa ni Parizeau, ni les négociateurs des réseaux de télévision ne veulent d'une brochette de journalistes à l'américaine qui poseraient questions et sous-questions. Ils s'entendent donc pour que seul un modérateur soit présent sur le plateau avec les deux chefs. Mais qui ? Le nom de Paul-André Comeau est prononcé. Bourassa accepte. Pas le PQ, car Comeau, président de la Commission d'accès à l'information, est un employé de l'État. On s'entend ensuite sur Florian Sauvageau. Mais ce dernier indispose le PQ en proclamant, lors de la controverse sur la divulgation de la conversation Wilhelmy-Tremblay, que le droit à la vie privée prime sur le droit à l'information. « Bourassa pourrait utiliser ça pendant le débat, objecte un des représentants péquistes, en disant : "Même M. Sauvageau est d'accord." » « Vous savez bien que Bourassa ferait jamais une chose pareille ! » rétorque Rivest, un des négociateurs pour le Oui.

Sauvageau est hors jeu. Le nom de Pierre Nadeau est aussi évoqué, puis écarté. Quelqu'un propose finalement Guy Bourgeault, président du Conseil de presse et ancien président du Conseil canadien pour l'Unesco. Qui est-ce ? « On le connaissait pas, dit un stratège péquiste, mais des gens faisaient des pressions. Ils nous l'ont beaucoup vanté, dit-il avec un sourire en coin. Ils nous ont dit : "C'est un péquiste, c'est un gars crédible." » Un bon péquiste. Quelle bonne prédisposition pour modérer un débat ! Bourassa n'a pas accès à cette information. Mais il est tellement désespéré qu'elle ne l'aurait pas dérangé. « J'avais pas d'objection pour personne, à moins que ce soit un péquiste, dit-il avant d'ajouter : mais même là, j'aurais été prêt à faire face à la situation. Ça pouvait pas être un *deal breaker*. » (Pendant les négociations, John Parisella confirme l'état du rapport de force en confiant à un représentant des réseaux de télévision : « Même si c'est Lucien Bouchard le modérateur, on va y aller ! »)

Le soir du débat, la question ne sera pas de savoir si Bourgeault est péquiste — ce n'est peut-être pas le cas, l'auteur n'en a cure — mais de savoir s'il bouge encore. Bourgeault en studio, ce n'est pas le « modérateur », c'est l'« éteignoir ». Lorsqu'il est seul à l'écran, on peut raisonnablement penser que quelqu'un a coupé l'image et le son.

Va pour Bourgeault, dit Bourassa, qui cède aussi lorsque Parizeau refuse d'inclure « la souveraineté » dans la liste des grands thèmes du débat. Pendant les négociations entre le PQ, les chaînes de télé et le PLQ, Fernand Lalonde insiste pour que la souveraineté soit un des grands thèmes du débat. Il se lance dans une tirade sur la liberté d'expression, la « société libre » et le droit de parole. Il hausse la voix, s'époumone, s'empourpre et ne s'arrête, après au moins cinq minutes, qu'à bout de souffle. Tous les négociateurs présents, libéraux, péquistes et représentants des réseaux, s'esclaffent. Un témoin raconte que c'était un rire bon enfant, complice. Jean Royer ne l'entend pas de cette oreille et note dans son calepin : « Fernand Lalonde vient de passer du monde des vivants au monde des *has beens*. »

« Ils voulaient pas du tout [discuter de souveraineté], dit Bourassa. Il a fallu que j'accepte. J'étais prêt à accepter leurs conditions dans la mesure où j'avais le face-à-face. »

Dans une enquête comme celle que l'auteur mène pour cet ouvrage, il arrive que deux sources d'égale valeur se contredisent totalement sur un point important. C'est le cas ici. Au sein de l'appareil souverainiste, une source crédible et bien informée affirme qu'une fois prise la décision de tenir le débat, les proches de Parizeau ont voulu minimiser la portée de l'événement.

J'ai la certitude que, effectivement, ils se sont dit : « Il faut que ça soit épouvantablement plate. » On peut pas dire non au débat, ça c'était la première constatation. Pour des raisons aussi simples, aussi élémentaires que de dire : « De quoi on va avoir l'air ? Ce sera pas gérable. » Donc on va dire oui, mais il faudrait s'arranger dans le fond pour que ça soit ben, ben plate pis tellement drabe, pis technique pis tout ça, là, pour que ça passe un peu inaperçu.

L'auteur : Tu les as entendus dire ça ?

Réponse : Ah ! oui. Royer, Boileau et Thibault. Tous les trois.

Un proche de Parizeau nie farouchement qu'un tel projet ait été planifié. Boileau, selon un témoin, est « en tabarnak » lorsqu'il découvre l'aménagement du studio, où les leaders devront s'asseoir derrière de grands bureaux, ce qui donne un caractère statique et empesé aux échanges. Quand Parizeau voit lui-même le studio, il exprime sa mauvaise humeur. « Vous avez pas peur que ce soit plate ? » demande-t-il. « Vous êtes sûrs ? »

Au même moment, aux États-Unis, les candidats présidentiels George Bush, Bill Clinton et Ross Perot se tiennent debout derrière des lutrins, ou se promènent sur la scène avec des micros baladeurs, dans une série de débats où ils conversent entre eux, avec des journalistes ou avec des membres de l'auditoire. Si le PQ organise, au Québec, des *happenings* politiques postmodernes, le débat télévisé Bourassa/Parizeau, lui, va ressembler aux allocutions radiophoniques d'antan, le pouvoir d'évocation en moins.

Peu importe, donc, que les hommes de Parizeau aient voulu ou non qu'on s'ennuie ferme au débat ; le fait est qu'on s'y ennuiera. Et le meilleur moyen pour endormir l'auditoire, avec un sujet aussi complexe qu'une réforme constitutionnelle, est de bien s'assurer que ni l'un ni l'autre des leaders ne se soumettra à des « répétitions », générales ou partielles, ou à des sessions de questions et réponses. Tester, corriger, améliorer les arguments en pratiquant ce type d'exercice, ce n'est pas — ou pas seulement — la mise en scène. C'est de la mise en sens. Cela fait partie du b-a ba de la préparation des leaders américains pour un débat. Et les électeurs/auditeurs québécois qui recevront les deux invités dans leurs salons méritent que ces derniers se soient donné un peu de mal.

Mais puisqu'ils ne prennent pas cette peine — Bourassa s'est soumis à une séance de ce genre dans le passé et a détesté l'expérience ; Parizeau refuse même de participer à une répétition technique dans une salle où on a recréé le studio du futur débat — personne ne pourra découvrir au préalable quel charabia les deux leaders s'apprêtent à utiliser. Personne ne pourra leur dire de mieux vulgariser, illustrer, expliquer. En guise de préparation, les deux chefs passent de longues heures à lire des cahiers de notes et à rencontrer leurs adjoints pour bien maîtriser la matière, ce qui est fort louable. Ottawa, inquiet de la loyauté du SAIC depuis l'affaire Wilhelmy-Tremblay, envoie même ses propres *briefing books* à Bourassa, qui les regarde à peine tellement ils sont volumineux.

Le dimanche 11 octobre, veille du débat, Parizeau annonce en entrevue avec Pierre Nadeau avoir trouvé une « surprise » lors de sa lecture des textes juridiques, arrivés l'avant-veille. « Il y a un écart qui me paraît considérable dans ses conséquences », dit-il avant d'ajouter, « je suis troublé ». Il annonce qu'il parlera de cette surprise durant le débat. Il s'agit de la disparition d'une clause, entre l'étape de l'entente et celle de la publication de son texte juridique, clause qui aurait établi hors de tout doute que les dispositions de « l'union économique et sociale » ne peuvent être invoquées devant un tribunal pour faire invalider une loi provinciale : on dit, en jargon, que ces dispositions ne sont pas « justiciables ». Dans plusieurs textes, le SAIC a souvent noté l'importance de bien établir leur « non-justiciabilité ». Si le texte juridique est muet à cet égard, c'est que Québec a perdu cette bataille. Il reste que ce mutisme ne signifie pas nécessairement que les dispositions sont « justiciables ». On peut plaider l'un ou l'autre. Un juge, un jour, tranchera.

Parizeau trouve la chose extrêmement grave. Si l'appareil judiciaire fédéral s'engouffrait dans cette brèche, combien de lois québécoises passeraient-elles à la moulinette pancanadienne ? Mais c'est un risque, ce n'est pas une menace. Et ses conseillers tentent de dissuader le chef du Non d'utiliser cet argument. Sans succès. « Je compare ça, dit un de ses stratèges, au "taux d'élasticité du taux de croissance" », une expression qui glace le sang des péquistes : c'est sur ce taux qu'avait trébuché Parizeau, en 1973, lors d'un débat télévisé qui l'opposait au libéral Raymond Garneau au sujet du « budget de l'an 1 » d'un Québec indépendant (qui prévoyait un taux de croissance annuel de 9,5 % du PNB). Il est surprenant, dans ces conditions, que les conseillers de Parizeau ne lui apprennent pas à vulgariser son thème de « justiciabilité ». Le chef péquiste présentera la chose à sa façon.

Le jour du débat, Brian Mulroney encourage son poulain et gagne le concours de la plus belle contre-vérité de la semaine : « La force de M. Bourassa réside dans le fait que c'est un antipoliticien. »

Bourassa a passé une journée calme à repenser à sa tâche titanesque et à se demander s'il pourra, en un seul soir, renverser la vapeur. Rivest se souvient qu'après ses studieuses séances de la veille, Bourassa n'a emporté chez lui aucune documentation, ne s'est embarrassé d'aucun texte juridique pour préparer ses notes. Comme toujours, Rivest est l'auditeur privilégié qui a le droit, en cette fin d'après-midi, d'entendre ce que Robert a préparé. Comme d'habitude, Rivest ne soulève aucune objection. Il n'est pas là pour ça. Le premier ministre se rend ensuite à la piscine. « Il était nerveux, se souvient Rivest, mais pas trop. Il n'avait pas peur de Parizeau du tout, mais il était nerveux à cause de l'importance de l'événement. » Le dernier sondage public disponible donne 16 points d'avance au Non.

Comme il le fait souvent lorsqu'il se prépare à vivre des moments de grande intensité, Bourassa a emporté un peu de chocolat noir, qu'il avale avant le début du combat, pour se donner un regain d'énergie.

Parizeau, lui, avoue être « très nerveux ». « C'est comme ça à chaque fois, pendant les cinq ou six heures qui précèdent. » Aucun rite ne l'aide à se calmer. Il attend, c'est tout.

Une fois arrivés dans les locaux du Téléport, lieu du débat, Bourassa et Parizeau se serrent la main puis s'asseoient à leurs places respectives. Les techniciens leur demandent de ne pas bouger, le temps des tests d'éclairage. André Bauvais, du *Journal de Montréal*, décrit la scène :

> Les deux chefs ont paru très nerveux. Parizeau peut-être un peu plus que Bourassa. M. Parizeau est entré le premier dans le studio. Un journaliste a lancé : « Pas trop nerveux, monsieur Parizeau ? » Il a souri et rétorqué : « Moins que vous. » « Dans quel esprit vous êtes-vous préparé », lui a demandé un autre journaliste. « Dans un esprit pédagogique », a-t-il dit.

> Lorsque le premier ministre Bourassa s'est présenté, souriant, il a d'abord salué M. Parizeau. Puis la question lui fut posée : « Avez-vous le trac, monsieur Bourassa ? » « Pas pour le moment, j'en ai vu d'autres », a-t-il dit.

À 21 h, le lundi de l'Action de grâce 1992, plus d'un adulte québécois sur deux (58 %) s'installe devant son écran de télévision. L'immense majorité (81 %) suivront le débat jusqu'à la fin. Peu de pays — et surtout pas les États-Unis — peuvent prétendre à un électorat aussi attentif.

Bourassa ouvre le débat en tentant de reléguer l'affaire Wilhelmy-Tremblay loin derrière lui. « Dans notre système, ce sont les élus qui décident. Ce sont eux qui sont sanctionnés ou ratifiés par la population. » Cela dit, dans ce référendum sur l'avenir du Québec, « le gouvernement n'est pas en cause ».

Suit ensuite un échange plutôt mou sur le partage des pouvoirs, premier volet du débat. Chaque volet est ouvert par une longue question sans mordant, posée par Bourgeault sur un ton à l'avenant. « Je trouvais que ça commençait un peu lentement », raconte Bourassa, qui contribue à cette lenteur en faisant un rappel des épisodes constitutionnels précédents.

Puis Parizeau dévoile ses batteries : « On vient d'apprendre par les textes juridiques que la clause de l'union économique et sociale, qui n'était pas justiciable selon ce que disait l'entente de Charlottetown, cette disposition que l'entente n'est pas justiciable, bon, elle vient de sauter. Le gouvernement fédéral trouve là la base juridique d'à peu près toutes les interventions qu'il aura l'intention de faire. »

Que ceux qui ont compris lèvent la main. Bourassa, lui, sait de quoi il retourne. C'est comme si on venait de le libérer d'un grand poids. La surprise, ce n'était que ça ? « Là où j'ai trouvé que ça a bien été, ça a été quand il est arrivé avec sa bombe, là, raconte-t-il. Là, j'ai trouvé que ça allait plutôt bien de notre côté à compter de ce moment-là. »

« Il s'est trompé », dit-il à l'adresse du chef péquiste. « C'est une erreur qui montre que — et je le dis très respectueusement — sa connaissance de l'entente est imparfaite. On peut peut-être comprendre son hostilité, si les autres sections sont interprétées [par lui] comme la charte [économique et] sociale. »

Parizeau réplique qu'il ne s'est pas trompé du tout. S'ensuit alors un échange sur la jurisprudence nouvelle de la cour d'Alberta qui a statué qu'un libellé semblable, concernant les ententes de péréquation, peut être interprété de façon à enclencher une justiciabilité... Pourquoi les Québécois ne changent-ils pas de chaîne ?

« L'impression que j'ai gardée de ça, confie Parizeau, c'est que je ne l'avais probablement pas présenté assez bien. Ça, je crois que je l'ai pas fait passer de façon assez simple et de façon assez claire. »

Lorsque Parizeau parle de « salmigondis » pour décrire une clause de l'entente, Bourassa se dit : « Oyoyoy, il est pas très populiste. J'ai été proche de le lui dire. » Mais il se retient et, dans cette surenchère de technocrates, se met à défendre, sans le définir, le principe (ô combien populaire !) de « subsidiarité ».

Dans le studio, chaque leader a désigné un représentant qui peut lui envoyer des messages. Celui de Bourassa est Rivest. « John et Benoît Morin me donnaient des arguments juridiques par rapport à ce que Parizeau venait de dire. Il y avait des affaires savantes, des notes que Benoît avait faites, ça avait à peu près une page et demie. » Rivest sait qu'il a été choisi pour bloquer, plutôt que pour relayer, tous ces écrits. « La seule chose que je surveillais, c'était le ton, le rythme. Après 15 minutes, je trouvais que son ton était assez bon, vigoureux, un peu trop en fait. Alors j'ai marqué : "Un petit peu trop agressif". » Le messager de Parizeau, Gilbert Charland, a aussi eu le mandat d'être minimaliste. Il ne transmet qu'un chiffre, lorsque l'entourage du chef péquiste juge que Bourassa a utilisé une donnée erronée.

Arrive le second volet du débat : les autochtones. Bourassa soutient qu'au cours des négociations, les Québécois se sont montrés « intransigeants » en ce qui concerne l'application des lois provinciales. Parizeau rétorque qu'il ne sait pas pourquoi le premier ministre a abandonné aux juges le soin de définir l'autogouvernement autochtone, en cas d'échec après cinq années de négociations, alors qu'il s'y était sagement opposé auparavant. Le chef péquiste tente ensuite de dire qu'il faudra, une fois écarté cet excès de pouvoir judiciaire, reprendre et adopter l'essentiel du volet autochtone. Mais il bafouille un peu et prête flanc à la critique qui lui fait toujours le plus mal : celle d'être triomphaliste. « Quand on aura dit tous Non, commence-t-il. Presque tous... Enfin, quand beaucoup de gens auront dit Non à ça... »

Bourassa attrape la balle au bond : « Avant de célébrer la victoire du Non, il devrait laisser la population se prononcer. »

De plus en plus sûr de lui, Bourassa poursuit la défense de son interminable liste de gains. Enfin, pas tout à fait interminable. À un moment, il lance : « D'où vient ce dogme qu'on doit tout avoir ? » Il souligne au moins qu'aucun nouveau droit territorial n'a été concédé. Sur ce, Parizeau sort une carte préparée par le ministère québécois de l'Énergie, qui montre que 90 % du territoire du Québec est déjà revendiqué par les autochtones (carte très semblable à celle brandie par un autochtone pendant les conférences constitutionnelles de l'hiver précédent).

Bourassa joue les offensés : « Vous n'avez pas le droit d'exciter les inquiétudes des Québécois en procédant comme vous le faites ! »

Tout à l'heure, le premier ministre était ferme, puis combatif. Le voici agressif. Quand Parizeau cite huit constitutionnalistes qui estiment la loi 101 menacée par l'accord de Charlottetown, Bourassa rétorque : « Encore une fois, vous stimulez la peur des Québécois ! » Et encore : « Vous ne pouvez cultiver l'erreur et la peur. »

Parizeau, toujours souriant, se retient de répondre du tac au tac, d'attaquer le premier ministre. « On lui avait dit que Bourassa le provoquerait, confie un stratège, et qu'il ne fallait pas qu'il y prête flanc. Il fallait qu'il garde son calme. » Le chef péquiste offre des réponses de professeur plutôt que de boxeur. « C'est une caractéristique de M. Bourassa depuis fort longtemps, explique Parizeau en entrevue : chaque fois qu'il se sent menacé et au pied du mur, il devient agressif. C'est classique chez lui. C'est vraiment dans l'ordre des choses. » Mais Bourassa cogne encore, et laisse échapper une idée qu'on ne l'avait pas entendu défendre depuis longtemps. Il faut « accepter » l'entente, dit-il, « au lieu de dire Non et de tomber dans le *statu quo* ; comme vous le disiez vous-même, c'est inacceptable. » Tiens donc !

Rivest envoie à Bourassa un second message, pour détendre l'atmosphère. Avant le débat, les experts libéraux avaient dit au premier ministre de garder son veston boutonné. « Les experts prétendent que tu dois maintenant détacher ton veston », écrit Rivest. Bourassa, obéissant, s'exécute.

Parizeau marque plusieurs points, sur le fond. Notamment sur le droit de veto que le Québec n'obtient qu'après la réforme du Sénat : « On a reconnu à M. Bourassa le droit d'aller barrer la porte de la grange une fois que le cheval est parti et galope. » Mais Bourassa lui grappille des minutes, l'interrompt fréquemment, lance des « c'est pas sérieux », « vous avez pas le droit de dire ça à la population du Québec », et autres « vous ne m'avez pas écouté ».

Les 90 minutes sont maintenant presque écoulées. Chacun présente une allocution de clôture. Dans un décapant syllogisme, Bourassa tente de démontrer que le vote pour le Oui est le seul possible : « Pourquoi voter Non ? Pour le *statu quo* ? Le président du Comité du Non disait lui même au début : la commission Bélanger-Campeau était contre le *statu quo*. Alors on peut pas voter Non pour le *statu quo*. Alors si on ne vote pas Non pour le *statu quo*, ça veut dire qu'on va voter Non pour l'indépendance ou la souveraineté, parce qu'il y a trois choix. » Vous me suivez ?

Parizeau semble avoir gardé ses meilleurs arguments pour la toute fin. Et cette fois, il les exprime clairement. Voter Non serait un « pas vers la rupture », comme vient de le dire Bourassa ? Mais Mulroney et Bourassa « sont en poste pour quelque temps : M. Mulroney pour un peu moins d'un an probablement ; M. Bourassa pour, s'il le veut, pas loin de deux ans. » Ils pourront s'occuper d'économie. Voter Non provoquera-t-il « le chaos » ? « On disait, si Meech passe pas, ça va être catastrophique. Bon, ben, ça a pas été catastrophique. » Cette fois-ci, ce « ne sera pas plus compliqué que ça. » Voter Oui, au contraire, « introduit des années de discussions, de négociations, de complexité, de confusion sans nom, justement dans certains des secteurs économiques qui sont importants » pour le Québec.

C'est le mot de la fin. Lumières, générique.

Qui a gagné ? Il y a le fond et la forme. Ce soir-là, l'auteur agit comme analyste pour le réseau TVA. Ayant divisé le débat en 10 thèmes, il accorde, sur le fond, 6 points à Parizeau, 4 à Bourassa. Il reproche aux deux participants leur hermétisme juridique et octroie une courte victoire « aux points », à Parizeau — ce qui lui vaudra la rancune de John Parisella. L'auteur sous-estime alors l'importance de la forme. Et revoyant l'enregistrement du débat pour préparer ce livre, il comprend qu'elle parle plus fort que le fond. Les auditeurs s'étaient fait dire depuis six semaines que Bourassa s'était « écrasé » pendant les négociations. Or le voici combatif, agressif, vindicatif, au point d'en paraître « mal élevé », dira une commentatrice. Ce débat, c'est une contre-offensive de 90 minutes opposée à la conversation Wilhelmy-Tremblay. Parizeau l'emporte sur le fond, Bourassa sur la forme en assénant un coup, enfin, à son propre fantôme. Comment déterminer la marque finale ? Dans *La Presse*, le lendemain, Pierre Foglia propose : « Un match nul, très nul. »

Les deux reporters de TVA, Gisèle Gallichan et Paul Larocque rapportent aux téléspectateur que « dans leur coin » de la salle de presse, les journalistes accordent l'avantage à Parizeau. Le reporter de Radio-Canada, Gilles Morin, n'est pas d'accord et le dit privément aux péquistes présents dans son coin, le consensus donne plutôt « égalité ou léger avantage Bourassa ».

Les premières réactions des pros de la politique sont intéressantes.

« Je me suis dit : c'est au moins égal, rapporte Bourassa. J'ai pas perdu de terrain. » Sur place, Rivest est de cet avis. « Il avait pas écrasé l'autre » juge-t-il, mais la suprématie du premier ministre lui semble assez marquée pour qu'il lui prédise : « On va être en haut de 40 % » — pour le Oui lors du référendum..

« Je n'ai pas d'état d'âme », affirme Parizeau, qui refuse, même 18 mois plus tard, de dire s'il s'est cru, ce soir-là, vainqueur ou vaincu. « Si j'ai des états d'âme, je les garde pour moi. Je comprends que ça manque de *human interest*, mais qu'est-ce que vous voulez que je vous dise ? Y'en a pas, y'en a pas. Je joue aux échecs, moi. Si je perds une tour, je me demande ce que je fais avec ma reine. »

« Notre bonhomme vient de remporter toutes les billes », lance Mulroney à Hugh Segal, qui regarde le match avec lui.

Au quartier général du Comité québécois du Oui, on est moins catégorique. Pierre Anctil et Jean Masson s'attendaient à mieux. « Ouan, on l'a perdu, le débat. » Mais lorsqu'ils discutent avec un groupe plus large de stratèges et s'enquièrent du nom du vainqueur, la pensée positive l'emporte. « Je pense que c'est le chef », hasarde le premier « Oui, le chef », affirme le second, plus ferme. « Ah oui ! C'est le chef ! » enchaîne un troisième, convaincu. « Le chef l'a gagné haut la main ! » conclut le quatrième, enthousiaste.

Lucien Bouchard a regardé l'affrontement dans son salon d'Outremont, en compagnie de son épouse Audrey. Au cours des années précédentes, il a souvent aidé Brian Mulroney à s'entraîner pour ce genre d'exercice. En vieux routier, il rend sa décision :

> Je pensais que Bourassa avait gagné. Qu'il avait été plus agressif, qu'il avait mieux occupé son temps, il occupait tout le temps. M. Parizeau s'est très bien tiré d'affaires, mais Bourassa avait été surprenant. Il était censé être abattu, il était censé être à quatre pattes. André Tremblay nous avait dit qu'il était à quatre pattes là-bas et qu'il était fini. Il m'a vraiment étonné. Ce mou, ce protoplasme, tout à coup s'est redressé l'échine et s'est vraiment battu. Je l'ai trouvé bon, très fort. Faut dire aussi qu'il y avait un animateur pourri...

Les Libéraux pour le Non sont réunis dans le salon de Lucie Granger. Ils donnent « un léger avantage à Bourassa, rapporte Jacques Gauthier, mais on trouvait que dans les circonstances Parizeau avait bien fait ». Il faut dire, ajoute-t-il, « que Bourassa a un sens de la démagogie tout à fait exceptionnel ».

Dans le local du Non, près du studio, « il y avait de la satisfaction », se souvient un participant. Boileau et Royer sont contents, un autre stratège exprime des doutes. Mais tous savent que, puisque la joute a été serrée, puisqu'il n'y a pas eu de *knock-out*, la partie va se jouer au vestiaire, une fois les deux boxeurs sortis du ring.

Dans la pièce, quatre ou cinq téléviseurs fonctionnent en permanence. Le débat est fini. Le débat sur l'issue du débat commence. À TVA, les programmateurs ont commis l'ineptie d'insérer une longue pause commerciale avant le début des discussions des analystes. Tout le monde passe à Radio-Canada, où on ne souffre pas d'une telle myopie commerciale. Là, quatre invités dissertent déjà, autour de l'animateur Jean-François Lépine.

Première à se jeter dans la mêlée, donc première à noircir la page blanche des auditeurs incertains : Lysiane Gagnon, la plume la plus influente au Québec auprès des lecteurs, sinon des décideurs. Certainement, elle est la conscience des indécis. Boileau, Royer sont rivés à leur écran.

Gagnon : Je m'attendais à devoir dire, comme on le fait souvent dans des débats comme ça : match nul. Maintenant je suis en train de me demander si M. Bourassa n'a pas eu l'avantage ce soir. Je pense que finalement, M. Parizeau en général, quoique c'était pas évident ce soir, est un meilleur professeur, mais que M. Bourassa est un meilleur *debater*.

« Là, raconte un stratège péquiste, on s'est dit : "Oups, c'est catastrophique." On est partis en courant dans la salle des journalistes pour faire du *spinning**. » Car voilà, même des membres de la gent journalistique préfèrent le prêt-à-penser de Mme Gagnon à la fastidieuse tâche de tirer leurs propres conclusions. « Moi, j'étais ben conscient que si Lysiane Gagnon disait quelque chose, il y a très peu de journalistes qui se seraient détachés d'elle », ajoute ce stratège. (Michel David, dans *Le Soleil* du lendemain, donnera cependant Parizeau gagnant.)

D'autant qu'une deuxième invitée, Lise Bissonnette, l'éditorialiste la plus influente au Québec chez les multiplicateurs d'opinion, les universitaires, les syndicalistes et dans toute la mouvance nationaliste, enchaîne : « Je suis d'accord avec Lysiane. M. Bourassa semble avoir eu une légère supériorité. Il le doit probablement plus à la forme qu'au fond. Il est meilleur pour débattre dans ce genre de circonstances-là. Il va plus vite, donc il peut placer beaucoup plus d'arguments que M. Parizeau, qui respire longuement et qui nous explique les choses. » Les stratèges péquistes frisent l'apoplexie.

Les responsables de l'émission *Le Point*, qui organisent cette discussion postdébat, ont eu la bonne idée d'y inviter aussi deux experts en communication. L'un, Bernard Dagenais, professeur de communications à l'université Laval, est membre de la famille souverainiste. Il analyse le débat en technicien, affirmant que « le ton a probablement donné une impression qui avantageait M. Bourassa ». Ce dernier, ajoute-t-il, « a pris les devants en se positionnant agressivement ».

L'autre communicateur est beaucoup plus distrayant : c'est Luc Beauregard, président du cabinet de relations publiques National, grand bénéficiaire des largesses du gouvernement Bourassa, et qui a de plus prêté un de ses employés au Comité du Oui pour la durée de la campagne. On ne sait pas combien de temps Beauregard a ri en apprenant qu'on l'invitait, lui, à venir analyser, en direct, à la télévision d'État, la performance d'un de ses plus gros clients. Mais sa présence provoque l'hilarité de Pierre Anctil : « Ça m'a bien fait

---

* *Spinning* : terme venant de l'américain signifiant, au pied de la lettre, « faire tourner », mais signifiant, en politique : influencer la perception qu'ont les journalistes d'un événement, d'un discours, d'un débat. Les maîtres de l'art sont appelés *spin doctors*. Ils sont si accaparants, après les débats, qu'ils empêchent parfois les journalistes de travailler. Pendant les débats tenus à l'occasion des élections fédérales de 1993, les journalistes établiront des *no spin zones*, auxquelles les *spin doctors* n'auront pas accès. Hugh Segal est un des plus efficaces en la matière. D'où le gag : j'ai été dans le *spin cycle* conservateur si longtemps que j'ai la chaussette de Hugh Segal collée sur mon veston !

rire, dit le responsable du Oui, on savait d'avance ce qu'il allait dire. » En communicateur consciencieux, Beauregard a bien préparé, à l'avance, sa propre performance. Le débat aura lieu le lundi ? Dès le vendredi, on l'entend, dans les locaux de National, répéter ses répliques : « On a eu la preuve hors de tout doute ce soir que M. Bourassa ne s'est pas écrasé » ; « On a vu un homme en possession de tous ses moyens ».

Beauregard n'a malheureusement pas réussi à mémoriser toutes ses petites phrases, conçues pour colmater une à une les nombreuses brèches de la barque du Oui. On le voit donc, en direct le lundi soir, regarder constamment ses notes pour livrer son « jugement spontané ». « Il était évident, dit Anctil, qu'il avait bien écouté le débat ! » Quelques échantillons, en plus du « il ne s'est pas écrasé » : « M. Bourassa avait certainement de meilleurs messages à passer » que Parizeau ; « Selon moi, M. Bourassa a nettement marqué plus de points que M. Parizeau » ; « À mon sens, en tant que *debater*, M. Bourassa l'a emporté, pas par un score à zéro, mais il a eu deux ou trois points d'avantage » ; il s'est montré « très persuasif, très convaincant en ce qui me concerne ».

On avait l'impression que Beauregard était payé à la commission.

Partis faire leur *spinning*, les hommes de Parizeau n'entendent peut-être pas Bissonnette et surtout Gagnon détruire d'une main ce qu'elles viennent d'ériger de l'autre. Si, dit cette dernière, Parizeau a eu une « argumentation très pauvre à plusieurs égards », c'est qu'il n'a pas su démontrer l'évidence : « l'entente est très mauvaise et très nocive à la fois pour le Québec et pour le reste du Canada. M. Parizeau ne l'a pas bien démolie. » C'est pourtant ce qu'elle méritait, insiste-t-elle[*].

Le débat sur le débat se poursuit le lendemain matin, en première page de *La Presse*. Un article rapporte les impressions de quatre indécis qui ont été invités à regarder le débat. Trois donnent la palme à Bourassa, un seul à Parizeau. Les initiés remarquent la très bizarre présence, dans ce minuscule échantillon d'indécis, d'un certain Robert Girouard qui, lit-on, « fait partie de cette classe de bien nantis professionnels-urbains, au salaire confortable ». M. Girouard, apprend-on aussi, « suit le débat référendaire de très près depuis le tout début ». Le contraire surprendrait : il est vice-président de la firme National, donc adjoint de Luc Beauregard, et il est connu pour ses « positions très pro-Oui », affirme un collègue de travail renversé de le voir soudain soi-disant « indécis ». Le collègue ne s'étonne pas, en revanche, de lire dans le journal que selon Girouard, Bourassa « a remporté le débat haut la main » alors que ce pauvre Parizeau « n'a pas été à la hauteur ». (Un échantillon de cinq indécis réunis par *Le Soleil* a, de son côté, donné Parizeau gagnant à 3 contre 2.)

---

[*]   Contrairement à l'éditorialiste Alain Dubuc, qui fut favorable à l'Accord au début, pendant et à la fin de la campagne, Lysiane Gagnon a entrepris sa trajectoire avec un « bof ! » — l'Accord « ne contient rien d'insultant ni d'humiliant et [il] n'affectera pas les Québécois dans leur vie quotidienne » — et l'a terminée, on le voit, en trouvant Parizeau trop mou dans ses dénonciations.

Les sondages viennent ensuite clore le débat sur l'issue du débat. Encore faut-il savoir les lire. La maison SOM interroge pour *Le Soleil* plus de 800 Québécois 24 heures après le débat, donc après que le *spin* des Gagnon, Beauregard et compagnie a fait effet (Normand Girard, du *Journal de Montréal* et du *Journal de Québec*, a aussi donné Bourassa gagnant). Au total, Bourassa est déclaré vainqueur par 35 % des sondés, Parizeau par 17 % et aucun des deux par 26 %. Mais voici le chiffre magique : chez les gens qui n'ont pas regardé le débat, ceux qui donnent Bourassa gagnant sont beaucoup plus nombreux (19 %) que ceux qui accordent la palme à Parizeau (8 %). Chez ceux qui l'ont regardé, l'écart entre les deux protagonistes est inférieur à la marge d'erreur : 29 % pour Bourassa, 24 % pour Parizeau. (Lorsqu'on retire de l'équation les non-francophones, farouchement anti-Parizeau, l'écart devient insignifiant.)

Pour *La Presse,* CROP interroge les Québécois, mais sur une période plus longue : du mardi au jeudi. Alors, même ceux qui ont regardé le débat sont influencés par le *spin*, car l'idée que Bourassa l'a emporté gagne en force à mesure que s'estompe le souvenir de l'événement. Chez CROP, Bourassa gagne à 46 % contre 15 %.

Bref, à la fin de la trilogie : débat sur la tenue du débat/débat/débat sur l'issue du débat, Robert Bourassa est le grand vainqueur. Car la politique, comme dit l'autre, « c'est la gestion des perceptions ».

À ce détail près qu'à la mi-octobre 1992, les perceptions sont positives mais « non opérationnelles ». Cette victoire proclamée ne se traduit pas durablement dans les intentions de vote. Les deux sondages cités, ainsi qu'un sondage Créatec et un Léger et Léger, sont unanimes sur ce point : seulement 2 % des Québécois disent que le débat les a fait changer d'avis. Dans ses sondages quotidiens, Allan Gregg note une évolution plus nette : le Oui passe de 23 % à 29 %, alors que le Non, parti de 40 %, fléchit à 38 %. Mais, ajoute-t-il, dans un numéro écrit la semaine suivante : il « reste une barrière formidable qui bloque la voie à des gains supplémentaires du Oui : la conviction des Québécois qu'un vote négatif conduira à de nouvelles négociations, et à une entente meilleure ». L'espoir d'une vraie réforme tue la fausse réforme. « Il faut fermer la porte à toute notion de négociation future », écrit Gregg. Moins de 72 heures plus tard, Mulroney déclare que « l'idée qu'on puisse dire Non à l'accord de Charlottetown puis retourner à la table pour en obtenir davantage, c'est de la folie ». Il avertit qu'en cas de victoire du Non, son gouvernement n'entreprendra pas de négociations avec Québec pour régler quelque entente administrative que ce soit. « Si le Québec vote Non, ce sera Non. Les 31 gains sont perdus, c'est tout. »

« Ça a pas changé la tendance lourde, soupire Bourassa, faisant le bilan du débat. Ça a juste amélioré ma crédibilité. »

La souveraineté : à la hache

Dans la dernière ligne droite vers le scrutin, Jacques Parizeau, qui a un peu parlé de souveraineté tout au long de la campagne, se met subitement à augmenter la dose.

À Laval, une semaine avant le vote, il rabroue Joe Clark, qui a annoncé la veille qu'en cas de victoire du Non, le Québec sera souverain d'ici l'an 2000. Parizeau affirme « le trouver bien lent ». « La souveraineté du Québec, après avoir dit Non à ce document-là, il va falloir la faire et la faire vite », dit-il, entre autres choses.

Des journalistes remarquent l'insistance de Parizeau, comme plusieurs membres du Comité du Non, qui s'en émeuvent. Jean Campeau, « le bon client », multiplie les appels inquiets. Les Libéraux pour le Non, c'était couru, craignent que leurs partisans ne soient effarouchés. Brian Mulroney, lui, jubile. Jean-Claude Rivest, qui a parié (avec Jean Lapierre) que le Non l'emporterait avec 60 % des voix, peste contre « le maudit Parizeau », qui est en train, pense-t-il, de faire monter le Oui !

Est-ce le cas ? Dans l'entourage de Parizeau, il y a deux écoles. Jean Royer explique à des journalistes qu'il n'y a pas de risque, car les intentions de vote sont définitivement arrêtées, le Non devant l'emporter avec 60 ou 62 % des voix, une fois les indécis décidés. « La campagne pourrait s'arrêter maintenant ou continuer une semaine de plus, dit-il, ça donnerait le même résultat. » Mais Pierre Boileau, qui discute avec l'allairiste Michel Fréchette, un ancien camarade de classe, fait un autre calcul : « Écoute, lui dit-il, on est tellement en avance, ça ne nous ferait rien de perdre quatre ou cinq points », rapporte Fréchette. Un investissement à long terme, juge Boileau, pour le combat à venir sur la souveraineté. Car chaque souverainiste nouvellement converti par ces discours vaut bien deux allairistes refroidis, et perdus pour le Non. (Boileau dément avoir tenu ces propos, Fréchette est formel.)

À une réunion du Comité du Non, plusieurs s'inquiètent de cette dérive. « C'était clair dans l'esprit de tout le monde, se souvient Jacques Gauthier, que c'était une erreur. Sylvain Simard [du Mouvement national des Québécois], M. Campeau, plusieurs l'ont dit. Ça n'a pas été un long débat. »

Gérald Larose, Lorraine Pagé, aussi, interviennent en ce sens. Comme Lucien Bouchard :

> Je trouvais que c'était un peu trop et il y a eu quelques discussions polies où on avait convenu qu'il fallait en parler — on en avait parlé tout le long — mais fallait pas en parler trop tout d'un coup, surtout vers la fin. M. Parizeau, plus ça allait plus il en parlait. Il disait qu'il fallait pas cacher l'option et que, de toute façon, il fallait que ce soit clair et que la souveraineté allait jouer un rôle dans la décision.

Mais quelle mouche a piqué le chef péquiste ? Un insecte dont on pensait qu'il ne le visitait pas : l'instinct.

Parizeau : C'est bien possible que dans les derniers jours de la campagne, j'en aie parlé davantage. C'est devenu presque un réflexe. Je sens des moments, des fois, où il faut en parler énormément. Je sens qu'une sorte de brèche est ouverte, que la souveraineté va marquer des points si j'en parle beaucoup pendant une semaine, si je fais une sorte de saturation. Je sens qu'on va avancer un peu, que c'est le moment.

C'est très très souvent instinctif. Je sens ça. Il y a une part d'instinct comme ça en politique, on peut pas l'éviter complètement. J'en parle tout le temps, de souveraineté. Mais il y a des moments où je me dis : "Humph !" J'ai le goût de partir avec la hache car je sais qu'il y a une brèche. Il faut pas se retenir dans des cas comme ça.

L'auteur : Quelle était la brèche ?

Parizeau : L'échec qui se préparait était perçu de plus en plus comme l'échec du fédéralisme plutôt que des fédéralistes. [...] Davantage de gens comprennent que c'est peut-être le système qui est en cause. Si je sens ça, il faut pas s'étonner que je me lance dans la brèche.

L'auteur : Même au prix de perdre 4 ou 5 % ?

L'auteur : C'est faux. Il y a toute une génération de ceux qui ont connu le référendum de 1980 et qui sont convaincus que quoi qu'il arrive, parler de souveraineté c'est une hypothèque sur le plan politique. Je ne le crois pas. Je crois qu'il a été démontré copieusement que c'est faux. Mais on peut pas empêcher les nostalgiques d'être nostalgiques.

Campeau, Larose, Bouchard sont de ceux là. « On saura jamais où on les a perdus, ces cinq points-là, dit le chef du Bloc, qui semble avoir sa petite idée. Mais on les a perdus quelque part. On les a perdus ces cinq points-là. »

LES PELÉS, LES TONDUS, DONT VIENT TOUT LE MAL

Si, au Comité du Non, on s'alarme lorsque la souveraineté est évoquée, du côté du Oui, on a tenté pendant toute la campagne de cacher la feuille d'érable. Même le bandeau rouge qui figurait initialement dans la publicité fleurdelysée a été retiré. Mais voilà que dans une ultime assemblée, à Verdun, où 5000 personnes sont venues célébrer Bourassa, on compte si peu d'indécis que, spontanément, la foule se met à chantonner les paroles de la pub du 125e anniversaire du Canada. Les cinq millions de dollars de temps d'antenne auront au moins servi à ça.

Les organisateurs du Oui feront grand cas de ce rassemblement. Mais la composition de l'auditoire est en soi un constat d'échec : malgré les fleurdelysés utilisés sur toutes les affiches, le Oui n'a pu sortir de son ghetto d'anglophones, d'allophones et de fédéralistes irréductibles. Cela fait, certes, beaucoup de monde. Mais cela ne fait plus une majorité. Réunir dans une salle 5000 personnes qui vibrent à l'unisson, aux accents d'une des publicités télévisées les plus détestées par le Québécois moyen, c'est un exploit, mais pas dans la bonne direction.

C'est le drame de la campagne du Oui. Même ce qui marche, ne marche pas assez. Qu'une embellie imprévue se présente, elle est suivie tout de suite par une averse. Le 30 septembre, par exemple, un don de l'Oncle Sam est déposé sur le seuil politique de Bourassa. La Commission américaine du commerce international, dans son rapport intitulé *L'année commerciale 1991,* publié ce jour-là, note tout bonnement que « dans le cas d'une séparation acrimonieuse avec le Canada, il est possible qu'aucune entente de libre-échange ne soit possible entre les États-Unis et le Québec. Même si l'indépendance du Québec engendre peu de rancœur, l'extension de l'accord bilatéral à un Québec indépendant ne sera pas automatique. » Même Trudeau, pendant la campagne de mai 1980, n'avait pas eu droit à pareil coup de pouce.

Las ! Le surlendemain, le cadeau est confisqué, en personne, par l'ambassadeur américain à Ottawa, Peter Teeley. « Nous n'avons aucune politique concernant la souveraineté du Québec — advenant qu'elle se réalise — pour ce qui a trait à l'accord de libre-échange ou à toute autre entente commerciale. Aucune politique n'a été adoptée sur cette question », dit-il, plutôt deux fois qu'une. Le rapport de l'avant-veille ? Il n'a pas été produit par « une instance décisionnelle de cette administration[*] ».

Embellie, averse.

Si le Comité du Oui réussit à trouver un porte-parole populaire en la personne de Guy Lafleur, ce dernier se ridiculise en moins de deux en expliquant sur les ondes radiophoniques que le droit de veto, « c'est le droit de vote ». Si le comité canadien du Oui lance sa campagne en grande pompe et devant force journalistes, il s'attire les foudres de tous les médias francophones parce que seul le mot « *Yes* » est utilisé sur ses affiches. « *"Yes"* n'est pas un mot, c'est un logo », se défend la responsable des communications. Elle se retrouve au chômage le lendemain même.

À la longue — suivant une règle absolue de la vie politique — les responsables du Oui en viennent à blâmer les médias. Marc-Yvan Côté dit « prendre des notes » au sujet des reportages biaisés, des oublis et des coups bas dont les journalistes accableraient le pauvre camp du Oui. Il promet d'en publier le résultat après le référendum (on attend toujours). L'entourage du premier ministre Bourassa ne cache pas sa rancœur envers le groupe de journalistes qui suit le chef du Oui à la trace. « On sait ben, vous autres, lance un jour, excédée, Sylvie Godin, vous avez l'agenda du PQ ! » Bourassa, lui, préfère l'ironie, affirmant qu'il n'a « aucun reproche à faire, la couverture est excellente », ou balançant à un journaliste que « ce que vous dites, c'est parole d'Évangile ».

Les médias commettent certes des bavures, comme toujours, mais l'effort d'équilibre déployé à l'automne de 1992 est extra-ordinaire à plus d'un titre.

---

[*]   Ce qui n'empêche pas Bourassa d'utiliser un éditorial du *New York Times* favorable au Oui pendant les derniers jours de la campagne, en disant que ce quotidien « est proche du *State Department* ».

Tous les grands quotidiens ont publié l'intégralité de l'entente. La plupart
— y compris le *Journal de Montréal* et de le *Journal de Québec* — ont présenté
des séries d'articles explicatifs sur la constitution. Tous ont ouvert leurs pages
à des commentateurs extérieurs, représentant le Oui et le Non — dont Marc-
Yvan Côté. Ils ont donné, aussi, un retentissement sensationnel aux « affaires »,
notamment Wilhelmy-Tremblay. Mais puisque l'affaire était sensationnelle, la
presse aurait été fautive de la couvrir autrement. Une bien peu signifiante étude
de « lignage », c'est-à-dire d'espace rédactionnel consacré aux deux camps,
montre que l'équilibre fut globalement respecté.

Bourassa a ses bêtes noires, cependant. En privé, il se plaint beaucoup de...
La Presse. Spécifiquement : de l'habitude qu'a prise le quotidien de la rue
Saint-Jacques de publier un sondage chaque lundi matin de la campagne. « Je
trouvais que ça aidait pas, dit Bourassa. Je trouvais que ça commençait pas la
semaine sur un bon pied. » Évidemment, si les sondages avaient été meilleurs...

Bourassa ne s'en plaint pas directement à Roger D. Landry pendant la
campagne, assure ce dernier. Les responsables du réseau TVA, pourtant dirigé
par le meilleur ami de Bourassa, Mario Bertrand, ont par contre droit au
traitement de choc. Le directeur de l'information, Philippe Lapointe, est
convoqué au quartier général libéral pour un échange de vues. Devant lui :
John Parisella, Pierre Anctil, Jean Masson, quelques autres. Lapointe raconte :

> Ils se mettent à accuser TVA de partialité dans la couverture de la campagne. Ils
> se plaignent que quand Bourassa se rend parler à des étudiants, on ne montre à
> l'antenne que des interventions négatives. Ça tombait mal. Je leur dis : « Moi, je
> suis allé à une des rencontres de Bourassa avec des étudiants, et il n'y avait pas
> eu une seule intervention positive de la salle. »

> Masson s'emporte dans une vraie fougue verbale. Il empile épithète sur épithète
> contre TVA et nos reporters, il dit même qu'un de nos journalistes a frappé un de
> leurs militants. Il s'emporte tellement que je l'interromps : « Arrête-toi, là ! Qu'est-
> ce que tu peux dire de plus ? C'est dangereux pour ta santé, de t'emporter de
> même ! »

> Là, moi, je leur ai fait remarquer une couple de choses : « Qu'est-ce que vous avez
> d'affaire à envoyer Bourassa dans des assemblées étudiantes ? Si vous vouliez un
> moyen de perdre la campagne, c'est exactement ce qu'il fallait faire. C'est pas de
> notre faute si vous faites une mauvaise campagne ! »

Pierre Anctil participe peu au défoulement. À un groupe d'attachés
politiques libéraux, il dira : « Un symptôme de fin de régime qui ne trompe pas,
c'est quand vous commencez à blâmer 1- les fonctionnaires, 2- les journalistes.
Le gouvernement qui fait ça, il est en train de se planter. »

John Parisella est moins véhément que Masson, mais à peine. Il a presque
complètement épuisé son capital de confiance envers les médias. En septembre,
un jour qu'il croise l'auteur, il lui dit : « Une chance qu'on a des gars comme
toi avec qui on peut encore discuter... »

LE FRUIT REVENU

« Allez-vous parler aussi de l'affaire Lisée ? »

Robert Bourassa est assis bien confortablement dans son petit salon, rue Maplewood. Il arbore le sourire espiègle qui a désarmé tant de visiteurs.

Oui, monsieur Bourassa. On va parler, aussi, de l'affaire Lisée.

Pour ce dernier*, elle commence le 17 septembre. « Ça vous intéresserait, une seconde affaire Wilhelmy-Tremblay ? » Quoi ? Parce qu'il pourrait y en avoir une autre ? Lors d'une rencontre initiale avec ce qu'on désignera ici comme « la source » (qui peut être une ou plusieurs personnes, de l'un ou l'autre sexe), celle-ci est réticente. Des documents confidentiels sont là, sur la table. Ils viennent du SAIC, pour l'essentiel. Du gouvernement fédéral aussi, et de quelques ministères québécois. Ils montrent comment, à chaque étape de la longue et futile saga constitutionnelle de l'après-Meech, l'administration publique a signalé les erreurs, les embûches, les pièges. Comment le premier ministre a choisi d'ignorer, comme l'a dit Wilhelmy, « presque 100 % » des avis que lui ont fournis les hauts fonctionnaires. C'était son droit, bien évidemment. Ça ne rend pas la chose moins intéressante.

Comme toutes les sources sur le point de divulguer un secret, celle-ci éprouve le besoin de se justifier de mille façons. Pourquoi, comment, depuis quand elle songe à se décharger de son secret. Un argument, en particulier, semble la soulager. Gil Rémillard, en commission parlementaire la semaine précédente, a donné un mot d'ordre. Dans le débat en cours, a-t-il dit, il faut « donner un maximum d'informations ». Voilà une sage consigne que la source entend appliquer à la lettre.

Après quelques heures durant lesquelles source et journaliste se toisent et s'apprivoisent, Lisée repart avec un lot de documents, qu'il étudie et résume pendant la fin de semaine. Il est insatisfait. Plusieurs documents portent sur l'entente du 7 juillet. De larges pans de cette entente, on le sait, ont été reconduits sans modification dans l'accord de Charlottetown. D'autres, cependant, ont été altérés, parfois améliorés, parfois détériorés. Lors d'une seconde rencontre à Québec, puis d'une troisième à Montréal, la source offre des documents plus récents : les fiches préparées par le SAIC le 2 septembre, qui faisaient le bilan, avec le recul de quelques jours, de chaque volet de l'entente de Charlottetown ; une note du 10 septembre — donc vieille de 10 jours à peine — identifiant les zones de danger à circonscrire absolument dans les textes juridiques en voie de négociation, sous peine d'annihilation des maigres gains enregistrés. Les deuxième et troisième lots de documents livrés incluent aussi quelques brouillons de textes juridiques alors en préparation.

---

* Il n'y a pas de bonne façon de parler de soi dans le livre qu'on écrit. Une règle a été utilisée dans cet ouvrage : lorsque j'interviens en tant qu'auteur du livre, je dis « l'auteur » ; lorsque j'apparais comme protagoniste, je dis « Lisée ». J'espère que ce procédé créera la distance nécessaire pour que « Lisée » ne profite pas de la complicité établie entre « l'auteur » et le lecteur.

La force de frappe de ces documents tient dans leur froide comptabilité des points de rupture du Pacte. Comme toutes les autres tuiles tombées sur Robert Bourassa pendant la campagne, ils donnent la mesure du gouffre creusé entre la promesse de « réforme radicale » de l'après-Meech et la pauvreté du « paquet » livré deux ans plus tard. Ils mettent en évidence la contradiction entre la prétention de victoires majeures affichée par le premier ministre sur le sentier de la campagne — 31 gains, 6 vetos, une souris verte — et la piètre qualité des textes qu'il a effectivement négociés.

Cette rupture du Pacte, incarnée d'abord par Jean Allaire et Mario Dumont, puis par la conversation Wilhelmy-Tremblay, puis par Moe Sihota et Clyde Wells, revient sous une forme écrite, solide, étayée, donc plus impitoyable encore. Elle sera résumée dans un encadré du magazine *L'actualité*, encadré qui sera repris, presque mot à mot, au *Téléjournal*, aux *Nouvelles TVA*, sous la signature de Normand Girard dans le *Journal de Montréal* et, dans des discours amusés, par un Jacques Parizeau qui tonne : « Ça, ça vaut son pesant d'encadré. »

Ce qu'ils ont dit à Bourassa

Les principales conclusions des experts du premier ministre sur l'entente constitutionnelle

POUVOIRS : L'entente « ne constitue d'aucune manière une réforme du partage des pouvoirs » et s'apparente au « fédéralisme dominateur ».

RAPATRIEMENT DE COMPÉTENCES : Une « négociation perpétuelle dont les résultats n'ont pas de sécurité juridique », et dont le cadre « risque de réduire, voire d'annuler, les chances du Québec de faire des gains substantiels ».

SÉNAT : « Répudie de manière concrète la théorie voulant que le Canada soit un État fondé par deux peuples. »

VETO SUR LES INSTITUTIONS : Vidé de « beaucoup de son effet utile ».

SOCIÉTÉ DISTINCTE : Victime de « banalisation », la clause ne « semble » pas menacer la loi 101.

AUTOCHTONES : « Grands gagnants », ils ont « obtenu des gains qu'eux-mêmes estimaient inespérés il y a quelques mois à peine ». « L'intégrité du territoire du Québec pourrait malgré tout être menacée » et « on peut prétendre que bien peu de lois provinciales » s'appliqueront obligatoirement dans les zones autochtones. Ovide Mercredi a empoché un veto d'une ampleur que « le Québec n'a jamais pu obtenir ».

AVENIR : Les pourparlers sur les gouvernements autochtones « monopoliseront pour les années à venir l'attention des gouvernements et réduiront les occasions pour le Québec d'obtenir d'autres modifications à la constitution ». Il est douteux que le Québec puisse convaincre les autres provinces d'encadrer, comme promis, les actuelles interventions fédérales dans les compétences provinciales.

Michel Hamelin, responsable du SAIC, après Wilhelmy et Tremblay, expliquera à un universitaire peu après sa publication que l'article offre au public « la substantifique moelle » des travaux de son service.

« Avec Wilhelmy-Tremblay, on avait le film ; avec *L'actualité,* on a le livre », résume un Bernard Landry rayonnant sur les ondes télévisuelles.

La rédaction du texte doit tenir compte de deux contraintes. D'abord, les délais de production du magazine *L'actualité* sont tels que les jours de tombée pour le dernier numéro à paraître avant le référendum, celui du 16 octobre, sont déjà passés ou sur le point de l'être. Il faut donc obtenir de l'éditeur qu'il bouscule le calendrier de production, et travailler vite. Ensuite, il y a la peur de l'injonction. Celle encore en vigueur dans l'affaire Wilhelmy-Tremblay semble téléguidée depuis le *bunker* (l'État paie les frais d'avocats des deux conseillers). De plus, Hydro-Québec a récemment obtenu une injonction qui empêche toujours la divulgation de ses « contrats secrets » avec les entreprises énergivores du Québec. La technique du bâillonnement semblant populaire au sommet, la prudence commande d'envisager le pire.

Une injonction s'abattant sur un magazine en voie de production et de distribution entraînerait pertes et complications beaucoup plus graves que la simple interdiction de publier une nouvelle en particulier dans un quotidien. Des mesures de sécurité exceptionnelles sont donc prises pour la confection, la mise en pages, l'emballage et la distribution du magazine[*]. Les discussions au sujet de l'article ne sont pas tenues dans les bureaux du journaliste ou de l'éditeur Jean Paré, mais dans un bureau désaffecté. On se méfie du téléphone. L'article de huit pages est inséré au centre du magazine pour qu'il puisse en être retiré, en cas d'injonction de dernière minute, sans que soit mis en péril le reste du numéro (c'est d'ailleurs pourquoi le titre « Les Dossiers secrets de Bourassa », n'est pas annoncé en couverture). Puisque le magazine est imprimé en Ontario, les pressiers anglophones ne peuvent en lire le contenu.

La décision de publier est prise sans hésitation, tant l'information satisfait aux deux critères journalistiques : la véracité et la pertinence. Si Robert Bourassa a payé des experts, choisis par lui, pour lui donner ces avis sur l'entente, c'est qu'ils doivent mériter quelque intérêt. Jean Paré, l'éditeur et rédacteur en chef de *L'actualité,* donne immédiatement le feu vert, même s'il sait que la compagnie mère, Maclean Hunter, s'apprête par ailleurs à commettre l'impair éthique, le 4 octobre, de s'inscrire au Comité canadien du Oui (l'ex-premier ministre albertain Peter Lougheed siège au conseil d'administration et Brian Segal, frère de Hugh, est cadre supérieur de la compagnie). Les interventions, mineures, du rédacteur en chef sur le texte visent à le rendre plus clair, plus précis, et à faire en sorte qu'il présente les documents de la façon plus neutre possible.

---

[*]   Dans l'ordinateur du journaliste, puis dans la première mise en pages, le texte résumant les documents est provisoirement intitulé : « L'accord de Charlottetown, mode d'emploi ; Douze constitutionnalistes expliquent en détail pour *L'actualité* les tenants et aboutissants de l'entente. » Aucune personne sensée, tombant sur ce titre, ne se serait infligé la lecture de l'article.

Paré avait déjà décidé, très indépendamment de Toronto, de se prononcer pour le Oui, dans un éditorial au degré zéro de l'enthousiasme, intitulé « Le comité du pourquoi pas » et publié dans le même numéro que les « Dossiers secrets ». Sa première lecture de l'article de Lisée le met donc en rogne, car ces informations lui ont « presque fait changer d'avis ».

Il y aura une scène très drôle où, invité à dîner chez Paré, son ami Jacques Godbout lui reproche la position politique de sa compagnie et la sienne propre et où Paré, tenu au secret sur la bombe qu'il s'apprête à lâcher sur le Oui, est forcé de ronger stoïquement son frein.

Entre le moment où le texte est envoyé aux presses, à la fin de septembre, et l'arrivée en kiosque du magazine, à la mi-octobre, la campagne référendaire change plusieurs fois de ton. La transcription Wilhelmy-Tremblay est rendue publique, ce qui semble, *a priori,* émousser l'intérêt pour les documents. À *L'actualité,* on pense que les « Dossiers secrets » tomberont sur la scène politique dans un bruit mou. Mais le lundi précédant la publication, le débat télévisé a pour effet de recentrer la discussion publique sur le contenu de l'entente. Mulroney et Bourassa ont d'ailleurs résolu d'expliquer chaque jour un volet de l'entente, pour que le message des « gains » du Québec, qui n'a pas réussi à passer la rampe « en gros », la passe « en détail ».

La campagne devenant ainsi plus studieuse, elle prépare le terrain pour l'arrivée d'une volée de documents semi-politiques, semi-techniques, qui vont au cœur de sujets et de concepts — droit inhérent, veto, clause Canada, pouvoir de dépenser — auxquels les lecteurs sont désormais sensibilisés.

Le magazine doit sortir le vendredi 16 octobre. La veille, Denis Lessard, journaliste à *La Presse,* téléphone à *L'actualité* pour demander si le magazine s'apprête à publier « la correspondance de Diane Wilhelmy ». Question trop pointue, qui rate la cible : il se fait dire non. Puis Pierre Boileau, secrétaire général du PQ, appelle Lisée : « Est-ce que c'est vrai que vous sortez un gros *scoop* demain ? »

« Mais, Pierre, *L'actualité* regorge toujours de *scoops,* s'entend-il répondre. Pourquoi le numéro de demain serait-il différent ? »

Seul le Comité du Oui dort sur ses deux oreilles. Le lendemain matin, Claude Lemieux, conseiller de Bourassa, explique à des attachés politiques que la semaine, ouverte par le débat, puis occupée par le débat sur l'issue du débat, a été tellement bonne que « si rien d'autre ne nous tombe sur la tête, on peut gagner avec 51-49 % ». Lemieux prend ses désirs pour des réalités : les mémos d'Allan Gregg établissent ces jours-là que l'avance du Non est irrémédiable. Mais il faut bien redonner une lueur d'espoir aux troupes. Brève lueur : une demi-heure plus tard, quelqu'un tend à Lemieux un exemplaire de *L'actualité.*

Pour le magazine, la période critique est le vendredi matin. Il faut donner très vite à l'information un retentissement assez ample pour rendre futile toute tentative d'intervention judiciaire. Des calculs sont faits : si le bunker apprend la chose tôt le matin, un bon juge libéral peut rendre une ordonnance d'injonction vers midi. Il convient donc de comprimer dans le temps la sortie de la nouvelle : après 9 h et avant 11 h, pour s'assurer qu'aux bulletins de midi, les radios la diffusent assez pour couper l'herbe sous le pied du plus rouge des juges. Le matin même, le magazine, accompagné d'un communiqué très explicite, est donc distribué dans les salles de rédaction dans des enveloppes marquées « embargo 10 h ». Par courtoisie, une copie de l'article, portant la mention « très urgent », est télécopiée à Sylvie Godin à 10 h 15 puis, dans un deuxième temps, au bureau de Jacques Parizeau. Bourassa et Parisella reprocheront néanmoins à *L'actualité* cette opération de « sortie de la nouvelle ».

La « reprise média » des « Dossiers secrets » dépasse toutes les prévisions. À 10 h 45, déjà, le réseau Télémédia en a fait ses choux gras et Jacques Parizeau sort rencontrer les journalistes, son exemplaire à la main. « Je suis sidéré, déclare-t-il, feignant l'effroi. Bourassa nous doit des explications. » Sur ce, il appelle tous les Québécois à acheter *L'actualité*, qu'il brandira à bout de bras et citera abondamment jusqu'au mardi suivant.

Le magazine est inondé d'appels et les équipes de tournage se succèdent sur les lieux, réclamant de voir les documents — désolé, ils sont en lieu sûr. Lisée reçoit aussi quelques appels de dames patronnesses libérales : « Vous êtes des bandits, vous les journalistes, des bandits », lance l'une. « Laissez le pauvre M. Bourassa tranquille », dit l'autre. (Une lettre reçue dans les jours suivants parle des « instincts sanguinaires » du journaliste.)

Remis du choc et de la surprise, et nullement tentés d'appeler un juge — à quoi bon ? — Robert Bourassa et Gil Rémillard réagissent vers 15 h, affirmant que les textes cités portent exclusivement sur l'entente du 7 juillet et sont donc périmés. Parizeau, qui sait que c'est exactement la ligne de défense qu'il aurait lui-même adoptée, retourne devant les micros pour déclarer que Bourassa a tout faux. Il cite les dates, indiquées dans l'article, des documents postérieurs à l'entente de Charlottetown (du 2 et du 10 septembre). À Bourassa, qui l'a mis au défi de tenir un nouveau débat, le chef péquiste renvoie la balle : « S'il veut un débat, qu'il en demande un à Jean-François Lisée ou à Jean Paré. De toute manière, ce n'est pas à moi qu'il doit s'expliquer, c'est aux Québécois. »

En fin d'après-midi, la directrice des communications du PQ, Carole Lavallée, téléphone à Lisée pour savoir comment commander des tirés à part du dossier. Le journaliste n'en a aucune idée — ce n'est pas son rayon — mais demande à tout hasard : combien de tirés à part ? « On pensait à environ deux millions », répond-elle ! La démarche n'a pas de suite. Mais le taux de vente du magazine, en deux ou trois jours, est de presque 100 %[*].

---

[*] Le *scoop* ayant été largement repris par la presse écrite et électronique anglophone, le président de Maclean Hunter, Ron Osborne, communique avec Jean Paré dans les jours qui suivent pour... le féliciter de son bon coup. « Évidemment qu'on ne pouvait pas ne pas publier ça ! » « On aurait préféré que le Oui gagne, ajoute-t-il, mais ils vont perdre de toute façon. »

À 17 h 45, Jean-Claude Rivest, en entrevue à la radio de Radio-Canada, confirme l'authenticité des textes. « Ces documents, ils existent », dit-il, mais ils « sont rédigés en processus d'élaboration d'une entente ». Quant au journaliste, ajoute-t-il, « ces textes-là, il ne les a pas inventés ». Le lendemain, dans une conférence de presse improvisée à plus d'un titre, Gil Rémillard, flanqué de Benoît Morin, affirme qu'en tant que ministre, il n'a « aucun problème » avec ces documents, qui ont servi à identifier les faiblesses de l'entente — on apprend pour la première fois qu'il y en avait — et à y remédier dans les textes juridiques, maintenant publiés. « La très grande majorité des commentaires qui sont faits dans ces notes qui sont rendues publiques ont été pris en considération », affirme-t-il en tirant très fort l'élastique.

Le vendredi soir, la couverture télé est massive. Pierre Bruneau ouvre le bulletin de 18 h de TVA le magazine à la main. À 22 h, le *Téléjournal* consacre un bon 12 minutes à l'affaire. Vers 22 h 40, Robert Bourassa appelle Lisée, qui lui avait laissé un message sur la télécopie envoyée le matin à Sylvie Godin.

« Je vous ai causé bien du souci aujourd'hui, monsieur Bourassa », dit le journaliste.

« Ah ! vous savez, répond le premier ministre, affable comme de coutume, on me dit que ça porte surtout sur le 7 juillet. Mais ça dépend de comment ça va être joué. Radio-Canada vient de faire tout un *show* avec ça. Je ne sais pas comment ça va être à TVA [à 23 h]. »

Le message laissé à Bourassa a deux objets. Primo, lui indiquer que ces dossiers ne font pas partie des informations privilégiées, dont plusieurs potentiellement très dommageables, que l'auteur a accumulées dans le cadre de la recherche pour ce livre. L'entente qui lie l'auteur d'une part, le premier ministre et ses conseillers d'autre part, stipule que ces informations-là ne seront publiées qu'après le référendum (elles le seront 18 mois plus tard). Les « Dossiers secrets » ont emprunté une autre voie, plus classique*. Le premier ministre répond qu'il le croit sans peine.

Secundo, le journaliste veut appliquer une règle d'éthique professionnelle assez peu usitée, mais connue aux États-Unis sous la rubrique : « *Do no unnecessary harm* » (« Ne cause pas de tort inutile »). Normalement, un journaliste est tenu, non seulement de ne pas dévoiler sa source, mais de ne pas révéler les noms de ceux qui ne sont pas sa source. Car par un processus d'élimination, la source peut être ainsi mise en danger. Mais dans le cas des « Dossiers secrets », et dans le contexte de l'affaire Wilhelmy-Tremblay que les deux

---

* Pendant l'été de 1992, Jean-Claude Rivest avait suggéré à l'auteur de prendre connaissance des fiches du SAIC pour mieux comprendre le processus d'évaluation des offres fédérales. La suggestion n'a heureusement pas eu de suite, car l'auteur aurait alors été aux prises avec deux jeux de documents : l'un soumis à l'engagement de ne rien publier avant le référendum, l'autre livré dans le but exprès d'informer le public en vue du scrutin. Il aurait été possible d'aiguiller la source vers un autre journaliste, mais l'auteur aurait alors été suspecté de la fuite.

protagonistes sont soupçonnés, à tort, d'avoir manigancée, Diane Wilhelmy et André Tremblay risquent de devenir les suspects numéro un de la fuite des documents, et d'en subir un préjudice personnel supplémentaire. Or ni l'un ni l'autre ne sont en cause. Lisée en informe le premier ministre qui, là encore, répond qu'il n'en doute nullement*.

Lisée transmet également cette information au journaliste Denis Lessard, qui ne juge pas à propos de l'utiliser. Il est vrai que, dès ce vendredi soir, Lessard sait que trois fonctionnaires sont soupçonnés dans l'affaire, notamment le Français Marc Michaud qui a eu la mauvaise idée, dans les semaines précédentes, de se promener au SAIC avec un badge du Non et de s'inscrire aux « Juristes pour le Non ».

Une théorie aussi fumeuse que loufoque est ensuite développée : le jeune Michaud aurait donné les dossiers à une compatriote, Catherine Leconte, épouse de Lisée, ci-devant correspondante du journal *Le Monde* et journaliste au *Devoir***. Cette théorie n'explique pas pourquoi la journaliste n'aurait pas tout simplement publié les documents dans *Le Devoir*, mais passons... (Lorsque Leconte voit pour la première fois Michaud sur l'écran de télévision, elle affirme ne l'avoir jamais rencontré, rapporte une source sûre présente dans le salon familial ce soir-là.) Michaud clame son innocence. Ses déplacements sont pris en filature et sa ligne téléphonique est mise sur écoute à compter du lundi 18 octobre. Le téléphone de l'auteur émet aussi, à dater de ce jour, de bien bizarres bruits.

Quand la notion de « filière française » est évoquée dans *La Presse,* une gauloise frénésie s'empare du consulat de France à Québec, puis du pupitre canadien au Quai d'Orsay à Paris (ministère des Relations extérieures). On compulse les fichiers pour vérifier si ce Michaud ne serait pas un honorable correspondant de « la piscine » (services secrets français) ou d'une autre cellule de renseignements débridée. Les diplomates français ont la peau sensible depuis que Pierre Trudeau a dénoncé en 1968 « l'espion » français Philippe Rossillon et que la GRC a gaspillé des centaines de milliers de dollars en filature de ressortissants de l'Hexagone, soupçonnés d'infiltrer et de soutenir le

---

* Le journaliste met aussi les deux intéressés au courant de l'information qu'il a fournie au premier ministre. Malheureusement pour eux, l'entourage de Bourassa est tellement habitué à ce que personne ne dise la vérité que l'information a été traitée ensuite avec la plus haute suspicion.

** Lessard rapporte aussi quelques faits troublants : Michaud se serait vanté de connaître « la correspondante du *Monde* » au Canada et aurait avisé ses collègues de la publication imminente d'un « gros article » dans *L'actualité.* Le soir de la publication du magazine, il aurait aussi appelé ses patrons pour les remercier de ne pas lui avoir donné les copies de ces documents, ce qui aurait fait de lui un suspect. L'enquête policière démontrera qu'il avait en sa possession un certain nombre de documents correspondant à ceux publiés dans *L'actualité,* notamment ceux qu'il avait contribué à écrire. Le contraire eût été surprenant car, comme le dit Rivest à l'auteur en parlant des documents du SAIC : « Je pense que tu les as tous eus ! »

Bourassa contre Bourassa

Diane Wilhelmy, allant défendre son injonction. « Ils nous avaient donné le fruit défendu », dit un stratège du Comité du Non.

André Tremblay, héritant de la tâche difficile de dire du bien de Bourassa et de l'entente de Charlottetown, sans mentir.

La conversation Wilhelmy-Tremblay. « Je n'ai jamais vu un document politiquement aussi dévastateur de ma vie », dit Mulroney. « *Politically, it was a f... atomic bomb !* » À sa gauche, son épouse, Mila.

Changeons le sujet...

Le thème de « nos "31 gains", ça passe pas, ça traverse pas, ça lève pas. Si on pouvait penser
à quelque chose pour que ça passe », dit Bourassa. Mulroney répond : « Laisse moi ça ! »
Quelques jours plus tard, « ça traverse » énormément.

Le Non : comme sur des roulettes

Photo : Jacques Nadeau

Photo : John Kenney/Canapress

Les anciens rivaux de Bélanger-Campeau se réconcilient. « On ne s'est pas demandé qui avait eu raison, qui avait eu tort. »

(De gauche à droite : Lorraine Pagé de la CEQ, Bernard Landry, Fernand Daoust de la FTQ, Guy Chevrette, Jean Dorion de la SSJB, Gérald Larose de la CSN, et Jacques Parizeau.)

Une des plus belles opérations de propagande de l'histoire politique du Québec : la distribution de l'entente par... les adversaires de l'entente. « Le PQ distribue l'entente, pas nous, dit Pierre Anctil. On a l'air de cacher l'entente. Les gens font : 2 + 2 = 4, c'est clair ! »

ROC : Trudeau a parlé.
La campagne est finie.

Au Canada anglais, l'ancien premier ministre frappe d'abord dans un essai publié dans *Maclean's,* pour lequel il pose avec les pouces dans la ceinture, comme un *cow-boy* sur le point de dégainer.

À la Maison Egg Roll, il sort son artillerie.

Le jargon au pouvoir

Le premier débat télévisé des chefs québécois en 30 ans. Un record d'immobilité et de lourdeur. « Vous avez pas peur que ce soit plate ? » a demandé Parizeau en voyant le studio. « Vous êtes sûrs ? »

Les « Dossiers secrets »

« Ça se lit comme un *western...* »

« Ce sont des faux », dit Bourassa, qui se pense victime d'un *frame up*.

Le contraste

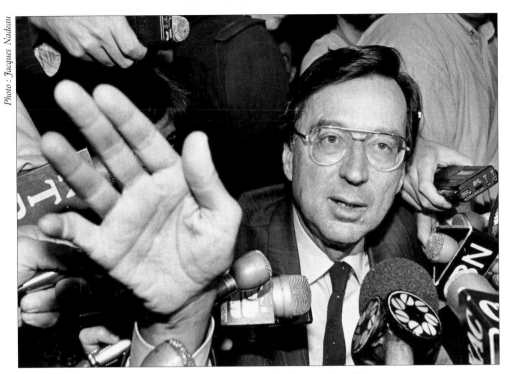

Pendant que Bourassa est enfoui sous « les affaires »
qu'il appelle « les faits divers » (ici avec de vrais journalistes)

...Parizeau fait une campagne joyeuse
(ici avec le faux journaliste Rrrrrraymond Beaudoin).

« L'histoire jugera. »

Robert Bourassa le jour de l'annonce de sa démission, le 14 septembre 1993.
« J'ai assumé le destin du Québec. »

mouvement souverainiste. Mais on ne trouve pas trace de Michaud dans les fichiers.

Dans sa conversation avec l'auteur le vendredi soir, Bourassa donne l'impression d'un joueur d'échecs imperturbable, qui voit qu'un pion vient d'être bougé et qui doit réagir en conséquence. Il ne se montre pas si flegmatique en petit comité. Rivest rapporte que « Bourassa était furieux », car « c'était la cerise sur le gâteau ». À Benoît Morin, il dit : « *That's enough* », raconte Rivest, qui ajoute que, pour une fois, Bourassa se laisse aller à jurer contre « ces crisses de papiers-là ! »

Rivest est lui-même la cible d'une partie de la mauvaise humeur ambiante. « Là, moi je me suis fait engueuler, raconte-t-il. Je te jure que là, j'ai souffert. La première chose, Marc-Yvan, Gil, John, tout le monde m'ont dit : "Ton maudit chum Lisée" [autour de Bourassa, chacun est au courant des entrevues alors réalisées pour ce livre]. Ils disaient "C'est épouvantable !" Mais, qu'est-ce que tu veux, les maudits textes étaient là ! »

Les sondages quotidiens effectués par Allan Gregg justifient l'irritation de Bourassa : parmi les Québécois, l'appui au Non passe de 44 % la veille de la publicaton des « Dossiers secrets » à 54 % le lendemain. L'appui au Oui passe de 30 à 28 %.

Au début de la semaine suivante — dernière semaine de la campagne — l'industrie québécoise du commentaire politique s'intéresse non aux questions de fond soulevées par les documents, mais à la décision « de fonctionnaires » de rompre la confidentialité de leur travail. Bizarre, car aucun indice, dans les « Dossiers secrets », ne permet de croire que la fuite provient d'un fonctionnaire, plutôt que d'un ministre, d'un attaché politique, d'un chef de cabinet, d'un contractuel, d'un préposé à la photocopieuse ou d'un concierge.

Le fait est que ni l'identité ni la fonction de la source n'ont été révélés. Elles ne le seront que si la source en exprime le souhait, ce qui n'est pas le cas au moment d'écrire ces lignes. Robert Bourassa a formulé deux théories à ce sujet. Aux journalistes de la *Gazette*, cette semaine-là, il dira que « tous les indices » le « conduisent à suspecter un traquenard » (*frame up*), ourdi par un membre de son état-major (*staff*). Mais en entrevue avec l'auteur, bien après les faits, il ironise : « Ça devait venir d'un commis classe 4 », donc du bas de l'échelle de la fonction publique. Dans l'entourage du premier ministre et au SAIC, où chacun sait que tous les autres sont extrêmement mécontents de l'entente de Charlottetown, où chacun, donc, pense que tous les autres ont le mobile voulu pour commettre la fuite, la suspicion est grande. Certains chuchotent que Benoît Morin ou Jean-Claude Rivest pourraient être les coupables — « Jean-Claude a parfois des sursauts de lucidité et de loyauté envers le Québec », avance l'un de ces soupçonneux suspects. Diane Wilhelmy et André Tremblay sont bien évidemment au sommet de la liste des présumés coupables.

Dans les milieux libéraux, la machine à rumeurs fonctionne à plein. John

Parisella pense que Lisée a « reçu une commande du PQ » — et le lui dit. D'autres soupçonnent Gil Rémillard. Sa carrière et sa crédibilité étant en train de sombrer avec l'Accord, il aurait choisi de faire sombrer son patron avec lui. D'autres encore soupçonnent... l'épouse de Rémillard, Marie Dupont, dont les accointances péquistes sont bien connues (elle a travaillé au cabinet du très indépendantiste Jean-François Bertrand). Dans une autre version, les documents auraient transité par une firme de relations publiques de Washington, où Lisée fut naguère correspondant.

Le scénario de Don Macpherson, de la *Gazette,* figure parmi les plus imaginatifs. Le suspect : Robert Bourassa. Le mobile : le désir d'être réélu. Puisque René Lévesque avait perdu le référendum de 1980, mais gagné l'élection de 1981, Macpherson se demande si Bourassa ne voudrait pas répéter cet exploit. Les Québécois, pense le journaliste, rééliraient Bourassa pour se faire pardonner de lui avoir dit Non en octobre 1992. Le premier ministre aurait donc voulu s'assurer de perdre. L'hypothèse est plus comique qu'autre chose, et Macpherson aurait pu mieux ficeler son intrigue. Dans les derniers jours de la campagne, explique Parisella, « on avait un peu peur que le Québec dise Oui alors que le reste du Canada dirait Non ». Ce résultat aurait rouvert comme jamais la brèche Québec/ROC et donné un autre argument aux souverainistes : « Comme en 1980-1982 et comme à Meech, le Québec a tendu la main au ROC, et se l'est fait mordre. » Bourassa, visant toujours son objectif ultime de maintien du Québec dans le Canada, aurait donc orchestré la fuite des documents pour s'assurer que le Québec dise Non, comme tout le monde.

Après le référendum, la Sûreté du Québec s'acharnera sur le pauvre Marc Michaud : perquisitions, arrestation, détention pendant huit heures avec une humiliante fouille à nu et sans possibilité d'appeler un avocat — actions toutes illégales, statuera un juge de la Cour supérieure en décembre —, sans qu'aucune accusation, à la fin, ne soit portée contre lui[*].

Malgré l'absence totale de preuve, les commentateurs de la presse québécoise crient haro sur les fonctionnaires. Lysiane Gagnon lance la clameur et dénonce à deux reprises et à grand renfort d'indignation dans *La Presse* les « conseillers [de Bourassa qui] le trahissent en même temps qu'ils trahissent le devoir de réserve auquel tout fonctionnaire devrait être tenu ». Même réflexe de la *Gazette,* généralement à cheval sur la règle de preuve, mais qui parle en éditorial de « déloyauté ». Gilles Lesage, dans *Le Devoir,* et l'ex-haut fonctionnaire Michel Audet, dans *Le Soleil,* attireront, eux, l'attention sur ce fait : rien ne dit que des commis de l'État soient en cause.

Ailleurs, le réflexe antifonctionnaire bat son plein. Jean Chrétien et Lise

---

[*] Pour l'émission *Le Point,* la journaliste Françoise Stanton et le réalisateur Guy Parent ont enquêté sur « les affaires » de la campagne, sans plus de succès que la SQ. Conclusion de Parent : « Il y a beaucoup d'hypothèses et de théories mais, une chose est certaine, le jeune avocat, là, il avait rien à voir là-dedans. »

Bacon déclarent que les fonctionnaires doivent « se la fermer ». Même Jacques Parizeau, en entrevue au *Devoir*, s'étonne que les hauts fonctionnaires « n'aient pas démissionné, ou que le gouvernement ne les ait pas encore mis dehors ». Lesquels ? Il ne le sait pas. (Notons que les deux hauts fonctionnaires dont on sait qu'ils ne sont pas responsables de la fuite tirent d'eux-mêmes leur révérence : Wilhelmy demande à être mutée à l'École nationale d'administration publique (ENAP) et Tremblay, qui veut démissionner depuis Charlottetown, ne renouvelle pas son contrat, ce qui ne lui est de toute façon pas offert.)

Autre incongruité, et faiblesse, du débat journalistique et politique : peu de voix sont entendues qui demandent pourquoi ces avis juridiques, payés par les contribuables et portant sur une entente constitutionnelle existante, ont été tenus secrets. Pourquoi, donc, les citoyens n'y ont-ils pas eu accès au fur et à mesure de leur production ? (Seul Henri-François Gautrin, un fédéraliste partisan de la transparence, s'exprimera en ce sens.) Le vieux routier Jean-V. Dufresne, dans le *Journal de Montréal,* revient sur la question pour dire qu'il appartient strictement aux élus de déterminer ce qui doit ou ne doit pas être rendu public. C'était aussi l'avis de Maurice Duplessis. Ici, la presse québécoise manque à sa tâche d'exiger plus de transparence. Au contraire, elle émet un curieux signal : on ne veut pas le savoir ! C'est la soif d'ignorance.

Troisième incongruité : à supposer que la fuite provienne de fonctionnaires, aucune plume québécoise ne soulève le problème moral suivant : dans des circonstances exceptionnelles qui engagent l'avenir d'un peuple, un serviteur de l'État a-t-il le droit d'être déchiré entre sa loyauté envers son patron et une loyauté, qu'il perçoit supérieure, envers le Québec en son entier, envers la vérité ? Il faudra attendre que la question soit posée à l'intellectuelle Jane Jacobs, Torontoise d'adoption, économiste, urbaniste et auteur d'un superbe essai sur la morale politique et commerciale, *Systems of Survival,* pour introduire cette donnée. Pour *L'actualité,* Francine Pelletier lui présente la chose comme suit, c'est-à-dire avec un élément de désinformation : « Vous condamnez le comportement d'une Diane Wilhelmy ? » Réponse de la moraliste, qui pense que Pelletier fait allusion à une culpabilité avérée :

> Il y avait là un conflit de loyautés. Mme Wilhelmy avait une loyauté envers son premier ministre, mais aussi envers le Québec. Afin d'être loyale au Québec, elle s'est sentie obligée, j'imagine, d'être déloyale envers le premier ministre. Il faut se demander si ce n'est pas plutôt la déloyauté de M. Bourassa, son manque de franchise envers ses concitoyens, qui est la cause du problème. Diane Wilhelmy a sonné l'alarme. Ceux qui le font sont presque toujours ostracisés par la suite. Heureusement qu'ils sont là.

Jacobs est particulièrement sensible à cette problématique. Elle a quitté les États-Unis pour le Canada pendant les années 70 pour cause de guerre du Viêt-nam. En 1969, un employé du Pentagone — dont on saura plus tard qu'il s'agissait de Daniel Ellsberg — avait privilégié sa loyauté envers le peuple américain, plutôt qu'envers le président américain, en donnant aux journalistes les *Pentagon papers*, série d'études secrètes démontrant que les États-Unis étaient en train de perdre la guerre au Viêt-nam et ne pouvaient en aucun cas la gagner. Des documents qui prouvaient, donc, que le pouvoir mentait effrontément à la population en déclarant être en train de gagner cette guerre. (Les « Dossiers secrets », à une échelle infiniment moindre, prouvent aussi que Bourassa ment lorsqu'il affirme avoir gagné la guerre constitutionnelle.)

Jacobs utilise, en anglais, l'expression *whistle-blowers* (littéralement : « ceux qui tirent la sonnette d'alarme »). Il s'agit d'employés ou de cadres d'organisations privées ou publiques qui décident, au risque de compromettre leur carrière, de dénoncer une situation criminelle, dangereuse ou contraire à l'éthique. Des cas fameux aux États-Unis, au Pentagone et dans l'industrie nucléaire (voir l'affaire Silkwood) ont conduit à l'adoption de législations de protection des *whistle-blowers*. Là-dessus, le Québec n'est pas en retard, il n'a même pas quitté la ligne de départ. Il y a eu et il y aura toujours, dans le débat démocratique américain, des pro et des anti-Ellsberg. Ce qui est fort sain, car cette question morale porte sur la responsabilité individuelle et n'a pas de réponse absolue. Mais il est navrant que le débat démocratique québécois ignore totalement cette problématique.

★   ★   ★

Le jeudi 22 octobre, six jours après la publication de *L'actualité* et quatre jours avant le scrutin, l'affaire des « Dossiers secrets » semble en bout de course. Mais Bourassa la relance avec éclat. On assiste à un tir groupé. D'abord, les services de Rémillard envoient un communiqué de presse de neuf pages dénonçant le « sensationnalisme » du magazine et « du journaliste », et le caractère « erroné, incomplet et trompeur » de l'article, (fondé sur des documents dont Rémillard, au détour d'une phrase, confirme pourtant l'authenticité). Le communiqué est farci d'exagérations sur la portée de l'entente et sera, sans doute pour cette raison, peu repris par la presse — ce qui mettra Fernand Lalonde, encore, de fort méchante humeur. Un membre du SAIC interrogé quant à la provenance du communiqué répond avec dédain : « La merde, c'est pas nous qui l'écrivions. »

Qui écrit la lettre anonyme, reçue ce jeudi par un journaliste de Radio-Canada, expert ès enquêtes et *scoops*, Normand Lester ? Quelqu'un dont la maîtrise des détails du dossier suppose une connaissance intime du *bunker*. La lettre affirme que 1) les experts du SAIC sont tous des « indépendantistes purs et durs » ; 2) Marc Michaud est une « taupe française » ; 3) les fonctionnaires écrivaient ces avis « pour passer le temps ». Conclusion de l'auteur anonyme : « les fonctionnaires ont fait couler [les documents], morceau par morceau, au PQ qui s'en est fortement inspiré pour annoter l'entente de Charlottetown. Bourassa est victime d'une taupe française qui se promène avec un macaron du Non au travail... » La lettre invite le journaliste à faire enquête. Réaction de Lester : « Je ne fais pas enquête sur les sources de mes collègues. »

Une autre lettre est transmise ce jeudi : écrite par André Tremblay, soucieux de se racheter de ses errements passés, elle répond à une pressante demande de Benoît Morin. Tremblay y indique que les textes juridiques, dont il a fait l'analyse, serrent effectivement quelques boulons mal vissés à Charlottetown. Il ajoute avoir lu *L'actualité* et y avoir vu des fragments de documents dont lui-même n'avait pas pris connaissance, et qu'il n'avait pas approuvés.

Un reponsable du SAIC expliquera par la suite à l'auteur que c'est tout à fait vraisemblable, notamment en ce qui concerne les fiches du 2 septembre, qui ont été produites et envoyées directement aux bureaux du premier ministre (chez Rivest et Morin) sans passer par Tremblay, occupé ces jours-là à renégocier l'entente sur la culture, à écrire des lettres à Mulroney, à donner des *briefings* à droite et à gauche. (La sous-ministre en titre, Wilhelmy, est toujours souffrante. Il manque donc en permanence un étage à la hiérarchie.) Ces fiches n'en ont pas moins été revues par Michel Hamelin, puis par ses vis-à-vis au ministère de la Justice. Ce sont les seules qui existent.

Ce jeudi soir, Bourassa s'accroche à la lettre de Tremblay comme à une bouée de sauvetage ; ou plutôt, il s'en sert comme d'un tremplin vers un des plus jolis glissements sémantiques de sa carrière. Dans un discours enflammé, il dénonce d'abord l'utilisation que le PQ a faite de l'affaire Wilhelmy-Tremblay, puis des « Dossiers secrets ». Voilà une tactique déloyale qui, dit-il, a « sali la démocratie québécoise » et qui met en évidence la « malhonnêteté intellectuelle » des péquistes. En point final, Bourassa-le-démocrate, Bourassa-l'intellectuellement-honnête prend son envol et tonne, au sujet des « Dossiers secrets » : « Ce sont des faux ! »

En conférence de presse, par la suite, il explique que, puisque André Tremblay ne les a pas approuvés, ils ne sont pas authentifiés, pas « vrais ». Ils sont donc « techniquement faux ». CQFD. En vétéran de la communication politique, donc de la « gestion des perceptions », il saisit très bien l'effet qu'aura sa petite phrase, répétée aux bulletins radio du soir et du vendredi matin. « Il a pas voulu dire, explique Rivest qui s'y connaît aussi, que Jean-François Lisée avait produit des faux. Mais c'est ça que ça voulait dire. C'est ça que beaucoup de gens ont compris. ».

S'il s'agit d'un lapsus, nous sommes en présence d'un cas de lapsus coordonné dans le temps et dans l'espace. Car au moment où Bourassa prononce ces paroles à Drummondville, Brian Mulroney se trouve dans les locaux du *Globe and Mail* à Toronto, où il déclare les documents « bogus » (faux ou bidon).

Rémillard est pris en porte-à-faux par la déclaration de son patron, et refuse de dire que les textes, hier authentiques et utiles, sont aujourd'hui inconnus et falsifiés. Rivest, de même, semonce Robert : « Écoute, c'est pas des faux, moi je suis allé dire que c'étaient des vrais. Pis à part ça tu connais Jean-François, tu sais ben qu'il s'est pas assis pour écrire des faux papiers ! »

« Ah, ben, qu'il s'arrange ! » réplique Bourassa.

« Il était tanné, rapporte Rivest. Ça l'a pas du tout ému. »

Rivest est à son tour apostrophé par Parisella : « T'aurais ben dû te la fermer, toi, au lieu d'aller dire que [c'étaient des vrais]. » Événement rarissime : Rivest s'est fait remontrer par plus cynique que lui. « John, plaide-t-il, c'est quand même pas des faux ! »

L'affaire semble à nouveau close mais le premier ministre québécois remet ça, le vendredi matin, sur les ondes de CKAC, avec son ancien ministre du Travail devenu animateur, Jean Cournoyer. Il ne parle plus de « faux », mais ne veut pas non plus dire que les documents sont authentiques. Et comme la veille, il déclare que l'article comporte des choses fausses. Il conteste au premier chef le titre de l'article, et affirme que ce ne sont pas les dossiers « de Bourassa » car, dit-il, « je ne les ai même pas vus ».

Il n'y a aucun doute dans l'esprit de membres du SAIC, ni dans le témoignage de Rivest, que les analyses de l'Accord, notamment les fiches du 2 septembre, ont été acheminées au bureau du premier ministre, c'est-à-dire à Rivest et Morin, ses deux principaux adjoints constitutionnels. « Michel Hamelin me les envoyait régulièrement », résume Rivest. À ce seul titre, ce sont donc « les dossiers de Bourassa ». Il n'y en a pas d'autres*.

---

* Le reste est anecdotique. Morin et Rivest décidaient ensuite s'il valait la peine de remettre les documents à Robert Bourassa en mains propres ou s'il était suffisant de les utiliser pour le briefer oralement. « Il est PM, donc il est responsable de tout, convient Rivest, et il est censé avoir tout vu. Mais ceux-là, il ne les avait vraiment pas vus. » Bourassa, lui, n'en est pas complètement certain.

Bourassa : On en recevait tous les jours, des textes. Mais sur les textes qui étaient publiés dans *L'actualité*, j'ai pas vérifié avec tous les textes que j'avais reçus mais moi, on m'a donné l'assurance que c'étaient des textes qui étaient contraires à la réalité.

L'auteur : [...] Vous ne me dites pas aujourd'hui que vous avez la certitude qu'au moment de la production de ces textes, vous ne les avez pas eus. En fait il est probable que vous les ayez eus, ces textes, au moment de leur production.

Bourassa : Je ne sais pas. Moi, on m'a dit que je ne les ai pas eus. Quand on dit un premier ministre reçoit des textes — chaque matin sur votre bureau vous avez toujours une série de textes venant de différents ministères ! Des gens vous envoient toutes sortes de choses. On m'a dit, à cet égard-là, que ça n'avait pas été remis. »

C'est inexact, ne serait-ce qu'en ce qui concerne le texte « partage des pouvoirs », qui fut la base de sa position de négociation du vendredi matin à Charlottetown. Quant à la possibilité que Bourassa n'ait pas personnellement lu les fiches du 2 septembre, c'est plausible et, si c'est vrai, c'est encore pire. Un proche de Bourassa explique que depuis des mois, et en pleine négociation, « le premier ministre se plaignait qu'on lui envoyait des textes trop longs ». Ses conseillers s'appliquaient donc à réduire la production, et à tendre vers un ou deux feuillets « qui pouvaient se plier et se mettre dans la poche du veston ». Et ne pouvant présumer que Bourassa lirait les textes qui lui étaient remis, ils lui en exposaient verbalement la teneur. Il est également confirmé que, contrairement à ce qui s'est produit pendant les étapes précédentes — propositions Clark, Beaudoin-Dobbie, 7 juillet — Robert Bourassa n'a pas souhaité participer à un *post-mortem* technique des profits et des pertes de la négociation de Charlottetown (on découvre toujours à froid des problèmes qu'on n'avait pas décelés à chaud, comme les expériences de Meech et de l'édifice Pearson l'ont démontré). Puisqu'il

LE PLEURNICHEUR ?

Les journalistes qui suivent Bourassa pendant ces derniers jours de campagne sont perplexes quant à ses états d'âme. Oui, il s'emporte parfois et profère des contre-vérités sur le ton de la colère. Mais il semble en représentation : souriant et serein juste avant l'éclat, à nouveau flegmatique juste après. Est-ce un acteur en spectacle, tentant, comme il l'explique ces jours-là, de « hausser le ton pour que les gens entendent », pour « alerter les Québécois » des périls d'un vote négatif ? Rivest le pense : « Il revenait pour le final. Là, il en met un peu plus. Il monte le volume. »

Mais comme l'acteur qui puise dans ses émotions réelles pour rendre son personnage plus convaincant, Bourassa semble nourrir sa colère feinte d'une peine authentique. Jean Cournoyer, qui l'interroge le vendredi matin 23 octobre, en témoigne :

> Je le trouvais nerveux. C'est rare que je l'aie vu nerveux. Mais cette fois-là, le simple fait qu'il vienne [à l'émission] et qu'il détourne la conversation sur cet incident [les « Dossiers secrets »] ! Moi, je le questionnais pas là-dessus. Lui, il acceptait pas ça. Parce que ça portait sur sa crédibilité et son honnêteté. Il était pas capable de prendre qu'on l'attaque de cette façon-là.
>
> Surtout que, ce qui ressortait [des affaires Wilhelmy-Tremblay, de la chambre de commerce, de Sihota puis de l'article], c'est qu'il y avait un jugement de valeur sur son attitude à lui. Comme s'il était dans la lune pendant la négociation, qu'il savait pas ce qu'il faisait, pis qu'il était malade... Comme si c'était un débile, c'est à peu près ça qui ressortait. Ça, ça l'a affecté beaucoup, c'était personnel.
>
> En fait, pour une fois, moi je le sentais comme ayant perdu ses moyens. Alors qu'on a pu en dire tellement sur lui, il a eu tellement d'attaques personnelles, depuis le temps...
>
> Mais la minute que ça a été son habilité intellectuelle, son habilité physique et qu'on a voulu le blâmer pour son attitude pendant cette période, ça, il était pas capable de le prendre. C'est de même que j'ai perçu ça à l'époque. Il est pas capable de le prendre.

Bourassa passe la soirée du lendemain avec une équipe de tournage de l'émission *Le Point* pendue à ses basques. Il sait que le reportage, qui porte sur les derniers jours de la campagne, ne sera diffusé qu'après le vote. Il baisse un peu — si peu ! — la garde. Dans un bureau, à Hydro-Québec, il regarde la partie de base-ball : pour la première fois, une équipe canadienne, les Blue Jays de Toronto, a une chance d'arracher le championnat. Friand de ce sport, il n'a pu suivre chaque étape de la série, mais demande parfois qu'on laisse un poste de télé ou de radio allumé, pour qu'il puisse percevoir « l'essence du match » : « Juste par le bruit de la foule, je sais s'ils gagnent ou s'ils perdent. » Entre deux

---

affirme n'avoir même pas lu le *post-mortem* écrit, d'une trentaine de pages, préparé par le SAIC le 2 septembre, la question de la conscience professionnelle du premier ministre est posée.

coups sûrs, Bourassa commente le match politique qu'il s'apprête, lui, à perdre.

Son inquiétude quant aux dommages causés à son image ressort là encore. Alors que personne ne l'interroge sur la stabilité de son leadership, il répète comme pour conjurer le sort : « c'est pas moi qui suis en cause » dans ce référendum.

En réponse à la journaliste Françoise Stanton qui, d'un ton compatissant, lui demande : « Ce n'est pas la campagne que vous auriez voulu faire ? » Bourassa entame une tirade qui, au-delà des lieux communs, a des accents de plainte. Pendant un long instant, on ne sait si son regard, devenu absent, fixe l'image du stade et les joueurs qui crachent leur tabac, ou s'il s'est tourné vers l'intérieur, vers un lointain recoin de sa conscience, là où loge la tristesse.

> Bourassa : C'est pas la campagne que méritaient les Québécois. Ils méritaient d'avoir une campagne sur le contenu de l'entente, pas une campagne sur une conversation téléphonique à 11 h du soir ou des pseudo-avis qu'on m'aurait donnés et qu'on ne m'a jamais donnés. Alors, quand on sait que l'enjeu est historique... C'est préoccupant.

Ce samedi soir, Bourassa sait la défaite certaine. Il s'agit maintenant de compter. « Nos sondages nous donnent un écart d'à peu près 14 points. L'isoloir nous donne peut-être 6 ou 7 [Bourassa est fervent de la théorie voulant qu'un vote fédéraliste « discret » d'au moins 5 points ne s'exprime que le jour du scrutin], mais il en manque un bout encore [pour combler l'écart] !» Et il ne croit pas, en privé, au « sursaut » qu'il appelle de ses vœux en public.

Il a voulu, il a pensé, il a parié que les Québécois seraient aussi craintifs que lui, aussi modestes que lui, aussi inertes que lui. Il a voulu, il a pensé, il a parié que les Québécois auraient un appétit d'oiseau, et une mémoire aussi minuscule.

Ce n'est pas moi qui suis le seul responsable

Si Bourassa est triste, ce samedi où rien ne fonctionne, où rien ne peut plus changer la trajectoire du perdant, il passe rapidement ce cap. Le cynique chasse le pleurnicheur. Le lendemain, dimanche soir, veille du référendum, il a intégré la notion de la défaite. Il rationalise, il exorcise, il ironise. C'est une tradition, presque un rite : la veille d'un scrutin, le chef du parti mange avec les journalistes qui l'ont suivi pendant la campagne.

Michel David est assis à côté de lui, au restaurant Cintra, rue Stanley à Montréal, un des casse-croûte favoris de la classe libérale, où on peut lire le nom des habitués sur de petites plaques vissées près des tables. On y mange bien, c'est italien, et même le ministre de la Justice Gil Rémillard s'y est déjà fait offrir, sans complexe, des cigarettes de contrebande. Ce dimanche, le restaurateur a allumé ses fourneaux exprès pour M. Bourassa et sa bande de joyeux scribes.

« Il était très serein, la page était tournée », raconte David. En arriver là après deux ans d'efforts, « ça n'avait pas l'air de le déranger ». Bourassa se réjouit surtout que, malgré la défaite référendaire, la cote des libéraux n'ait pas été annihilée, comme en font foi des sondages récents.

Pouvoir enfin remiser le casse-tête constitutionnel « levait l'espèce d'hypothèque politique qui le fatiguait. Il avait toujours le fil constitutionnel à la patte et ça [le référendum] allait quand même nettoyer l'atmosphère pour un petit bout de temps », résume David.

Une vingtaine de journalistes participent au repas. Bourassa taquine l'un, chatouille l'autre. Mario Proulx, de Radio-Canada, est parmi les taquinés car son frère, Daniel, est un constitutionnaliste dont les avis ont plutôt favorisé le Non.

Proulx trouve Bourassa en grande forme. Pendant la discussion, tout le monde se plaint qu'il est difficile, vers la fin d'une campagne, de trouver de nouvelles choses à dire. Tous les thèmes sont usés, les arguments, les contre-arguments.

Bourassa est d'accord, mais il s'avoue très fier de sa trouvaille des derniers jours : « Dans un référendum, c'est le peuple qui décide. Il n'y a pas de perdant. » Surtout pas lui.

Michel David tente d'insister : quand même, c'est votre « proposition qui est battue », non ?

« Il n'y a pas de perdant », répète Bourassa, toujours têtu, même quand il est guilleret.

« Il riait de son bon coup, se souvient Proulx. Il riait, il la trouvait très bonne. Il y avait beaucoup de cynisme. »

Il n'y a pas de perdant. Bourassa l'aime bien, celle-là. Il l'aime beaucoup. Au groupe de journalistes qui le fréquente depuis des années, il tient à dire qu'il assigne à cette perle une place de choix dans sa collection de faux-fuyants.

« C'est une de mes meilleures. »

Grand Angle

L'ARCHITECTURE DE L'IMPASSE (BIS)

C'est pas fini tant que c'est pas fini.

ROBERT BOURASSA ET BOB RAE,
citant Yogi Bera, à Montréal, sept jours avant le vote.

*Conformément à la première loi de la politique selon Macpherson,
c'est fini dès qu'ils commencent à citer Yogi Bera.*

DON MACPHERSON,
The Gazette, quatre jours avant le vote.

C'était fini bien avant que ça commence.

TOM COURCHESNE,
dans son analyse du résultat pour le *Globe and Mail*
le lendemain du vote.

L E PARADOXE DÉMOCRATIQUE tient en deux propositions concurrentes : 1) l'« électorat » rend son verdict, lui-même traduit dans un chiffre froid qui clôt la discussion — le peuple a parlé, on l'écoute. C'est le geste le plus public, le plus direct, le plus transparent qui soit, celui autour duquel toute l'activité politique s'organise ; 2) le scrutin est secret. Les millions d'électeurs n'ont ni à motiver ni à expliquer leurs choix. Ils donnent chacun leur avis, aboutissement de raisonnements complexes ou naïfs, intelligents ou oiseux, nobles ou empreints de préjugés, expression d'une démarche farouchement individuelle ou d'un esprit de troupeau. Seul le résultat global du vote est immédiatement compréhensible. Les voies qui y ont mené forment un enchevêtrement qui défie les analystes.

Ils sont pourtant nombreux à relever ce défi, et ils se repèrent chaque fois un peu mieux. De scrutin en scrutin, ils raffinent leurs outils, balisent les sentiers, précisent la cartographie. En 1992, les deux millions et demi de dollars dépensés en sondages par le gouvernement Mulroney, ajoutés à l'acharnement de nombreux politologues canadiens de l'Ouest et de l'Est de mieux explorer la psyché de l'électorat, permettent comme jamais de circonscrire le paradoxe*.

Une fois qu'ils l'ont bien délimité, ils découvrent, d'abord et avant tout, plus que deux solitudes : deux attitudes, deux entêtements, bien ancrés, bien assumés et, pour tout dire, exubérants.

ROC : EXPLOSION, IMPLOSION

Les choses avaient splendidement débuté, dans le *Rest of Canada*. Tous les premiers ministres, les leaders territoriaux et autochtones, le chef de l'opposition officielle à Ottawa, le chef du principal syndicat canadien, les leaders patronaux, baignaient dans la joie et l'allégresse de l'unanimité retrouvée. Leur harmonie était communicative. Le bon peuple, à hauteur de 60 %, s'apprêtait à se mettre au diapason.

Après deux années de débats constitutionnels à n'en plus finir, l'accord de Charlottetown profitait de l'écœurement maintes fois mesuré par les sondeurs fédéraux, donc de la « volonté d'en finir », ainsi que d'un certain émoussement de l'opposition au concept de société distincte. Pour parler crûment : le Canada anglais semblait prêt à avaler la chose. Difficile de dire si l'apparition de ténors du Non — Preston Manning, d'abord, puis la féministe Judy Rebick — aurait suffi à miner cet appui. Allan Gregg, on l'a vu, se rend compte dès l'été de l'extraordinaire fragilité que camoufle l'unanimisme ambiant. L'affaissement est inévitable.

A Le Trudeau inversé

Il n'y aura pas érosion : il y aura coup de butoir.

Dans leur étude, Richard Johnston, André Blais, Elisabeth Gidengil et Neil Nevitte (ci-après Johnston/Blais) suivent à la trace l'effet Trudeau. On a vu comment l'ex-premier ministre est devenu la figure la plus influente du Canada anglais** au tournant des années 90. C'est toujours vrai, et de loin, en 1992.

---

* Les éléments statistiques et d'analyse utilisés dans ce chapitre viennent presque exclusivement des sources suivantes : sondages confidentiels fédéraux et mémos confidentiels fédéraux utilisés pendant la campagne ; entrevue avec le sondeur Allan Gregg ; article et portion de manuscrit de la grande enquête sur le référendum réalisée par les professeurs Richard Johnston, de l'Université de Colombie-Britannique ; André Blais, de l'Université de Montréal ; Elisabeth Gidengil, de l'université McGill et Neil Nevitte, de l'Université de Calgary. Les fascinants résultats de leur recherche, résumés ici, seront présentés dans un livre à paraître, *Rhetoric and Reality : The Referendum on the Charlottetown Accord*, (titre de travail) aux presses de l'université McGill. En plus de leurs sondages quotidiens effectués pendant le référendum, les quatre chercheurs et leur équipe ont réalisé 2226 entrevues auprès de leur échantillon après le vote, pour mesurer les motivations des électeurs. Je tiens à remercier ici MM. Blais et Johnston de m'avoir autorisé à utiliser le fruit de leur recherche. J'ai également utilisé des données de sondages publics, notamment la série CROP/*La Presse* sur les leaders.

** En novembre 1990, par exemple, les leaders canadiens favoris du ROC étaient, dans l'ordre : Pierre Trudeau, 31 % ; Clyde Wells, 17 % ; Jean Chrétien, 10 % ; Preston Manning, 7 %.

Dans la première étape de la campagne, Johnston/Blais notent que plus les habitants du ROC sont favorables à Pierre Trudeau, plus ils sont enclins à appuyer l'Accord. C'est le bon vieux malentendu : Trudeau s'étant fait le champion du bilinguisme, il est perçu comme un champion du fait français, donc du Québec (mais pas des séparatistes, bien sûr). Puisque l'entente semble apaiser le Québec, on lui donne le bénéfice du doute. Soulignons : être pro-Trudeau, dans le ROC, c'est être bien disposé envers le fait français. Le reste est perdu dans les méandres de la politique intraquébécoise. (De même, les Canadiens anglais généralement bien disposés envers le Québec sont plus favorables à l'Accord que les autres.)

Par son essai du 21 septembre publié dans *Maclean's*, puis par sa déclaration du egg roll le 1er octobre, Trudeau dissipe, c'est le moins qu'on puisse dire, le malentendu. Il appelle les électeurs à rejeter énergiquement le « gâchis » de Charlottetown, notamment parce que selon lui les Québécois francophones y sont traités comme une classe privilégiée.

Traçant une double courbe d'une constance dont les statisticiens rêvent la nuit, Johnston/Blais établissent que l'appui à l'Accord dans le ROC s'effondre entre le 29 septembre et le 9 octobre en synchronisme parfait avec la prise de conscience, par le public, de l'opposition de Trudeau. Certains lisent d'abord l'essai dans *Maclean's*, essai repris dans d'autres médias écrits. Puis le ROC tout entier subit une forte exposition médiatique aux arguments de la déclaration du egg roll*. Les Canadiens les plus pro-Trudeau, hier pour le Oui, en vertu de leur bénigne francophilie, font volte-face et deviennent les Canadiens les plus opposés à l'Accord, en vertu de leur égalitarisme ragaillardi. Ils rejoignent ainsi les *rednecks* antifrançais — et, pour cette raison, traditionnellement anti-Trudeau — qui n'avaient pas attendu le signal de l'ex-premier ministre montréalais pour rejeter une entente dans laquelle on peut lire les mots honnis de « société distincte ». (Dans cette coalition d'opposants à l'Accord, on trouve aussi des électeurs fâchés pour des raisons qui n'ont rien à voir avec le Québec, le français et Trudeau. On y reviendra.)

Cet effondrement du Oui est caractérisé par un grand craquement, dans les 48 heures qui suivent la déclaration du egg roll. Dans ses sondages quotidiens, Allan Gregg enregistre un renversement d'une clarté dont, là encore, les statisticiens rêvent la nuit. À cette différence près que pour le sondeur de Mulroney, le rêve est un cauchemar : le Oui, jusqu'alors pluralitaire, passe de 43 % à 29 % (-14) ; le Non, jusqu'alors dominé, devient presque majoritaire, passant de 34 % à 46 % (+12). Aucun autre événement ne provoquera un tel séisme dans l'opinion. Jamais, ensuite, les deux courbes ne se croiseront à nouveau. Essentiellement, deux jours après la déclaration du egg roll, la campagne référendaire du ROC est terminée.

---

*   Les sondages quotidiens d'Allan Gregg enregistrent une forte poussée du Non au lendemain de la parution de l'essai de Trudeau dans *Maclean's*. Mais elle ne survit pas plus d'une journée.

ROC: Thermomètre référendaire quotidien

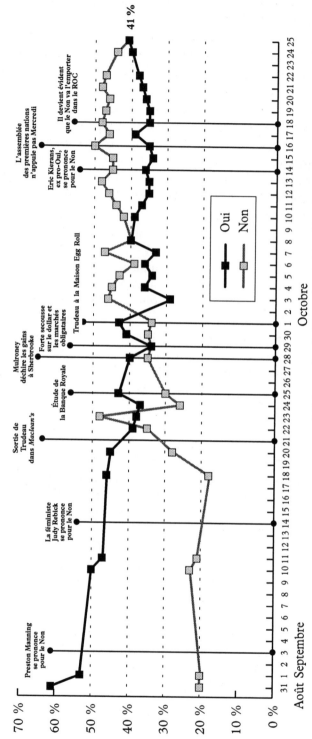

Indécis non répartis. Sources: la majorité des données proviennent des sondages quotidiens de Decima. Des sondages publics ont été utilisés pour la fin d'août et le début de septembre.

L'écroulement peut être observé partout, avec des amplitudes différentes selon les sous-régions du ROC. En Colombie-Britannique, par exemple, le Oui avait débuté sa course en assez piteux état : le premier ministre, Michael Harcourt, était accusé d'avoir « dormi sur la *switch* » à Pearson et à Charlottetown. Après le egg roll, le Oui dégringole au deuxième sous-sol. À l'autre bout du pays, dans les Maritimes, le Oui avait pris un si beau départ que le coup asséné par Trudeau n'élimine pas complètement son avance.

Johnston/Blais notent que d'autres facteurs influencent l'électorat canadien-anglais, mais dans des directions imprévues. Lorsque Preston Manning annonce son opposition à l'Accord, toutes choses étant égales par ailleurs, il provoque une légère remontée... du Oui ! Lorsque la féministe Judy Rebick annonce de même son opposition, elle entraîne avec elle un segment... des hommes ! Et quand les leaders syndicaux font campagne pour le Oui, ils suscitent l'adhésion... des non-syndiqués !

L'étude de l'accueil réservé aux quatre principaux volets de l'Accord révèle à quel point les politiciens canadiens ont erré dans l'élaboration de leur constitution rêvée. Principale surprise : partout, la population boude le Sénat concocté par Getty, Wells et les autres. Même dans les Prairies, berceau du Sénat triple E (20 % d'appui seulement dans l'ensemble du ROC). Certains imputeront cette froideur au fait que le Sénat égal proposé est édulcoré, ou supposé tel. Mais les tableaux ne trompent pas : partout, toujours, les Canadiens lancent un cri, un seul, au sujet du Sénat : abolissez-le !

B *Le Mercredi consterné*

Robert Bourassa, Brian Mulroney et plusieurs autres affirmeront que le volet autochtone fut le grand responsable de l'impopularité de l'Accord. Que les Canadiens en avaient peur, qu'ils n'en voulaient pas. Il est vrai que Trudeau, au egg roll, n'a pas fait de quartier en soulignant les éléments « racistes » de ces dispositions. Vrai aussi que Preston Manning a soulevé de pertinentes questions sur les garanties démocratiques dans les futures enclaves autochtones et sur la facture qu'il faudrait payer. Vrai qu'en Colombie-Britannique, le leader de l'opposition libérale, Gordon Smith, a vigoureusement pris le relais, dénonçant la création d'une classe « d'immigrants avec séniorité » qui serait ainsi inventée pour les autochtones. (Pourquoi « immigrants » ?)

Cependant, les sondages de Johnston/Blais, comme ceux de Gregg et ceux réalisés pour les grands quotidiens, sont clairs et cohérents : dans le ROC, 3 Canadiens sur 10 sont opposés à l'autogouvernement des autochtones, mais 6 sur 10 y sont favorables. (Au Québec : 50 % pour, 40 % contre.) Les Canadiens n'ont pas pris leur décision référendaire sur la base du volet autochtone. Si ç'avait été le cas, ils auraient été plus enclins à voter Oui[*].

---

[*] On peut prétendre que, rompus à la technique des sondages, les Canadiens donnent de façon croissante des réponses « politiquement correctes » au bout du fil, mais n'en pensent pas moins. Cet élément joue, c'est certain. Mais il n'apparaît pas dans les questions concernant le Québec, et il ne joue certainement pas suffisamment pour renverser les proportions.

Le drame du combat autochtone est ailleurs. Le 16 octobre, à Vancouver, les chefs de l'Assemblée des premières nations se réunissent pour discuter de l'Accord. Une vive opposition s'est élevée depuis le début de la campagne référendaire, et elle ne provient pas seulement des Mohawks québécois, irréductiblement opposés à une entente qu'ils qualifient, avec leur sens inné de la mesure, de « répugnante, paranoïaque et paternaliste ». Ovide Mercredi n'arrive pas à obtenir le consensus qu'il espérait : les chefs se séparent sans avoir entériné l'Accord. Mercredi se retrouve désavoué par ceux qui, pensait-il, lui avaient donné un mandat, ceux qu'il avait consultés à chaque tournant de la négociation, avant d'accepter chaque compromis. Quelques jours plus tard, Elijah Harper, symbole national autochtone, appelle ses frères de sang à voter Non. Le jour du scrutin, à peine 22 % de la population autochtone se présentera dans l'isoloir. Du nombre, 60 % des votants diront Non.

Profondément meurtri par l'attitude des chefs comme par le vote de son peuple, Ovide Mercredi expliquera sa détresse à la journaliste Susan Delacourt :

> Ce sont mes amis [les chefs]. Ce sont des gens qui ont travaillé avec moi depuis longtemps. Ils n'ont pas tenu parole. En politique indienne, tout repose sur la parole donnée. On ne peut pas faire de consensus si vous ne respectez pas votre parole. C'est ce qui m'a le plus consterné. Je veux dire, je peux accepter le verdict du peuple canadien. Je peux le comprendre. Mais nous, nous avons laissé nos préjugés l'emporter. Et quand je dis « nous », je veux dire « nous, le peuple autochtone ». [...]
>
> Certains autochtones ont voté comme ils l'ont fait, parce qu'ils trouvent le *statu quo* rassurant. La loi des Indiens est le fondement de leur éducation, de leur logement, de leur assistance sociale. C'est le fondement de tous ces services. Ils ont eu peur que le droit inhérent à l'autogouvernement ne signifie pas seulement la libération politique, mais peut-être aussi la fin de ces programmes, la fin de leur filet de sûreté.

Ovide Mercredi et sa conseillère, Mary Ellen Turpel, afficheront des visages d'enterrement, le soir du 26 octobre. Ils les garderont pendant de longs mois. (Pas la leader inuk Rosemarie Kuptana : les Inuit, eux, voteront pour l'entente.)

En résumé, ni la question autochtone ni la question du Sénat égal n'ont vraiment aidé, ou vraiment nui, à l'adoption ou au rejet de l'accord de Charlottetown. Qu'y avait-il d'autre ? Le volet québécois.

C *Le 25 % conspué*

Pendant la campagne référendaire, la clause de société distincte revient hanter les nouveaux pères de la confédération. Dans le ROC, plus de 55 % des électeurs n'en veulent pas, contre 40 % qui sont prêts à se laisser amadouer. Mais ce qui rend les Canadiens anglais vraiment furieux, c'est la clause qui garantit au Québec 25 % des sièges aux Communes pour l'éternité. Furieux à quel point ? À 80 points de pourcentage. Palpable dans les Maritimes et en Ontario, le rejet du 25 % est criant en Colombie-Britannique, province qui juge, de surcroît, s'être fait avoir au moment de la distribution des futurs sièges.

« Normalement, en Colombie-Britannique, les électeurs sont très conventionnels, très centristes, explique Donna Dasko, vice-présidente de la firme Environics. Par exemple, il n'étaient pas du tout excités par le débat entourant Meech. Mais pendant la campagne de Charlottetown, il était impossible de trouver qui que ce soit dans la rue qui ait du bien à dire de l'Accord ! »

Dans la rue, on pouvait en revanche entendre la blague suivante : alors que la population de la Colombie-Britannique est en pleine explosion, celle du Québec baisse à vue d'œil. Quel est le problème ? C'est que, bientôt, il n'y aura même plus assez de Québécois pour occuper les sièges qui leur sont réservés à la Chambre des communes !

Ce 25 %, inventé par Roy Romanow pour satisfaire une marotte de Robert Bourassa, a-t-il au moins contribué à faire accepter l'entente au Québec ? Johnston/Blais répondent : « Ironie du sort, l'élément qui fut massivement rejeté et qui fut si étroitement associé au vote dans le ROC n'a aucunement aidé le Oui au Québec. [...] Son impact sur le vote québécois fut nul. »

Son impact sur le vote canadien est celui du catalyseur. Combiné à l'appel à l'inflexibilité lancé par Trudeau du haut de la Maison Egg Roll, il a réveillé, activé, le sentiment anti-Québec latent dans l'électorat. Johnston/Blais expliquent :

> Lorsque les électeurs tentent de formuler une réponse à une question complexe, ils se servent d'indices. Une source importante d'indices est l'impact de la question à l'étude sur les axes principaux, ou les fractures principales, de la vie du groupe ou du pays. Au Canada, la principale fracture oppose les francophones aux anglophones, Québec au reste du pays. Il n'est pas surprenant, par conséquent, que les sentiments entretenus envers le Québec aient affecté l'évaluation que l'électeur faisait de l'Accord.

> En règle générale, moins l'électeur était intellectuellement équipé pour obtenir de l'information factuelle, plus il avait tendance à répercuter directement ses sentiments envers le Québec sur son intention de vote. Et moins l'électeur en savait, moins il aimait le Québec.

Or justement, il n'en savait pas beaucoup. Le lecteur québécois est souvent désolé de constater le niveau d'apolitisme ambiant. Qu'il se rassure : par comparaison, il vit dans la Mecque canadienne de la politique. Dans le ROC, explique Allan Gregg :

> Le niveau de connaissance des éléments de l'Accord était effroyable. Absolument effroyable. C'était effroyable jusqu'au jour du vote. Au début, on n'avait qu'un électeur sur quatre qui pouvait nous réciter les principaux points de l'Accord. À la fin, on est seulement montés à 50 %. Même le Sénat égal était complètement confus dans leur tête*. Et c'était particulièrement effroyable chez ceux qui n'arrêtaient pas de changer leur vote.

---

* Dans un groupe test à mi-chemin de la campagne, des électeurs affirment que tous les premiers ministres ne sont pas favorables à l'entente, et que celle-ci va permettre aux médecins de « charger plus cher ». (??!)

Chez ceux, donc, que Gregg et le Comité du Oui tentent de charmer. Mais même si cet « effroyable » problème de l'ignorance pouvait être résolu, l'appui au Oui ne croîtrait pas pour autant. Car si l'électeur mieux informé du contenu de l'Accord est moins porté à suivre son impulsion anti-Québec, il est aussi moins enclin à croire que le Québec se séparera en cas de victoire du Non. Et comme l'information supplémentaire ne le rend par ailleurs ni mieux ni moins bien disposé envers l'Accord lui-même, ce surplus d'information ne se traduit pas, dans l'ensemble, par un gain net pour le Oui.

Bref, c'est l'enfer.

Ces conclusions sont justes en termes globaux, statistiques. Elles sont justes aussi en détail, sur le terrain. Un rapport que dresse Decima des discussions d'un groupe-testmanitobain, réuni le 8 octobre, résume la situation ainsi :

> La raison la plus fréquemment invoquée pour voter Non reprend le thème de la société distincte/« traitement particulier pour le Québec ». Aucun autre argument cohérent, fondé en fait, portant sur l'Accord ne semble justifier l'opposition [des participants]. Ce rejet est alimenté par du cynisme à l'égard du processus politique, qui les rend soupçonneux quant au contenu de l'entente, méfiants envers ses auteurs et craintifs quant à son impact.

Dans un mémo secret rédigé par l'équipe de Joe Clark trois jours après le scrutin et intitulé *Post-game Analysis* (Analyse d'après-match) les experts du gouvernement fédéral arrivent à une conclusion similaire :

> Les éléments du paquet, pris individuellement, étaient à peu près acceptables par tous les Canadiens, à une exception près : la garantie que le Québec autait 25 % des sièges aux Communes était incontestablement impopulaire dans le ROC. Entre 60 et 70 % des Canadiens anglais trouvaient cette disposition injuste. Elle suscitait le rejet en soi, mais ravivait aussi le rejet de la clause de société distincte. Ces deux clauses, ensemble, donnaient à penser que, quels qu'aient été les autres objectifs des auteurs de l'Accord, leur principale mission était d'apaiser les nationalistes québécois.

Puisque « apaiser les nationalistes québécois » est une nécessité que la psyché politique canadienne récuse — alors qu'elle accepte d'apaiser les nationalistes autochtones — le vote négatif va l'emporter. Mais si, en disant Non, on attisait le feu qui couve chez les nationalistes ? Johnston/Blais, comme Gregg, ont vérifié l'efficacité de la menace de séparation sur le vote du ROC. « Au début de la campagne, disent les premiers, environ un électeur sur trois, en comptant large, partageait cette crainte ; à la fin, ils étaient moins d'un sur quatre. »

Parler d'« effet Trudeau » pour caractériser le vote du ROC relève, en 1992, de la tautologie. Car pour une majorité de Canadiens anglais, l'effet Trudeau est désormais indissociable de l'image conventionnelle de ce que doit être le pays, ou plutôt de ce qu'il ne doit pas être. Il ne doit pas être constitué de plus d'une nation — pas plus d'une nation blanche, en tout cas. Il ne doit pas faire de place spécifique, asymétrique, distincte, à qui que ce soit. Ce rouleau compresseur conceptuel, déjà responsable de la mort de Meech, a pris un tel élan deux ans plus tard qu'il écrase même sur son passage les plus orthodoxes des trudeauistes, qu'ils aient pour nom Jean Chrétien ou... Clyde Wells. Le Oui sera certes vainqueur à Terre-Neuve (63 % de Oui mais seulement 57 % de participation au vote), mais Wells se fait rabrouer, presque injurier, quand il promeut l'Accord dans l'ouest du pays, où le Comité national du Oui l'a pressé de se rendre.

Dans son livre *United We Fall* (Unis, nous échouerons), qui raconte la négociation constitutionnelle et la campagne référendaire vue du ROC, la journaliste Susan Delacourt offre cette synthèse :

> Cette histoire servira de leçon à ceux qui veulent se colleter à la vision trudeauiste du pays. Vous pouvez être un ennemi de Trudeau, comme Brian Mulroney, et tenter de contenir ou de refouler la vision trudeauiste. Invariablement, vous perdrez, comme Mulroney a perdu deux fois, à Meech et à Charlottetown.
>
> Ou vous pouvez tenter de vous allier à Trudeau, comme Wells ou même Frank McKenna, du Nouveau-Brunswick, et vous appliquer à refaçonner sa vision des années 70 pour l'adapter à la réalité des années 90. Vous perdrez quand même. [...]
>
> La vision trudeauiste est dotée d'une remarquable résistance, elle peut assaillir ses amis comme ses ennemis. En 1990, c'est Clyde Wells qui assaillait. En 1992, Clyde Wells s'est retrouvé parmi les assaillis.

D *Le Mulroney renversé*

Ce refus se met en place, pour l'essentiel, avant la mi-octobre. Dans la dernière quinzaine de la campagne, le Non canadien connaît un second essor. On l'a vu partir de 34 % pour atteindre 46 % aux lendemains du egg roll. Une semaine plus tard, il se tasse un peu, comme c'est normal après chaque emballement, pour revenir à 40 %. Par la suite, cependant, il se remet à grimper, jusqu'à 48 %, et ceux qui se disent contre le disent avec plus de fermeté qu'auparavant. Pourquoi ? Les digues ont lâché.

À partir de la seconde semaine d'octobre, des sondages pancanadiens indiquent de plus en plus clairement que le Non va l'emporter. Dans le ROC, c'est le signal. Avant, il y avait raisonnement. Maintenant, il y a défoulement.

> Gregg : Une partie de notre problème fut que notre Accord était devenu un paratonnerre pour toutes les animosités qui s'étaient accumulées contre le système politique et contre les élites et qui n'avaient pas jusqu'alors trouvé d'exutoire. C'était particulièrement patent dans les groupes-tests.
>
> On leur demandait : « Pourquoi êtes-vous opposés à l'accord de Charlottetown ? » Ils répondaient : « Parce que je suis furieux contre la maudite TPS ! »
>
> On ne s'en est pas rendu compte avant qu'il soit trop tard. On tentait de leur dire : « C'est une bonne entente ! » Ils nous répondaient : « Je m'en contre-câlisse, parce que je suis en hostie contre la TPS ! »
>
> C'était un dialogue de sourds.

Johnston/Blais, de même, notent que le facteur Mulroney entre en action dans cette dernière phase de la campagne. « C'est comme si, sachant que l'entente va s'écraser, les électeurs se sentent autorisés à se défouler, et à exprimer leur rejet de Mulroney (Mulroney-*bashing*) ». Tous les observateurs conviennent que le premier ministre n'est pas responsable de l'échec de l'Accord. Gregg avait constaté, après la scène de Sherbrooke, que Mulroney nuisait plus qu'il n'aidait. Mais son absence de la scène n'aurait rien changé de fondamental. (Seule hypothèse non testée : la suggestion, faite en petit comité par Bourassa, que Mulroney promette de démissionner en cas de victoire du Oui*.) À la toute fin de la campagne, Gregg enregistre une montée globale du Oui dans le ROC. Mais sa distribution dans les sous-régions du Canada ne laisse aucun doute sur le fait que partout à l'Ouest de l'Ontario, ce sera Non.

Ni cette remontée tardive, ni ce tabassage de fin de campagne ne modifient le verdict global que Johnston/Blais posent comme suit :

> On ne semble pas pouvoir échapper à la conclusion que le Non du ROC fut un rejet des demandes québécoises, du moins telles qu'emballées en 1992. Dès le départ, aucun des éléments clés du volet québécois de l'entente ne recueillait un appui majoritaire à l'extérieur de la province. Dans la première partie de la campagne, ce rejet n'empêchait pas la constitution d'une majorité favorable à l'ensemble de l'Accord. Mais lorsque le Oui a commencé à s'effondrer, les outils de l'effondrement furent le 25 % et la société distincte.

Québec : Le supplice du tricheur

L'auteur a beaucoup dit, dans le chapitre précédent, que Robert Bourassa fut pendant la campagne la victime de son propre passé. Certains alliés, comme Brian Mulroney, pensent que « sans la maudite conversation » [Wilhelmy-Tremblay], puis les « Dossiers secrets », la partie pouvait être gagnée. La campagne aurait donc été jouée sur les « faits divers » et autres « pétards mouillés » dont Robert Bourassa aime parler.

L'analyse des données foudroie cette théorie. Comme c'était le cas dans le ROC en début de campagne, on trouve dans l'opinion québécoise, avant le premier discours et la première « affaire », tous les germes de l'effondrement à venir. Dans le ROC, Pierre Trudeau servira de catalyseur. Au Québec, les « faits divers » joueront ce rôle.

A Quoi, c'est tout ?

À la mi-septembre, Decima pose quelques questions pointues aux Québécois, déjà plutôt contre l'Accord (46 % Non, 31 % Oui). Ceux qui affirment déjà

---

* Pour le reste, s'il est vrai qu'en votant Non, les habitants du ROC ont rejeté une proposition faite par leurs élites politiques, syndicales et d'affaires, les chiffres montrent qu'on aurait tort de croire qu'ils rejetaient ainsi les membres de l'élite eux-mêmes. À part Mulroney, la plupart des personnalités ayant défendu l'Accord obtenaient une note neutre ou positive dans l'échelle de l'approbation, et clairement positive dans les Maritimes.

vouloir voter Non présentent une caractéristique assez marquée. Appelés à motiver leur décision, 70 % d'entre eux disent trouver « extrêmement important » le fait « qu'on peut obtenir une meilleure entente que ça ». Si on ajoute ceux qui ne jugent la chose que « modérément importante », le taux monte à 88 %.

Les indécis, c'est normal, sont moins catégoriques. Mais ils sont tout de même 46 % à qualifier ce constat d'« extrêmement important ». Au total, 75 % le considèrent au moins comme « modérément important ».

Chez les Québécois pris dans leur ensemble, 52 % estiment que l'entente constitue un « effort insatisfaisant de prise en compte des intérêts » du Québec.

Bref, la campagne officielle n'est pas encore ouverte — elle commence le 17 septembre — que déjà, les Québécois affirment : 1) pas fameux ; 2) peut faire mieux.

Le premier message ne serait pas tragique. Bourassa, qui affirme, les jours pairs, que l'entente est une poule aux œufs d'or, prétend au contraire, les jours impairs, qu'elle n'est pas parfaite. L'important, dans son argumentaire, est d'insister sur le fait qu'elle ne pourrait pas être meilleure.

Mais les Québécois ne le suivent pas jusque-là. Eux qu'on a bercés depuis l'enfance en leur chantant les vertus du fédéralisme flexible, du fédéralisme rentable ; eux qu'on a endormis depuis le début de 1991 avec la possible « réforme radicale », « en profondeur », le « renouvellement » et la « dernière chance », semblent enfin convaincus que ce Nouveau Canada est à portée de la main. Ils s'étonnent de ne pas le trouver dans leur assiette.

On dirait qu'un sort a été jeté à Robert Bourassa : pendant toute la campagne, il ne réussira jamais à convaincre assez de Québécois que ce qu'il a rapporté de Charlottetown est le maximum, la limite, la récolte ultime, la flexibilité maximale du fédéralisme canadien.

Deux groupes-tests d'indécis réunis par Créatec à trois semaines du scrutin confirment que tous les discours prononcés par Bourassa et Mulroney dans l'intervalle n'ont rien changé :

> La plupart des participants pensent qu'une victoire du Non signifierait de nouvelles négociations pour que le Québec obtienne une meilleure situation avec le reste du Canada. Ils expriment cet avis malgré le fait que la plupart d'entre eux constatent que le processus de négociation a traîné au-delà des limites acceptables. [...] En bref, ils pensent qu'un vote pour le Oui constitue en un sens un voyage dans l'inconnu alors qu'un vote pour le Non nous laisserait dans le *statu quo*, sinon dans une position de négociation renforcée.

Bourassa, qui a passé sa vie à vanter la — fausse — flexibilité du fédéralisme, se voit maintenant obligé de dire la vérité : le fédéralisme canadien n'est pas flexible. C'est ça ou rien. Flairant sans doute le danger, il le fera peu, et surtout sur le mode mineur. Mulroney, lui, tapera sur ce clou à coups de massue. En vain.

S'ils ne sont pas convaincus que l'entente est la meilleure possible, peut-être les électeur québécois peuvent-ils être convaincus qu'un Non aurait de fâcheux effets économiques, politiques, écologiques (pourquoi pas) ? Ils pourraient être contre l'Accord sur le fond, mais voter sur la frousse ?

Dès le début de la campagne, les Québécois dédaignent ces hameçons. À Decima, 69 % déclarent qu'il est erroné d'associer le Non à la souveraineté. Deux groupes-tests de Créatec, réunis à la mi-septembre, révèlent l'état d'esprit particulier des indécis :

> Sur le plan économique, les conséquences de l'acceptation ou du rejet de l'entente sont totalement absentes des considérations des participants. [...]

> Ultimement, c'est la notion de « fierté » qui apparaît présider surtout aux penchants manifestés par les indécis :

> – Le Oui à l'entente serait plutôt un signe de soumission et de capitulation au reste du Canada.

> – Un Non à l'entente représenterait plutôt une volonté d'affirmation du Québec.

Voilà ce que pensent les Québécois avant que les « faits divers » viennent animer leurs discussions : insatisfaits du contenu de l'entente, incrédules quant à l'impossibilité de l'améliorer, imperméables aux scénarios catastrophes.

B Le film de l'opinion

À la fin d'août et au début de septembre, l'opinion québécoise est encore en ébullition ; ces tendances lourdes ne se sont pas encore matérialisées en intentions de vote fermes. Dans les premiers sondages, les courbes se croisent ou s'entrechoquent. Plus que le départ de Jean Allaire et de Mario Dumont du congrès libéral, c'est l'adhésion d'Allaire au Comité du Non, le 2 septembre, qui semble stabiliser les choses. « Sa présence dans le camp du Non peut avoir rassuré les électeurs sur le fait que l'intégrité de la fédération n'était pas en cause, écrivent Johnston/Blais, et leur rappelait que Bourassa n'avait pas été, c'est le moins qu'on puisse dire, cohérent dans son action. »

Allaire rassure les électeurs, mais lesquels ? L'électorat québécois se divise en trois groupes. D'abord, les non-francophones, qui suivent massivement les consignes de vote fédéraliste, constituent 17 % de la population, mais 15 % de l'électorat. À leur sujet, on discutera beaucoup de l'importance de « l'effet Trudeau » le soir du référendum.

Ensuite, les francophones qui se définissent comme souverainistes forment 47 % de l'électorat, et suivent les consignes de vote des nationalistes, d'obédience péquiste, bloquiste ou allairiste.

Enfin, les francophones non souverainistes, électeurs libéraux pour la plupart, offrent le seul véritable champ de bataille de la campagne référendaire. Ils forment 37 % de l'électorat.

Le calcul est donc simple : partant d'une base non francophone de 15 %, le Comité du Oui a besoin de 35 % supplémentaire pour atteindre la barre des

Québec: Thermomètre référendaire quotidien

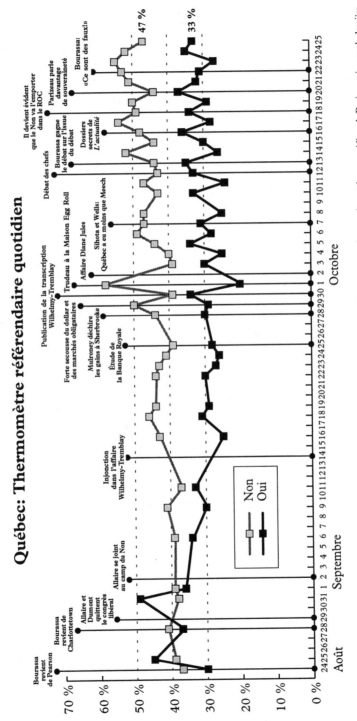

Indécis non répartis. Sources: la majorité des données proviennent des sondages quotidiens de Decima puis, pour la dernière semaine d'octobre, des données combinées de Decima et de Créatec. Des sondages publics ont été utilisés pour la fin d'août et le début de septembre.

50 %. À supposer même qu'il réussisse à amadouer quelques souverainistes égarés — ou qui considèrent que les « 31 gains » sont toujours « bons à prendre » en attendant le Grand Soir — le Oui a tout de même besoin de la quasi-totalité des francophones non souverainistes pour l'emporter. « Compte tenu du seuil que le Oui devait atteindre dans ce groupe, peut-être la tâche était-elle impossible », écrivent Johnston/Blais.

Allaire, donc, donne un premier signal aux non-souverainistes en choisissant le camp du Non. À partir de ce moment et jusqu'au jour du vote, le Oui ne sera jamais plus en avance. L'« affaire Wilhelmy », qui éclate quelques jours plus tard, ne modifie pas substantiellement la courbe. Il faut se rappeler qu'à ce moment, seul un petit nombre de Québécois sait de quoi il retourne. L'« affaire » n'a pas d'impact direct sur les intentions de vote.

Pendant presque tout le mois de septembre, le Non monte la pente douce, raffermit son avance, pendant que le Oui perd de la vitesse. La publication, le 25 septembre, de l'étude de la Banque Royale sur les conséquences d'un Non, inaugure une phase de grande tourmente. En soi, l'étude de la Banque ne provoque pas de mouvement subit. Elle survient à la fin d'un premier tassement graduel du Non. Et elle a comme premier effet d'en arrêter la chute, et de relancer le Non de cinq points vers le haut. L'électorat se braque.

Trois jours plus tard, quand Mulroney déchire ses gains, il fait monter la vapeur... du Non ! La poussée est brève, mais étonnante : 6 points de pourcentage. Le lendemain, par contre, la combinaison de l'étude de la Banque Royale et des déclarations alarmistes de Mulroney fait chuter le dollar et provoque une flambée des taux d'intérêts sur le marché obligataire, suivie d'une hausse de deux points du taux d'escompte. Pendant 24 heures, les Québécois réagissent à l'irruption de l'économie dans le débat, et les courbes du Oui et du Non fondent l'une sur l'autre, sans toutefois s'inverser (Non : -11 ; Oui : +5).

Cela pourrait signifier le début d'une ère nouvelle pour le Oui, mais le lendemain, la « rupture du Pacte » réclame à nouveau sa place à l'avant-scène du débat. C'est le jour d'arrivée, sur les ondes puis dans les kiosques à journaux, de la transcription de la conversation Wilhelmy-Tremblay. L'impact sur l'électorat est massif : le Non reprend tout le terrain perdu et gagne un nouveau sommet : 58 % (+19 en 24 heures) ; le Oui tombe à son nouveau plancher de 20 % (-14). La poussée de fièvre est de courte durée, et l'emballement est suivi d'un repli.

Johnston/Blais proposent à ce sujet la réflexion suivante : «L'affaire Wilhelmy était importante, mais surtout parce qu'elle a solidifié des doutes déjà existants au sujet de la crédibilité de Bourassa. Sans l'affaire Wilhelmy, le résultat aurait été plus serré, mais elle n'a pas été déterminante. »

Est-ce Pierre Trudeau ou Diane Jules qui dépriment le Non québécois pendant les 72 heures qui suivent ? Difficile à dire. Le Non, en tout cas, ne retrouvera plus son sommet post-transcription.

Rien d'essentiel ne se passe jusqu'au débat des chefs et, pour ce qui est des intentions de vote, rien n'est durablement changé par l'affrontement Bourassa/ Parizeau. (Les sondages quotidiens d'Allan Gregg enregistrent une incompréhensible et soudaine montée du Non le surlendemain du débat ; il s'agit probablement du 20ᵉ sondage sur 20, l'aberration statistique.) À la fin de la semaine, les « Dossiers secrets » poussent le Non à sa seconde meilleure marque de la campagne : 54 %. Il passera presque toute la semaine au-dessus de 50 %, même après la sortie de Bourassa contre les « faux ». Les discours souverainistes de Parizeau ne semblent pas non plus avoir eu un effet durable ou cumulé sur l'opinion.

C *Moins distinct que moi, tu meurs !*

Globalement, Johnston/Blais concluent que le groupe décisif, les francophones non souverainistes, a refusé de fonder son vote sur les scénarios non directement liés à l'entente. Qu'un vote positif permette de « tourner la page », qu'un vote négatif fasse dégringoler le dollar ou renforce la « menace souverainiste » ne leur a fait ni chaud ni froid.

« Ils ont voté sur la base de leur évaluation de l'entente telle quelle » et leur évaluation a subi l'influence de deux variables : 1) L'entente était-elle la meilleure possible dans les circonstances ? Une majorité ne le pensait pas. 2) Le Québec avait-il gagné ou perdu ? Les francophones non souverainistes étaient divisés moitié-moitié sur la question.

Mais selon quel critère jugent-ils l'entente insuffisante ? La formation de la main-d'œuvre ? Le rapport Allaire ? La maîtrise d'œuvre en matière culturelle ? Non : la société distincte. Ils la voulaient musclée, ils la voulaient fonctionnelle, ils la voulaient vraie, donc entraînant avec elle, peut-être, les pouvoirs qu'on vient de mentionner. Ainsi, 75 % des francophones non souverainistes « trouvaient que la clause de société distincte n'allait pas assez loin, ce qui se traduisait par leur appui tiède à l'entente ». Nous voilà au cœur du débat. Le ROC refuse toute inégalité, réelle ou perçue, entre le Québec et le reste des provinces. Les Québécois, même non souverainistes, exigent au contraire l'inégalité, la différence, un caractère distinct qui soit plus qu'un hochet.

Un des grands mérites de l'étude Johnston/Blais est la distinction qu'elle établit entre les sujets qui ont intéressé les électeurs sans les faire changer d'avis et ceux qui ont réellement motivé leur choix. Elle le fait par recoupements entre les entrevues réalisées pendant la campagne et celles effectuées auprès du même échantillon après le vote.

Les Québécois ont trouvé, par exemple, que les autochtones s'étaient remarquablement bien tirés d'affaire. C'est une opinion, sans plus, qui n'a « tout simplement pas eu d'impact du tout » sur leur décision, écrivent les politologues. *Idem* pour les gains de l'Ouest ou du gouvernement fédéral : intéressant, mais pas déterminant.

L'intervention de Pierre Trudeau dans le débat « semble n'avoir eu aucun

impact », constatent Johnston/Blais. Et si les frasques de Brian Mulroney ont pu
faire virevolter les indices, il est impossible d'en trouver trace dans la décision
des uns et des autres. Même conclusion en ce qui concerne l'étude de la
Banque Royale : calme absolu sur le front de la décision de l'électeur.

D Le chef

La réaction des Québécois face à leur premier ministre mérite qu'on s'y arrête
brièvement. Plusieurs baromètres, pendant la campagne, indiquent la
popularité comparée des chefs. Celui de la maison CROP, pour le quotidien *La
Presse,* mesure le niveau de confiance « à l'égard des leaders dans le débat
constitutionnel ». En observant le tableau qui suit, il faut garder une variable à
l'esprit : en règle générale, plus un leader est vu à la télévision, plus il emporte
l'adhésion. Puisque Lucien Bouchard, Jean Allaire et Jean Chrétien jouent des
rôles secondaires pendant la campagne, leur étoile pâlit, quelle que soit la
qualité de leur performance. (Bouchard passe de 16 à 8 % ; Chrétien de 7 à
1 %.) De même, Trudeau sort du champ télévisuel après le egg roll, et son aura
faiblit avec le temps (de 8 % à 5 %).

   Les trois personnalités qui tiennent l'antenne chaque soir, pendant toute la
campagne, sont Robert Bourassa, Jacques Parizeau et Brian Mulroney.

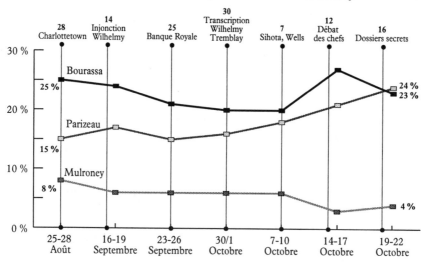

**Confiance des Québécois
envers MM. Bourassa, Parizeau et Mulroney**

Indécis non répartis. Source: CROP/ *La Presse*

   Malgré l'exposition télévisuelle maximale, la cote de Bourassa fléchit constamment, jusqu'au débat des chefs, qui lui insuffle un nouvel élan. Les
«Dossiers secrets», en fin de campagne, font pour la première fois se croiser
les courbes de Bourassa et de Parizeau, avec un écart qui n'est pas statistique-
ment significatif. À l'aide de leur propre baromètre, observant la réaction des

seuls francophones non souverainistes, Johnston/Blais notent aussi un déclin de la cote de confiance de Bourassa et un redressement de celle de Parizeau. L'écart qui sépare les deux ne s'est pas inversé, comme ici, mais est passé de 21 points qu'il était au début de la campagne à seulement 12 à la fin.

Mais si on note ce glissement, on peut se surprendre qu'il n'ait pas été encore plus marqué. Bourassa sort de la campagne avec une crédibilité amochée mais non détruite. Les Québécois ne sont pas régicides. Ils hésitent à rejeter leur chef, à le juger trop sévèrement. Ils ont cependant une petite idée de ce qu'il devrait faire au lendemain de sa défaite référendaire. Six jours avant le vote, dans un sondage SOM/*Le Soleil*, 39 % lui disent : « Déclenche une élection ou démissionne. »

E *Ode aux Québécois*

L'auteur a beaucoup parlé, dans ce livre, des grands acteurs de la politique : le premier ministre, les conseillers, les élus, le parti, l'opposition, les gens d'affaires, les syndicalistes, les puissances étrangères, les journalistes, les conseillers en communications.

Se faisant tantôt juge, tantôt critique, il a distribué les points, bons et mauvais, applaudi ici, condamné là, ironisé partout. Il y a pourtant un acteur, dans cette histoire, qui a droit à plus de lauriers que tout autre : le peuple québécois. Pas parce qu'il a pris ce que l'auteur considère comme la bonne décision. Du moins, pas seulement. Le peuple québécois est méritant parce qu'il a pris part au débat démocratique avec plus d'entrain, plus d'effort, plus de constance, plus de cohérence que beaucoup de ses représentants.

Il l'a fait malgré le cynisme ambiant, malgré la décote des élites, malgré les redites imposées par le premier ministre, malgré l'écœurement induit par la coupable lenteur de Bourassa, malgré les messages blasés et démobilisateurs distillés par les médias.

Selon les estimations, entre 50 % et 62 % des électeurs québécois ont regardé, le 12 octobre, le débat des chefs. Parmi ceux qui se sont installés devant leur écran, 80 % y sont restés rivés jusqu'au bout, buvant le charabia jusqu'à la lie. À leurs tables de cuisine, dans leurs salons, 59 % des électeurs québécois ont entrepris de lire le texte constitutionnel distribué soit par le Comité du Oui, soit par celui du Non. Parmi eux, 16 % décrochent la médaille de l'exploit civique : ils l'ont lu jusqu'au bout. (Même en supposant que 30 % de ces réponses sont exagérées, le résultat reste remarquable.)

Pendant la campagne, le *bunker,* trouvant la vie bien terne et ses sondages de Créatec bien incapables de percer les mystères du refus québécois, s'est tourné vers une firme spécialisée dans l'analyse « psychographique » des publics, la compagnie Prisme. Utilisant une technique mise au point aux États-Unis et adaptée au Canada par la compagnie Goldfarb, Prisme segmente les Québécois en six « types », tant il est vrai qu'aujourd'hui, c'est l'attitude individuelle, bien plus que le statut social, le salaire, l'âge ou la scolarité qui oriente les choix des électeurs.

Ces six types s'échelonnent du « traditionnaliste inflexible » à « l'hédoniste égocentrique ». Au centre, on trouve le groupe le plus nombreux au Québec : les « réformistes engagés », qui constituent 29 % de la population (au lieu de 17 % seulement dans le ROC). Ni yuppies ni pantouflards, ils réfléchissent avant d'agir, ne succombent pas nécessairement à la dernière mode mais l'intègrent dans leurs habitudes si, à l'usage, elle s'avère préférable à la précédente.

Réformistes, ils veulent améliorer les choses. Engagés, ils sont prêts à mettre la main à la pâte. En démocratie, ils forment l'équipage. En Amérique du Nord, ils sont proportionnellement plus nombreux au Québec que dans n'importe quelle province canadienne et dans n'importe quelle région américaine.

Lorsqu'Alexandre Sakiz, président de Prisme, passe les intentions de vote référendaire à la moulinette de ses six types psychographiques, il en ressort que 90 % des réformistes engagés francophones s'apprêtent à dire Non. Tout bien considéré. Tout bien lu, écouté, soupesé. Facteur aggravant dans leur refus de l'offrande libérale : la campagne de peur. Plus elle est intense, plus ils y résistent. Adultes responsables, ils n'aiment pas se faire bousculer*.

Ode aux Québécois, et parmi eux à la minorité autochtone. Car si, d'Est en Ouest, les autochtones canadiens ont eu peur du changement, peur de la responsabilité nouvelle que l'autogouvernement — pourtant sans grand risque et douillet à souhait — imposerait à leur sécurisante dépendance, les autochtones du Québec, eux, se sont montrés prêts à faire le saut. Les Cris du Grand Nord, les Montagnais, les Hurons : presque partout au Québec, les nations autochtones ont voté Oui en majorité. Les autochtones québécois savent reconnaître l'offre qu'il ne faut pas refuser. Eux savent qu'ils ont gagné. Eux veulent s'engager dans la réforme. C'est bon à savoir.

★   ★   ★

Le 26 octobre 1992, 4 033 021 Québécois vont cocher leur case, faire leur croix, imposer leur volonté. En tout, 83 % des électeurs inscrits. C'est, sur le continent nord-américain, un taux de participation remarquable. À l'échelle de la démocratie mondiale, le Québec se retrouve ainsi dans le peloton de tête. En moyenne, les voisins du ROC se présentent à 72 % aux bureaux de scrutin. Ce taux est atteint notamment grâce à la rage des habitants de la Colombie-Britannique, sortis de leur torpeur politique pour venir, à 77 %, dire non au Québec. Ailleurs, les plus vaillants sont les Albertains (73 %), les moins intéressés, les Terre-Neuviens (53 %).

---

*   Les six types se répartissent en deux grands groupes : A) traditionnalistes ; (1) Réalistes conformistes — Québec : 26 %, ROC : 23 % ; (2) traditionnalistes inflexibles — Québec : 16 %, ROC : 15 % ; (3) casaniers diligents — Québec : 9 %, ROC : 12 % ; B) non traditionnalistes : (4) réformistes engagés — Québec : 29 %, ROC : 17 % ; (5) arrivistes agressifs — Québec : 9 %, ROC : 13 % ; (6) hédonistes égocentriques — Québec : 11 %, ROC : 19 %.

Que disent, au juste, la majorité des 4 033 021 démocrates québécois ? Johnston/Blais proposent cette conclusion générale :

> Le Non a gagné au Québec parce qu'une importante proportion des non souverainistes ne pouvaient surmonter leurs appréhensions envers l'entente ; ils sentaient que l'entente n'était pas un bon compromis et que le Québec y avait plutôt perdu, et ils n'étaient plus certains de pouvoir faire confiance à Bourassa. De plus, ils pouvaient voter Non sans risque, car il leur semblait improbable qu'un rejet de l'entente mène à la séparation.

> De tous les éléments de l'entente de Charlottetown, celui qui a le plus pesé sur le vote fut la clause de la société distincte. Massivement, les Québécois étaient favorables à cette reconnaissance mais une majorité, même parmi les non souverainistes, jugeaient qu'elle n'allait pas assez loin. Et puisque cette clause constituait le seul gain important du Québec — le 25 % étant considéré comme sans intérêt —, il était difficile de prétendre que l'entente était bonne.

Comme c'était le cas pour l'analyse de la réaction du ROC, les conclusions des universitaires se marient assez bien à celles des experts fédéraux, même si les deux groupes n'empruntent pas le même chemin. Dans le mémo secret intitulé *Post-game Analysis*, envoyé à Joe Clark trois jours après le scrutin, on ne retrouve pas la variable de la société distincte, mais celle de « l'échange inégal » entre le Québec et le Canada. On lit :

> Au Québec, aucun thème pris isolément n'a suffi à convaincre les Québécois qu'ils avaient là un mauvais contrat avec le reste du pays. Cela dit, la plupart des Québécois ne pensaient pas avoir besoin d'obtenir une preuve tangible. Globalement parlant, les Québécois jugent qu'ils donnent plus au Canada anglais qu'ils ne reçoivent en retour. Il incombait aux fédéralistes de faire la preuve que l'Accord aiderait à corriger cette injustice. Nous avions le fardeau de la preuve et nous avons échoué à relever ce défi.

*   *   *

L'essentiel, dans toute cette analyse, c'est qu'elle pouvait être faite et qu'elle l'avait été largement en 1990, au lendemain de la mort de Meech. Le Canada se trouvait alors dans une impasse. Deux ans plus tard, la voie est toujours sans issue. C'était prévisible, c'était prévu. Vérifiable et vérifié, alors et à chaque étape, tout au long du chemin.

Avoir lancé le Québec dans ce cul-de-sac, la première fois, c'était un accident. L'y avoir enfoncé, la seconde fois, c'est une faute.

19

LE RÉCOLTEUR

À semer du vent de c'te force-là,
tu t'prépares une joyeuse tempête.
P'têt ben qu'tu t'en aperçois pas.

GILLES VIGNEAULT

SANS LA FOI, il n'y aurait pas de beaux combats. Sans la foi, il n'y aurait pas de *sprint*. Sans la foi, il n'y aurait pas de suspense. Brian Mulroney a la foi. La foi du *campaigner*. Celle qui fait croire que, dans le secret de l'isoloir, les citoyens feront un énorme pied de nez aux pronostics et à la courbe des enquêtes d'opinion. C'est leur droit. Ça s'est vu. C'est un des charmes de la démocratie.

Fouetté par les noirs sondages d'Allan Gregg et ceux que tous les quotidiens du pays lui jettent au visage chaque matin, Mulroney fonce dans l'électorat comme si chaque seconde était précieuse, comme si chaque poignée de main pouvait faire la différence. Venu au réseau TVA, à Montréal, donner une ultime entrevue, il serre les mains de tous et chacun dans la salle de nouvelles, appelle des journalistes locaux par leurs prénoms — car de chez lui, il les observe tous à l'écran, eux et leurs concurrents, ponctuant leurs propos de son cri d'indignation favori : « Quelle médiocrité ! » À TVA, il interrompt un jeune adjoint en pleine conversation téléphonique : « À qui tu parles, là ? »

« Euh... bredouille l'autre, à notre correspondant à Toronto. »

Mulroney s'empare du téléphone et, sur un ton faussement outré, interpelle le correspondant par son prénom pour lui dire : « Écoute, c'est ton premier ministre qui parle ! Ton topo, hier soir, c'était pourri ! »

Le premier ministre est déjà parti taquiner quelqu'un d'autre, laissant l'adjoint insister dans le combiné : « Oui, oui, je te jure, c'était Brian Mulroney lui-même ! »

Redescendu sur le boulevard de Maisonneuve, où l'attend sa limousine,

Mulroney poursuit sa folle quête de votes. Il serre des mains sur le trottoir, arrête les voitures, fait baisser les vitres, ouvre les portes des taxis.

Cette frénésie, il la déploie en pure perte. Dans le ROC, elle sera engloutie par la vague de fond entretenue par son vieil ennemi Pierre Trudeau. Trudeau qui connaît d'expérience la foi du *campaigner*. « Toute campagne électorale exige une énorme dépense d'énergie, écrit-il dans ses Mémoires. En compensation, aussi longtemps que la défaite n'est pas consommée, on continue de croire à la victoire ou plutôt, on continue de l'espérer. Et cet espoir même vous persuade que la lutte connaîtra une heureuse issue. Autrement, on ne pourrait pas continuer à se battre. »

Brian Mulroney en est là, au soir du 26 octobre 1992. À son chalet du lac Harrington, il a réuni quelques amis. Son biographe, Peter C. Newman. Son chef de cabinet, Hugh Segal. Son lieutenant québécois, Benoît Bouchard, seul ministre présent.

Mulroney, explique Bouchard, « c'est un homme qui croit toujours que ça va marcher, jusqu'au dernier moment. C'est ce qui fait sa force : la foi, l'acharnement et la ténacité qu'il met dans la cause elle-même. J'ai jamais vu ça de ma vie. Il est comme un bouledogue. Il s'accroche. Il est convaincu qu'il va gagner. »

Les premiers résultats, qui viennent de l'est du pays, sont encourageants. À 20 h, heure de l'Est, quand les émissions spéciales commencent, on a commencé à dépouiller le vote dans les Maritimes, où les bureaux de scrutin sont déjà fermés depuis une heure. En gros, le Oui gagne : Terre-Neuve (63 %), l'Île-du-Prince-Édouard (74 %) et le Nouveau-Brunswick (62 %) ouvrent la marche, ce qui n'est pas surprenant. Si ça va bien là où ça doit aller bien, peut-être le miracle se produira-t-il là où c'est censé aller mal ? Mais la Nouvelle-Écosse, déjà, montre des signes de rébellion. La province du fidèle Don Cameron tombe dans le camp du Non (à 51 %). Mulroney est surpris : il pensait obtenir quatre sur quatre dans les Maritimes.

Quand les tout premiers résultats québécois apparaissent à l'écran, ils versent un baume supplémentaire. Les Îles-de-la-Madeleine, fuseau horaire oblige, ouvrent le bal : le quart des votes sont dépouillés sur ces îles essentiellement francophones, et c'est le Oui qui mène à 55 %. Il est 20 h 8, il fait nuit noire. Mais un rayon de soleil traverse le salon de Harrington.

Bientôt, d'autres résultats assombrissent les mines. La circonscription du premier ministre, Charlevoix et celle de Benoît Bouchard, Roberval, affichent d'écrasantes avancées du Non. Il n'y aura pas de miracle. Deux téléviseurs fonctionnent simultanément. Mulroney zappe, mais écoute surtout la CBC et Radio-Canada. Les résultats l'intéressent plus que les commentaires ou les réactions.

À 20 h 15, le Non québécois atteint déjà 52,4 %. Mulroney sait que le Non va monter plus haut — les premiers chiffres affichés sont influencés par le scrutin par anticipation, où le vote est par nature plus conservateur — mais il est un peu soulagé que le départ ne soit pas plus catastrophique. Avec l'affaire Wilhelmy-Tremblay, Trudeau, Sihota, les « Dossiers secrets », il pensait crever le fond du baril. Il se dit donc « surpris » que le Oui, quoique perdant, ait « aussi bien réussi ».

Mais voici que les résultats de l'Ontario apparaissent à leur tour à l'écran. Le pilier central de l'édifice canadien s'avère plus fragile que prévu. Pendant toute la première heure, le Non y est en avance, ce qui surprend et peine le premier ministre. Car si les Ontariens, d'ordinaire si civils, n'ont pas adhéré au projet de l'élite politique du pays, aux signatures combinées du conservateur Mulroney et du socialiste Rae, alors la colère de l'Ouest, rebelle et un tantinet cow-boy, s'annonce terrible.

Avec ses convives, Mulroney ne fait pas de commentaires, se souvient Benoît Bouchard. « Il ne dit pas "maudit", il ne se dit pas déçu, il ne dit pas non plus : "Ben, c'est la volonté des gens." On ne le voit pas triste. »

Ce qui surprend son lieutenant québécois. « C'est neuf ans de politique qui se terminaient pour lui. » Certes, Brian Mulroney a voulu devenir premier ministre par ambition pure, presque par nécessité génétique. Mais en cours de route, sa quête s'est chargée de sens. « Mulroney est venu à Ottawa d'abord et avant tout pour la constitution, c'est très clair, dit Bouchard. Il aurait voulu réussir là où Trudeau a échoué. D'autant plus que les gens ont l'impression, fausse, que Trudeau a réussi. »

À 21 h 30, quand les résultats des Prairies confirment que ces provinces ont choisi le Non, il n'y a plus de foi qui vaille. (La Saskatchewan de Roy Romanow dira Non à 55 %, le Manitoba de Gary Filmon, à 62 %.) « C'était perdu, raconte Bouchard, mais il était de bonne humeur. Il me dit : "J'aimerais que tu fasses la première déclaration avec la presse et je suivrai après." On a tous quitté, il est resté avec Mila »

Il a Robert au téléphone. L'ami rencontré lors des défaites de 1976. L'ami de la traversée du désert. L'ami de Meech. Puis l'indéchiffrable compagnon, au comportement louche, nuisible, même, qu'il a fallu bousculer, en fin de course, pour le dernier *sprint*. Il n'y a pas de *post-mortem*, ce soir, entre les deux hommes. Pas de rationalisation. « Une défaite, dit Bourassa, c'est une défaite. » Mais elle semble plus difficile à avaler à Harrington que rue Maplewood. « Il trouve ça très dur », rapporte Bourassa. « Je pense que sa décision du 24 février [suivant, sa démission comme premier ministre] a commencé un peu ce soir-là. »

SOUDAINEMENT PETIT ET TRAGIQUEMENT BLÊME

Que Trudeau l'ait, encore, emporté sur Mulroney est une chose. Que Mulroney vienne de s'infliger sa propre raclée, c'en est une autre, que le chef conservateur est à même de constater immédiatement. S'il a tant insisté, depuis le printemps, sur la tenue de ce vote pancanadien, c'est qu'il souhaitait triompher, bien sûr, puis se donner l'élan voulu pour emporter un troisième mandat, pour lui-même ou pour son successeur.

Mulroney pensait aussi qu'au pire, une défaite référendaire aurait au moins pour effet de clore le dossier, de « retirer le poison du système », de faire sortir le Canada du marécage constitutionnel, de ramener la discussion publique sur des terrains où lui et son parti auraient meilleur pied. Il voulait, selon l'expression utilisée ici, « enlever les rails » constitutionnels sur lesquels roulent allègrement les locomotives du Reform Party, à l'Ouest, et du Bloc québécois, à l'Est.

En organisant son référendum sur l'accord de Charlottetown, en l'imposant à Robert Bourassa, loin de déboulonner le chemin de fer de la dissension canadienne, Brian Mulroney en a posé les derniers tronçons et a fait livrer, aux frais de l'État, d'énormes chargements de charbon aux conducteurs Preston Manning et Lucien Bouchard.

Quand le chef du Reform Party, au début de septembre, a annoncé qu'il ferait campagne pour le Non, il a fait un formidable pari. Son organisation était en lambeaux, sa popularité en déclin, son avenir semblait tout entier derrière lui. Et son geste de refus, dans l'unanimisme canadien anglais qui régnait alors, était perçu comme l'acte d'un désespéré. Deux mois plus tard, le 26 octobre, sur la scène politique du ROC, il dirige le seul parti fédéral qui ait su choisir le camp de la majorité. Il a attiré vers lui les militants désorientés, insufflé une nouvelle vie à ses sections locales, recruté à pleines portes. Surtout, il est devenu une figure nationale, prononçant chaque soir à l'écran les mots que les Canadiens voulaient entendre. Ce soir, dans son discours de victoire, il enfonce le clou : « Les électeurs sont clairement sur une autre longueur d'onde que la plupart des députés fédéraux, dit-il. Ça en dit long sur le caractère représentatif de leurs représentants. » Ainsi lancé, ressuscité même, par le référendum, Preston Manning ne fera qu'une bouchée de l'électorat conservateur à l'ouest du Québec, lors de l'élection fédérale, un an plus tard.

Il y a pire. Le référendum a aussi remis en selle celui que Mulroney considère comme un traître, un paria, un planteur de poignard : Lucien Bouchard. « Le référendum a été une résurgence pour le Bloc, explique Bouchard. Le référendum a mis le Bloc sur la carte. Pour la première fois, on avait l'occasion de travailler. Avant, on était dans le mou. [...] Or le référendum, ça a été l'action. On a été testés dans l'action. Ça nous a donné une raison d'être, ça nous a donné un souffle. » Ragaillardi, après le 26 octobre, raccommodé avec l'organisation du PQ dont Mulroney sait qu'elle est la plus forte au Québec, Lucien Bouchard ne fera qu'une bouchée de l'électorat conservateur au Québec, lors de l'élection fédérale, un an plus tard.

Le chef conservateur s'est tiré dans les deux pieds.

Brian Mulroney est sans doute trop optimiste, trop acharné pour penser, le soir du 26 octobre 1992, que tout est perdu. Mais il est assez fin politique, assez bon lecteur des humeurs du pays pour savoir que tout empire. Ses convives, qui l'ont laissé assez serein, à 21 h 30, le retrouvent dans un tout autre état, au parlement, peu après minuit, lorsqu'il vient s'adresser à la nation. Est-ce l'effet d'accumulation ? À 22 h, les résultats de l'Ouest se sont mis à déferler : en Alberta, Don Getty a perdu, à 60 % ; en Colombie-Britannique, Harcourt est giflé, à 68 %. Après 23 h, l'Ontario tangue encore, à quelques milliers de voix près, sur la ligne des 50 %.

« Juste à le regarder, j'étais complètement déculotté, rapporte Benoît Bouchard. Il était angoissé, démoli. Il me rappelait le Brian Mulroney du 22 juin 1990. C'est la deuxième fois que j'ai vu cet homme-là dans cet état-là. La deuxième fois que j'ai vu l'édifice s'écrouler. »

Mulroney a fait placer un micro dans la salle de lecture du parlement. Dignitaires, ministres, journalistes l'observent. « Il était brisé, effondré. Ah ! mon Dieu ! » soupire son conseiller, Michel Roy.

Le silence tombe sur la salle. Le premier ministre du Canada se tient là, derrière le lutrin. Soudainement petit et tragiquement blême, il parle d'une voix plus grave qu'à l'habitude. Il « rend hommage » aux artisans de l'Accord. Il se déclare « très reconnaissant » envers Joe Clark dont il loue le travail (et qui, tout à l'heure, se dira « très inquiet pour le pays »). Le premier ministre souligne le « dévouement exceptionnel » de Benoît Bouchard, comme la « dignité et le courage » de Robert Bourassa.

« Pour la deuxième fois en cinq ans, les représentants de la population canadienne avaient défini de façon unanime une solution honorable au problème constitutionnel qui nous trouble depuis si longtemps. » Un processus, s'empresse-t-il d'ajouter, émaillé de « consultations » abondantes. Comme quoi...

Hélas, « nous n'avons pas réussi », poursuit-il, s'inclinant « sans hésitation devant le verdict populaire ». Il s'incline, en ce soir où le peuple est roi, mais il regimbe. Car le peuple est responsable à plus d'un titre. Il le dira, clairement, quelques semaines plus tard, aux animateurs de l'émission de la CBC *Prime time news* :

> Les gens ne peuvent pas toujours blâmer les politiciens. On ne peut pas toujours blâmer nos leaders. À un moment donné, il faut se regarder dans le miroir et se dire : « Je suis une personne privilégiée. Je suis un Canadien. J'ai reçu en héritage un des plus grands pays au monde. Pour le garder uni, il faut que je sois généreux. Il faut que j'aie l'esprit ouvert. Il faut que je me demande quand je cesserai de blâmer mes voisins et mes leaders et quand j'accepterai de dire que, moi aussi, j'ai une responsabilité personnelle. »

Le soir du référendum, un peu après minuit, Mulroney est plus triste que furieux. Mais il sent déjà que le pays court à sa perte. Que des millions d'électeurs, au Québec comme dans le ROC, se font les complices conscients d'un affrontement qui ne peut que s'aggraver. « L'accord de Charlottetown appartient maintenant à l'histoire », juge-t-il. « Les problèmes auxquels nous étions confrontés avant l'Accord, eux, restent là. La différence, c'est que nous savons ce soir que nous ne pourrons pas les résoudre, du moins pas dans un avenir rapproché. »

C'est tout. Il quitte le lutrin. Regarde Mila, qui vient le rejoindre sur le chemin de la sortie, et Benoît Bouchard, à qui il demande : « Reste près de moi. »

« Il était effondré, raconte Michel Roy. On avait l'impression que sa femme le soutenait littéralement au moment où il a quitté la salle de lecture. » Et on voit Mila, dans cette interminable marche vers l'extérieur de l'édifice parlementaire, tantôt tenir son mari par le bras, tantôt lui passer la main dans le dos, tantôt l'observer du coin de l'œil, le regard inquiet.

Sur le perron du parlement, il faut attendre l'arrivée de la limousine. Benoît Bouchard est là, qui patiente avec lui. Quelques minutes s'écoulent, ou du moins ce qui semble être quelques minutes. « Je n'ai rien dit, raconte Bouchard. Lui, n'avait rien à dire. Je pouvais quand même pas lui dire : "J'te l'avais bien dit, qu'on perdrait !" » Les deux hommes sont debout, tristes et impuissants, muets devant le désastre, l'irréparable. « Là, je revivais le départ de Lucien. Je revivais la mort de Meech », raconte Bouchard. Le véhicule arrive enfin. « Je lui ai donné la main avant de partir. J'en ai jamais reparlé avec lui. »

LE POIDS DES VOTES, LE CHOC DES MICROS

« On n'aime pas ça ! » Le chef du Bloc québécois écoute les résultats, dans sa suite de l'hôtel Méridien, à Montréal. Il n'aime pas, mais pas du tout, le lent démarrage du Non. D'abord il y a eu les Îles-de-la-Madeleine. Petite ondée froide. Puis, le Non rampe à 52 % à 20 h 15, à 54 % à 20 h 28. Ce n'était pas dans le programme. Le sondeur du PQ, Michel Lepage, réputé infaillible, avait promis un minimum de 58 %, plus probablement un joli 60 %, peut-être même un éclatant 62 %.

Cette fourchette avait aiguisé les appétits. Les souverainistes, ayant perdu leur combat de mai 1980 à 60 %/40 %, salivaient à la perspective de renverser les proportions, bavaient, même, à l'idée de coiffer les libéraux au poteau.

Lucien Bouchard : On était déçus, inquiets. On a eu un moment d'inquiétude au début. Qui s'est résorbé [à 20 h 39, le Non est à 56 % ; il finira à 57 %], mais qui ne s'est jamais transformé en triomphe.

Moi je visais le 60 %. Je croyais qu'on l'aurait. Et je me disais : « Plus on sera en haut de 60, plus ça va être formidable. » Quand j'ai vu qu'on traînait tranquillement vers le 54 et qu'on avait toutes les misères du monde pour se retrouver à 56... Bon c'est sûr, j'étais content. On avait gagné. Mais pas autant que je l'aurais espéré.

Lucien Bouchard a, encore, le réflexe du gagnant. Dans la suite attenante à la sienne, Jacques Parizeau s'interroge lui aussi sur les caprices des pourcentages. Mais pour lui comme pour la plupart des péquistes, franchir la barre des 50 % est en soi un événement sensationnel. Lucien Bouchard, lui, n'a pas développé d'accoutumance à l'échec. Depuis 1980, il a toujours mesuré la longueur d'avance des chevaux sur lesquels il misait, plutôt que le risque qu'ils perdent la course.

Mais, bon, la joie de Parizeau est communicative. Et lorsque les deux chefs souverainistes se saluent l'un l'autre, ils se remémorent le plan de campagne tracé dans l'avion, au cours du vol Alma-Montréal, et se congratulent de son bon déroulement.

Le chef bloquiste ne peut s'empêcher de penser, tout de même, que les envolées souverainistes de Parizeau ont peut-être empêché le Non de franchir la barre du 60 %. On a vu que les sondages quotidiens réalisés au cours de la campagne ne soutiennent pas cette interprétation. Un analyste chevronné de la politique québécoise n'y souscrit pas davantage : « Parizeau vous a-t-il donné 4 %, vers la fin, avec ses discours ? » a demandé l'auteur à Robert Bourassa. « Non, a-t-il répondu, comme surpris de la question. Ça m'étonnerait. »

Bouchard s'isole quelques minutes pour griffonner quelques notes en vue du discours qu'il doit bientôt livrer. Il se dirige ensuite vers la discothèque Métropolis, rue Sainte-Catherine, où le Comité du Non accueille ses partisan. Dès qu'il en a franchi le seuil, il est assailli par un groupe de journalistes pressés de recueillir sa réaction.

Lucien Bouchard : Il y en avait un qui avait une espèce de grand micro [au bout d'une perche, qu'on appelle *boom*], pis il l'a échappé pis il m'est tombé sur la tête. J'ai failli perdre connaissance. Je me suis écrasé dans la porte du Métropolis.

Là, les gens m'ont relevé pis ça virait. Je voyais des chandelles, j'avais une prune. J'étais en maudit, je cherchais le gars qui avait... Là, j'étais fâché.

Je suis rentré dans la salle, ça tournait, les étoiles. Il y avait plein de monde et un vacarme de fou là-dedans. Je me suis retrouvé sur la scène. Ça virait pendant mon discours[*].

Un Lucien Bouchard encore plus pâle que Brian Mulroney se présente en effet au lutrin, la mèche plus rebelle qu'à l'accoutumée. Lui d'habitude si clair s'emmêle dans son bref discours. Parlant des « deux voies » contradictoires de la souveraineté et du fédéralisme renouvelé, il déclare qu'il faudra « faire en sorte que quelque part ces deux voies puissent trouver un point de convergence et que le peuple québécois puisse choisir celle qui lui appartient ». Mais pourquoi choisir si elles convergent ? Bon public, les militants réunis applaudissent sans comprendre. « J'avoue, dit Bouchard, qu'il y a des bouts du discours dont je ne me souviens pas. »

Il sait cependant que ce soir, le bâton change de main. L'étape référendaire maintenant franchie, les souverainistes abordent le virage des élections

---

[*] Indubitablement, une justice politique immanente est à l'œuvre en ce soir du 26 octobre. À une quinzaine de coins de rue de là, Jean-Claude Rivest sort de l'émission spéciale animée sur les ondes de Télémédia par... Jean Lapierre. Mais Rivest reste coincé dans le hall de l'immeuble, entre deux portes verrouillées, incapable de sortir dans la rue ou de retourner au studio. Piégé. Bouchard et Rivest, les deux larrons du « consensus » de l'hiver de 1991, sont victimes de la malédiction de Bélanger-Campeau.

fédérales, et c'est à Lucien Bouchard de prendre le relais. Si quelqu'un lui annonçait, ce soir, qu'il va devenir chef de l'opposition officielle de Sa Très Gracieuse Majesté, il accueillerait sûrement ce plaisantin à grands coups de micro. Mais il se sent d'attaque, malgré la prune, les chandelles, les étoiles. « On est réchauffés, là, nous autres, dit-il en entrevue quelques minutes plus tard. On vient de faire une répétition générale. »

LES ENFANTS PRODIGUES

Les membres du Réseau des libéraux pour le Non sont aussi heureux qu'inconscients. Ce soir, ils ont gagné. Quel est leur apport à la victoire du Non qui atteint, en fin de course, 57 % ? Certains analystes les créditent de dizaines de points : puisque la « base historique » d'appui au PQ est de 40 %, tout le reste serait imputable à Allaire — un raisonnement qui suppose que la base péquiste est immuable et que Lucien Bouchard n'existe pas. Selon un document interne du PLQ, le travail des allairistes aurait fait gagner 10 points de pourcentage au camp du Non, une estimation dont la méthode de calcul reste inexpliquée.

Le message de Jean Allaire, certainement, s'est mêlé aux autres, pour appuyer le Non, lui fournir une tranquille caution. Il n'y a guère plus persuasif, dans une discussion, qu'un timide que l'indignation fait sortir de son mutisme. « On ne peut pas indiquer une direction et, à la dernière minute, en prendre une autre », déclare Allaire, devant son assemblée de libéraux pour le Non. Il est en fête, mais aussi en deuil du « plus grand consensus de l'histoire moderne du Québec », gaspillé en 1990 et 1991 par son ancien chef.

Fête, deuil et attente. « On attendait un signal » du PLQ, résume Jacques Gauthier, un des allairiens devenu dissident, un des libéraux qui célèbrent ce soir-là. « On attendait un signe du parti nous disant : "La position qu'on a adoptée au congrès d'août 1992 a pas été retenue, il faut qu'on en développe une autre." » Et les allairistes pensent être tout désignés pour mener à bien cette tâche.

Ils se souviennent qu'il y a moins de 60 jours, le Congrès du Parti libéral du Québec a voté une résolution prévoyant qu'en cas d'échec référendaire, l'article 2b2 du programme du parti, donc l'organisation d'un référendum sur la souveraineté confédérale, serait à nouveau soumis aux instances. Ils se souviennent aussi qu'en réponse à une question de la salle, Robert Bourassa a déclaré qu'en cas d'échec, il faudrait « considérer la souveraineté partagée » comme solution de rechange.

Leur conseiller en communications, Michel Fréchette, est renversé par la ferveur de leur foi. « Dans une de nos réunions du samedi matin, 15 jours avant le référendum, ils disaient : "On est en train de gagner, le parti va voir qu'on a eu raison et on va y retourner, pour défendre le rapport Allaire !" »

Ils le pensent en privé, ils l'annoncent en public. Jean Allaire et Mario Dumont n'ont pas arrêté de répéter, depuis plusieurs jours, qu'ils vont maintenant rentrer au bercail, pour peu que le troupeau leur donne rétrospectivement raison. « Oui, Mario Dumont est prêt à remettre de l'énergie pour reconstruire un consensus au Québec, déclare Dumont. Et la voie pour le reconstruire, à mon avis, c'est encore le Parti libéral. » Puisque le peuple québécois (et 66 % des francophones), vient de donner raison à la Commission jeunesse, « je ne vois pas comment le Parti libéral pourrait rejeter ça du revers de la main ».

De fait, la dynamique politique créée par l'échec référendaire nuit au gouvernement. Robert Bourassa a beau se consoler en se répétant que le PLQ ne se trouve pas dans la cave des intentions de vote, que le taux d'insatisfaction de son gouvernement se compare favorablement à celui de Mulroney, reste que ces deux indicateurs lui annoncent tout de même une défaite aux urnes. Maintenant que son projet de constitution a été réprouvé par deux francophones sur trois, sa coalition électorale de 1989 — anglophones, centristes francophones, nationalistes modérés — a du plomb dans l'aile. Si Bourassa n'avait pas une confiance inébranlable, et mal placée, dans le caractère des Québécois, qu'il croit frileux et velléitaires, il se saurait en sursis.

« Je me disais, explique Dumont en entrevue, qu'il y avait la possibilité que Bourassa perde son référendum et, à la de Gaulle un peu, dise : "Je vous ai compris*." »

Dumont ne présume pas que Bourassa se transformera en héros du peuple. Mais le jeune politicien fait un calcul froid. Il s'attend à ce que le chef libéral, en difficulté, « relance le débat sur des bases nouvelles, qu'il parle de renouvellement dans le parti. Lui et moi, on avait déjà discuté de la possibilité d'avoir une équipe de candidats jeunes à la prochaine élection. Il aurait pu relancer cette idée-là, pour l'aider à faire du vrai renouveau. » Dumont ne voit pas d'autre avenue ouverte au premier ministre qui, de toutes façons n'en est pas à un retournement près. « Je me disais : Bourassa est 10 fois assez habile pour faire ça. »

Mais les couteaux sont déjà chez l'aiguiseur. Car les esprits partisans s'échauffent. Lise Bacon et Marc-Yvan Côté réclament déjà « la purge », ce dernier ayant déclaré au congrès d'août 1992 que Jean Allaire « est mort » (« la

---

* La référence à de Gaulle est amusante. Dans une ultime entrevue avec l'auteur, Bourassa dira être en train de relire la biographie de De Gaulle par Jean Lacouture, et y trouver quelques ressemblances entre son attitude politique et celle du chef d'État français. Qu'on juge de la qualité de cette comparaison : en avril 1969, ayant déclenché un référendum sur une réforme constitutionnelle moins ambitieuse pour la France que celle de Charlottetown pour le Canada, et se sachant en train de perdre, de Gaulle s'adresse aux Français : « Me voici, proposant solennellement la réforme à notre pays. Si donc, par aventure — c'est bien le mot qui convient — le peuple français s'y opposait, quel homme serais-je, si je ne tirais pas sans délai la conséquence d'une aussi profonde rupture ? [...] Si je suis désavoué d'une majorité d'entre vous [...] ma tâche actuelle de chef de l'État deviendra évidemment impossible et je cesserai aussitôt d'exercer mes fonctions. » Le Non l'emporta avec 53 % des voix. Le soir même, de Gaulle remit sa démission.

suite des événements a prouvé que je n'étais pas mort », ironise Allaire le soir du 26 octobre).

Robert Bourassa, d'ailleurs, explique qu'Allaire ne pourra réintégrer les rangs du parti sans « s'expliquer » au sujet de « certaines affirmations ». Il lui reproche d'avoir « excité les peurs des Québécois » en ce qui concerne la protection de la loi 101. Il cite aussi une étude de l'économiste Raymond Théoret, embauché par Allaire pour ausculter le mauvais état de l'économie canadienne, et qui s'est montré favorable à la création d'une monnaie québécoise. Allaire « n'a jamais désavoué son conseiller, dit Bourassa. Je crois qu'il va avoir du mal à convaincre le Parti libéral d'adopter une telle idée. »

Quant à Dumont, la direction du parti lui offrira l'absolution, mais seulement s'il fait au préalable acte de contrition, seulement après avoir démissionné au moins temporairement de son poste de président de la CJ, seulement s'il plie l'échine, qu'il a décidément trop raide.

Pour Dumont, ce sera non. Pour Allaire, ce sera non. Ratant, à l'élection fédérale, le train qui aurait dû être le leur — le Bloc québécois comme coalition souverainiste non strictement péquiste —, Dumont et Allaire se lanceront dans une curieuse aventure politique, contredisant à demi leurs positions d'hier sur la souveraineté pour mieux se « positionner » sur l'échiquier québécois, entre deux chaises, entre PQ et PLQ, entre souveraineté et fédéralisme.

Si le lecteur passe un jour sur la colline des égarés, qu'il s'arrête au cimetière des troisièmes voies. Il y trouvera, parmi les pierres du PNP (Parti National Populaire), de l'UQ (Unité Québec) et du PCQ (Parti conservateur du Québec), une stèle plus récente dont le ciment, au moment d'écrire ces lignes, n'a pas encore complètement pris. On y lit déjà les lettres ADQ, pour Action démocratique du Québec. Il vaut la peine de poser une gerbe sur cette tombe, car à défaut d'esprit stratégique et surtout, en 1994, de clarté idéologique, les fondateurs de l'ADQ ont le mérite d'avoir pu, d'avoir su et d'avoir osé, de 1990 à 1992, longtemps tenir parole, longtemps tenir le fort, longtemps... tenir.

QUI A ÉGARÉ MON 5 % ?

« Ouille ! Là, pendant 10 minutes... » Jacques Parizeau aura longtemps en tête les premiers résultats des Îles-de-la-Madeleine. Si, au lac Harrington, ils lancent un rayon de soleil, dans la suite de l'hôtel Méridien, ils font passer un nuage. Parlant de son chef de cabinet, Jean Royer, Parizeau confie : « C'est la première fois que j'ai vu M. Royer nerveux. »

Car les Îles, ce n'est pas seulement une circonscription. Puisque ses suffrages sont comptabilisés avant les autres, les simulations par ordinateur du PQ étaient censées anticiper le vote de toute la province à partir de celui des Madelinots. « Ils devaient réagir de la même façon que l'ensemble des francophones », raconte Royer. Or ils ne se sont pas précipités pour voter contre l'Accord (le Non l'emportera tout de même à 54 % à la fin de la soirée aux Îles).

Royer et Parizeau n'ont que faire des résultats québécois affichés sur les écrans de télévision. Eux lisent immédiatement les projections établies par leurs ordinateurs, qui tiennent compte du taux de participation, du comportement électoral passé des électeurs et des derniers sondages internes. Une fois quelques résultats supplémentaires obtenus, dans des circonscriptions moins atypiques, la prévision de Michel Lepage est rétablie. « Dès le deuxième comté, dit Royer, ça rentrait comme on pensait. » C'est-à-dire vers un résultat, si le taux de participation se maintient, variant de 58 % à 62 %.

Vers 21 h, c'est toujours ni l'un ni l'autre. Pour la deuxième fois, on voit M. Royer nerveux. Il rappelle son sondeur, Michel Lepage : « Qu'est-ce qui se passe ? » Partout à l'extérieur de Montréal, les francophones votent comme prévu : du deux contre un pour le Non. Mais dans les bureaux de scrutin montréalais, la marque est plus basse. Pourquoi ? « En fait, raconte Parizeau, on s'est trompés, sur le vote anglophone et allophone. On pensait qu'il y aurait plus de Non qu'il n'y en a eu. Nos prévisions sur les francophones étaient *on the dot*. »

Le chef péquiste n'espérait certes pas que des non-francophones se joindraient au Non par respect pour la nation québécoise. Il prévoyait toutefois que certains, l'électorat du Parti Égalité par exemple, suivraient la consigne de Pierre Trudeau et ajouteraient leur refus à celui des francophones. On a vu, pendant la campagne, comment la déclaration du Egg Roll a en fait globalement nui au Non québécois. Mais compte tenu de la petitesse des échantillons, il est difficile de discerner, sous le chiffre global, les allers et retours qui ont lieu dans l'électorat non francophone.

Lepage et Royer procèdent, dès ce soir-là et pendant quelques jours, à des calculs « par régression ». Identifiant, d'abord dans la circonscription de Lafontaine, puis dans plusieurs autres, des bureaux de scrutin où ne votent que des anglophones et des allophones, ils découvrent, bureau après bureau, des résultats favorables au Oui à 97 %, 98 %, 99 %, 100 %. Ils constatent aussi que dans la circonscription de Mercier, où une légende vivace voulait qu'une frange de la communauté grecque ait un comportement électoral plus proche de celui des francophones, la réalité est autre : c'était une illusion d'optique, engendrée par le fait que les francophones de Mercier suivent plus massivement qu'ailleurs les consignes de vote péquiste.

D'effet Trudeau, dans le Québec non francophone, on ne trouve aucune trace. C'est ce que constate le PQ ; c'est ce que constate aussi le directeur général du PLQ.

L'auteur : Chez les allophones, les anglophones, c'est quand même 15 % du vote. Vous auriez pu en perdre ?

Pierre Anctil : Mais on n'en a pas perdu pantoute.

L'auteur : L'effet Trudeau total n'a pas atteint 2 % ?

Anctil : Au Québec ? Même pas. Ah ! non. Écoute, on pourrait pas avoir eu plus d'allophones qu'on a là.

Ce n'est pas complètement un hasard. Les anglophones, d'une part, ont boudé la consigne de vote pour le Non du Parti Égalité, qu'ils ont ainsi voué à la marginalité politique. D'autre part, les organisations de communautés allophones de Montréal ont participé avec entrain à la campagne du Oui. Elles l'ont fait par choix : ces Québécois sont Canadiens d'abord et veulent le rester. Elles l'ont fait par intérêt : les groupes allophones sont les chouchous du multi-culturalisme canadien et des organismes fédéraux qui en assurent la promotion et le soutien. Elles l'ont fait par osmose : on ne compte plus les cadres de ces organisations qui ont fait, font ou comptent faire le saut en politique active avec les partis libéraux, provincial ou fédéral.

Au début de la campagne, un important porte-parole d'une de ces communautés expliquait à l'auteur : « On a fait un sondage, ma communauté va voter Oui à 70 %. Je pense que je peux faire monter ça à 90 %. » Comment ? En diffusant les résultats d'une étude selon laquelle en cas de souveraineté, plusieurs membres argentés de la communauté en question déménageraient à Toronto. Les contributions de ces mécènes à plusieurs organismes communau-taires montréalais se tariraient, et alors la qualité des services rendus par ces derniers en souffrirait. Le calcul référendaire peut donc se faire à rebours : Vous aimez votre bibliothèque, votre école, votre garderie communautaire ? Si vous votez Non, elles vont fermer ! Il n'est pas certain que ce soit cet argument, plutôt que le débat politique plus global, qui ait poussé les membres de cette communauté vers le Oui. Mais le fait est qu'ils s'y sont rendus à plus de 90 %[*].

Nulle part ailleurs au Canada, dans aucune communauté, aucune région, classe sociale, d'âge ou de revenu, dans aucune minorité, aucun groupe ethnique, on ne trouve vote aussi monolithique, aussi unanime. Comme le note Allan Gregg, ce noyau dur fédéraliste est prêt à appuyer « n'importe quoi, je veux dire, presque sans égard au contenu », pour peu que son vote éloigne

---

[*]   Trois mois plus tard, Parizeau dévoilera publiquement ce que les travaux de Lepage lui révèlent, et il en tirera, à regret et avec mille nuances, la conclusion suivante : la souveraineté ne pourra se faire qu'en dégageant, parmi les francophones, une majorité si forte qu'elle compensera le vote anti-indépendantiste des non-francophones. Il sera particulièrement comique d'entendre alors des dirigeants de ces communautés, y compris celui dont on vient de parler, accuser le chef péquiste d'« ethniciser le vote ». Ces libéraux de cœur et d'action, posant aux démocrates offensés, lui feront un procès d'intention, repris dans les journaux par plusieurs plumes francophones, allergiques à toute expression de vérité désagréable au sujet des non-francophones (une exception remarquée dans le concert des pharisiens médiatiques : Pierre Foglia, qui ne cède à aucun terrorisme idéologique). Il est pourtant sain et simple de constater, comme le fait dans un article l'intellectuel juif et cadre du Congrès juif canadien Jack Jedwab, que « dans une large mesure, le choix fait par les communautés culturelles du Québec reflétait leur désapprobation de l'option souverainiste qui, pensaient-elles, eût bénéficié d'un rejet de l'entente de Charlottetown ».

l'hydre souverainiste. La nouveauté d'octobre 1992 est que ces communautés, naguère très attachées à Pierre Trudeau, sont assez lucides pour comprendre que l'échec de Charlottetown va accélérer, plutôt que prévenir, la désagrégation du pays. Elles tournent donc le dos au père du multiculturalisme. Elles agissent avec une discipline qui fait naître deux sentiments : l'admiration — quelle cohésion ! — et le malaise — l'unanimité est rarement la mère de la sagesse.

ABSDURDISTAN, ADIEU !

Parizeau ne se laisse nullement abattre par la petite « déception de ne pas avoir été plus haut que 57 % ». Surtout, il est rassuré par les explications de Lepage et de Royer. Ce ne sont pas les souverainistes qui n'ont pas livré leur part du vote francophone. C'est Trudeau qui n'est plus écouté dans sa propre province.

Le chef péquiste, vêtu d'un complet gris pâle comme pour le débat des chefs — ce qui lui donne l'air moins austère —, se dirige d'un pas alerte vers une « boîte de nuit » dont le nom ne s'imprime pas dans sa mémoire : le Métropolis. Ni victime de micros vengeurs, ni captif de portes verrouillées, il n'a pas besoin d'être soutenu dans sa marche par sa compagne, Lisette Lapointe, dont il a annoncé la veille qu'elle deviendrait bientôt son épouse.

Pour Jacques Parizeau, le 26 octobre 1992 est la journée des vrais commencements. Ou plutôt, des vrais recommencements.

Sur une scène où, derrière lui, s'agglutinent une quarantaine de visages radieux — de Paul Piché à Gérald Larose, de Dan Bigras à Gilles Duceppe, de Lyne Jacques à Bernard Landry, de Pauline Julien à l'écologiste Jean Ouimet — Parizeau hoche longuement la tête de droite à gauche, comme s'il n'y croyait toujours pas, comme s'il n'en revenait toujours pas.

Pendant qu'on le voit, au petit écran, recevoir les applaudissements et avant même qu'il ait prononcé une seule parole, le chef péquiste a droit au « traitement Parizeau » : le négativisme systématique de la presse québécoise à l'égard du successeur de René Lévesque. Ce soir, à TVA, le journaliste Normand Rhéaume s'en fait le porte-parole : « Il risque de pavoiser encore, dit-il au sujet du vainqueur. S'il ne se retient pas, peut-être qu'il fera ça avec exagération. Je pense qu'il lui faut un peu de retenue ce soir. Il doit sa victoire au travail des libéraux provinciaux [de Jean Allaire] du Québec. Il ne doit pas l'oublier. » Ni Allaire, ni Bouchard, ni Bourassa, ni Mulroney n'auront droit à de pareilles entrées en matière. Ils ne les méritent pas, ni Parizeau qui commence justement son discours en remerciant tous ceux qui ont contribué à la victoire du Non, y compris ceux qui pourront se retrouver, lors de campagnes électorales à venir, dans un autre camp. Les mots « Parti québécois » ne franchissent pas ses lèvres. « Nous avons travaillé six semaines ensemble, six semaines que nous n'oublierons jamais. »

Puis il les applaudit, eux, sur la scène derrière lui, avant de parler aux « merveilleux Québécois ».

Soirée des recommencements, a-t-on dit. Soirée d'une porte qu'on ferme, surtout, et Parizeau se dit heureux de pouvoir sortir « enfin » des « histoires tordues, des choix compliqués, des affaires qui n'ont pas de bon sens, des contrats inapplicables ». Enfin, ne dit-il pas, il peut succomber au terrible désir de revenir aux choses claires.

« Cette fois-ci on a dit ce qu'on voulait pas ; la prochaine fois on dira ce qu'on veut », ajoute-t-il, parlant des futures élections fédérales, puis québécoises, où « il y a des choix majeurs qui vont avoir à être faits ».

Le chef péquiste qui, ces jours derniers, se disait fatigué d'entendre le son de sa propre voix cherche le mot juste, parle avec une intensité marquée d'un sentiment de profond contentement. La victoire, bien sûr, provoque chez lui un de ces « états d'âme » dont il aime à dire, en entrevue, qu'il n'en a pas. Mais dans le résultat référendaire, un constat en particulier le réjouit à le faire pleurer de joie : l'échec de la Banque Royale.

Il faut avoir été employé de la Banque du Canada ; il faut avoir été conseiller de Jean Lesage au moment de la nationalisation de l'électricité, contre les vœux des puissances d'argent canadiennes-anglaises ; il faut avoir aidé à fonder la Caisse de dépôt et placement contre la résistance de ce qu'on appelait « la rue St. James » ; il faut avoir été ministre des Finances d'un gouvernement social-démocrate et souverainiste et avoir subi le boycottage financier de Toronto et de New York, pour savourer spécifiquement cet aspect du combat référendaire.

Et il faut avoir été candidat péquiste, en 1970, pendant le « coup de la Brink's », pour déguster cette revanche qui a mis 22 ans à venir. Cet épisode vaut le rappel : deux jours avant l'élection d'avril 1970, un dimanche matin, Conrad Harrington, président du Royal Trust (nom qui n'existait pas encore dans sa splendide version française : Trust Royal), ordonne de faire déplacer de Montréal à Toronto huit camions blindés de la Brink's, chargés chacun d'une boîte de titres et de certificats grosse comme « un cercueil ». Trois camions auraient amplement suffi. On effectue le chargement boulevard Dorchester (maintenant René-Lévesque — revanche toponymique), avec force gardes bardés de mitraillettes. Le lendemain, à la une de tous les journaux, la photo était terrible et le message lumineux : voter PQ, c'est faire fuir l'économie ! Tous les péquistes étaient furieux, mais aucun autant que Parizeau. Apprenant que le responsable de l'affaire, Conrad Harrington, prétend qu'il y a malentendu et que le chargement aurait été fait dans les garages de l'établissement, à l'abri des regards des journalistes, si seulement les camions de la Brink's avaient pu en franchir les portes, il ne fait ni une ni deux. « Les camions pouvaient parfaitement entrer. J'ai envoyé des gens mesurer les maudites portes, raconte Parizeau au journaliste Matthew Fraser. Quand j'ai ensuite croisé Conrad [Harrington] au club Saint-Denis, je lui ai dit que je les avais fait mesurer. Il m'a regardé, l'air de dire : *"you bastard !"* »

L'étude catastrophiste de la Banque Royale, publiée à deux décennies de distance, en pleine campagne référendaire et avec une claire intention de nuire, est la réincarnation du coup de la Brink's. Elle a hanté le chef péquiste. Deux fois, au cours de la dernière semaine de campagne, il est revenu sur le sujet. Bien plus tard, en entrevue, ses yeux pétilleront encore lorsqu'il évoquera « le formidable échec de la Banque Royale » qui lui laisse « une impression de fierté extraordinaire ». Fierté parce que, échaudé en 1970, puis en 1980, par des « campagnes de peur », accoutumé à l'échec, il redoutait que la peur fasse son œuvre encore une fois.

« J'ai un sain respect pour la puissance de l'argent », explique Parizeau en entrevue. L'avenir du Québec repose sur des gens « qui sont capables de résister à ça ». Y en a-t-il assez, en octobre 1992 ? La réponse s'impose, le soir du scrutin. « Il est clair que certains Québécois, parce qu'ils ont de l'épine dorsale, d'autres, parce qu'ils sont rendus à la quatrième ou la cinquième campagne de peur, d'autres parce qu'ils se disent qu'à force de crier au loup ça prend pus — quelles que soient les motivations, les gens ont bien tenu. Ça, je trouve ça étonnant. »

Sur la scène du Métropolis, ravi d'être si surpris, il exulte :

Je dis « ces merveilleux Québécois » parce que nous avons été exposés une fois de plus à des peurs dont on nous disait constamment : « Ça marche au Québec. Si on leur fait peur, ils voteront comme on veut. »

Ben ça n'a pas marché ! Ça n'a pas marché ! [large sourire de l'orateur ; applaudissements de l'auditoire].

Vous vous rendez compte ? Parce qu'on aurait refusé la 8e ou la 14e version de la société distincte, on aurait eu la guerre civile ! Non mais... Les gens ont dit : « Ça va pas ? »

La catastrophe économique, l'émigration menaçait, si on n'était pas tout à fait d'accord sur le partage entre la province et le fédéral des pouvoirs en matière de culture !

Les gens ont ri !

Et la leçon ne sera jamais perdue pour l'avenir. Nous nous sommes inoculés de la peur.

Parizeau a une seconde raison de jubiler ce soir. Malgré les insuffisances de l'Accord, le chef péquiste craignait de la part des Québécois un réflexe de petits comptables, d'« un tiens vaut mieux que deux tu l'auras ». Des souverainistes, même, auraient pu dire : c'est pas grand-chose, mais c'est toujours bon à prendre (de fait, selon Johnston/Blais, 10 % des souverainistes ont voté Oui). « Est-ce qu'on va retomber dans la trappe d'accepter ça ? » se demandait Parizeau. Ce soir, il est heureux de constater que « les gens ne se sont pas laissés tenter par des vœux pieux ».

La population « a pas été tentée, et elle a pas eu peur », résume-t-il devant l'auteur. « Aye ! C'est quelque chose ! » « En me rendant compte qu'on n'avait pas été tentés par de gentilles paroles et des vœux pieux et que quand on a cherché à nous faire peur, on n'a pas eu peur, moi, je sors de cette soirée-là... » il cherche le mot, ne le trouve pas, puis poursuit : « Ça m'a pris plusieurs semaines avant de revenir par terre. Je trouvais ça extraordinaire. »

GOODBYE CHARLIE BROWN...

Robert Bourassa nage. C'est un exercice qu'il s'impose quotidiennement, pour garder la forme. C'est aussi une cérémonie. Un rituel qu'il accomplit chaque fois que sa fonction l'oblige à un effort particulier.

Le 26 octobre 1992, il nage deux fois. En début d'après-midi, d'abord, après avoir déposé son vote dans l'urne, ratant de quelques minutes Lucien Bouchard qui a voté dans la boîte voisine et dans le sens contraire. Au sauna, le chef libéral croise le journaliste Claude Desbiens, qui le trouve « de bonne humeur » et en assez bonne forme. Bourassa passe une partie de la journée à la maison, se demandant ce qu'il dira le soir. Ça dépendra du résultat, bien sûr. Il se sait perdant. Mais de combien ?

Grégoire Gollin, de Créatec, l'a avisé qu'il fallait s'attendre au pire : 38 % pour le Oui, peut-être. Bourassa le trouve bien pessimiste et ajoute toujours « 5 % dans l'urne » — le vote des fédéralistes discrets —, ce qui l'amène à 43 %, son résultat du soir.

Ce n'est pour l'instant qu'un espoir. « À la fin, ce que je souhaitais, c'est qu'on ait davantage que le PQ en a eu en 1980. » Donc plus de 40 %. Et lorsqu'il prépare ses notes pour son allocution du soir, il se dit que « si on avait 37-38, ce serait plus difficile ». Pierre Anctil, John Parisella et Jean-Claude Rivest lui font parvenir quelques suggestions pour son discours. Des messages discrets car il est de mauvais ton, même et peut-être surtout le jour du vote, de se préparer à la défaite.

Rien d'étonnant dans leurs conseils sauf, comme au lendemain de la mort de Meech, une absence. Aucun des trois ne mentionne le vote du congrès du 29 août, aucun ne rappelle à Bourassa qu'il a promis à ses militants qu'en cas d'échec, « ce serait la souveraineté partagée qu'il faudrait considérer sérieusement à ce moment-là ». Ses trois conseillers savent quelle valeur accorder aux paroles du premier ministre, et ils ne le dérangent pas pour si peu. Aucun des trois, bien sûr, ne fait allusion au Pacte, à de Gaulle ou au « je vous ai compris ». Personne ne propose de tendre une perche aux libéraux pour le Non, ni d'annoncer des élections précipitées pour clarifier les enjeux. Personne n'évoque non plus le sondage publié quatre jours plus tôt dans *Le Soleil*, dans lequel les Québécois suggèrent à Bourassa, dans l'ordre : de reprendre la négociation constitutionnelle (32 % — c'est l'expression du « peut mieux faire ») ; de déclencher des élections provinciales (25 %) ; de se retirer de la politique (14 %) ; ou d'opter pour l'indépendance (6 %).

Bourassa résume l'humeur ambiante par ces mots : « On tourne la page, la vie continue, c'est un regret. »

La vie continue. Pour le chef libéral, survivant d'un cancer, c'est encore plus vrai. Son organisateur des beaux jours, Pierre Bibeau, l'appelle de la Floride pour prendre de ses nouvelles. Naguère fervent d'un virage libéral souverainiste, Bibeau n'a jamais aimé l'accord de Charlottetown, et a parié, dès le début de la campagne, que le Non l'emporterait.

> Bibeau : Je lui ai demandé ce qu'il retenait du référendum. Je pensais qu'il me répondrait sur le contenu. Mais sa conclusion, c'était qu'il était capable de faire l'élection !
>
> L'auteur : Il constatait qu'il en avait les capacités physiques ?
>
> Bibeau : C'est ça. Comme il avait réussi à faire la campagne référendaire, il pouvait donc se reprendre à l'élection. Il était pas pogné émotivement par les enjeux du référendum.

Robert Bourassa nage. Pourtant, il fait toujours semblant que rien ne le mouille. Que tout lui glisse sur le corps, sauf parfois, l'espace d'un instant, quand il lit une transcription dans le *Globe and Mail* par exemple, ou quand il reçoit sa copie des « Dossiers secrets. » Un instant seulement. Ces pointes d'humanité n'ont rien à voir avec son état de santé. Rivest, parmi d'autres, confirme que Bourassa n'a eu besoin d'aucune médication pendant la campagne. On n'avait d'ailleurs pas surchargé son horaire de campagne, le plus souvent limité à une ou deux apparitions publiques. Juste de quoi occuper les journaux télévisés du soir (ce dont Mulroney se plaint, d'ailleurs, en privé). Et il n'est pas du genre à ouvrir les portes des taxis pour aller y cueillir l'électeur.

Son autre ange gardien, Mario Bertrand, est le second témoin du Bourassa émergeant de l'échec comme un touriste de retour de longues vacances : « Il a tellement rationalisé l'échec du référendum auprès de son entourage et dans sa propre raison, dit Bertrand, que le lendemain matin, il était en pleine forme. »

Quelques jours après le scrutin, Bourassa part pour Miami avec Bertrand, qui le trouve « confiant, sûr de lui ». En privé, pendant toute l'année écoulée, Bertrand avait entendu Bourassa lui dire : « Compte tenu que j'ai retrouvé la santé, je pense que je vais faire les élections. Qu'est-ce que t'en penses ? » Mais pour la première fois, au lendemain du référendum, la chose ne se présente plus sous forme interrogative. Maintenant qu'il vient de franchir sans défaillir l'étape difficile de la campagne référendaire, le chef « a décidé que c'était absolument certain qu'il se représentait aux prochaines élections », rapporte Bertrand à sa compagne en s'écriant : « Ah ! Ben tabarnak ! Il s'en va vraiment en campagne ! »

Pas question pour Bourassa de déclencher ces élections avant l'élection fédérale, cependant. Élu en septembre 1989, le chef libéral n'a pas épuisé son carburant principal, le seul atout qui l'empêche de couler corps et biens : le temps. Il faut souligner à double trait que l'histoire du Québec du début des années 90 aurait pris une autre tournure si la mort de Meech avait surpris

Robert Bourassa à mi-mandat ou plus tard encore. Étiré à son extrême limite, le mandat de son gouvernement peut courir jusqu'en octobre 1994. L'ordre de présentation au marbre électoral lui importe énormément. Il compte toujours que les Québécois « se défoulent » au cours de la marche fédérale, puis, soulagés peut-être, laissent passer mollement les balles louvoyantes du lanceur Bourassa. Le premier ministre, toujours, pose sur les électeurs québécois le jugement qu'il avait déjà formé en 1973, et que son ami Pierre Bourgault résumait ainsi : si Bourassa « vole à hauteur des épaules, c'est parce qu'il a décidé une fois pour toutes que c'est à cette altitude qu'il rencontrerait la majorité des électeurs québécois ».

Deux mois après le référendum, le 20 décembre 1992 pour être exact, il déchante en apprenant que son cancer de la peau est de retour. Son calendrier politique est compromis. Lui qui voulait se faire absoudre par l'électorat de sa tricherie de 1990-1992, lui qui voulait se faire dire : « T'as bien fait, Robert » par un peuple qu'il voulait cocu et content, ne pourra tenter une nouvelle fois sa chance.

C'est dommage. Bourassa aurait eu, là, un vrai rendez-vous avec son passé. Au sens strict et civil : un règlement de comptes.

Mais le premier ministre, qui avait réussi à passer pour un mou alors qu'il avait la couenne la plus dure de toute la classe politique, se fera trahir, une seconde fois, par une maladie qui ronge sa carapace. Au printemps de 1993, un traitement expérimental le remettra d'aplomb. Jusqu'à l'automne, il laissera s'éterniser d'inutiles et improductives spéculations sur sa retraite, avant d'annoncer qu'il quitte la scène. Ce qu'il fera au Salon rouge, le 14 septembre 1993.

Assis exactement là où il avait déclaré, 39 mois auparavant, que « le Québec a la liberté de ses choix », il dira maintenant toute la vérité, dans la dernière phrase de son allocution de démissionnaire. Usant d'un mot qu'il affectionne et qui signifie « prendre à son compte » et « se charger de », il résumera ainsi son action des trois années précédentes :

« J'ai assumé le destin du Québec. »

★ ★ ★

Mais il n'en est pas là, le 26 octobre 1992. Il nage, encore, pour la seconde fois de la journée. C'est un rite, et un genre de pied de nez. Car à chaque élection, explique-t-il, plutôt que de rester chez lui à écouter les résultats, il quitte son logis vers 19 h et se rend à la piscine du complexe du Sanctuaire, sur le flanc du Mont-Royal. Il prend son temps. Vers 20 h, 20 h 10, alors qu'il s'apprête à revenir, il aperçoit, presque distraitement, un résultat sur un écran, ou il l'entend dans un haut-parleur. Le Non est en avance, mais loin de la barre des 60 %. Rassuré, il se prépare ensuite à consoler la foule de ses partisans, qui l'attendent au Spectrum, une salle de spectacle située, rue Sainte-Catherine, à deux pas du Méridien et à trois du Métropolis. Il n'y restera que quelques minutes car, raconte-t-il, il prend ensuite l'avion pour Québec.

C'est dire que, sauf pour sa propre prestation devant ses partisans, Robert Bourassa délaisse la soirée référendaire. Il n'en fait ni une cérémonie ni une veillée d'armes. Il portait plus d'attention aux Blue Jays, l'avant-veille, qu'il n'en accorde, ce soir, à la grande parade des résultats et des discours, à la vitrine de la démocratie. Bien peu de bêtes politiques se désintéressent à ce point d'une soirée de dépouillement des votes. John Parisella a raison : Robert Bourassa est « un peu comme un extra-terrestre ».

Vêtu de bleu marine, il est entouré, sur la scène du Spectrum, de quelques fidèles, dont Lise Bacon, l'indéfectible ; Liza Frulla, la loyale ; Lucienne Robillard, l'étoile montante. Avec la foule, ils scandent : « Bou-ras-sa, Bou-ras-sa, Bou-ras-sa ».

Si, d'emblée, le chef libéral salue le « peuple québécois », c'est pour se décharger sur lui, car le peuple « est le vrai gagnant de ce débat et de cet enjeu, qui, comme chacun sait, se situe au-delà des personnes et au-delà des partis ».

Il loue « le grand courage du premier ministre » Mulroney et se console d'avoir obtenu « quand même un appui très respectable ». Ce soir, Robert Bourassa a la voix ferme et la phrase forte. Les yeux, plus résignés que tristes. Il n'est pas accablé, seulement un peu déçu, peut-être. Mais combatif.

« Une bataille est maintenant terminée, mais la guerre se poursuit », lance-t-il, usant d'un mot très fort qui semble galvaniser les soldats réunis au Spectrum. « Et nous serons là », ajoute-t-il, donnant un indice sur ses propres projets... « Nous serons là pour gagner la guerre. Pour l'étape cruciale de la prochaine élection, pour le bien du Québec et le bien du Canada. »

Sa voix a des inflexions un peu plus tombantes qu'à l'habitude, mais on n'y entend pas trace d'humilité. Il n'est pas très gracieux dans la défaite. Alors que Mulroney a trouvé de bons mots pour les Canadiens qui ont lutté « de bonne foi pour le Non », Bourassa a cette seule phrase au sujet des vainqueurs du soir, citoyens et leaders confondus :

« Je veux souligner, évidemment, pour ceux qui ont combattu l'entente, euh... ils sont nombreux, ils sont disparates également. Je veux souligner le travail du président du Comité du Non, M. Parizeau, qui, comme il le disait lui-même il y a quelques jours, a reçu un peu d'aide de l'extérieur, pendant la campagne, une aide qui a pris des formes inédites. » C'est tout.

Bourassa — c'est un de ses atouts — ne prend jamais un ton arrogant. Mais la suffisance transparaît dans son message. Le peuple a parlé, dit-il, mais il a tort. La réforme proposée « était acceptable ». Puis il la défend, en plusieurs points, comme si la campagne n'était pas terminée. Ce n'est pas un discours, c'est une remontrance.

Dire Non ne mène à rien, explique-t-il encore. Car au moment de l'accord de Victoria, en 1971, « nous avons dit Non, et nous sommes obligés de constater qu'en 1992 nous n'avons pas eu, depuis cette période, des pouvoirs additionnels ».

Mais le peuple égaré a parlé. Il faut se tourner vers l'avenir. Bourassa sait ce que le Pacte réclame. Puisque « la réforme » vient d'échouer, il faudrait logiquement passer au : « Sinon, on part. » Il n'en est pas question, bien sûr. Mais plutôt que d'éluder complètement le problème, de proclamer que le dossier est clos, le chef libéral s'efforce de dénaturer le Pacte. Il a toujours en tête les engagements non tenus, comme autant de bâtons qui obstruent ses roues. Alors, il déclare que la loi 150 « mentionne, comme objectif », la tenue d'un référendum sur les offres. Il sait qu'il ne peut pas dire qu'elle le « stipule » ou le « prévoit » : ce n'est pas le cas. De même, alors que personne dans cette salle ne veut même se souvenir de l'existence du rapport Allaire, Bourassa l'a encore à l'esprit, et l'évoque pour tenter de s'en débarrasser :

« Nous avons adopté un programme, mais c'est une chose d'adopter un programme, ce n'est pas la même chose de le faire adopter par nos partenaires. Nous devons constater aujourd'hui d'une façon très très réelle, qu'il n'a pas été très facile de faire accepter cette entente — qui comportait des gains très importants pour le Québec — de la faire accepter par tous nos partenaires. »

Bon. Alors, que faire ? Monter les enchères ? Soyons sérieux. Oui, concède-t-il, c'est « une injustice dans l'histoire constitutionnelle canadienne d'avoir rapatrié la constitution à l'encontre de l'un des peuples fondateurs ». Injustice qui subsiste, après deux tentatives ratées de réparation. Mais on a fait ce qu'on a pu.

Il faut nous montrer raisonnables, « nous qui avons la responsabilité de gouverner, et de gouverner d'une façon concrète, en tenant compte de notre réalité, en tenant compte de notre géographie », insiste-t-il. « On ne peut pas concevoir que désintégrer une fédération peut être un jeu d'enfant. Et on ne peut pas concevoir facilement que désintégrer une fédération, ça va être à l'avantage des Québécois, ne serait-ce que sur le plan très concret, financièrement parlant. »

Alors que Parizeau est aux anges parce que les Québécois n'ont plus peur, Bourassa compte sur leur côté grippe-sous. Servant à l'auditoire l'argument central de son discours de défaite référendaire, il parle comme s'il s'adressait à une nation de Séraphin Poudrier.

« La richesse par tête au Québec, dit-il, est inférieure à la moyenne canadienne. C'est-à-dire qu'elle est de 86 %, par rapport à une moyenne de 100 %. Et, comme dans toutes les fédérations, il y a cet objectif de redistribution de la richesse collective. Le Québec en profite, en profite chaque année de différentes façons. Donc c'est des réalités qu'on est obligés de concevoir quand on assume la responsabilité du pouvoir. »

Trois temps, donc : oui, il y a eu injustice, en 1982, toujours présente. Non, les partenaires canadiens n'ont pas daigné reconnaître au Québec un statut que les Québécois, eux, jugeaient insuffisant. Cette trajectoire historique de 10 ans, débouchant sur un verdict populaire exprimé aujourd'hui par les Canadiens contre les vœux des élites du pays, et par les Québécois contre son vœu personnel, Robert Bourassa les met en balance avec... un écart de 14 % dans l'épaisseur du porte-monnaie. En moyenne.

La logique, implacable, se déploie. La conclusion, imparable, coule de source : le *statu quo* est la meilleure solution pour le Québec.

Grand Angle

LES ONZE DÉGAGEMENTS

La carrière du menteur mérite attention :
on ment mieux avec l'âge, on a quelque expérience,
on est plus habile à doser le mensonge, à nier ce qui est évident
avec la plus grande sincérité apparente [...].

Aucun mensonge ne ressemble à un autre,
à chaque fois c'est une partie nouvelle qu'on amorce, un pari qu'on engage :
un menteur a besoin de sang-froid, il doit avoir le sens des opportunités ;
un menteur est porté par l'air du temps,
il est créé par des circonstances propices ;

Le menteur risque de croire qu'il agit
« dans le sens de l'histoire », voire pour l'histoire,
et, comme le rhéteur, le menteur finit par croire aux mensonges qu'il fabrique,
par se forger un passé « reconstitué »
et par construire un système arbitraire de « justifications ».
Le menteur a bonne conscience.

PIERRE LENAIN,
politologue français de l'École nationale d'administration,
dans *Le Mensonge politique.*

« IL Y AVAIT UNE QUESTION DE PAROLE », explique John Parisella, l'air concentré, dans les bureaux du premier ministre à Montréal. « Ça, c'est devenu un facteur pendant l'été. » Il parle des débats qui ont animé le « comité des enjeux » pendant la saison préréférendaire. Une question de parole donnée. « Tsé, la population, elle s'attend à quelque chose. »

Parisella est un fan de Robert Bourassa. Il l'a entendu déclarer un jour : « En politique, on dit souvent n'importe quoi. » Il l'entendra, pendant la campagne référendaire, expliquer en entrevue avec Terrence McKenna, de la CBC, que sa « position, du début jusqu'à aujourd'hui, n'a pas changé ». Il s'agit de garder « le Québec à l'intérieur du Canada ; tout le reste n'est que du bavardage — comment dites-vous ? Du *gossip*. »

Mais la population, tsé, « s'attend à quelque chose », pensent les libéraux du comité des enjeux. Un détail, peut-être, mais qu'on ne peut « prendre à la légère », poursuit Parisella. Beaumarchais, qui avait de la politique une vision assez noire, donc assez proche de celle de Bourassa, eut une formule pour décrire le dilemme de Parisella. Parlant de l'homme politique, il affirma : « Le scrupule seul peut lui nuire. »

Robert Bourassa n'en a pas, ou n'en a plus. Et c'est un à un qu'il a rompu, sans l'ombre d'un remords, ou d'une excuse, les engagements publics — « la parole », selon l'expression de Parisella, « le *gossip* », selon celle de l'intéressé — pris sur la route qui mène de la mort de Meech au naufrage de Charlottetown :

N° 1 : Négocier dorénavant à 2 et « jamais » à 11
(23 juin 1990, Salon rouge, réaffirmé en mars 1991, puis en mars 1992)

N° 2 : Nécessité de redéfinir le statut politique du Québec
(Loi instituant la commission Bélanger-Campeau, 4 septembre 1990)

N° 2 bis : Obligation de résultat
(Présentation du rapport Allaire, 29 janvier 1991)

N° 3 : Le *statu quo* est la pire solution pour le Québec
(Discours d'ouverture, congrès libéral de mars 1991)

N° 4 : Organiser un référendum sur la souveraineté du Québec, au plus tard le 26 octobre 1992
(Rapport Bélanger-Campeau, 29 mars 1991, loi 150, 15 mai 1991)

N° 5 : Seule une offre liant formellement le gouvernement du Canada et les provinces pourra être examinée
(idem)

N° 6 : Réforme en profondeur, sinon, souveraineté
(*Addenda* Bourassa-Rémillard, rapport Bélanger-Campeau, mars 1991)

N° 6 bis : Dans ce cas, la pleine souveraineté, toutes les lois, tous les impôts
(Rapport Bélanger-Campeau, 29 mars 1991, loi 150, 15 mai 1991)

N° 7 : La réforme doit être « fondamentale », « en profondeur », « pas une réformette »
(Entrevue au *Soleil*, septembre 1991)

N° 8 : Ne rien décider avant d'avoir vu les textes juridiques
(25 octobre 1991, Îles-de-la-Madeleine)

N° 9 : Ne pas organiser de référendum sans être sûr de le gagner
(Conseil général du PLQ, mars 1992)

N° 10 : Trois conditions à satisfaire avant de négocier à 17
(Mi-juillet 1992)

N° 11 : En cas de rejet de Charlottetown, rediscuter de souveraineté
(Congrès libéral, 29 août 1992)

Le grand art de Robert Bourassa, c'est d'avoir franchi chacune de ces étapes sans devoir payer un prix lourd, outre celui de la défaite référendaire. Il a camouflé chaque rupture dans un semblant de continuité, habillé chaque mensonge dans une pseudo-évidence.

On l'a vu sans cesse répéter que le congrès libéral de 1991 avait exprimé le souhait que le rapport Allaire ne soit pas « à prendre ou à laisser », alors que les militants avaient affirmé le contraire (et provoqué, d'ailleurs, l'ire de Claude Ryan). On l'a vu constamment prétendre que les recommandations du rapport Bélanger-Campeau et la loi 150 « concluaient » ou « mentionnaient » des choses qui n'y apparaissent pas. On l'a vu soutenir, au printemps de 1992, qu'il avait « toujours dit » qu'il retournerait négocier à 11, si certaines conditions étaient remplies. Après avoir clamé à tout vent, comme dans son discours de clôture à Bélanger-Campeau en mars 1991 : « Face à l'histoire, je suis évidemment, parmi vous, celui qui aura à prendre une des décisions les plus importantes pour le Québec » ; ou comme dans une entrevue au *Soleil* en avril 1991 : « C'est moi qui ai la responsabilité ultime vis-à-vis l'histoire » ; ou encore, comme devant les jeunes libéraux à la mi-août 1992 : « C'est le gouvernement qui sera jugé par l'histoire », il annonce le soir du référendum que « cet enjeu, comme chacun sait, se situe au-delà des personnes et au-delà des partis ». Comme chacun sait.

Le menteur « tend toujours à enjoliver, par de nouveaux mensonges, le passé : l'oubli est nécessaire à l'homme politique », écrit Pierre Lenain dans son traité de *realpolitik* intitulé *Le Mensonge politique*.

Mais ce n'est pas tout de démonter la technique Bourassa. Il faut poser à son sujet deux questions. D'abord, est-elle extraordinaire, excède-t-elle la dose normale de louvoiements et de truquages propres à la politique ? Ensuite, comment se fait-il que ces glissements soient passés presque inaperçus et n'aient presque rien coûté, en termes de crédibilité politique, à leur instigateur ?

Avant de parcourir les dernières étapes dans l'autopsie politique du Québec de l'après-Meech, donc dans l'examen de la santé démocratique actuelle du corps politique québécois, il faut laisser la parole au « responsable », entendre sa version, écouter ses arguments.

« L'HISTOIRE JUGERA » : LA DÉFENSE DE ROBERT BOURASSA

On arrive toujours à se garer juste devant chez lui, rue Maplewood, été comme hiver. Aujourd'hui, 23 mars 1994, ne fait pas exception. Le soleil fait une de ses premières vraies apparitions de la saison. L'auteur n'a pas mis de cravate. Bourassa, lui, en porte une, sous un des débardeurs qu'il affectionne. Des pantalons en velours côtelé brun et de jolies chaussettes bleues complètent l'ensemble du retraité décontracté.

Enfin, pas complètement. Cette rencontre le préoccupe. Le lecteur se souviendra d'avoir été avisé, à la fin du premier volume, qu'à compter de l'automne de 1991, à mesure que les mois s'écoulaient et que la foi de Bourassa en sa propre position de repli s'écroulait, les entrevues étaient devenues plus espacées, constamment remises, jusqu'à ne plus avoir lieu du tout. Le premier ministre n'avait pas interdit à ses conseillers de poursuivre la collaboration, cependant. Mais il gardait ses distances. « Le livre à Lisée, s'était exclamé Jean-Claude Rivest dans un souper, on sait pus comment gérer ça ! »

L'auteur avait multiplié les appels du pied auprès du premier ministre, à l'automne de 1993. Avait même remis une lettre manuscrite, rue Maplewood, après l'annonce de la démission de Bourassa. Puis, de guerre lasse, lui avait fait transmettre par l'intermédiaire de ses conseillers une demande qu'il présentait comme la dernière.

Mais en février et en mars 1994, Bourassa raconte dans les salons que Lisée écrit un livre sur lui sans le contacter. Ce qui fait un peu désordre. Averti, l'auteur présente une nouvelle demande d'entrevue, histoire de faire savoir qu'il a compris la manœuvre : il ne sera pas dit qu'il n'a pas persévéré jusqu'à l'extrême limite. À ce stade, le premier volume, pour lequel le témoignage de Bourassa avait été recueilli en 1991, est déjà sous presse. La rédaction du second est terminée aux trois quarts.

Bourassa vient ouvrir la porte lui-même ; il a rarement été aussi charmant. Appelant le journaliste par son prénom — ce qu'il faisait déjà — et le tutoyant — ce qui est nouveau et, on le verra, de courte durée — il explique que ses conseillers, John Parisella et Sylvie Godin, les survivants de son réseau, ont tenté de le dissuader d'accorder cet entretien. L'obstacle extérieur est en action. Mais Bourassa n'a rien à cacher. « J'ai décidé de répondre à toutes les questions. » Bien.

L'auteur a passé au crible toutes les entrevues que Bourassa a accordées à d'autres, au cours de la période couverte par le second volume. Il s'est fait raconter par des tiers un maximum de conversations tenues par le premier ministre, de façon à reconstituer au plus près sa pensée, sa parole, son action. Il lui reste quelques zones d'ombres à éclairer, et il veut mettre un peu de chair sur l'ossature. Puisqu'on lui accorde deux heures —, il sait pouvoir grappiller une demi-heure supplémentaire, c'est l'usage —, il répartit son temps comme suit : d'abord, pendant plus d'une heure, une recherche d'information pure. Qu'avez-vous dit ? Qu'a-t-il répondu ? Racontez-moi telle journée. Pourquoi tel changement de cap ? Est-il vrai que... ? Saviez-vous que... ? C'est grâce à cette première partie d'entrevue que la voix de Bourassa est si présente, dans le corps du récit, partout dans le second volume.

La seconde partie porte sur la question de fond : la question de la cohérence, de la moralité, du respect de la démocratie. Bourassa s'y prête de bonne grâce.

L'auteur ne mentionne pas, dans la discussion, les témoignages des cinq premiers ministres anglophones qui lui ont raconté que Bourassa leur avait exposé son double jeu dès le début. Il juge que cinq confirmations suffisent et ne veut pas attacher le grelot. Ces témoignages sont précieux dans la mesure où ils permettent de dater la triche : elle commence quatre jours après la mort de Meech. Mais là n'est pas l'essentiel. L'essentiel, c'est que les Québécois sont victimes de la triche. Le fait que Bourassa en informe les Canadiens anglais est un facteur aggravant, mais il ne constitue pas le corps du délit.

L'entrevue, qui confine par instants au débat, connaît un premier temps fort, puis s'avance par cycles, avec quelques retours sur des arguments déjà avancés, puis quelques échappées sur des terrains nouveaux. On la reproduit ici en entier.

L'auteur : Est-ce que vous pensez à la trajectoire globale ? Le soir du 22 juin 1990 [mort de Meech] et le 23 juin, vous dites que « le Québec est libre de ses choix ». Vous ouvrez les vannes. Au début de 1991, le grand message qui sort — et vous le dites de toutes sortes de façons — c'est : « Une réforme en profondeur ou la souveraineté. » L'un ou l'autre. Dans votre *addenda* à Bélanger-Campeau, vous dites : « Il n'y a pas d'autres voies de solution pour le Québec. » Et là, vous êtes au soir du 26 octobre 1992, et vous n'avez fait ni l'un ni l'autre.

Bourassa : Le peuple est souverain, hein ? Vous avez écrit, Jean-François, dans le *Washington Post,* qu'entre le Québec et mes intérêts, j'avais choisi mes intérêts. Je vois pas comment j'ai choisi mes intérêts en évitant que le Québec s'enfonce dans l'inconnu. C'est vrai, le lendemain du lac Meech, j'ai dit : « Le Québec est libre de ses choix » et la liberté des Québécois s'est exprimée le 26 octobre. Ils ont dit : « C'est pas assez. On veut pas casser la baraque, mais c'est pas assez. »

L'auteur : [Après avoir contesté la véracité de la référence au *Post*[*].] Je n'ai aucun problème avec le fait que vous pensiez que c'était une mauvaise idée de faire la souveraineté, que vous pensiez que c'est un saut dans l'inconnu, que c'est mauvais pour l'économie. Je n'ai aucun problème avec ça.

Bourassa : Surtout avec les pouvoirs qu'on a...

L'auteur : Cependant, vous avez dit, sur le chemin, un certain nombre de choses qui étaient assez claires. Vous avez dit, dans un discours télévisé, la veille du congrès libéral : « Le *statu quo* est la pire solution pour le Québec. » Le rapport Bélanger-Campeau, vous l'avez signé. L'*addenda* qui dit que c'est l'un ou l'autre [réforme en profondeur ou souveraineté], il n'engage que vous et Gil Rémillard.

Bourassa : Moi, je considère que les textes juridiques, c'est une réforme en profondeur. Gil va probablement publier un texte là-dessus.

L'auteur : Quand on vous demandait de définir la réforme en profondeur que vous considériez, c'est pas ça que vous disiez.

Bourassa : J'aimerais bien savoir comment je définissais ça !

---

[*] Bourassa est mal informé. Interviewé par le correspondant du *Washington Post* à Toronto, le jour de la démission de Bourassa, l'auteur a déclaré que Bourassa « a ramené la vague [nationaliste] vers le bas. Les fédéralistes canadiens disent qu'il a sauvé le Canada. Beaucoup d'électeurs québécois disent qu'il les a empêchés de faire ce qu'ils voulaient. » Il n'est nulle part question de l'intérêt personnel de Bourassa.

L'auteur : Moi aussi, alors je l'ai vraiment cherché. Une fois, vous l'avez fait devant moi, mais ça ne compte pas. Mais dans une entrevue publique à Michel Vastel dans *Le Soleil* [de septembre 1991], vous dites :

> « Le Canada anglais peut se dire : avec lui, si on lui donne quelque chose de raisonnable, qui satisfait fondamentalement les aspirations des Québécois, il va l'accepter et il va être capable de le faire accepter par les Québécois.
>
> « Mais le corollaire de ça, c'est que s'ils ne nous offrent pas quelque chose d'important, de fondamental, comme une réforme en profondeur, je ne pourrai pas le faire accepter par le peuple québécois. [...]
>
> « Ce que je demande, c'est la gestion de nos intérêts. Si on obtient la maîtrise d'œuvre totale dans le domaine social, le développement régional, le culturel, l'environnement. Bon, en acceptant des normes [canadiennes], la main-d'œuvre. »

C'est beaucoup, ça.

Bourassa : Ah ! C'était pas mal dans les textes juridiques !

L'auteur : L'environnement, le culturel ?

Bourassa : Le culturel, oui. L'environnement, on va le faire, là. Parce qu'il faut des normes canadiennes pour l'environnement. Dans le domaine social, on l'a pas mal. Pour ça, ça comprend la main-d'œuvre et on l'a eue. Le reste, la santé, c'est une petite — il y a des normes d'accessibilité, mais on est prêts à les accepter. Développement régional, on l'avait dans Charlottetown.

L'auteur : Vous aviez des accords sectoriels, qu'il fallait négocier. Vous aviez des « engagements de négocier ».

Bourassa : Il y avait quand même des progrès importants. Moi, je trouve que les textes juridiques — si on avait le temps on pourrait se reprendre, quand t'auras écrit ton volume — mais c'était 80 % de ça. Mais si les Québécois en veulent pas, je suis pas pour les lancer dans la souveraineté. S'ils en veulent pas à cause des autochtones.

L'auteur : Lorsque vous dites « le *statu quo* est la pire solution pour le Québec », lorsque vous vous présentez avec le rapport Allaire, aux côtés de Jean Allaire, vous dites aux gens : « Je suis d'accord avec l'idée que si on n'a pas une réforme majeure, on fera la souveraineté. »

Bourassa : Le rapport, c'était un rapport voté par le parti et j'ai pris quand même un peu mes distances. Comme René Lévesque l'avait fait à plusieurs reprises.

L'auteur : Pas le 29 janvier quand vous l'avez présenté vous-même en compagnie... [de Jean Allaire en conférence de presse]

Bourassa : Non, d'accord. Bon. Après le lac Meech, la crise autochtone, tout ça, j'ai quatre opérations — si j'inclus la tienne — [rires — Bourassa fait référence au fait que *L'actualité* avait annoncé qu'il s'était fait opérer à Montréal avant de se rendre à Bethesda].

L'auteur : J'arriverai pas à vous convaincre que je ne suis pas responsable de cet article.

Bourassa : Je te taquine. Mais enlevons la biopsie que j'ai fait dans une clinique à côté de l'hôpital, j'ai eu trois opérations. Et vivre ça sur la place publique... On se souvient le titre dans *Le Soleil* : « Une chance sur deux de vivre cinq ans », ou je sais pas quoi ! Donc, t'as tout ça à vivre et quand tu sors de l'hôpital... [Ici, Bourassa raconte son opération en détail, mais demandera à l'auteur, dans une conversation téléphonique subséquente, de ne pas rapporter ces propos.]

Alors quand Allaire sort, pis t'es pris avec le rapport, on n'a même pas de texte [Bourassa a eu le texte du rapport le 4 janvier 1990 à Miami] pis — ça allait trop loin par rapport à ce que le parti...

L'auteur : Même avant ça, monsieur Bourassa. Avant votre opération. À l'été 1990, quand vous dites pas non aux jeunes. Quand vous dites que seul le *statu quo* doit être écarté.

Bourassa : Les jeunes viennent ici [il parle de Michel Bissonnette, venu lui soumettre la position des jeunes pour approbation dans son salon de Maplewood le 6 juillet 1990], ils sont assis là, ils me disent ça. Bon. Des mots. J'ai dit : « Faut qu'il y ait quand même un Parlement canadien ou communautaire, avec des pouvoirs de taxation. On a quatre milliards de péréquation, on ne peut pas laisser aller ça. » Ils acceptent ça. Donc c'est de la souveraineté partagée. J'ai pas d'objection à ce que les jeunes à ce moment-là parlent de souveraineté partagée. J'en ai parlé moi-même.

L'auteur : Et quand vous rencontrez Jacques Parizeau et quand vous rencontrez Lucien Bouchard, vous dites : « Il y a seulement deux choses qu'on exclut : le *statu quo* et l'indépendance pure et dure. » Parfois vous ajoutez aussi : « et l'annexion aux États-Unis ». C'est que le champ est vaste. Vous ne dites pas que vous excluez la souveraineté.

Bourassa : Oui, mais je n'ai pas exclu le *statu quo*. C'est les Québécois qui disent : « On aime mieux le *statu quo* que [l'accord de Charlottetown]. »

L'auteur : Ils ont répondu à la seule question que vous leur avez posée.

Bourassa : Je veux dire, j'ai pas le droit de leur poser des questions qui vont placer le Québec dans une position vulnérable ! Qu'est-ce que vous auriez fait à ma place ? [Notez le passage au vouvoiement.]

L'auteur : Ben, écoutez. Là où vous allez voir que je suis critique [dans le livre], c'est que vous avez conduit les Québécois dans une logique où vous avez dit : « Ou bien on va faire une réforme en profondeur, ou bien ou va faire la souveraineté » — que vous avez assortie de toutes sortes de nuances, mais ce sera une souveraineté. Et c'est ça, un peu, le Pacte que vous avez fait avec les Québécois : « On essaie une dernière chance, si elle marche pas, on part. On va essayer de partir tout en restant, avec un Parlement commun et tout ça, mais c'est ça. » Et les Québécois ont dit oui de toutes sortes de façons à ce Pacte-là. Et à la fin...

Bourassa : J'ai toujours maintenu, Jean-François, j'ai toujours maintenu la nécessité d'un lien fédératif.

L'auteur : Communautaire, superstructurel, bruxellois, très bien...

Bourassa : Toujours. Et dans la mesure où je n'avais pas ce lien-là, je ne pouvais pas plonger le Québec dans la souveraineté. C'est mon évaluation. L'histoire jugera si les Québécois auraient dû opter pour la souveraineté au début des années 90. Je pense que non.

L'auteur : O.K. Mais on pourrait dire que les Québécois voulaient faire ce choix-là. Et que vous ne les avez pas laissés le faire.

Bourassa : Ils voulaient le faire ? Quand partout c'est 50-50 ?

L'auteur : Comme vous l'avez dit vous-même, en 1990, c'était pas 50-50 [il disait 58 %] ; en 1991, c'était pas 50-50 [il disait 53 %] ; pis dans les sondages que Grégoire Gollin faisait pour vous au printemps 1992 et jusqu'à l'été...

Bourassa : Oui, mais il y a un tiers de ceux qui voulaient la souveraineté qui voulaient des députés à Ottawa !

L'auteur : Oui, mais c'est ce que vous leur proposiez !

Bourassa : Oui, mais [ici, Bourassa prend un ton très plaintif] les partenaires [les autres provinces] en voulaient pas !

L'auteur : C'est ce qu'on allait voir.

Bourassa : Non, mais ils n'en voulaient pas ! J'avais la conviction qu'on risquait de tomber dans l'isolement, parce que dans la mesure où ils en voulaient pas, quel est l'autre choix ? C'était la souveraineté pure et dure ? La domination américaine ?

L'auteur : Vous avez assumé ce choix-là à la place des Québécois. Vous l'avez dit dans votre discours de démission : « J'ai assumé le destin du Québec. » C'est ce qu'on peut vous reprocher.

Bourassa : C'est trop tôt, trop tôt pour me reprocher ça.

L'auteur : Pendant cette période-là, les Québécois voulaient le décider eux-mêmes. Et vous leur avez dit qu'ils allaient le décider eux-mêmes. Vous avez fait une loi qui disait qu'ils allaient le décider. Vous avez laissé voter un rapport qui disait qu'ils allaient le décider. Et vous leur avez, grâce au calendrier politique — vous veniez juste d'être réélu en 1989 — vous avez fait en sorte qu'ils ne puissent pas, à aucun moment sur le chemin, faire ce choix-là.

Bourassa : Il était très clair dans la loi 150 et dans Bélanger-Campeau que s'il y avait des offres jugées acceptables — c'est au gouvernement à juger — on pouvait faire un référendum sur des offres jugées acceptables. Donc, j'ai respecté ma parole, j'ai fait un référendum sur des offres, que j'ai jugées acceptables.

Si les Québécois considèrent que le *statu quo* doit être condamné, ils ont le choix, dans les prochaines échéances, de se prononcer.

L'auteur : Oui.

Bourassa : Mais moi, j'ai tenu parole, parce que j'ai toujours mis l'alternative. Et là où... Je lisais un article de Guy Laforest [politologue de l'université Laval] assez bien écrit, mais qui conclut que dans les offres, il y a rien. Mais c'est faux ! C'est faux, qu'il y a rien dans les offres !

L'auteur : Je suis d'accord qu'il n'y a pas « rien » dans les offres.

Bourassa : Je comprends que les autochtones, il y a un gros point d'interrogation, mais il faut...

L'auteur : Cependant, on peut faire l'argument que le désir de plus grande autonomie des Québécois était de toutes façons supérieur à ce qu'il y avait dans les offres. C'est difficile de trouver une position, où que ce soit dans l'après-Meech, qui aurait été équivalente à ce qu'il y avait dans les offres.

Bourassa : C'était quand même plus que depuis 125 ans.

L'auteur : Oui, mais on n'a jamais rien eu.

Bourassa : C'est pas facile, Jean-François. [Ici, Bourassa explique qu'on devrait se revoir, en rediscuter, creuser ces sujets.] Mais je considère que j'ai respecté ma parole dans la mesure... J'aurais pu reporter le référendum en disant : « C'est pas assez, pis on va essayer d'en chercher d'autres [gains] », mais finalement ce serait tombé dans l'oubli. Les gens ne veulent plus en entendre parler. Mais j'ai fait le référendum. J'ai négocié et ça a été très dur, la négociation. Je peux pas dire que ça a été facile. Par définition, il y avait 16 partenaires [le fédéral, 9 provinces, 2 territoires, 4 autochtones]. J'étais satisfait du résultat, mais les Québécois, pour des raisons que je comprends, ont dit Non. Alors, j'ai respecté ma parole.

Si j'avais pas fait le référendum, là vous pourriez dire que j'ai pas respecté ma parole. Mais comme j'en ai fait un sur des offres que j'étais capable de défendre vis-à-vis l'histoire — pas pour moi —, que j'étais capable de défendre vis-à-vis l'histoire, à ce moment-là, le peuple étant souverain, il allait décider. Et lui, il aimait mieux le *statu quo*.

L'auteur : Ben non. Écoutez. Même au congrès libéral d'août 1992, pour essayer de rapailler quelques nationalistes à la résolution d'appui à Charlottetown, on avait ajouté une ligne disant qu'en cas de non-ratification de l'Accord, le parti reproposera l'article 2b2 [la souveraineté dans un cadre confédéral] du rapport Allaire.

Bourassa : Oui, mais les libéraux se sont prononcés au mois de mars [1994] là-dessus.

L'auteur : Là, on parle de 1992. Donc, le 29 août 1992, le parti dit, dans une résolution qui n'a pas été très discutée : « Si ça marche pas, on revient à la souveraineté confédérale qu'il y a dans le rapport Allaire. » Mais le soir du référendum, c'est pas ce que vous dites. Vous dites : « Bon, on tourne la page, le peuple a parlé, on va vivre avec le *statu quo*. »

Bourassa : Ah ! J'ai pas dit ça [mi-amusé, mi-outré], j'ai dit que... Lisez ce que j'ai dit ! [...] Le peuple est souverain. Il y a pas de gagnant, il y a pas de perdant. [rires] C'est tout ce que j'ai dit. Après ça, je ne pouvais pas imposer un agenda constitutionnel quand plus personne ne voulait en entendre parler.

L'auteur : Vous avez raison. C'était terminé à cause de la logique que vous aviez mise en branle. Mais, regardez, quand vous disiez — je ne veux pas vous...

Bourassa : Non, mais Jean-François, je sais pas si vous pensez que j'avais des arrière-pensées ou quoi que ce soit. Mais regardez toute ma carrière. S'il y a un Québécois qui s'est exclusivement consacré à la politique québécoise — pas municipale, pas fédérale, pas internationale — québécoise, du début en 1944, j'ai commencé à distribuer des pamphlets, Adélard Godbout avait fait étatiser Hydro-Québec. J'avais 11 ans. Tout, tout ça. Et j'ai pris des risques énormes, sur le plan personnel, pour protéger le Québec. Alors je peux pas avoir joué avec l'avenir comme ça, pour des intérêts personnels.

L'auteur : Je pense que, fondamentalement, ce qui m'a dérangé, c'est que vous ne disiez pas, à partir du moment de la mort de Meech : « Écoutez, ma conviction profonde, c'est qu'en aucun cas la souveraineté n'est une bonne idée pour le Québec. Et mon action va être guidée par ça. » Mais en ne disant pas ça et en laissant entendre le contraire...

Bourassa : Là, on tombe dans le juridisme.

L'auteur : Non, on tombe dans la transparence.

Bourassa : La souveraineté, c'est...

L'auteur : La souveraineté, qu'elle soit partagée ou bruxelloise. Pour vous, elle n'est pas désirable ; en tout cas si elle est désirable, elle est pas faisable.

Bourassa : Hum.

L'auteur : Vous auriez pu nous dire : « Je ne vous conduirai pas dans un chemin sans issue, je vous le dis. Ceux d'entre vous dans mon parti, dans mon caucus ou ailleurs, qui aimeraient la faire, ce n'est pas avec moi que vous allez la faire. »

Bourassa : Qui vous dit qu'à un moment donné, le Reform Party ne voudra pas revenir avec l'option de confédération avec 5 régions au lieu de 10 provinces, et un Québec un peu plus distinct ? Qui vous dit que ça pourra pas fonctionner ?

L'auteur : Preston Manning est un autocrate. Il veut pas démanteler le pouvoir qu'il veut conquérir à Ottawa.

Bourassa : Moi, je ne peux pas dire que la formule bruxelloise, comme dirait de Gaulle, « pour aujourd'hui et pour toujours », est inapplicable au Canada.

L'auteur : C'est pas sur le fond que je discute. C'est sur le fait que vous ne l'avez pas dit à l'époque, et qu'il y a un très grand nombre de Québécois qui ont pensé que vous alliez les guider vers la souveraineté et qui ont été déçus dans cette trajectoire.

Bourassa : J'ai parlé de souveraineté partagée. J'étais... Il aurait pu arriver qu'il se développe un mouvement au Canada anglais ou je sais pas quoi qui aurait dit : « Ben, pourquoi pas ? » On va examiner ça, cette formule-là. On va s'entendre sur des mises en commun, et le Québec pourra prendre des pouvoirs, pis l'Ouest aurait pu dire : « Ben, ça nous coûte déjà assez cher, on va être d'accord avec ça, si le Québec est prêt à se serrer la ceinture pour avoir plus de pouvoir, nous autres on va avoir plus de pouvoir et ça va coûter moins cher. » Il aurait pu se développer ça. Mais c'est pas ce qui s'est développé.

L'auteur : Donc, ce que vous me dites aujourd'hui, c'est que, parce qu'on est tributaires de la volonté des autres provinces de s'associer ou non avec nous — ce qui ferait que nous serions isolés ou non — qu'à cause de ça, on ne peut pas dire que « le Québec est libre de ses choix ». Et on ne peut pas dire que « quoi qu'on dise et quoi qu'on fasse, le Québec est, aujourd'hui et pour toujours, une société distincte, libre, et capable d'assumer son destin... »

Bourassa : Ah ! Ben, moyennant un certain coût ! Mais moi, mon raisonnement est simple. Affirmer ou déclarer la souveraineté, c'est nous placer dans une situation imprévisible. On sait pas quand et comment les partenaires vont réagir. Ceci étant dit, on prend un risque avec l'avenir au moment où la souveraineté devient un choix d'interdépendance.

L'auteur : Vous n'avez pas dit ça à l'été 1990, à l'automne 1990, au printemps 1991, et jusqu'à l'automne 1991.

Bourassa : J'ai toujours dit que s'il y avait un lien fédératif, avec un Parlement — pis ça je l'ai dit en 1967, constamment — mais dans la mesure où je viens à la conclusion très claire qu'on ne peut pas avoir des garanties raisonnables qu'un lien fédératif sera maintenu avec des partenaires, à ce moment-là, on a à évaluer entre l'isolement du Québec en Amérique du Nord et... ça, je suis pas sûr que je l'ai pas dit dans ces semaines-là. Regardez toutes les interviews.

L'auteur : Je les ai regardées. Pendant le congrès libéral de mars 1991, vous refusez de répondre à la question : « Êtes-vous souverainiste ou fédéraliste ? » Vous dites que c'est une question académique.

Bourassa : Bah ! Oh !...

L'auteur : ... Je comprends ce que vous avez fait. La vague était très forte, s'y opposer...

Bourassa : Ben, si on m'avait dit : « Êtes-vous fédératif [rires] ou souverainiste ? » j'aurais dit : « Fédératif ! » Mais fédéraliste, ça voulait dire à toutes fins pratiques le *statu quo*, alors qu'on voulait changer le *statu quo*. Et on l'a changé, mais les Québécois ont pas voulu à cause des implications des changements. Alors c'est pour ça. Bon, je respecte votre opinion et c'est toujours fait d'une façon très civilisée. Mais je vois pas en quoi j'ai desservi le Québec et j'ai pas respecté ma parole. Dans un contexte qui n'était pas facile.

L'auteur : Oui, mais dans les deux sens. Parce que c'était un contexte qui était économiquement difficile, mais en même temps politiquement il y avait une fenêtre pour faire un changement majeur, qui ne s'était pas présentée avant et qui ne se présentera peut-être pas par la suite.

Bourassa : Mais on a le plancher [des textes juridiques de l'accord de Charlottetown].

L'auteur : Non, je veux dire... Bon, je comprends que vous soyez pas pour la souveraineté, ça ne me pose pas de problème. Mais si...

Bourassa : La souveraineté classique.

L'auteur : Soit classique, soit de dire, comme Pierre Anctil vous le disait : « Proposons la question de Bruxelles avec la position de repli suivante : si les partenaires refusent, on sera souverains quand même. »

Bourassa : Ça mène où, ça ?

L'auteur : Ben, c'est ça : ça mène au problème de l'isolement. Je comprends votre position. Mais il y une période historique entre juin 1990 et la fin de 1991 au moins, où une grande majorité de Québécois pouvaient être réunis sur une proposition comme celle-là. Et cette fenêtre-là n'existe plus.

Bourassa : Ouais. Mais il y avait de l'émotion dans tout ça. J'essaie de voir dans l'histoire des peuples pour donner un exemple. Ils sont rendus 184 aux Nations unies. C'est *moi* [ici, Bourassa fait un grand geste et se met les deux mains sur le torse] qui avais la responsabilité, si je prenais cette voie-là, vis-à-vis l'histoire et si le choix se révélait dangereux. C'est facile de dire : « Il aurait dû faire ça. » Claude Masson a écrit un éditorial disant : « Il aurait pu devenir le Québécois du siècle, s'il avait voulu » et faire la souveraineté. Mais, je veux dire, c'est pas l'amour-propre qui doit vous guider.

L'auteur : Non, non. Mais ce que vous nous dites maintenant, si vous l'aviez dit à l'été 1990, si vous l'aviez dit à Michel Bissonnette quand il est venu s'asseoir ici, si vous l'aviez dit à Lucien Bouchard...

Bourassa : Je l'ai toujours dit.

L'auteur : Que le Canada était votre premier choix ?

Bourassa : Non, je l'ai toujours dit que leur indépendance à eux, l'indépendance sans Parlement confédéral, européen, etc. — ce dont je parle constamment — j'y étais opposé. Ça, j'ai toujours maintenu ça. Parizeau ne veut pas en entendre parler, de ça. D'ailleurs, il a dit que la question de Bruxelles était ridicule.

J'ai toujours soutenu ça. Quand vous dites [que] je l'ai pas dit ! J'ai même demandé aux jeunes de le mettre dans leur recommandation ! Ils l'ont mis et ça devenait du néo-fédéralisme et de la souveraineté partagée.

L'auteur : Ce qui a beaucoup aiguillonné les gens dans cette direction-là, c'est que votre refus du *statu quo*, ça mettait le plancher haut. Les gens disaient : « Le Canada ne voudra pas changer le *statu quo*. Donc, si Bourassa refuse absolument le *statu quo*, à la fin, si Bruxelles ça marche pas, il va faire la souveraineté ! Puisqu'il nous a dit 20 fois qu'il refusait le *statu quo*. » Alors qu'à la fin, on se rend compte que le *statu quo* était préférable à ce risque d'isolement. Si vous aviez dit ça à l'été 1990 : « Le *statu quo* est préférable au risque d'isolement », ben ça aurait pas fait le même débat.

Bourassa : Mais ça, je l'ai toujours dit ! J'ai toujours dit que le risque d'isolement, je l'assumerais pas au nom des Québécois. Pis le *statu quo*, je veux dire, le 25 % pour le prochain millénaire, c'est important, ça : on a 25 % du Parlement communautaire. [Bourassa parle d'une garantie offerte dans le défunt accord de Charlottetown]. On en rediscutera. Vous viendrez, je vais probablement donner des cours, ou diriger des travaux, vous pourrez y assister.

L'auteur : On fera peut-être un débat. Je ne vous embêterai pas plus longtemps, monsieur Bourassa...

[Ici, l'auteur ramasse ses affaires, mais Bourassa poursuit la discussion, veut revenir sur certains points, dont son discours ayant suivi la mort de Meech.]

Bourassa : [Est-ce qu'il fallait dire :] « C'est de valeur, alors on tourne la page ? » La fierté des Québécois était en cause. Il y a moyen de faire un discours de fierté sans les tromper.

L'auteur : Je ne vous ai pas cité ce que vous m'avez dit à moi. Ce que vous m'avez dit quand on s'est vus en avril 1991. On discutait de ça. Ça ne s'appelait pas encore la question de Bruxelles. C'était l'association. Vous me disiez, je pense : « L'association, ils [les autres provinces] pourront pas dire non. Mais c'est pas certain. Mais en tout cas, s'il y a pas de réforme et s'ils disent non à l'association, l'histoire suivra son cours*. »

---

*   Cette entrevue est publiée aux pages 521 à 524 du premier tome. Bourassa s'y contredit, mais il déclare entre autres : « Si le Canada lui-même refuse toute rénovation du fédéralisme,

Bourassa : Ça veut tout dire ou ça veut rien dire.

L'auteur : Il faudrait voir la citation. C'était une position beaucoup plus : « Bon, ben, à la fin, on deviendra souverains. »

Bourassa : Aaah...

L'auteur : Vous l'aviez jamais dit aussi clairement en public que vous l'avez dit en privé avec moi. Mais il y a d'autres gens en privé qui se souviennent aussi avoir entendu ces accents-là.

Bourassa : Oui, je l'ai dit en public aussi, je parlais de la souveraineté confédérale au congrès des jeunes ; la souveraineté partagée, on en parlait souvent.

L'auteur : La souveraineté partagée, ça peut vouloir dire la confédération actuelle, c'est pas un critère.

Bourassa : Moi, je trouve qu'avec Meech, le fédéral acceptait les cinq conditions, et finalement on l'obtient pas à cause d'un premier ministre sur 10. Le soir de Meech, je suis pas pour dire : « C'est malheureux, on oublie tout ça. » J'ai ma responsabilité, comme chef des Québécois, de défendre la fierté du Québec et c'est ce que j'ai fait, sans compromettre l'avenir.

[Maintenant, tout est dit. Un ange passe.]

Bourassa : L'histoire jugera.

L'auteur : L'histoire jugera.

★　　★　　★

On constate, dans cet échange, comment il est difficile de garder Bourassa sur le sujet de la parole donnée : il dévie constamment la conversation sur sa conviction personnelle. Ce n'est pas qu'il soit mal à l'aise avec cette longueur d'onde, c'est tout simplement qu'il semble incapable de la syntoniser. Elle n'est pas dans son champ de discussion politique.

L'auteur doit avouer que malgré un total de deux années consacrées à l'étude de la pensée de Robert Bourassa, il ne s'attendait pas aux deux syllogismes découverts en mars 1994 rue Maplewood : 1) les textes juridiques constituent une réforme en profondeur ; 2) les Québécois ont choisi le *statu quo*.

Le second point n'appelle pas de commentaire. Au sujet du premier, Bourassa annonce que « Gil [Rémillard] va écrire un texte là-dessus ». Il sera intéressant de le comparer au livre que doit publier son propre conseiller, le négociateur André Tremblay. L'auteur a obtenu copie de cet ouvrage avant sa parution aux Éditions Thémis sous le titre *La Réforme constitutionnelle*. Dans le chapitre portant sur les textes juridiques de l'entente de Charlottetown, Tremblay présente une critique plus détaillée, plus fouillée et à tous points de

---

à ce moment-là, on ne peut pas nous reprocher de quitter et de faire la souveraineté. » Et encore : « Si le Canada dit : "Nous ne voulons pas reconnaître le Québec comme société distincte" ou tel qu'il est, c'est qu'à ce moment-là l'histoire suit son cours et décide d'assumer son destin. »

vue plus dévastatrice que tout ce que les constitutionnalistes pour le Non avaient écrit pendant la campagne référendaire. Tremblay a découvert depuis toutes les failles qu'une commission parlementaire, dans des conditions normales, aurait identifiées. Six sœurs, culture, développement régional, formation de la main-d'œuvre : il désigne à l'intérieur de chaque article des trous béants dans lesquels un gouvernement fédéral centralisateur aurait pu s'engouffrer pour accroître l'empiètement sur les champs de compétence québécois. En conclusion, il écrit que l'Accord — y compris ses textes juridiques — « confirmait la concurrence législative des deux paliers de gouvernement ». Les clauses dans leur ensemble, ajoute-t-il, ne faisaient que « remettre à plus tard l'épineuse question de la répartition des compétences ». En fait, Tremblay conclut que toutes les dispositions concernant les pouvoirs, sans exception, pouvaient être mises en œuvre en dehors du cadre de la constitution, par simple accord entre les gouvernements d'Ottawa et de Québec. Car aucune d'entre elles ne provoquait de changement fondamental dans la manière dont le pays est gouverné, dans la manière dont les responsabilités sont réparties entre Ottawa et Québec. Robert Bourassa appelle cela une « réforme en profondeur ».

DU BON USAGE DU MENSONGE

Churchill lui a donné des lettres de noblesse. Parfois, a-t-il dit de sa voix caverneuse, l'homme d'État doit « protéger la vérité derrière un bouclier de mensonges ». C'était la guerre, les V2 fondaient sur Londres ; il s'agissait de mentir pour sauver des vies, pour tromper l'ennemi, pour le surprendre. La désinformation, la ruse, l'arnaque même étaient utiles, nécessaires, indispensables. Le chef d'État, donc le commandant en chef, qui se serait interdit d'y recourir aurait été fautif. Il aurait été irresponsable.

En temps de paix, dans le cours normal de la démocratie, il y a aussi des moments où il faut mentir. Quand il propose aux syndicats de la fonction publique une « offre finale » de 2 % d'augmentation des salaires, le président du Conseil du Trésor ment. Il sait qu'il pourrait aller jusqu'à 3,5 %. Il se doute qu'il montera jusqu'à 2,7 %. L'offre n'est finale que dans le discours. Au moment de privatiser le mont Sainte-Anne, le ministre responsable devrait-il dire à l'acheteur potentiel : « Nous sommes désespérés, nous voulons vendre à tout prix ? » Certes non. Il ment : « Nous voulons une offre raisonnable, sinon on ne signe pas. »

Le ministre des Finances du Canada a beau penser que les taux d'intérêt de la Banque du Canada sont trop hauts, ou que le dollar est sous-évalué, il est de son devoir de n'en rien dire. Il est de son devoir de mentir : d'affirmer que la politique de la Banque est excellente, et que tout va pour le mieux sur les marchés des changes. Chacun de ses impairs provoquerait une chute de la devise ou une flambée des taux. Ce qui ne l'empêche pas de sermonner en privé le gouverneur de la Banque, ou d'orchestrer des manœuvres visant à soutenir le huard.

Le directeur général du Parti libéral a beau savoir que ses militants voguent vers la défaite référendaire, il n'a pas le droit de démoraliser les troupes. « A-t-on encore une chance de gagner ? » lui demande-t-on cent fois par jour. « Oui, répond-il, si on gagne 5 % par semaine pendant les deux semaines qui restent, on franchit la barre des 50 %. » C'est un mensonge crédible et efficace, qui intègre des notions de mathématiques politiques. Un mensonge diplomatique, anodin et nécessaire, presque charitable.

Le chef de l'État ou du gouvernement n'a pas d'obligation, absolue et immuable, de transparence et de vérité. L'une de ses tâches consiste à prendre sur lui une partie des soucis de la cité et à les gérer au mieux. C'est pour ça qu'on l'élit et qu'on le paie. C'est pour ça qu'il est applaudi, honoré, que son nom est scandé par les foules, qu'il a limousine et chauffeur, cuisinier et secrétaires, et qu'il n'a plus, après quelques années de mandat, la moindre idée du prix du beurre, sinon de sa couleur.

« La démocratie est un cocktail complexe », écrit le philosophe français Alain Etchegoyen dans son indispensable *La Démocratie malade du mensonge*. « Un soupçon de mensonge lui convient. »

Mais à quelle dose faut-il s'arrêter ?

En France, déplore Etchegoyen, « toute honte bue, nous en avalons aujourd'hui des rasades », au point que « nous courons un terrible risque : celui de laisser le champ libre aux aventuriers autoritaires qui, drapés de leur vertu passagère, feront du mensonge l'essence même de la démocratie, quand il n'en est qu'un ingrédient nécessaire ».

Le philosophe parle d'un « terrible risque ». Dans le Québec des années 90, il n'y a pas risque, il y a fait accompli. En truquant le dispositif que les institutions démocratiques du Québec — PLQ en Congrès, PQ et BQ via la Commission sur l'avenir du Québec, Assemblée nationale avec la loi 150 — avaient mis au point, avec lui et à sa demande, pour obtenir des concessions du Canada anglais, Robert Bourassa a introduit le mensonge dans « l'essence même de la démocratie ».

« Mentir ? C'est un mot dont il faut user avec délicatesse », objecte un collègue. Dans l'entrevue de Bourassa qu'on vient de lire, ne dit-il pas qu'il a « toujours soutenu » qu'il ne prendrait « jamais » le risque d'isoler le Québec (ce qui pour lui est le synonyme parfait d'un vote pour la souveraineté) ? Il en était certain, du début jusqu'à la fin. Ses dires sont corroborés par beaucoup d'autres acteurs fédéralistes. Mais comment donc caractériser le comportement de celui qui jure intérieurement « noir » avec une certitude si absolue, en même temps qu'il affirme promet, signe, vote « blanc » ?

Il est vrai qu'il a souvent pratiqué la transparence dans la duplicité. En invitant son parti à voter un rapport dont il avait personnellement orienté la conclusion, pour le rendre caduc l'instant d'après par un discours décapant. En signant un document sur lequel toute la société politique et civile québécoise avait peiné et qu'il avait fait modifier à sa guise sur plusieurs points centraux, pour se dédire à l'instant même où il rendait le document public. En votant une loi dont les articles étaient taillés au couteau, pour entourer ensuite son adoption d'une mer de mots où il promettait de n'en point tenir compte.

Nous ne sommes pas en présence d'un menteur fruste ou amateur. Nous avons affaire à un as, qui plante, le jour du mensonge, la graine de sa future justification. Le travail de sape des institutions démocratiques, de leur qualité et de leur crédibilité, n'en est que plus efficace. Avec un menteur d'occasion, il y aurait de la casse. Avec Bourassa, il y a accoutumance, infection, contamination.

L'un des journalistes québécois les plus soucieux d'éthique, Gilles Lesage, éditorialiste au *Devoir*, écrit ainsi, en mai 1994 :

> Quant à M. Bourassa, tout le monde a redit et répété mille fois, depuis plus d'un quart de siècle, qu'il est ambivalent et ambigu, sphinx ambulant et énigme perpétuelle, insaisissable, tout à tous. Des animaux de la terre à ceux de la mer, toutes les images-clichés ont été utilisées pour le décrier, ce chat louvoyant, cette anguille fuyante, ce nageur en eaux troubles, ce joueur de bluff, cet apprenti sorcier. [...]
>
> Son appui au rapport Allaire, sa velléité de faire la souveraineté advenant l'échec de la dernière-dernière chance au fédéralisme canadien ? Quelques jours après, au plus tard au congrès du début de mars 1991, personne ne pouvait accorder quelque crédit que ce soit à cette menace, à ce couperet sur la gorge. Ceux qui savaient, savaient, et ceux qui rêvaient encore voulaient bien se laisser berner. Que le premier ministre ait fait mine de jouer sur les deux tableaux, pour gagner du temps et une marge de manœuvre — denrées si rares et précieuses — nul n'en doute. A-t-il fait autre chose depuis 1966 pour se hisser au pouvoir, s'y maintenir et y revenir ?

Tout est là.

Accoutumance : puisqu'il le fait depuis si longtemps, pourquoi s'étonner qu'il le fasse encore, ou sur une plus vaste échelle ?

Infection : qu'il se dédise devant son parti, où est la nouveauté ? Nous l'avons vu faire ! Et puisque les *cognoscenti* l'ont vu faire, il n'abuse que les ignares consentants [les 82 % de la population québécoise qui affirment, lors d'un sondage réalisé deux mois plus tard, que « ce n'est pas un bluff »]. Contamination : le temps et l'espace, voilà, écrit l'éditorialiste avec tout le poids du faiseur d'opinion, les « denrées si rares et précieuses » qu'un chef de gouvernement doit se ménager, quitte à « jouer sur les deux tableaux » au besoin. Voilà la règle politique, le but du jeu. Ainsi va la vie dans les cercles du pouvoir. Pourquoi s'en formaliser ?

C'est le troisième temps du processus, la contamination, qui est le plus préoccupant, car elle survit à la démission de Bourassa. Le jeu démocratique s'en trouve évacué, au profit des manœuvres du chef, seul sujet digne d'intérêt. Pas plus que Bourassa dans l'entretien qui précède, Lesage ne semble syntoniser la longueur d'onde du débat démocratique.

Comme la valeur du dollar, la valeur de la démocratie est fondée sur la confiance qu'y investissent ses usagers. Ce que les politologues appellent la *fiducia* (« confiance », en latin). Il arrive que le dollar soit en piteux état, il arrive que son pouvoir d'achat soit réduit, mais il est essentiel que ses principaux utilisateurs, les citoyens du pays, gardent un niveau suffisant de confiance pour continuer à l'utiliser. Ça ne va pas de soi. Au Salvador, à Cuba ou dans l'ex-URSS, les populations ont perdu confiance en leur monnaie au point de ne vouloir transiger qu'en dollars américains ou autre « devise forte ».

Il en va de même de la démocratie. Depuis la fin des années 80, elle est en « crise de confiance » en Occident. Elle « vaut » moins cher. Mais elle fonctionne toujours. (Aux États-Unis, en 1974, l'affaire du Watergate a eu un effet rédempteur sur un pouvoir central dont la crédibilité, à cause des mensonges entourant la guerre du Viêt-nam, était au plus bas. La procédure de destitution du président Nixon — qui a forcé sa démission — était une preuve éclatante que « le système fonctionnait » et pouvait éjecter un ennemi de la démocratie, même s'il logeait au sommet de la pyramide du pouvoir politique.)

Si on n'y prend garde, cependant, la *fiducia* peut atteindre un cours si bas que ses usagers seront tentés de trouver une valeur-refuge : démission complète de l'activité politique, engouement pour des formules autoritaires ou sectaires, recours à des procédés parallèles, violents ou coûteux, pour régler des conflits que l'État ne peut plus régler, faute d'ascendant, faute de respect, faute de confiance. (Autre exemple américain : les citoyens, n'ayant plus foi en la capacité des forces policières de les protéger, s'arment à qui mieux mieux, empirant la situation.)

« Il existe un dosage nécessaire du mensonge, écrit Pierre Lenain dans *Le Mensonge politique* : trop de mensonge est dangereux, le taux de *fiducia* peut chuter brusquement, et le mensonge contamine tout. Une société où tout le monde accepte — par indifférence ou bêtise — le mensonge, est une société en voie de perdition. »

Or quelle est l'institution démocratique que Robert Bourassa n'a pas, entre 1990 et 1992, tournée en ridicule, vidée de son importance, dépouillée de son crédit ? De la fonction de député à celle de ministre responsable de la constitution, de la consultation régionale menée par son parti aux délibérations du Conseil des ministres, des audiences publiques d'une commission parlementaire extraordinaire à la signature du premier officier de l'État, il les a toutes avilies. Car l'enjeu du mensonge, de la triche, était tel qu'il engageait l'activité, la crédibilité, l'intégrité de l'État québécois tout entier. Il engageait « l'essence de la démocratie ». La seule institution qui semble en être sortie indemne est la fonction de lieutenant-gouverneur, reliquat monarchique.

À ce propos, le commentaire mi-amer, mi-impressionné de Lucien Bouchard, un ancien avocat, négociateur et diplomate, vaut la peine d'être rappelé ici :

On se trompe tout le temps quand on évalue Bourassa. Quand on pense qu'il va se sentir lié par ce qu'il dit, par ce qu'il fait. Il se sent lié par rien, lui. Pis c'est rare, ça. C'est très, très rare, des gens comme ça. J'en connais pas, moi. Il n'y a que lui. Là, il est allé loin, quand il y a eu la loi [150] et tout.

Ce qui est particulièrement grave, dans la triche de 1991-1992, c'est l'effet de démobilisation qu'elle a eu sur des milliers de Québécois qui ont voulu, de bonne foi et en dépensant une énorme quantité d'énergie, investir dans l'après-Meech les lieux qu'ils croyaient faits pour la démocratie, pour la contribution à l'effort collectif, pour le débat et la décision. Les milliers de membres du PLQ, sortis de leurs salons les soirs d'automne 1990 pour regarder un vidéo sur les options constitutionnelles, prendre des notes, poser des questions, exprimer une opinion. Les milliers de Québécois qui ont passé l'été et l'automne de 1990 à se réunir, à réfléchir, à écrire des brouillons de mémoires, à les défendre devant la Commission sur l'avenir du Québec. Les dizaines de milliers de membres d'associations, de chambres de commerce, de syndicats, les cadres du Mouvement Desjardins qui ont participé à leurs processus internes de prise de position, en pensant que leurs voix s'ajouteraient à d'autres et que, de compromis en synthèse, la décision collective émergerait. Car, leur avait-on assuré dans un moment solennel, ils avaient « la liberté de leur choix ».

On pourrait poursuivre : militants, pétitionnaires, participants aux défilés. Puis, à l'étage supérieur, les Michel Bélanger, Roger Nicolet, Claude Béland, Gérald Larose, Serge Turgeon, Laurent Picard et les autres, négligeant le travail qui les attendait à la tête de leurs organisations, organismes ou entreprises respectives pour répondre à l'appel du premier ministre qui leur avait demandé de venir prêter leurs cerveaux à un effort civique. La nation avait besoin d'eux.

La volonté de chaque citoyen de participer au processus démocratique, sachant qu'il y a loin de l'action individuelle à la décision finale, mais que chaque initiative personnelle trouvera sa place dans le processus, voilà la « denrée si rare et précieuse » qu'il faut protéger des menteurs, des gaspilleurs, des dilapidateurs et des tricheurs.

L'action du Robert Bourassa de l'après-Meech a eu un impact direct sur des milliers de citoyens : il les a écœurés de la vie politique en les convainquant de leur insignifiance. Pas acteurs : observateurs. Pas membres d'équipage : passagers. Volontaires, s'abstenir. Idéalistes, décrocher. Démocrates, défroquer.

Il y a infection, donc. Une infection d'autant plus efficace qu'elle semble généralisée. Le mensonge est devenu norme, partie apparemment intégrante du système. À la manière d'un rétrovirus retournant les cellules saines pour les mettre au service de la maladie, Robert Bourassa a réussi à faire en sorte que son action soit jugée normale, que son mépris ne suscite que haussements d'épaules et que les critiques dont il peut faire l'objet soient accueillies avec un scepticisme blasé, voire un brin d'hostilité.

Il est remarquable qu'un homme qui s'est si longtemps gargarisé publiquement de sa « responsabilité » n'ait pas suscité une réflexion sur ce mot, pourtant au cœur du système électoral.

« Dirige, celui qui risque ce que les dirigés ne veulent pas risquer », disait Jean Jaurès. Le journaliste puis leader socialiste français ne parlait pas de « risques » que le dirigeant fait prendre à la collectivité (encore moins des « risques non calculés » auxquels Bourassa est allergique). Il parlait du risque que prend personnellement le dirigeant en accédant au pouvoir. Etchegoyen développe ce point :

> C'est dire que le pouvoir implique un risque et ce risque, c'est précisément la responsabilité. Ce terme, investi de sens, peut être la norme de l'homme politique, une étoile polaire qui oriente l'ensemble de ses actes. Revenons sur l'essence du concept : être responsable, c'est avoir la capacité de répondre. Le terme est beau, car il désigne à la fois le fait de répondre de ses actes et de répondre au sens strict. [...]
>
> Être responsable, c'est être responsable *de,* mais aussi responsable *devant.* Le jugement populaire, qui est souvent invoqué, relève de cette responsabilité devant les citoyens. Mais celle-ci reste encore insuffisante. [...] Le suffrage universel se contente d'affirmer qu'un autre candidat est préférable. Le concept de la responsabilité politique enveloppe des conséquences à la hauteur du désir qu'il suscite.

Robert Bourassa a réduit le concept de responsabilité à sa composante la plus primaire : la responsabilité comme pouvoir de décision ; le responsable comme dernier maillon dans la chaîne des décideurs et, du même coup, seul réel décideur. Il se dit responsable *de.* Mais Bourassa ne se sent pas responsable *devant.* Il incombait donc à d'autres de lui rappeler cette seconde responsabilité. De lui rappeler qu'il n'était pas seul. Et que s'il était au sommet, c'était pour « répondre ». Répondre aux souhaits et aux espoirs des citoyens. Répondre de ses actes et de ses décisions. Répondre de la préservation des institutions démocratiques dont il était l'ultime garant.

Mais Bourassa ne répond pas, ne répond de rien. Et il se trouve bien peu de critiques pour le ramener à sa responsabilité *devant.* Ce n'est pas un hasard. C'est le résultat de l'accoutumance, de l'infection et de la contamination.

LA DÉMISSION DES ANTICORPS

Robert Bourassa, donc, a construit son système d'autojustification. Il est convaincu d'avoir agi dans le sens de l'histoire, voire *pour* l'histoire. Le reste ? *Gossip !* « On se croit innocent du mensonge dès qu'on ment pour le bien de l'État, de la République, du parti, du clan », écrit Pierre Lenain.

Mais autour de lui, des complices ont la couenne moins épaisse, la justification moins assurée. « La question de la parole » chicotait Parisella *a priori,* on l'a vu. Lorsqu'on la pose *a posteriori* à un autre pilier du régime, un des plus fidèles parmi les fidèles de Bourassa, l'organisateur et ministre Marc-Yvan Côté, on entend les accents, presque l'aveu, d'un malaise.

> L'auteur : Je veux vous parler de la morale politique. Est-ce que les choses ont un sens ? Le congrès de 1992 a adopté une résolution qui disait qu'en cas d'échec de Charlottetown, vous reveniez avec 2b2.

Côté : C'était pour avoir tout le monde, essayer de faire un clin d'œil aux nationalistes. [...] Il s'est passé des résolutions, là, je suis convaincu que les militants ne savaient même pas ce que ça voulait dire.

L'auteur : C'est la dernière de toute une série de choses que le parti, le gouvernement et l'Assemblée nationale ont dites et qui étaient quand même assez claires ?

Côté : Oui.

L'auteur : On va faire ceci. Réforme en profondeur ou souveraineté. Un référendum sur la souveraineté. Rapport Bélanger-Campeau, qui est signé. M. Bourassa qui va dire au congrès : « Le *statu quo* est la pire solution pour le Québec. »

Côté : Il dit ça la veille du samedi [où le rapport Allaire est adopté]. Ça a été un merveilleux samedi.

L'auteur : Est-ce qu'il n'y a rien qui ait vraiment un sens ?

Côté : C'est pas comme ça que ça se passe. C'est facile après de tenter de porter un jugement sur l'ensemble de l'œuvre, de dire que ça a pas de sens. On peut quand même pas tuer le conducteur ! Sur le coup, M. Bourassa a une mainmise très importante sur le parti. Il a le respect aussi du parti et il sait jusqu'où il peut aller, y compris sur le fond.

L'auteur : Est-ce qu'il y a un point à partir duquel il faut arrêter de dire le contraire de ce qu'on pense et de faire le contraire de ce qu'on dit ?

Côté : Oui.

L'auteur : Est-ce qu'on l'a pas franchie, cette frontière-là, pendant ces deux années-là ?

Côté : [Ricanement ironique suivi d'un long silence.]

L'auteur : Quand Bourassa dit sa phrase sur « le *statu quo* », c'est pendant un discours télévisé d'ouverture d'un congrès. Est-ce que rien ne compte ?

Côté : Oui, mais vous devez composer avec un parti.

L'auteur : Dans ce cas-ci, c'est le parti qui a composé avec le chef.

Côté : Robert Bourassa était la carte maîtresse du Parti libéral, avec ses idées, avec sa manière de faire. Et ça, c'était majeur.

L'auteur : Donc le parti devait le suivre, même s'il ne l'amenait pas là où le parti aurait préféré aller.

Côté : [...] Un parti, au plan idéologique, c'est un corridor et le chef joue là-dedans. Parfois, il va en dehors du corridor, s'il en a la force. C'est ce qui nous est arrivé. Je suis pas sûr que ça a été mauvais pour le Parti libéral. On a pris le pouvoir à plusieurs reprises, on a fait des choses.

Mais les dernières neuf années ont pas été très glorieuses sur le plan constitutionnel. Il y a pas de quoi être fier, en termes de résultat. Pas de quoi être fier.

La politique, en dernière analyse, ce sont des hommes et des femmes, avec des intérêts, des convictions — quand ils ne les perdent pas toutes en route — et des doutes. Dans le temple du cynisme, John Parisella et Marc-Yvan Côté avaient des scrupules sur « la question de la parole », sur la légitimité de l'action qu'ils menaient, sur les libertés que le chef prenait, à l'extérieur du corridor. Pas de quoi être fiers. Des doutes insuffisants pour « tuer le conducteur », certes. Des doutes qu'ils ont fait taire.

Pourquoi ? Ils sont responsables de leurs actes, c'est sûr. Mais ils étaient bien seuls, avec leurs doutes. À l'extérieur du jeu partisan — personne n'écoute le parti d'opposition, c'est la règle —, nul ne nourrissait leurs doutes. Ils se savaient nus, tout le monde feignait de les voir habillés.

Voilà pourquoi, au simple plan de la mécanique démocratique, ceux d'entre les citoyens qui font profession d'observer les élus et l'appareil public, de commenter leur comportement, ceux qui sont payés pour enquêter, réfléchir, écrire et discourir sur la vie démocratique, ont pour rôle de nourrir les doutes, d'alimenter la mauvaise conscience, de constater la nudité. On parle, bien sûr, des journalistes et plus particulièrement de l'industrie du commentaire politique.

Tout un Grand Angle de ce second volume fut consacré aux « Complices ». Ces élus qui, dans la machine du parti, au sein du caucus, du gouvernement, ont failli à leur tâche de provoquer un sain débat autour d'enjeux qui leur tenaient pourtant à cœur. L'atrophie démocratique, chez eux, semble avoir passé le point de non-retour, approcher maintenant le coma.

Mais dans ce déclin de leurs convictions et l'effondrement de leur indépendance d'esprit, les complices ont entendu bien peu de chahut dans les estrades ; ils ont croisé bien peu de regards accusateurs. La journée des élus débute pourtant avec la lecture de la revue de presse politique et eux qui ne vivent que pour un entrefilet, ne se couchent pas avant d'avoir vu les journaux télévisés de la SRC, puis de TVA. On sait que Bourassa préférait même lire ses coupures de presse plutôt que de suivre la négociation constitutionnelle qui se déroulait autour de lui. À Ottawa, Michel Roy, ex-journaliste devenu conseiller, fut frappé de l'importance démesurée accordée par Brian Mulroney et ses ministres aux humeurs de tel chroniqueur, aux marottes de tel éditorialiste. Et on se souviendra longtemps de la complainte de Benoît Bouchard, à chaque étape du débat constitutionnel : « Je vois d'ici ce que *Le Devoir* va écrire ! »

Bref, on ne peut surestimer l'importance de la presse, « le quatrième pouvoir », dans la définition de l'éthique politique, dans l'établissement des valeurs, dans le tracé des bornes. Ça ne signifie pas que les élus aiment ce qu'ils lisent. (De Gaulle, qui s'interrompait chaque jour pour lire *Le Monde*, journal d'après-midi, le faisait crayon en main, corrigeant grammaire et syntaxe et s'exclamant : « Ces gens-là ne savent même pas écrire ! ») Mais ça signifie que la presse agit directement sur les élus, chaque jour, créant tantôt un rempart, tantôt une ouverture. Elle agit aussi indirectement à travers les lecteurs et auditeurs, influencés par elle dans la définition de ce qui constitue la normalité politique. Les électeurs ne changent pas d'opinion au gré des consignes de vote des éditorialistes. Mais à la longue, les jugements des commentateurs créent un cadre. À l'intérieur : ce qui est normal, prévisible, acceptable ou supportable. À l'extérieur : ce qui est outrancier, risible, condamnable ou intolérable.

Dans le Québec des années 90, le cadre démocratique est pourri.

C'est d'autant plus surprenant que la qualité des autres cadres — ceux qui circonscrivent le paysage économique, scientifique, social, l'éducation — a plutôt eu tendance à s'améliorer, à se professionnaliser depuis 15 ans, malgré une certaine lassitude et un vieillissement des salles de nouvelles. Il y a, presque partout, recul de l'approximation et du laisser-faire. Il y a, en quantité croissante et prometteuse, refus des modes idéologiques. Tel un village gaulois bien connu, le Québec résiste encore et toujours à la vague continentale du « politiquement correct ».

C'est d'autant plus surprenant, aussi, que la presse a participé, comme protagoniste autant que comme relais, à la grande entreprise de démocratisation des mœurs politiques québécoises amorcée pendant les années 60 par les réformistes du gouvernement Lesage, René Lévesque en tête ; puis à l'assainissement du financement des partis politiques pendant les années 70 ; puis à la tentative de moralisation de l'appareil libéral par Claude Ryan, après le premier départ de Robert Bourassa. Les enquêtes de la commission Cliche puis de la Commission d'enquête sur le crime organisé suivies de près par tous les médias, ont aussi accompli un salutaire travail de nettoyage d'une partie de la machine syndicale, dangereusement encrassée.

Pourtant, dans les années 90, la presse québécoise est absente lorsqu'il s'agit de rappeler à Bourassa et à son parti leurs engagements solennels, lorsqu'il s'agit de signaler les glissements qu'ils sont en train d'opérer, lorsqu'il s'agit de dénoncer les ruptures qu'ils accumulent comme s'ils les collectionnaient. Il y a des exceptions. Il faut en noter une, éclatante : Lise Bissonnette qui, dans *Le Devoir*, pose régulièrement la question de la responsabilité de Bourassa et qui, excédée de le voir gaspiller le rapport de force québécois autant que la « fenêtre » historique, lui enjoint un jour de céder sa place à quelqu'un qui ne craindrait pas de s'en servir.

Mais on dira que, Bissonnette étant souverainiste, sa clameur était suspecte. (L'auteur goûte lui-même à ce traitement, assez prévisible, de la part de certains critiques ouvertement fédéralistes et néanmoins doués de raison, ainsi que d'autres qui n'ont pas jugé bon de révéler leur parti pris, ce qui les rend évidemment neutres et objectifs.) Justement, on aurait aimé que des plumes fédéralistes appliquent la « règle Lise Bissonnette », établie au printemps de 1980. L'éditorialiste, partisane du Oui au référendum sur le « mandat de négocier la souveraineté-association », assena alors un des pires coups de la campagne au... camp du Oui, en attirant l'attention sur l'arrogance intellectuelle de sa porte-parole Lise Payette, lançant ainsi la désormais fameuse histoire des Yvette.

Cherchons maintenant un cas où un éditorialiste ou un commentateur fédéraliste a frappé aussi fort sur son propre camp ces dernières années. C'est un petit jeu instructif. Il ne fait qu'effleurer la surface des choses[*].

Les analystes et commentateurs divergent sur tous les sujets, et c'est une condition du nécessaire pluralisme de la presse. Mais un fil conducteur devrait unir un bon nombre d'entre eux. Pas tous, et pas nécessairement la majorité, et pas toujours nécessairement les mêmes, mais une masse critique, suffisante pour percer l'écran et la page. Leur tâche : servir d'anticorps au virus du mensonge, servir de garde-fou aux chauffards de la démocratie, servir de conscience aux égarés, aux dubitatifs, aux pas fiers.

« Inévitable dans la démocratie, souvent engendré par elle, le mensonge doit être encadré, surveillé aux abords de l'État, écrit Etchegoyen, sous peine d'envahir l'ensemble de la conscience et de la parole politique avant que de contaminer le peuple. » Voilà le rôle — un des rôles, mais pas le moindre — des médias : encadrer, surveiller le mensonge, le tenir en échec, le repousser au besoin.

Aux États-Unis ou en France, il se trouve toujours des voix, dans le concert médiatique, pour mener ce combat : de Pierre Viansson Ponté et Raymond Aron à Jean-François Kahn et Alain Duhamel, de Walter Lippman à James Reston et de Edward R. Murrow à Daniel Schorr, sans parler de Bob Woodward et Carl Bernstein. Dans la classe politique, des individus prennent le relais de ces objecteurs de conscience démocratique, de ces gardiens de la *fiducia*. À Paris, ils agissent au nom de « l'esprit républicain ». À Washington, au nom du respect des règles constitutionnelles, des sacro-saints « *checks and balances* » (mécanismes de division et d'équilibre entre plusieurs lieux de pouvoir) que Thomas Jefferson, Benjamin Franklin et George Washington ont inscrits dans la constitution pour faire échec aux candidats à l'autocratie. « Les Américains ont le droit constitutionnel d'avoir tort. » Cette phrase, prononcée un jour de débat sur l'Irangate par Warren Rudman, sénateur républicain pourtant pro-Reagan, est typique de cette présence dans le discours démocratique américain : un bruit de fond permanent pour la sauvegarde du plus grand bien public, la démocratie, qui se mue en sonnette d'alarme dès qu'une infraction est observée.

Qui mène ce combat au Québec ? Difficile d'en nommer trois champions. Robert Bourassa a enfreint 11 engagements pris dans des moments forts. Il ne fut sérieusement rabroué pour aucune de ces infractions.

Certains commentateurs ont jugé qu'il avait eu tort de prendre certains de ces engagements et l'ont encouragé à les ignorer. D'autres ont considéré qu'il n'était pas sérieux lorsqu'il les a pris, et ont donc traité la chose à la légère quand il s'en est dégagé, sur l'air de : « On vous l'avait bien dit. » C'est dans sa nature. *Boys will be boys !*

---

[*] Dernier exemple qui vienne à l'esprit : Claude Ryan appelant à voter PQ en novembre 1976. Le Ryan des grands jours.

Des anticorps vigoureux auraient au contraire réagi vivement, et plutôt deux fois qu'une. Une première fois au moment de la prise de l'engagement, s'il s'avérait que Bourassa le vidait de son sens, de façon à lui faire payer en crédit politique, immédiatement, l'affront fait à la parole donnée, à la signature apposée. Une seconde fois, lorsqu'il s'est dégagé de l'engagement, la critique aurait dû s'élever des deux côtés du clivage politique québécois, au nom des citoyens qui comptaient sur le contrat moral, le Pacte conclu. Il manque à l'univers médiatique québécois une fibre démocratique qui, par delà la position politique personnelle du journaliste ou de son employeur, privilégie, en soi, le lien de confiance entre gouvernant et gouverné, et réprouve, en soi, tout avilissement de la *fiducia*.

Il est plus facile de trouver des plumes ou des voix qui au contraire poussent à la roue de l'amoralisation de la politique québécoise. Et on est en présence d'un phénomène assez « distinct » pour être relevé : hormis Bissonnette et quelques autres qui se reconnaîtront, l'industrie du commentaire s'est tellement intéressée aux méandres des stratégies et des tactiques politiciennes — sujet respectable dont l'auteur est lui-même friand — qu'elle en a épousé les contours jusqu'à s'y fondre, voire jusqu'à les ériger en modèle. Ainsi, des commentateurs, muets lors des sauts périlleux, retournements, pirouettes et dédits de Bourassa, multiplieront les reproches à un politicien qui commet l'erreur de dire ce qu'il pense.

Dans le Québec des années 90, Jacques Parizeau n'est pas la seule, mais la principale victime de cette perversion médiatique. Annonce-t-il à l'avance qu'une fois élu, il déclencherait un référendum dans les huit mois et pourrait, en cas de victoire, déclarer la souveraineté un 24 juin ? Mauvais politicien ! grondent les commentateurs. Un pro n'annonce pas ses couleurs si longtemps à l'avance. Il faut cacher, louvoyer, ménager la « si rare et précieuse » marge de manœuvre. A-t-il l'imprudence de dire, à la CBC, qu'à tout prendre, il serait préférable de tenir le référendum sur la souveraineté en période de relance économique ? Risible ! tonnent les censeurs. Il ne faut pas faire ce genre d'aveu, alors que le parti est engagé dans une opération de pétition pour la tenue d'un tel référendum en octobre 1992 (pétition qui, malgré ses 800 000 signatures, n'arrachera pas deux lignes de commentaires lorsque Bourassa la traitera comme du papier hygiénique). A-t-il le cran de dire au magazine *Time*, lui l'indépendantiste, qu'il faut « botter le derrière » à tous ceux qui refusent d'apprendre l'anglais comme langue seconde ? Inconscience, lui répondent les scribes : certains membres du caucus péquiste sont unilingues (et alors ?). A-t-il finalement la franchise de dire tout haut ce que tous les initiés savent : que la quasi-totalité des non-francophones ne voteront en aucun cas pour la souveraineté, quel que soit leur niveau d'intégration ou la grosseur des perches qui leur seront tendues ? Il est traité comme un criminel nazi.

Parizeau a peut-être tort sur le fond. Parler clairement ne signifie pas avoir raison. On peut errer sous la lumière des projecteurs. Mais il est renversant de voir la presse québécoise punir la franchise et excuser, trouver normal, encourager même, la dissimulation. C'est « l'effet Bourassa » en pleine action. Accoutumés, infectés, trop de commentateurs politiques contaminent.

Le débat suscité par la publication à la mi-avril 1994 du *Tricheur,* premier volume de cet ouvrage, nous mène au cœur du mal médiatique québécois.

La position à la fois la plus lucide et la plus extrême est représentée par l'éditorialiste — traditionnellement anonyme — de *The Gazette,* qui présente sans détour les conséquences néfastes qu'auraient eues, dans l'après-Meech, la franchise et la transparence.

> [Bourassa] a voulu gagner du temps et il a créé plusieurs véhicules où les souverainistes pouvaient exprimer leurs opinions. A-t-il eu tort ? Non, pour au moins une bonne raison. Dans le système parlementaire, un gouvernement tombe s'il perd l'appui de la majorité des membres du Parlement. Dans l'époque follement émotive suivant la mort de Meech, il était clair que ce sort menaçait précisément M. Bourassa s'il ne laissait pas un peu d'espace aux souverainistes. S'il n'avait rien fait, deux choses auraient pu se produire : un membre de l'Assemblée nationale aurait déposé une résolution proposant l'indépendance et elle aurait été adoptée ; ou des députés libéraux auraient fait défection et se seraient joints au PQ en assez grand nombre pour enlever à M. Bourassa sa majorité à l'Assemblée. Dans un cas comme dans l'autre, le Québec serait un pays souverain aujourd'hui.

L'éditorialiste semble surestimer l'indépendance d'esprit des membres du caucus libéral, mais passons. Ce qui compte ici, c'est la joie ressentie par l'auteur manifestement fédéraliste de ces lignes devant le blocage du débat démocratique que Bourassa a opéré. Si le premier ministre avait dit la vérité, s'il avait joué franc jeu, des individus auraient pris des décisions en conséquence, et une catastrophe politique se serait ensuivie. À noter que *The Gazette* était sensiblement moins charmée par le double langage de Robert Bourassa en 1988 lorsque, rompant la promesse qu'il avait faite trois ans plus tôt à la communauté anglophone, il refusait de légaliser partout l'affichage bilingue. Dans ce cas, l'éditorial du quotidien anglophone ne se terminait pas comme cette fois-ci par les mots « *all honor to him* » (« il mérite tous les honneurs »).

Le quotidien anglophone, comme Marcel Adam dans *La Presse,* Gilles Lesage dans *Le Devoir* et plusieurs commentateurs dont Jean Cournoyer et Jean Lapierre (! ?), de Télémédia, invoquent un autre argument : le caractère émotif et temporaire de la réaction des Québécois de l'après-Meech justifierait la sagesse du premier ministre, qui a attendu que la vague retombe plutôt que de « commettre l'irréparable ».

Adam, un fédéraliste sincère, admet que la recherche du *Tricheur* « accrédite le titre du livre » et il dénonce « le cynisme et la malhonnêteté intellectuelle de Robert Bourassa ». Cependant, tout est pardonné, puisque le chef libéral « s'est montré responsable et bien avisé en refusant d'engager l'avenir de son peuple dans une voie qu'il croyait inutilement risquée ». Car, explique Adam, la volonté des Québécois était « un phénomène conjoncturel et temporaire, non la manifestation d'une volonté bien arrêtée, mûrie et sereine de se libérer du lien fédéral ». Lesage enchaîne très exactement sur le même point : par rapport à 1990, « la ferveur n'est plus la même et bâtir un pays sur un sable aussi mouvant aurait été fort périlleux, à dire le moins ».

Ces jugements sont très graves. Ils reviennent à dire que, dans la période qui s'ouvre à la mort de Meech (en fait, six mois avant, comme on l'a vu dans les sondages) et jusqu'à juin 1991 et l'adoption, par voie législative, du Pacte, les Québécois — du militant libéral de la base à Fernand Lalonde, de la moitié du cabinet Bourassa à l'exécutif de la Chambre de commerce du Québec, de Michel Bélanger à Phyllis Lambert (en passant par Jean Paré et Gilles Lesage[*]) ont été saisis d'une hystérie collective, d'une fièvre émotive incontrôlée, d'une danse de Saint-Guy dans laquelle la raison n'avait pas la part belle. Qu'il fallait donc les protéger, eux et tous les enfants qui se font passer pour des adultes, contre eux-mêmes. Heureusement que le Dr Bourassa était là, avec sa camisole de force.

À supposer même — ce qui est faux — que la « ferveur » soit retombée dans la seconde moitié de 1991, Adam, Lesage et les autres pensent-ils que l'histoire se fait à coups de plans quinquennaux ? Les grandes décisions collectives ne se prennent-elles pas plutôt lors de ces rares coïncidences où la volonté de décision se conjugue avec un événement déclencheur ? N'y a-t-il pas des moments — on parle ici d'un processus qui a duré plus d'un an — où il faut faire confiance au fait... qu'on a confiance en soi ?

Que l'emballement des Québécois, galvanisés dans leur désir d'autonomie et de souveraineté par l'extraordinaire leçon pédagogique de l'échec de Meech — le système fédéral est bloqué — soit suivi d'une période de tassement, c'est dans l'ordre des choses. Si Robert Bourassa avait accepté de les conduire à la souveraineté, il y aurait eu, une fois La Ligne franchie, des doutes et des regrets, c'est certain. Les Allemands de l'Ouest, qu'Helmut Kohl a diligemment menés dans l'entreprise de la réunification des deux Allemagnes, sont maintenant beaucoup moins nombreux à partager l'enthousiame des commencements. Il faudra quelques années pour que les difficultés s'aplanissent et que le verdict final soit rendu : nous avons bien fait. Kohl aurait-il dû attendre ? Combien de temps ? Un an ? Deux ? Quatre ? Que les conditions ne soient plus réunies ?

De même dans les États baltes ou à Moscou, les problèmes engendrés par l'indépendance ou l'apprentissage du système capitaliste suscitent des bouffées de nostalgie, un retour en popularité des partis communistes. La ferveur qui avait permis de franchir les lignes s'est estompée. Les dirigeants ont-il eu tort ? Auraient-ils dû attendre ? Que la volonté populaire, cette denrée si rare et précieuse, s'évanouisse ?

---

[*] Voir tome I, « Les compagnons de route », section, « L'appareil médiatique en phase ».

Les critiques du *Tricheur* soulignent que, n'ayant pas été élu comme souverainiste en 1989, Bourassa n'avait pas à se diriger vers la souveraineté. Il avait été élu, cependant, avec mandat de compléter la réforme du fédéralisme esquissée dans Meech, et avec un programme politique autonomiste. Le livre parle du Pacte en son entier : réforme ou souveraineté. La première, pensaient beaucoup de fédéralistes sincères dont Léon Dion, Lise Bacon, Claude Ryan, Benoît Bouchard, Michel Bélanger, ne pouvait se réaliser sans la menace de la seconde. Or Bourassa a saboté ce dispositif. Avait-il ce mandat ? Avait-il ce droit ? Les avait-il tous ?

Faisons maintenant un peu de prospective. Si, demain, 70 % des Québécois, trois associations patronales sur quatre, tous les syndicats et la majorité des deux grands partis à chacun de leurs échelons se prononçaient en faveur du remplacement de la TPS par un accroissement de l'impôt sur le revenu, le premier ministre devrait-il faire semblant d'accéder à cette requête, signer un document à cet effet, voter une loi même, mais en cachant le fait qu'il y est intrinsèquement opposé, qu'il n'a aucunement l'intention de s'y conformer et qu'il informe tous les comptables de ne surtout rien changer à leurs méthodes de calcul ?

Il n'existe pas de comparaison à la mesure de l'arnaque perpétrée par Bourassa. Mais à force d'entendre dire que Bourassa a eu raison de traiter les Québécois comme des enfants agités en 1990, nos dirigeants risquent d'en déduire qu'ils peuvent n'en faire qu'à leur tête, mentir et tricher à loisir si nécessaire, sur des sujets moins importants — tous les sujets sont moins importants que celui de l'avenir d'un peuple.

Derrière cet empressement à justifier, excuser, applaudir, même, l'œuvre du tricheur, se profile un dangereux sentiment : le mépris de la volonté populaire. Seul Allah est grand. Il ne faut pas se préoccuper de la plèbe. Elle est volage (on connaît cependant peu de peuples plus prudents et plus constants dans leurs choix que le peuple québécois).

Mais le fait est que la ferveur n'est pas retombée. Malgré le travail acharné de Bourassa visant l'extinction et l'écœurement du sentiment souverainiste, les indices d'appui à la souveraineté-association et à la souveraineté sont restés au-dessus de la barre des 50 % pendant toute l'année 1991, sans même que soient répartis les indécis. De 1990 jusqu'au moment d'écrire ces lignes, l'indice d'appui à « l'indépendance assortie d'une association économique » n'est jamais descendu en deçà de 55 %, avant répartition des indécis. Jusqu'à l'été de 1992, l'indice de souveraineté s'est maintenu au-dessus de la barre des 50 %, dès lors que les indécis étaient répartis. Ce n'est pas de la ferveur, c'est de la constance, de la part d'une population qui a fait son choix et qui attend qu'on lui demande son avis.

Marcel Adam, Gilles Lesage ne sont pas les seuls à sous-évaluer l'une des caractéristiques les plus importantes de la vie politique québécoise : la force du

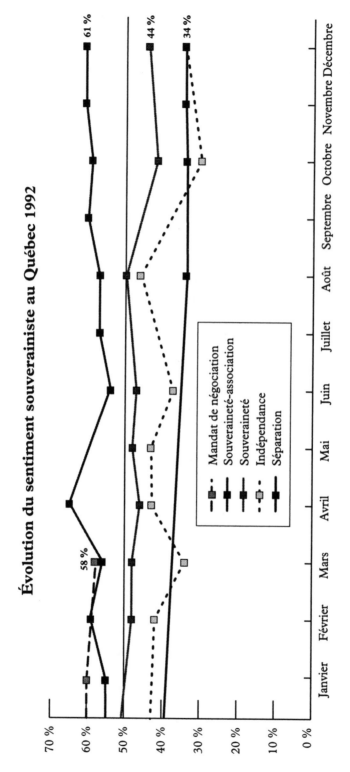

Évolution du sentiment souverainiste au Québec 1992

Indécis non répartis. Sources: sondages publics et confidentiels fédéraux, Maurice Pinard, données brutes de Crop, Léger et Léger, Gallup et Multi-réso. 49 mesures utilisées, des moyennes ont été faites pour les mois pendant lesquels plus d'un sondage a été effectué. Mandat de négocier: la mesure de mars 1992 est la dernière disponible.

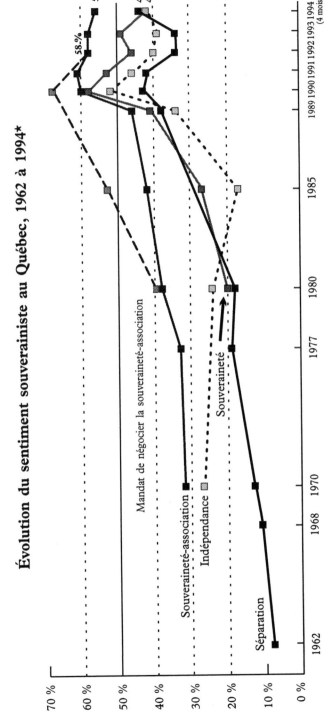

Évolution du sentiment souverainiste au Québec, 1962 à 1994*

Indécis non répartis. Sources: sondages publics et confidentiels fédéraux, Maurice Pinard, *Le Virage*, CROP, Léger et Léger, Environics, Gallup; environ 300 mesures utilisées. Pour ce qui est de l'indicateur «souveraineté-association», la question posée par Environics porte sur le Québec devenant «un pays indépendant qui aurait une association économique avec le reste du Canada». À cette question proche du programme péquiste, les réponses positives, avant répartition des indécis, furent, en moyenne, de 58% en 1991; 59% en 1992; 58% en 1993 et 56% en mars 1994, dernière mesure disponible.

* Ensemble des Québécois: francophones, anglophones et allophones confondus.

sentiment souverainiste. Pour tout dire, l'ampleur de la désinformation ambiante dans la presse québécoise à cet égard dépasse l'entendement. Les commentateurs abordent les sondages sur la souveraineté comme s'il s'agissait de données étranges, jamais manipulées auparavant, et dont ils sont bien en peine de distinguer l'avant de l'arrière. Ainsi, en mars 1994, Lysiane Gagnon écrit sans rire que « l'adhésion populaire à l'option souverainiste en est encore, après 14 ans, au même niveau qu'en mai 1980. Si le référendum avait lieu aujourd'hui, le camp du Oui ne recueillerait que... 41 % des voix*. » Les journalistes ont le droit à l'erreur, c'est sûr. Mais il y a des incompétences coupables, lorsque le chroniqueur prétend donner une information factuelle dans son champ de spécialisation. Depuis l'été de 1991, la presse québécoise est presque unanimement fautive à cet effet. La question référendaire de mai 1980, portant sur le « mandat de négocier », aurait récolté de fortes majorités absolues si elle avait été posée à n'importe quel moment depuis 1985. *À n'importe quel moment.* La dernière mesure prise, en mars 1992, la donnait victorieuse à 58 % *avant répartition des indécis.* Comme le montre le graphique de l'évolution des indices de 1962 à 1994, tous les indices d'appui à la souveraineté sont, au printemps de 1994, de 20 points de pourcentage plus élevés qu'en 1980. La donnée politique québécoise la plus importante, la plus lourde de sens, de la dernière décennie est le fait, cent fois mesuré, que depuis l'automne de 1989 et sans discontinuer depuis, une majorité absolue de francophones québécois se déclarent souverainistes. Malheureusement, grâce à la presse québécoise, c'est aussi une des données les moins connues.

« Le mensonge rôde dans les coulisses de l'erreur », écrit Jean-François Kahn dans son érudite *Esquisse d'une philosophie du mensonge.* La presse québécoise erre dans son évaluation du sentiment souverainiste ; elle accrédite donc le mensonge.

Le 5 mai 1994, le quotidien *La Presse* publiait, à ce sujet, une information fort intéressante. Loin de s'affaisser, l'indice d'appui à « la séparation » testé par la firme Gallup depuis 1968 a atteint en avril 1994 son record historique de 44 % (46 % avec les indécis). On trouve cette information au bas de la page B6. Ni Gagnon ni Adam ne l'a relevée. Cet indice constitue pourtant « le plancher » du sentiment souverainiste au Québec et personne n'a testé récemment son

---

* Dans le tome I, l'auteur écrivait au sujet de Gagnon que cette ex-indépendantiste est devenue au tournant des années 90 « antinationaliste, en ce sens qu'elle associe le concept de souveraineté à celui de tribalisme ou de volonté de pureté ethnique, ce en quoi elle rejoint Pierre Trudeau ». Il aurait été plus juste d'écrire qu'elle « associe le concept de souveraineté à celui d'ethnicité — elle soutient par exemple que le Bloc québécois est un "parti ethnique" ». Gagnon est préoccupée par les traces qu'aurait laissées Lionel Groulx dans la mouvance souverainiste, malgré les efforts, qu'elle reconnaît méritoires, des dirigeants du PQ pour se débarrasser de ces vestiges. Plus globalement parlant, elle juge le nationalisme dépassé. Les mots « tribalisme » et « pureté ethnique » ne rendent toutefois pas bien compte de sa pensée. L'auteur s'excuse de les avoir utilisés.

« plafond » : le « mandat de négocier ». Mais la fourchette est maintenant claire : les Québécois répondent désormais de la même façon aux questions portant sur « la séparation », « la souveraineté » ou « l'indépendance » : quelque 44 % y sont favorables. Lorsqu'on introduit la notion d'« association », l'appui grimpe à 56 %. Voilà l'héritage de Robert Bourassa. Il aurait pu faire la souveraineté quand le plafond était à 70 %. Le probable futur gouvernement péquiste tentera de la faire avec un plafond un peu plus bas, donc avec plus de difficulté. Et s'il échoue, il faudra gérer la troublante retombée politique secondaire : la certitude que les francophones, eux, auront majoritairement dit Oui.

Bref, la mort de Meech a ouvert dans l'histoire politique québécoise une nouvelle étape, accéléré un processus irréversible. Les Québécois en furent immédiatement conscients, et avec eux la majorité de leurs organisations, de leurs élus, et, à l'époque, de leurs commentateurs. Il est triste de constater aujourd'hui que des plumes par ailleurs compétentes veuillent absoudre, voire applaudir le sabotage dont cette lucidité collective fut la cible.

En plus de ceux déjà cités, plusieurs journalistes trouvent le mot *Tricheur* trop fort. Le mot « mensonge », aussi, répugne. Mais on voit mal ce que Robert Bourassa aurait pu faire de plus pour mériter ces qualificatifs. À moins que ces mots n'existent plus, victimes eux aussi de la perte de sens infligée à nos institutions et à nos valeurs.

Voici des gens que le refus de Clyde Wells d'honorer sa signature, apposée le 9 juin 1990 au bas de l'accord du Lac Meech, avait choqués. Mais ils ne se formalisent pas de ce que Robert Bourassa en ait fait autant, plutôt trois fois qu'une. Et alors que Wells a changé d'avis entre le 9 et le 22 juin — ce qu'il n'avait moralement pas le droit de faire — Bourassa, lui, n'a pas changé d'avis : il avait de toute éternité l'intention de tricher. De même, certains commentateurs, dont Marcel Adam, avaient été fort marris de s'être fait piéger par Pierre Trudeau quand celui-ci avait annoncé, en 1980, qu'un « vote pour le Non [au mandat de négocier la souveraineté-association] » serait interprété comme un vote « pour le changement ». Ils avaient compris que le changement se traduirait par plus de flexibilité pour le Québec au sein de la fédération canadienne. Ce fut le contraire. La promesse de Trudeau était d'une ambiguïté coupable. Tout être raisonnable devait comprendre que, dans un tel contexte, elle allait tromper l'auditoire. Bourassa, lui, n'en est pas là. Ce n'est pas une « ambiguïté » que d'écarter pour de bon le *statu quo* ; de jurer qu'on ne négociera « jamais » plus que de nation à nation ; de signer un texte affirmant que « les seules voies » possibles sont la réforme en profondeur ou la souveraineté.

Nos commentateurs semblent avoir développé une tolérance au mensonge qui s'applique spécifiquement à Robert Bourassa. D'autres, ayant commis de moins graves forfaits, sont passés à tabac. Lui, qui enfreint tous ses engagements, obtient l'absolution.

« Il faut être profondément blasé pour ne pas être révolté à la lecture » du

Tricheur, écrit une jeune journaliste, Nathalie Collard, dans l'hebdomadaire *Voir.* Mais c'est justement de cette lassitude que souffrent ses aînés : ils sont revenus de tout, convaincus que tout est pourri. Alors, un tricheur de plus ou de moins, pas de quoi s'énerver...

« Il n'y a pas d'âme saine dans un corps politique malade, écrit Etchegoyen : soit que la politique cautionne tous nos égarements individuels, soit que, lâchement écœurés, nous démissionnions de notre qualité de citoyen. »

Encore des mots forts, encore des mots durs. Pourtant les médias qui briguent l'honneur de guider leurs lecteurs, leurs auditeurs, dans leurs choix politiques, démissionnent lorsqu'ils distillent le cynisme. Tenir une chronique, contrôler un micro, signer un éditorial n'est pas un acte gratuit. Les commentateurs ont la responsabilité *de* et la responsabilité *devant.* Et s'ils prétendent éclairer les choix, leur premier devoir est de s'assurer que les choix seront encore possibles, donc que la démocratie gardera la santé. Les journalistes sont les anticorps du système démocratique. Au Québec, combien sont en sommeil ? Combien ont démissionné, « lâchement écœurés* » ? Combien contaminent ?

Selon Pierre Lenain, « le mensonge politique est rendu possible par une certaine indifférence de la part des gouvernés : ils ont la mémoire courte, ils oublient les promesses gouvernementales, les mensonges explicites ». La raison d'être des chiens de garde (journalistes et commentateurs) est de leur rafraîchir la mémoire. « Le mensonge, notait Charles Péguy, suppose la complicité active des gouvernés. » Mais au Québec, justement, les gouvernés n'ont pas été complices. De sondages en élections partielles, de pétition en vote référendaire, de commission parlementaire en scrutin fédéral, les gouvernés ont gardé le cap.

Les Québécois, on l'a vu, sont d'excellents démocrates, pour autant que cette qualité puisse se mesurer. La spirale d'amoralisation dans laquelle Robert Bourassa, le Parti libéral du Québec et, à leur suite, les médias québécois les ont poussés n'est pas irréversible. Les Québécois ont résisté à l'écœurement, ils ont résisté à la peur, ils ont résisté au cynisme, ils ont résisté à la médiocrité. Et puisque, de façon parfaitement légitime et raisonnable, la quasi-totalité des Québécois non francophones font tout ce qu'ils peuvent pour conjurer la montée souverainiste, un test est imposé aux Québécois francophones : celui de former en leur sein une coalition de plus de 60 % — ils ont atteint 66 % le soir du 26 octobre 1992 — pour obtenir une majorité simple à l'échelle de la province.

Cette exigence dépasse, de loin, la barrière qu'ont eu à sauter les Français

---

* Pas tous, bien sûr. Autour du débat sur *Le Tricheur,* il faut citer Daniel Latouche, qu'on croyait perdu corps et biens dans la mer des sarcasmes, et qui pourtant sonne le réveil : « Ce n'est pas vrai qu'on doit mentir effrontément et s'en vanter. » De même, dans *Voir,* Richard Martineau tonne : « Le cynisme qui règne actuellement au Québec est sans fond [...]. Qu'est-ce que ça prend, bon Dieu, pour nous faire grimper dans les rideaux ? » Il y en a d'autres. Pas assez, cependant, pour approcher de la masse critique.

Autodéfinition de l'identité des Québécois francophones

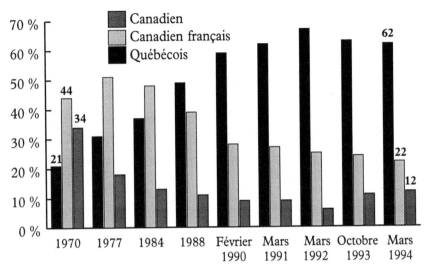

Indécis non répartis. Sources: données 1970-1990, Maurice Pinard; 1991-1994, Léger et Léger.

pour changer de projet de société et passer, en 1981, de la droite à la gauche ; elle dépasse, de loin, la difficulté surmontée par les Américains pour faire faire volte-face à leur gouvernement et basculer du centre vers la droite dure — de Jimmy Carter à Ronald Reagan en 1980 — ou pour en revenir — de George Bush à Bill Clinton en 1992.

Les Québécois francophones ont été et seront capables de cet exploit pour une raison fort simple : ils se sentent désormais, majoritairement, Québécois. Après une fulgurante accélération de cette prise de conscience depuis 1970, elle s'est maintenant stabilisée à un niveau annonciateur de cohérence.

L'auteur se dissocie du vague mépris qui habite les élites intellectuelles québécoises lorsqu'elles contemplent « le peuple québécois ». Elles furent profondément déçues par le référendum de 1980, abasourdies par le retour de Robert Bourassa en 1985. Un retour attribuable au vide politique existant alors à la tête du PLQ — dont l'accession au pouvoir était inéluctable, alternance oblige — bien plus qu'aux Québécois qui, d'ailleurs, ont infligé une défaite à Bourassa dans sa circonscription au soir de l'élection de 1985.

Après un regain d'espoir dans l'année suivant Meech, ces cyniques se sont empressés d'avaler la potion du Dr Bourassa, et de croire que les Québécois, ces chiffes molles, ces instables, s'étaient déjà rendormis, entre *chips* et caisse de bière. Comme Laurent Picard un soir de réunion du comité Allaire, ils ont cru que les Québécois allaient « encore s'effouarer ». Lorsque le chef libéral a rapporté de Charlottetown une marchandise invendable, certains de ces démissionnaires de la rigueur démocratique ont décrété, encore, que les Québécois, ces ignares, allaient « se faire laver le cerveau ».

Il est grand temps que cesse cet injuste et dégradant mépris. Les Québécois de l'après-Meech — francophones d'une part, anglophones et allophones de l'autre — ont été d'une cohérence et d'une constance peu communes dans leurs choix, sur une période longue maintenant de quatre années. Les francophones ont ainsi contrecarré les desseins du Tricheur, qui voulait que « le temps arrange les choses », que l'écœurement vienne à bout de l'esprit de décision, que le cynisme détruise la lucidité.

Il est grand temps qu'on reconnaisse, selon les mots d'un leader que les Québécois méritaient, que le Québec « est peut-être quelque chose comme un grand peuple ».

Épilogue

Une société aussi complexe [que le Québec]
ne peut être gouvernée par une élite
fermée sur elle-même [...].
Encore moins cette société peut-elle être gouvernée
par un seul homme, fût-il le plus énergique des leaders.
Il serait au contraire extrêmement dangereux,
à ce stade-ci du développement de notre société,
qu'un chef réussisse à faire durer le statu quo,
laisse pourrir les problèmes
et remette le couvercle sur la marmite bouillante d'idées,
d'énergies et de possibilités qu'est devenu le Québec.
À brève échéance, ce serait l'explosion.

ROBERT BOURASSA,
discours, septembre 1969.

LA JOURNALISTE MADELEINE POULIN, du magazine télévisé *Le Point,* n'est pas la meilleure intervieweuse au Québec. Elle n'a pas l'approche mordante et dangereuse d'une Denise Bombardier. Elle n'a pas l'agressivité informée d'un Michel Lacombe. Elle n'a pas l'autorité naturelle et la voix grave d'un Pierre Nadeau. Elle n'a pas le charme enveloppant et désarmant d'une Lise Payette.

Poulin les dépasse tous, cependant, dans l'attaque imprévue — par elle comme par son interlocuteur : c'est la spécialiste de la question qui jaillit du cœur et qui frappe aux tripes. « C'est la pire ! se plaignait un jour un conseiller de Brian Mulroney. L'air de pas y toucher, elle lui balance des vacheries pas possibles, il ne sait plus comment s'en sortir. »

Il y a quelque chose de très québécois chez Madeleine Poulin. Une façon timide de s'affirmer, une revendication qui sonne comme une lamentation. On l'entend avec une netteté sans pareille le jour où Bourassa signe le rapport Bélanger-Campeau, le jour où il conclut avec les Québécois un Pacte dont il annonce, simultanément, qu'il pourra l'enfreindre à son gré.

Poulin tente vainement de lui faire dire ce qu'il compte faire. Référendum ? Souveraineté ? Fédéralisme ? Élection ? On verra, répond-il. On va regarder ça, on va en discuter.

Poulin sent la mauvaise foi derrière toute cette vase. Elle lui « en balance » une belle : « Les Québécois sont majoritairement en faveur, actuellement, de la souveraineté, je ne vous l'annonce pas. Est-ce que ça ne serait pas bafouer la volonté populaire que de leur refuser, au moins, de se prononcer là-dessus ? »

Bourassa, un peu irrité, proteste : « Nous avons accepté le rapport Bélanger-Campeau, alors je vois pas pourquoi on présume aujourd'hui que je n'ai pas l'intention de l'appliquer ! » C'est tout ce qu'elle peut en tirer.

L'entrevue terminée, mais alors que la caméra tourne encore, Poulin-la-journaliste devient Poulin-la-citoyenne.

« Ce qui est terrible, lance-t-elle en regardant le plafond pour y trouver les mots, c'est qu'on a l'impression que l'avenir du Québec est quelque part... dans le secret que vous gardez dans le cœur de vous-même et auquel personne n'a accès. »

Bourassa esquisse un sourire crispé. Agrippé des deux mains aux accoudoirs de son fauteuil, il surveille d'un œil la caméra, dont le petit voyant est toujours allumé. Que dire ? Poulin n'a pas posé de question. Elle a gémi d'impuissance. Et c'est comme si tout le Québec était assis avec elle sur sa chaise, à geindre, à souhaiter, à réclamer qu'on ne lui confisque pas son destin.

« C'est terrible, reprend-elle, de penser que l'avenir du Québec est dans le jardin secret d'un homme. »

Bourassa entend l'appel. Il ne l'entend que trop. Il n'a qu'une réponse.

« Faites-moi confiance. »

REMERCIEMENTS

Si ce livre existe, c'est parce que des dizaines de personnes ont pris le risque de me faire confiance et de me raconter, alors que se déroulaient les événements, des choses qui ne devaient absolument pas être connues avant la fin de cette histoire. « Ce n'est pas une fuite, ce sont les chutes du Niagara ! » a un jour dit une de ces sources, dans son sous-sol, alors qu'il compulsait ses notes. Ils ont pris des risques, je les en remercie, j'espère que je ne les aurai ni trop déçus, ni trop fait attendre.

Les historiens du futur auront des problèmes majeurs avec les gouvernements québécois actuels. Le premier ministre ne prend pas de notes et ne tient pas de carnets, ses ministres non plus. Les lois d'accès à l'information, la peur des fuites et une certaine inculture réduisent au minimum la rédaction de mémos et de comptes rendus. Seule l'histoire orale, l'enregistrement presque contemporain des souvenirs des protagonistes, peut permettre, dans ces conditions, la préservation d'importantes tranches d'histoire. Mes archives seront remises, en temps et lieu, à une bibliothèque où les chercheurs pourront les consulter et en tirer peut-être d'autres conclusions. Mais j'invite les acteurs comme les scribes à songer à laisser plus de traces derrière eux, pour conjurer l'oubli, et éviter peut-être ainsi que l'histoire ne se répète.

Dans la phase de recherche pour ce livre, des proches du premier ministre ont été avec moi d'une grande candeur et le regrettent peut-être aujourd'hui. J'ai tenté de rendre avec exactitude leur version des faits, même si je suis en désaccord avec la moralité politique de leurs actions. Ils ne l'ignoraient pas complètement pendant le déroulement de nos entrevues, bien que le fait que ces gens-là croient que tous, autour d'eux, sont aussi cyniques qu'eux-mêmes a contribué à provoquer un aveuglement qui a pu alimenter la franchise. Il se développe aussi entre le protagoniste et l'enquêteur au long cours une dynamique particulière où ce dernier ne sait pas toujours s'il assiste à un récit, à une plaidoirie ou à une confession. Reste que Pierre Anctil, Jean-Claude Rivest, John Parisella, notamment, m'ont consacré du temps et de l'énergie — au début parce qu'ils pensaient faire l'histoire, ensuite parce qu'ils voulaient se justifier de ne pas la faire — pour lesquels je leur suis reconnaissant. De même, M. Bourassa a accepté à l'été de 1990 de se lancer dans cette aventure pour des raisons qui ne seront peut-être jamais claires (sauf pour son jumeau), et j'aimerais le remercier du temps qu'il m'a accordé en 1991, puis en 1994, pour répondre à mes questions. J'attends avec impatience son propre récit de ces événements, qu'il nous promet pour bientôt.

À Ottawa, Michel Roy fut un guide intellectuel hors pair, en plus d'un extraordinaire raconteur. Les témoins privilégiés n° 2 et n° 3 furent aussi d'un secours aussi indispensable qu'agréable, même s'ils ne s'adressent plus l'un l'autre la parole.

Je ne peux pas nommer ici tous les députés, ministres, conseillers, organisateurs, *apparatchiks* qui m'ont ouvert leurs portes — et leurs porte-documents — mais ils ont fait en sorte que ce livre soit aussi un peu le leur... et soit un peu longuet. J'aimerais remercier en particulier « la source » des « Dossiers secrets », qui a pris un risque considérable pour faire en sorte qu'une partie de la vérité soit rendue publique, et je lui souhaite bonne chance dans ses projets. Merci aussi au constitutionnaliste, qui ne veut pas être nommé, mais qui a passé de longues heures à relire, corriger, améliorer les aspects du second tome portant sur les étapes successives de la négociation.

Beaucoup de gens m'ont donné des coups de pouce et m'ont rendu la tâche plus facile, par pur altruisme, et je voudrais dire ici qu'il n'y a pas de pénurie de gens aimables et empressés en ce pays. Gilles Paré, le documentaliste du *Devoir*, fut une de mes principales victimes, me fournissant presque un détail par jour, avec la rigueur et la conscience professionnelle du missionnaire du *fact-checking*. Merci à lui, et à Lise Bissonnette qui a donné le feu vert pour me donner accès à cette inestimable ressource. Madame Bissonnette a aussi associé son journal à un concours visant à découvrir le titre du premier volume, avant sa parution. Parmi les réponses reçues, notons : Le Patineur ; Le Jongleur ; Le Biaiseur ; Le Trompeur ; Le Tortueux ; Le Branleux ; Le Fraudeur ; Le Bretteur ; Le *Crawler* ; Le Frimeur et Le Truqueur. Comme quoi une partie du public savait déjà à quoi s'attendre.

Merci aussi à Jacques Godbout, qui m'a permis de consulter les tranrcriptions d'entrevues de son film *Le Mouton noir*, qu'ont repéré pour moi Éric Michel et Monique Fortier. L'équipe de la défunte émission d'affaires publiques de la CBC, *The Journal*, Terry McKenna, Hubert Gendron, Jim Williamson, en me donnant accès aux transcriptions des entrevues réalisées pour leur série *The Making of a Deal*, sur la négociation constitutionnelle de 1992, m'ont été d'un très précieux secours, notamment pour l'évolution des débats entourant le Sénat égal. Les universitaires André Blais et Richard Johnston ont aussi fourni la matière nécessaire à une meilleure compréhension de la fin de cette longue histoire, et de l'intervention de ses deux véritables acteurs principaux : la nation québécoise et la nation canadienne-anglaise.

Jacques Nadeau, photographe au *Devoir*, a donné aux cahiers photos des deux volumes une inimitable tonalité, qui complétait le travail exceptionnel de Gianni Caccia dans la conception de la page couverture et de la présentation graphique des chapitres.

Merci au Conseil des Arts du Canada pour une bourse de soutien. Merci énormément à Maryse Crête-d'Avignon pour les milliers de pages d'impeccables transcriptions d'entrevues — même les jurons étaient correctement orthographiés —, ainsi qu'à Serge pour la livraison. Michel C. Auger, du *Journal de Montréal*, fut fréquemment mon conseiller en matière fédérale, comme Michel Vastel, du *Soleil*, qui a eu la gentillesse de m'ouvrir ses archives d'entrevues avec Robert Bourassa.

Merci aussi à : Heather Abbot, de *Morningside* ; Yves Daoust, de la Société nationale d'informations ; Christopher Chipello, du *Wall Street Journal* ; Susan Reisler, de la CBC ; Christine Campestre, du *Point* ; Marc Gilbert et Christine Boisvert, du *Téléjournal* ; l'équipe d'archivistes de TVA ; Michel Sarra-Bournet, pour sa collection de citations de Bourassa ; Giovanni Calabrese, pour le coup de téléphone qu'il fallait donner ; Pierre Lussier, pour le calcul de l'écart.

Mon ami Daniel Creusot fut le premier lecteur du manuscrit du premier tome et m'a encouragé quand j'en avais besoin, ce dont je me suis vengé en le faisant travailler encore plus fort que d'habitude sur le documentaire basé sur le premier tome. Daniel a inventé quelques formules dont le lecteur a eu vent dans le corps du texte, d'autres dont il a été épargné (notamment : Le Allaire de la peur ; Allaire, t'as la bombe ; l'Outrementeur et Rase Poutine). Jean Paré, de *L'actualité*, a reconnu son brillant néologisme « Absurdistan ». Et Sylvain Lelièvre sait d'où viennent les mots : « soudainement petit et tragiquement blême » : d'une des plus belles chansons du répertoire québécois, *Le Chanteur indigène*. À Québec, Marc Goulet a su se faire l'efficace propagateur de la bonne nouvelle, au moment où cela comptait.

Guy Crevier, le président de TVA, n'a pas manqué de cran lorsque je l'ai appelé pour lui parler d'un projet de documentaire « qu'aucun diffuseur ne voudra mettre en ondes ». Faux, il y en avait un. Guy ainsi que Philippe Lapointe ont ensuite tenu le fort quand des pressions nombreuses ont voulu faire dérailler le projet.

S'il y a des chiffres et des tableaux dans ces deux tomes, c'est notamment grâce à Maurice Pinard, de l'université McGill, qui a bien voulu me montrer sa formidable compilation de sondages, et dont on attend pour bientôt de nouveaux et éclairants travaux sur la question. Jean-Marc Léger et Sylvain Vaillancourt, de Léger et Léger, m'ont ouvert leurs voûtes, comme Alain Giguère de CROP — avec la permission fort appréciée de son client Claude Masson, de *La Presse*. Donna Dasko d'Environnics et John Hughes de Gallup furent également généreux avec leurs pourcentages.

Aucun de ces chiffres ne serait lisible, cependant, sans l'effort déployé par

Éric Doudeau pour produire des tableaux clairs et attrayants. Un très, très gros merci pour ce travail de moine.

Des gens ont lu des parties du manuscrit pour l'enrichir de leurs commentaires, sur le fond — ils se reconnaîtront — et sur la forme. Dans ce dernier groupe, Andrée et Marie-Claude Lisée, François Baillargeon et Pierre Duhamel ont été d'un grand secours, pour me rassurer ici, m'inquiéter là. Merci à Andrée d'avoir veillé sur moi pendant le premier *sprint* d'écriture. Si le lecteur pense que l'écriture du second tome est un peu plus léchée que celle du premier (c'est mon avis), en voici la raison : ma complice, Catherine Leconte, a eu le temps de revoir tout le second volume...

Ma collègue, patronne et amie Paule Beaugrand-Champagne m'a donné des conseils inestimables. Son bureau fut souvent un refuge dans la tourmente.

CHRONOLOGIE SOMMAIRE

Rappel des épisodes précédents :
1980

Mai : **Référendum** où René Lévesque demande un mandat de négocier la souveraineté-association. Résultat : 60 % des Québécois, dont probablement 52 % des francophones, votent Non. Pierre Trudeau promet que ce « non » ouvrira la porte à du « changement ».

1982

Avril : **Rapatriement** de la constitution canadienne avec l'accord de neuf provinces, sauf le Québec. La nouvelle constitution comprend une charte des droits qui limite la capacité de l'Assemblée nationale à légiférer en matière de langue. Claude Ryan, chef libéral, et la majorité de ses députés, y compris **Daniel Johnson,** s'opposent au rapatriement.

1983

Octobre : Robert **Bourassa,** premier ministre du Québec de 1970 à 1976, de retour d'une longue traversée du désert, est à nouveau élu **chef** du Parti libéral du Québec avec une majorité écrasante.

1984

Septembre : Brian **Mulroney,** chef du Parti conservateur, est **élu** premier ministre du Canada avec la plus grande majorité de l'histoire. Il a promis de réintégrer le Québec dans la constitution canadienne « dans l'honneur et l'enthousiasme ».

Octobre-novembre : Le premier ministre québécois, René **Lévesque,** prend le virage du **beau risque** et met en veilleuse l'objectif souverainiste. Trois députés et sept ministres, dont Jacques **Parizeau, démissionnent.**

1985

Décembre : **Élections** provinciales, le Parti libéral du Québec obtient la majorité, Robert **Bourassa,** non **élu** dans sa circonscription, doit déclencher une partielle.

1987

Avril : Réunis au **lac Meech,** les 10 premiers ministres des provinces et Mulroney s'entendent sur un accord qui permet la réintégration du Québec dans la constitution, moyennant cinq demandes : reconnaissance de la société distincte, veto, Cour suprême, droit de retrait des futurs programmes fédéraux, pouvoirs partagés en immigration. Les provinces ont un délai de trois ans pour ratifier l'entente.

Novembre : Décès de René Lévesque.

1988

Mars : Jacques **Parizeau** est **élu,** sans opposition, **chef** du Parti québécois. Promet que le PQ fera la promotion de la souveraineté « avant, pendant et après les élections ».

Novembre : **Élections** fédérales, Brian **Mulroney** reporté au **pouvoir** grâce aux votes québécois. L'élection a porté sur le libre-échange, très impopulaire hors Québec.

Décembre : La **Cour suprême invalide** les dispositions de la **loi 101** sur la langue d'affichage. Robert Bourassa passe outre et impose l'affichage unilingue sur les facades, mais bilingue à l'extérieur.

1989

Septembre : Robert Bourassa et les **libéraux sont réélus.** Le fédéralisme n'est « pas éternel » dit Bourassa. L'accord du Lac Meech de plus en plus impopulaire au Canada anglais.

1990

Avril : Le nouveau premier ministre de Terre-Neuve, Clyde **Wells,** fait **annuler** par l'assemblée législative de sa province la ratification de l'accord du **Lac Meech.** Le Manitoba et le Nouveau-Brunswick n'ont toujours pas ratifié l'Accord dont Pierre Trudeau réclame le rejet.

Mai : Le lieutenant québécois et vieil ami de Brian Mulroney, **Lucien Bouchard, démissionne** du cabinet et du caucus, et se déclare souverainiste.

9 juin : Réunis à Ottawa pour une semaine de négociation, les premiers ministres du pays adoptent l'accord du Lac **Meech. Wells s'engage** à laisser son assemblée législative se prononcer sur l'Accord avant la date limite, le 23 juin.

22 juin : Au Manitoba un député néo-démocrate, l'autochtone **Elijah Harper, refuse** depuis 10 jours de donner son consentement pour la suspension des règles habituelles de procédure qui permettrait la ratification de l'accord du Lac Meech. Le gouvernement refusant d'imposer sa volonté, l'Accord ne peut être ratifié. À Terre-Neuve, **Clyde Wells refuse** de laisser son assemblée voter pour ou contre l'accord, dont on doit par conséquent constater le décès.

À Québec, Robert **Bourassa** déclare que « le Québec est libre de ses choix ». Jacques **Parizeau** lui « tend la main ».

23 juin : À Calgary, **Jean Chrétien,** associé au mouvement anti-Meech, est **élu chef** du Parti libéral du Québec. Plusieurs militants et deux députés, Jean Lapierre et Gilles Rocheleau, démissionnent sur le champ.

À Québec, Robert **Bourassa** annonce qu'il ne négociera **plus « jamais »** avec l'ensemble des premiers ministres. Il annonce la création d'un forum bipartisan avec le PQ pour étudier l'avenir du Québec. Il dit aussi attendre les réflexions d'un comité du Parti libéral qui se penche sur la question. Il n'exclut aucune option sauf le *statu quo* et l'annexion aux États-Unis.

24 juin : De 200 000 à 350 000 Québécois manifestent à Montréal pour la **Fête nationale.** Depuis plusieurs semaines, les sondages indiquent qu'une majorité de québécois en faveur de la souveraineté.

11 juillet : Début de la « **crise d'Oka** » opposant les Mohawks aux forces de police puis à l'armée. L'affontement fait une victime chez les policiers. La crise se terminera à la fin de septembre.

25 juillet : **Fondation du Bloc québécois,** parti souverainiste œuvrant sur la scène fédérale, avec à sa tête Lucien Bouchard. Robert Bourassa a personnellement encouragé Bouchard, Jean Lapierre et Gilles Rocheleau à se lancer dans l'aventure du Bloc.

11-12 août : L'aile **jeunesse** du Parti **libéral** du Québec se déclare **souverainiste**. Leur document d'orientation a été revu et approuvé par Bourassa.

13 août : Élection **partielle** fédérale dans Laurier-Sainte-Marie. Le candidat du **Bloc** québécois, Gilles Duceppe, remporte 66 % des suffrages.

4 septembre : Adoption par l'Assemblée nationale de la loi créant la **Commission** sur l'avenir politique et constitutionnel du Québec. Dont les coprésidents sont Michel **Bélanger** et Jean **Campeau.**

6 septembre : En Ontario, le néo-démocrate **Bob Rae** est **élu,** contre le libéral David Peterson.

12 septembre : Robert **Bourassa,** atteint de cancer de la peau, est **opéré** à Bethesda, près de Washington. De septembre à décembre, il sera fonctionnel une semaine sur deux.

31 octobre : Brian Mulroney annonce la **création** d'une **commission** qui sera à l'écoute des Canadiens. Elle sera dirigée par Keith **Spicer.**

6 novembre : Début des **audiences** publiques de la commission **Bélanger-Campeau.** Les mémoires, y compris ceux de groupes de gens d'affaires, sont massivement autonomistes ou souverainistes.

9-10 novembre : Réunis à huis clos au Alpine Inn, dans les Laurentides, les membres du **comité** libéral chargé de renouveler le programme constitutionnel du parti, présidé par Jean **Allaire,** se prononcent pour la souveraineté à 11 contre 2.

28 décembre : En convalescence à Miami, Robert **Bourassa** se fait présenter, au téléphone, les **conclusions** du rapport **Allaire.**

1991

13 janvier : **Compromis** entre Robert **Bourassa** et le président de la commission jeunesse, Michel **Bissonnette,** sur les orientations du comité **Allaire.**

29 janvier : **Publication** du rapport **Allaire,** qui réclame 22 pouvoirs exclusifs pour le Québec à défaut de quoi le PLQ proposera la « souveraineté dans un cadre confédéral » à l'automne de 1992.

Début des rencontres à **huis clos** des membres de la Commission **Bélanger-Campeau** au Domaine Maizerets, près de Québec.

19 février : Les coprésidents de la commission **Bélanger-Campeau proposent** la tenue dès 1991 d'un référendum sur la **souveraineté,** à effet **suspensif** et conditionnel à la réception de bonnes offres fédérales.

8-10 mars : Congrès du Parti **libéral** du Québec, qui **adopte** majoritairement le rapport **Allaire** et repousse les amendements proposés par l'aile fédéraliste dirigée par Claude Ryan. Celui-ci **menace de démissionner.** En début de congrès, Robert Bourassa refuse de dire s'il est souverainiste ou fédéraliste. En fin de congrès, il prononce un discours à saveur fédéraliste. **Mario Dumont** remplace Michel Bissonnette à la tête de la Commission jeunesse du parti.

17-24 mars : **Marathon** de négociations pour dégager un consensus à la commission **Bélanger-Campeau.**

25 mars : Les souverainistes à la commission **Bélanger-Campeau** forcent un vote qui se solde par une défaite de la souveraineté à 17 contre 15. Le **rapport** de la commission est ensuite **adopté.** Il prévoit que le gouvernement aura jusqu'en octobre 1992 au plus tard pour recevoir des offres fédérales mais qu'un seul référendum, sur la souveraineté du Québec au sens strict, sera tenu en fin de processus. Robert Bourassa signe après s'être assuré que sa signature n'avait aucune valeur juridique. Il promet de passer outre aux recommandations du rapport.

20 juin : L'Assemblée nationale adopte la **loi 150,** qui reprend les conclusions du rapport Bélanger-Campeau : mise sur pied d'une commission pour étudier des offres « liant » les gouvernements canadiens ; d'une commission étudiant la souveraineté ; tenue d'un **référendum** sur la **souveraineté** au sens strict en juin ou en octobre **1992.** Le PQ, accusant le gouvernement de double langage, refuse de voter la loi.

Chronologie des épisodes à venir :

21 avril : Remaniement du gouvernement fédéral, Brian Mulroney nomme **Joe Clark** ministre responsable des Affaires constitutionnelles.

13 mai : Discours du trône fédéral. Mulroney annonce que Joe **Clark** fera des

propositions de réforme **à l'automne** de 1991, qu'elles seront ensuite soumises à la discussion, puis adoptées par la Chambre des communes en mai 1992.

27 juin 1991 : Dépôt du **rapport** de la commission fédérale de Keith **Spicer,** qui diagnostique un rejet massif du concept de société distincte par le reste du Canada.

Été : Rencontres du **comité** ministériel de Joe **Clark** sur la constitution, dont sont membres Benoît Bouchard, Marcel Masse et Gilles Loiselle.

3-4 août : Congrès de la Commission **jeunesse** du **PLQ,** qui propose de tenir le référendum sur la souveraineté dès juin 1992.

9 août : Congrès du Parti **conservateur** fédéral qui « confirme » à 92 % le droit du Québec à l'**autodétermination.**

24 août : Paul **Tellier,** premier fonctionnaire du pays, se rend à Tracy pour informer Robert **Bourassa** du contenu des futures offres fédérales.

24 septembre : **Dépôt** des **offres** de **Clark** à Ottawa, en retrait par rapport à Meech et proposant de donner à une majorité de provinces le pouvoir d'imposer des décisions économiques à tout le pays. Tollé au Québec. **Bourassa** déclare les offres « utiles mais incomplètes ».

Novembre : La commission fédérale chargée de consulter la population sur les offres de Clark, coprésidée par Claude Castonguay et Dorothy Dobbie, accumule les désastres. **Castonguay démissionne.** Il est remplacé par Gérald Beaudoin.

Début décembre : Le chef de cabinet de Brian Mulroney, Norman **Spector,** présente sa **démission.** Il est remplacé par Hugh Segal.

1992

6 février : À **Bruxelles,** Robert **Bourassa** dit qu'en cas d'échec des négociations, il pourrait poser la **question** suivante aux Québécois : « Voulez-vous remplacer l'ordre constitutionnel par des États souverains associés dans une union économique, responsable à un Parlement élu au suffrage universel ? »

11 février : À l'Assemblée nationale, le chef des Premières Nations, **Ovide Mercredi,** affirme que le **peuple québécois n'existe pas** et n'a donc pas le droit à l'autodétermination.

29 février : Remise du rapport de la commission **Beaudoin-Dobbie** sur la réforme constitutionnelle. Bourassa déclare qu'il s'agit là de « **fédéralisme dominateur ».**

Mars : Robert Bourassa multiplie les discours fédéralistes.

12 mars : Début des **négociations** constitutionnelles **multilatérales** avec le fédéral, les neuf provinces anglophones, les deux territoires et quatre représentants autochtones. Se poursuivront tout le printemps.

26 mars : Brian **Mulroney** annonce qu'en cas d'échec du processus multi-latéral, il fera adopter une proposition de réforme par le Parlement et la soumettra à tous les **Canadiens** par voie de **référendum.**

17 avril : Robert **Bourassa** déclare au journal français *Le Monde* qu'il est maintenant convaincu que les offres seront suffisamment bonnes pour qu'il n'ait **pas** à tenir un **référendum** sur la **souveraineté.**

7 juillet : Les représentants des provinces, des autochtones et Joe Clark font une « **entente historique** » qui donne au Québec la « substance de Meech », à l'Ouest un « **Sénat égal** » et aux autochtones le « droit inhérent à l'auto-gouvernement ». L'accord provoque un tollé dans le cabinet fédéral et dans l'opinion québécoise. Robert Bourassa réagit avec réserve.

4 et 10 août : **Rencontres** « informelles » entre premiers ministres, y compris Robert Bourassa, au **lac Harrington.**

15-16 août : Congrès des **jeunes libéraux,** qui refusent toute entente qui serait fondée sur l'accord du 7 juillet et qui réclament un référendum sur la souveraineté.

18-22 août : **Négociations** à l'édifice Pearson, à Ottawa, entre tous les premiers ministres, y compris **Bourassa,** et les autochtones. Conclusion d'un **accord** intérimaire.

24 août : **Adoption** de l'**accord** intérimaire par le Conseil des **ministres** du Québec, le caucus et la majorité de l'exécutif du PLQ, au terme d'un affrontement entre **Jean Allaire** et **Robert Bourassa.**

26-28 août : Suite et fin de la négociation constitutionnelle à **Charlottetown,** Île-du-Prince-Édouard. Annonce de la tenue d'un **référendum** de ratification de l'accord dans tout le pays le **26 octobre** 1992.

29 août : **Congrès** du Parti **libéral** du Québec qui **approuve** « l'entente de **Charlottetown** ». **Défection** de Jean **Allaire,** de Mario **Dumont** et d'une poignée de militants, qui créeront le Réseau des libéraux pour le Non au référendum.

15 septembre : Début de l'**affaire** Diane **Whilhelmy**-André **Tremblay.** Une bobine d'une conversation de ces deux proches conseillers de Bourassa affirmant « on s'est écrasés, c'est tout » pendant les négociations est entre les mains d'une station de radio. Une **injonction** en empêche la diffusion, mais une transcription des propos est publiée à Toronto et circule sous le manteau.

20 septembre : Dans un essai publié dans *L'actualité* et *Maclean's,* Pierre **Trudeau dénonce** l'accord de Charlottetown et appelle les Canadiens à rejeter le « chantage » des Québécois.

28 septembre : Dans un discours à Sherbrooke, Brian **Mulroney déchire** une feuille faisant la liste de 31 gains du Québec pour signifier les conséquences d'un vote négatif.

30 septembre : Levée de l'injonction sur la transcription Wilhelmy-Tremblay.

7 octobre : Le ministre des Affaires constitutionnelles de la Colombie-Britannique, Moe **Sihota,** déclare que **Bourassa** a « frappé un **mur** » pendant les négociations.

12 octobre : **Débat** télévisé de Robert **Bourassa** et Jacques **Parizeau.** Bourassa gagne le débat sur « qui a gagné le débat ? ».

16 octobre : *L'actualité* publie des **documents** secrets des conseillers constitutionnels de **Bourassa,** critiquant le contenu de l'Accord. Contredisant son ministre Rémillard, Bourassa dira : « Ce sont des **faux !** »

26 octobre : **Référendum.** Majorités négatives dans six provinces, dont le Québec (56 %).

1993

24 février : Brian **Mulroney** démissionne. Il sera remplacé par **Kim Campbell** lors d'un congrès en juin.

13 septembre : Après avoir souffert, en janvier précédent, d'une nouvelle manifestation de son cancer de la peau, **Robert Bourassa** démissionne. Il sera remplacé à la tête du parti et du gouvernement à la fin de l'année par **Daniel Johnson.**

25 octobre : **Élections fédérales,** le Parti conservateur est décimé, ne gardant que deux sièges, dont celui du nouveau chef, **Jean Charest. Jean Chrétien** forme le gouvernement, mais **Lucien Bouchard** devient chef de l'opposition officielle. **Preston Manning** devient la voix de l'opposition du ROC.

1994

28 novembre : Dernier délai pour la tenue d'élections générales québécoises, première occasion depuis septembre 1989 et depuis la mort de Meech où les Québécois pourront exprimer un choix quant à leur avenir.

PETIT GLOSSAIRE POLITIQUE

2b2 : La numérotation de la résolution du rapport Allaire, adoptée par l'immense majorité des délégués libéraux au congrès de mars 1991, et qui stipule qu'en cas d'échec de « la dernière chance » de réforme du fédéralisme, le PLQ fera la souveraineté confédérale : « 2. Qu'afin de donner aux Québécois un cadre politique et constitutionnel qui réponde à leurs aspirations les plus légitimes, le Parti libéral du Québec et le gouvernement qui en est issu s'engagent : B) à tenir, avant la fin de l'automne de 1992, un référendum auprès de la population du Québec, à la suite d'une résolution adoptée à cet effet par l'Assemblée nationale afin que : 2° dans le cas où il n'y aurait pas entente sur la réforme proposée par le Québec, que le gouvernement issu du Parti libéral du Québec propose l'accès du Québec au statut d'État souverain ; que dans cette deuxième hypothèse, le Québec offre, au reste du Canada, l'aménagement d'une union économique gérée par des institutions de nature confédérale.

24, Sussex : Résidence officielle du premier ministre canadien.

Allaire (rapport) : Formellement intitulé *Un Québec libre de ses choix*, le rapport Allaire, adopté par une immense majorité au congrès libéral de mars 1991, stipule qu'à moins de la mise en œuvre d'une réforme en profondeur du fédéralisme tel qu'exposé dans ses pages, le gouvernement libéral devra proposer avant la fin de l'automne de 1992 « l'accès du Québec au statut d'État souverain », et que ce Québec offre au reste du Canada une union économique gérée par « des institutions de nature confédérales » (voir aussi 2b2).

Décrivant la réforme en profondeur réclamée, le rapport demande, au chapitre des pouvoirs : le retrait intégral du fédéral dans 11 secteurs de juridiction provinciale (affaires sociales, affaires municipales, culture, éducation, habitation, loisirs et sports, politique familiale, politique de main-d'œuvre, ressources naturelles, santé, tourisme) ; et l'obtention pour le Québec d'une « pleine souveraineté » dans 11 autres juridictions non spécifiquement désignées dans la constitution (agriculture, assurance-chômage, communications, développement régional, énergie, environnement, industrie et commerce, langue, recherche et développement, sécurité publique, sécurité du revenu).

Allairien : Un des 17 membres (ou ex-membre) du comité Allaire.

Allairiste : Personne favorable au rapport Allaire, plus particulièrement à sa position de repli, la souveraineté confédérale.

Apparatchiks : Terme russe signifiant « membre de l'appareil ». Utilisé ici pour désigner les militants professionnels ou cadres permanents de partis politiques.

BRFP : Bureau des relations fédérales provinciales, administration fédérale chargée de la réforme constitutionnelle sous la direction, à compter d'avril 1991, du ministre Joe Clark.

BQ : Bloc québécois, parti souverainiste œuvrant sur la scène fédérale. Fondé en juillet 1990, dirigé par Lucien Bouchard.

Bunker : Désigne l'immeuble de béton où logent, à Québec, les bureaux du premier ministre québécois. À Montréal, le premier ministre tient ses bureaux au 17ᵉ étage de l'immeuble d'Hydro-Québec, boulevard René-Lévesque.

Caucus : Réunion des députés d'un parti politique. Le PLQ subdivise son caucus en « caucus régionaux » qui ont chacun un représentant. Parfois, Bourassa rencontre les « présidents de caucus régionaux » plutôt que le groupe en entier. En général, le caucus libéral est un meeting d'admiration du chef. Bourassa vient y sentir le vent, pas y chercher conseil. Au parlement fédéral, le caucus se divise parfois par province. Notamment, le caucus québécois ou albertain du Parti conservateur.

Charlottetown : Capitale de l'Île-du-Prince-Édouard où s'étaient réunis les pères de la confédération en 1867. Lieu de la dernière rencontre des négociations constitutionnelles d'août 1992.

Chef de cabinet : Le principal adjoint du premier ministre, il est son bras droit politique. À Québec, Mario Bertrand a tenu cette fonction de 1985 à 1989, il a été remplacé par John Parisella. À Ottawa, Norman Spector est chef de cabinet de Mulroney de l'été de 1990 à janvier 1992, il est alors remplacé par Hugh Segal. Le premier ministre a aussi un bras droit administratif : à Québec, le secrétaire-général du gouvernement à Québec, (Benoît Morin, pour Bourassa) ; à Ottawa, le président du Conseil privé, (Paul Tellier, pour Mulroney).

CEQ : Centrale de l'enseignement du Québec, centrale syndicale souverainiste dont la présidente, Lorraine Pagé, était membre de la commission Bélanger-Campeau.

CJ : Commission jeunesse du PLQ.

COCO : Conseil de coordination de la Commission jeunesse du PLQ, formé d'une poignée de ses principaux dirigeants.

Comité des enjeux : Réuni au courant de 1992 sous la direction de John Parisella et parfois en présence de Robert Bourassa, discute des orientations générales des affaires du parti et du gouvernement, de la stratégie constitutionnelle à venir. Participants : Marc-Yvan Côté, Jean-Claude Rivest, Pierre Anctil, Jean Masson, Grégoire Gollin, Pierre Saulnier et quelques autres.

Comité qui n'existe pas : Comité secret formé au printemps de 1992 pour préparer un programme de souveraineté « à la question de Bruxelles » au cas où les négociations constitutionnelles échouaient. En sont membres : Pierre Anctil, Jean Allaire, Mario Dumont, Michel Bissonnette, etc.

Conseil des représentants : Plus haute instance de la Commission jeunesse du PLQ entre ses congrès, formé d'une trentaine de représentants régionaux élus.

CSN : Confédération des syndicats nationaux, centrale syndicale souverainiste dont le président, Gérald Larose, était membre de la commission Bélanger-Campeau.

Conseil exécutif : Terme administratif qui désigne les services du premier ministre québécois, son « ministère » en quelque sorte.

Conseil des ministres : Parfois appelé « Cabinet des ministres », l'instance, à Québec, est formée de 30 membres dont 5 ou 6 seulement ont un poids, sur la question constitutionnelle. Plus important que le caucus des députés, le Conseil a la dent plus dure envers les projets de certains de ses membres, mais se permet rarement, pour ne pas dire jamais, de critiquer le chef.

Conseil général du PLQ : Plus haute instance du parti entre ses congrès pléniers, se réunit quatre fois par an, en présence de délégués des 120 circonscriptions, des députés, de la plupart des ministres et, en général, du premier ministre.

Conseil national du PQ : Plus haute instance du parti entre ses congrès pléniers, se réunit quatre fois par an, en présence de délégués des 120 circonscriptions, des députés et du chef.

Conseil privé : Terme administratif qui désigne les services du premier ministre canadien, son « ministère » en quelque sorte.

Droit inhérent à l'autogouvernement : Revendication autochtone par laquelle serait reconnu le droit de chacune des 400 à 600 bandes et nations au pays de former des gouvernements sur leurs territoires et de légiférer en toutes matières qu'elles jugent utiles.

Exécutif : Au PLQ, la plus haute instance du parti entre les Conseils généraux. Élus en congrès, ils se réunissent presque tous les mois, en présence du chef ou d'un représentant. Sous la direction effective du directeur général, l'exécutif est un lieu de discussion et de réaction, pas de décision.

FTQ : Fédération des travailleurs et travailleuses du Québec, centrale syndicale dont le président, Louis Laberge, était membre de la commission Bélanger-Campeau.

FPRO : *Federal provincial relations office*, nom anglophone du Bureau des relations fédérales-provinciales, administration fédérale chargée de la réforme constitutionnelle sous la direction, à compter d'avril 1991, du ministre Joe Clark.

G7 : Appellation qui désigne normalement les rencontres annuelles des chefs des sept pays les plus industrialisés mais qui, dans le contexte du PLQ, désigne les réunions mensuelles des allairistes Jean Allaire, Mario Dumont, Pierre Saulnier, Denis Therrien, Diane Viau, Philippe Garceau et Jacques Gauthier, qui craignent que Bourassa ne respecte pas le Pacte. (Parfois, un huitième membre, Michel Bissonnette, se joint à eux.)

Harrington : Lac où le premier ministre fédéral a une résidence d'été, où il reçoit parfois des invités ou tient des rencontres.

Jumeau de Britanny : Métaphore utilisée par l'auteur pour désigner le vœu qu'exprime parfois Bourassa que le Québec devienne souverain dans une structure canadienne comme la France dans la Communauté européenne. Parfois Bourassa en parle, mais il ne pose pas de geste en ce sens. Le mot « Britanny » désigne la rue de Ville Mont-Royal où logeait Robert Bourassa dans les années 60 et où il avait conçu avec René Lévesque le projet de souveraineté-association.

Maplewood : Nom de la rue où réside Robert Bourassa.

Meech : 1) Reconnaissance pour l'essentiel symbolique du caractère distinct de la société québécoise, 2) droit de veto sur les institutions, 3) permanence d'un relatif contrôle québécois sur l'immigration, 4) droit de retrait avec compensation des futurs programmes fédéraux en juridictions québécoises, 5) permanence de la présence traditionnelle de trois juges québécois sur neuf à la Cour suprême. (Voir aussi « Rapatriement »)

Multilatérale : Processus de négociation de la constitution entamé le 12 mars 1992 et achevé le 7 juillet suivant. Les réunions se tiennent dans différentes villes canadiennes et sont présidées, la plupart du temps, par Joe Clark. Y participent : des premiers ministres ou les ministres responsables du dossier constitutionnel, des représentants autochtones et des territoires.

NPD : Nouveau parti démocratique, parti fédéral de gauche, dirigé par Audrey McLaughlin

Pacte : Formule de l'auteur désignant le contrat politique passé entre Robert Bourassa et la majorité de la population québécoise au printemps de 1991, et selon lequel Bourassa tenterait d'obtenir une « réforme en profondeur » du fédéralisme avant octobre 1992, à défaut de quoi il dirigerait les Québécois vers la souveraineté.

Pearson (édifice) : Immeuble du ministère fédéral des Relations extérieures, utilisé en août 1992 pour la tenue des négociations constitutionnelles.

PQ : Parti québécois

PLC : Parti libéral du Canada, dont le chef est Jean Chrétien.

PLQ : Parti libéral du Québec.

Question de Bruxelles : À Bruxelles, le 6 février 1992, Bourassa évoque une question référendaire qu'il pourrait poser aux Québécois : « Voulez-vous remplacer l'ordre constitutionnel par des États souverains associés dans une union économique, responsable à un Parlement élu au suffrage universel ? »

Rapatriement : En 1982, le gouvernement fédéral de Pierre Trudeau et du ministre de la Justice chargé du dossier, Jean Chrétien, procédèrent, avec l'accord de toutes les provinces anglophones, au rapatriement de la constitution canadienne, jusqu'alors techniquement équivalente à une loi du Parlement britannique. Ottawa et ses alliés avaient amendé cette constitution pour y insérer notamment une charte des droits écrite de telle façon par MM. Trudeau et Chrétien qu'elle limite les pouvoirs que détenait l'Assemblée nationale de légiférer, au Québec, notamment en matière linguistique. Le Parti québécois de René Lévesque, alors au pouvoir, et l'opposition officielle libérale, alors dirigée par Claude Ryan, s'opposèrent à ce rapatriement et ce changement effectués sans l'approbation québécoise.

Reform Party : Parti politique de droite venu de l'Alberta et dont le premier objectif était d'augmenter le poids de l'Ouest canadien dans les institutions du centre du pays, notamment par l'élection au suffrage universel de sénateurs, dont le nombre par province devrait être égal.

ROC : Abréviation anglophone signifiant *Rest of Canada*.

SAIC : Secrétariat aux affaires intergouvernementales canadiennes.

SÉNAT TRIPLE E : Proposition de réforme du Sénat par laquelle chaque province serait représentée par un nombre égal de sénateurs, la chambre haute serait plus efficace et ses membres seraient élus.

Triple-E gang : Premiers ministres anglophones favorables à la proposition de Sénat triple E.

UDA : Union des artistes, syndicat souverainiste des artistes québécois, dont le président, Serge Turgeon, était membre de la commission Bélanger-Campeau.

UPA : Union des producteurs agricoles, syndicat agricole souverainiste dont le président, Jacques Proulx, était membre de la commission Bélanger-Campeau.

PRINCIPAUX MEMBRES
DE LA TROUPE

Allaire, Jean : Responsable de la Commission juridique du PLQ, propulsé président du Comité constitutionnel du parti en avril 1990, préside ce qui sera appelé le « comité Allaire ».

Anctil, Pierre : Directeur général, donc véritable responsable du PLQ et un des trois conseillers politiques principaux de Bourassa. Nationaliste, il est le vrai conducteur du comité Allaire.

Bacon, Lise : Ministre québécoise de l'Énergie, proche de Bourassa.

Bégin, Louise : Députée libérale, membre de la commission Bélanger-Campeau, fédéraliste inconditionnelle.

Bégin, Paul : Vice-président du Parti québécois pour la région de Québec, membre du comité de stratégie du PQ.

Béland, Claude : Président du Mouvement Desjardins, membre de la commission Bélanger-Campeau, un des neuf non-alignés prosouverainistes.

Bélanger, Guy : Député libéral de Laval, membre de la commission Bélanger-Campeau, très nationaliste. Devient président de la Commission des questions afférentes à l'accession du Québec à la souveraineté.

Bélanger, Michel : Coprésident de la commission Bélanger-Campeau, ex-mandarin devenu banquier, tenu pour fédéraliste inconditionnel.

Bernard, Louis : Ex-secrétaire général du gouvernement Lévesque, devenu conseiller épisodique de Bourassa.

Bertrand, Mario : Meilleur ami de Robert Bourassa, ancien chef de cabinet, devenu président de TVA.

Bibeau, Pierre : Ancien organisateur en chef du PLQ et conseiller de Bourassa, devenu président de la Régie des installations olympiques, mais toujours proche du premier ministre.

Bissonnette, Michel : Président de la Commission jeunesse du PLQ jusqu'en mars 1991. Membre du comité Allaire. Très nationaliste.

Blackburn, Jeanne : Députée péquiste, membre de la commission Bélanger-Campeau.

Boileau, Pierre : Secrétaire général du PQ, en charge de l'organisation. Membre du comité de stratégie.

Bouchard, Benoît : Ministre de Brian Mulroney, nationaliste mais chargé d'empêcher les autres députés conservateurs de passer au Bloc québécois, puis nommé par Mulroney coprésident, avec Joe Clark, de la caravane constitutionnelle.

Bouchard, Lucien : Ministre de Brian Mulroney jusqu'en mai 1990, fonde le Bloc québécois, souverainiste, à l'été, et devient une figure centrale de la commission Bélanger-Campeau sur l'avenir du Québec.

Bourassa, Robert : Premier ministre, chef du PLQ, membre d'office du comité Allaire et de la commission Bélanger-Campeau.

Bourgon, Jocelyne : Depuis mai 1991, adjointe de Joe Clark pour les affaires constitutionnelles.

Brassard, Jacques : Député péquiste, membre de la commission Bélanger-Campeau, avait suivi René Lévesque dans le beau risque.

Burelle, André : Mandarin de la fonction publique fédérale, ancien Trudeauiste, concocte avec Michel Roy en juin 1991 une « réforme en profondeur » du fédéralisme.

Campeau, Jean : Coprésident de la commission Bélanger-Campeau, ex-président de la Caisse de dépôt, très nationaliste.

Cameron, Don : Premier ministre de la Nouvelle-Écosse. Membre, à l'origine, de la *triple-E gang.*

Chevrette, Guy : Député péquiste, membre de la commission Bélanger-Campeau. Avait suivi René Lévesque dans le beau risque.

Clark, Joe : Ex-premier ministre conservateur, devient ministre responsable de la constitution en avril 1991.

Cosgrove, William : Ingénieur, candidat libéral défait en 1989, a représenté la communauté anglophone au sein du comité Allaire.

Côté, Marc-Yvan : Ministre québécois de la Santé, organisateur libéral pour l'est du Québec. Membre le plus nationaliste du Conseil des ministres, avec Yvon Picotte.

Dauphin, Claude : Député libéral, membre de la commission Bélanger-Campeau.

Dufour, Ghislain : Président du Conseil du patronat du Québec, membre de la commission Bélanger-Campeau, un des leaders du groupe des huit fédéralistes associés.

Dumont, Mario : Bras droit de Michel Bissonnette à la Commission jeunesse dont il devient le président en mars 1991.

Filmon, Gary : Premier ministre du Manitoba, ex-opposant à Meech, maintenant favorable au Sénat égal.

Frulla, Liza : Ministre québécoise de la Culture, réclame le rapatriement de plusieurs pouvoirs culturels au Québec.

Gauthier, Jacques : Avocat, militant libéral, membre du Comité Allaire, du G7 et du Comité qui n'existe pas.

Garceau, Philippe : Avocat, membre de l'exécutif du PLQ, membre du comité Allaire, du G7 et du Comité qui n'existe pas.

Gautrin, Henri-François : Député libéral de Verdun, pro-Ryan, anime un groupe de députés fédéralistes orthodoxes.

Gérin, François : Député conservateur fédéral passé au Bloc québécois à l'invitation de Bernard Landry. Sera vu comme la taupe du PQ dans le Bloc.

Getty, Don : Premier ministre de l'Alberta. Principal défenseur du Sénat égal. Ex-joueur de football.

Granger, Lucie : Directrice générale d'une association professionnelle, militante libérale, membre du comité Allaire.

Harcourt, Michael : Premier ministre néo-démocrate de Colombie-Britannique, élu à l'automne de 1991.

Harel, Louise : Députée péquiste, membre de la commission Bélanger-Campeau. Très indépendantiste, a démissionné quand Lévesque a pris le virage du beau risque.

Holden, Richard : Député québécois du Parti Égalité et membre de la commission Bélanger-Campeau, devient député péquiste à l'été de 1992.

Horsman, Jim : Ministre albertain chargé de la constitution, s'entretient régulièrement avec Gil Rémillard.

Johnson, Daniel : Président du Conseil du Trésor québécois, fédéraliste inconditionnel au Cabinet.

Lalonde, Fernand : Ancien ministre de Bourassa dont il reste un ami, membre du comité Allaire. Coordonnateur, en septembre 1992, de la campagne du Oui.

Landry, Bernard : Vice-président du PQ et ancien ministre. Actif dans la création du Bloc québécois, membre du comité de stratégie du PQ.

Lapierre, Jean : Ex-député libéral fédéral passé au Bloc québécois, garde des liens importants avec ses amis libéraux provinciaux, est le bras droit de Lucien Bouchard. Devient en septembre 1992 commentateur à Télémédia.

Larose, Gérald : Président de la CSN, membre de la commission Bélanger-Campeau, *whip* du groupe des neuf non-alignés prosouverainistes.

Lemieux, Jean-Guy : Député libéral de Québec, très nationaliste.

Loiselle, Gilles : Président du Conseil du Trésor du gouvernement fédéral, ex-représentant du Québec à Londres, fédéraliste à tendance nationaliste.

Masse, Marcel : Ministre fédéral de la Culture, puis de la Défense à compter d'avril 1991. Ancien ministre de l'Union nationale, est un nationaliste à tendance Lionel Groulx, tenant de la théorie des deux nations.

McKenna, Frank : Premier ministre du Nouveau-Brunswick.

Maciocia, Cosmo : Député libéral, membre de la commission Bélanger-Campeau.

Marois, Pauline : Députée péquiste, membre de la Commission Bélanger-Campeau.

Masson, Jean : Fidèle de Bourassa, nommé en mars 1992 président du Comité référendaire du PLQ.

Mercredi, Ovide : Grand chef de l'Assemblée des premières nations, principale organisation autochtone au Canada.

Mulroney, Brian : Premier ministre du Canada.

Nicolet, Roger : Président de l'Union des municipalités régionales de comtés, membre de la commission Bélanger-Campeau, un des neuf non-alignés prosouverainistes.

Ouellet, André : Député du Parti libéral fédéral, conseiller de Jean Chrétien en affaires constitutionnelles, membre de la commission Bélanger-Campeau, membre des huit fédéralistes associés.

Pagé, Lorraine : Présidente de la CEQ, membre de la commission Bélanger-Campeau, une des neuf non-alignés prosouverainistes.

Parent, Marcel : Député libéral, président du caucus, membre du comité Allaire.

Parisella, John : Chef de cabinet de Bourassa, fédéraliste orthodoxe venu d'Alliance Québec.

Parizeau, Jacques : Président du Parti québécois, membre de la commission Bélanger-Campeau.

Picotte, Yvon : Ministre québécois de l'Agriculture, un des membres les plus nationalistes du Conseil des ministres.

Proulx, Jacques : Président de l'Union des producteurs agricoles, membre de la commission Bélanger-Campeau, un des neuf non-alignés prosouverainistes.

Rae, Bob : Premier ministre de l'Ontario à compter de septembre 1990.

Rémillard, Gil : Ministre québécois délégué aux Affaires intergouverne-mentales, donc chargé de la constitution. Nominalement leader de la délégation libérale à la commission Bélanger-Campeau.

Rivest, Jean-Claude : Conseiller de Bourassa pour les questions politiques et constitutionnelles, maître d'œuvre du premier ministre dans la commission Bélanger-Campeau. Ancien député et ministre.

Romanow, Roy : Premier ministre de la Saskatchewan, élu à l'automne de 1992. Dix ans plus tôt, en tant que ministre de la Justice de sa province, il avait participé à la « nuit des longs couteaux ».

Roy, Jean-Pierre : Président du PLQ, membre d'office du comité Allaire.

Roy, Michel : Ex-éditorialiste au *Devoir* et éditeur-adjoint à *La Presse*, il devient, au début de 1991, conseiller constitutionnel de Brian Mulroney.

Royer, Jean : Conseiller spécial de Jacques Parizeau, membre du comité de stratégie du PQ.

Ryan, Claude : Ministre québécois des Affaires municipales et de la Sécurité publique, membre de la commission Bélanger-Campeau, ex-chef du PLQ, auteur en 1980 du Livre beige sur la dualité canadienne et la réforme consti-tutionnelle.

Saulnier, Pierre : Président de la Commission politique du PLQ, membre d'office du comité Allaire, dirige en 1992 le Comité qui n'existe pas, siège aussi au Comité des enjeux et participe au G7.

Segal, Hugh : Chef de cabinet de Brian Mulroney à compter de janvier 1991.

Spector, Norman : Chef de cabinet de Brian Mulroney jusqu'en janvier 1991.

Tellier, Paul : Le plus haut fonctionnaire du gouvernement canadien, bras droit de Brian Mulroney.

Therrien, Denis : Comptable, membre de l'exécutif du PLQ, membre du comité Allaire et du G7.

Thibault, Hubert : Chef de cabinet de Jacques Parizeau, membre du comité de stratégie du PQ.

Tisseyre, Michèle : Conseillère québécoise d'Ovide Mercredi, fille de la célèbre présentatrice de télé du même nom.

Tremblay, André : Conseiller de Bourassa et de Rémillard pour les affaires constitutionnelles, professeur de droit, vieux compagnon de route du PLQ.

Turgeon, Serge : Président de l'Union des artistes, membre de la commission Bélanger-Campeau, un des neuf non-alignés prosouverainistes.

Viau, Diane : Vice-présidente du PLQ, membre du G7.

Watts, Ron : Universitaire de l'université Queens, à Kingston, embauché par Ottawa pour penser la réforme du fédéralisme. Sera viré par Jocelyne Bourgon.

Wells, Clyde : Premier ministre de Terre-Neuve, chef de file des opposants à Meech.

Williams, Russ : Député libéral, membre de la commission Bélanger-Campeau, fédéraliste inconditionnel.

Wilhelmy, Diane : Sous-ministre responsable des affaires constitutionnelles, conseillère favorite de Robert Bourassa.

Que sont-ils devenus ? Jean Allaire a pris sa retraite de la politique en mai 1994, pour raison de santé. Mario Dumont tente de prolonger l'agonie du tiers parti créé au début de 1994 : L'Action démocratique québécoise. Pierre Anctil est devenu chef de cabinet du premier ministre, Daniel Johnson. Michel Bissonnette, après être retourné au PLQ, l'a quitté pour devenir directeur des communications à TVA. Benoît Bouchard est devenu ambassadeur canadien à Paris, ce que Marcel Masse n'a pas réussi à faire. Il écrit ses Mémoires et travaille pour une entreprise de consultants en formation professionnelle. Lucien Bouchard est devenu chef de l'opposition officielle à Ottawa. Jocelyne Bourgon est devenue greffière du Conseil privé, donc plus importante fonctionnaire au pays, au début de 1994. Elle relève directement du premier ministre Jean Chrétien. Joe Clark s'occupe du processus de paix à Chypre. Marc-Yvan Côté est devenu partenaire d'une firme d'ingénieurs de Québec. Don Getty a démissionné de son poste de premier ministre avant la fin de la campagne référendaire de 1992. Brian Mulroney travaille au cabinet d'avocat Ogilvy's à Montréal. John Parisella est redevenu cadre du PLQ. Gil Rémillard enseigne à l'ÉNAP, comme Diane Wilhelmy, et André Tremblay, toujours professeur de droit à l'Université de Montréal, prépare un livre sur « la réforme constitutionnelle ». Jean-Claude Rivest est devenu sénateur indépendant à Ottawa. Michel Roy est ambassadeur en Tunisie.

Paul Tellier est devenu président du Canadien National. Il a embauché aux communications Sylvie Godin, dont un des premiers gestes fut de signer un généreux contrat avec la firme conseil National et son président, Luc Beauregard. Diane Viau n'a pas été réélue vice-présidente au congrès libéral de mars 1994. Quant à Robert Bourassa, il écrit ses Mémoires.

SOURCES

Troisième partie : L'Extincteur
Chapitre 8 : Le Bradeur

Entretiens avec l'auteur : Pierre Anctil, Lise Bacon, Benoît Bouchard, Robert Bourassa, Allan Gregg, Marcel Masse, Jean-Claude Rivest, Michel Roy, Hugh Segal, Paul Tellier et quelques sources ayant demandé l'anonymat.

Documents inédits : BFDR (Bureau des relations fédérales-provinciales), *Aide-mémoire, culture et communications dans un nouveau Canada fédéral,* Texte présenté au comité ministériel de l'unité canadienne et des négociations constitutionnelles (ci-après CMUCNC), Ottawa, non daté mais probablement distribué les 25-26 juin 1991, SECRET, 14 p. ; BFDR, *Le droit du Québec à la différence dans un nouveau Canada fédéral,* texte présenté aux ministres du CMUCNC, Ottawa, 17 juin 1991, SECRET, 17 p. — l'auteur principal est André Burelle ; Roy, Michel, *Politique linguistique et révision constitutionnelle,* note documentaire destinée aux ministres Clark, Bouchard, Charest, de Cotret, Loiselle, Masse, Ottawa, 3 juin 1991, SECRET, 14 p. ; Groupe Test Créatec, 23 juillet 1991 sur le rapport des 22, d'un lot de sondages confidentiels fédéraux obtenus par la loi canadienne d'accès à l'information.

Documents publics : Rapport du groupe des 22, *Quelques suggestions pratiques pour le Canada,* Montréal, juin 1991, 28 p.

Archives : Le Devoir.

Film : Godbout, Jacques, *Le Mouton noir,* ONF, 1992.

Articles : Revue de presse ; Vastel (15-9-91) ; Vastel (21-9-91) ; Woehrling (1993).

Chapitre 9: Le Simulateur

Entretiens avec l'auteur : Jean Allaire, Pierre Anctil, Guy Bélanger, Robert Bourassa, Henri Brun, Mario Dumont, Jean-Guy Lemieux, John Parisella, Yvon Picotte, Jean-Claude Rivest, Michel Roy, Jean-Guy Saint-Roch et quelques sources ayant demandé l'anonymat.

Documents inédits : BFDR, *Bâtir ensemble l'avenir du Canada – Un cahier d'information, Briefing book* à circulation restreinte sur les offres fédérales d'octobre, Ottawa, 8 octobre 1991 (mais probablement produit en continu pendant plusieurs semaines, les phrases étant au futur en ce qui concerne le 24 septembre), 160 feuillets non paginés ; PLQ, *Éléments de réflexion, dossier constitutionnel,* Ligne de presse sur les propositions Clark, distribuée aux porte-parole, le 26 octobre 1991, 5 p. ; SAIC (Secrétariat aux Affaires Intergouvernementales Canadiennes du gouvernement québécois), *Propositions constitutionnelles fédérales, 24 septembre 1991,* cartable récapitulatif de l'analyse québécoise des propositions fédérales, fiches écrites en octobre et novembre 1991, circulation restreinte, 59 p. ; SAIC, *Propositions fédérales – Positions des*

fonctionnaires fédéraux rencontrés, mémo de 8 pages préparé après le 11 octobre 1991.
Documents publics : Gouvernement canadien, *Bâtir ensemble l'avenir du Canada, propositions,* Ottawa, 24 septembre 1991, 60 p.
Archives : TVA/Pierre Nadeau, *Le Devoir.*
Articles : Revue de presse.

Grand Angle
La lucarne

Entretiens avec l'auteur : Guy Bélanger, Marc-Yvan Côté, Bob Rae, Allan Gregg, Marcel Masse, John Parisella, Jean-Claude Rivest, Hugh Segal et quelques sources ayant demandé l'anonymat.
Documents inédits : Sondages et groupes tests Créatec et Decima, d'un lot de sondages confidentiels fédéraux obtenus grâce à la loi canadienne d'accès à l'information.
Livres : Bercuson, Cooper (1992) ; Cloutier, Guay, Latouche (1992) ; Granatstein, McNaught (1991) ; Richler (1992).
Articles : Bliss (3-1-91) ; Comeau, Lévesque, Lupien, Marsolais (8-4-92) ; Lapierre (21-3-92) ; Newman (2-12-91) ; Revue de presse.
Archives : SRC/*Les Affaires et la vie* (4-1-92) ; *Le Devoir.*

Chapitre 10: Le Zigzagueur

Entretiens avec l'auteur : Pierre Anctil, Guy Bélanger, Robert Bourassa, Claude Castonguay, Marc-Yvan Côté, Ghislain Dufour, Don Getty, Gérald Larose, Frank McKenna, Jean-Claude Rivest, Michel Roy, Paul Tellier, Bill Vander Zalm et quelques sources ayant demandé l'anonymat.
Documents inédits : PLQ, Procès-verbal de la réunion de l'exécutif, 20 juin 1991 ; SAIC, *Rapport du comité Beaudoin-Dobbie,* 28 février 1992, fiches complétées le 2 mars 1992, 53 p.
Archives : CBC/*Morningside* ; *Le Devoir.*
Livres : Cohen (1990) ; Delacourt (1993) ; Gratton (1988) ; Fraser (1989) ; McDonald (1984 et 1985) ; Sawatsky (1991).
Articles : Clark (31-12-91) ; Revue de presse.

Grand Angle
Les Dupes

Entretiens avec l'auteur : Pierre Anctil, Jean Allaire, Michel Bissonnette, Lucien Bouchard, Robert Bourassa, Mario Dumont, Jacques Gauthier, Michel Lalonde, Bernard Landry, Jean Lapierre, Gérald Larose, John Parisella, Jacques Parizeau, Jean-Claude Rivest, Jean-Guy Saint-Roch et quelques sources ayant demandé l'anonymat.
Documents inédits : Groupes tests Créatec, d'un lot de sondages confidentiels fédéraux obtenus grâce à la loi canadienne d'accès à l'information. PLQ, *Procès-verbal de la réunion de l'exécutif,* 28 mai 1992.
Documents publics : PLQ, *Trame et scénario d'un discours référendaire,* Forme Discours, Version 5, 16 juin 1992, 39 p. (Ce document fut publié intégralement dans le *Bulletin* de l'Association québécoise d'histoire politique, automne 1993, p. 53 à 63.)
Archives : PLQ, *Le Devoir.*
Articles : Revue de presse.

Chapitre 11 : Le Bafouilleur

Entretiens avec l'auteur : Pierre Anctil, Claude Beauchamp, Mario Bertrand, Roch Bolduc, Benoît Bouchard, Robert Bourassa, David Cameron, Claude Castonguay, Yves Fortier, Don Getty, Jim Horsman, Gérald Larose, Marcel Masse, John Parisella, Jean-Guy Saint-Roch, Bob Rae, Jean-Claude Rivest, Michel Roy, Paul Tellier, Michèle Tisseyre et quelques sources ayant demandé l'anonymat.

Documents inédits : Plusieurs milliers de pages de transcriptions confidentielles des discussions constitutionnelles, du 8 avril au 7 juillet 1992, portant la référence globale : SCIC (Secrétariat des conférences intergouvernementales canadiennes), *Réunion multilatérale sur la constitution,* compte rendu textuel ; Sondage Decima sur le Sénat d'avril 1992, d'un lot de sondages confidentiels fédéraux obtenu par la loi d'accès à l'information. Wilhelmy Diane, Tremblay André, *Conférence constitutionnelle du 12 mars 1992,* rapport de mission, document à circulation restreinte, 2 pages; SAIC, *Summary of the Quebec position,* aide-mémoire en anglais pour les conversations du premier ministre, 29 mai 1992, 10 pages.

Archives : CBC/*The Journal*/*The Making of a Deal,* Le Devoir.

Livres : Courchene (1992) ; Delacourt (1993) ; Hoy (1992) ; Monahan (1991).

Articles : Boileau (30/9/92) ; Revue de presse, Aubry (16 et 17-8-92) ; Tisseyre Robinson (1-12-91)

Grand Angle
Le carreau

Entretiens avec l'auteur : Jean Allaire, Pierre Anctil, Robert Bourassa, Mario Dumont, Yves Fortier, Henri-François Gautrin, Allan Gregg, Michel Lalonde, Frank McKenna, John Parisella, Jean-Guy Saint-Roch, Jean-Claude Rivest, Paul Tellier et quelques sources ayant demandé l'anonymat.

Tableaux : Éric Doudan

Documents inédits : Ministère de l'Énergie, *Commentaires sur le rapport d'étape, du 16 juillet 1992, des propositions constitutionnelles : Points relatifs aux autochtones,* document à circulation restreinte, 24 juillet 1992, 8 p. SAIC, *Dossier constitutionnel, État de situation,* synthèse et mise à jour des commentaires, 28 juillet 1992, 87 p. Créatec, Grégoire Gollin, *Évolution des appuis et des préférences à l'égard des options constitutionnelles et du référendum — Juin 1992,* Montréal, 9 juin 1992, 3 p. PLQ, Yves Gougoux *et al., Plan de communications et briefing à la création et au média pour la campagne publicitaire du Parti libéral du Québec lors de la consultation populaire,* 8 juillet 1992, 10 p. Kotecha, Mahesh K., *Remarks to Commission d'étude des questions afférentes à l'accession du Québec à la souveraineté, l'Assemblée nationale,* Strictly Confidential, New York, 25 mars 1992, 74 p.

Archives : TVA/*Mongrain* ; Le Devoir.

Livres : Delacourt (1993).

Articles : Revue de presse.

Quatrième partie : Le Louseur
Chapitre 12 : L'Avaleur

Entretiens avec l'auteur : Pierre Anctil, Benoît Bouchard, Robert Bourassa, Mario Dumont, Michel Lalonde, Bob Rae, Don Getty, Frank McKenna, Jean-Claude Rivest, Michel Roy et quelques sources ayant demandé l'anonymat.

Documents inédits : Kotecha, Mahesh K., *Remarks to Commission d'étude des questions afférentes à l'accession du Québec à la souveraineté, l'Assemblée nationale,* Strictly Confidential, New York, 25 mars 1992, 74 p. ; PLQ, *Procès-verbal d'une réunion spéciale du Comité exécutif,* 16 juillet

1992, 2 p. SAIC, *Dossier constitutionnel, État de la situation,* 28 juillet 1992, 80 p. Gregg, Allan, *Memo, FPRO Nation-wide Results,* 23 juillet 1992, 5 p., d'un lot de sondages confidentiels fédéraux obtenus grâce à la loi d'accès à l'information.
Archives : CBC/*The Journal*/*The Making of a Deal* ; *Le Devoir.*
Livres : Delacourt (1993).
Articles : Revue de presse.

Chapitre 13 : Le Replâtreur

Entretiens avec l'auteur : Pierre Anctil, Guy Bélanger, Louis Bernard, Benoît Bouchard, Robert Bourassa, Mario Dumont, Henri-François Gautrin, Don Getty, Jean-Claude Gobé, Frank McKenna, Bob Rae, Jean-Claude Rivest, Michel Roy, Michèle Tisseyre et quelques sources ayant demandé l'anonymat.
Documents inédits : SAIC, *Mandat des représentants québécois,* Québec, 29 juin 1992, 12 pages.
Documents publics : Transcription de la conversation Diane Wilhelmy-André Tremblay du 28 août 1992. CJ, PLQ, *L'étape décisive - Document constitutionnel Congrès-Jeunes 1992,* Saint-Jean-sur-Richelieu, août 1992, 33 p. Gouvernement du Canada, *Votre document sur les changements constitutionnels proposés,* Texte intégral de l'entente constitutionnelle du 28 juin, septembre 1992, 19 p.
Archives : CBC/*The Journal*/*The Making of a Deal* ; Vastel ; *Le Devoir.*
Livres : Delacourt (1993) ; Philpot (1991).
Articles : Revue de presse, Simpson (22-8-92), Fraser (24-8-92), Vastel (1-11-92).

Chapitre 14 : Le Payeur

Entretiens avec l'auteur : Pierre Anctil, Mario Bertrand, Pierre Bibeau, Lise Bissonnette, Benoît Bouchard, Robert Bourassa, David Cameron, Don Cameron, Mario Dumont, Don Getty, Paul Ghata, Jim Horsman, Frank McKenna, Patrick Monahan, John Parisella, Bob Rae, Jean-Claude Rivest, Michel Roy, Hugh Segal, Paul Tellier, une quinzaine de journalistes et quelques sources ayant demandé l'anonymat.
Documents inédits : Partage des pouvoirs, document non signé du gouvernement du Québec, distribué les 20 et 21 août 1992.
Documents publics : Transcription de la conversation Diane Wilhelmy-André Tremblay du 28 août 1992.
Archives : CBC/ *The Journal*/*The Making of a Deal* ; Vastel ; *Le Devoir.*
Livres : Shibutani (1966).
Articles : Revue de presse.

Chapitre 15 : L'Emberlificoteur

Entretiens avec l'auteur : Pierre Anctil, Jean Allaire, Pierre Bibeau, Michel Bissonnette, Robert Bourassa, Marc-Yvan Côté, Mario Dumont, Michel Fréchette, Jacques Gauthier, Henri-François Gautrin, Daniel Johnson, Yvon Lafrance, Michel Lalonde, Jean-Guy Lemieux, John Parisella, Yvon Picotte, Jean-Claude Rivest, Jean-Guy Saint-Roch et quelques sources ayant demandé l'anonymat.
Documents publics : Allaire, Jean, *Le droit de savoir,* document distribué aux médias et au PLQ, 27 août 1992, 29 p.
Documents inédits : Transcription de la conversation sur téléphone cellulaire Jean-Guy Lemieux/Liza Frulla du 28 août 1992.

Archives : Le Devoir.
Livres : Smith (1988)
Articles : Revue de presse.

Chapitre 16 : Le Décrocheur

Entretiens avec l'auteur : Benoît Bouchard, Robert Bourassa, David Cameron, John Parisella, Jean-Claude Rivest, Michel Roy, Michèle Tisseyre, Michel Vastel et quelques sources ayant demandé l'anonymat.
Documents inédits : SAIC, *Compte rendu de la réunion des premiers ministres sur la constitution, du 18 au 22 août 1992, commentaires,* 26 août 1992, 9 p. SCIS Ottawa, *First Minister's Meeting on the Constitution, Final Record of the Meeting August 27-28, 1992,* 28 août 1992, Confidentiel, 2 p. SAIC, *Autochtones,* fiche faisant le bilan du volet autochtone de l'accord du 28 août, 2 septembre 1992, 4 p.
Articles : Revue de presse.

Chapitre 17 : Le Raseur

Entretiens avec l'auteur : Jean Allaire, Pierre Anctil, Michel Bissonnette, Robert Bourassa, Mario Dumont, Michel Fréchette, Jacques Gauthier, Henri-François Gautrin, Guy Laforest, Michel Lalonde, Jean-Guy Lemieux, John Parisella, Michel Roy, Jean-Guy Saint-Roch, et quelques sources ayant demandé l'anonymat.
Archives : PLQ ; CBC/*The Journal.*
Articles : Revue de presse, Boisvert (30-8-92).

Grand Angle
Les Complices

Entretiens avec l'auteur : Pierre Anctil, Lise Bacon, Claude Béland, Guy Bélanger, Marc-Yvan Côté, Bill Cosgrove, Mario Dumont, Henri-François Gautrin, Michel Lalonde, Bernard Landry, Jean Lapierre, John Parisella, Ronald Poupart, Jean-Claude Rivest, Jean-Guy Saint-Roch, Hugh Segal, et quelques sources ayant demandé l'anonymat.
Archives : Le Devoir.

Chapitre 18 : L'Encaisseur

Entretiens avec l'auteur : Jean Allaire, Pierre Anctil, Claude Beauchamp, Louise Beaudoin, Claude Béland, Louis Bernard, Mario Bertrand, Pierre Bibeau, Benoît Bouchard, Robert Bourassa, Jean Cournoyer, Michel David, Ghislain Dufour, André Forgues, Michel Fréchette, Allan Gregg, Daniel Johnson, Pierre Marc Johnson, Michel Lalonde, Philippe Lapointe, Jean Larin, Normand Lester, Marcel Masse, John Parisella, Jacques Parizeau, Mario Proulx, Jean-Claude Rivest, Damien Rousseau, Michel Roy, Jean Royer, Hugh Segal, Serge Turgeon et quelques sources ayant demandé l'anonymat.
Documents inédits : Mémos d'Allan Gregg et résultats de sondages confidentiels fédéraux obtenus grâce à la loi d'accès à l'information.
Archives : SRC ; TVA ; Le Devoir
Livres : Delacourt (1993), Jacobs (1993).
Articles : Beauvais (13-10-92) ; Carbonneau (12-1993), Johnson (16-5-92), Lessard (30-9-92), Pelletier (8-1993) ; Venne (2-10-92) ; Revue de presse.

Grand Angle
L'architecture de l'impasse (bis)

Entretiens avec l'auteur : Donna Dasko, Allan Gregg, Alexandre Sakiz.
Documents inédits : Lot de sondages confidentiels fédéraux obtenus en vertu de la loi d'accès à l'information ; Breen, Gary, *Post Game Analysis*, mémo secret, Ottawa, 29 octobre, 4 p. ; Partie du manuscrit du livre de Johnston, Blais, Gidengil et Nevitte, à paraître aux Presses de l'Université McGill et dont le titre de travail est *Rhetoric and Reality ; The Referendum on the Charlottetown Accord.*
Livres : Delacourt (1993).
Articles : Johnston, Blais, Gidengil et Nevitte (1993) ; Revue de presse.

Chapitre 19 : Le Récolteur

Entretiens avec l'auteur : Pierre Anctil, Pierre Bibeau, Benoît Bouchard, Lucien Bouchard, Robert Bourassa, Mario Dumont, Michel Fréchette, Philippe Lapointe, Jacques Parizeau, Jean-Claude Rivest, Jean Royer et quelques sources ayant demandé l'anonymat.
Archives : Le Devoir.
Livres : Fraser (1987) ; Trudeau (1994).
Articles : Revue de presse.

Grand Angle
Les Onze dégagements

Entretiens avec l'auteur : Robert Bourassa, Marc-Yvan Côté, John Parisella.
Livres : Etchegoyen (1993) ; Jacobs (1993) ; Kahn (1989) ; Lenain (1988)
Articles : Revue de presse.

BIBLIOGRAPHIE

Livres

Bercuson, David J. et Barry Cooper. *Deconfederation — Canada Without Quebec,* Toronto, Key Porter Books, 1991, 180 p.

Bourgault, Pierre. *Écrits polémiques 1960-1981 — 1. La politique,* Montréal, VLB, 1982, 365 p.

Cloutier, Édouard, Guay, Jean H. et Daniel Latouche. *Le Virage — l'évolution de l'opinion publique au Québec depuis 1960, ou comment le Québec est devenu souverainiste,* Montréal, Québec/Amérique, 1992.

Cohen, Andrew. *A Deal Undone — The Making and Breaking of the Meech Lake Accord,* Toronto, Douglas & McIntyre, 1990, 303 p.

Courchene, Thomas J. *Rearrangements — The Courchene Papers,* Oakville, Mosaic Press, 1992, 235 p.

Delacourt, Susan. *United We Fall — The Crisis of Democracy in Canada,* Toronto, Viking, 1993, 458 p.

du Roy, Albert. *Le serment de Théophraste — L'Examen de conscience d'un journaliste,* Paris, Flammarion, 1992, 232 p.

Etchegoyen, Alain. *La Démocratie malade du mensonge,* Paris, François Bourin, 1993, 228 p.

Fraser, Graham. *Playing For Keeps — The Making of the Prime Minister, 1988,* Toronto, McClelland & Stewart, 1989, 496 p.

Fraser, Matthew. *Quebec Inc — French-Canadian Entrepreneurs and the New Business Elite,* Toronto, Key Porter Books, 1987, 280 p.

Gagnon, Georgette et Dan Rath. *Not Without Cause — David Peterson's Fall From Grace,* Toronto, Harper Collins, 1992, 410 p.

Godin, Pierre. *Les Frères divorcés,* Montréal, Éditions de l'Homme, 1986, 360 p.

Granatstein, J. L. et Kenneth McNaught *et al.* « *English Canada* » *Speaks Out,* Toronto, Doubleday, 1991, 390 p.

Gratton, Michel. *"So, What Are the Boys Saying ?" — An inside look at Brian Mulroney in power,* Toronto, Paperjacks, 1988, 294 p.

Hoy, Claire. *Clyde Wells — A Political Biography,* Toronto, Stoddart, 1992, 368 p.

Jacobs, Jane. *Systems of Survival — A Dialogue on the Moral Foundations of Commerce and Politics,* New York, Random House, 1992, 236 p. Traduction française à paraître aux Éditions du Boréal en 1995.

Kahn, Jean-François. *Esquisse d'une philosophie du mensonge,* Paris, Flammarion, 1989, 477 p.

Lacouture, Jean. *De Gaulle,* biographie en trois volumes, Paris 1984-1986, 2456 p.

Lenain, Pierre. *Le Mensonge politique,* Paris, Économica, 1988, 108 p.

Lisée, Jean-François. *Les Prétendants,* Montréal, Boréal, 1993, 340 p.

Mac Donald, L. Ian. *Mulroney — The Making of the Prime Minister,* Toronto, McClelland & Stewart, 1984, 332 p.

Mac Donald, L. Ian. *De Bourassa à Bourassa,* Montréal, Éditions Primeur Sand, 1985, 267 p.

Monahan, Patrick J. *Meech Lake — The Inside Story,* Toronto, University of Toronto Press, 1991, 340 p.

Philpot, Robin. *Oka : dernier alibi du Canada anglais,* Montréal, VLB, 1991, 167 p.

Richler, Mordecai. *Oh Canada ! Oh Quebec ! Lament for a Divided Nation,* Penguin, Toronto, 1992, 282 p.

Sawatsky, John. *Mulroney — The Politics of Ambition,* Toronto, Macfarlane, 1991, 576 p. [Traduit par Libre Expression sous le titre *Mulroney, le pouvoir de l'ambition.*]

Shibutani, Tamotsu. *Improvised News : A sociological Study of Rumor,* Indianapolis, Bobbs Merrill, 1966, 262 p.

Smith, Hedrick. *The Power Game,* New York, Random House, 1988, 793 p.

Tremblay, André. *Droits constitutionnels — principes,* Montréal, Thémis, 1993, 507 p.

Trudeau, Pierre Elliott. *Mémoires politiques,* (écrites par Gérard Pelletier et Tom Axworthy), Montréal, Éditions du Jour, 1993, 347 p.

Articles de fond

Aubry, Jack. « Behind closed doors », dans *The Ottawa Citizen,* 16 et 17 août 1992, p. 1.

Beauvais, André. « Un bon show pour la cote d'écoute! Les deux chefs refusent d'évaluer leur performance », dans *Le Journal de Montréal*, 13 octobre 1992.

Blais, André et Richard Nadeau. « To be or not to be sovereignist : Quebecker's perennial dilemma », dans *Canadian Public Policy/Analyse de Politiques*, XVIII :1, 1992, p. 89-101.

Bliss, Michael. « Nationalism : more than trains and TV stations », dans *The Globe and Mail*, 3 janvier 1991, p. A15.

Boileau, Josée. « Richler remet ça — Il présente sa vision du nationalisme québécois à la BBC », dans *Le Devoir*, 30 septembre 1992, p. A1.

Boisvert, Yves. « Gautrin et Therrien ont tenté d'atténuer les divisions », dans *La Presse*, 30 août 1992, p. A4.

Carbonneau, Jean-François. « Référendum, Sondage exclusif sur l'efficacité des publicités du Oui et du Non », dans *Info Presse*, décembre 1993, p. 32-34, 63 et 78.

Clark, Joe. « Keep it together, or let it fall apart ? », dans *The Globe and Mail*, 31 décembre 1991.

Comeau, Robert *et al.* « Faut-il prendre au sérieux les appels à la violence qui viennent de l'Ouest ? », dans *La Presse*, 8 avril 1992, p. B3.

Fraser, Graham. « Compromises were crucial in making deal », dans *The Globe and Mail*, 24 août 1992, p. A1.

Johnson, Pierre Marc. « La Souveraineté, oui mais laquelle ? », dans *Le Devoir*, 16 mai 1992.

Johnston, Richard, André Blais *et al.* « The People and the Charlottetown Accord », dans Watts, Ronald et Brown, Doublas N., *Canada : The State of the Federation 1993*, Kingston, Institute of intergovernmental affairs, 1993, p. 19-43.

Lapierre, Laurier. « Meet the Notables, who dictate what Quebeckers think », dans *The Globe and Mail*, 21 mars 1992, p. D1.

Lessard, Denis. « Claude Béland et Jacques Proulx vont se faire discrets », dans *La Presse*, 30 septembre 1992.

Normand, Gilles et Denis Lessard. « Bourassa se rapproche de la table constitutionnelle », dans *La Presse*, 9 juillet 1992, p. A1.

Pelletier, Francine. « Affaires et politique, le mariage impossible », (entrevue avec Jane Jacobs), dans *L'actualité*, août 1993, p. 63.

Sarra-Bournet, Michel. « Sur un référendum qui n'eut pas lieu », dans *Bulletin — Association québécoise d'histoire politique*, vol. 2, n°s 1-2, automne 1993, p. 49-53.

Simpson, Jeffrey. « Deciphering the constitutional puzzle », dans *The Globe and Mail*, 22 août 1992, p. A1.

Tisseyre Robinson, Michèle. « Vive les autochtones libres! », dans *L'actualité*, 1ᵉʳ décembre 1991, p. 30-36.

Vastel, Michel. « La Revanche du *has-been* », (portrait de Joe Clark), dans *L'actualité*, 15 septembre 1991, p. 26-32.

Vastel, Michel. « Le Québec se débrouille bien », (entrevue avec Bourassa), dans *Le Soleil*, 21 septembre 1991, p. A1-2 et 22 septembre, p. A9.

Vastel, Michel. « Cinq jours en août », dans *L'actualité*, 1ᵉʳ novembre 1992, p. 71-79.

Venne, Michel. « L'Affaire Wilhelmy-Tremblay — Comment CJRP a tué un scoop en or », dans *Le Devoir*, 2 octobre 1992, p. A5.

Woehrling, José. « La Constitution canadienne et l'évolution des rapports entre le Québec et le Canada anglais, de 1867 à nos jours », dans *Points de vue*, du Centre d'études constitutionnelles, Edmonton, 1993, 175 p.

INDEX

TABLE DES MATIÈRES

TYPOGRAPHIE ET MISE EN PAGES
ZÉRO FAUTE, OUTREMONT

CE TROISIÈME TIRAGE A ÉTÉ ACHEVÉ D'IMPRIMER EN JUIN 1994
SUR LES PRESSES DE L'IMPRIMERIE MARQUIS
MONTMAGNY, QUÉBEC